MARKETING DE SERVIÇOS

```
Z48m    Zeithaml, Valarie A.
            Marketing de serviços : a empresa com foco no cliente /
        Valarie A. Zeithaml, Mary Jo Bitner, Dwayne D. Gremler ;
        tradução: Felix Nonnenmacher. – 6. ed. – Porto Alegre :
        AMGH, 2014.
            xxiv, 640 p. : il. ; 28 cm.

            ISBN 978-85-8055-361-1

            1. Administração. 2. Marketing – Serviço ao consumidor.
        I. Bitner, Mary Jo. II. Gremler, Dwayne D. III. Título.

                                                    CDU 658.818
```

Catalogação na publicação: Suelen Spíndola Bilhar – CRB 10/2269

Valarie A. Zeithaml
University of North Carolina at Chapel Hill

Mary Jo Bitner
Arizona State University

Dwayne D. Gremler
Bowling Green State University

MARKETING DE SERVIÇOS

A empresa com foco no cliente

SEXTA EDIÇÃO

Tradução
Felix Nonnenmacher

AMGH Editora Ltda.
2014

Obra originalmente publicada sob o título
Services Marketing: Integrating Customer Focus Across the Firm, 6th Edition
ISBN 0078112052 / 9780078112058

Original edition copyright ©2013, The McGraw-Hill Global Education Holdings, LLC, New York New York 10020.
All rights reserved.

Portuguese language translation copyright ©2014, AMGH Editora Ltda., a Grupo A Educação S.A company.
All rights reserved.

Gerente editorial: *Arysinha Jacques Affonso*

Colaboraram nesta edição:

Editora: *Verônica de Abreu Amaral*

Capa: *Flavia Hocevar*

Leitura final: *Mônica Stefani*

Revisão técnica da 5ª edição: *Cristiane Pizzutti dos Santos*
Doutora e Mestre em Administração pela UFRGS
Pós-Doutora em Marketing pela École des Hautes Études Commerciales (HEC) – Montreal
Professora da Escola de Administração da UFRGS

Editoração: *Techbooks*

Reservados todos os direitos de publicação, em língua portuguesa, à
AMGH EDITORA LTDA., uma parceria entre GRUPO A EDUCAÇÃO S.A. e McGRAW-HILL EDUCATION
Av. Jerônimo de Ornelas, 670 – Santana
90040-340 – Porto Alegre – RS
Fone: (51) 3027-7000   Fax: (51) 3027-7070

É proibida a duplicação ou reprodução deste volume, no todo ou em parte, sob quaisquer
formas ou por quaisquer meios (eletrônico, mecânico, gravação, fotocópia, distribuição na Web
e outros), sem permissão expressa da Editora.

Unidade São Paulo
Av. Embaixador Macedo Soares, 10.735 – Pavilhão 5 – Cond. Espace Center
Vila Anastácio – 05095-035 – São Paulo – SP
Fone: (11) 3665-1100   Fax: (11) 3667-1333

SAC 0800 703-3444 – www.grupoa.com.br

IMPRESSO NO BRASIL
PRINTED IN BRAZIL
Impresso sob demanda na Meta Brasil a pedido de Grupo A Educação.

Os autores

Mary Jo Bitner (à esquerda), Dwayne Gremler
e Valarie Zeithaml

Valarie A. Zeithaml   *Universidade da Carolina do Norte, Chapel Hill*
É catedrática com o título Professor David S. Van Pelt of Marketing da Faculdade de Administração Kenan-Flagler da Universidade da Carolina do Norte, Chapel Hill. Desde seus MBA e PhD em marketing na Faculdade de Administração Robert H. Smith da Universidade de Maryland, a Dra. Zeithaml dedica sua carreira à pesquisa e ao ensino de tópicos relacionados à gestão e à qualidade de serviços. É coautora do livro *Delivering Quality Service: Balancing Customer Perceptions and Expectations* (The Free Press, 1990), hoje em sua 20ª edição, e *Driving Customer Equity: How Customer Lifetime Value is Reshaping Corporate Strategy* (The Free Press, 2000). Em 2002, *Driving Customer Equity* venceu o prêmio literário da Berry-American Marketing Association, como melhor livro sobre marketing publicado nos últimos três anos.

Em 2008 ela recebeu o prêmio Paul D. Converse oferecido pela American Marketing Association. O prêmio Converse, conferido a cada quatro anos, reconhece as contribuições ao marketing de um ou mais artigos publicados em periódicos, livros ou conjunto de trabalho. A professora Zeithaml foi reconhecida pelo trabalho desenvolvido com colegas na área de qualidade em serviços, especialmente em dois artigos: *A Conceptual Model of Service Quality and Its Implications for Future Research*, publicado no *Journal of Marketing*, e por *SERVQUAL: A Multiple-Item Scale for Measuring Service Quality*, publicado no *Journal of Retailing*. O artigo anterior apresentava o Modelo de Lacunas da Qualidade do Serviço, no qual este livro é baseado. Em 2009 recebeu o prêmio American Marketing Association/Irwin/McGraw-Hill Distinguished Marketing Educator pela posição de liderança que ocupa no ensino de marketing e por contribuições no estudo dessa disciplina.

Ao lado de colegas, a Dra. Zeithaml recebeu o prêmio Sheth Foundation/*Journal of Marketing* de 2009 pelo artigo "Return on Marketing: Using Customer Equity to Focus Marketing Strategy", publicado em 2004. Este prêmio reconhece o trabalho de pesquisa com base nos benefícios em termos de tempo e conhecimento, e reconhece as contribuições e resultados para a teoria e a prática do marketing. Em 2004, foi agraciada com os prêmios Innovative Contributor to Marketing concedido pela Marketing Management Association e Outstanding Marketing Educator concedido pela Academy of Marketing Science. Em 2001, ela recebeu o prêmio Career Contributions to the Services Discipline, da American Marketing Association.

A Dra. Zeithaml recebeu também cinco prêmios na área de ensino, incluindo o Gerald Barrald Faculty Award da Universidade da Carolina do Norte e o Fuqua School Outstanding MBA da Universidade Duke. Também recebeu diversos prêmios de pesquisa, incluindo o Robert Ferber Consumer Research concedido pelo Journal of Consumer Research, o Harold H. Maynard do Journal of

Marketing, o MSI Paul Root do Journal of Marketing, o Jagdish Sheth do Journal of the Academy of Marketing Science, e o William F. O'Dell oferecido pelo Journal of Marketing Research. Além disso, já trabalhou como consultora para mais de 60 empresas dos setores de serviços e de produção. A Dra. Zeithaml fez parte do Conselho de Administração do American Marketing Association entre 2000 e 2003, e foi membro da Comissão Acadêmica do Marketing Science Institute entre 2000 e 2006.

Mary Jo Bitner *Universidade do Estado do Arizona*

É diretora executiva do Centro para a Liderança em Serviços, ocupa a cadeira PetSmart Chair in Services Leadership e professora de marketing da Faculdade de Administração W. P. Carey, Universidade do Estado do Arizona(ASU). Durante sua carreira como professora e pesquisadora, a A Dra. Bitner foi reconhecida como uma das fundadoras e pioneiras no campo de marketing de serviços e gestão em todo o mundo. Na ASU a Dra. Bitner foi uma das fundadoras do Center for Services Leadership e está à frente da transformação da instituição como principal centro de estudos universitários de marketing e gestão de serviços.

Em meados da década de 1990 a Dra. Bitner conduziu o desenvolvimento do curso em Marketing e Liderança em Serviços W. P. Carey, um curso exclusivo, com um ano de duração, no curso de MBA W. P. Carey, reconhecido em todos os Estados Unidos. Este curso de especialização existe há mais de 15 anos e os alunos que cursaram este programa hoje trabalham em diferentes companhias em todo o mundo e lideram a implementação de estratégias de serviço voltadas para o cliente. A Dra. Bitner também lecionou diversos cursos sobre serviços na China por meio do Programa de MBA Executivo da ASU China, e atuou como professora da Universidade de Fudan, Xangai, China, com distinção.

A Dra. Bitner recebeu vários prêmios relativos ao ensino e reconhecimento por pesquisas que contribuíram para o avanço da disciplina. Em 2003, a Dra. Bitner foi agraciada com o prêmio Career Contributions to the Services Discipline oferecido pelo grupo de Marketing de Serviços da American Marketing Association. Também foi nomeada professora da IBM Faculty por sua liderança e pioneirismo na pesquisa em serviços. Na ASU, a Dra. Bitner recebeu o prêmio W. P. Carey School of Business Graduate Teaching Excellence e o prêmio de Professor Notável nos programas de PhD da instituição.

A Dra. Bitner lecionou e prestou consultoria em inúmeras empresas de serviço e produção que buscam a excelência e a competição em serviços. Suas pesquisas hoje se dirigem às estratégias de infusão de serviços em empresas focadas em produtos e nos papéis estratégicos da tecnologia e dos funcionários de contato com o cliente na satisfação do cliente com os serviços. Ela publicou artigos relevantes no estudo do marketing e gestão de serviços no *Journal of Marketing, Journal of Service Research, Journal of Business Research, Journal of Retailing, Journal of Service Management, Journal of the Academy of Marketing Science* e *Academy of Management Executive.*

Dwayne D. Gremler *Universidade Estadual de Bowling Green*

Leciona marketing na Universidade Estadual de Bowling Green (BGSU). Obteve seu MBA e seu PhD na Escola de Administração W. P. Carey, da Universidade do Estado do Arizona. Ao longo de sua carreira acadêmica, o Professor Gremler demonstrou um apaixonado interesse pela pesquisa e pelo ensino de questões relacionadas ao marketing de serviços. Ele participou como Coordenador do Grupo de Interesses Especiais em Marketing de Serviços da American Marketing Association e auxiliou na organização de conferências sobre marketing de serviços na Austrália, na Holanda, na França, em Portugal, na Finlândia, e nos Estados Unidos. O Dr. Gremler já apresentou seminários e pesquisas sobre questões relacionadas ao marketing de serviços em diversos países. Suas pesquisas tratam da fidelidade do cliente a empresas de serviços, da relação entre funcionário e cliente na entrega do serviço, das garantias do serviço e da comunicação boca a boca. Ele publicou artigos no *Journal of Marketing, Journal of the Academy of Marketing Science Journal of Service Research, Journal of Retailing, Journal of Business Research, International Journal of Service Industry Ma-*

nagement e *Journal of Marketing Education*. Em 2006, o Dr. Gremler lecionou na Universidade de Maastricht, Holanda, com o título de professor Fulbright Scholar. Também recebeu diversos prêmios da BGSU, como o College of Business Administration Outstanding Scholar e o Robert Patton Scholarly Achievement. O Dr. Gremler também recebeu diversos prêmios no ensino, como o prêmio *Academy of Marketing Science* Outstanding Marketing Teacher Award (2009), o prêmio Alumni Undergraduate Teaching da Faculdade de Negócios e Economia, Universidade Estadual de Bowling Green (2010) e o prêmio Hormel Teaching Excellence da Marketing Management Association (2011).

Aan mijn alleriefste, Jan Benedict Steenkamp – colega, inspiração e principal apoiador. Também a Jaiman Nair Zeithaml, nova luz em minha vida.

—V.A.Z.

Para meu marido Rich, por seu amor e apoio constantes.

—M.J.B.

À minha esposa Candy, e às minhas filhas Samantha e Mallory, em agradecimento aos muitos anos de amor, apoio e incentivo.

—D.D.G.

Prefácio

Este livro é destinado a alunos e a todos da esfera dos negócios que reconhecem o papel vital desempenhado pelo setor de serviços na economia e nos rumos que ela toma. Hoje, o setor de serviços domina as economias avançadas em todo o mundo, e a vasta maioria das empresas considera os serviços como fator essencial à retenção de seus clientes. As empresas de manufatura e as focadas em produtos que, no passado, dependiam de sua produção para manterem-se no mercado, hoje reconhecem que os serviços fornecem uma de suas poucas vantagens competitivas sustentáveis.

Escrevemos este livro devido à crescente importância do setor de serviços e aos peculiares desafios enfrentados pelos gestores do setor.

QUAL É O OBJETIVO DE UM LIVRO SOBRE MARKETING DE SERVIÇOS?

Desde o princípio de nossas carreiras acadêmicas no marketing, dedicamos nossos esforços em pesquisa e ensino a tópicos do marketing de serviços. Acreditamos que as diferenças entre o marketing de serviços e o marketing de produtos são significativas, exigindo estratégias e táticas que o enfoque tradicional dos livros sobre marketing não reflete por completo. O livro que apresentamos é especial, tanto em conteúdo quanto em estrutura, e esperamos que você aprenda com ele, da mesma forma que estamos continuamente aprendendo, escrevendo-o e revisando-o há quase 20 anos. Ao longo deste período, incorporamos importantes mudanças e melhorias no âmbito do marketing no sentido de mantê-lo atualizado em termos de novos conhecimentos, de mudanças nas práticas de gestão e a tendência na economia global na direção dos serviços.

Uma visão geral do conteúdo

A base para este texto está no reconhecimento de que os serviços trazem desafios que precisam ser identificados e enfrentados. Os problemas comumente enfrentados por organizações de serviços – a incapacidade de definir estoques, a dificuldade de equilibrar oferta e demanda, os desafios no controle da qualidade do desempenho nas relações humanas e a participação dos clientes como cogeradores do valor – precisam ser articulados e enfrentados pelos gestores. Muitas dessas estratégias incluem informações e abordagens que são novidade para os gestores em diferentes setores. Escrevemos este livro para auxiliar alunos e gestores no entendimento e no tratamento desses desafios específicos ao marketing de serviços.

O desenvolvimento de relacionamentos sólidos com o cliente baseados na qualidade em serviços (e nos serviços propriamente ditos) está no cerne desta obra. Os tópicos discutidos são aplicáveis, igualmente, a empresas cujo principal produto é o serviço (como bancos, empresas de transporte, hotéis, hospitais, instituições de ensino, de serviços profissionais e telecomunicação) e a organizações que dependem da excelência nos serviços para terem vantagem competitiva (como fabricantes no setor de alta tecnologia, no setor automotivo e industrial, entre outros). Raramente reproduzimos material que versa sobre os princípios do marketing ou sobre estratégias de marketing. Em vez disso, ajustamos, sempre que necessário, o conteúdo padrão sobre tópicos como distribuição, precificação e promoção, no âmbito das características dos serviços.

O conteúdo deste livro se concentra no conhecimento necessário à implementação de estratégias de serviço com vistas à consolidação de vantagens competitivas em diferentes setores. A obra inclui estruturas para a gestão e estratégias com foco no cliente para aumentar o nível de satisfação e retenção por meio do serviço. Além dos tópicos tradicionais do marketing (como a precificação), este livro apresenta assuntos inéditos, que incluem a gestão e a mensuração da qualidade dos serviços, a recuperação dos serviços, o vínculo entre a mensuração do cliente e a mensuração do desempenho, o planejamento de serviços, a cogeração com o cliente e o tratamento interdisciplinar de questões por meio da integração do marketing com disciplinas como operações e recursos humanos. Cada um destes tópicos apresenta conteúdos fundamentais às empresas do futuro, no momento em que elas se estruturam no entorno de processos, não de tarefas, adotam o marketing personalizado (*one-to-one marketing*), promovem a customização em massa do que oferecem, cogeram valor com os clientes e tentam construir sólidos relacionamentos com estes.

O que há de novo nesta edição

Os conteúdos e características novos desta edição incluem:

1. Uma cobertura otimizada dos principais tópicos no sentido de eliminar redundâncias.
2. A exclusão de dois Capítulos, "O Comportamento do Cliente nos Serviços" e "A Prestação de Serviços por Intermediários", com base no *feedback* de revisores. Estes capítulos continuam disponíveis no Manual do Professor para aqueles que desejam continuar a lecionar estes conteúdos.
3. Quatro novos estudos de caso: a Zappos.com, a United quebra violões, a Michelin Fleet Solutions e a ISS Iceland.
4. Novas referências em pesquisa e exemplos em cada capítulo.
5. Dados atualizados para os principais gráficos e exemplos.
6. Um novo modelo de estratégias de recuperação de serviço e uma organização significativamente revisada do capítulo, o qual inclui estratégias para "solucionar o cliente" e "solucionar o problema".
7. Uma quantidade expressiva de material inédito e uma revisão da estrutura no capítulo sobre inovações e projeto de serviços.
8. Uma maior cobertura dos serviços *business-to-business* (B2B) e das tendências na infusão de serviços em empresas focadas em produtos.
9. A atualização do foco na globalização, na tecnologia e questões estratégicas nos serviços por meio de características novas ou aperfeiçoadas em cada capítulo.
10. O foco no marketing digital e social no capítulo "A Comunicação Integrada do Marketing de Serviços" e exemplos sobre esses tópicos em todo o livro.

As bases conceituais e de pesquisa

Sintetizamos o material de pesquisa e de conceitos de muitos acadêmicos e profissionais liberais de talento na composição deste texto. Recorremos aos trabalhos dos pioneiros na pesquisa e de pessoas de negócios atuantes em diversas disciplinas, como marketing, recursos humanos, operações e gestão. Uma vez que o marketing de serviços tem raízes internacionais, buscamos recursos em trabalhos desenvolvidos também em outras partes do mundo. Este forte embasamento é conservado nesta sexta edição com a integração de novas pesquisas em cada capítulo. A estrutura deste livro tem enfoque na gestão, e todos os capítulos trazem exemplos e estratégias de empresas para o tratamento dos problemas apresentados.

As estruturas conceituais dos capítulos

Desenvolvemos estruturas de integração na maioria dos capítulos. Por exemplo, criamos novas estruturas para a compreensão de estratégias de recuperação e precificação de serviços, da comunicação integrada no marketing, dos relacionamentos com os clientes, dos papéis dos clientes e do marketing interno.

Uma estrutura exclusiva

Este livro apresenta uma composição totalmente distinta da estrutura dos 4 Ps (*mix* de marketing) da maioria dos livros. O texto está organizado em torno do modelo de lacunas para a qualidade de serviços, descrito no Capítulo 2. A partir do Capítulo 3, o texto é organizado em partes no âmbito do modelo de lacunas. Por exemplo, os Capítulos 3 e 4 abordam, cada um, um dos aspectos do modelo de lacunas – as expectativas e as percepções do cliente, respectivamente – para compor o foco das estratégias de marketing de serviços. O conteúdo gerencial nos capítulos restantes é concebido de acordo com o modelo de lacunas, com a utilização de seções de introdução que constroem o modelo, lacuna por lacuna. Cada parte deste livro inclui diversos capítulos que descrevem estratégias para o entendimento e preenchimento dessas importantes lacunas.

EM QUAIS CURSOS ESTE LIVRO PODE SER UTILIZADO?

De acordo com a nossa experiência de anos ensinando sobre marketing de serviços inúmeros alunos têm interesse em estudar essa disciplina. Aqueles com interesse em seguir carreira no setor de serviços, bem como no setor de manufatura com muitos elementos de serviços (como produtos industriais, de alta tecnologia e bens duráveis), desejam e precisam entender esses tópicos. Os alunos que desejam se tornar consultores e empresários precisam aprender a visão estratégica do marketing, que envolve não somente bens físicos, como também uma série de serviços que gira em torno destes bens e que lhes acrescenta valor. A maioria dos alunos – mesmo os que trabalham para empresas de bens embalados – encontra empregadores que precisam entender os elementos básicos do marketing e da gestão de serviços.

Ainda que as disciplinas de marketing de serviços sejam, em geral, opcionais, muitos alunos que se matriculam nas disciplinas que lecionamos vêm do curso de Ciências Econômicas em busca de um maior conhecimento e de mais oportunidades para suas carreiras no setor de serviços financeiros. Os estudantes de administração de empresas que se especializam em recursos humanos, tecnologia da informação, contabilidade e operações também se matriculam nessas disciplinas, assim como os estudantes de cursos diversos, como gestão hospitalar, administração pública e de instituições sem fins lucrativos, direito, gestão para os esportes e biblioteconomia.

O único pré-requisito para o estudo do marketing de serviços e para a utilização deste livro é a conclusão, por parte dos alunos, de uma disciplina de estudos básicos de marketing. O principal público-alvo deste livro são os estudantes universitários de marketing de serviços (em disciplinas facultativas iniciais ou avançadas), estudantes de pós-graduação (mestrado e doutorado) e alunos de cursos de formação de executivos. Outros públicos a que este livro se dirige são (1) alunos de disciplinas de gestão de serviços em nível de graduação e pós-graduação, e (2) alunos de disciplinas de gestão de marketing em nível de graduação, em que o professor deseja oferecer um ensino de serviços mais abrangente do que é possível com a adoção de um livro tradicional de gestão de marketing. Um grupo de capítulos oferece conteúdo mais conciso para a utilização em um curso de duração de um trimestre ou de um semestre. Outro grupo de capítulos pode ser empregado para a suplementação de disciplinas básicas de marketing em cursos de graduação e pós-graduação, para aprimorar a abordagem dos serviços.

O QUE PODEMOS OFERECER AOS EDUCADORES NO ENSINO DO MARKETING DE SERVIÇOS?

Como uma equipe, juntos acumulamos mais de 65 anos de experiência no ensino de disciplinas do marketing de serviços. Nossa intenção ao desenvolver este livro foi oferecer conteúdos que representam as abordagens que julgamos serem as mais eficientes. Incorporamos tudo o que aprendemos em nossos anos de ensino de marketing de serviços nesta obra e nos materiais complementares, disponíveis na Área do professor do site **www.grupoa.com.br**. Essas apresentações, em formato PowerPoint®, contêm valioso material em inglês, salientando os pontos mais importantes de cada capítulo e dos casos. Inclui figuras e tabelas do livro, tornando-a uma ferramenta útil para ser utilizada em sala de aula.

MATERIAL DE APOIO

Manual do professor

O *Manual do Professor* (em inglês) inclui exemplos de ementas, sugestões para exercícios e projetos em sala de aula, notas para os estudos de caso e respostas às questões para discussão e exercícios de cada capítulo. Ele utiliza o paradigma educacional da "aprendizagem ativa", que envolve os alunos na construção de suas próprias experiências de aprendizagem e os expõe a padrões estudados na universidade e presentes nas situações do trabalho. A aprendizagem ativa oferece uma base educacional para as capacitações essenciais no trabalho com negócios, entre as quais as habilidades da comunicação oral e escrita, a capacidade de escutar as pessoas, o pensamento crítico e a solução de problemas.

PowerPoint®

Fornecemos apresentações em PowerPoint® (em inglês) para cada capítulo e estudo de caso, inclusive figuras e tabelas constantes no livro e úteis aos professores em sala de aula. As apresentações em PowerPoint®, totalmente em cores, foram criadas para propiciar uma aparência aperfeiçoada para a apresentação de conteúdos.

Banco de testes

Além disso, disponibilizamos arquivos em um banco de testes e um banco de testes computadorizados em **www.grupoa.com.br**. Busque pelo livro no campo de pesquisa e clique em Material para o professor. Os professores também podem formular questionários e testes com base nesta fonte confiável.

AGRADECIMENTOS

Temos uma grande dívida de gratidão com os pioneiros na pesquisa em serviços, que desenvolveram o campo de marketing de serviços, incluindo John Bateson, Leonard Berry, Bernard Booms, David Bowen, Steve Brown, Larry Crosby, John Czepiel, Ray Fisk, William George, Christian Gronroos, Steve Groove, Evert Gummesson, Chuck Lamb, o falecido Christopher Lovelock, Parsu Parasuraman, Ben Schneider, Lynn Shostack e Carol Surprenant. Somos igualmente gratos à segunda geração de pesquisadores dos serviços que expandiram e enriqueceram os estudos do marketing de serviços. Ao tentarmos compor uma lista destes pesquisadores, percebemos que ela era longa demais. O tamanho desta lista é testemunho da influência dos pioneiros e da importância que o marketing de serviços conquistou, tanto na academia quanto na prática.

Nossa gratidão vai para Parsu Parasuraman e a Len Berry, colegas de pesquisa da Dra. Zeithaml desde 1982. O modelo de lacunas no qual se baseia este texto foi desenvolvido em colaboração com estes pesquisadores, assim como o modelo de expectativas do cliente utilizado no Capítulo 4. A maior parte dos conteúdos sobre pesquisa e mensuração apresentados neste livro foi delineada a partir dos resultados obtidos pela equipe em um programa de pesquisa em qualidade de serviços, que já dura 15 anos.

A Dra. Zeithaml expressa gratidão especial a seu colega de longa data, A. "Parsu" Parasuraman, seu constante colaborador ao longo dos 30 anos em que ela atua como professora universitária. Por ser um talento inspirador e criador, Parsu sempre esteve disposto a trabalhar a seu lado – e de muitos outros colegas – como mentor e parceiro. Ele também é um querido amigo. Ela agradece à Faculdade de Administração W. P. Carey da Universiade Estadual do Arizona e ao Centro de Liderança em Serviços. Por três décadas a ASU foi seu segundo lar acadêmico, local onde a Dra. Zeithaml evoluiu por meio de seu envolvimento contínuo e intenso com os professores e com o Centro, nos anos recentes. Ela também é grata a Holger "HoPi" Pietzsch, da Caterpillar Inc., Divisão América Latina. O trabalho com a Caterpillar Inc. a fim de fornecer soluções integradas com produtos e serviços gerou um dos estudos de caso originais deste livro-texto. A Dra. Zeithaml também diz obrigado a seus colegas, seus alunos de MBA da Universidade da Carolina do Norte. O interesse dos alunos no tópico marketing de serviços, sua criatividade em lidar com os trabalhos e tarefas, além de seu contato contínuo, têm o apreço da Dra. Zeithaml. Como não poderia deixar de ser, ela credita ao *Marketing Science Institute* (MSI), do qual foi pesquisadora e acadêmica, a constante inspiração e suporte dados por seus integrantes da esfera executiva às inúmeras conferências e dissertações que produz. Ela tem uma dívida muito especial com David Reibstein e Leigh McAllister, que foram seus diretores acadêmicos no MSI por seu apoio, liderança e talento no estreitamento da lacuna entre as atividades acadêmicas e práticas.

A Dra. Bitner agradece à Faculdade de Administração W. P. Carey, Universidade do Estado do Arizona, sobretudo a Stephen W. Brown e à equipe do Centro para Liderança em Serviços. O apoio e o incentivo que ofereceram à Dra. Bitner foram valiosíssimos nas diversas edições deste livro. A Dra. Bitner também reconhece as diversas ideias e exemplos oferecidos pelas 50 empresas integrantes do Centro para a Liderança em Serviços, comprometidas com a excelência em serviços e que lhe propiciaram a oportunidade de aprender mais sobre o assunto. Para esta edição, a Dra. Bitner é grata à constante liderança da IBM Corporation, sobretudo de suas divisões de pesquisa, e em especial a James Spohrer pela inspiração que oferecem a acadêmicos, funcionários públicos e pessoas de negócio em todo o mundo, promovendo a dedicação à ciência dos serviços. Ela também agradece a Buck Pei, decano adjunto para os Programas para a Ásia, Faculdade W. P. Carey, pela oportunidade de lecionar uma disciplina sobre excelência em serviços na EMBA China, da ASU. A experiência ajudou a enriquecer este livro e trouxe expressivo aprendizado. Ela também reconhece e é grata a sua colega Amy Ostrom pelo apoio e pela valiosa assistência no compartilhamento de exemplos, novas pesquisas e inovações criativas no âmbito do ensino. Por fim, a Dra. Bitner agradece ao excelente grupo de doutorandos em serviços da Universidade do Estado do Arizona com quem ela trabalhou, e que ajudaram a construir ideias e ofereceram apoio ao texto: Lois Mohr, Bill Faranda, Amy Rodie, Kevin Gwinner, Matt Meuter, Steve Tax, Dwayne Gremler, Lance Bettencourt, Susan Cadwallader, Felicia Morgan, Thomas Hollman, Andrew Gallan e Martin Mende, Mei Li, Shruti Saxena e Nancy Sirianii.

O Dr. Gremler agradece a diversas pessoas, a começar pelo seu mentor, Steve Brown, pelo incentivo e pelos conselhos oferecidos. Ele deseja agradecer a outros membros do corpo docente da Universidade do Estado do Arizona, que serviram de modelo de atuação e como agentes de motivação, incluindo John Schlacter, Michael Mokwa e David Altheide. O Dr. Gremler também reconhece o apoio dado pelos colegas de doutorado da Universidade do Estado do Arizona, que partiram para carreiras de sucesso e continuam atuando como modelos e motivadores, como Kevin Gwinner, Mark Houston, John Eaton e Lance Bettencourt. Ele igualmente agradece aos colegas de diversas universidades que o convidaram a palestrar em seus países de origem nos últimos anos, e que ofereceram noções sobre questões internacionais do marketing de serviços, incluindo Jos Lemmink, Ko de Ruyter, Hans Kasper, Chiara Orsingher, Stefan Michel, Thorsten HennigThurau, Silke Michalski, Brigitte Auriacombe, David Martin Ruiz, Caroline Wiertz, Vince Mitchell, Sina Fichtel, Nina Specht, Kathy Tyler, Bo Edvardsson, Patrik Larsson, Tor Andreassen, Jens Hogreve,

Andréas Eggert, Andreas Bausch, Javier Reynoso, Thorsten Gruber, Lia Patrício, Lisa Brüggen, Jeroen Bleijerveld, Marcel van Birgelen, Josée Bloemer, e Cécile Delcourt. Por fim, um agradecimento especial a Candy Gremler, esposa, amiga e incentivadora, por sua inesgotável disposição de trabalhar na edição do texto.O grupo de acadêmicos que nos auxiliou a completar um levantamento inclui Dan Gossett, The University of Texas–Arlington; William Edward Steiger, Universidade Central Florida; Julie Anna Guidry, da Universidade do Estado da Luisiana; Mark Rosenbaum, da Universidade Northern Illinois; e Troy A. Festervand, da Universidade Estadual Middle Tennessee.

Por fim, gostaríamos de reconhecer os esforços profissionais das equipes de Ensino Superior da McGraw-Hill. Nossos sinceros agradecimentos vão para Brent Gordon, Paul Ducham, Daryl Bruflodt, Lorraine Buczek, Joyce Watters, Brenda Rolwes e Colleen Havens.

Valarie A. Zeithaml
Mary Jo Bitner
Dwayne D. Gremler

Sumário

PARTE I
OS FUNDAMENTOS DO MARKETING DE SERVIÇOS 1

Capítulo 1
Introdução aos serviços 3
O que são serviços? 4
    Os setores de serviços, os serviços como produtos, o serviço ao cliente e o serviço derivado 5
    O espectro da tangibilidade 6
    As tendências no setor de serviços 7
Qual é a importância do marketing de serviços? 8
    As economias baseadas nos serviços 8
    O serviço como imperativo dos negócios na manufatura e na tecnologia da informação 9
    Os setores desregulamentados e as necessidades de serviços profissionais 10
    O marketing de serviços é diferente 11
    Serviços igual a lucros 12
    Mas "o serviço não presta" 13
Os serviços e a tecnologia 15
    As novas ofertas de serviços 15
    As novas maneiras de oferecer um serviço 15
    A capacitação de clientes e de funcionários 16
    Como estender o alcance global dos serviços 17
    A Internet é um serviço 19
    Os paradoxos e o lado negativo da tecnologia e dos serviços 19
As características dos serviços 20
    A intangibilidade 20
    A heterogeneidade 21
    A geração e o consumo simultâneos 22
    A perecibilidade 23
    As qualidades da busca, da experiência e da credibilidade 23
    Os desafios e os problemas para os profissionais de marketing de serviços 24
O mix do marketing de serviços 25
    O mix de marketing tradicional 25
    O mix expandido para serviços 26
A conservação do foco no cliente 29
Resumo 29
Questões para discussão 30
Exercícios 30
Literatura citada 30

Capítulo 2
A estrutura conceitual deste livro: o modelo de lacunas da qualidade de serviços 33
A lacuna do cliente 35
As lacunas da empresa 36
    A lacuna 1 da empresa: a lacuna da compreensão do cliente 36
    A lacuna 2 da empresa: a lacuna do projeto e dos padrões de serviço 37
    A lacuna 3 da empresa: a lacuna do desempenho do serviço 40
    A lacuna 4 da empresa: a lacuna da comunicação 44
A união dos pontos: o fechamento das lacunas 45
Resumo 48
Questões para discussão 48
Exercícios 48
Literatura citada 48

PARTE II
O FOCO NO CLIENTE 49

Capítulo 3
As expectativas do cliente com o serviço 51
As expectativas relativas aos serviços 52
    Os tipos de expectativas 53
    A zona de tolerância 56
        Diferentes clientes têm diferentes zonas de tolerância 57
        As zonas de tolerância variam para as dimensões do serviço 57
Os fatores que influenciam as expectativas do cliente com o serviço 58
    As fontes das expectativas do serviço desejado 58
        Necessidades pessoais 58
        A filosofia pessoal do serviço 59
        As expectativas de serviço derivadas 59
    As fontes das expectativas do serviço adequado 59
        Alternativas percebidas de serviço 61
        Fatores situacionais 62
        Serviço previsto 62
    As fontes das expectativas com o serviço desejado e com o serviço previsto 63
        Promessas de serviço explícitas 64
        As promessas de serviço implícitas 64

A comunicação boca a boca 65
Experiência passada 65
As questões envolvendo as expectativas
dos clientes de serviços 66
    O que faz um profissional de marketing no caso de as
    expectativas do cliente não serem "realistas"? 66
    Uma empresa deve tentar agradar ao cliente? 69
    Como uma empresa excede as expectativas do cliente
    com o serviço? 70
    As expectativas dos clientes com o serviço
    aumentam gradativamente? 72
    De que modo uma empresa de serviços mantém-se à
    frente da concorrência na satisfação das expectativas
    do cliente? 72
Resumo 73
Questões para discussão 73
Exercícios 74
Literatura citada 74

Capítulo 4
As percepções do cliente sobre o serviço 75
As percepções do cliente 77
    A satisfação versus a qualidade do serviço 77
    As percepções sobre a transação versus
    as percepções cumulativas 78
Satisfação do cliente 79
    O que é a satisfação do cliente? 79
    O que determina a satisfação do cliente? 80
        As características do produto e do serviço 80
        As emoções do consumidor 80
        As causas do sucesso ou do fracasso 81
        As percepções de igualdade ou justiça 81
        Outros consumidores, familiares e colegas 82
    Os índices nacionais de satisfação do cliente 82
    O Índice Norte-Americano de Satisfação
    do Cliente (ACSI) 82
    Os resultados da satisfação do cliente 84
A qualidade do serviço 86
    A qualidade do resultado, da interação
    e do ambiente físico 86
    As dimensões da qualidade do serviço 87
        A confiabilidade: o cumprimento das
        promessas 88
        A responsividade: a disposição de ajudar 89
        A segurança: como inspirar a confiança e a
        certeza 90
        A empatia: como tratar os clientes como seres
        humanos individualizados 90
        Os tangíveis: como representar o serviço na esfera
        física 90
    A qualidade no e-service 92
Os encontros de serviço: os elementos de
composição das percepções do cliente 93
    O encontro de serviço ou "a hora da verdade" 93
    A importância dos encontros 94
    Os tipos de encontros de serviço 97

    As fontes de prazer e desprazer nos encontros de
    serviço 98
        A recuperação – a reação do funcionário a uma
        falha no sistema de execução de serviços 98
        A adaptabilidade – a reação do funcionário às
        necessidades e solicitações do cliente 98
        A espontaneidade – as ações inesperadas e naturais
        dos funcionários 99
        A intervenção – a reação dos funcionários aos
        clientes problemáticos 99
    Os encontros de serviço baseados em tecnologia 99
        Para as TAAs satisfatórias 103
        Para as TAAs insatisfatórias 103
Resumo 104
Questões para discussão 104
Exercícios 105
Literatura citada 105

PARTE III
A COMPREENSÃO DAS EXIGÊNCIAS
DO CLIENTE 109

Capítulo 5
Como escutar o cliente por meio de pesquisas 111
Como utilizar as pesquisas com o cliente
para entender suas expectativas 113
    Os objetivos das pesquisas voltadas para os
    serviços 113
    Os critérios para um programa de pesquisa
    sobre serviços eficaz 114
        Incluir a pesquisa quantitativa e a qualitativa 114
        Incluir tanto as expectativas quanto as
        percepções do cliente 115
        Equilibrar os custos da pesquisa e o valor
        da informação 118
        Incluir a validade estatística sempre que
        necessário 118
        Mensurar as prioridades ou a importância dos
        atributos 118
        Ocorrer com frequência adequada 118
        Incluir a mensuração da fidelidade, as intenções
        comportamentais ou o comportamento real 119
Os elementos de um programa de pesquisa
em serviços eficaz 119
    A solicitação de reclamações 119
    Estudos sobre incidentes críticos 122
    As pesquisas de exigências 123
    As pesquisas de relacionamento e as pesquisas
    SERVQUAL 123
    Telefonemas de sondagem ou pesquisas
    pós-transação 127
    As reuniões e o exame das expectativas de
    serviço 127
    As avaliações dos controles do processo 128
    A etnografia orientada para o mercado 128

As compras-fantasma 129
Os painéis de clientes 130
As pesquisas sobre clientes perdidos 130
As pesquisas sobre expectativas futuras 131
A análise e a interpretação das descobertas
das pesquisas com o cliente 131
Os gráficos das zonas de tolerância 134
As matrizes de importância e desempenho 135
Como utilizar as informações da pesquisa de marketing 136
A comunicação ascendente 137
Os objetivos da comunicação ascendente 138
As pesquisas para a comunicação ascendente 138
Os executivos visitam os clientes 138
Os executivos ou os gerentes ouvem as
opiniões dos clientes 138
A pesquisa com clientes intermediários 138
A pesquisa com os clientes internos 140
As abordagens para os executivos ou gerentes
ouvirem o que os funcionários têm a dizer 140
As sugestões dos funcionários 141
As vantagens da comunicação ascendente 141
Resumo 141
Questões para discussão 141
Exercícios 142
Literatura citada 142

Capítulo 6
A construção do relacionamento com o cliente 145

O marketing de relacionamento 147
A evolução nos relacionamentos com os clientes 148
Os clientes como estranhos 148
Os clientes como conhecidos 148
Os clientes como amigos 148
Os clientes como parceiros 151
O objetivo do marketing de relacionamento 152
Os benefícios para clientes e empresas 152
Os benefícios para o cliente 153
Os benefícios para as empresas 154
O valor dos clientes no relacionamento 156
Os segmentos de rentabilidade do cliente 157
As faixas de rentabilidade – a pirâmide dos clientes 158
As faixas de rentabilidade, na opinião do cliente 159
Como tomar decisões relativas ao negócio utilizando as faixas de rentabilidade 160
As estratégias de desenvolvimento de relacionamentos 160
A prestação do serviço principal 160
As barreiras contra a troca 161
A inércia do cliente 161
Os custos da troca 162
Os vínculos do relacionamento 162
Nível 1 – Os vínculos financeiros 163
Nível 2 —Os vínculos sociais 164
Nível 3 – Os vínculos de customização 165
Nível 4 – Os vínculos estruturais 165

Os desafios nos relacionamentos 166
O cliente nem sempre tem razão 166
O segmento errado 167
Não rentáveis no longo prazo 168
Os clientes difíceis 169
A finalização de um relacionamento de negócio 169
O fim de um relacionamento 169
As empresas devem descartar seus clientes? 172
Resumo 173
Questões para discussão 173
Exercícios 173
Literatura citada 174

Capítulo 7
A recuperação do serviço 177

O impacto da falha e da recuperação do serviço 178
Os efeitos da recuperação do serviço 179
O paradoxo da recuperação do serviço 182
Como os clientes reagem às falhas no serviço 183
Por que as pessoas reclamam (ou não) 183
Os tipos de ações envolvendo queixas dos clientes 184
Os tipos de reclamantes 185
Os passivos 185
Os tagarelas 185
Os irados 186
Os ativistas 186
As estratégias de recuperação do serviço:
solucionando o cliente 186
Responda com rapidez 187
Propicie comunicações adequadas 189
Demonstre compreensão e responsabilidade 189
Forneça explicações adequadas 190
Trate os clientes com justiça 192
A justiça de resultado 192
A justiça de processo 193
A justiça de interação 195
Cultive relacionamentos com os clientes 195
As estratégias de recuperação do serviço:
solucionando o problema 195
Encoraje e acompanhe as reclamações 196
Aprenda com as experiências de recuperação 197
Aprenda com a perda de clientes 198
Torne o serviço à prova de falhas – Faça certo da primeira vez! 199
As garantias de serviço 199
As características das garantias eficazes 200
Incondicionalidade 200
Significação 200
Facilidade de compreensão 200
Facilidade de solicitação 200
Os tipos de garantias de serviço 201
As vantagens das garantias de serviço 202
O momento de usar (ou não) uma garantia 203

A troca ou a permanência com a prestadora
após a recuperação do serviço   204
Resumo   206
Questões para discussão   206
Exercícios   207
Literatura citada   207

PARTE IV
COMO ALINHAR O PROJETO E OS PADRÕES DE SERVIÇO   211

Capítulo 8
A inovação e o projeto do serviço   213

Os desafios à inovação e ao projeto de serviços   215
Considerações importantes sobre a inovação nos serviços   216
  Envolva clientes e funcionários   216
  Adote a filosofia e as técnicas do projeto de serviços   217
Os tipos de inovações no serviço   220
  A inovação na oferta de serviços   221
  A inovação do papel do cliente   222
  A inovação por meio de soluções em serviços   223
As etapas da inovação e do desenvolvimento de serviços   223
  O planejamento inicial   225
    O desenvolvimento ou a revisão da estratégia de negócio   225
    O desenvolvimento de novas estratégias de serviço   225
    A geração de ideias   226
    O desenvolvimento e a avaliação do conceito de serviço   227
    A análise do negócio   227
  A implementação   227
    O desenvolvimento e teste de um protótipo   227
    O teste de mercado   230
    A comercialização   232
    A avaliação pós-lançamento   232
O mapa do serviço: uma técnica para a inovação e o projeto de serviços   232
  O que é um mapa do serviço?   232
  Os componentes do mapa   233
  Alguns exemplos de mapas do serviço   235
  Os mapas de serviço para serviços de autoatendimento baseados na tecnologia   236
  Como ler e utilizar um mapa do serviço   237
  A elaboração de um mapa do serviço   238
Resumo   243
Questões para discussão   243
Exercícios   243
Literatura citada   244

Capítulo 9
Os padrões do serviço definidos pelo cliente   247

Os fatores necessários aos padrões apropriados de serviço   249
  A padronização de comportamentos e ações no serviço   249
  Os objetivos e as metas formais para o serviço   250
  Os padrões definidos pelo cliente, não pela empresa   251
Os tipos de padrões definidos pelo cliente   253
  Os padrões hard *definidos pelo cliente*   253
  Os padrões soft *definidos pelo cliente*   255
  As soluções simples   257
O desenvolvimento de padrões definidos pelos clientes   262
  Como transformar as exigências dos clientes em comportamentos e ações específicos   262
  O desenvolvimento de índices de desempenho do serviço   271
Resumo   271
Questões para discussão   271
Exercícios   272
Literatura citada   272

Capítulo 10
As evidências físicas e o cenário de serviços   275

As evidências físicas   277
  O que são evidências físicas?   277
  De que modo as evidências físicas afetam a experiência do cliente?   278
Os tipos de cenários de serviços   279
  A utilização do cenário de serviços   279
  A complexidade do cenário de serviços   282
Os papéis estratégicos do cenário de serviços   282
  A embalagem   282
  O facilitador   285
  O socializador   286
  O diferenciador   286
Estrutura para a compreensão dos efeitos do cenário de serviços no comportamento   287
  A estrutura subjacente   287
  Os comportamentos no cenário de serviços   289
    Comportamentos individuais   289
    As interações sociais   290
  As reações internas ao cenário de serviços   291
    O ambiente e a cognição   291
    O ambiente e a emoção   291
    O ambiente e a fisiologia   293
    As variações nas reações individuais   293
  As dimensões ambientais do cenário de serviços   294
    As condições do ambiente   295
    O leiaute e a funcionalidade do espaço   295
    Os sinais, símbolos e acessórios   296
As diretrizes para uma estratégia de evidências físicas   299
  Reconheça o impacto estratégico das evidências físicas   300
  O mapa e as evidências físicas do serviço   300
  Esclareça os papéis estratégicos do cenário de serviços   300
  Avalie e identifique as oportunidades relativas às evidências físicas   300
  Atualize e modernize as evidências físicas   301
  Trabalhe com a funcionalidade cruzada   301
Resumo   302
Questões para discussão   302
Exercícios   302

Literatura citada 303

PARTE V
A PRESTAÇÃO E O DESEMPENHO DO SERVIÇO 307

Capítulo 11
Os papéis dos funcionários na execução do serviço 309

A cultura de serviços 310
    Como demonstrar a liderança em serviços 311
    Como desenvolver uma cultura de serviços 311
    Como transferir uma cultura de serviços 312
O papel essencial dos funcionários da prestação de serviços 314
    O triângulo dos serviços 315
    A satisfação dos funcionários, a satisfação dos clientes e o lucro 316
    O efeito dos comportamentos dos funcionários nas dimensões da qualidade do serviço 317
O papel de solucionador de problemas 317
    O trabalho emocional 318
    As fontes de conflito 319
        O conflito entre a pessoa e o papel desempenhado 319
        O conflito entre a organização e o cliente 319
        Os conflitos entre clientes 321
    Os trade-offs entre qualidade e produtividade 322
As estratégias para a execução de serviços de qualidade por intermédio de pessoas 322
    Contrate as pessoas certas 323
        Concorra para ter as melhores pessoas 323
        Contrate em função das competências de serviço e das inclinações para o serviço 324
        Seja o empregador preferido das pessoas 326
    Desenvolva as pessoas para prestarem serviços de qualidade 328
        Ofereça treinamento em habilidades técnicas e interativas 328
        Conceda poder de decisão aos funcionários 329
        Promova o trabalho em equipe 329
    Disponibilize os sistemas de apoio necessários 331
        Mensure a qualidade do serviço interno 331
        Disponibilize tecnologia e equipamento de suporte 332
        Desenvolva processos internos focados nos serviços 332
    Retenha as melhores pessoas 332
        Engaje os funcionários na visão da empresa 332
        Trate os funcionários como clientes 333
        Mensure e recompense os funcionários com melhor desempenho no serviço 334
A prestação de serviços focada no cliente 335
Resumo 336
Questões para discussão 337
Exercícios 337
Literatura citada 337

Capítulo 12
Os papéis dos clientes na execução do serviço 341

A importância dos clientes na cogeração e prestação de serviços 343
    O cliente que recebe o serviço 343
    Os outros clientes 344
Os papéis dos clientes 347
    Os clientes como recursos produtivos 347
    Os clientes como colaboradores para a qualidade e a satisfação com o serviço 350
    Os clientes como concorrentes 352
As tecnologias de autoatendimento – o nível máximo da participação do cliente 354
    A proliferação de uma nova geração de TAAs 354
    A utilização das TAAs pelo cliente 355
    O sucesso com as TAAs 356
As estratégias para intensificar a participação do cliente 356
    Defina os papéis dos clientes 357
        O auxílio a si próprio 360
        O auxílio mútuo 360
        A divulgação da companhia 360
        As diferenças individuais: nem todos desejam participar 360
    Recrute, eduque e recompense seus clientes 361
        Recrute os clientes certos 361
        Eduque e treine seus clientes para desempenharem seus papéis com eficácia 361
        Recompense os clientes por suas contribuições 364
    Gerencie o mix de clientes 364
Resumo 366
Questões para discussão 366
Exercícios 367
Literatura citada 367

Capítulo 13
A gestão da demanda e da capacidade 371

A questão básica: a impossibilidade de formar estoques 373
As restrições à capacidade 375
    O tempo, a mão de obra, os equipamentos e as instalações 375
    A utilização ótima versus a utilização máxima da capacidade 376
Os padrões de demanda 377
    O mapeamento dos padrões de demanda 378
    Os ciclos previsíveis 378
    As flutuações aleatórias na demanda 378
    Os padrões de demanda por segmento de mercado 379
As estratégias para equiparar capacidade e demanda 379
    Como alterar a demanda para equipará-la à capacidade 379
        Reduza a demanda nos horários de pico 381

Aumente a demanda para equilibrá-la com a capacidade 382
Como ajustar a capacidade para equipará-la à demanda 384
    Aumente a capacidade temporariamente 384
    Adapte a utilização desses recursos 387
A combinação de estratégias de demanda e capacidade 388
Gestão do rendimento: o equilíbrio entre utilização da capacidade, precificação, segmentação de mercado e retorno financeiro 389
    A implementação de um sistema de gestão de rendimentos 389
    Os desafios e riscos da utilização da gestão de rendimentos 391
As estratégias de fila de espera: quando não é possível equilibrar demanda e capacidade 393
    Utilize a lógica operacional 396
    Defina um processo de marcação de reservas 397
    Diferencie os clientes que esperam 397
    Torne a espera mais agradável 398
        O tempo ocioso demora mais a passar do que o tempo ocupado com alguma atividade 398
        As esperas anteriores ao processo parecem mais longas do que as esperas durante o processo 399
        A ansiedade faz a espera parecer mais longa 399
        As esperas sem tempo para acabar são mais longas do que as com hora para terminar 399
        As esperas sem explicação são mais longas do que as esperas explicadas 400
        As esperas injustas são mais longas do que as esperas justificadas 400
        Quanto mais valioso o serviço, maior a disposição do cliente em esperar 400
        As esperas solitárias parecem mais longas do que as esperas em grupo 400
Resumo 401
Questões para discussão 401
Exercícios 402
Literatura citada 402

PARTE VI
A GESTÃO DAS PROMESSAS DE SERVIÇO 405

Capítulo 14
A comunicação integrada no marketing de serviços 407

A necessidade de coordenação na comunicação em marketing 409
Os principais desafios à comunicação em serviços 411
    A intangibilidade do serviço 411
    A gestão das promessas do serviço 412
    A gestão das expectativas dos clientes 412
    A educação do cliente 413
    A comunicação do marketing interno 413

As cinco categorias de estratégias para compatibilizar as promessas e a execução do serviço 414
    Administre a intangibilidade dos serviços 414
    Administre as promessas do serviço 421
        Gere uma marca forte de serviços 421
        Coordene as comunicações externas 423
    Gerencie as expectativas dos clientes 425
        Faça promessas realistas 425
        Ofereça garantias de serviço 425
        Ofereça escolhas 426
        Crie serviços com diferentes níveis de valor 427
        Comunique os critérios e os níveis de eficácia no serviço 428
    Gerencie a educação do cliente 428
        Prepare os clientes para o processo de serviço 428
        Confirme a execução do serviço de acordo com padrões e expectativas 429
        Esclareça as expectativas após a venda 429
    Administre a comunicação do marketing interno 429
        Crie comunicações verticais eficazes 430
        Crie comunicações horizontais eficazes 430
        Venda a marca no interior da companhia 431
        Crie uma comunicação ascendente eficaz 431
        Alinhe as equipes de retaguarda e suporte com as expectativas do cliente por meio da interação ou mensuração 432
        Desenvolva equipes multifuncionais 432
Resumo 433
Questões para discussão 433
Exercícios 433
Literatura citada 434

Capítulo 15
A precificação de serviços 435

Os três principais motivos pelos quais os preços de serviços são diferentes para o consumidor 437
    O conhecimento do cliente sobre os preços de serviços 437
        A variabilidade do serviço limita o conhecimento 437
        As prestadoras não demonstram disposição para estimar preços 438
        O cliente individual precisa de variação 439
        A coleta de informações sobre preços é esmagadora no setor de serviços 439
        Os preços não são visíveis 439
    O papel dos custos não monetários 440
        Os custos de tempo 441
        Os custos com pesquisa 441
        Os custos de conveniência 441
        Os custos psicológicos 441
        A redução dos custos não monetários 442
    O preço é um indicador da qualidade dos serviços 442
As abordagens para a precificação de serviços 443
    A precificação baseada em custos 443

Os desafios específicos à precificação de serviços
baseada em custos 444
Exemplos de estratégias de precificação baseadas
em custos utilizadas no setor de serviços 444
Precificação baseada na concorrência 445
Os desafios específicos à precificação de serviços
baseada na concorrência 445
Exemplos de estratégias de precificação
baseadas na concorrência utilizadas no setor de
serviços 445
A precificação baseada na demanda 446
Os desafios específicos à precificação de serviços
baseada na demanda 446
Os quatro significados do valor percebido 447
Como incorporar o valor percebido na precificação
dos serviços 451
As estratégias de precificação que vinculam
as quatro definições de valor 451
*As estratégias de precificação nos casos em que o
cliente julga que "Valor é preço baixo" 451*
Os descontos 456
A precificação psicológica 456
A precificação sincronizada 456
A precificação de penetração 457
*As estratégias de precificação nos casos em que o
cliente julga que "valor é tudo o que quero em um
serviço" 457*
A precificação por prestígio 458
A precificação por desnatamento 458
*As estratégias de precificação nos casos em que o
cliente julga que "valor é a qualidade que obtenho pelo
preço que pago" 458*
A precificação por valor 458
A precificação por segmentação de mercado 459
*As estratégias de precificação nos casos em que o
cliente julga que "valor é tudo o que obtenho pelo que
dou em troca" 460*
O enquadramento do preço 460
O preço amarrado 460
A precificação complementar 461
A precificação baseada em resultados 461
Resumo 462
Questões para discussão 462
Exercícios 463
Literatura citada 463

PARTE VII
O SERVIÇO E O LUCRO DA EMPRESA 465

Capítulo 16
O impacto financeiro e econômico dos serviços 467

O serviço e a rentabilidade: a relação direta 469
Os efeitos do marketing agressivo nos serviços:
como atrair mais e melhores clientes 470
Os efeitos do marketing defensivo nos
serviços: a retenção do cliente 471
Menores custos 471

O volume de compras 474
Os preços diferenciados 474
A publicidade boca a boca 474
As percepções do cliente sobre a qualidade do
serviço e as intenções de compra 475
Os principais condutores da qualidade do serviço,
da retenção do cliente e dos lucros 479
A mensuração do desempenho da companhia: o
balanced performance scorecard 481
As mudanças nas mensurações financeiras 482
As mensurações da percepção do cliente 484
As mensurações de ordem operacional 484
A inovação e o aprendizado 486
As mensurações eficazes do desempenho não
financeiro 487
Resumo 489
Questões para discussão 489
Exercícios 489
Literatura citada 489

CASOS

Estudo de caso 1 491
*A Zappos.com 2009: vestuário, serviço ao cliente e cultura
corporativa*
Frances X. Frei, Robin J. Eli, Laura Winig

Estudo de caso 2 512
Merrill Lynch: Supernova
Rogelio Oliva, Roger Hallowell, Gabriel R. Bitran

Estudo de caso 3 534
A United quebra violões
John Deighton, Leora Kornfeld

Estudo de caso 4 545
*A Michelin Fleet Solutions: da venda de pneus
à venda de quilômetros*

Estudo de caso 5 560
A ISS Iceland

Estudo de caso 6 569
As pessoas, o serviço e os lucros no Jyske Bank

Estudo de caso 7 589
*A Jetblue: uma grande companhia aérea derrete
em uma tempestade de gelo*
Joe Brennan, Felicia Morgan

Estudo de caso 8 605
*Como utilizar o marketing de serviços para
desenvolver e executar soluções integradas
na Caterpillar na América Latina*
Holger Pietzsch, Valarie A. Zeithaml

Crédito de fotos 619

Índice 621

Parte I

Os fundamentos do marketing de serviços

Capítulo 1 Introdução aos serviços

Capítulo 2 A estrutura conceitual deste livro: o modelo de lacunas da qualidade de serviços

A primeira parte deste livro traz a base necessária para o início do estudo do marketing de serviços. O Capítulo 1 identifica as tendências, questões e oportunidades mais recentes no setor como pano de fundo para as estratégias tratadas nos capítulos seguintes. O Capítulo 2 trata do modelo de lacunas da qualidade de serviços, no qual se estrutura o restante do livro. As outras partes desta obra incluem informações e estratégias que tratam de lacunas específicas, o que fornece o conhecimento e as ferramentas necessárias a um líder no marketing de serviços.

Capítulo 1

Introdução aos serviços

Os objetivos deste capítulo são:

1. Explicar o que são serviços e identificar as principais tendências no setor.
2. Explicar a necessidade de conceitos específicos de marketing de serviços e as respectivas práticas, e os motivos por trás do aparecimento e do aumento dessa necessidade.
3. Explorar o profundo impacto da tecnologia sobre os serviços.
4. Delinear as principais diferenças entre bens e serviços e os desafios e as oportunidades resultantes para as empresas do setor de serviços.
5. Apresentar o mix expandido do marketing de serviços e a filosofia do foco no cliente como poderosas estruturas e temas essenciais à leitura do restante deste livro.

"Os serviços se tornarão o setor de ponta da indústria nesta década."

Essa citação, do ex-CEO da IBM, Louis V. Gerstner, ilustra as mudanças que se espalharam em todos os setores industriais no século XXI. Muitas empresas que antes eram vistas como gigantes do setor de manufatura hoje transferem suas atenções para o setor de serviços. Em muitos aspectos a IBM se mantém como líder nesta mudança. As ações de Sam Palmisano, o CEO da IBM que sucedeu Gerstner, reforçam esse enfoque nos serviços. Em seu mandato, o Sr. Palmisano conduziu o processo de expansão da terceirização dos negócios da empresa, reforçando o foco nas soluções para o cliente. Ele também organizou a compra pela IBM da PriceWaterhouseCoopers, que teve o objetivo de aumentar a experiência em consultoria de serviços estratégicos, e foi responsável pela priorização de "produtos" de serviço e soluções.

Uma das publicações internas da IBM a coloca como a maior empresa de prestação de *serviços* do mundo. Ela é a líder mundial em serviços e consultoria de tecnologia da informação (TI), com aproximadamente 200 mil profissionais atuando no setor em todo o planeta. Com o trabalho desenvolvido por sua divisão de Serviços Globais, a IBM oferece serviços de apoio ao produto, de consultoria e de desenvolvimento de redes. Muitas empresas terceirizaram funções à IBM por completo, e confiam na empresa como a melhor prestadora de serviços no setor. O departamento de serviços da IBM, o qual inclui serviços de tecnologia e negócios, representa uma receita anual de $60 bilhões, muito mais da metade da receita total da companhia. Até hoje, a estratégia voltada para serviços sempre teve muito sucesso e promete ser um dos fatores de crescimento da empresa no futuro.

Ninguém na IBM diz que foi fácil atingir esses resultados positivos. A substituição do foco na produção pelo foco em serviços e no consumidor constitui um desafio indiscutível. Esta transposição requer alterações na mentalidade de gestão, na cultura, na maneira como as pessoas trabalham e são recompensadas, e também novos modos de implementar soluções para o cliente. Na IBM, esse processo de mudança evoluiu ao longo de algumas décadas e continua até hoje. Essa adoção também se fez presente no setor de pesquisa da empresa, em que centenas de estudos atualmente estão voltados para a ciência dos serviços e para a inovação no setor.

Muitas companhias de grande porte atuantes no setor de produtos e de TI perceberam o sucesso da IBM e hoje se esforçam para implementar esta mesma transição para a oferta de serviços. No entanto, o processo não é tão fácil quanto parece. Ao entrarem neste setor, as companhias descobrem aquilo que as empresas atuantes em setores de serviços, como hotelaria, consultoria, saúde, telecomunicações e serviços financeiros, já conhecem há anos: o marketing e a gestão de serviços são duas coisas diferentes – não totalmente únicas e inseparáveis, mas distintas do marketing e da gestão de bens de consumo e produtos manufaturados. A venda e a entrega de um microcomputador não são idênticas à venda e à execução de um serviço voltado para solucionar um problema de um cliente.[1]

Conforme sugere o texto de abertura, que menciona a IBM, os serviços não se limitam às empresas de serviços. Eles podem ser lucrativos, e são um desafio em termos de gestão e comercialização. Os serviços representam uma porcentagem imensa e crescente da economia mundial. Porém, sobretudo nos Estados Unidos, a percepção que o cliente tem dos serviços não é particularmente boa.[2] Na verdade, o Índice de Satisfação do Cliente Norte-Americano, calculado pela Universidade de Michigan, revela notas muito inferiores para serviços em comparação a outros itens.[3] Outros índices indicaram que a produtividade de muitos setores de serviços também fica atrás da produtividade do setor manufatureiro. Diante do crescimento do setor, do lucro e do potencial para a geração de vantagens competitivas, ao lado do declínio generalizado na satisfação do cliente com os serviços, fica evidente que nunca foram tão grandes o potencial e as oportunidades para as empresas se sobressaírem no marketing, na gestão e na execução de serviços.

Este livro oferece um olhar sobre a abordagem ao marketing e à gestão de serviços. O que você aprenderá pode ser empregado em uma empresa como a IBM, com um tradicional histórico no setor de manufatura, ou em empresas puramente de serviços. Você conhecerá ferramentas, estratégias e abordagens para o desenvolvimento e a execução de serviços lucrativos e que podem representar uma vantagem competitiva para qualquer empresa. Na base do marketing e da gestão de serviços está o intenso foco no cliente, que se estende em todas as funções da empresa – daí o subtítulo deste livro: a empresa com foco no cliente.

O QUE SÃO SERVIÇOS?

Nos termos mais simples possíveis, *serviços são atos, processos e atuações* oferecidos ou coproduzidos por uma entidade ou pessoa, para outra entidade ou pessoa. O texto de abertura deste capítulo ilustra o significado dessa definição. Os serviços oferecidos pela IBM não são objetos tangíveis, passíveis de serem tocados, vistos ou sentidos, mas atos e desempenhos intangíveis e/ou coproduzidos para seus clientes. Em termos concretos, a IBM oferece serviços de conserto e manutenção de seus equipamentos, serviços de consultoria para aplicações em TI e *e-commerce*, serviços de treinamento, web design e hospedagem, entre outros. Esses serviços normalmente incluem um relatório final, tangível, um *website* ou, no caso do treinamento, materiais de instrução. Porém, em sua maioria, todo o serviço é representado para o cliente por meio de atividades de análise de solução de problemas, reuniões com o cliente, telefonemas de verificação da situação e geração de relatórios – uma série de atos, processos e atuações. Da mesma forma, as principais ofertas de hospitais, hotéis, bancos e empresas de serviços públicos manifestam-se essencialmente como ações desempenhadas para os clientes ou coproduzidas com eles.

Apesar de tomarmos como base a definição simples e ampla do termo serviços, é preciso lembrar que, ao longo do tempo, os *serviços* e o *setor de serviços da economia* vêm recebendo definições sutilmente diferentes. A variedade dessas definições pode, em muitos casos, explicar a confusão e o desacordo observado em discussões sobre serviços e em descrições das ramificações do setor de serviços na economia. Compatível com nossa definição simples e ampla do termo é aquela que descreve serviço como tudo aquilo que "inclui todas as atividades econômicas cujo resultado não é um simples produto físico ou construção, mas que é consumido no momento em que é gerado e oferece valor agregado em formas que constituem, em essência, os interesses daquele que o adquire (como conveniência, diversão, geração em hora oportuna, conforto ou saúde)".[4] O leque de setores que perfaz o setor de serviços na economia norte-americana é ilustrado na Figura 1.1.

Os setores de serviços, os serviços como produtos, o serviço ao cliente e o serviço derivado

Ao avançarmos com esta discussão de marketing e gestão de serviços, é importante traçar as distinções entre *setores e companhias de serviços*, *serviços como produtos*, *serviço ao cliente* e *serviço derivado*. No entanto, o serviço é dividido em quatro categorias, sendo as ferramentas e estratégias que você estudará neste livro aplicáveis a qualquer uma delas.

Os setores e as companhias de serviços incluem os setores e as companhias normalmente classificadas como pertencentes ao setor de serviços e cuja principal oferta é um serviço. As empresas listadas a seguir são classificadas como companhias puramente de serviços: Marriot International (hotelaria), American Airlines (transporte), Charles Swab (serviços financeiros), Clínica Mayo (saúde). O setor de serviços como um todo tem diversas ramificações, conforme ilustra a Figura 1.1. As companhias atuantes nesses setores vendem serviços como oferta principal.

Os serviços como produtos representam uma ampla gama de ofertas intangíveis que os clientes valorizam e pelas quais eles pagam no mercado. Os produtos do setor de serviços são vendidos por empresas de serviço e por aquelas que não atuam no setor no sentido literal, como fabricantes e empresas de tecnologia. Por exemplo, a IBM e a Hewlett-Packard oferecem serviços de consultoria em tecnologia da informação no mercado, em uma competição com empresas como a Accenture, a qual tradicionalmente oferece apenas serviços. Outros exemplos de setores são as lojas de depar-

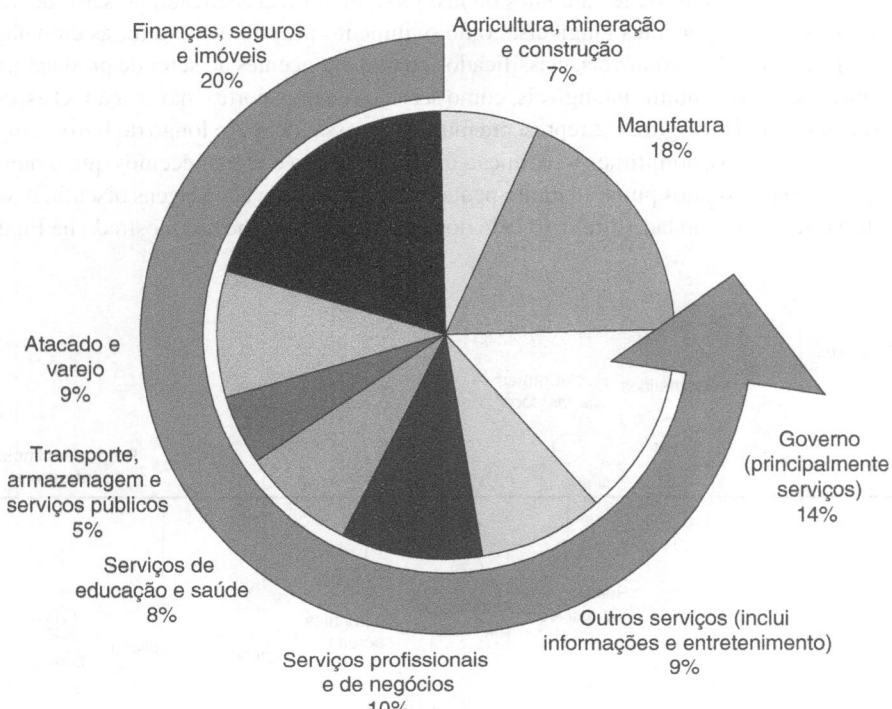

Figura 1.1 As contribuições das empresas de serviço ao Produto Interno Bruto (PIB) dos Estados Unidos, 2009.

Fonte: *Survey of Current Business*, Online, March 2011.

tamentos, como a Macy's, que vende serviços como embalagens para presente e transporte, e *pet shops*, como a PetSmart, que oferece estética para animais de estimação e serviços de treinamento.

O serviço ao cliente também é um aspecto crucial do que chamamos de "serviço". Ele é oferecido como suporte aos principais produtos de uma empresa, que normalmente não cobra por ele. Essa modalidade de serviço pode ser executada no local, como no caso em que um funcionário de uma loja ajuda um cliente a encontrar o item que deseja ou responde a uma pergunta, ao telefone ou em sessões de bate-papo em tempo real. Muitas companhias mantêm *call centers* de atendimento ao cliente, não raro 24 horas por dia. O serviço ao cliente de qualidade é essencial à construção de relacionamentos com os clientes, mas ele não deve ser confundido com os serviços colocados à venda pela companhia.

O serviço derivado constitui outra maneira de interpretar o significado do termo serviço. Em um premiado artigo publicado no *Journal of Marketing*, Steve Vargo e Bob Lusch defendem uma nova lógica dominante para o marketing. Essa lógica sugere que todos os produtos e bens físicos sejam avaliados em termos dos serviços que oferecem.[5] Com base no trabalho de renomados economistas, filósofos e profissionais de marketing, os dois autores sugerem que o valor derivado de bens físicos é na verdade o serviço que o produto fornece, não o produto propriamente dito. Por exemplo, eles afirmam que um medicamento fornece serviços de saúde, uma lâmina de barbear fornece serviços de barbearia, e computadores fornecem serviços de informação e manipulação de dados. Embora essa perspectiva seja um tanto abstrata, ela implica uma visão mais ampla e inclusiva do sentido do termo *serviço*.

O espectro da tangibilidade

A ampla definição de serviços implica a intangibilidade como principal fator de caracterização de uma oferta como serviço. Apesar de isto ser verdadeiro, é igualmente verdade que pouquíssimos produtos são puramente intangíveis ou totalmente tangíveis. De fato, os serviços tendem a ser *mais intangíveis* do que um bem manufaturado, e este tende, portanto, a ser *mais tangível* do que um serviço. Por exemplo, o setor de restaurantes de *fast food*, embora classificado no setor de serviços, opera com diversos componentes tangíveis, como o alimento propriamente dito, as embalagens, e assim sucessivamente. Os automóveis, classificados como pertencentes ao setor de produção, trazem consigo uma relação com muitos intangíveis, como serviços de transporte e navegação. O espectro de tangibilidade mostrado na Figura 1.2 representa muito bem essa ideia. Ao longo do livro, sempre que nos referirmos a serviços, admitimos a definição ampla do termo e reconhecemos que o número de "serviços puros" ou "produtos puros" é muito pequeno. As questões e abordagens discutidas são dirigidas às ofertas que estão no lado direito, o lado dos intangíveis, no espectro mostrado na Figura 1.2.

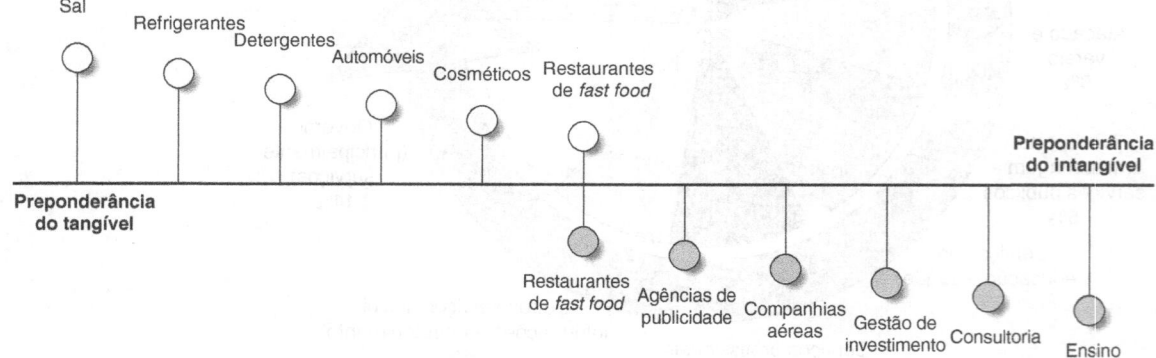

Figura 1.2 O espectro da tangibilidade.

Fonte: G. Lynn Shostack, "Breaking Free from Product Marketing," *Journal of Marketing* 41 (April 1977), pp. 73–80. 73–80. Reproduzido com permissão da American Marketing Association.

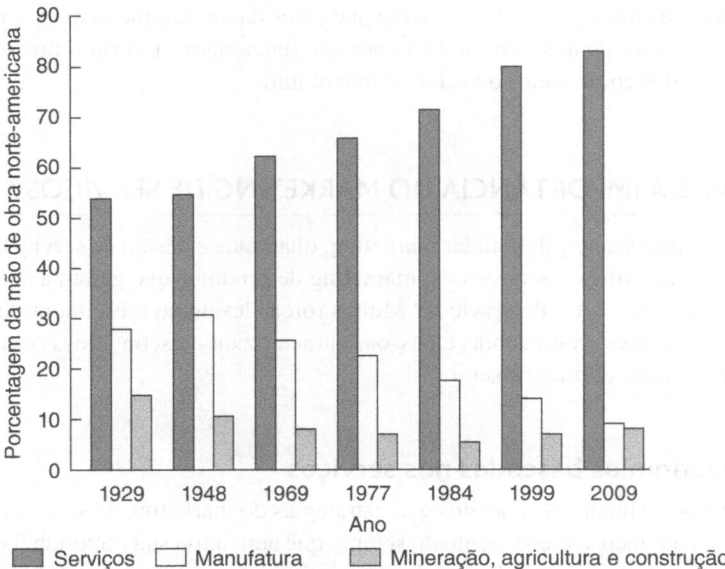

Figura 1.3 Porcentagem da mão de obra por setor da economia norte-americana.

Fontes: *Survey of Current Business*, Online, March 2011; *Survey of Current Business*, February 2001, Table B.8, July 1988, Table 6.6B, and July 1992, Table 6.4C; E. Ginzberg and G. J. Vojta, "The Service Sector of the U.S. Economy," *Scientific American* 244, no. 3 (1981), pp. 31–39.

As tendências no setor de serviços

Ainda que você ouça e leia, com muita frequência, que os serviços preponderam em muitas das economias do presente, os Estados Unidos e outros países não se tornaram economias baseadas em serviços da noite para o dia. Já em 1929, 55% da população economicamente ativa do país estava empregada no setor de serviços norte-americano, e em 1948 cerca de 54% do PIB do país era gerado pelo setor. Os dados das Figuras 1.3 e 1.4 mostram que a tendência no crescimento da participação do setor de serviços se manteve, e em 2009 o setor respondia por 75% do PIB e 83%

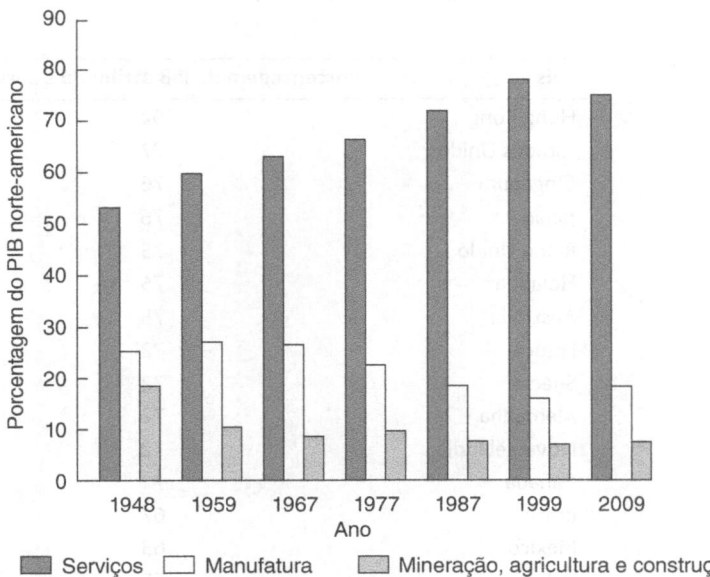

Figura 1.4 A porcentagem do PIB norte-americano, por setor.

Fontes: *Survey of Current Business, Online, March 2011; Survey of Current Business*, February 2001, Table B.3, and August 1996, Table 11; E. Ginzberg and G. J. Vojta, "The Service Sector of the U.S. Economy," *Scientific American* 244, no. 3 (1981), pp. 31–39.

do nível de emprego no país. Observe que esses dados não incluem os serviços fornecidos por empresas do setor de manufatura. O número de funcionários e o valor dos serviços que geram seriam classificados como dados do setor de manufatura.

QUAL É A IMPORTÂNCIA DO MARKETING DE SERVIÇOS?

Qual é a importância de estudar marketing, qualidade e gestão de serviços? Quais são as diferenças entre o marketing de serviços e o marketing de produtos que geram a demanda por livros e cursos voltados para o setor de serviços? Muitas forças levam ao crescimento do marketing de serviços, e muitos setores, companhias e pessoas caracterizam o escopo dos conceitos, das estruturas e das estratégias que definem o setor.

As economias baseadas nos serviços

Em primeiro lugar, os conceitos e as estratégias do marketing de serviços foram desenvolvidos em resposta ao imenso crescimento do setor, o que aumentou sua importância para as economias norte-americana e do restante do mundo. Já foi dito que em 2009 o setor de serviços representava mais de 80% dos empregos e 75% do PIB dos Estados Unidos. A maior parcela do crescimento absoluto nas estatísticas de nível de emprego e a aceleração no aumento do número de vagas se concentram no setor de serviços, sobretudo saúde e serviços profissionais em TI.

Outro indicador da importância econômica dos serviços é o crescimento mundial dos negócios no setor. Na verdade, enquanto nos Estados Unidos a balança comercial continua no vermelho, as exportações de serviços deram um salto de 84% desde 2000, contabilizando um superávit no setor da ordem de $144 bilhões em 2008. Os Estados Unidos ocupam o primeiro lugar na venda de serviços no mercado internacional.[6]

O mercado de serviços está em expansão, e em todo o mundo há uma crescente prevalência de economias voltadas para o setor (veja a tabela a seguir). Essa expansão fica evidente em economias desenvolvidas e também nas em desenvolvimento, como a da China, país cujo governo declarou como prioridade o crescimento no setor de serviços. A evolução neste setor vem chamando a atenção para os desafios que as respectivas empresas prestadoras enfrentam em todo o mundo.

País	Porcentagem do PIB atribuída a serviços
Hong Kong	92
Estados Unidos	77
Cingapura	76
Japão	76
Reino Unido	75
Holanda	75
Austrália	75
França	72
Suécia	72
Alemanha	72
Nova Zelândia	72
Canadá	71
Brasil	67
México	63
Índia	55
China	43

Fonte: *The CIA World Fact Book*, 2010.

O serviço como imperativo dos negócios na manufatura e na tecnologia da informação

No princípio do desenvolvimento do campo de marketing e gestão de serviços, uma expansão maior era observada em setores como o bancário, de transportes, de hospitalidade e de saúde. À medida que estes setores tradicionais desenvolvem-se e tornam-se mais competitivos, permanece a necessidade por estratégias eficazes de gestão e marketing de serviços. Contudo, companhias atuantes em diversos setores descobriram o valor da inovação nos serviços e das estratégias de crescimento na atividade.[7] Empresas do setor produtivo (como GE e Caterpillar), de tecnologia (Avnet, Xerox, IBM), varejistas (PetSmart), e até empresas do setor de bens de consumo (Procter & Gamble) descobriram o potencial de crescimento no setor de serviços. (Ver o Capítulo 8 e o quadro Visão Estratégica nele.) Essas companhias perceberam que um produto excelente não é garantia de sucesso no longo prazo.

Os serviços estão impulsionando o crescimento da IBM no século XXI.

Por exemplo, a Xerox hoje oferece um serviço de gestão de documentos, no qual ela assume a administração de documentos digitais ou impressos em uma organização. Esse tipo de serviço vai muito além dos tradicionais conserto e manutenção de impressoras. Em um setor totalmente diferente, a PetSmart, uma grande varejista do setor pet, atribui quase todo o seu crescimento recente à oferta de serviços como hospedagem, banho, tosa e adestramento de animais de estimação. Mais recentemente, a Procter & Gamble iniciou a oferta de serviços associados a algumas de suas marcas mais conhecidas. A companhia está avaliando uma experiência com a Mr. Clean Car Wash e um modelo de franquia com a Tide Dry Cleaners. Por conhecer o enorme valor dessas marcas, a Procter & Gamble é muito meticulosa e cuidadosa na extensão dessas marcas no setor de serviços. Para expandir sua experiência no setor, muitas empresas de tecnologia formaram parcerias ou adquiriram empresas de serviços. A IBM adquiriu a PricewaterhouseCoopers, a Hewlett-Packard comprou a EDS, e a Dell hoje é dona da Perot Systems.

Por que essas grandes empresas escolheram o foco nos serviços? As razões são muitas. Primeiro, a comoditização de produtos em muitos setores acarretou pressões sobre preços e margens de lucro em diversos produtos físicos. Nesse sentido, os serviços auxiliam as companhias a customizar ofertas, agregando valor para o cliente. Segundo, os clientes estão exigindo serviços e soluções, sobretudo nos mercados *business-to-business*. Em muitas situações, os clientes exigem uma solução para seus problemas ou desafios que envolvem muitos produtos e serviços. Eles esperam que as empresas prestadoras criem e entreguem essas soluções produtos-serviços. Terceiro, os serviços muitas vezes têm margens de lucro maiores do que os produtos e por isso são uma plataforma para a rentabilidade de uma empresa. Como veremos nos capítulos a seguir, a fidelidade e a satisfação do cliente são motivadas, em grande parte, pela qualidade dos serviços e ofertas afins. Essa noção representa um motivo a mais para desenvolver serviços e consolidar a fidelidade do cliente com base em serviços de alta qualidade. Por fim, hoje a competitividade em muitos setores é muito alta, e os serviços podem servir como diferenciadores em mercados em vias de saturação.

À medida que se processa essa transição, as empresas encontram sérios desafios relativos à mudança de cultura, a vendas e canais e à necessidade de experiência no projeto e na prestação de serviços. A maioria dessas empresas atua nos setores de engenharia, tecnologia, ciência ou operações. A experiência que possuem está ancorada no que produzem. À medida que essas empresas adotam a transição para o setor de serviços, elas descobrem que precisam de uma nova lógica de serviços, e fica cada vez mais óbvia a necessidade de conceitos e abordagens especialmente voltadas para a gestão e o marketing de serviços.[8]

Os setores desregulamentados e as necessidades de serviços profissionais

A demanda por conceitos para o marketing de serviços parte de setores desregulamentados e da prestação de serviços profissionais, uma vez que são esses os grupos que passaram por rápidas mudanças na maneira de fazer negócios. Nas últimas décadas, muitas grandes empresas prestadoras de serviço, como companhias aéreas, bancos, empresas de telecomunicação e de transporte rodoviário, foram desregulamentadas pelo governo norte-americano. Iniciativas semelhantes no âmbito da desregulamentação foram vistas também em outros países. Como resultado disso, as decisões relativas ao marketing que via de regra estavam sob o forte controle do governo estão hoje parcial ou totalmente (em alguns casos) nas mãos das próprias companhias.[9] Por exemplo, até 1978 as tarifas aéreas, as rotas e as comissões pagas a agentes de viagens eram definidas e monitoradas pelos governos. Desde então, as companhias aéreas ganharam a liberdade de definir sozinhas suas estruturas de precificação e de escolher as rotas que desejam para seus voos. Desnecessário dizer que a desregulamentação tumultuou o setor aéreo ao acelerar a necessidade de um marketing sofisticado, baseado no cliente e atento aos diferentes aspectos da competição.

Os prestadores de serviços profissionais (como médicos, advogados, contadores, engenheiros e arquitetos) passaram a exigir novos conceitos e novas abordagens para suas empresas, uma vez que esses setores se tornaram muito competitivos e os padrões passaram por mudanças para permitir a utilização da propaganda. Enquanto os profissionais liberais normalmente evitavam até mesmo o emprego da palavra *marketing*, hoje eles procuram caminhos mais curtos para entender e segmentar seus clientes e assim garantir a execução de serviços de qualidade e fortalecer suas posições em meio ao crescente número de concorrentes.

O marketing de serviços é diferente

À medida que as forças citadas evoluíam e passavam a se harmonizar, as pessoas de negócio começaram a entender que o marketing e a gestão de serviços levantavam questões e propunham desafios desconhecidos às empresas dos setores de bens de consumo e de produtos embalados. Essas diferenças e desafios foram constatados em uma série de entrevistas com o consultor de gestão Gary Knisely em 1979 (veja o Quadro 1.1). Por exemplo, quando o principal item oferecido pela empresa é uma ação executada por um funcionário (como um engenheiro oferecendo consultoria), como a empresa garante uma sólida qualidade de produto no mercado? Conforme as empresas orientavam-se para o marketing e decidiam contratar profissionais competentes, naturalmente elas recrutavam seus candidatos entre as empresas com os melhores profissionais de marketing do mun-

Quadro 1.1 O marketing de serviços é diferente? Um apanhado histórico

Em 1979, Gary Knisely, diretor da empresa de consultoria Johnson Smith & Knisely, formulou a pergunta reproduzida no título a alguns profissionais de marketing de serviços. Knisely entrevistou diversos altos executivos de marketing que haviam ido trabalhar no setor de serviços ao cliente depois de adquirirem extensa experiência no setor de produtos embalados (reconhecido pela destreza com que utiliza o marketing).

Sem dúvida, esses executivos mencionaram a existência de diferenças. Suas descobertas foram o resultado de tentativas de aplicar (com diferentes graus de sucesso, conforme visto) as práticas do marketing de produto diretamente no marketing de serviços. James R. Schorr, da Holiday Inns Inc., anteriormente da Procter & Gamble, descobriu que não conseguiria utilizar um sistema de marketing de uma empresa de produtos em uma empresa de serviços. Ele e outros executivos entrevistados mencionaram alguns temas recorrentes. Em primeiro lugar, existem mais variáveis no mix de marketing de serviços do que no de bens de consumo. Schorr argumentava que em uma empresa de serviços, o marketing e as operações estão mais inter-relacionados do que em uma empresa do setor de manufatura. Portanto, o processo de produção nos serviços faz parte do processo de marketing. Em segundo lugar, a interface com o cliente é uma das principais diferenças entre o marketing de produtos e o de serviços. Os executivos de empresas de bens de consumo nunca precisavam pensar em termos de um diálogo direto com os seus clientes. Para Schorr, o marketing da hotelaria pode ser resumido a uma venda "personalizada". Robert L. Catlin, sobre sua experiência no setor aéreo, afirmou: "As pessoas que trabalham no seu setor e os respectivos produtos que geram estão tão presentes na mente dos clientes quanto qualquer outro atributo do serviço". As pessoas compram produtos porque acreditam que eles funcionem. Mas com serviços, as pessoas lidam com quem elas gostam e tendem a adquirir esses serviços porque acreditam que gostarão deles igualmente.

Este modo de pensar faz da interface cliente-funcionário um componente crucial no marketing.

Os executivos também comentaram sobre como as variáveis do mix de marketing, comuns a produtos e serviços, trazem implicações extremamente diversas para uma dada estratégia de marketing nos dois contextos. Na distribuição e venda de serviços, uma empresa não conta com prateleiras cheias de produtos pelas quais o consumidor passa com um carrinho de compras e escolhe o que quer comprar. A exposição do consumidor a toda uma gama de serviços que atendam a suas necessidades pode ficar limitada pelo "estoque mental" de serviços disponibilizados pelo vendedor e pela prioridade que confere a cada um. É possível dizer que o gestor do produto-serviço compete em termos do "espaço na prateleira mental" de seu pessoal de vendas. Para Rodney Woods, diretor de marketing da United States Trust Co., a precificação foi o principal fator na comparação entre o marketing de serviços e de produtos. Woods diz que a definição dos custos associados à geração e execução de serviços provou ser uma tarefa especialmente difícil, um desafio muito maior do que aqueles que enfrentara no começo de sua carreira, em seu trabalho para grandes empresas de bens de consumo, como Pillsbury, Procter & Gamble e Bristol & Myers. Além disso, os benefícios de utilizar o preço como armamento promocional não estavam muito claros. As promoções de preço tendem a destruir o posicionamento e a imagem conquistados a duras penas.

Enquanto os acadêmicos debatiam a tese de a gestão do marketing diferir para produtos e serviços, essas diferenças ficaram claras – para os membros das altas gerências com experiência nos dois setores – em 1979. E elas permanecem hoje. As diferenças que eles perceberam foram o estímulo para muitas das ideias, dos conceitos e das estratégias praticadas atualmente.

Fonte: Essa discussão foi baseada em entrevistas com Gary Knisely (*Advertising Age*, 15/1/79; 19/2/79; 19/3/79; 14/5/79).

do – Procter & Gamble, General Foods, Kodak. As pessoas que se transferiram do marketing de produtos embalados para o marketing de serviços de saúde, bancários e outros setores descobriram que suas habilidades e experiências não poderiam ser transferidas diretamente para suas novas áreas de atuação. Essas pessoas enfrentaram obstáculos e dilemas no marketing de serviços, pois suas experiências não eram compatíveis com a área, sentindo a necessidade de novos conceitos e abordagens, assim como as empresas de marketing e gestão de serviços.

Os profissionais de marketing de serviços reagiram a essas pressões e passaram a trabalhar com enfoque interdisciplinar para desenvolver e documentar a práxis do marketing de serviços ao lado de acadêmicos e profissionais liberais em todo o mundo. Durante essa evolução, o setor passou a abraçar as preocupações e os imperativos enfrentados por *qualquer* empresa na qual o serviço faça parte do produto ofertado.

Serviços igual a lucros

Nas últimas décadas do século XX, muitas empresas pegaram o trem destinado ao setor de serviços e começaram a investir em iniciativas e a promover a qualidade dos serviços, com vistas a atingir a diferenciação e construir vantagens competitivas. Muitos desses investimentos foram baseados no instinto e na intuição de gestores que entendiam a importância de servir aos clientes com eficiência e que nutriam a mais profunda crença na ideia de que a qualidade dos serviços fazia sentido do ponto de vista empresarial. De fato, a dedicação à qualidade de serviços tornou-se a base para o sucesso de muitas empresas, em todos os setores. Em seu livro *Discovering the Soul of Service* (A Descoberta da Alma do Serviço), Leonard Berry descreve em detalhes 14 dessas empresas.[10] As companhias listadas em seu livro possuíam uma média de 31 ano de operação e não tinham sido lucrativas em apenas cinco dos 407 anos resultantes da soma do tempo de vida de cada uma. A pesquisa do Dr. Berry constatou que essas empresas de sucesso tinham em comum a dedicação a nove temas corriqueiros no setor de serviços, entre os quais a liderança motivada por valores, o compromisso com o investimento no sucesso dos funcionários e os relacionamentos baseados na confiança com clientes e outros parceiros na base da organização.

Desde meados da década de 1990, as empresas passaram a exigir evidências irrefutáveis da eficácia geral das estratégias de serviços. Os pesquisadores vêm preparando uma tese convincente de que as estratégias de serviço, quando adotadas apropriadamente, são bastante lucrativas. O trabalho patrocinado pelo Marketing Science Institute sugere que as estratégias corporativas voltadas para a satisfação do cliente, a geração de receita e a qualidade em serviços podem na verdade ser mais lucrativas do que as estratégias concentradas na redução de custos ou naquelas que objetivem fazer as duas coisas simultaneamente.[11] As pesquisas feitas na Escola de Administração de Harvard defendem a tese da "cadeia serviço-lucro", que relaciona o serviço interno e a satisfação do funcionário ao valor para o cliente e, em última análise, ao lucro.[12] Várias pesquisas revelam os elos entre a satisfação do cliente (muitas vezes motivada pelos desfechos do serviço) e o lucro.[13] Dados do Índice de Satisfação do Cliente Norte-americano calculado pela Universidade de Michigan (University of Michigan American Customer Satisfaction Index, ACSI) sugerem que a satisfação do cliente está diretamente relacionada ao valor para o acionista. As empresas dentro dos 25% das maiores classificações no ACSI demonstraram um valor para o acionista expressivamente maior do que as empresas inseridas nos 25% inferiores, que representam as piores posições. Pesquisas baseadas nos dados do ACSI também revelam que as empresas ocupando 20% das posições superiores têm desempenhos que ultrapassam os índices Standard & Poor's (S&P) 500, NASDAQ e Dow Jones Industrial Average.[14]

Um dos principais aspectos deste sucesso é a escolha das estratégias corretas e de sua adequada implementação. Muito do que você aprenderá com este livro servirá de orientação na tomada deste tipo de decisão e na correta implementação destas decisões. Além disso, enfatizamos as implicações e as vantagens ou desvantagens para a geração de lucros relacionados a estas estratégias de serviços. Veja a seção Visão Estratégica deste capítulo para conhecer quatro maneiras de competir no setor de serviços com sucesso e lucro. O Capítulo 16 retorna a esta questão e oferece uma cobertura integrada do impacto dos serviços na esfera financeira e de lucros.

Mas "o serviço não presta"

A despeito da importância e do potencial de lucratividade nos serviços, a impressão dos consumidores é a de que a qualidade geral dos serviços está em queda.[15] Vemos uma condenação veemente dos serviços na capa da revista *BusinessWeek*, *Why Service Stinks*[16] (Por que o Serviço Não Presta) e um editorial do *The Wall Street Journal* que questiona a qualidade e o valor dos serviços intitulado *We Pay Them to be Rude to Us* (Nós os Pagamos para Serem Grosseiros Conosco).[16] Ainda que haja exceções em todos os setores, os escores do Índice de Satisfação do Cliente Norte-americano para as empresas prestadoras de serviços via de regra ficam abaixo da média geral de todos os setores. Os escores do ACSI são especialmente baixos para setores de transporte, comunicações e serviços públicos.[17]

Essa condenação dos serviços é problemática em um cenário no qual, até certo ponto, os serviços nunca foram tão bons. Por exemplo, basta olhar para um setor apenas: os serviços de saúde. A capacidade de prevenir e tratar doenças nunca foi tão grande, o que resulta em uma expectativa de vida cada vez maior nos Estados Unidos e na maioria dos países industrializados. O mesmo vale para o setor de comunicações – comunicar-se com rapidez, eficácia e baixos custos com pessoas em todo o mundo nunca foi tão fácil. O acesso a vastos volumes de informação, entretenimento e música é inacreditável, em comparação com o que estava disponível há apenas 10 anos. Assim, não resta dúvida de que, de certa forma e em diversos setores, os serviços são melhores do que jamais foram.

Apesar dessas melhorias indiscutíveis, há evidências consistentes de que os consumidores percebem a qualidade inferior dos serviços no âmbito geral, e que o grau de satisfação do cliente é menor. São muitas as explicações para a diminuição da satisfação do cliente com os serviços, mas a verdadeira razão para isso é difícil de identificar. As explicações mais plausíveis incluem:

- Com o maior número de companhias oferecendo pacotes de serviços com base na rentabilidade calculada para diferentes segmentos de mercado, muitos clientes estão na verdade recebendo menos serviços em comparação com o que recebiam no passado.
- Os autosserviços e os serviços desenvolvidos com tecnologia são vistos como serviços "menores", pois não há interações com seres humanos nem a geração de personalização.
- Os serviços baseados em tecnologia (correios de voz, serviços para a Internet e quiosques de tecnologia) são difíceis de implementar e utilizar, e sofrem com diversas falhas e sistemas mal projetados.
- As expectativas dos clientes são mais altas em função do excelente serviço que recebem de algumas companhias. Portanto, eles esperam o mesmo de todas as empresas e frequentemente se decepcionam.
- As organizações reduziram custos a um ponto em que ficaram enxutas demais e com mão de obra de menos para oferecer serviços de qualidade.
- O mercado de trabalho competitivo resulta em pessoas menos qualificadas trabalhando em funções na linha de frente dos serviços. Os funcionários talentosos não tardam a serem promovidos ou deixarem a empresa, atrás de melhores oportunidades.
- Muitas empresas mostram-se dispostas a concentrar esforços no serviço ao cliente e na qualidade em serviços, mas na verdade não conseguem ao fornecer o treinamento, a compensação e o apoio à mão de obra necessários para a geração de serviços de qualidade.

Essas explicações para o declínio na satisfação do cliente estão sujeitas a críticas. No entanto, para os gestores, estudantes e professores de marketing e gestão de serviços, a mensagem é clara: há muito trabalho pela frente. Neste livro oferecemos muitos exemplos de melhores práticas – companhias que sabem o que tem de ser feito para acertar e ter sucesso com a prestação de serviços –, bem como ferramentas, conceitos e estratégias a fim de reverter a mentalidade de que "o serviço não presta".

Visão estratégica — A competição estratégica por meio de serviços

As companhias competem por meio de serviços de várias maneiras. Nosso trabalho com empresas de diferentes setores e o benchmarking de outras companhias nos permitem dizer que existem quatro aspectos principais com os quais as empresas conseguem competir no setor de serviços. Embora algumas empresas tendam a enfatizar uma ou duas dessas escolhas estratégicas em dado momento, é possível fazer mais.

Serviço diferenciado exemplar

Existem algumas organizações cuja vantagem competitiva está na reputação de oferecer serviços diferenciados ao cliente. Southwest Airlines, Clínica Mayo, Gallery Furniture (loja de móveis baseada no Texas e que tem imenso sucesso) e Zanes Cycles (loja de bicicletas e artigos para a prática do ciclismo de Connecticut) são apenas alguns exemplos. Essas organizações se dedicam a abandonar a maneira tradicional de lidar com o cliente e oferecem serviços exclusivos. Por exemplo:

- Na Southwest Airlines, um senso de humor diferenciado visto entre os funcionários e jogos e brincadeiras a bordo.
- Na Clínica Mayo, um piano de cauda no saguão e médicos que se sentam em proximidade física a seus pacientes, olham nos seus olhos e acreditam verdadeiramente que "os principais interesses do paciente são os únicos interesses a serem considerados".
- Na Gallery Furniture, refeições gratuitas e creche.
- Na Zanes Cycles, o clube do pneuzinho furado*.

Serviços inovadores de ponta

Outras organizações competem por meio de serviços inovadores e de ponta – para conquistarem o primeiro lugar e/ou serem as melhores em seu setor, ou para manterem-se à frente com novos inventos, tecnologia ou ciência. Um exemplo é a Amazon.com, a primeira companhia a lançar o varejo on-line verdadeiramente eficaz e inovador. A Clínica Mayo também está nesta categoria. Atendendo unicamente a pacientes que sofrem de doenças de difícil diagnóstico ou de problemas complexos, o modelo médico da empresa, com consultas, baseado em pesquisas e voltado para o trabalho em equipe, a mantém na dianteira do setor.

Ser inovadora não necessariamente significa que a organização inventa algo totalmente novo. É provável que sua abordagem aos serviços seja inédita apenas no setor em que atua. A Yellow Transportation (parte da YRC Worldwide), tradicional empresa de transporte por caminhões, reinventou-se como transportadora ao introduzir um sistema de garantias, serviços expressos e de entrega com hora marcada em um setor um tanto estagnado.

Os serviços com valor agregado e geradores de receitas

Recentemente, apareceu uma forte tendência no setor produtivo, na tecnologia da informação e em outros setores que não oferecem serviços pela introdução de serviços com valor agregado e geradores de receitas. As empresas destes setores reconheceram que não podem competir apenas nas vendas e nas margens geradas por seus produtos manufaturados. Muitas destas empresas, como IBM, Hewlett-Packard, Siemens e General Electric, integraram serviços em seu mix de ofertas. Em alguns casos, como o da IBM (veja o texto de abertura deste capítulo), os serviços na verdade passaram à frente como combustível para o crescimento da empresa.

O foco nos serviços geradores de receita também se aplica ao varejo. Por exemplo, a PetSmart, a maior rede de *pet shops* dos Estados Unidos, recentemente lançou uma série de serviços como forma de competir com eficiência nesse setor de margens relativamente baixas. Em suas campanhas publicitárias, a companhia almeja a casais que têm animais de estimação mas que não têm filhos, e os serviços especiais que oferecem incluem adestramento, banho e tosa e hospedagem.

Uma cultura de serviços diferenciada

Por fim, uma empresa pode competir nutrindo uma cultura que atraia a melhor mão de obra no setor. Ao atrair os melhores profissionais, a companhia adquire uma vantagem sobre a concorrência em termos da oferta dos melhores serviços. Isso possibilita que ela se torne tanto "o melhor empregador" quanto "o melhor prestador de serviços" no setor em que atua. Por exemplo, esta abordagem é adotada por Southwest Airlines, Clínica Mayo, Disney e Marriot Hotels. Na Marriott, a filosofia da empresa é "cuide de seus funcionários que eles cuidarão de seus clientes". Essa filosofia está presente em todas as marcas da Marriott, do Fairfield Inns ao Ritz Carlton, o que lhe confere uma vantagem competitiva em escala mundial no setor hoteleiro.

Fonte: Center for Services Leadership, W. P. Carey School of Business, Arizona State University (www.wpcarey.asu.edu/csl). Veja também M. J. Bitner and S. Brown, "The Service Imperative," *Business Horizons*, edição comemorativa ao 50º aniversário, 51 (January–February 2008), pp. 39–46.

---

* N. de T.: "Flat tire club", jogo de palavras com Fat tire club. "Fat tire" é a dobra de gordura corporal que se acumula na lateral do abdome, e "fat tire club" é uma reunião de pessoas sedentárias e com a intenção de desenvolver a motivação para a perda de peso.

OS SERVIÇOS E A TECNOLOGIA

As seções anteriores examinaram as raízes do marketing de serviços e as razões para sua existência. Outra grande tendência – a tecnologia, sobretudo a tecnologia da informação – vem moldando as atuações no setor e exercendo poderosa influência na prática do marketing de serviços. Nesta parte, exploramos as tendências na tecnologia (positivas *e* negativas) como introdução para os assuntos discutidos mais adiante. Em cada capítulo, você vai encontrar uma seção chamada Tecnologia em Foco, que discute a influência da tecnologia em questões relacionadas aos tópicos abordados. Ao lado da globalização, a influência da tecnologia é a tendência mais forte observada no marketing de serviços na atualidade.

As novas ofertas de serviços

Ao examinarmos o passado, é possível ver como a tecnologia se transformou na principal força motriz por trás das inovações nos serviços que hoje são vistas com naturalidade. Correios de voz, unidades de resposta audível (URA)*, aparelhos de fax, caixas eletrônicos e outros serviços comuns ganharam viabilidade somente por causa das novas tecnologias. É interessante imaginar como o mundo seria diferente sem esses serviços básicos gerados pela tecnologia.

Mais recentemente, passamos a testemunhar o vertiginoso crescimento da Internet, que trouxe consigo todo um leque de novos serviços. Empresas voltadas para a Internet, como Amazon e eBay, hoje oferecem serviços que seriam impensáveis em outras épocas, e os *smart phones* oferecem inúmeros aplicativos inimagináveis no passado recente. Além disso, as empresas consolidadas descobriram que a Internet abriu caminho para a oferta de novos serviços.[18] Por exemplo, o *The Wall Street Journal* disponibiliza uma edição interativa que permite aos leitores organizar o conteúdo do jornal da forma que melhor atenda a suas preferências e necessidades.

Neste cenário, novos serviços em tecnologia estão despontando no horizonte. Por exemplo, o "carro conectado" permite o acesso a todos os tipos de serviços novos e existentes em plena estrada. Os sistemas embutidos nos automóveis oferecem recomendações para compras ao informarem aos condutores a distância a que se encontram de seu supermercado preferido. Em uma viagem por uma autoestrada, os sistemas informam a previsão do tempo e, no momento de parar para o descanso noturno, o sistema é capaz de reservar um quarto em um hotel nas imediações, recomendar um restaurante e fazer as reservas para o jantar. Outros avanços tecnológicos permitem que os profissionais da medicina monitorem as condições de um paciente remotamente, além de gerar diagnósticos e prescrever tratamentos e orientações para cirurgias mediante interfaces tecnológicas. Por essa razão, empresas de grandes equipamentos como John Deere, Caterpillar e General Electric hoje conseguem monitorar e executar a manutenção de equipamentos a distância, fornecendo informações e dados elaborados para seus clientes via Internet.

As novas maneiras de oferecer um serviço

Além de oferecer oportunidades para novos produtos de serviços, a tecnologia viabiliza os meios para a oferta de serviços existentes de modo mais acessível, conveniente e produtivo. A tecnologia simplifica as funções básicas do serviço ao cliente (pagamento de contas, verificação do histórico de contas, rastreamento de pedidos), as transações (tanto no varejo quanto no *business-to-business*) e o conhecimento ou a busca por informações. Em Tecnologia em Foco, você vai acompanhar como, ao longo da história, as tecnologias em desenvolvimento alteraram o serviço ao cliente de forma irreversível. As companhias abandonaram o serviço pessoal e inicialmente adotaram o serviço por telefone. Em seguida, passaram a utilizar as unidades de resposta audível, o serviço ao cliente para a Internet

---

* N. de T.: Em inglês, *Interactive voice response system*. Sistema de comunicação via voz que permite que o cliente ligue para a empresa e realize transações diretamente com o banco de dados, como nas soluções de autoatendimento bancárias.

Tecnologia em foco   A nova cara do serviço ao cliente

O serviço de qualidade ao cliente – o suporte diário e constante às ofertas de uma companhia – é um fator essencial à criação de identidade de marca e à conquista do derradeiro sucesso. Esse serviço inclui responder perguntas, receber pedidos, lidar com questões envolvendo contas e reclamações, marcar compromissos, além de outras atividades semelhantes. Essas funções essenciais são capazes de construir ou destruir os relacionamentos com os clientes. A qualidade da atenção dispensada ao cliente tem o poder de causar expressivo impacto na identidade da marca em empresas de serviços, produtos ou bens de consumo. Em função de sua importância ao gerar impressões e relacionamentos duradouros com o cliente, o serviço ao cliente é por vezes chamado de "porta da frente", ou "cara" da organização.

Assim, como a "cara" do serviço ao cliente mudou com o influxo da tecnologia? Há muito tempo, todo o serviço ao cliente era oferecido face a face, por meio da interação pessoal do funcionário com o cliente. Para obter algum serviço, você tinha de visitar uma loja ou prestadores de serviço, em pessoa. O telefone mudou este panorama, ao permitir que os clientes telefonassem às companhias e conversassem diretamente com os funcionários, via de regra em horário comercial, de segunda à sexta-feira. O serviço ao cliente perdeu um pouco de seu caráter pessoal, mas não há dúvida de que ganhou em eficiência quando adotou o telefone. Com a evolução da tecnologia da informática, os representantes do serviço ao cliente (RSC) tornaram-se ainda mais eficientes. Os sistemas de informação e os arquivos de dados dos clientes permitiram aos RSCs o acesso aos registros dos clientes em suas estações de trabalho, a fim de atender às consultas nesse mesmo local.

Ao longo do tempo, com o aval das tecnologias da informática e da comunicação, as organizações de grande porte passaram a centralizar suas funções de serviço ao cliente, e consolidaram essas operações em grandes *call centers* localizados em qualquer parte de um país ou do mundo. Por exemplo, a maioria das chamadas para o serviço ao cliente da IBM é atendida pelo seu centro de vendas e de serviços em Toronto, no Canadá, e estas chamadas podem ser efetuadas nas 24 horas do dia. Mesmo assim, nestes tipos de *call centers*, o serviço ao cliente é em sua maior parte um evento interpessoal, em que um cliente fala direta e individualmente com um funcionário.

O advento e a rápida proliferação dos eficientes, mas muito mais difamados, sistemas de unidades de resposta audível transformaram o serviço ao cliente personalizado de muitas empresas em intercâmbios de informação automa-

---

e, no momento, adotam a tecnologia sem fio. É interessante observar que muitas companhias deram uma guinada completa, e hoje disponibilizam contato humano para executar o serviço ao cliente!

A tecnologia facilita as transações ao oferecer um veículo direto para fazer compras e conduzir negócios. No campo de serviços financeiros, a Charles Schwab passou de uma corretora tradicional a uma empresa de serviços financeiros on-line que hoje concretiza mais de 70% de suas operações no meio eletrônico. As operações bancárias pela Internet também estão crescendo em todo o mundo. Neste setor, o banco holandês ING Direct é líder de mercado nos Estados Unidos. O ING atrai depósitos que seriam feitos em bancos concorrentes muito maiores.[19] A tecnologia também transformou a prestação de serviços e transações afins em muitas empresas *business-to-business*. A Cisco Systems, gigante da tecnologia, oferece às companhias que são suas clientes serviços e funções relativos a pedidos conduzidos principalmente pela via tecnológica.

Por fim, a tecnologia – sobretudo a Internet – abre caminho para que os clientes aprendam, pesquisem e colaborem mutuamente. O acesso à informação nunca foi tão fácil. Por exemplo, mais de 20 mil *websites* hoje oferecem informações relacionadas à saúde. Muitos deles dão respostas para perguntas específicas sobre uma doença, um medicamento ou um tratamento. Em um estudo sobre a utilização de informações sobre saúde disponíveis on-line, a organização Pew descobriu que, entre os norte-americanos com acesso à rede mundial, 80% já haviam procurado informações sobre saúde na Internet.[20]

A capacitação de clientes e de funcionários

A tecnologia possibilita tanto aos clientes quanto aos funcionários de uma companhia uma maior eficiência na obtenção e execução de serviços.[21] As tecnologias de autoatendimento permitem que os clientes sirvam-se dos serviços com mais eficácia. Com as transações bancárias on-line, os clientes têm acesso a suas contas, saldos, crédito pessoal, transferências, e são capazes de efetuar

tizados e definidos por menus. Em quase todos os setores e contextos empresariais, os clientes deparam-se com esses sistemas, e muitos deles são decepcionantes. Por exemplo, esta frustração ocorre no caso de as opções do menu em um sistema serem numerosas e confundíveis, ou de nenhuma destas opções parecer encaixar-se ao objetivo do telefonema. Da mesma forma, os clientes se enraivecem sempre que fica difícil sair do sistema automatizado ou quando não há a opção de falar com um dos atendentes.

Além dos sistemas automatizados de telecomunicação, a explosão da Internet também mudou radicalmente o serviço ao cliente para muitas companhias. O serviço hoje é fornecido na Internet via e-mail, programas-robô, páginas de perguntas mais frequentes (FAQs) e *chats*. Nestes casos, não há interação humana direta, e os próprios clientes executam o serviço.

Com a incansável proliferação de soluções tecnológicas, as empresas estão descobrindo que as expectativas modificaram-se quanto ao serviço ao cliente, e hoje os clientes exigem alternativas para a maneira de acessar o serviço, quer via telefone, sistemas de voz audível, fax, e-mail, ou autosserviço via Internet. Embora os clientes muitas vezes apreciem serviços baseados na tecnologia e até mesmo os exijam, eles não gostam deste meio quando ele não funciona de modo confiável (o que é um problema comum), quando ele não oferece vantagens sobre o serviço interpessoal, e quando os sistemas instalados não são capazes de se recuperar de falhas. É interessante observar que quando as coisas não funcionam como deveriam em um *website* ou em sistemas de voz audível, os clientes são rápidos ao procurar alternativas mais tradicionais, como o contato interpessoal (em pessoa ou pelo telefone), e alteram por completo sua postura. Parece irônico, mas o banco líder em transações via *Internet* na Europa e nos Estados Unidos, o ING Direct, orgulha-se de ter *pessoas de verdade*, não sistemas de menus automatizados, atendendo nas linhas telefônicas de discagem grátis de seu centro de serviço ao cliente!

Fontes: J. A. Nickell, "To Voice Mail Hell and Back," *Business 2.0*, July 10, 2001, pp. 49–53; M. L. Meuter, A. L. Ostrom, R. I. Roundtree, and M. J. Bitner, "Self-Service Technologies: Understanding Customer Satisfaction with Technology-Based Service Encounters," *Journal of Marketing* 64 (July 2000), pp. 50–64; S. Ali, "If you want to Scream, Press...," *The Wall Street Journal*, October 30, 2006, p. R4; B. Kiviat, "How a Man on a Mission (and a Harley) Reinvented Banking," *Time*, June 25, 2007, pp. 45–46. 45–46; J. Light, "With Customer Service, Real Person Trumps Text," *The Wall Street Journal*, April 25, 2011, p. B7.

praticamente qualquer operação de que precisam – tudo sem a assistência dos funcionários do banco. As compras *on-line* e centenas de aplicativos de serviços disponíveis na Internet e *smart phones* transformaram a vida do consumidor, irreversivelmente. As redes sociais permitem que pessoas e empresas comuniquem-se e colaborem umas com as outras.

Para os funcionários, a tecnologia oferece um imenso apoio em termos de melhora de sua eficiência na execução de um serviço. A gestão do relacionamento com o cliente e o software de suporte a vendas são categorias amplas de tecnologia que auxiliam os funcionários da linha de frente a oferecer melhores serviços. Ao terem acesso imediato às informações sobre as ofertas de produtos e serviços e sobre clientes específicos, os funcionários estão mais bem aparelhados para atendê-los. Este tipo de informação permite aos funcionários customizar os serviços de forma a atender às necessidades do cliente. Eles também são muito mais eficientes e oportunos do que no passado, quando a maior parte das informações sobre o produto e o cliente eram armazenadas em pastas ou nas memórias dos representantes de vendas e de serviço ao cliente.

Como estender o alcance global dos serviços

A presença da tecnologia resulta no potencial de atingir os clientes em todo o globo de maneiras antes impossíveis. A Internet não conhece fronteiras; portanto, as informações, o serviço ao cliente e as transações conseguem se deslocar entre países e continentes e, assim, chegar a qualquer cliente que tem acesso à rede. A tecnologia também permite que os funcionários de empresas multinacionais mantenham contato com facilidade, a fim de compartilhar informações, formular consultas e atender como equipes virtuais. Toda esta tecnologia facilita o alcance global e a eficiência no setor de serviços. Em Tema Global, você vai saber mais sobre a migração dos empregos do setor de serviços e a capacidade de gerar serviços em praticamente qualquer local.

Tema global — A migração dos empregos do setor de serviços

Com a crescente sofisticação da tecnologia da informação, o alcance global das organizações aumenta a velocidades espetaculares. As atividades que de hábito requeriam proximidade e contato pessoal hoje são concluídas via Internet, vídeo e tecnologias da comunicação. Esses avanços significam que as tarefas que produzem e apoiam estas atividades podem ser conduzidas em praticamente qualquer lugar do mundo. O resultado foi batizado de "migração dos empregos do setor de serviços" de países como os Estados Unidos e o Reino Unido para nações como Índia, Paquistão, Filipinas, países do Leste Europeu e, mais recentemente, Colômbia e Brasil.

Em muitos aspectos, esta globalização dos serviços é inevitável. Entretanto, ela vem acompanhada de considerável controvérsia. Uma das principais preocupações diz respeito ao fato de algumas das tarefas mais bem pagas estarem sendo "entregues" a países de mão de obra barata, e esta preocupação é uma realidade indiscutível para as pessoas que perdem seus empregos nos países desenvolvidos. No entanto, os números não são tão altos quanto se imagina. A Forrester Research, empresa de Cambridge, Massachusetts, estima que até 2015 3,3 milhões de operações de serviço de alta tecnologia terão sido transferidas dos Estados Unidos para outros países. Outras estimam que este número seja bem maior. Do outro lado do espectro das preocupações estão aqueles que argumentam que os empregos em outros continentes motivam a inovação, a geração de empregos em outras áreas e o aumento da produtividade que beneficia o cliente e conserva a competitividade das companhias no mercado global. Na verdade, o Serviço de Estatísticas do Trabalho (Bureau of Labor Statistics) estimava que entre 2000 e 2012, 22 milhões de novos postos de trabalho seriam gerados nos Estados Unidos (sobretudo em serviços de negócios, saúde, transporte e comunicações). Ainda que os resultados mais específicos da migração dos empregos do setor de serviços não sejam totalmente conhecidos, é possível dizer que a globalização dos serviços continuará, encurtando ainda mais as distâncias entre pessoas e países.

A migração dos empregos de serviços envolve não apenas os *call centers* e as linhas de consulta com TI, como também os serviços que movimentam setores e aumentam os níveis de capacitação. O desenvolvimento de *software*, a consultoria em TI, o projeto de *chips*, a análise financeira, a engenharia industrial, os métodos analíticos e o desenvolvimento de medicamentos são apenas alguns exemplos de serviços executados na Índia para empresas globais. Até mesmo um diagnóstico médico e a leitura de prontuários são executados remotamente, via vídeo, Internet e tecnologias de varredura.

Por que a migração de empregos do setor de serviços está ocorrendo agora? A raiz da aceleração está no rápido desenvolvimento e na acessibilidade a sofisticadas tecnologias da informação. Os serviços dependem intensamente de informações, e hoje elas podem ser compartilhadas prontamente, sem contato pessoal direto. Por exemplo, no Centro de Tecnologia John F. Welch em Bangalore, Índia, cerca de 3 mil pesquisadores e engenheiros estão envolvidos em pesquisa para divisões da General Electric. Os projetos cobrem áreas tão diversas quanto desenvolvimento de materiais para uso em DVDs, aumento da produtividade das unidades da corporação e refinamento dos projetos de pás de turbinas. O trabalho de projeto é feito na Índia (talvez em equipe com engenheiros lotados em outros locais), e é possível enviar os resultados a qualquer lugar, instantaneamente, sempre que forem requisitados. Outros exemplos: mais de 20 mil restituições de impostos norte-americanas são preparadas e emitidas por contadores públicos na Índia; os analistas financeiros indianos examinam os últimos balancetes de empresas norte-americanas e emitem seus relatórios no dia seguinte; outros trabalhadores naquele país examinam montanhas de dados de consumidores disponibilizados por clientes corporativos de outros países para uma definição de padrões comportamentais e o desenvolvimento de ideias para o marketing. Em cada um destes casos, para o cliente *o local* em que o trabalho é feito não tem tanta importância, desde que este seja bem conduzido e concluído dentro do prazo.

Call center na Índia

Um dos principais aspectos que possibilita esta migração de empregos é o fato de os países fora do mundo em desenvolvimento estarem gerando mão de obra altamente capacitada e treinada, sobretudo na China e na Índia. Esta mão de obra via de regra trabalha por salários mais baixos do que a mesma mão de obra nos Estados Unidos ou no Reino Unido, o que permite às empresas globais reduzir os custos associados e aumentar a produtividade. Além disso, a qualidade do trabalho pode ser igualmente alta. Contudo, com o prosseguimento das operações em outros continentes e com a maior competição por novos talentos, as empresas estão enfocando as lacunas culturais e linguísticas que limitam a qualidade e passam a transferir os serviços – sobretudo *call centers* – de volta aos países de origem.

U. Karmarkar, "Will You Survive the Services Revolution?" *Harvard Business Review*, 82 (June 2004), pp. 100–107; M. Kripalani and P. Engardio, "The Rise of India," *Business Week*, December 8, 2003; S. A. Teicher, "A Not So Simple Path," *Christian Science Monitor*, February 23, 2004; M. N. Baily and D. Farrell, "Exploding the Myths of Offshoring," *The McKinsey Quarterly*, online at www.mckinseyquarterly.com, July 2004; S. Ali, "If You Want to Scream, Press...," *The Wall Street Journal*, October 30, 2006, R4; A. Vashistha and A. Vashistha, *The Offshore Nation* (NewYork: McGraw-Hill, 2006); S. Lohr, "At IBM, a Smarter Way to Outsource," *The New York Times*, July 5, 2007.

A Internet é um serviço

Uma maneira interessante de examinar a influência da tecnologia consiste em entender que a Internet não passa de "um grande serviço". Todas as empresas e organizações que operam na Internet estão basicamente oferecendo um serviço – seja disponibilizando informações, executando funções básicas de serviço ao cliente ou facilitando transações. Desta forma, todas as ferramentas, conceitos e estratégias que você aprenderá ao estudar o marketing e a gestão de serviços têm aplicação direta na Internet ou no mundo do *e-business*. Apesar de a tecnologia e a Internet trazerem mudanças profundas para a maneira como as pessoas fazem negócio e para a disponibilização de produtos, está claro que os clientes sempre desejarão o serviço básico. Atualmente eles querem o que sempre quiseram: desfechos confiáveis, acesso fácil, sistemas capazes de resposta, flexibilidade, pedidos de desculpa e compensação quando algo não funciona conforme o esperado. No entanto, hoje os clientes esperam esses desfechos também de empresas baseadas em tecnologia e de soluções de *e-commerce*.[22] Retrospectivamente, já ficou óbvio que muitas entrantes no setor dot.com sofreram e até mesmo faliram em função da falta de conhecimento básico sobre o cliente e dos problemas de implementação, de logística e de acompanhamento do serviço.[23]

Os paradoxos e o lado negativo da tecnologia e dos serviços

Apesar de existir um grande potencial para que a tecnologia apoie e aprimore os serviços, há também prováveis consequências negativas. David Mick e Susan Fournier, renomados pesquisadores do comportamento do consumidor, listam diversos paradoxos dos produtos e serviços de tecnologia disponibilizados aos consumidores, como representa a Tabela 1.1.[24] Esta seção trata de algumas das principais preocupações sobre este assunto.

As preocupações do cliente com privacidade e confidencialidade levantam importantes questões, à medida que as empresas dedicam-se mais a aprender sobre os clientes e a interagir diretamente com eles por meio da Internet. Essas preocupações obstruíram muitos dos esforços feitos para o avanço da implementação da tecnologia no setor de saúde, por exemplo. Nem todos os clientes estão igualmente interessados em utilizar a tecnologia como forma de interação com as

Tabela 1.1 Os oito principais paradoxos dos produtos de tecnologia

Paradoxo	Descrição
Controle/caos	A tecnologia facilita a regulamentação ou a ordem, mas pode também levar à revolta e à desordem.
Liberdade/escravidão	A tecnologia facilita a independência ou promove menos restrições, mas da mesma forma leva à dependência e a mais restrições.
O novo/o obsoleto	As novas tecnologias oferecem ao usuário as vantagens mais recentes do conhecimento científico que, paradoxalmente, já estão ou em breve estarão ultrapassadas ao chegarem ao mercado.
Competência/incompetência	A tecnologia promove os sentimentos de inteligência e eficiência, porém pode fazer surgir sentimentos de ignorância e incapacidade.
Eficiência/ineficiência	A tecnologia minimiza os esforços e o tempo despendidos em certas atividades, mas aumenta os esforços e o tempo necessários a outras.
Satisfação/aparecimento de necessidades	A tecnologia facilita a satisfação de necessidades ou desejos, porém pode despertar a consciência de necessidades ou desejos antes desconhecidos.
Assimilação/isolamento	A tecnologia facilita o contato humano, mas pode levar ao isolamento.
Compromisso/descompromisso	A tecnologia avaliza o envolvimento, o fluxo ou a atividade, ao mesmo tempo em que pode levar à falta de envolvimento, à ruptura ou à passividade.

Fonte: D. G. Mick and S. Fournier, "Paradoxes of Technology: Consumer Cognizance, Emotions, and Coping Strategies," *Journal of Consumer Research* 25 (September 1998), pp. 123–147. Copyright © 1998 University of Chicago Press. Reproduzido com permissão.

companhias. As pesquisas que exploram "a prontidão do cliente para com a tecnologia" sugerem que alguns clientes simplesmente não estão interessados ou prontos para utilizar os avanços tecnológicos.[25] Os funcionários por vezes relutam em aceitar e integrar a tecnologia em seu trabalho – sobretudo quando percebem, correta ou equivocadamente, que a tecnologia substituirá o trabalho humano e talvez elimine seus empregos.

Com a imersão na tecnologia ocorre a perda do contato humano, tida por muitos como perniciosa, na perspectiva da qualidade de vida e dos relacionamentos humanos. Os pais lamentam que seus filhos passem horas diante da tela de um microcomputador, interagindo com jogos, buscando informações e comunicando-se com seus amigos por meio de *websites* de mensagens instantâneas e do Facebook, sem contato humano direto. Outro fator é que os trabalhadores das organizações ficam mais dependentes da comunicação via tecnologia – a ponto de comunicarem-se por e-mail ou mensagens instantâneas com uma pessoa que está no escritório ao lado!

Por fim, o retorno sobre o investimento em tecnologia muitas vezes é incerto. É provável que seja necessário um longo tempo para que se verifique a geração de ganhos em produtividade ou de satisfação do cliente. E há situações em que estes ganhos nunca são verificados. Por exemplo, a McKinsey & Company relata que uma empresa projetava uma economia de $40 milhões com a transferência de seus serviços de emissão de faturas e de chamadas requisitando serviços para a Internet. Em vez disso, ela amargou um prejuízo de $16 milhões em virtude da menor utilização em comparação com o previsto, das chamadas de acompanhamento imprevistas e dos e-mails enviados ao *call center* por aqueles clientes que utilizavam o serviço via Internet no início, além da perda de receita por conta da falta de oportunidades para vendas cruzadas.[26]

AS CARACTERÍSTICAS DOS SERVIÇOS

Há consenso de que as diferenças entre produtos e serviços existem, e que as características distintivas discutidas nesta seção trouxeram desafios (além de vantagens) para os gestores de serviços.[27] É importante entender que cada uma destas características pode ser arranjada em um continuum semelhante ao espectro de tangibilidade ilustrado na Figura 1.1. Isso quer dizer que os serviços tendem a ser mais heterogêneos, mais intangíveis, mais difíceis de avaliar do que os produtos, mas as diferenças entre produtos e serviços não são claramente discerníveis.[28]

A Tabela 1.2 resume as diferenças entre produtos e serviços e as implicações de cada uma destas características. Muitas das estratégias, ferramentas e estruturas apresentadas neste livro foram desenvolvidas para tratar destes atributos que, até a década de 1980, eram ignorados pelos profissionais de marketing. Recentemente, sugeriu-se que estas características diferenciadoras não fossem interpretadas como exclusivas aos serviços, mas como relevantes também aos produtos, pois "todos os produtos são serviços", e "o intercâmbio econômico está fundamentado na oferta de serviços".[29] Este ponto de vista sugere que todos os tipos de organização são capazes de obter valiosas noções com o emprego de estruturas, ferramentas e estratégias do marketing de serviços.

A intangibilidade

A principal característica do serviço é a intangibilidade. Dado que serviços são execuções, ações, e não objetos, eles não podem ser vistos, sentidos, experimentados nem tocados da mesma maneira que um bem tangível. Por exemplo, os serviços de saúde são ações (como uma cirurgia, um diagnóstico, um exame e um tratamento) executadas pelas partes prestadoras e voltadas para o paciente e seus familiares. Estes serviços não podem ser tocados pelo paciente, ainda que ele seja capaz de ver e tocar alguns componentes tangíveis do serviço (o equipamento ou o quarto do hospital). Na verdade, muitos serviços, como os na área da saúde, são difíceis de compreender. Até mesmo depois de um diagnóstico ou de uma cirurgia terem sido concluídos, o paciente talvez não tenha uma

Tabela 1.2 A comparação entre produtos e serviços

Produtos	Serviços	Implicações resultantes
Tangíveis	Intangíveis	Os serviços não podem ser estocados. Os serviços não podem ser patenteados com facilidade. Os serviços não podem ser dispostos nem deslocados rapidamente. A precificação dos serviços é difícil.
Padronizados	Heterogêneos	A execução de um serviço e a satisfação do cliente dependem das ações do funcionário e do cliente. A qualidade do serviço depende de muitos fatores incontroláveis. Não há certeza de que o serviço executado atende ao que foi proposto e planejado.
A produção é separada do consumo	A produção e o consumo são simultâneos	Os clientes participam e afetam a transação. Os clientes afetam-se reciprocamente. Os funcionários afetam o desfecho do serviço. A descentralização dos serviços pode se tornar essencial. A produção em massa de serviços é difícil.
Não perecíveis	Perecíveis	É difícil sincronizar a oferta e a demanda em serviços. Os serviços não podem ser devolvidos ou revendidos.

Fonte: A. Parasuraman, V. A. Zeithaml, and L. L. Berry, "A Conceptual Model of Service Quality and It's Implications for Future Research." *Journal of marketing* 49 (Fall 1985) pp. 41–50. Reproduzido com permissão da American Marketing Association.

compreensão completa do serviço executado, embora sejam visíveis as suas evidências físicas (por exemplo, incisões, curativos, dor).

As implicações para o marketing. A intangibilidade traz diversos desafios para o marketing. Serviços não são passíveis de serem armazenados e, portanto, as flutuações na demanda muitas vezes são difíceis de administrar. Por exemplo, há uma imensa demanda por hospedagem na rede hoteleira em Phoenix em fevereiro, mas em julho a demanda é pequena. Todavia, os proprietários de hotéis dispõem do mesmo número de quartos ao longo de todo o ano. Os serviços não podem ser patenteados de prontidão, e os novos conceitos de serviço são passíveis de serem copiados facilmente pela concorrência. Os serviços não podem ser expostos ou transportados rapidamente ao cliente, e por isso talvez seja difícil avaliar a sua qualidade. As decisões sobre o que deve ser incluído na propaganda e em outros materiais promocionais representam um desafio, assim como a precificação. Os custos reais de uma "unidade de serviço" são de difícil definição, e a relação entre preço e qualidade é complexa.

A heterogeneidade

Uma vez que os serviços são ações, muitas vezes executadas por seres humanos, não há dois serviços exatamente idênticos. Os funcionários que executam um serviço muitas vezes são os que estão diante do cliente, e as pessoas apresentam níveis diferentes de desempenho a cada dia, ou mesmo a cada hora. A heterogeneidade também ocorre por conta de dois clientes nunca serem exatamente iguais. Cada cliente tem exigências exclusivas, ou constrói uma experiência única com o serviço. Como os serviços muitas vezes são coproduzidos e cocriados com os clientes, os comportamentos destes também introduzem variabilidade e incerteza, resultando na heterogeneidade dos desfechos. Assim, a heterogeneidade associada a serviços é em grande parte o resultado da interação humana (entre os próprios funcionários e entre funcionários e clientes) e de todas as idiossincrasias que acompanham esta interação. Por exemplo, um analista tributário oferece uma experiência de serviço diferente a dois clientes, em um mesmo dia, dependendo das necessidades e das personalidades de cada um, e da circunstância de o analista reunir-se com estes clientes na primeira hora da manhã, momento em que se encontra descansado, ou ao final de um longo dia de reuniões, período em que está exausto.

As implicações para o marketing. Uma vez que os serviços são diferentes ao longo do tempo, entre as organizações e entre as pessoas, a garantia da consistência em serviços é um desafio. Na verdade, a qualidade depende de muitos fatores que não podem ser totalmente controlados pelo prestador do serviço, como a capacidade do cliente de expressar suas necessidades, a capacidade e a disposição da equipe de serviços para atender a estas necessidades, a presença (ou ausência) de outros clientes e o nível de demanda do serviço. Em função destes fatores que complicam o cenário, o gerente de serviços nem sempre será capaz de ter certeza de que o serviço está sendo executado de modo consistente com o originalmente planejado ou anunciado. Há vezes em que os serviços são fornecidos por terceiros, o que aumenta a potencial heterogeneidade da oferta.

A geração e o consumo simultâneos

Embora, em sua maior parte, os bens sejam produzidos, vendidos e consumidos, nesta ordem, os serviços costumam ser vendidos com antecedência e, em seguida, gerados e consumidos, simultaneamente. Por exemplo, um automóvel pode ser fabricado em Detroit, transportado para San Francisco, vendido dois meses depois, e consumido ao longo de cinco anos. Porém, os serviços dos restaurantes não podem ser oferecidos antes de serem adquiridos, e a experiência ocasionada por um jantar é produzida e consumida, essencialmente, ao mesmo tempo. Com frequência, nestas situações relativas a serviços, como em um restaurante, isso também significa que os clientes estão presentes durante a geração do serviço e, portanto, testemunham e até participam deste processo, como cogeradores ou coprodutores. Simultaneidade também significa que os clientes muitas vezes interagirão um com o outro durante o processo de geração do serviço e que, por isso, são capazes de afetar as experiências individuais, reciprocamente. Por exemplo, duas pessoas estranhas sentadas lado a lado em uma fileira de poltronas em um avião são plenamente capazes de afetar a experiência que cada uma tem do serviço. Isso fica claro diante do fato de passageiros em viagem de negócios fazerem de tudo para não serem colocados em poltronas ao lado de famílias que viajam com seus filhos pequenos. Outro resultado da simultaneidade de produção e consumo diz que os geradores de serviço descobrem que fazem parte do produto propriamente dito, e que são um ingrediente essencial na experiência do serviço para o cliente. A fotografia a seguir ilustra um exemplo comum e bastante complexo de geração simultânea de um serviço – uma sala de aula em uma universidade. É interessante observar que, com a chegada da tecnologia, muitos serviços podem ser gerados e consumidos em pontos diferentes no tempo, o que representa menos desafios associados com esta característica para algumas empresas prestadoras.[30]

Os alunos de um curso universitário cogeram a experiência do serviço em grupo e com o professor.

As implicações para o marketing. Como os serviços muitas vezes (mas nem sempre) são gerados e consumidos ao mesmo tempo, a produção em massa é difícil. A qualidade do serviço e a satisfação do cliente dependem do que acontece "em tempo real", incluindo as ações de funcionários e as interações entre estes e os clientes, além das interações entre os próprios clientes. Sem dúvida, o caráter de tempo real dos serviços também acarreta vantagens no âmbito de oportunidades para a customização de ofertas para clientes individuais. A produção e o consumo simultâneos também indicam que nem sempre será possível ter economias de escala significativas por meio da centralização. Muitas vezes as operações precisam ser relativamente descentralizadas para que o serviço seja executado ao cliente, no local mais conveniente, ainda que o crescimento de serviços baseados em tecnologia esteja alterando o cenário de exigências para diversas classes de serviço. Além disso, em função da simultaneidade de geração e consumo, o cliente é envolvido e observa o processo de produção, e assim tem a chance de afetar (positiva ou negativamente) o desfecho da transação.

A perecibilidade

A *perecibilidade* refere-se ao fato de os serviços não poderem ser gravados, armazenados, revendidos ou devolvidos. Um assento em um avião ou uma mesa em um restaurante, uma hora de consulta com um advogado ou o espaço em um contêiner em um navio não utilizados ou adquiridos não podem ser reclamados e utilizados ou revendidos mais tarde. A perecibilidade contrasta com os produtos que podem ser estocados, vendidos outro dia ou mesmo devolvidos se o consumidor não estiver satisfeito. Não seria ótimo se um péssimo corte de cabelo pudesse ser devolvido ou revendido ao próximo cliente? A perecibilidade torna esta ação uma possibilidade remota para a maior parte dos serviços.

As implicações para o marketing. Uma das principais questões enfrentadas pelos profissionais de marketing quanto à perecibilidade dos serviços é a incapacidade de estocá-los. Logo, a previsão de demanda e o planejamento criativo para a utilização de capacidades são fatores importantes e desafiadores na tomada de decisão. O fato de os serviços não serem via de regra devolvidos ou revendidos também implica a necessidade de estratégias eficientes de recuperação quando algo dá errado. Por exemplo, apesar de não ser possível devolver um mau corte de cabelo, o cabeleireiro pode e deve ter à mão estratégias para recuperar a disposição do cliente em retornar, se for o caso.

As qualidades da busca, da experiência e da credibilidade

Uma maneira de avaliar as diferenças nos processos de avaliação entre bens e serviços consiste em uma classificação das propriedades das ofertas proposta por economistas.[31] No princípio, eles traçavam as diferenças entre duas categorias de propriedades de produtos: as *qualidades relativas à busca*, os atributos que um cliente consegue definir antes de adquirir um produto, e as *qualidades relativas à experiência*, as quais podem ser discernidas apenas após a compra ou durante o consumo. As qualidades relativas à busca incluem cores, estilos, preço, tamanho, sensações produzidas e odores; as qualidades relativas à experiência incluem o sabor, o prazer ao vestir e o conforto. Produtos como automóveis, vestuário, mobiliário e joias representam bem as qualidades relativas à busca, porque seus atributos podem ser quase completamente definidos e avaliados antes da compra. Produtos como férias e refeições em restaurantes são marcados pelas qualidades relativas à experiência, já que não é possível conhecer ou avaliar seus atributos antes de eles serem adquiridos ou consumidos. Uma terceira categoria, as *qualidades relativas à credibilidade*, inclui as características que o consumidor talvez julgue impossíveis de serem avaliadas mesmo após a compra e o consumo.[32] Exemplos de ofertas com esse tipo de qualidade são operações para a remoção do apêndice, a recuperação da lona dos freios de um automóvel e as atualizações de programas de computador. Poucos consumidores possuem habilidades médicas, mecânicas ou técnicas para avaliar a necessidade desses serviços ou a qualidade na prestação, mesmo após terem sido prescritos e produzidos pelo prestador.

A Figura 1.5 lista produtos com muitas características relativas à busca, à experiência e à credibilidade em uma escala de avaliação que vai de fácil a difícil de avaliar. Os produtos com muitas características relativas à busca são os mais fáceis de avaliar (lado esquerdo da escala). Os produtos com muitas características relativas à experiência têm avaliação mais difícil, porque precisam ser comprados e consumidos antes de essa avaliação ser possível (centro da escala). Os produtos em que prevalecem as características relativas à credibilidade são os mais difíceis de avaliar, porque o cliente pode não estar ciente ou não ter conhecimentos suficientes para calcular se as ofertas atendem a algumas necessidades específicas mesmo após o uso e/ou consumo (lado direito da escala). A maioria dos bens de consumo fica no lado esquerdo da escala, enquanto a maior parte dos serviços fica no lado direito, devido a suas características há pouco descritas. Essas características tornam os serviços mais difíceis de avaliar, comparados a produtos, sobretudo antes da compra. Por sua vez, essa dificuldade força os clientes a recorrer a uma variedade de indícios e processos no momento de decidir comprar e avaliar os serviços.

Os desafios e os problemas para os profissionais de marketing de serviços

Em função das características básicas dos serviços, os profissionais de marketing enfrentam desafios distintos. As questões listadas a seguir continuam a intrigar os gerentes de serviços:

Como definir e aprimorar a qualidade em serviços quando o produto é intangível e não padronizado?

Como projetar e definir novos serviços de forma eficaz se o serviço é essencialmente um processo intangível?

De que forma a empresa certifica-se de que está comunicando uma imagem consistente e relevante quando há muitos elementos do mix de marketing que devem ser comunicados ao cliente e quando alguns desses elementos são os prestadores de serviço propriamente ditos?

Figura 1.5 Escala de avaliação de diferentes tipos de produtos.

Como a empresa acomoda a demanda flutuante, dado que a capacidade é fixa e o serviço é perecível?

Qual é a melhor maneira de motivar e selecionar os funcionários do departamento de serviços que, em função de o serviço ser executado em tempo real, tornam-se parte essencial do produto?

Como definir os preços em um cenário no qual é difícil determinar os reais custos de produção e o preço pode estar intimamente entremeado com as percepções da qualidade?

De que maneira a empresa deve se organizar para que as decisões acertadas sobre estratégias e táticas sejam tomadas quando uma decisão em qualquer uma das áreas funcionais de marketing, operações e recursos humanos pode ter um impacto nas duas outras áreas?

De que forma o equilíbrio entre a padronização e a personalização é definido para maximizar tanto a eficiência da organização quanto a satisfação de seus clientes?

De que maneira a empresa protege conceitos novos de serviço contra a concorrência, dado que os processos de serviço não podem ser patenteados prontamente?

Como as empresas comunicam qualidade e valor aos clientes se a oferta é intangível e não pode ser experimentada ou exibida com facilidade?

Como uma empresa garante a execução de serviços de qualidade consistentes em um cenário em que tanto os funcionários quanto os clientes da organização têm poder de afetar o desfecho do serviço?

O MIX DO MARKETING DE SERVIÇOS

As questões anteriores são algumas das inúmeras indagações colocadas por gestores e profissionais do marketing de serviços que são analisadas ao longo deste livro por meio de várias ferramentas e estratégias. Há vezes em que essas estratégias são adaptações de ferramentas do marketing tradicional, conforme ocorre com o mix do marketing de serviços apresentado aqui. Há outras em que elas são inéditas, como no caso do mapa do serviço[*] apresentado no Capítulo 8.

O mix de marketing tradicional

Um dos conceitos básicos do marketing é o de *mix de marketing*, definido como os elementos controlados por uma organização e utilizados para atender ou comunicar-se com os clientes. O mix de marketing tradicional é composto de quatro P's: *produto*, *ponto* (distribuição), *promoção* e *preço*. Esses elementos aparecem como variáveis centrais à decisão em qualquer livro ou plano de marketing. A noção de mix significa que todas as variáveis estão relacionadas e dependem umas das outras, até certo ponto. Além disso, a filosofia do mix de marketing implica um ótimo mix desses quatro fatores para um dado segmento de mercado e a um dado ponto no tempo.

As principais áreas de decisões estratégicas para cada um dos quatro P's estão representadas pelos quatro grupos da linha superior da Tabela 1.3. A gestão cautelosa do produto, do ponto, da promoção e do preço também é essencial ao êxito do marketing de serviços. Porém, as estratégias para os quatro P's requerem modificações sempre que aplicadas a serviços. Por exemplo, a opinião geral é que a promoção envolve decisões sobre vendas, propaganda, promoções de vendas e publicidade. No caso dos serviços, esses fatores são igualmente importantes, mas uma vez que os serviços são produzidos e consumidos simultaneamente, as pessoas que os executam (como ajudantes, fiscais do transporte coletivo, enfermeiras e equipe de atendimento por telefone) estão envolvidas

---

[*] N. de T.: Em inglês, *service blueprint*. Mapa de todas as transações da execução do serviço, que se diferencia do fluxograma tradicional por incorporar o cliente e as ações deste no fluxograma da operação. Desta forma, a execução do serviço é vista na ótica do cliente, não da empresa.

Tabela 1.3 O mix expandido para serviços

Produto	Ponto	Promoção	Preço
Características físicas do produto	Tipo de canal	Combinado de promoções	Flexibilidade
Nível de qualidade	Exposição	Pessoal de vendas	Nível de preço
Acessórios	Intermediários	Seleção	Termos
Embalagem	Locais das lojas	Treinamento	Diferenciação
Garantias	Transporte	Incentivos	Descontos
Linhas de produto	Armazenagem	Propaganda	Abatimentos
Branding	Gestão de canais	Tipos de mídia	
		Tipos de anúncio	
		Promoção de vendas	
		Publicidade	
		Estratégias para a Internet/*web*	

Pessoas	Evidência física	Processo
Funcionários	Projeto das instalações	Fluxo de atividades
Recrutamento	Equipamentos	Padronizado
Treinamento	Sinalização	Customizado
Motivação	Vestuário dos funcionários	Número de etapas
Recompensas	Outros tangíveis	Simples
Trabalho em equipe	Relatórios	Complexas
Clientes	Cartões de visita	Envolvimento do cliente
Educação	Balanços	
Treinamento	Garantias	

na promoção em tempo real do serviço, embora seus empregos sejam em geral definidos em termos da função operacional desempenhada.

O mix expandido para serviços

Em função de os serviços serem produzidos e consumidos simultaneamente, os clientes muitas vezes estão presentes na fábrica da companhia, interagem diretamente com seus funcionários e, na verdade, fazem parte do processo de geração de serviços. Além disso, visto que os serviços são intangíveis, os clientes frequentemente procuram pontos tangíveis que os auxiliem a entender a natureza da experiência do serviço. Por exemplo, no setor hoteleiro, o projeto e a decoração do hotel, assim como a aparência e o comportamento de seus funcionários, influenciarão as percepções e experiências do cliente.

O reconhecimento da importância dessas variáveis adicionais fez os profissionais de marketing adotarem o conceito de *mix expandido do marketing de serviços* mostrado nos três grupos restantes da Tabela 1.3.[33] Além dos tradicionais quatro P's, o mix do marketing de serviços inclui *pessoas*, *evidência física* e *processo*.

Pessoas São todos os atores humanos que desempenham um papel na execução do serviço e que, por isso, influenciam as percepções do comprador: o quadro de pessoal da empresa, o cliente e outros clientes no ambiente de serviços.

Todos os atores humanos que participam da execução de um serviço dão indicativos da natureza do serviço ao cliente. Suas atitudes e comportamentos, seu modo de vestir e sua aparência física são fatores de influência das percepções que o cliente tem do serviço. Na verdade, para alguns serviços, como consultoria, aconselhamento, ensino e outros serviços baseados em relacionamentos com profissionais liberais, o prestador *é* o serviço. Em outros casos, a pessoa de contato pode desempenhar o que parece um papel relativamente modesto na execução do serviço – por exemplo, um instalador de serviço via cabo, um funcionário do setor de bagagens de uma companhia aérea, ou mesmo um expedidor de equipamentos. Todavia, as pesquisas sugerem que até mesmo estes prestadores podem ser o foco dos contatos para a execução de serviços, contatos esses que são cruciais para a organização.

Em muitas situações envolvendo serviços, os clientes são capazes de influenciar sua execução, afetando sua qualidade e a própria satisfação. Por exemplo, um cliente de uma empresa de consultoria influencia a qualidade dos serviços recebidos ao oferecer as informações necessárias e oportunas e implementar as recomendações dadas pelo consultor. Da mesma forma, os pacientes de um serviço de saúde afetam a qualidade do serviço que recebem quando aceitam ou não os tratamentos prescritos pelo prestador.

Os clientes não apenas alteram os desfechos de seus próprios serviços, como também influenciam os de outros clientes. Em um teatro, em um evento esportivo, em uma sala de aula ou conectado à Internet, um cliente tem a capacidade de influenciar a qualidade do serviço recebido por outros clientes – quer aperfeiçoando, quer depreciando as experiências destes.

Evidência física É o ambiente em que o serviço é consolidado e em que a empresa e o cliente interagem, do qual fazem parte muitos componentes tangíveis que facilitam o desempenho ou a comunicação do serviço.

A evidência física do serviço inclui todas as representações tangíveis do serviço, como brochuras, papel timbrado, cartões de visita, relatórios, sinalização e equipamentos. Em alguns casos, a evidência física do serviço inclui a instalação em que ele é oferecido – o "cenário de serviços" – por exemplo, a agência bancária. Em outros, como nos serviços de telecomunicação, a unidade física é irrelevante. Neste caso, outros tangíveis, como as contas e a aparência do veículo e do instalador da loja, podem ser importantes indicadores da qualidade. Os clientes recorrem a estes expedientes visuais sobretudo em situações em que tenham poucos elementos sobre os quais julgar a real qualidade do serviço, exatamente da mesma maneira em que dependem de indicações fornecidas pelas pessoas e pelos processos de serviços. As evidências físicas abrem excelentes oportunidades para a empresa enviar mensagens fortes e consistentes sobre a finalidade da organização, os mercados almejados e a natureza do serviço.

Processo Composto pelos processos, pelos mecanismos e pelo fluxo de atividades reais pelos quais o serviço é executado – a concretização do serviço e os sistemas operacionais.

As etapas que o cliente vivencia – que podemos chamar de fluxo operacional do serviço – também oferecem elementos para avaliar um serviço. Alguns serviços são bastante complexos e requerem que o cliente siga uma complicada e extensa série de ações para completar o processo. Serviços com alto grau de burocracia muitas vezes seguem este padrão, e a lógica das etapas envolvidas escapa à compreensão do cliente. Outra característica diferenciadora do processo e que é capaz de fornecer evidências ao cliente é o modo como o serviço segue uma abordagem padronizada, como uma linha de produção, ou obedece a uma estratégia customizada, em que todos diretamente envolvidos na geração do serviço têm poder de decisão. Nenhuma destas características do serviço pode ser vista como a pior ou a melhor. Ao contrário, estamos diante da noção de que estas características do processo constituem uma forma alternativa de evidência utilizada pelo consumidor para julgar o serviço. Por exemplo, duas companhias aéreas de sucesso, a Southwest Airlines e a Singapore Airlines, adotaram modelos totalmente diferentes. A Southwest é uma companhia aérea que oferece poucos confortos (não há refeições nem reserva de poltronas nos voos) e serviços de baixo preço e cujos voos domésticos são de curta distância e frequentes.

Quadro 1.2 — A Southwest Airlines: como alinhar pessoas, processos e evidências físicas

A Southwest Airlines ocupa uma posição consolidada nas mentes dos passageiros norte-americanos como companhia aérea confiável, conveniente, de baixo custo, sem sofisticação e divertida de utilizar. Em outras palavras, esta posição significa grande valor alto – posição esta reforçada por todos os elementos do mix de marketing de serviços da Southwest. A companhia mantém-se solidamente nesta posição há mais de 40 anos, com lucros anuais. Nenhuma outra companhia aérea norte-americana chega perto desta marca.

As razões por trás deste sucesso são muitas. Uma delas é a estrutura de custos baixos da empresa. Ela tem apenas um tipo de aeronave (o Boeing 737), o que reduz custos em função da eficiência no uso de combustível combinada à capacidade de padronizar os procedimentos de manutenção e operação. A companhia aérea também mantém baixos os seus custos ao não oferecer refeições, não reservar poltronas e conservar baixa a rotação de funcionários. Herb Kelleher (diretor da Southwest desde a fundação da empresa até 2001, quando passou a presidente do conselho da companhia) conquistou fama por conta de sua crença em dar prioridade aos funcionários, não aos clientes. A companhia, baseada em Dallas, consolidou-se como prestadora de serviço de baixo custo e a preferida para trabalhar, ao mesmo tempo em que goza de altos níveis de satisfação e fidelidade do cliente. A Southwest Airlines tem as melhores notas para o serviço ao cliente no setor, e por diversas vezes recebeu o prêmio "Triple Crown" (Tríplice Coroa) de melhor manuseio de bagagem, melhor desempenho com horários e melhores estatísticas sobre reclamações.

Ao observarmos o sucesso da Southwest Airlines, fica claro que todo o seu mix de marketing está alinhado em torno de uma posição de mercado de grande sucesso. Os três elementos do mix de marketing tradicional reforçam a imagem do valor da companhia:

- **As pessoas.** A Southwest utiliza seus funcionários e seus clientes para comunicar sua posição com eficácia. Os funcionários são sindicalizados e treinados para se divertirem no trabalho, têm a permissão para definir "diversão" e a autoridade para fazer o que for preciso a fim de deixar os voos mais agradáveis e minimizar preocupações. As pessoas são contratadas pela Southwest por causa de suas atitudes. As habilidades técnicas são adquiridas via treinamento. Este grupo de pessoas constitui a força de trabalho mais produtiva do setor aéreo norte-americano. Os clientes também são incluídos nesta atmosfera de diversão, e muitos entram no ritmo e até brincam com a tripulação e com outros passageiros, e enviam milhares de cartas à companhia, expressando sua satisfação.
- **O processo.** O processo de execução de serviços na Southwest também reforça sua posição. Não há reserva de poltronas na aeronave; portanto, os passageiros fazem fila, são organizados em grupos e recebem senhas ao entrarem no avião. A disputa pelas melhores poltronas é entre os passageiros. A companhia não transfere bagagem de voos de conexão de outras companhias, salvo raras exceções. Refeições não são servidas durante os voos. Em suma, o processo é eficiente, padronizado, de baixo custo, o que permite tarifas e tempos de viagem curtos. Os clientes têm importante papel no processo de serviço, assumindo-o com disposição.
- **Evidências físicas.** Todos os tangíveis associados à Southwest reforçam sua posição no mercado. Os funcionários vestem uniformes informais, como bermudas no verão, para enfatizar o "lado divertido de viajar" e o compromisso da companhia com o conforto deles. A ausência de refeições confirma a imagem de empresa de baixo preço, com a inexistência de tangíveis – nada de comida. Além disso, como refeições servidas em voos muitas vezes são motivo de piada, esta ausência não é vista como fator de redução de valor. O *site* simples e fácil de acessar da Southwest é outra prova consistente e tangível do consolidado posicionamento da companhia aérea, e reforça sua imagem.

O posicionamento consistente conseguido por meio do mix do marketing de serviços da Southwest Airlines reforça a exclusividade de sua imagem na mente do cliente, e que confere à companhia aérea sua posição de empresa de grande valor.

Funcionários da Southwest Airlines atendendo a um cliente

Fonte: K. Freiberg and J. Freiberg, *Nuts! Southwest Airlines' Crazy Recipe for Business and Personal Success* (Austin, TX: Bard Press, 1996); K. Labich, "Is Herb Kelleher America's Best CEO?" *Fortune*, May 2, 1994; H. Kelleher and K. Brooker, "The Chairman of the Board Looks Back," *Fortune*, May 28, 2001, pp. 62–76; J. H. Gitell, *The Southwest Airlines Way* (New York: McGraw-Hill, 2003).

Todas as provas que ela oferece são consistentes com sua visão e posição no mercado, conforme ilustra o Quadro 1.2. Por outro lado, a Singapore Airlines está focada no viajante de negócios e preocupa-se com a satisfação das necessidades individuais desta classe de passageiros. Assim, o negócio é altamente customizado para o indivíduo, e os funcionários têm o poder de oferecer serviços não padronizados sempre que necessário. Ambas as companhias aéreas têm tido grande sucesso.

Os três novos elementos no mix de marketing (pessoas, evidências físicas e processo) estão incluídos no mix de marketing como elementos distintos, porque são especialmente visíveis nos serviços, estão sob o controle da companhia e qualquer um ou todos eles têm a capacidade de influenciar a decisão inicial do cliente de adquirir um serviço, o nível de satisfação deste cliente e as decisões de recompra. Os elementos tradicionais, além dos novos elementos presentes no mix de marketing, são abordados detalhadamente nos capítulos a seguir.

A CONSERVAÇÃO DO FOCO NO CLIENTE

Um dos principais temas que permeiam este livro é o *foco no cliente*. Na verdade, o subtítulo deste livro é "a empresa com foco no cliente." Da perspectiva da empresa, isso significa que as suas estratégias são desenvolvidas com vistas ao cliente, e tudo é implementado com a compreensão do impacto sobre ele. Do ponto de vista prático, as decisões relacionadas a novos serviços e planos de comunicação fazem parte da perspectiva do cliente, e as decisões envolvendo operações e recursos humanos são consideradas em termos de seu impacto para ele. Todas as ferramentas, estratégias e estruturas incluídas neste livro têm o cliente em sua base. O mix do marketing de serviços descrito anteriormente é, sem dúvida, uma importante ferramenta no tratamento da natureza exclusiva dos serviços com enfoque no cliente.

Neste livro, entendemos que os clientes são também ativos que têm de ser avaliados, desenvolvidos e retidos. As estratégias e ferramentas que disponibilizamos estão, portanto, voltadas para a construção de relacionamentos com o cliente e com sua fidelidade, em comparação com o foco tradicional, em que os clientes são vistos somente como geradores de receita. Esta obra analisa a gestão do relacionamento com o cliente não como um software, mas como toda uma arquitetura, como uma filosofia de negócio. Todos os capítulos são considerados componentes necessários à construção de uma abordagem completa de gestão do relacionamento com o cliente.

Resumo

Este capítulo introduz algumas questões relacionadas ao marketing de serviços, com a apresentação de informações sobre as mudanças na economia mundial e sobre as alterações na prática de negócios que motivaram o foco no serviço. Estas mudanças são: (1) o domínio dos serviços hoje nas economias modernas do planeta, (2) o foco nos serviços como imperativo para a competitividade de uma empresa, (3) o surgimento de necessidades específicas dos setores de serviços profissionais e desregulamentados, (4) o papel desempenhado por novos conceitos de serviço que emergem dos avanços tecnológicos e (5) a compreensão de que as características dos serviços resultam em desafios e oportunidades únicos. Este capítulo apresentou uma ampla definição de serviços como atos, processos e ações, e traçou distinções entre serviços puros, serviços com valor agregado, serviço ao cliente e serviço derivado.

Com base no conhecimento da economia dos serviços, este capítulo apresenta as principais características dos serviços por trás da necessidade de estratégias e conceitos específicos para a gestão de empresas prestadoras de serviços. Estas características básicas são a intangibilidade, a heterogeneidade, a simultaneidade de produção e consumo, e a perecibilidade dos serviços. Diante desses atributos, os gestores de serviços enfrentam diversos desafios de marketing, incluindo o complexo problema de executar serviços de qualidade de forma consistente.

Este capítulo termina com a descrição de temas que formam o alicerce para os capítulos seguintes: o mix de marketing de serviços expandido e o foco no cliente como tema unificador. O restante da obra está voltado para a exploração de oportunidades e desafios únicos enfrentados pelas organizações que vendem e executam serviços, e para o desenvolvimento de soluções que auxiliarão você a tornar-se um gestor e defensor eficaz dos serviços.

Questões para discussão

1. O que distingue a oferta de serviços do serviço ao cliente? Dê exemplos específicos.
2. De que forma a tecnologia está mudando a natureza do serviço ao cliente e alterando as ofertas de serviços?
3. Quais são as características básicas dos serviços em comparação com as dos produtos? Quais são as implicações destas características para o IBM Global Service, para a Southwest Airlines ou a empresa para a qual você trabalha?
4. Um dos principais conceitos tratados neste texto é o mix do marketing de serviços. Discuta as razões para a inclusão de cada um dos três elementos do novo mix (processos, pessoas, evidências físicas). De que forma cada um desses elementos se comunica com um cliente ou auxilia na satisfação de suas necessidades?
5. Pense em um serviço que você já contratou ou contrata no momento. Em sua opinião, quão eficaz é a empresa prestadora na gestão dos elementos do mix do marketing de serviços?
6. Mais uma vez, pense em algum serviço que você já contratou ou contrata no momento. Com que eficiência a organização prestadora lida com os importantes desafios listados na Tabela 1.2?
7. De que forma o serviço de qualidade pode ser empregado em um contexto de produção para conseguir vantagens competitivas? Pense em sua resposta no contexto de automóveis, computadores ou outro produto manufaturado que você adquiriu recentemente.

Exercícios

1. Elabore um cálculo aproximado de seu orçamento médio mensal. Qual é o percentual deste cálculo destinado a serviços? Qual é o percentual destinado a produtos? Os serviços que você contrata têm valor? Em que sentido? Se você tivesse que cortar despesas, quais seriam eliminadas?
2. Visite duas empresas prestadoras de serviço e que você acredita estejam posicionadas de modos totalmente diferentes (como Kmart e Nordstrom, ou Burger King e um restaurante elegante). A partir das observações feitas, compare as estratégias com base nos elementos do mix do marketing de serviços.
3. Experimente um serviço baseado na Internet desconhecido para você. Analise as vantagens deste serviço. As informações disponibilizadas foram suficientes para facilitar sua utilização? Como você compara este serviço a outros métodos para a obtenção das mesmas vantagens?

Literatura citada

1. "Hiding in Plain Sight: Service Innovation, a New Priority for Chief Executives," IBM Corporation, IBM Institute for Business Value, 2006, www.ibm.com/iibv; D. Kirkpatrick, "Inside Sam's $100 Billion Growth Machine," *Fortune*, June 14, 2004, pp. 80–98; W. M. Bulkeley, "These Days, Big Blue Is About Big Services Not Just Big Boxes," *The Wall Street Journal*, June 11, 2001, p. A1; A. Radding, "How IBM Is Applying Science to the World of Service," *Consulting Magazine*, May 2006; J. Bramante, R. Frank, and J. Dolan, "IBM 2000–2010: Continuously Transforming the Corporation While Delivering Performance," *Strategy and Leadership* 38, no. 3 (2010), pp. 35–43.
2. D. Brady, "Why Service Stinks," *BusinessWeek*, October 23, 2000, pp. 118–128.
3. www.theacsi.org.
4. J. B. Quinn, J. J. Baruch, and P. C. Paquette, "Technology in Services," *Scientific American* 257, no. 6 (December 1987), pp. 50–58.
5. S. L. Vargo and R. F. Lusch, "Evolving to a New Dominant Logic for Marketing," *Journal of Marketing* 68 (January 2004), pp. 1–17; R. F. Lusch and S. L. Vargo (eds.), *The Service-Dominant Logic of Marketing: Dialog, Debate, and Directions* (New York: M. E. Sharpe, 2006); *Journal of the Academy of Marketing Science*, Special Issue or the Service-Dominant Logic, Winter 2008.
6. W. M. Cox, "An Order of Prosperity to Go," *The New York Times*, February 17, 2010.
7. M. Sawhney, S. Balasubramanian, and V. V. Krishnan, "Creating Growth with Services," *Sloan Management Review*, 45 (Winter 2004), pp. 34–43.

8. Para mais informações sobre a transição das empresas de produtos para o setor de serviços, consulte: R. Oliva and R. Kallenberg, "Managing the Transition from Products to Services," *International Journal of Service Industry Management* 14, no. 2 (2003), pp. 160–172; W. A. Neu and S. W. Brown, "Forming Successful Business-to-Business Services in Goods-Dominant Firms," *Journal of Service Research,* 8 (August 2005), pp. 3–17; W. Reinartz and W. Ulaga, "How to Sell Services More Profitably," *Harvard Business Review,* 86 (May 2008), pp. 90–96; A. Gustafsson, S. Brax, and L. Witell (eds), "Service Infusion in Manufacturing Industries," special issue of the *Journal of Service Management* 21, no. 5 (2010). S. W. Brown, A. Gustafsson, and L. Witell, "Service Logic: Transforming Product-Focused Businesses," Center for Services Leadership, white paper 2011, www.wpcarey.asu.edu/csl. V. A. Zeithaml, S. W. Brown, and M. J. Bitner, "The Service Continuum: Delineating a Conceptual Domain for Researchers and Managers," working paper, Center for Services Leadership, Arizona State University, 2011.

9. R. H. K. Vietor, *Contrived Competition* (Cambridge, MA: Harvard University Press, 1994).

10. L. Berry, *Discovering the Soul of Service* (New York: The Free Press, 1999).

11. R. T. Rust, C. Moorman, and P. R. Dickson, "Getting Return on Quality: Revenue Expansion, Cost Reduction, or Both?" *Journal of Marketing* 66 (October 2002), pp. 7–24.

12. J. L. Heskett, T. O. Jones, G. W. Loveman, W. E. Sasser Jr., and L. A. Schlesinger, "Putting the Service–Profit Chain to Work," *Harvard Business Review,* 72 (March–April 1994), pp. 164–174.

13. E. W. Anderson and V. Mittal, "Strengthening the Satisfaction–Profit Chain," *Journal of Service Research* 3 (November 2000), pp. 107–120; S. Gupta, and V. A. Zeithaml, "Customer Metrics and Their Impact on Financial Performance," *Marketing Science* (December 2006), pp. 718–739.

14. C. Fornell, S. Mithias, F. V. Morgeson III, and M. S. Krishnan, "Customer Satisfaction and Stock Prices; High Returns, Low Risk," *Journal of Marketing,* 70 (January 2006), pp. 3–14; "Economic Indicator," www.theacsi.org, accessed January 10, 2011.

15. C. Fishman, "But Wait, You Promised...," *Fast Company,* April 2001, pp. 116–127.

16. D. Brady, "Why Service Stinks," *BusinessWeek,* October 23, 2000, pp. 116–128; P. Noonan, "We Pay Them to Be Rude to Us," *The Wall Street Journal,* August 14–15, 2010, p. A11.

17. www.theacsi.org, accessed January 10, 2011.

18. L. P. Willcocks and R. Plant, "Getting from Bricks to Clicks," *Sloan Management Review,* 42 (Spring 2001), pp. 50–59.

19. B. Kiviat, "How a Man on a Mission (and a Harley) Reinvented Banking," *Time,* June 25, 2007, pp. 45–46.

20. "The Social Life of Health Information, 2011," Pew Internet and American Life Project, www.pewinternet.org, accessed, July 7, 2011.

21. M. J. Bitner, S. W. Brown, and M. L. Meuter, "Technology Infusion in Service Encounters," *Journal of the Academy of Marketing Science* 28 (Winter 2000), pp. 138–149.

22. M. J. Bitner, "Self-Service Technologies: What Do Customers Expect?" *Marketing Management,* 10 (Spring 2001), pp. 10–11.

23. R. Hallowell, "Service in E-Commerce: Findings from Exploratory Research," Harvard Business School, Module Note, N9-800-418, May 31, 2000.

24. D. G. Mick and S. Fournier, "Paradoxes of Technology: Consumer Cognizance, Emotions, and Coping Strategies," *Journal of Consumer Research* 25 (September 1998), pp. 123–147.

25. A. Parasuraman and C. L. Colby, *Techno-Ready Marketing: How and Why Your Customers Adopt Technology* (New York: The Free Press, 2001).

26. "Customer Care in a New World," McKinsey & Company, 2001.

27. Uma discussão sobre essas questões é encontrada em muitas publicações sobre o marketing de serviços. A discussão apresentada foi baseada em V. A. Zeithaml, A. Parasuraman, and L. L. Berry, "Problems and Strategies in Services Marketing," *Journal of Marketing* 49 (Spring 1985), pp. 33–46. Para outro ponto de vista sobre produtos *versus* serviços, veja: C. Lovelock and E. Gummesson, "Whither Services Marketing? In Search of a New Paradigm and Fresh Perspectives," *Journal of Service Research,* 7 (August 2004), pp. 20–41.

28. Para mais informações em suporte à noção do continuum entre produtos e serviços, consulte D. Iacobucci, "An Empirical Examination of Some Basic Tenets in Services: Goods–Services Continua," in *Advances in Services Marketing and Management,* T. A. Swartz, D. E. Bowen, and S. W. Brown eds. (Greenwich, CT: JAI Press, 1992), vol. 1, pp. 23–52.

29. S. L. Vargo and R. F. Lusch, "The Four Service Marketing Myths," *Journal of Service Research* 6 (May 2004), pp. 324–335.

30. H. T. Keh and J. Pang, "Customer Reactions to Service Separation," *Journal of Marketing,* 74 (March 2010), pp. 55–70.

31. P. Nelson, "Information and Consumer Behavior," *Journal of Political Economy,* 78, no. 20 (1970), pp. 311–329.

32. M. R. Darby and E. Karni, "Free Competition and the Optimal Amount of Fraud," *Journal of Law and Economics,* 16 (April 1973), pp. 67–86.

33. B. H. Booms and M. J. Bitner, "Marketing Strategies and Organizational Structures for Service Firms," in *Marketing of Services,* J. H. Donnelly and W. R. George eds. (Chicago: American Marketing Association, 1981), pp. 47–51.

Capítulo 2

A estrutura conceitual deste livro: o modelo de lacunas da qualidade de serviços

Os objetivos deste capítulo são:

1. Apresentar uma estrutura, chamada modelo de lacunas da qualidade de serviços, utilizada na organização deste livro.
2. Demonstrar que o modelo de lacunas é uma estrutura útil para a compreensão da qualidade de serviços em uma organização.
3. Demonstrar que a lacuna mais crítica da qualidade de serviços é a lacuna do cliente, a diferença entre as expectativas e as percepções do cliente.
4. Mostrar que as quatro lacunas que ocorrem em empresas, chamadas lacunas da empresa prestadora de serviços, são responsáveis pela lacuna do cliente.
5. Identificar os fatores responsáveis pelas quatro lacunas da empresa.

A qualidade de serviços no The Oaks, em Ojai

Localizado no ensolarado vale de Ojai, a cerca de 90 minutos ao norte de Los Angeles, um *fitness spa* administrado por uma família e ganhador de diversos prêmios é a antítese do estereótipo desse tipo de hotel. Não se trata de um retiro para obesos, onde os hóspedes passam fome no intuito de perder peso. Também não é um local para gastar incontáveis horas com tratamentos de beleza, embora algumas modalidades de melhorias estéticas sejam oferecidas. Ao contrário, o The Oaks, em Ojai, Califórnia, é um destino simples, despretensioso – ainda que extremamente charmoso – para os que buscam melhorar a saúde e o condicionamento físico, o qual desfruta de uma taxa de retorno de hóspedes de 67%. A revista especializada *Leisure Magazine* elegeu o The Oaks como um dos 10 melhores *spas* do mundo. Em 2009, o *spa* foi eleito o melhor do ramo pelos leitores de outra publicação especializada, a revista *Spa Finder*. Os leitores da *Spa Magazine* o classificaram entre os cinco melhores *spas* na categoria custo acessível, e o escolheram como *spa* favorito nos quesitos cozinha, estadia para uma pessoa e melhor destino no setor nos Estados Unidos. Em síntese, o The Oaks em Ojai é o melhor *spa* nos Estados Unidos em termos de preço e serviços oferecidos. Dois terços dos hóspedes retornam, dizendo que a experiência que tiveram no The Oaks é inigualável. Surpreendentemente, o giro de funcionários também é baixo: menos da metade da média do setor.

O *spa* The Oaks em Ojai.

Mas o que faz o The Oaks em Ojai se sobressair à concorrência, retendo clientes e funcionários? Não são somente as refeições saudáveis, embora os menus de baixas calorias, entre 1.000 e 1.200 ao dia, sejam nutritivos e deliciosos ao mesmo tempo. Não são apenas as 12 aulas de exercícios ao dia (as quais incluem dança no estilo Zumba, musculação, seções de exercícios com bambolê, dança do ventre e condicionamento muscular), o ciclismo, a natação e as caminhadas intensas pelas trilhas no sopé das montanhas do vale de Ojai. Ao contrário, o The Oaks prima pela criação de uma experiência de serviço bem administrada que deixa os hóspedes à vontade, educa-os sobre como levar uma vida saudável e os desafia a se divertir e melhorar o próprio condicionamento físico, tudo ao mesmo tempo.

A inspiração para a experiência do The Oaks é de sua fundadora, Sheila Cluff, ex-patinadora no gelo de 75 anos e com um preparo físico que lhe permite executar 50 flexões de braço sem intervalo. Sheila abriu o The Oaks na década de 1970, mas continua dando aulas e atuando como guia das trilhas pelas montanhas. Na verdade, conhecer Sheila já é por si só uma atração especial do The Oaks: ela faz questão de receber e motivar seus hóspedes pessoalmente. Os integrantes de sua equipe, muitos dos quais trabalham com ela há 30 anos, têm o compromisso pessoal de gerar o melhor serviço possível. O serviço começa com o *check-in*, quando os funcionários recebem os hóspedes como se fossem velhos amigos, sempre lembrando os nomes de todos. Após o *check-in*, os hóspedes são informados sobre horários, orientados sobre atividades e instalações e encorajados a finalizar os próprios programas durante sua estada.

Todos os eventos ocorrem no horário combinado e com precisão. A porta da sala de exercícios fecha na hora marcada e as luzes nas salas de jantar acendem no exato instante de início das refeições. Todas as refeições são servidas com rapidez e na temperatura certa para cada hóspede. Além disso, pedidos especiais são atendidos conforme solicitado. Às 3h da tarde, é servido um lanche preparado com hortaliças e molhos, assim como um *smoothie* de frutas às 5h em ponto. Se um hóspede tiver algum problema, funcionários prestativos encontram uma solução com rapidez e boa vontade.

Os funcionários foram selecionados e treinados com atenção. Os professores especializados em suas áreas de atividade física estão entre os melhores da região. Dançarinos vindos do Texas ensinam os hóspedes a dançar *country*, e instrutores de dança artística os instruem em movimentos de dança e ioga. Especialistas em vida saudável e alimentação adequada apresentam seminários especiais à noite. Massoterapeutas, os quais são necessários para relaxar a musculatura tensa, contribuem com uma ampla gama de técnicas no assunto. Até mesmo o pessoal da limpeza e do ônibus é bem treinado e capacitado para executar seu trabalho.

Antes de deixarem o *spa*, os hóspedes respondem a um questionário com *feedback* de sua experiência no The Oaks. As perguntas são específicas e a administração do *spa* tem reuniões semanais para discutir as respostas uma a uma, com cuidado para implementar as melhorias sugeridas pelos hóspedes. Ao voltarem para casa, os hóspedes que preencheram o questionário recebem uma carta de agradecimento e a promessa de que o The Oaks vai trabalhar para atender a essas sugestões.

A fidelidade do cliente permite que o The Oaks não gaste dinheiro em anúncios. Em vez disso, o *spa* depende da propaganda boca a boca e da publicidade feita pelo cliente, as quais atraem muitos clientes novos e antigos ao longo do ano.

Capítulo 2 A estrutura conceitual deste livro: o modelo de lacunas da qualidade de serviços

A eficácia no marketing de serviços é uma empreitada complexa, que envolve diversas estratégias e tarefas. Os executivos das organizações do setor de serviços há muito sentem-se confusos diante do problema de abordar este complicado tópico de forma organizada. Este livro foi projetado com base em uma abordagem: a interpretação dos serviços de maneira estruturada e integrada, chamada modelo de lacunas da qualidade de serviços.[1] Este modelo posiciona os principais conceitos, estratégias e decisões relativos ao marketing de serviços e será utilizado para guiar a estrutura do restante do livro. As seções deste livro estão vinculadas às lacunas descritas neste capítulo.

A LACUNA DO CLIENTE

A *lacuna do cliente* é a diferença entre as expectativas e as percepções do cliente (veja a Figura 2.1). As expectativas do cliente são os padrões ou pontos de referência que ele traz consigo para a experiência do serviço, ao passo que as percepções são avaliações subjetivas das experiências do serviço. As expectativas do cliente muitas vezes consistem naquilo que ele acredita que deve acontecer ou que acontecerá. Por exemplo, quando você vai a um restaurante caro, você espera um serviço de alto nível, consideravelmente superior ao nível que você esperaria em uma lanchonete. O preenchimento da lacuna entre o que os clientes esperam e o que eles percebem é um aspecto essencial na execução de serviços de qualidade, e está na base do modelo de lacunas.

Como a satisfação e o foco no cliente são cruciais à competitividade entre empresas, qualquer companhia interessada em gerar serviços de qualidade precisa começar com uma ideia clara sobre seus clientes. Construir essa compreensão é relativamente fácil para uma organização de pequeno porte, como o The Oaks em Ojai, mas é bastante difícil para uma companhia em que os gestores não estão em contato direto com os clientes. Por esta razão, dedicamos a primeira parte deste livro à descrição dos principais conceitos relacionados ao cliente, de forma que o foco de todas as discussões possa ser associado a eles. Há evidências de que os processos de avaliação do cliente diferem para produtos e serviços, e que essas diferenças afetam como as empresas prestadoras de serviço divulgam suas organizações. Infelizmente, a maior parte do que é conhecido e escrito sobre os processos de avaliação do consumidor pertence ao escopo dos produtos.

As fontes das expectativas dos clientes são fatores controlados pelo mercado (como precificação, propaganda, promessas de venda), bem como fatores sobre os quais o profissional de marketing tem limitada capacidade de interferir (necessidades pessoais íntimas, comunicação boca a boca e ofertas competitivas). Em um cenário ideal, as expectativas e as percepções seriam idênticas: os clientes perceberiam que o que receberam é exatamente o que eles esperavam e deveriam receber. Na prática, estes conceitos estão com relativa frequência – senão com muita – separados por uma certa distância entre expectativa e percepção. Em termos gerais, o objetivo do marketing de serviços é abreviar esta distância, e este livro é dedicado sobretudo a descrever estratégias e práticas projetadas para fechar a lacuna do cliente. Descrevemos as expectativas do cliente no Capítulo 3 e as percepções do cliente no Capítulo 4.

Figura 2.1 A lacuna do cliente.

AS LACUNAS DA EMPRESA

Para fechar a importante lacuna do cliente, o modelo de lacunas sugere que quatro outras lacunas – as lacunas da empresa – precisam ser preenchidas. Essas lacunas ocorrem no interior das organizações prestadoras de serviço (doravante chamadas *lacunas da empresa*) e incluem:

Lacuna 1: a Lacuna da Compreensão do Cliente

Lacuna 2: a Lacuna do Projeto e dos Padrões de Serviço

Lacuna 3: a Lacuna do Desempenho do Serviço

Lacuna 4: a Lacuna da Comunicação

O restante deste capítulo é dedicado à descrição de todos os modelos de lacunas.

A lacuna 1 da empresa: a lacuna da compreensão do cliente

A lacuna 1 da empresa, a lacuna da compreensão do cliente, é a diferença entre as expectativas do cliente para com o serviço e a compreensão que a empresa tem dessas expectativas. Uma das principais razões por trás do fato de que muitas empresas não atendem às expectativas dos clientes é que elas carecem de uma compreensão mais refinada de quais exatamente são essas expectativas. Há muitos motivos para os gestores não terem presente o que os clientes esperam: talvez eles não interajam diretamente com os clientes, é possível que não estejam dispostos a indagar acerca dessas expectativas, ou provavelmente não estejam preparados para tratar delas. Sempre que as pessoas autorizadas e incumbidas de definir prioridades falham em entender as expectativas dos clientes com relação aos serviços, elas desencadeiam uma série de decisões tomadas sem o devido cuidado e de alocações de recursos ineficientes, o que resulta na percepção de serviços de baixa qualidade. Neste livro, ampliamos o espectro de responsabilidades para a lacuna 1 da empresa, a partir dos gerentes, e incluímos todos os seus funcionários que tenham autoridade para alterar ou influenciar as políticas e os procedimentos de serviço. Nas organizações de hoje, que passam por constante mudança, a autoridade para fazer ajustes na execução de serviços é na maior parte das vezes delegada a equipes especialmente designadas e às pessoas na linha de frente da execução do serviço. Em cenários *business-to-business*, as equipes de contabilidade tomam suas próprias decisões sobre a maneira de lidar com as expectativas de cada um de seus clientes.

A Figura 2.2 ilustra os principais fatores responsáveis pela lacuna 1 da empresa, a lacuna da compreensão do cliente. Um foco inadequado no cliente é um dos fatores mais críticos. Em situações em que a gestão ou os funcionários designados não adquirem as informações precisas sobre as expectativas dos clientes, esta lacuna é larga. Nesse caso, métodos formais e informais para obter informações sobre as expectativas dos clientes têm de ser desenvolvidos por meio de pesquisa de marketing, e é necessário adotar técnicas envolvendo uma variedade de abordagens de pesquisa tradicionais – entre as quais citamos entrevistas com o cliente, levantamentos, sistemas de reclamações e painéis de clientes. Além disso, técnicas mais inovadoras, como o *brainstorm* estruturado e a análise da lacuna na qualidade do serviço, são muitas vezes necessárias. O Tema Global deste capítulo discute uma destas técnicas inovadoras, a qual a IKEA e outras companhias vêm utilizando para identificar as expectativas dos clientes.

Outro fator-chave relacionado à lacuna da compreensão do cliente é a falta de *comunicação ascendente*. Os funcionários na linha de frente muitas vezes conhecem muito acerca dos clientes. Se a gestão não tem contato com os funcionários atuando na linha de frente e não entende o conhecimento que eles têm, esta lacuna aumenta.

Outro aspecto que se relaciona com a lacuna da compreensão do cliente é a falta de estratégias corporativas para reter clientes e fortalecer seus relacionamentos com eles, a abordagem chamada *marketing de relacionamento*. Sempre que as organizações têm relacionamentos fortalecidos com seus clientes atuais, a lacuna 1 da empresa tem menor probabilidade de ocorrer. O marketing de relacionamento é diferente do marketing transacional, que representa uma ênfase mais convencional

Capítulo 2 A estrutura conceitual deste livro: o modelo de lacunas da qualidade de serviços

Lacuna 1

Expectativas do cliente

- **Orientação inadequada para a pesquisa de marketing**
  Pesquisas de marketing insuficientes
  Pesquisas que não estão voltadas para a qualidade nos serviços
  Utilização inadequada da pesquisa de mercado
- **Falta de comunicação ascendente**
  Falta de interação entre a gestão e os clientes
  Comunicação insuficiente entre os funcionários de contato e os gestores
  Número excessivo de camadas entre o pessoal de contato e a alta gerência
- **Foco insuficiente nos relacionamentos**
  Falta de segmentação de mercado
  Foco nas transações em vez de foco nos relacionamentos
  Foco em novos clientes em vez de foco nos clientes com relacionamentos existentes
- **Recuperação inadequada do serviço**
  Falta de motivação para escutar as queixas do cliente
  Falha ao corrigir uma situação em que algo dá errado
  Ausência de mecanismos apropriados de recuperação no caso de falhas nos serviços

As percepções que a empresa tem das expectativas dos clientes

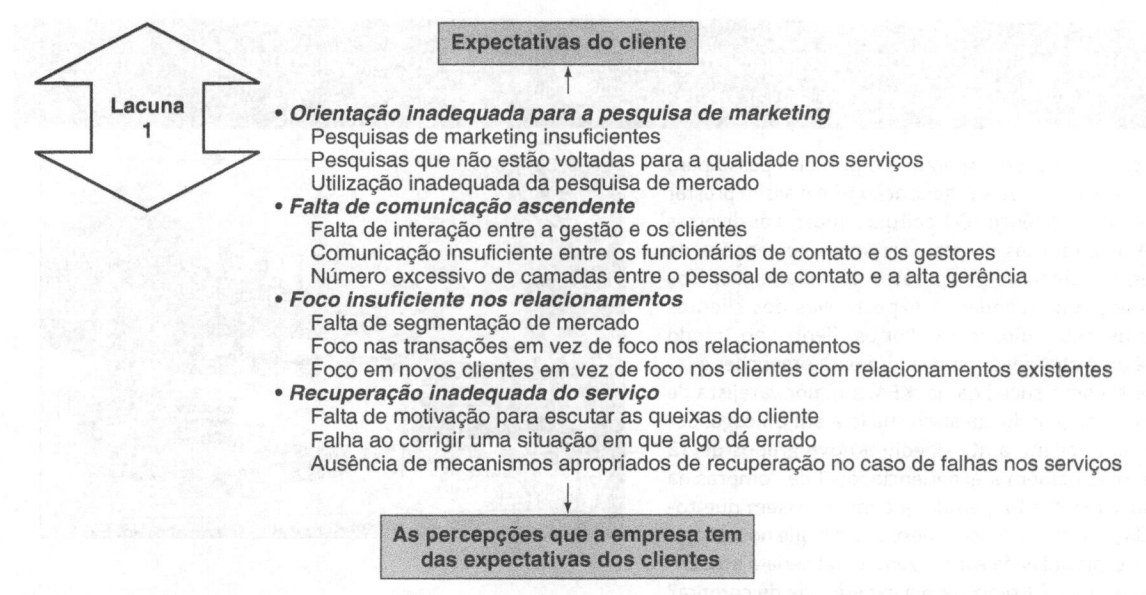

Figura 2.2 Os principais fatores que geram a lacuna 1 da empresa: a lacuna da compreensão do cliente.

na aquisição de novos clientes em vez de retê-los. O marketing de relacionamento sempre foi praticado por empresas *business-to-business* atinadas (como IBM e General Electric), que reconhecem que os clientes têm o potencial de manter a preferência por elas por mais tempo se o serviço que oferecerem for excelente. Outras companhias *business-to-business*, e muitas empresas que vendem para o consumidor final, com frequência adotam uma visão de curto prazo e enxergam cada venda como uma transação. Quando as companhias se concentram demais em atrair novos clientes, elas correm o risco de não entender as necessidades e expectativas variáveis de seus clientes atuais. A tecnologia possibilitou às companhias adquirir e integrar vastas quantidades de dados sobre os clientes, os quais podem ser utilizados na construção de novos relacionamentos. Programas de viagem para passageiros que voam com frequência implementados por companhias aéreas, locadoras de automóveis e hotéis estão entre os programas mais conhecidos deste tipo.

O último fator-chave associado à lacuna 1 da empresa é a ausência da recuperação do serviço. Até mesmo as companhias mais resistentes, com as melhores intenções e uma clara compreensão das expectativas de seus clientes por vezes também falham. É essencial que uma organização entenda a importância da recuperação do serviço – os motivos por trás de reclamações, o que se espera com a apresentação de uma queixa, e a melhor maneira de desenvolver estratégias eficazes para a recuperação do serviço e assim lidar com as inevitáveis falhas nos serviços. Essas estratégias envolvem um procedimento bem-definido para tratar das reclamações e uma ênfase no poder dos funcionários para reagir no momento, em tempo real, a fim de reparar danos. Em outras situações, essas estratégias envolvem uma garantia de serviço ou formas de compensação do cliente pela promessa não cumprida.

Para tratar desses fatores na lacuna da compreensão do cliente, abordamos tópicos que incluem a maneira de entender o cliente por meio de diferentes estratégias de pesquisa (Capítulo 5), o modo de construir relacionamentos resistentes e de entender as necessidades do cliente ao longo do tempo (Capítulo 6) e os caminhos para a implementação de estratégias de recuperação em situações em que algo dá errado (Capítulo 7). Com essas estratégias, é possível minimizar a primeira lacuna.

A lacuna 2 da empresa: a lacuna do projeto e dos padrões de serviço

A percepção aguçada das expectativas dos clientes é um fator essencial, mas não suficiente, para a concretização de um serviço de qualidade superior. Outro pré-requisito é a presença de projetos

Tema global — Uma varejista internacional põe seus clientes no "modo de desejo" para poder preencher as lacunas

Descobrir o que os clientes esperam é o primeiro passo para fechar todas as lacunas que a organização tem e assim prestar seus serviços com excelência. O Capítulo 5 mostra as diversas maneiras de as empresas caracterizarem as percepções de seus clientes, incluindo as pesquisas e as reclamações dos clientes. Porém, compreender as expectativas dos clientes pode ser um desafio muito maior. Pôr os clientes no "modo de desejo"* é uma abordagem inovadora para preencher a lacuna 1 e que foi bem-sucedida na IKEA, a maior varejista de móveis do mundo, quando ela abriu sua loja em Chicago. Seguindo essa abordagem, a IKEA pediu a nove grupos de 12 clientes que imaginassem a experiência ideal de compras na IKEA. Aos participantes foi pedido que imaginassem que todas as lojas da IKEA tivessem sido destruídas e que novas lojas teriam de ser projetadas da estaca zero. Qual seria a aparência dessas novas lojas? Como seria a experiência de compra? Jason Magidson, que auxiliou a IKEA a desenvolver esse processo, relata que os clientes deram respostas como:

> "Nunca me sinto desorientado porque sempre sei exatamente onde estou em relação a todos os departamentos."
>
> "Se estou comprando um item, todos os outros itens que combinam com ele estão dispostos próximos a ele."
>
> "A compra é uma experiência agradável e relaxante."

Ainda que não fossem especialistas, os clientes foram solicitados a esboçar um projeto para uma loja que atendesse a suas necessidades.

O que é significativo sobre a abordagem da IKEA não é apenas o fato de que a empresa pediu a seus clientes que revelassem suas expectativas, mas sim a constatação de que essas expectativas foram incorporadas no projeto do serviço para a loja. Os projetistas criaram um prédio octogonal de diversos andares, com um átrio no centro, como base para os compradores, pois tinha o objetivo de tratar de suas preocupações acerca de encontrar os itens desejados com facilidade. Em consonância com outra expectativa dos clientes, os itens à venda foram agrupados próximos a produtos semelhantes. Quando os compradores ficassem cansados ou com fome, eles poderiam ir até o restaurante em estilo cafeteria no andar superior, que serviria comida sueca. Os clientes da IKEA ficaram tão satisfeitos com a loja (85% deram conceito "excelente" ou "muito bom"), que retornaram com mais frequência e passavam cerca de uma hora a mais nesta loja do que em outras lojas da companhia. Estas ações fecharam a lacuna 2, porque o projeto do serviço foi baseado nas expectativas dos clientes.

A IKEA foi muito eficiente no preenchimento de todas as lacunas da empresa. A rede de fornecedores da companhia é escolhida e administrada criteriosamente, para garantir qualidade e consistência. Apesar de a empresa ter lojas em mais de 30 países, ela mantém seus padrões, projetos e abordagens em todos os locais em que atua. Isso reduz a lacuna do projeto e dos padrões do serviço. Além disso, a companhia implementa importantes mudanças nos padrões, sempre que necessário. Em 2006, a IKEA deu um importante passo para tratar de uma necessidade do cliente: a redução dos longos tempos de espera. No momento em que os gerentes da companhia perceberam que o tempo de espera era longo o bastante para que os clientes deixassem as lojas sem comprar um item em função do congestionamento nos caixas, eles adotaram um "mata-fila", uma estratégia baseada na tecnologia de mão. Nos horários de pico, colaboradores de plantão caminham pela área dos caixas e convidam os clientes que desejam pagar por suas compras com cartão de crédito a saírem da fila e efetuarem o pagamento por meio de uma leitora de cartões portátil, recebendo o recibo emitido por uma impressora, também portátil.

O cenário de serviços – os ambientes físicos internos e externos – são exclusivos e voltados para o cliente, aspectos que fecham a lacuna 2. A IKEA também é reconhecida por sua forte cultura do funcionário e por seus cuidadosos processos de recrutamento e seleção – fatores que ajudam a reduzir a lacuna 3. O Capítulo 12 discute uma alternativa para preencher a lacuna 3: o inovador conceito de serviço da IKEA que envolve os clientes na entrega, na montagem e no desenvolvimento de seus produtos. Para concretizar este serviço, a empresa educa seus clientes por completo, por meio de seus catálogos roteirizados, o que ajuda a fechar a lacuna 4.

---

* N. de T.: Modo de desejo, em inglês *wish mode*. Expressão cunhada pelos autores do artigo que baseia este Tema Global, que representa a situação em que os clientes são solicitados a imaginar o produto de seus sonhos.

Fontes: Jason Magidson and Gregg Brandyberry, "Putting Customers in the 'Wish Mode,'" *Harvard Business Review*, September 2001, pp. 26–27; "Who You Gonna Call?" *Chain Store Age*, January 2006, p. 8.

de serviço e padrões de desempenho que reflitam essas percepções. Um dos temas recorrentes nas empresas prestadoras de serviço é a dificuldade sentida na tradução das expectativas dos clientes em especificações de qualidade que os funcionários consigam entender e executar. Esses problemas são refletidos na lacuna 2 da empresa, a diferença entre a compreensão das expectativas do cliente e o desenvolvimento de projetos e de padrões de serviço por ele definidos. Esses padrões definidos pelo cliente são diferentes dos padrões convencionais de desempenho que as empresas estabelecem para o serviço, pois são baseados nas exigências básicas dos clientes e que são visíveis e mensuradas por eles. Estes são padrões de operação definidos para corresponderem às expectativas e prioridades dos clientes, não às preocupações da companhia, como produção ou eficiência.

Conforme a Figura 2.3, a lacuna 2 da empresa – que chamaremos *lacuna do projeto e dos padrões de serviço* – existe nas empresas prestadoras de serviço por diversas razões. As pessoas responsáveis pela definição de padrões, via de regra os gerentes, por vezes acreditam que as expectativas do cliente não são razoáveis nem realistas. Elas também creem que o grau de variação inerente ao serviço desafia qualquer padronização e, portanto, a definição de padrões nunca alcançará o objetivo almejado. Embora algumas dessas hipóteses sejam válidas em certas situações, muitas vezes elas não passam de racionalizações da relutância da gerência em enfrentar com destemor os difíceis desafios do desenvolvimento de padrões para a execução de serviços excelentes. As mudanças e os aperfeiçoamentos tecnológicos são particularmente úteis no preenchimento desta lacuna, como mostra a seção Tecnologia em Foco deste capítulo.

Em função de os serviços serem intangíveis, eles são difíceis de descrever e transmitir. Essa dificuldade fica evidente sobretudo durante o desenvolvimento de novos serviços. É essencial que todas as pessoas envolvidas (gerentes, funcionários da linha de frente e pessoal de apoio) trabalhem com os mesmos conceitos do novo serviço, com base nas necessidades e nas expectativas dos clientes. No caso de um serviço existente, qualquer tentativa de melhorá-lo encontrará dificuldades, a menos que todos tenham a mesma visão do serviço e das questões a ele associadas. Uma das maneiras mais importantes de evitar a lacuna 2 da empresa consiste em projetar serviços com clareza, de forma completa e objetiva, sem simplificações inadequadas nem vieses. Para isso, são necessárias ferramentas que garantam que os serviços novos e os existentes sejam desenvolvidos e aperfeiçoados da maneira mais criteriosa possível. O Capítulo 8 descreve as ferramentas mais eficazes no *desenvolvimento e projeto de serviços*, incluindo o mapa do serviço, uma ferramenta de utilidade inigualável para as empresas do setor.

A qualidade dos serviços executados pelo pessoal em contato com o cliente é significativamente influenciada pelos padrões de avaliação e comparação que alertam esses funcionários sobre

Projetos e padrões de serviço definidos pelo cliente

Lacuna 2

- **Projeto de serviço deficiente**
  Processos de desenvolvimento de novos serviços sem sistemática
  Projetos de serviço grosseiros e indefinidos
  Fracasso ao relacionar o projeto do serviço com o posicionamento do serviço
- **Ausência de padrões definidos pelo cliente**
  Falta de padrões de serviço definidos pelo cliente
  Ausência de gestão de processos voltada para as exigências do cliente
  Ausência de processos formais de definição das metas de qualidade
- **Evidência física e cenário de serviços inadequados**
  Falha ao desenvolver tangíveis alinhados com as expectativas dos clientes
  Projeto do cenário de serviços que não atende às necessidades dos funcionários e dos clientes
  Manutenção e atualização inadequadas do cenário de serviços

As percepções que a gerência tem das expectativas dos clientes

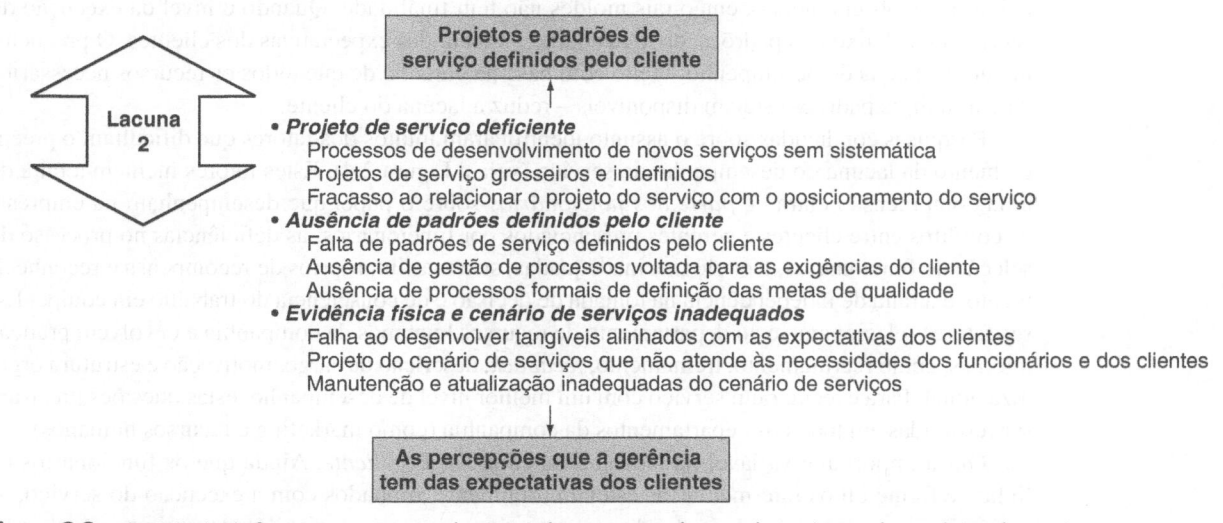

Figura 2.3   Os principais fatores que geram a lacuna 2 da empresa: a lacuna do projeto e dos padrões de serviço.

as prioridades definidas pela gerência e os tipos de desempenho mais importantes. No caso da ausência de padrões ou de os padrões vigentes não refletirem as expectativas dos clientes, é provável que a qualidade do serviço tal como percebida pelos clientes sofra consequências negativas. Sempre que os padrões refletirem as expectativas dos clientes, as percepções da qualidade do serviço que recebem serão melhoradas. O Capítulo 9 descreve o tópico *padrões de serviço definidos pelo cliente* e mostra que se esses padrões forem desenvolvidos de modo apropriado, então seu impacto no preenchimento da lacuna 2 da empresa e da lacuna do cliente serão expressivamente positivos.

No Capítulo 10 destacamos os papéis das evidências físicas no projeto de serviço e na satisfação das expectativas dos clientes. O termo *evidências físicas* engloba tudo, desde cartões de visita até relatórios, sinalização para serviços, presença na Internet, equipamentos e instalações utilizadas na execução do serviço. O *cenário de serviços*, o palco físico em que o serviço é executado, é outro tema do Capítulo 10. Pensemos em um restaurante, um hotel, um parque temático, um *spa*, um hospital ou uma escola. Nesses setores, *o cenário de serviços* – a instalação física – é essencial em relação à comunicação do serviço e à transformação da experiência em algo agradável. Nestes casos, o cenário de serviços desempenha uma diversidade de papéis, como metáfora visual para a proposta da companhia ou local da facilitação das atividades de clientes e funcionários. O Capítulo 10 explora a importância das evidências físicas, a variedade de funções que desempenham e as estratégias para projetar as evidências físicas e o cenário de serviços com a eficácia necessária para atender às expectativas do cliente.

A lacuna 3 da empresa: a lacuna do desempenho do serviço

Uma vez que os projetos e padrões de serviço foram definidos, pode parecer que a empresa esteja a caminho de prestar serviços de qualidade. Esta suposição se confirma, mas não é o bastante para executar serviços de excelente qualidade. A empresa precisa ter sistemas, processos e pessoas disponíveis para garantir que a execução do serviço alcance (ou mesmo supere) os projetos e padrões existentes.

A lacuna 3 da empresa – a *lacuna do desempenho do serviço* – é definida como a diferença entre o desenvolvimento de padrões de serviço designados pelo cliente e o real desempenho do serviço pelos funcionários da empresa. Inclusive em situações em que existem orientações para a execução correta de serviços e para o tratamento adequado dos clientes, o desempenho de um serviço de alta qualidade não pode ser garantido. Os padrões devem ser homologados por fontes apropriadas (pessoas, sistemas e tecnologia) para serem eficazes – isto é, os funcionários precisam ser avaliados e remunerados com base no desempenho em comparação a estes padrões. Assim, ainda que os padrões reflitam com precisão as expectativas dos clientes, se a empresa não conseguir oferecer o apoio necessário à implementação desses padrões – se ela não facilitar, encorajar nem exigir a sua observância –, então tais moldes não têm finalidade. Quando o nível da execução do serviço fica abaixo dos padrões, ele fica abaixo também das expectativas dos clientes. O preenchimento da lacuna do desempenho – feito com base na garantia de que todos os recursos necessários para atingir os padrões estejam disponíveis – reduz a lacuna do cliente.

Pesquisas conduzidas sobre o assunto identificaram muitos dos fatores que dificultam o preenchimento da lacuna do desempenho do serviço (veja a Figura 2.4). Estes fatores incluem a falta de uma compreensão clara *de parte dos funcionários* sobre o papel que desempenham na empresa, os conflitos entre clientes e gerentes presenciados por funcionários, as deficiências no processo de seleção de funcionários, tecnologias inadequadas, sistemas impróprios de recompensa e reconhecimento, e a falta de independência na tomada de decisão e de consciência do trabalho em equipe. Esses fatores relacionam-se ao departamento de recursos humanos da companhia e envolvem práticas internas, como recrutamento, treinamento, *feedback*, descrição de cargo, motivação e estrutura organizacional. Para executar um serviço com um melhor nível de desempenho, estas questões precisam ser resolvidas em todos os departamentos da companhia (como marketing e recursos humanos).

Outra importante variável na lacuna 3 da empresa é o *cliente*. Ainda que os funcionários na linha de frente ou os intermediários estejam totalmente alinhados com a execução do serviço, as variáveis imprevisíveis no lado do cliente trazem consigo uma variabilidade na execução do serviço. Se os clientes não desempenham seus papéis de forma apropriada – se, por exemplo, eles

Capítulo 2 A estrutura conceitual deste livro: o modelo de lacunas da qualidade de serviços

```
                    ┌─────────────────────────────┐
                    │  Padrões e projetos de serviço │
                    │    definidos pelo cliente    │
                    └─────────────────────────────┘
   ◁── Lacuna 3 ──▷              ▲
                                  │
```

- **As deficiências nas políticas de recursos humanos**
  - Recrutamento ineficiente
  - Ambiguidades e conflitos envolvendo papéis
  - Deficiência na relação funcionário-tecnologia
  - Sistemas inapropriados de avaliação e recompensa
  - Ausência de poder de decisão, controle percebido e trabalho em equipe
- **Fracasso ao equilibrar oferta e demanda**
  - Fracasso ao atenuar picos e vales na curva da demanda
  - Mix inadequado do cliente
  - Excessiva dependência do preço para uniformizar a demanda
- **Os clientes não desempenham seus papéis**
  - Os clientes desconhecem seus papéis e responsabilidades
  - Os clientes exercem influência negativa uns sobre os outros
- **Os problemas com os intermediários nos serviços**
  - O conflito de canais sobre objetivos e desempenho
  - O conflito de canais sobre custos e recompensas
  - A dificuldade em controlar a qualidade e a consistência
  - A tensão entre o poder de decisão e o controle

```
                    ┌─────────────────────┐
                    │  Execução do serviço │
                    └─────────────────────┘
```

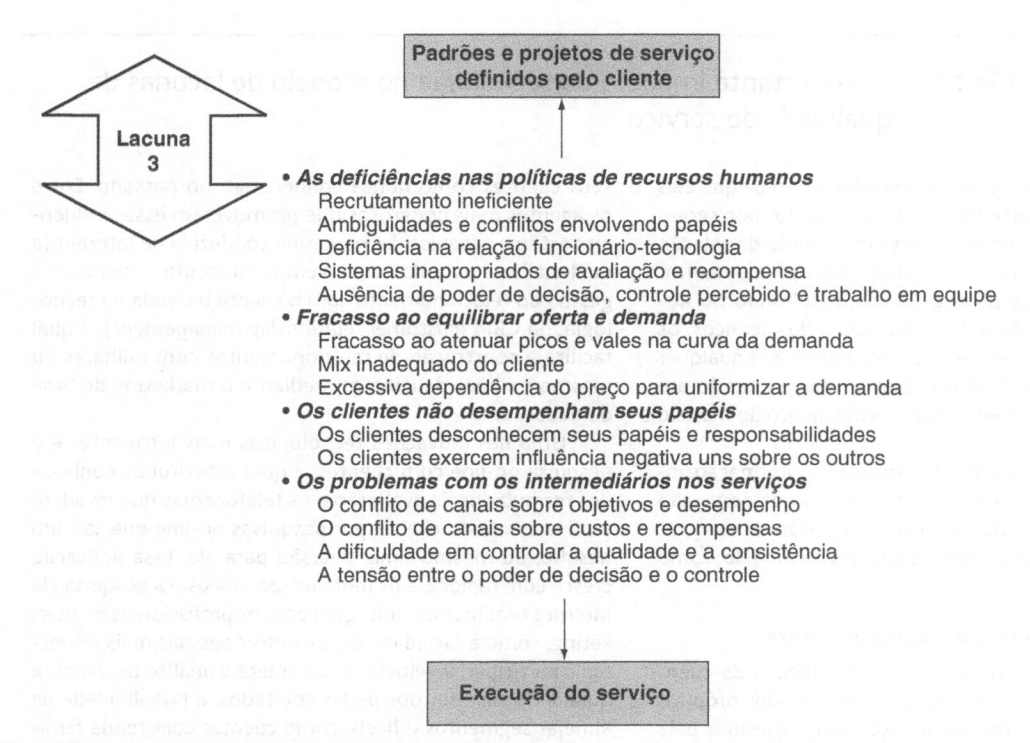

Figura 2.4 Os principais fatores que geram a lacuna 3 da empresa: a lacuna do desempenho do serviço.

fracassarem em disponibilizar as informações necessárias ao prestador ou se desprezarem a leitura e a observância de instruções – a qualidade do serviço fica exposta a riscos. Além disso, um cliente pode influenciar negativamente a qualidade do serviço recebido por outros se for inoportuno ou tomar muito tempo da empresa provedora. É imprescindível compreender os papéis do cliente e como ele é capaz de influenciar a execução do serviço e seus respectivos desfechos.

Uma terceira dificuldade com a lacuna 3 da empresa envolve o desafio de executar serviços por meio de intermediários, como varejistas, franquias, representantes e corretores. Em função de a qualidade do serviço se verificar no relacionamento entre cliente e provedor de serviço, o controle da empresa prestadora sobre o encontro de serviço é essencial, mas raramente possível de ser atingido por completo. A maior parte das empresas prestadoras de serviço (e muitas do setor de manufatura) enfrenta uma tarefa ainda mais desafiadora: atingir a excelência e a consistência em serviços na presença de intermediários que as representam e interagem com seus clientes e que, contudo, não estão sob o comando direto da empresa. Os licenciadores de franquias dependem dos licenciados para executar o serviço dentro das especificações. É esta execução pelo licenciado que o cliente utiliza para avaliar a qualidade do serviço da empresa. No caso de franquias e de outras formas de intermediação, a pessoa responsável pela execução de um serviço de qualidade não é o produtor. Por esta razão, uma companhia precisa desenvolver maneiras de controlar ou motivar estes intermediários para que atinjam as metas que ela define.

Outra questão envolvendo a lacuna do desempenho no serviço é a necessidade das prestadoras de *sincronizar a demanda e a capacidade*. Em função de os serviços serem perecíveis e não poderem ser armazenados, as empresas prestadoras muitas vezes enfrentam situações de excesso ou falta de demanda. Diante da falta de estoques para lidar com o excesso de demanda, as empresas perdem vendas sempre que a capacidade for inadequada para lidar com as necessidades dos clientes. Por outro lado, a capacidade é frequentemente subutilizada em períodos de baixo movimento nos negócios. A maioria das empresas prestadoras de serviço depende de estratégias de operações como treinamento multifuncional ou alteração no quadro de pessoal para efetuar a sincronização da demanda. As estratégias de marketing para a gestão da demanda – como alterações no preço, propaganda, promoções e ofertas alternativas de serviço – complementam as abordagens da gestão da oferta.

Tecnologia em foco — O importante impacto da tecnologia no modelo de lacunas da qualidade do serviço

Um dos primeiros marcos dos serviços foi o fato de que eles não poderiam ser prestados de forma remota, por serem uma função local fornecida no cenário definido da relação entre prestador e cliente. A tecnologia veio para amenizar esse pré-requisito interpessoal básico, resultando no aumento da acessibilidade e da globalização dos serviços, os quais hoje podem ser prestados e consumidos em qualquer lugar, a qualquer hora. Muitas dessas mudanças não foram previstas, nem se refletiram no desenvolvimento do modelo de lacunas.

A tecnologia, sobretudo a tecnologia da informação, influenciou muito a natureza dos serviços, o modo como são fornecidos e as práticas da inovação e da gestão de serviços. A tecnologia teve um impacto nas lacunas do modelo, como demonstraremos.

A influência da tecnologia na lacuna do cliente

Os avanços tecnológicos influenciaram a lacuna do cliente de modo significativo. Primeiro, a natureza dos próprios serviços mudou. Hoje, muitos serviços são fornecidos pela tecnologia, e não em pessoa, por funcionários. Consideremos o setor de fotografia digital. Até recentemente, as fotos de pessoas eram tiradas por outras pessoas, o filme era processado por um agente especializado e cópias adicionais poderiam ser solicitadas e presenteadas a amigos e familiares. Formar álbuns de fotos e compartilhá-los com outras pessoas era um processo trabalhoso, o qual muitas vezes envolvia uma parcela expressiva de tempo e custos, além da necessidade de recorrer a uma cadeia de diferentes prestadores de serviços. Hoje, as pessoas utilizam câmeras digitais para tirar quantas fotos desejarem, as quais podem ser impressas, organizadas e compartilhadas on-line. Este é apenas um pequeno exemplo da proliferação das tecnologias de autoatendimento que mudaram a vida do consumidor.

A tecnologia também alterou, e muito, o modo como os clientes aprendem o que precisam sobre serviços. A capacidade de efetuar uma busca na Internet, visualizar fotos de locais onde serviços são prestados, comparar preços e até mesmo conhecer serviços por meio de *tours* virtuais teve um impacto imenso na quantidade e no tipo de informações que os clientes conseguem obter antes de adquirir um serviço. A disponibilidade dessas informações influenciou suas expectativas e a capacidade de comparar e avaliar serviços. Nos primeiros dias da Internet, os clientes tinham dificuldade de coletar esse tipo de informação e eram incapazes de comparar serviços com a mesma facilidade com que comparavam produtos físicos expostos nas prateleiras de uma loja. Até certo ponto, a Internet permite esse tipo de comparação para serviços.

A influência da tecnologia na lacuna 1 da empresa

A principal influência da tecnologia na lacuna 1 do cliente consiste na possibilidade de as empresas conhecerem seus clientes como nunca conheceram no passado. Entre os agentes mais poderosos que promoveram essas influências estão a pesquisa de marketing conduzida na Internet (a qual melhora o modo como a empresa escuta o cliente) e a gestão do relacionamento com o cliente baseada na tecnologia, ou CRM (*customer relationship management*), a qual facilita a construção de relacionamentos com milhares ou mesmo milhões de clientes mediante o marketing de base de dados.

Uma das inovações tecnológicas mais intrigantes é a pesquisa on-line com clientes, a qual substitui os conhecidos formulários de avaliação e os telefonemas que invadem a privacidade do cliente por pesquisas on-line que são um desafio, ou mesmo uma diversão para ele. Essa aplicação cresce com rapidez, e os motivos são óbvios – a pesquisa via Internet tem muitas vantagens para os profissionais de marketing, como a facilidade de encontrar pessoas mais dispostas a participar, a velocidade de coleta e análise de dados, a qualidade superior dos dados coletados, a possibilidade de almejar segmentos difíceis, como clientes com renda familiar elevada, além da chance de utilizar multimídias, como apresentações em áudio ou vídeo, para dar aos participantes uma noção real do serviço sendo pesquisado. A pesquisa via Internet também é menos onerosa do que a pesquisa tradicional – de 10 a 80 vezes mais barata do que outros métodos. A Internet elimina a necessidade de postagem, telefonemas, trabalho manual e custos com impressão típicos de outros sistemas de pesquisa. Outra vantagem é que os participantes aparentemente levam a metade do tempo para preencher pesquisas baseadas na Internet, comparado com o tempo que um entrevistador necessitaria para realizar a pesquisa, o que também abole a necessidade de incentivos para o cliente.

A influência da tecnologia na lacuna 2 da empresa

O foco da lacuna do projeto e dos padrões de serviço sempre esteve na concepção de serviços interpessoais e de processos operacionais de tempo real para atender às expectativas dos clientes. A variação inerente aos serviços interpessoais acabou por dificultar bastante o projeto e a padronização deles. Hoje cresce o foco nos serviços e processos mediados pela tecnologia com a meta de fechar a lacuna 2 da empresa. Cada vez mais, as expectativas do cliente podem ser atendidas mediante serviços baseados na tecnologia, altamente padronizados, disponibilizados na Internet. Um exemplo desses serviços é a venda de livros e serviços (que correspondem a uma de muitas linhas de produtos) disponibilizados on-line pela Amazon. Mediante sua infraestrutura tecnológica muito sofisticada, a empresa tem os meios de disponibilizar a seus clientes a emissão de pedidos, pagamentos, rastreamento e serviços de recomendação em nível de consumidor individual. A tentativa de fornecer esse nível de serviço no contexto da venda tradicional de livros a um número muito grande de pessoas seria, senão incomum, inconsistente e cara, caso fosse feita no nível praticado pela Amazon on-line. Outro aspecto é que a tecnologia tornou o aplicativo Kindle da Amazon uma realidade, o qual permite ao cliente ler um livro on-line tão logo ele finalize a compra.

A tecnologia é a força fundamental que promove as inovações no setor de serviços hoje vistas como corriqueiras, como os serviços de informações e transações baseados na Internet e vários outros serviços inteligentes – como o "carro conectado", ou os medidores inteligentes para o monitoramento do consumo de energia e serviços de vigilância médica remota. As empresas baseadas na Internet, como e-Bay e Facebook, se adiantaram, oferecendo serviços inéditos ou sequer imaginados no passado. Além disso, companhias com uma posição consolidada no mercado desenvolveram serviços novos baseados na TI. Os avanços na TI também possibilitam a oferta de pacotes completos de serviços que incluem linhas telefônicas, acesso à Internet, vídeo, fotografia e e-mail, tudo mediante um único dispositivo, como o iPhone ou similares.

Além disso, a tecnologia facilita o desenvolvimento de novos serviços para atender a necessidades e expectativas inconcebíveis há algumas décadas. Na medicina, a possibilidade de monitorar as condições de um paciente remotamente e de treinar médicos utilizando simulações de técnicas cirúrgicas via vídeo são apenas dois exemplos entre os tantos serviços baseados na tecnologia capazes de atender às expectativas do cliente de modo inovador.

O impacto da tecnologia na lacuna 3 da empresa

Os avanços tecnológicos permitiram que os funcionários de contato com o cliente se tornassem mais eficientes e eficazes no atendimento. Por exemplo, hoje a tecnologia permite que os atendentes do serviço de atendimento ao cliente da Symantec tenham "bate-papos" com diversos clientes ao mesmo tempo. Ao tentar solucionar os problemas dos clientes ou responder a suas perguntas relativas ao software que a empresa comercializa (como o Norton Internet Security), as ferramentas tecnológicas permitem que um funcionário acesse o computador do cliente remotamente com essa finalidade. Essa capacidade acelera a solução dos problemas de modo expressivo (elevando a eficiência dos funcionários) e cria, na maioria das vezes, uma experiência do cliente mais satisfatória. Nesse sentido, muitas empresas exploram maneiras de utilizar a tecnologia para dar mais liberdade a seus funcionários a fim de fechar a lacuna do desempenho no serviço.

Mas a tecnologia também dá mais poder aos clientes. Ela permite que eles se envolvam mais na cocriação dos serviços e agreguem mais valor a sua experiência com o serviço. As tecnologias de autoatendimento – os serviços produzidos unicamente pelo cliente, sem qualquer envolvimento ou interação diretos com os funcionários da companhia – também mudaram a forma de pensar sobre como fechar a lacuna 3 da empresa. Essas tecnologias proliferam à medida que as companhias se dão conta da possibilidade de concretizar a economia de recursos e o aumento na eficiência, nas vendas, na satisfação do cliente e nas vantagens competitivas. Websites com conteúdo médico permitem que os pacientes acessem informações sobre doenças específicas, medicamentos, interações medicamentosas e médicos e hospitais de sua preferência; nesses casos, a tecnologia abre as portas para os pacientes tomarem decisões mais bem informadas sobre sua saúde. Como mostram os exemplos, avanços tecnológicos como esses facilitaram a participação na prestação do serviço – alterando o modo como a lacuna 3 da empresa é conceitualizada e preenchida.

O impacto da tecnologia na lacuna 4 da empresa

Os canais de comunicação tradicionais foram afetados pela introdução da tecnologia. Existem muitos canais novos pelos quais as empresas do setor de serviços podem se comunicar com seus clientes, como blogs, emails específicos, comunidades de clientes e bate-papos on-line com funcionários. O número de canais e modos de comunicação que devem ser integrados com eficiência aumentou de modo surpreendente, intensificando os desafios inerentes à geração de mensagens consistentes em todos eles. Esses novos canais não são meras opções que as empresas de serviços podem considerar – cada vez mais eles são vistos como meios de comunicação *esperados* pelos clientes.

As comunidades on-line de marcas e a comunicação em massa fácil e rápida via Internet são os canais que, controlados pela empresa ou pelo cliente, influenciam as expectativas deste relativas às companhias. Ainda que não reste dúvida da importância especial da comunicação boca a boca para os serviços, esses novos caminhos para a comunicação *peer-to-peer* e entre clientes sublinha a influência cada vez maior da comunicação boca a boca na definição das expectativas sobre serviços.

A tecnologia também potencializa a capacidade de alcançar o cliente em todo o mundo de maneiras impossíveis no passado recente, quando os serviços estavam limitados à prestação em nível local. A Internet não tem fronteiras: as informações, o serviço ao cliente e as transações fluem entre países e continentes, alcançando qualquer cliente que tenha acesso à Internet.

Fonte: Mary Jo Bitner, Valarie A. Zeithaml, and Dwayne D. Gremler, "Technology's Critical Impact on the Gaps Model of Service Quality," in *The Handbook of Service Science*, Paul Maglio, Jim Spohrer and Cheryl Kieliszewski (eds.): Springer, New York, NY, 2009.

Discutiremos as estratégias para lidar com os papéis dos funcionários no Capítulo 11, dos clientes no Capítulo 12, e da demanda e capacidade no Capítulo 13.

A lacuna 4 da empresa: a lacuna da comunicação

A lacuna 4 da empresa, a *lacuna da comunicação*, ilustra a diferença entre as comunicações envolvendo a execução do serviço e as comunicações externas da empresa prestadora. As promessas feitas por uma prestadora de serviço por meio da propaganda veiculada na mídia, por seus funcionários e outras mensagens, são capazes de aumentar as expectativas dos clientes, os padrões pelos quais eles avaliam a qualidade dos serviços. A discrepância entre o serviço prometido e o serviço executado, portanto, aumenta a lacuna do cliente. Os motivos para não cumprir uma promessa são muitos: o excesso de promessas na propaganda ou nas vendas diretas, a coordenação inadequada entre o pessoal de operações e de marketing e as diferenças entre políticas e procedimentos dos diversos pontos de prestação de serviço. A Figura 2.5 ilustra os principais fatores que causam a lacuna da comunicação.

Além da elevação das expectativas do cliente, que ocorre sem embasamento por meio de ofertas exageradas, há outras maneiras – ainda que menos óbvias – de as comunicações externas influenciarem as opiniões dos clientes sobre a qualidade do serviço. As empresas prestadoras de serviço frequentemente não conseguem aproveitar as oportunidades de educar os clientes para que utilizem os serviços de forma adequada. Elas também esquecem de administrar as expectativas dos clientes acerca do que será executado nas transações e nos relacionamentos do serviço.

Uma das principais dificuldades associadas à lacuna 4 da empresa é que a comunicação com os consumidores envolve questões que ultrapassam as fronteiras da corporação. Em virtude de a propaganda do serviço prometer algo feito por pessoas, e considerando que as pessoas não podem ser controladas como máquinas que fabricam bens físicos, este tipo de comunicação envolve funções diferentes das executadas pelo departamento de marketing. Este tipo de marketing é o que chamamos *marketing interativo* – o marketing entre as pessoas da linha de frente e os clientes propriamente ditos – e precisa ser coordenado por meio dos tipos convencionais de *marketing externo* utilizados pelas empresas fabricantes de produtos e prestadoras de serviço. Sempre que os funcionários que divulgam o serviço não conseguem entender a realidade de sua execução, eles estão propensos a fazer

Lacuna 4

Execução do serviço

- *Falta de comunicação integrada no marketing de serviços*
  Tendência a ver cada comunicação externa como independente
  Não inclui o marketing interativo no planejamento da comunicação
  Ausência de um programa forte de marketing interno
- *Falta de comunicação ascendente*
  Não administra a expectativa do cliente por meio de todas as formas de comunicação
  Não educa os clientes de forma adequada
- *Promessas excessivas*
  Promessas excessivas na propaganda
  Promessas excessivas na venda personalizada
  Promessas excessivas feitas nas indicações dadas pelas evidências físicas
- *Comunicação horizontal inadequada*
  Comunicação insuficiente entre o pessoal de vendas e de operações
  Comunicação insuficiente entre o pessoal de propaganda e de operações
  Diferenças nas políticas e nos procedimentos entre filiais e unidades
- *Precificação inadequada*
  Preços altos que elevam as expectativas dos clientes
  Preços que não estão vinculados às percepções de valor do cliente

Comunicações externas aos clientes

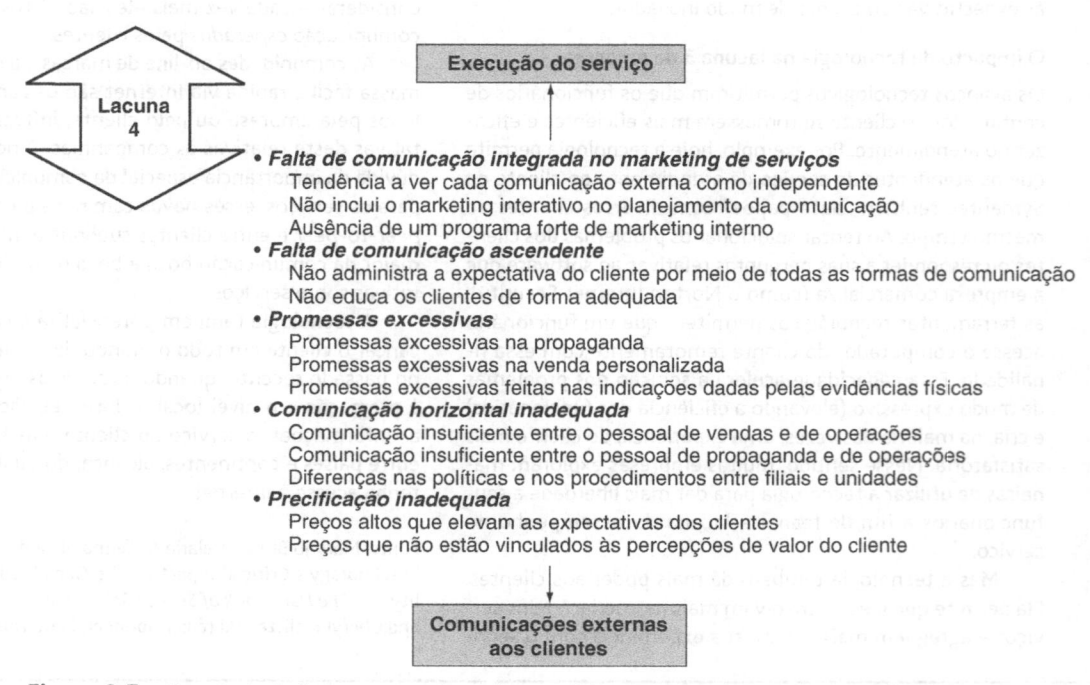

Figura 2.5 Os principais fatores que geram a lacuna 4 da empresa: a lacuna da comunicação.

promessas exageradas ou a deixar de comunicar aos clientes os aspectos do serviço projetados para atender a suas necessidades. Daí decorrem as percepções de qualidade deficiente em serviços. Portanto, a coordenação eficaz entre a execução do serviço de fato e as comunicações externas encurta a lacuna da comunicação e afeta também a lacuna do cliente de forma favorável.

Outra questão presente na lacuna 4 da empresa está associada à precificação de serviços. No caso de bens de consumo (inclusive para alguns bens duráveis), os clientes processam várias informações sobre preços antes de efetuarem uma compra, o que lhes possibilita julgar o preço e decidir se ele é justo ou se está na mesma faixa dos preços da concorrência. No caso dos serviços, os clientes muitas vezes não têm pontos de referência interna para preços antes de comprar e consumir o serviço. As estratégias de precificação, como a oferta de descontos na etiqueta, "preço baixo todo o dia" e cupons, obviamente precisam ser diferentes em situações de serviço em que o cliente não tem ideia inicial dos preços. As técnicas de precificação para serviços são mais complexas do que aquelas utilizadas na definição dos preços de produtos físicos.

Em síntese, ao elevarem as expectativas sobre a execução do serviço, as comunicações externas – quer da esfera do marketing, quer do âmbito da precificação – têm capacidade de gerar uma lacuna do cliente muito mais larga. Além da melhoria na execução, as empresas precisam administrar toda a comunicação com os clientes de forma que as promessas descabidas não levem a expectativas ainda maiores. O Capítulo 16 discute as comunicações do marketing de serviços e o Capítulo 15 trata da precificação com vistas a alcançar esses objetivos.

A UNIÃO DOS PONTOS: O FECHAMENTO DAS LACUNAS

O modelo conceitual mostrado na Figura 2.6 traduz uma mensagem inequívoca aos gestores que desejam melhorar a qualidade do serviço que oferecem: o principal aspecto para preencher a lacuna do cliente é eliminar as lacunas 1, 2, 3 e 4 da empresa, e mantê-las preenchidas. Dependendo da extensão das lacunas da empresa, os clientes percebem as deficiências na qualidade do serviço. O modelo das lacunas da qualidade do serviço funciona como base para as organizações prestadoras que desejam melhorar a qualidade do serviço e o marketing de serviços. Em Visão Estratégica, há *uma auditoria em lacunas na qualidade do serviço* feita com base neste modelo.

O modelo inicia a partir do processo de melhoria da qualidade: com o entendimento da natureza e da extensão da lacuna do cliente. Diante da necessidade da organização de se concentrar no cliente e de utilizar o conhecimento sobre o cliente para impulsionar sua estratégia de negócios, a ênfase dada a este modelo está justificada.

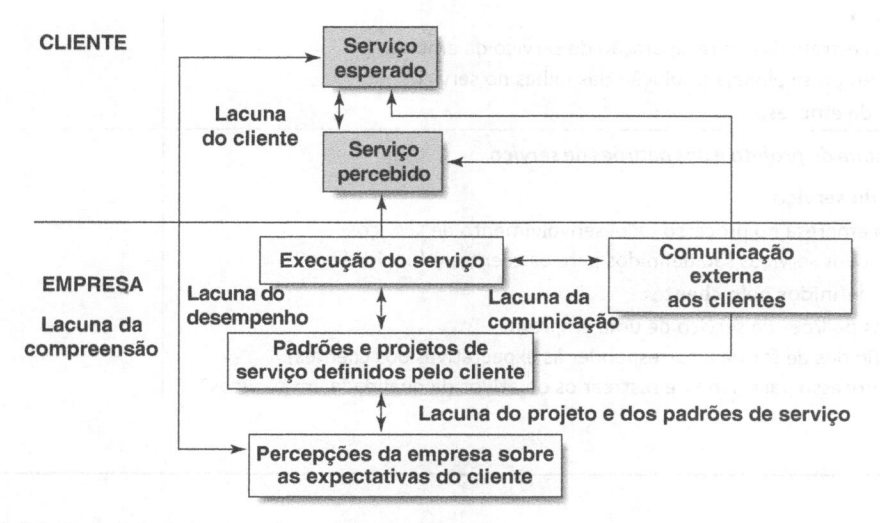

Figura 2.6 O modelo de lacunas da qualidade do serviço.

Visão estratégica — A utilização do modelo de lacunas para avaliar a estratégia de serviço de uma organização

O modelo de lacunas apresentado neste capítulo e utilizado como estrutura para o restante deste livro é uma maneira útil de auditar o desempenho e a capacidade do serviço de uma companhia. Ele é empregado por muitas empresas como ferramenta de avaliação ou de aferição de serviços porque é abrangente e oferece uma metodologia para o exame de todos os fatores que influenciam a qualidade do serviço. Para utilizar a ferramenta, uma empresa documenta tudo o que conhece sobre cada uma das lacunas e os fatores que afetam a sua dimensão. Você ainda aprenderá muito sobre cada uma destas lacunas ao longo do livro. Apresentamos a seguir uma auditoria básica de lacunas. No Exercício 1, no final deste capítulo, propomos que você utilize esta auditoria em uma empresa para identificar as lacunas na qualidade do serviço. Para praticar, você poderia avaliar o *spa* The Oaks em Ojai, discutido no texto de abertura deste capítulo, e entender como estas abordagens funcionam para fechar cada uma das lacunas.

A auditoria do modelo de lacunas na qualidade do serviço
Para cada um dos fatores nas lacunas, indique a eficiência da organização naquele fator. Utilize uma escala de 1 a 10, em que 1 equivale a "péssimo" e 10, a "excelente".

Lacuna do cliente	1 = Péssimo 10 = Excelente
1. Com que eficácia a empresa entende as expectativas do cliente quanto à qualidade do serviço? 2. Com que eficácia a empresa entende as percepções do cliente sobre o serviço?	

Lacuna 1 da empresa: a lacuna da compreensão do cliente

1. **A orientação para as pesquisas de mercado**
   - A quantidade de serviço e o tipo de pesquisa de mercado são apropriados para entender as expectativas do cliente sobre o serviço?
   - A empresa utiliza essas informações na tomada de decisões sobre a prestação do serviço?
2. **A comunicação ascendente**
   - Os gerentes e os clientes interagem o bastante para que os primeiros saibam o que os últimos esperam?
   - As pessoas na linha de frente do serviço informam aos gerentes o que os clientes esperam?
3. **O foco nos relacionamentos**
   - Até que ponto a empresa entende as expectativas de segmentos de clientes?
   - Até que ponto a empresa se concentra nos relacionamentos com os clientes e não nas transações?
4. **A recuperação do serviço**
   - Qual é a eficiência das estratégias de recuperação do serviço da empresa?
   - Com que eficiência a empresa planeja a solução das falhas no serviço?

Escore para a lacuna 1 da empresa

Lacuna 2 da empresa: a lacuna do projeto e dos padrões de serviço

5. **O projeto sistemático do serviço**
   - Qual é a eficiência da empresa no processo de desenvolvimento de serviços?
   - Com que eficácia os novos serviços são definidos para os clientes e funcionários?
6. **A presença de padrões definidos pelo cliente**
   - Qual é a eficiência dos padrões de serviço de uma empresa?
   - Esses padrões são definidos de forma a corresponder às expectativas dos clientes?
   - Qual é a eficácia do processo para definir e rastrear os objetivos da qualidade em serviços?

	1 = Péssimo 10 = Excelente
7. Evidências físicas e cenário de serviços adequados • As instalações físicas, os equipamentos e outros tangíveis da companhia são apropriados aos serviços que ela oferece? • As instalações físicas, os equipamentos e outros tangíveis da companhia são atraentes e eficazes? **Escore para a lacuna 2 da empresa**	
Lacuna 3 da empresa: a lacuna do desempenho do serviço	
8. Políticas eficientes de recursos humanos • Qual é a eficiência da empresa no recrutamento, na contratação, no treinamento, na recompensa e no poder de decisão com relação a seus funcionários? • A execução do serviço de qualidade é consistente entre os funcionários, as equipes, as unidades e as filiais? **9. O desempenho eficiente do papel dos clientes** • Os clientes entendem o papel que desempenham e as responsabilidades que têm? • A empresa consegue fazer os clientes desempenharem seus papéis, sobretudo os clientes que são incompatíveis? **10. O alinhamento eficiente com os intermediários do serviço** • Com que eficiência os intermediários do serviço estão alinhados com a empresa? • Existe algum conflito acerca dos objetivos, do desempenho, dos custos e das recompensas? • A execução dos serviços de qualidade é consistente entre as filiais? **11. O alinhamento da demanda e da capacidade** • Qual é a eficácia da empresa ao administrar o equilíbrio entre oferta e demanda? **Escore para a lacuna 3 da empresa**	
Lacuna 4 da empresa: a lacuna da comunicação	
12. As comunicações integradas no marketing de serviços • Com que eficiência as comunicações da empresa – incluindo as interações entre os funcionários e clientes – expressam a mesma mensagem e nível de qualidade do serviço? • Com que eficiência a empresa comunica a seus funcionários o que será oferecido a eles? • A empresa evita o excesso de promessas e de vendas além da capacidade? • Com que eficiência os diferentes setores da organização se comunicam de forma a fazer a qualidade do serviço oferecido ser igual à promessa feita ao cliente? **13. A precificação** • A empresa é cautelosa para não praticar preços altos demais e assim não elevar as expectativas dos clientes? • A empresa tem preços condizentes com as percepções de valor do cliente? **Escore para a lacuna 4 da empresa**	

O escore para cada lacuna deve ser comparado ao máximo escore possível. Uma lacuna é mais fraca do que as outras em algum aspecto específico? Quais áreas em cada lacuna requerem maior atenção? À medida que avançamos com o livro, oferecemos mais detalhes sobre a maneira de melhorar os fatores em cada uma destas lacunas.

Resumo

Este capítulo apresentou o modelo integrado de lacunas para a qualidade do serviço (mostrado na Figura 2.6), uma estrutura para a compreensão e a melhoria da qualidade dos serviços. Todo o texto está organizado em torno deste modelo da qualidade do serviço, voltado para as cinco lacunas essenciais na execução e na comercialização do serviço.

A lacuna do cliente: a diferença entre as expectativas e as percepções do cliente

A lacuna 1 da empresa: a lacuna da compreensão do cliente

A lacuna 2 da empresa: a lacuna do projeto e dos padrões de serviço

A lacuna 3 da empresa: a lacuna do desempenho do serviço

A lacuna 4 da empresa: a lacuna da comunicação

O modelo de lacunas posiciona os principais conceitos, estratégias e decisões no marketing de serviços começando com o cliente e construindo as tarefas da organização em torno do que for necessário para fechar as lacunas entre as expectativas do cliente e suas percepções do serviço executado. O último capítulo deste livro, o Capítulo 16, discute as implicações financeiras da qualidade do serviço, e examina as pesquisas e os dados corporativos que indicam os vínculos entre a qualidade do serviço e o desempenho financeiro.

Questões para discussão

1. Considere um serviço que você contrata. Existe alguma lacuna entre as suas expectativas e as percepções que você tem dele? O que você espera mas não recebe?
2. Consideremos o "modo de desejo" discutido no texto sobre a IKEA. Pense em um serviço que você recebe regularmente e coloque-se no modo de desejo. Quais alterações você sugeriria para o serviço e para a maneira como ele é executado?
3. Se você fosse um gerente de uma organização e desejasse aplicar o modelo de lacunas para melhorar os serviços que ela oferece, qual seria a primeira lacuna que você abordaria? Por quê? Em que ordem você procederia com as lacunas restantes?
4. A lacuna 4 da empresa, a lacuna da comunicação, pode ser preenchida antes de qualquer outra lacuna apresentada? De que modo?
5. Quais das quatro lacunas da empresa você acredita ser a mais difícil de preencher? Por quê?

Exercícios

1. Escolha uma organização para conduzir algumas entrevistas. Utilize o modelo integrado de lacunas na qualidade do serviço como referência. Pergunte ao gerente sobre a empresa estar ou não sofrendo com algum dos fatores listados nas figuras deste capítulo. Qual é o fator em cada uma das Figuras 2.2 a 2.5 que o gerente considera mais difícil de resolver? O que a empresa está fazendo para tratar dessas questões?
2. Acesse o *website* da Disney, da Marriott, do Ritz-Carlton, ou de qualquer outra organização de prestação de serviço conhecida e que oferece alta qualidade. Quais lacunas da empresa foram preenchidas pela companhia? Como você explica sua resposta?
3. Conduza algumas entrevistas em uma empresa do setor público em sua área (por exemplo, em sua universidade, se você estuda em uma instituição pública). Descubra se o modelo integrado de lacunas da qualidade do serviço faz sentido no contexto da organização.

Literatura citada

1. O modelo de lacunas da qualidade do serviço que serve de base para este livro foi desenvolvido e apresentado na íntegra em Valarie A. Zeithaml, A. Parasuraman, and Leonard L. Berry, *Delivering Quality Service: Balancing Customer Perceptions and Expectations* (New York: The Free Press, 1990).

Parte II

O foco no cliente

Capítulo 3 As expectativas do cliente com o serviço
Capítulo 4 As percepções que o cliente tem do serviço

A lacuna do cliente

A figura a seguir mostra dois retângulos, baseados no modelo de lacunas para a qualidade do serviço, que correspondem a dois conceitos – as *expectativas dos clientes* e *as percepções dos clientes* – as quais desempenham um papel essencial no marketing de serviços. As expectativas dos clientes são os padrões de desempenho, ou os pontos de referência para o desempenho, com os quais as experiências do serviço são comparadas. Essas expectativas muitas vezes são formuladas em termos do que o cliente acredita que deve acontecer ou acontecerá. As percepções do cliente são avaliações subjetivas das experiências reais do serviço.

A lacuna do cliente

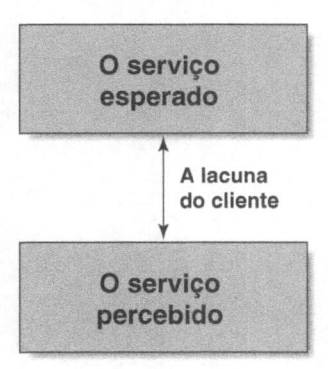

```
┌──────────────┐
│  O serviço   │
│   esperado   │
└──────────────┘
       ↕ A lacuna
         do cliente
┌──────────────┐
│  O serviço   │
│  percebido   │
└──────────────┘
```

Dedicamos a segunda parte deste livro à descrição desta lacuna e de outros conceitos porque, para o marketing de serviços atingir a excelência, ele exigirá o foco no cliente. Detalhamos o conhecimento sobre o comportamento do cliente quanto a serviços no Capítulo 3 e sobre as percepções do cliente no Capítulo 4. O conhecimento do que os clientes desejam e da maneira como avaliam o que recebem é a base para o projeto de serviços eficazes.

Capítulo 3

As expectativas do cliente com o serviço

Os objetivos deste capítulo são:
1. Reconhecer que os clientes têm diferentes tipos de expectativas com o desempenho do serviço.
2. Discutir as diversas fontes de expectativa do cliente com o serviço.
3. Reconhecer que os tipos de fontes de expectativa são semelhantes para os consumidores finais e os clientes corporativos, para o serviço puro e o serviço relacionado ao produto, para clientes experientes e inexperientes.
4. Delinear algumas das principais questões em torno das expectativas dos clientes.

Sem dúvida, a maior lacuna entre as expectativas do cliente e a execução do serviço ocorre na situação em que os clientes viajam de um país para outro. Por exemplo, no Japão o cliente é extremamente valorizado. No horário de abertura das lojas de departamentos em Tóquio, os vendedores alinham-se para dar boas-vindas aos clientes e curvam-se para a frente quando estes entram! Em uma de nossas visitas a Tóquio, há alguns anos, oito vendedores ajudaram a encontrar uma caneta-tinteiro. Ainda que a caneta fosse um item relativamente barato, diversos atendentes corriam de balcão em balcão para encontrar alguém que soubesse traduzir do japonês para o inglês, alguns se espalharam pelo departamento para encontrar canetas que pudessem servir como presente ideal, e outros procuraram mapas de direcionamento a outras lojas em que esta caneta fosse vendida.

Em função do excelente tratamento a que os clientes japoneses estão acostumados em sua terra natal, eles muitas vezes têm expectativas que ultrapassam a execução do serviço até mesmo quando estão em compras em "países civilizados", como o Reino Unido: "Hideo Majima, turista japonês de 57 anos, parecia confuso e irritado. Ele estava em uma loja de departamentos em Londres enquanto duas atendentes conversavam em vez de atendê-lo. Ele saiu da loja sem efetuar compras".[1] Sua irritação é compreensível se você conhecer o padrão de tratamento durante a prestação de um serviço no Japão.

As expectativas com serviços em hotéis podem ser diferentes entre países. Nos Estados Unidos, a categoria "duas estrelas" é via de regra interpretada como oferta de quartos limpos, modestamente decorados e dotados de alguns equipamentos modernos, como camas confortáveis, forno de micro-ondas, refrigerador, TV em cores, sofá-cama, telefone, cafeteira elétrica e serviço de camareira diário. Com estes hotéis, o cliente não espera (e não quer pagar) por luxo, serviços extras, saguões amplos e ricamente decorados, ou disponibilidade total de serviço de

Os vendedores de Tóquio oferecem um excelente serviço ao cliente.

quarto. No entanto, ele quer um local decente, limpo e seguro para se hospedar. Esse hotel também oferece uma escrivaninha, serviço de correio de voz e Internet banda larga no quarto. Porém, no Reino Unido, os hóspedes de um hotel duas estrelas em Londres ficariam surpresos ao encontrar tantas comodidades.

De fato, um de nós teve uma experiência inédita acerca das diferentes expectativas com serviço de hotel em Londres. Uma estada de quatro noites foi reservada por uma família de quatro pessoas (duas crianças) no que fora apresentado pelo agente de viagem como um hotel duas estrelas. No entanto, este hotel londrino não atendia às expectativas para um hotel duas estrelas. Pelo contrário, o hotel tinha quartos para no máximo duas pessoas, os pisos dos cômodos sofriam com inclinações (o que deixava as camas inclinadas), as paredes do box do chuveiro tinham 60 centímetros de lado, as portas de entrada do quarto não fechavam por completo, os corredores não tinham iluminação e, atrás de um vaso sanitário, havia um imenso buraco na parede pelo qual insetos entravam e saíam ao bel-prazer. Além disso, o "serviço de camareira" consistia em meramente esvaziar as lixeiras dos quartos e deixar a porta de acesso a um dos quartos reservados aberta. Toalhas e lençóis limpos não eram oferecidos. Nenhuma limpeza era feita nos quartos. Não havia dúvida de que o serviço não atendia às nossas expectativas, e as pessoas acostumadas com viagens à Europa não se surpreenderam quando lhes narramos nossa experiência com esse serviço de hotel. Claro que nem todos os hotéis duas estrelas de Londres têm esses "atributos". Contudo, ficamos surpresos ao constatar que muitos de nossos amigos europeus não julgaram nossa experiência tão incomum para um hotel duas estrelas em uma metrópole cara como Londres. Suas expectativas de serviço são muito diferentes das nossas. Imagine como nosso amigo Majima-san se sentiria acerca desta nossa experiência!

As *expectativas dos clientes* são crenças acerca da execução do serviço que servem como padrões ou pontos de referência a fim de julgar o desempenho. Como os clientes comparam suas percepções do desempenho com estes pontos de referência ao avaliar a qualidade do serviço, o conhecimento completo sobre as expectativas dos clientes é essencial aos profissionais do marketing de serviços. Conhecer as expectativas dos clientes é o primeiro e talvez o mais importante passo para a execução de serviços de qualidade. Um equívoco cometido envolvendo os desejos do cliente pode significar a perda do negócio com ele se outra empresa acertar este alvo com precisão. O erro pode também significar despesas, tempo perdido e desperdício de outros recursos com coisas irrelevantes aos clientes. Há casos em que este erro significa a sobrevivência do prestador de serviços em mercados altamente competitivos.

Alguns aspectos relativos às expectativas que precisam ser explorados e entendidos para o sucesso no marketing de serviços são: Quais são os tipos de expectativas que os clientes têm acerca dos serviços? Quais são os fatores que mais influenciam a formação destas expectativas? Qual é o papel destes fatores na alteração destas expectativas? De que modo uma empresa prestadora de serviços atende ou ultrapassa as expectativas dos clientes?

Neste capítulo oferecemos uma estrutura para considerar as expectativas dos clientes.[2] O capítulo é dividido em três seções: (1) o sentido e os tipos de serviço esperado, (2) os fatores que influenciam as expectativas do cliente com o serviço e (3) as questões relativas a estas expectativas.

AS EXPECTATIVAS RELATIVAS AOS SERVIÇOS

Dizer que expectativas são pontos de referência para comparar a execução do serviço é apenas um ponto de partida. O nível de expectativa varia consideravelmente, dependendo do ponto de referência do cliente. Embora a maior parte das pessoas tenha uma intuição sobre a natureza destas expectativas, os profissionais de marketing precisam de uma definição ampla e abrangente delas para poderem compreendê-las, mensurá-las e administrá-las.

Imagine que você esteja planejando ir a um restaurante. A Figura 3.1 mostra um continuum de expectativas possíveis para um serviço. Na esquerda do continuum estão os diferentes tipos ou

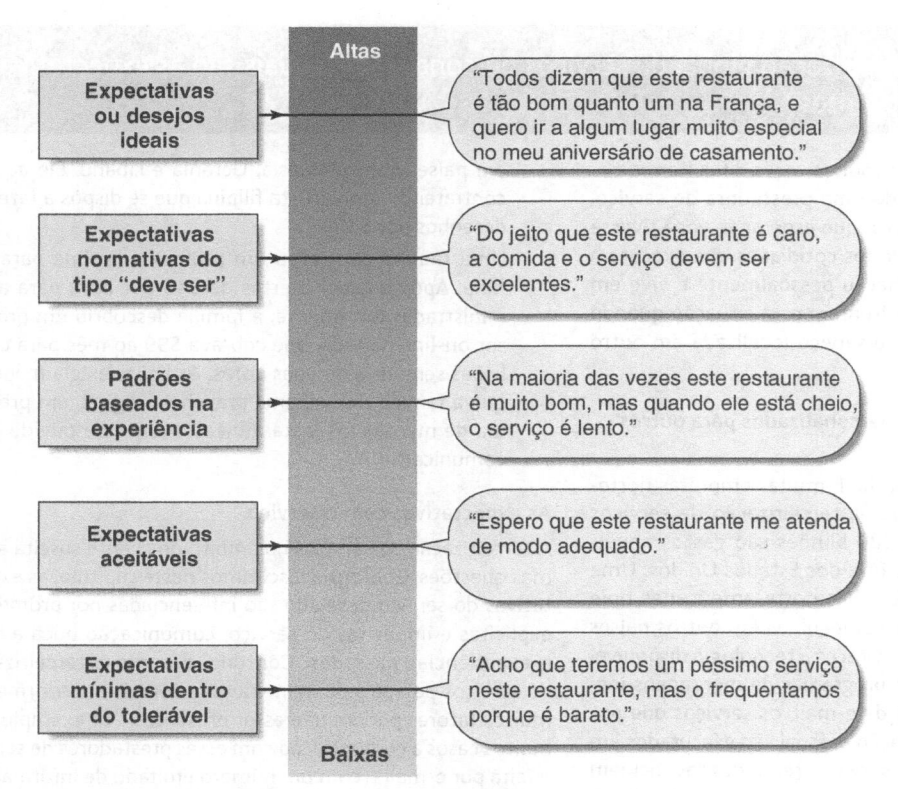

Figura 3.1 Os níveis possíveis de expectativas dos clientes.

Fonte: R. K. Teas, "Expectations, Performance Evaluation and Consumers' Perceptions of Quality," *Journal of Marketing*, October 1993, pp. 18–34. October 1993, pp. 18–34. Reproduzido com permissão da American Marketing Association.

Níveis de expectativas (de altas a baixas):

- **Expectativas ou desejos ideais** (Altas): "Todos dizem que este restaurante é tão bom quanto um na França, e quero ir a algum lugar muito especial no meu aniversário de casamento."
- **Expectativas normativas do tipo "deve ser"**: "Do jeito que este restaurante é caro, a comida e o serviço devem ser excelentes."
- **Padrões baseados na experiência**: "Na maioria das vezes este restaurante é muito bom, mas quando ele está cheio, o serviço é lento."
- **Expectativas aceitáveis**: "Espero que este restaurante me atenda de modo adequado."
- **Expectativas mínimas dentro do tolerável** (Baixas): "Acho que teremos um péssimo serviço neste restaurante, mas o frequentamos porque é barato."

níveis de expectativas, que variam de altas (parte superior) a baixas (parte inferior). Em cada ponto nomeamos o tipo de expectativa e ilustramos o que ele significa para um restaurante que você considera para uma refeição. Observe a importância da expectativa que você tem para uma avaliação do desempenho do restaurante. Suponhamos que você entrasse em um restaurante para o qual você tivesse a menor expectativa dentro do tolerável, pagasse pouco pela comida e fosse atendido de imediato com uma boa refeição. Então, suponhamos que você fosse a um restaurante para o qual você nutrisse as maiores expectativas (as ideais), pagasse muito pela comida e fosse atendido com uma boa refeição (mas não fantástica). Qual destas duas experiências com restaurantes você julga ser a melhor? É provável que a resposta dependa do ponto de referência que você manteve durante a experiência.

Como as expectativas do cliente são tão importantes para a evolução do serviço, iniciamos este capítulo com uma discussão sobre os tipos destas expectativas.

Os tipos de expectativas

Conforme observamos na Figura 3.1, os clientes têm diferentes expectativas acerca do serviço. Para fins de discussão, neste capítulo voltamos nossas atenções para dois tipos de expectativas. A expectativa mais alta é chamada *serviço desejado*: o nível de serviço que o cliente espera receber – o nível de desempenho "que desejamos". O serviço desejado é uma combinação do que o cliente acredita que "é possível" e "deveria ocorrer".[3] Por exemplo, os consumidores que assinam um serviço de relacionamentos afetivos esperam encontrar pessoas compatíveis, atraentes e interessantes para conhecer e talvez casar. Essa expectativa reflete as esperanças e os desejos desses clientes. Da mesma forma, você provavelmente contratará os serviços de empregos de sua univer-

Tema global
A terceirização global de serviços personalizados: quais são as expectativas dos clientes?

As características dos serviços muitas vezes dificultam o conhecimento do que esperar de uma prestadora de serviço. Imagine a dificuldade de saber o que esperar se você tivesse de "terceirizar" muitas das tarefas cotidianas que executa a alguém que você nunca conheceu pessoalmente e vive em outro país. Muitas famílias enfrentam esta situação quando selecionam uma prestadora de serviço localizada em outro continente.

A transferência dos serviços personalizados para outros continentes

Conforme indicamos no Capítulo 1, muitas empresas norte-americanas estão envolvidas na terceirização de serviços para outros países. Mais de $20 bilhões são gastos anualmente em serviços prestados fora dos Estados Unidos. Uma crescente porcentagem de famílias norte-americanas hoje utiliza serviços prestados por companhias em outros países para executar tarefas pessoais. Graças à tecnologia disponível em muitas residências, como programas de mensagens instantâneas, escâneres e anexos de e-mail, os serviços que podem ser finalizados sem interação pessoal são executados em outros países. Alguns desses serviços terceirizados incluem decoração de interiores, edição de textos, serviços jurídicos, pintura de murais, planejamento de casamentos, projeto de websites pessoais e paisagismo. A seguir mencionamos exemplos desses casos:

- Um cliente desejava fazer um vídeo de curta metragem mais profissional para exibir no casamento de sua irmã. Ele encontrou um artista na Romênia, que produziu o vídeo de dois minutos com um tema espacial e trilha sonora do filme Guerra nas Estrelas e que fez sucesso na festa. O custo de tudo isso? Apenas $59.
- Um homem procurava um artista para ilustrar um livro infantil que sua mãe havia escrito para seus netos, sobre suas experiências na infância na cidade de Nova York. Em vez de procurar um artista em uma lista telefônica, ele descreveu seu projeto no *website* guru.com. No espaço de uma semana ele recebeu 80 ofertas de artistas em países como Malásia, Ucrânia e Líbano. Ele acabou contratando uma artista filipina que se dispôs a fazer 25 desenhos por $300.
- Uma família contratou um professor on-line para sua filha. Após receber ofertas de $40 por hora para aulas ministradas localmente, a família descobriu um professor on-line na Índia que cobrava $99 ao mês para cinco lições semanais de duas horas. As lições exigiam apenas que a família tivesse uma prancheta digital, um programa de mensagens instantâneas e fones de ouvido para comunicação.

As expectativas com o serviço

A terceirização de serviços no âmbito do cliente suscita algumas questões. Conforme discutimos neste capítulo, as expectativas do serviço desejado são influenciadas por promessas explícitas e implícitas do serviço, comunicação boca a boca e experiências passadas. Contudo, durante a terceirização de serviços pessoais da maneira mencionada anteriormente, muitos fatores podem não estar presentes. Por exemplo, em muitos casos a comunicação com esses prestadores de serviço é feita por e-mail – com um número limitado de informações sobre as quais as promessas são baseadas, as recomendações boca a boca se restringem às fontes na Internet e os clientes talvez não tenham experiência com estes serviços. Para complicar ainda mais as coisas, é grande o número de clientes que não têm experiência considerável com a contratação de serviços pela Internet, e a maior parte deles provavelmente nunca contratou uma empresa estrangeira prestadora de serviços.

Nestes cenários, os clientes tentam comunicar suas expectativas de serviço, mas encontram obstáculos neste trajeto. Se o idioma falado na empresa prestadora de serviço não é o inglês, então há uma grande chance de haver algum mal-entendido. Por exemplo, um cliente teve um problema relativo a idiomas com uma empresa terceirizada, com matriz no Egito. A empresa montou um *website* para este cliente – mas as primeiras versões continham erros de ortografia. Como era de se esperar, vários e-mails foram trocados con-

---

sidade* quando você está pronto para a formatura. Quais são as suas expectativas sobre este serviço? É muito provável que você queira que o serviço encontre um emprego para você – o cargo certo, no local e com o salário certos – porque é exatamente isso o que você deseja e espera conseguir.

No entanto, você provavelmente perceberá que a economia é capaz de restringir a disponibilidade de empregos ideais em empresas. Além disso, nem todas as companhias em que você está interessado mantêm uma relação com o serviço de empregos de sua universidade. Nesta situação e em outras, os clientes esperam concretizar seus desejos relativos ao serviço, mas igualmente reconhecem que isso nem sempre é possível. Chamamos este nível mínimo de serviço aceitável de

---

* N. de T.: As universidades norte-americanas oferecem serviços de emprego para seus alunos atuais, recém-formados e formados há algum tempo, por meio do chamado *placement office*.

tendo instruções e explicações em função da diferença de idioma. Portanto, os clientes que estão terceirizando serviços a prestadoras em outros países têm de prever o dispêndio de considerável energia e esforço no tocante às expectativas com a comunicação.

A repórter Ellen Gamerman, do *The Wall Street Journal*, pediu a uma empresa terceirizada na Índia para que desenhasse um cartão informativo de troca de endereço para uma pessoa que estava se mudando de Nova York para o estado do Arizona. Apesar de a empresa ter feito um bom trabalho com o desenho, havia algumas imprecisões envolvendo a comunicação: (1) a empresa inicialmente havia inserido sempre-vivas no panorama do deserto e (2) orientara o automóvel dirigindo-se do oeste para o leste, não do leste para o oeste, região do estado de destino. No momento em que as instruções foram dadas, a repórter não havia listado item por item o que ela desejava – ela apresentou à empresa terceirizada uma ideia geral do tema do cartão, e então pediu que fosse usada a criatividade dos designers. Embora a empresa não tenha objetado fazer as alterações, o preço do serviço subiu em função das alterações pedidas.

A utilização de prestadores estrangeiros de serviços requer que os clientes renovem suas expectativas. Um cliente decidiu recorrer à terceirização para a preparação de sua declaração do imposto de renda. Após ter enviado por e-mail os dados sobre seus rendimentos e seus recibos e notas fiscais digitalizados, a declaração do imposto de renda foi completada em dois dias ao custo de $50 – cerca de um terço do que cobra uma empresa norte-americana como a H&R Block. Contudo, ele teve de enviar seu pedido como se fosse "preparado pelo próprio solicitante", uma vez que não fora preparado por um contador norte-americano.

Outra provável questão que os clientes têm de enfrentar é a da confiança: qual é a disposição dos clientes de confiar a um trabalhador, a milhares de quilômetros de distância – e em outro país – os projetos de natureza pessoal? Para oferecer informações acerca da qualidade do serviço que um cliente espera de uma empresa prestadora de serviço, os serviços de *sites* de leilões, como o guru.com, possuem um sistema de classificação semelhante ao oferecido no eBay. Alguns representantes disponibilizam na Internet vídeos de si mesmos e de seus escritórios para ajudar a delinear as expectativas e conquistar a confiança dos clientes.

Alguns clientes norte-americanos recebem serviços de aulas particulares de profissionais na Índia.

Fontes: Ellen Gamerman, "Outsourcing Your Life," *The Wall Street Journal*, June 2, 2007, pp. P1, P4; Alan Blinder, "Offshoring: The Next Industrial Revolution?" *Foreign Affairs* 85 (March/April 2006), pp. 113–118; Ellen Gamerman, e-mail communication, July 30, 2007.

serviço adequado – o nível de serviço que o cliente aceitará.[4] Na desaceleração econômica iniciada em 2008, muitos formandos de universidades que haviam sido treinados para cargos de alta capacitação aceitaram empregos básicos em restaurantes de *fast food* ou estágios não remunerados. Suas esperanças e desejos continuavam altos, mas reconheceram que não seriam capazes de concretizar estes desejos no mercado, tal como se configurava na época. O padrão de serviço adequado oferecido pelo serviço de emprego estava muito abaixo do desejado. Alguns recém-formados aceitaram qualquer cargo assalariado disponível, outros aceitaram estágios não remunerados de curto prazo, para adquirir experiência. O serviço adequado representa "a expectativa mínima tolerável"[5], o nível mais baixo de desempenho aceitável para o cliente.

A Figura 3.2 mostra estes dois padrões de expectativa como limites superior e inferior das expectativas dos clientes. A figura reflete a ideia de que os clientes avaliam o desempenho do

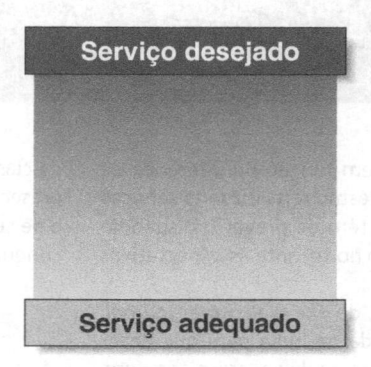

Figura 3.2 Os dois níveis de expectativa do cliente.

serviço com base em dois limites comumente aceitos: o que desejam e o que consideram aceitável. A seção Tema Global deste capítulo ilustra alguns dos desafios que as empresas enfrentam para entender as expectativas dos clientes, sobretudo na execução de serviços a clientes em outros países.

A zona de tolerância

Conforme discutimos no Capítulo 1, os serviços são heterogêneos no sentido de seu desempenho poder variar entre diferentes empresas prestadoras, entre funcionários de uma mesma prestadora e até em relação a um mesmo funcionário. A extensão em que os clientes reconhecem e se dispõem a aceitar esta variação é a chamada *zona de tolerância*, mostrada na Figura 3.3. Se o serviço fica abaixo do nível adequado – o nível mínimo considerado aceitável – os clientes se sentirão frustrados e provavelmente insatisfeitos com a empresa. Se o desempenho do serviço está acima da zona de tolerância, no topo – em que ele excede o serviço desejado –, os clientes se sentirão igualmente muito surpresos. Uma das possíveis interpretações para a chamada zona de tolerância é a faixa em que os clientes não percebem o desempenho do serviço de modo especial. Quando ele sai da zona de tolerância (ou muito abaixo ou muito acima dos limites), o serviço atrai a atenção do cliente de modo negativo ou positivo. Como exemplo, consideremos o serviço em uma caixa registradora de um supermercado. A maior parte dos clientes tem uma faixa de tempo aceitável para este encontro de serviço – talvez entre 5 e 10 minutos. Se o serviço consome este período de tempo, os clientes possivelmente não dão muita importância à espera. Se um cliente entra na fila e descobre um número suficiente de funcionários para atendê-lo nos primeiros 2 ou 3 minutos, ele se apercebe do serviço e o considera excelente. Por outro lado, se este cliente tem de esperar na fila por 15 minutos, ele

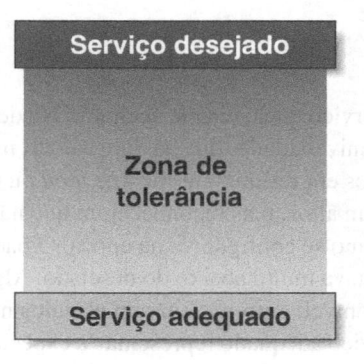

Figura 3.3 A zona de tolerância.

talvez comece a reclamar e olhar para seu relógio. Quanto mais a espera se afastar do limite inferior da zona de tolerância (10 minutos, por exemplo), mais frustrado este cliente se sentirá.

As expectativas do cliente com o serviço são caracterizadas por uma escala de níveis (como a mostrada na Figura 3.3), limitada pelo serviço desejado e adequado, em vez de um único nível. Esta zona de tolerância, que representa a diferença entre o serviço desejado e o nível de serviço considerado adequado, pode se expandir ou contrair para um dado cliente. A zona de tolerância de um cliente de uma companhia aérea se estreita quando ele está atrasado e preocupado em chegar a tempo para pegar seu avião. Um atraso de um minuto para qualquer evento que anteceda o embarque parece durar muito mais, e o patamar de serviço adequado aumenta. Por outro lado, um cliente que chega cedo ao aeroporto tem uma zona de tolerância maior, o que torna a espera menos perceptível do que na situação em que está atrasado. Este exemplo mostra que o profissional de marketing precisa entender não apenas o tamanho e os limites da zona de tolerância, mas também o momento e a maneira como ela flutua para um dado cliente.

Diferentes clientes têm diferentes zonas de tolerância

Outro aspecto da variação na faixa de serviços razoáveis mostra que diferentes clientes possuem diferentes zonas de tolerância. Alguns clientes têm zonas de tolerância estreitas (muitas vezes porque o que consideram ser o mínimo aceitável é maior), o que requer uma faixa de serviço mais restrita de parte das empresas prestadoras, ao passo que outros clientes permitem uma maior amplitude de serviço. Por exemplo, clientes muito ocupados provavelmente sempre estão com pressa, geralmente desejam tempos de espera curtos e têm uma faixa limitada para a duração de esperas aceitáveis. Ao atender a um encanador ou outros profissionais de serviço de consertos em sua casa, no caso de problemas com aparelhos, o cliente que trabalha fora tem uma janela de espera aceitável mais estreita para este encontro, em comparação com um cliente que trabalha em casa ou que não trabalha.

A zona de tolerância de um cliente aumenta ou diminui, dependendo de diversos aspectos, que incluem fatores controlados pela companhia, como o preço. Sempre que os preços aumentam, os clientes tendem a ser menos tolerantes quanto a serviços inadequados. Neste caso, a zona de tolerância diminui em função de o nível de serviço adequado se deslocar para cima. Ainda neste capítulo descrevemos outros fatores, alguns controlados pela companhia prestadora, outros pelo cliente, que levam ao estreitamento ou ao alargamento da zona de tolerância.

A flutuação na zona de tolerância de um indivíduo é função preponderantemente das alterações no nível adequado de serviço – que se move para cima ou para baixo diante das circunstâncias – não do nível desejado de serviço, que tende a se deslocar para cima por causa das experiências acumuladas. O serviço desejado é relativamente idiossincrático e estável, comparado com o serviço adequado, que sobe ou desce em resposta à concorrência e a outros fatores. A flutuação na zona de tolerância pode ser comparada ao movimento de um acordeão, em que a maior parte da moção ocorre em um lado apenas (o lado do serviço adequado), não do outro (o lado do serviço desejado).

As zonas de tolerância variam para as dimensões do serviço

As zonas de tolerância dos clientes também variam para diferentes atributos ou dimensões do serviço. Quanto mais importante o fator, mais estreita será a zona de tolerância. Em geral, os clientes estão menos propensos a serem tolerantes com serviços falíveis (promessas não cumpridas ou erros na execução do serviço) do que com outras deficiências, o que significa que eles têm maiores expectativas para este fator. Além das expectativas mais altas com as dimensões e os atributos de serviço mais importantes, os clientes estão inclinados a serem mais flexíveis com relação a suas expectativas com fatores menos importantes, o que encurta a zona de tolerância para a dimensão mais importante do serviço, e aumenta os níveis desejado e adequado do serviço.[6] A Figura 3.4 retrata a provável diferença nas zonas de tolerância para os fatores mais e menos importantes.[7]

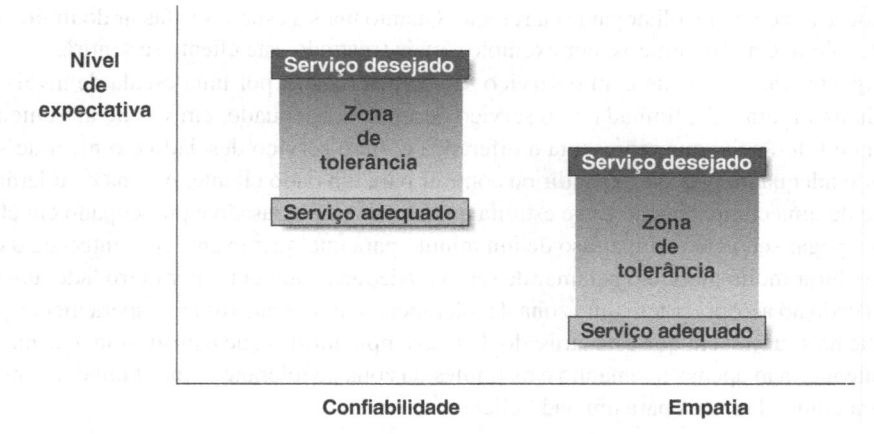

Figura 3.4 As zonas de tolerância distintas para as diferentes dimensões do serviço.

Adaptado de L. L. Berry, A. Parasuraman, and V. A. Zeithaml, "Ten-Lessons for Improving Service Quality," *Marketing Science Institute*, Report No. 93–104 (May 1993).

OS FATORES QUE INFLUENCIAM AS EXPECTATIVAS DO CLIENTE COM O SERVIÇO

Devido à importância do papel das expectativas na avaliação que o cliente faz dos serviços, os profissionais de marketing precisam entender os fatores que as definem. Esta seção descreve algumas das principais influências que atuam nas expectativas dos clientes.

As fontes das expectativas do serviço desejado

Necessidades pessoais
Como mostra a Figura 3.5, são três os principais fatores de influência sobre o nível de serviço. O primeiro, as *necessidades pessoais*, são os estados ou as condições essenciais para a manutenção do bem-estar físico e psicológico do cliente, aspectos vitais que moldam seu desejo com relação ao serviço. As necessidades pessoais são classificadas em diversas categorias, como as de cunho físico, social, psicológico e funcional. Um fã que regularmente assiste a uma partida de beisebol, saído direto do trabalho, está com fome e com sede, e espera e deseja que os vendedores de lanches e bebidas passem em sua arquibancada com frequência, ao passo que o fã que sempre janta em outro local tem um nível inferior de serviço desejado diante dos vendedores.

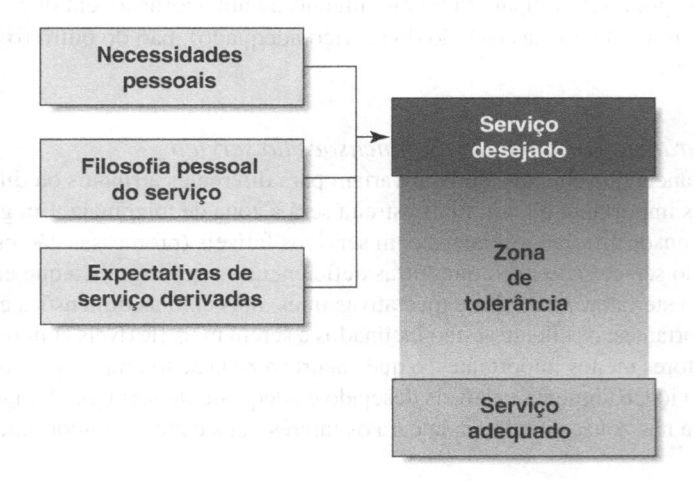

Figura 3.5 Os fatores que influenciam o serviço desejado.

Um cliente com grandes necessidades no âmbito do convívio social tem expectativas relativamente altas para os serviços secundários de um hotel e espera, por exemplo, que o estabelecimento tenha um bar com música ao vivo e pista de dança. O efeito das necessidades pessoais no serviço desejado é ilustrado pelas diferentes expectativas de dois clientes de companhias de seguros:

> Espero que uma corretora [de seguros] faça a maior parte de meu trabalho porque não tenho mão de obra necessária... Espero que a corretora conheça o bastante acerca de minha empresa e transfira este conhecimento à seguradora.
>
> Minhas expectativas são diferentes... Tenho a mão de obra para emitir nossos certificados, entre outras coisas, e por isso não utilizamos os serviços da corretora intensamente.[8]

A filosofia pessoal do serviço

A segunda influência no serviço desejado é a *filosofia pessoal do serviço*– a atitude geral do cliente acerca do significado do serviço e da conduta adequada das empresas provedoras. Se você já foi garçom ou garçonete em um restaurante, você provavelmente tem padrões de serviço de restaurantes que foram ditados pelo seu treinamento e experiência naquele emprego. Por exemplo, é possível que você acredite que os garçons não devem deixar os clientes esperando por mais de 15 minutos para anotarem seus pedidos. Se você conhece o funcionamento de uma cozinha, você talvez não seja tão tolerante com comida fria ou erros no pedido, em comparação a clientes que nunca trabalharam em um restaurante. Em geral, os clientes que trabalham ou já trabalharam no setor de serviços parecem ter filosofias de serviço especialmente rígidas.

As expectativas de serviço derivadas

Outro fator de influência sobre as expectativas do serviço é chamado de *expectativas de serviço derivadas*, que ocorrem sempre que as expectativas do cliente são motivadas por outra pessoa ou grupo de pessoas. No caso de uma família numerosa que planeja celebrar o aniversário de 90 anos de uma tia querida, a sobrinha representa a família toda quando é incumbida de escolher um restaurante adequado para que a festa tenha sucesso. Suas necessidades são motivadas em parte pelas expectativas derivadas dos outros integrantes da família. Um pai que escolhe as férias da família, um cônjuge que seleciona um serviço de limpeza da casa, um funcionário que decide sobre a escolha de uma nova sede para o escritório da empresa em que trabalha – todas as expectativas individuais destes clientes são intensificadas porque eles próprios representam e precisam responder a todas as outras partes que receberão o serviço. No contexto *business-to-business*, as expectativas dos clientes corporativos são motivadas pelas expectativas de seus próprios clientes. O chefe do departamento de tecnologia da informação em uma companhia de seguros, que é o cliente corporativo de uma grande empresa de computadores, tem expectativas baseadas naquelas dos clientes de seguros que ela atende: sempre que os computadores pifam, seus próprios clientes reclamam. A necessidade que esta pessoa tem de manter os computadores funcionando não se limita a seu próprio desejo: ela é derivada da pressão exercida por seus clientes.

As fontes das expectativas do serviço adequado

Um conjunto diferente de determinantes afeta o serviço adequado, o nível de serviço que o cliente considera aceitável. Em geral, estas influências têm curta duração e tendem a flutuar mais do que os fatores que afetam o serviço desejado. Nesta seção explicamos os três fatores mostrados na Figura 3.6 que comprometem o serviço adequado: as alternativas percebidas do serviço, os fatores situacionais e o serviço previsto.

Os problemas com o serviço inicial também podem levar a expectativas maiores. A primeira execução de um serviço é muito importante, porque os clientes valorizam a confiabilidade do serviço acima de todas as outras dimensões. Se o serviço fracassa na fase de recuperação, ajustá-lo na segunda vez (isto é, trazer confiabilidade à recuperação do serviço) é um aspecto ainda mais

Tecnologia em foco — As expectativas com os serviços de novas tecnologias em um aeroporto

Uma das tarefas mais difíceis de um profissional de marketing é compreender o que os clientes esperam dos serviços, e em nenhum outro lugar este problema fica mais evidente do que na situação envolvendo novas tecnologias. A princípio, os clientes quase sempre resistem às novas tecnologias – talvez por não compreendê-las, talvez por temê-las – ainda que elas levem ao aperfeiçoamento dos serviços. As tecnologias que facilitam e agilizam a obtenção de um serviço estão em todo o lugar, até em aeroportos. Os clientes estão aceitando algumas tecnologias novas na área de serviços e resistindo a outras. Nesta seção, discutiremos duas inovações que estão diante de destinos opostos.

Uma tecnologia de serviço que está sendo aceita pelos clientes é o *check-in* automático das companhias aéreas: os clientes se dirigem a um terminal de computador, passam seus cartões de crédito e utilizam controles de toque para obterem seus cartões de embarque e notas fiscais. A menos que o voo seja internacional, os clientes também podem despachar a bagagem automaticamente, e um funcionário a leva antes de eles se dirigirem ao portão de embarque. Os clientes também podem conferir a designação das poltronas e alterá-la se existirem assentos disponíveis. Em condições normais, este serviço toma menos tempo do que o trabalho com um funcionário, e a maior parte das companhias aéreas tem mais computadores instalados hoje em comparação com as linhas disponíveis para cada funcionário do balcão, o que poupa considerável parcela de tempo dos clientes. Quando da adoção destas telas, os clientes não estavam certos sobre o que esperar e não sabiam como operá-las. As companhias aéreas que disponibilizaram funcionários extras para auxiliar os clientes a utilizar estes terminais tiveram sucesso ao converter esses clientes de adeptos do contato humano a usuários da tecnologia da automação. Hoje a maioria dos clientes prefere os computadores devido à maior velocidade e facilidade de execução do serviço.

Outra tecnologia adotada em aeroportos e que vem sendo aceita com ressalvas pelos clientes é a chamada Exit Express. Esta tecnologia chegou para substituir os guichês de saída dos estacionamentos dos aeroportos, e funciona da seguinte maneira: antes de os clientes deixarem o aeroporto, eles utilizam uma máquina (semelhante a uma máquina de bilhetes ferroviários) para pagar adiantado pela vaga no estacionamento. Primeiro, eles inserem seu tíquete de estacionamento. Em seguida, colocam o cartão de crédito ou o valor em dinheiro e recebem o tíquete de estacionamento autenticado. Ao deixarem a vaga, os clientes utilizam uma das diversas faixas do Exit Express, inserem seus tíquetes já pagos, e saem do estacionamento. Via de regra os aeroportos conservam um pequeno número de faixas que ainda operam com funcionários, do modo tradicional. Contudo, surpreende o fato de que muitos aeroportos estão descobrindo que os clientes não utilizam o Exit Express conforme o esperado.

Por que há tantos clientes que resistem em adotar a tecnologia do Exit Express, que inquestionavelmente atende ou até excede suas expectativas de sair do aeroporto com rapidez? Uma das possíveis razões para este comportamento é que o cliente não entende o funcionamento do sistema, ainda que haja um alto-falante no estacionamento que anuncia o serviço continuamente. Além disso, os clientes não entendem com clareza os benefícios oferecidos, talvez em função de o aeroporto não divulgar o serviço com eficiência,

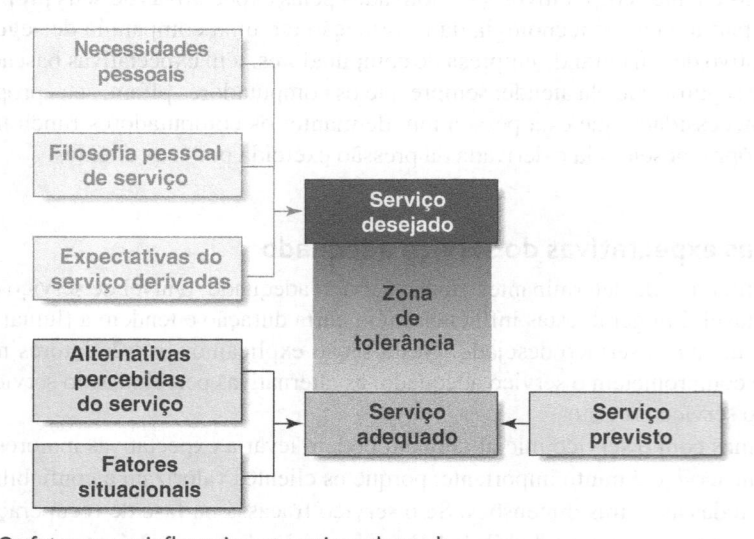

Figura 3.6 Os fatores que influenciam o serviço adequado.

Algumas companhias aéreas permitem que o cliente faça o *check-in* utilizando um telefone celular.

o que leva os clientes a acreditarem que o sistema antigo, com os guichês de saída, é rápido o bastante. Outro motivo é que a maior parte dos aeroportos não dispõe de funcionários lotados próximo a uma instalação da tecnologia (como um quiosque de *check-in*) para familiarizarem os clientes com o sistema e ajudá-los a lidar com as falhas no serviço, à moda das companhias aéreas quando adotaram os *check-ins* automáticos. Os clientes também temem a possibilidade de que se algo der errado, eles se constranjam e não saibam como solucionar o problema. Outra razão, bastante convincente, mostra que muitos clientes não confiam na tecnologia, tal como costumavam suspeitar dos caixas automáticos quando foram lançados.

Com o tempo, os clientes se adaptaram às mudanças adotadas em diversos aspectos do setor aéreo e possibilitadas pela tecnologia. Há menos de 15 anos, a maioria dos passageiros tinha passagens emitidas pelas companhias aéreas. Essas passagens permitiam que eles obtivessem o cartão de embarque. Com a chegada dos "balcões de *check-in* avançados" para a maioria dos voos domésticos nos Estados Unidos, os clientes começaram a se acostumar a fazer o *check-in* antes de chegar no aeroporto (com até 24 horas de antecedência), imprimindo seus próprios cartões de embarque. Mais recentemente, muitas companhias aéreas começaram a enviar cartões de embarque eletrônicos (completos, com um código de barras) aos celulares dos clientes – abolindo a necessidade de os passageiros portarem um cartão de embarque físico (isto é, impresso). Com o Exit Express, alguns clientes se mostraram um tanto relutantes em adotar o cartão de embarque eletrônico – por razões semelhantes: eles não entendem como a tecnologia funciona, como os cartões de embarque eletrônicos são obtidos. Alguns ficam ansiosos ao ter de obter o cartão com muita rapidez via telefone celular, enquanto os outros passageiros esperam atrás deles na fila, ou se sentem inseguros acerca do que fazer se a tecnologia falhar durante a viagem.

Se os serviços melhorados pela tecnologia têm de atender às expectativas dos clientes, estes precisam ser confiáveis, facilmente entendidos e apresentados como valiosos para o cliente. Do contrário, a promessa de atender ou de exceder as expectativas dos clientes não se realizará, mesmo com grandes investimentos.

Fonte: M. L. Meuter, M. J. Bitner, A. L. Ostrom, and S. W. Brown, "Choosing among Alternative Service Delivery Modes: An Investigation of Customer Trial of Self-Service Technologies," *Journal of Marketing* 69 (April 2005), pp. 61–83.

---

crítico do que foi da primeira vez. O serviço de mecânica de automóveis ilustra esse ponto. Se um problema com os freios de um carro faz você ir a uma oficina mecânica, você espera que ela conserte os freios. Se você passar por outros problemas com os freios após o conserto, o nível de serviço que você considera adequado sobe. Nessas e em outras situações em que os intensificadores temporários de serviço estão presentes, o nível adequado de serviço aumenta e a zona de tolerância se estreita.

Alternativas percebidas de serviço

As *alternativas percebidas de serviço* são as outras provedoras de serviço junto às quais o cliente obtém o serviço de que precisa. Se os clientes acreditam que têm diversas provedoras de serviço disponíveis ou se eles são capazes de prestar o serviço a si próprios (como no caso de cortar a grama ou cuidar da própria aparência), seus níveis de serviço adequado são mais altos do que aqueles dos clientes que não creem ser possível obter melhores serviços com outras provedoras. O cliente de uma companhia aérea que vive em uma pequena cidade dotada de um pequeno aeroporto, por exemplo, tem um conjunto restrito de opções de viagem aérea. Este cliente é mais tolerante com o desempenho do serviço das companhias aéreas operantes na cidade em função das poucas alternativas. Este cliente aceitará o número limitado de horários e os menores níveis de serviço com mais facilidade do que o cliente que vive em uma metrópole que desfruta de mais opções de horários e companhias aéreas. A percepção de que existem alternativas de serviço eleva o nível do serviço adequado e estreita a zona de tolerância.

É importante que os profissionais de marketing entendam todo o conjunto de opções que os clientes interpretam como alternativas percebidas. No exemplo da cidade com um aeroporto pequeno, o conjunto de alternativas, do ponto de vista do cliente, provavelmente incluirá mais do que outras companhias aéreas: serviço de limusine para o transporte a uma cidade próxima, serviço de transporte ferroviário ou motorista particular. Em geral, os profissionais de marketing precisam descobrir as alternativas que o cliente enxerga como comparáveis, não as alternativas presentes no conjunto competitivo da companhia. Por exemplo, as companhias aéreas não podem prescindir de compreender as opiniões dos clientes acerca de novas tecnologias de serviço (veja a seção Tecnologia em Foco).

Fatores situacionais

Os níveis de serviço adequado também são influenciados pelos *fatores situacionais*, os quais normalmente são considerados contemporâneos em natureza. Um tipo engloba os *fatores situacionais incontroláveis*, os quais incluem as condições de execução do serviço que segundo os clientes estão além do controle da empresa prestadora. Por exemplo, catástrofes que afetam inúmeras pessoas de uma só vez (como tornados ou terremotos) podem reduzir as expectativas com o serviço para os clientes de seguradoras em outros pontos geográficos, porque estes reconhecem que as seguradoras estão recebendo muitas solicitações de seus serviços. Nos dias que se seguiram à passagem do furacão Katrina, nos Estados Unidos, os serviços telefônicos e de conexão com a Internet foram deficientes por conta das muitas pessoas que tentavam entrar em contato com amigos e parentes. Pelo mesmo motivo, os hóspedes de hotéis, como o Ritz-Carlton, o Omni ou o Marriott, em Nova Orleans, compreenderam de imediato que não deveriam esperar o nível de serviço a que estavam acostumados. Os clientes de todos esses serviços foram muito compreensivos naqueles dias, porque compreenderam a fonte do problema. Os clientes que reconhecem que os fatores institucionais não são culpa da empresa prestadora estão mais inclinados a aceitarem os níveis mais baixos de serviço adequado em um dado contexto. Os fatores situacionais muitas vezes reduzem temporariamente o nível do serviço adequado e dilatam a zona de tolerância.

Os *fatores situacionais pessoais* são fatores individuais, de curto prazo, que deixam o cliente mais ciente da necessidade do serviço. Situações de emergência pessoal em que o serviço é requerido com urgência (como no caso de um acidente e na necessidade de um seguro de automóveis ou falhas em algum equipamento em um escritório durante um período de trabalho intenso) elevam o nível de expectativa por serviços adequados. Uma empresa de reembolso postal que depende de linhas de discagem gratuita para receber os pedidos dos clientes tende a ser mais exigente com sua provedora de serviços de telefonia durante os horários de pico. Qualquer parada no sistema será menos tolerada nestes períodos do que em outros. O impacto dos fatores situacionais de natureza pessoal está evidente nestes comentários feitos por dois participantes em uma pesquisa:

> Um cliente de uma seguradora de automóveis: A natureza de meu problema influencia minhas expectativas, por exemplo, uma vidraça quebrada *versus* um acidente de carro que requer uma cirurgia cerebral.

> Um cliente de conserto de equipamento industrial: Tive problemas de calibração com o equipamento de raio X. Eles deveriam ter vindo e consertado em questão de horas, em função da urgência de uso do equipamento.[9]

Serviço previsto

O último fator que influencia o serviço adequado é o *serviço previsto* (Figura 3.7), ou o nível de serviço que os clientes acreditam ser aquele que receberão. Este tipo de expectativa com serviços

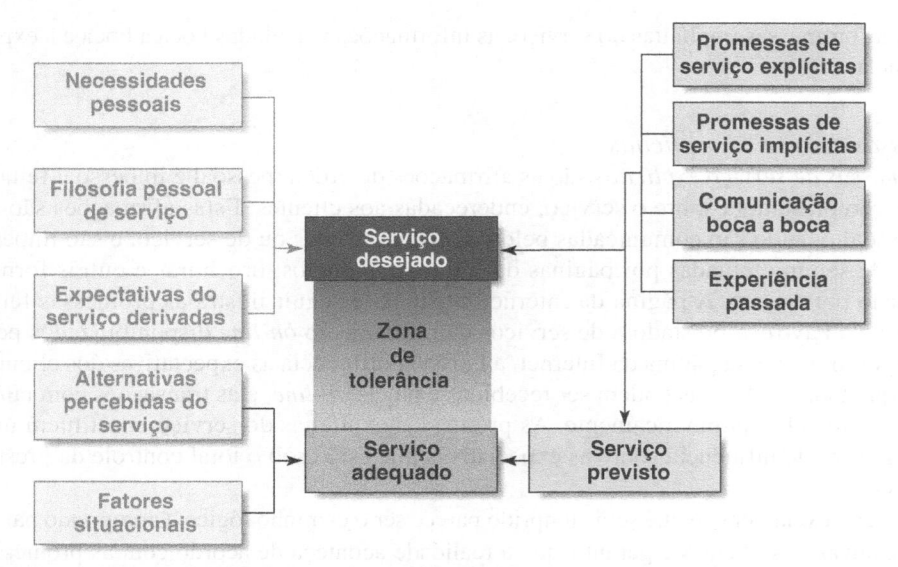

Figura 3.7 Os fatores que influenciam o serviço desejado e o serviço previsto.

pode ser visto como o conjunto de previsões que o cliente faz sobre o que provavelmente acontecerá durante uma transação ou intercâmbio iminente. O desempenho previsto do serviço implica a execução de um cálculo objetivo, por assim dizer, da probabilidade do desempenho ou de uma estimativa do nível de desempenho do serviço esperado. Se os clientes preveem um bom nível de serviço, seus níveis de serviço adequado provavelmente são mais altos do que se preveem um serviço de qualidade inferior. Por exemplo, os alunos que residem em uma cidade-sede de uma grande universidade normalmente esperam um serviço mais rápido nos restaurantes durante o verão, período de férias dos alunos. É provável que esta previsão eleve seus padrões de serviço adequado nos restaurantes durante o verão, em comparação com os meses do período letivo. Por outro lado, os clientes de companhias telefônicas, provedoras de TV a cabo e de serviços públicos em um bairro universitário sabem que o serviço de instalação destas empresas é de difícil obtenção quando do início do período letivo, época em que inúmeros estudantes estão montando seus apartamentos para o ano. Neste caso, os níveis de serviço adequado diminuem e as zonas de tolerância aumentam de tamanho.

O serviço esperado é, via de regra, uma estimativa ou um cálculo para o serviço que um cliente receberá em uma transação individual, não em um relacionamento no sentido amplo do termo, com a empresa prestadora. Enquanto as expectativas do serviço adequado e desejado são avaliações gerais, que abrangem diversas transações individuais, o serviço previsto é na maioria das vezes uma estimativa do que acontecerá no próximo encontro ou transação de serviço de que o cliente participa. Por esta razão, o serviço previsto é interpretado, neste modelo, como um agente de influência do serviço adequado.

As fontes das expectativas com o serviço desejado e com o serviço previsto

Quando os consumidores estão interessados em adquirir algum serviço, eles provavelmente tentarão obter informações junto a diferentes fontes. Por exemplo, eles talvez telefonem a uma loja, perguntem a um amigo ou deliberadamente busquem o serviço necessário nos classificados de um jornal, ao menor preço. Estes consumidores também recebem informações sobre serviços assistindo à TV, navegando na Internet ou ouvindo algum comentário de um colega sobre um serviço bem executado. Além destes tipos ativos e passivos de busca externa por informações, os consumidores conduzem pesquisas internas, recapitulando as informações conservadas na memória sobre o serviço em questão. Esta seção discute quatro fatores que influenciam as expectativas tanto com o serviço desejado quanto com o serviço previsto: as promessas explícitas do serviço, as promessas implícitas do serviço, as informações veiculadas boca a boca e a experiência passada.

Promessas de serviço explícitas

As *promessas de serviço explícitas* são as afirmações de ordem pessoal e impessoal feitas pela organização prestadora sobre o serviço, endereçadas aos clientes. Estas afirmações são de ordem pessoal quando são comunicadas pelo pessoal de vendas ou de serviço, e são impessoais no caso de serem efetuadas por páginas da Internet, anúncios, brochuras e outras formas de publicação por escrito. A página da Internet mostrada a seguir ilustra as promessas feitas na Internet pela Paytrust, prestadora de serviços de faturamento *on-line* disponibilizados pela Intuit Corporation. Nessa página da Internet, a Paytrust influencia as expectativas dos clientes, ao indicar que todas as faturas podem ser recebidas e pagas *on-line*, e as transações com talões de cheque, verificadas automaticamente. As promessas explícitas do serviço constituem um dos poucos fatores de influência sobre as expectativas que estão sob o total controle da prestadora de serviços.

Prometer exatamente o que será cumprido parece ser o caminho lógico e apropriado para gerir as expectativas dos clientes e garantir que a realidade aconteça de acordo com as promessas do serviço. Contudo, as empresas e o grupo de funcionários que as representa muitas vezes oferecem promessas irreais de modo deliberado, a fim de finalizarem um negócio, ou o fazem inadvertidamente ao revelarem suas melhores estimativas sobre a execução de um serviço no futuro. Além das promessas exageradas, os representantes da companhia nem sempre conhecem as promessas apropriadas que podem ser oferecidas, pois os serviços muitas vezes são customizados e, portanto, difíceis de definir e reproduzir. O representante da empresa talvez não saiba o momento ou a forma final em que o serviço será executado.

Todos os tipos de promessas de serviço explícitas têm um efeito direto sobre a expectativa do serviço desejado. Se um gerente de banco retrata um serviço bancário como estando disponível nas 24 horas do dia, os desejos dos clientes por este serviço (e pelos serviços da concorrência também) serão definidos por esta promessa. Um hóspede em um hotel descreve o impacto das promessas explícitas sobre as expectativas ao dizer: "Eles realmente o atraem com o belo anúncio que divulgam. Ao entrar no hotel você espera que toda esta barulheira acabe, mas ela não acaba". Um cliente de uma empresa de manutenção de equipamentos industriais diz: "Quando você adquire um equipamento, você espera ter alguma vantagem competitiva com ele. O serviço é prometido com a venda do equipamento." Uma promessa especialmente perigosa que muitas companhias fazem hoje para seus clientes corporativos é a oferta de "uma solução total" para as necessidades empresariais. Esta promessa é bastante difícil de concretizar.

As promessas explícitas do serviço influenciam os níveis do serviço desejado e do serviço previsto. Elas moldam as preferências gerais dos clientes e suas previsões sobre o que acontecerá no próximo encontro de serviço com um dado provedor ou em um encontro de serviço em especial com um mesmo provedor.

As promessas de serviço implícitas

As *promessas de serviço implícitas* são pontos relacionados ao serviço que não incluem as promessas explícitas que levam a inferências sobre a expectativa e a realização do serviço. Estes pontos de qualidade são dominados pelo preço e pelos tangíveis associados a este serviço. Em geral, quanto maior o preço e mais impressionantes os tangíveis, maior a expectativa do cliente com o serviço. Consideremos um cliente que adquire uma apólice de seguros e que encontra duas seguradoras que cobram prêmios completa-

Uma empresa prestadora de serviços com um interior "fino" provavelmente aumenta as expectativas dos clientes.

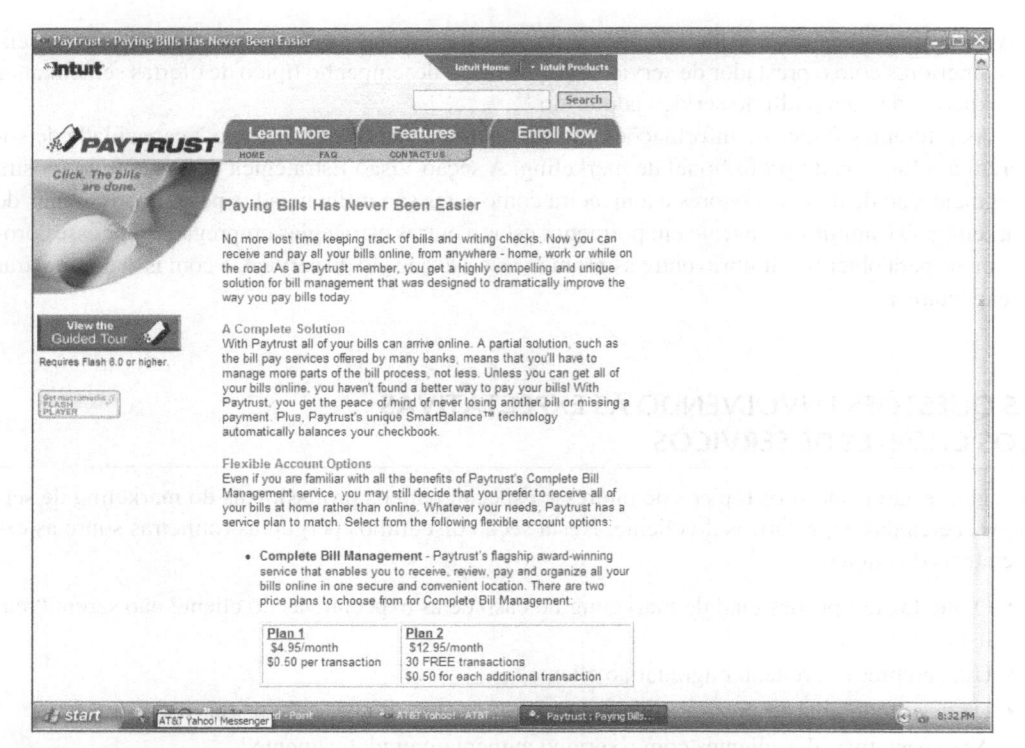

As promessas explícitas do serviço da Paytrust que influenciam o serviço desejado.

mente diferentes. Este cliente pode pensar que a empresa que cobra o preço mais alto precisa e irá oferecer um serviço de melhor qualidade e uma maior cobertura. Pela mesma razão, o cliente que se hospeda em um hotel com um saguão luxuoso está inclinado a desejar e prever um alto padrão de serviço em comparação àquele de instalações menos impressionantes.

A comunicação boca a boca

A importância das informações veiculadas *boca a boca* na definição das expectativas do serviço é extensamente documentada.[10] Estas afirmações feitas por terceiros – como vemos nas redes sociais – traduzem aos clientes a imagem do serviço e influenciam tanto o serviço previsto quanto o serviço desejado.[11] A comunicação boca a boca tem importância especial como fonte de informações, porque é percebida como neutra. Este tipo de informação tende a ser muito importante no caso de um serviço difícil de avaliar antes da compra, ou antes da experiência direta com sua execução. Os especialistas (incluindo a revista *Consumer Reports*, amigos e familiares) e fóruns de discussão na Internet são igualmente fontes de informações boca a boca capazes de afetar os níveis do serviço desejado e esperado.

Experiência passada

A *experiência passada*, a exposição anterior do cliente a serviços relevantes ao serviço em questão, é outra força atuante na definição de previsões e desejos. Por exemplo, você provavelmente compara todas as estadas em um dado hotel em relação às estadas anteriores neste mesmo hotel. Mas a experiência passada com o hotel sob consideração talvez não passe de uma visão bastante limitada de sua experiência anterior. É possível que você compare cada estada com suas experiências em outros hotéis ou cadeias de hotéis. Os clientes também efetuam comparações entre setores. Por exemplo, os pacientes de um hospital comparam as internações utilizando o padrão de hospedagem em hotéis. Os clientes de uma operadora de TV a cabo tendem a comparar este serviço com os padrões definidos por uma empresa de telecomunicação, o que é uma das razões para o primeiro serviço muitas vezes ser considerado deficiente. As experiências passadas incorporam as experiências anteriores com o prestador de serviço em questão, o desempenho típico de ofertas semelhantes e a experiência com o último serviço adquirido.[12]

As diferentes fontes de informações variam quanto à sua credibilidade e à capacidade de sofrerem a influência do profissional de marketing. A seção Visão Estratégica deste capítulo mostra a segmentação de diversos fatores e a maneira como estes são influenciados pelos profissionais de marketing. O Capítulo 14 discute em pormenor estas e outras estratégias empregadas por esses profissionais para obter o equilíbrio entre as promessas e a execução do serviço, e com isso administrar as expectativas.

AS QUESTÕES ENVOLVENDO AS EXPECTATIVAS DOS CLIENTES DE SERVIÇOS

A seguir, estão listados os tópicos de interesse especial para os profissionais do marketing de serviços acerca das expectativas do cliente. Nesta seção discutimos perguntas rotineiras sobre as expectativas do cliente.

- O que faz um profissional de marketing no caso de as expectativas do cliente não serem "realistas"?
- Uma empresa deve tentar agradar ao cliente?
- De que modo uma empresa excede as expectativas dos clientes com os serviços?
- As expectativas dos clientes com o serviço aumentam gradativamente?
- De que modo uma empresa de serviços mantém-se à frente da concorrência na satisfação das expectativas do cliente?

O que faz um profissional de marketing no caso de as expectativas do cliente não serem "realistas"?

Um dos agentes que inibem o aprendizado sobre as expectativas do cliente é o medo de perguntar exibido pela gerência e pelos funcionários. Muitas vezes esta apreensão surge com a crença de que as expectativas do cliente são extravagantes e fantasiosas e que, ao indagar sobre elas, uma companhia está abrindo caminho para a ocorrência de expectativas ainda mais altas (isto é, em níveis "irreais"). Contudo, evidências convincentes, mostradas no Quadro 3.1, sugerem que as principais expectativas de um cliente para com um serviço são bastante simples: "Em síntese, os clientes esperam que as empresas prestadoras de serviço façam o que espera-se que façam. Eles esperam o fundamental, não o excesso; o desempenho, não promessas vazias".[13] Os clientes querem que o serviço seja executado conforme prometido. Eles desejam que aviões decolem sem atrasos, que um quarto de hotel seja limpo, que a comida esteja quente e que um prestador de serviço apareça na hora marcada. Infelizmente, muitos clientes de serviços sentem-se decepcionados e negligenciados quando as empresas não conseguem atender a estas expectativas básicas do serviço.

Uma maneira simples de descobrir se as expectativas dos clientes são realistas consiste em perguntar a eles. Perguntar aos clientes sobre suas expectativas não eleva as expectativas propriamente ditas; ao contrário, esta estratégia fortalece a crença de que a empresa tomará alguma atitude com as informações reveladas. Talvez a pior coisa que uma empresa possa fazer é demonstrar muito interesse em entender o que os clientes esperam, porém nunca utilizar as informações que eles revelam. Uma companhia deveria, no mínimo, informar aos clientes que recebeu suas informações e que se esforçará para resolver estes problemas. A empresa talvez não seja capaz – e de fato nem sempre tem – de atender às expectativas reveladas. Uma resposta alternativa e apropriada consiste em informar aos clientes as razões pelas quais o serviço desejado não está sendo oferecido no momento e descrever os esforços planejados para fornecer esse serviço no futuro.

Visão estratégica — De que modo os profissionais do marketing de serviços influenciam as expectativas do cliente

Como um gerente de uma empresa prestadora de serviços utiliza as informações desenvolvidas neste capítulo para criar, melhorar ou vender serviços? Em primeiro lugar, os gerentes precisam conhecer as fontes das expectativas pertinentes e a importância relativa de cada uma para uma dada população de clientes, para um segmento de consumo, ou até para um determinado cliente. Eles precisam conhecer, por exemplo, o peso relativo das informações veiculadas boca a boca, das promessas explícitas e implícitas do serviço e da experiência passada na definição do serviço desejado e do serviço previsto.

Algumas destas fontes são mais estáveis e permanentes em termos da influência que exercem (como a filosofia pessoal do serviço e as necessidades pessoais) do que outras, que flutuam consideravelmente ao longo do tempo (como as alternativas percebidas do serviço e os fatores situacionais). A seguir, mostramos como as expectativas dos clientes podem sofrer alguma influência.

Fator	Possíveis estratégias de influência
Necessidades pessoais	• Educar os clientes sobre as maneiras como o serviço atende a suas necessidades.
Filosofia pessoal de serviço	• Utilizar pesquisas de mercado para definir filosofias pessoais de serviço de clientes e empregar essas informações no projeto e na execução de serviços.
Expectativas de serviço derivadas	• Utilizar pesquisas de mercado para determinar as fontes de expectativas de serviço derivado e as respectivas exigências. Depois, concentrar a propaganda e a estratégia de marketing nas maneiras como o serviço permite ao cliente que está em foco atender às exigências do cliente influenciador.
Alternativas de serviço percebidas	• Estar plenamente ciente de ofertas competitivas e, sempre que possível e apropriado, equipará-las.
Fatores situacionais	• Aumentar a capacidade de execução de serviço durante os períodos de pico ou emergências. • Utilizar as garantias do serviço para tranquilizar os clientes sobre a recuperação do serviço, independentemente dos fatores situacionais observados.
Serviço previsto	• Informar aos clientes o momento em que a prestação de serviço é maior do que normalmente esperado, de forma que as previsões sobre encontros de serviço futuros não sejam exageradas.
Promessas de serviço explícitas	• Fazer promessas realistas e precisas que refletem o serviço de fato executado, não uma versão idealizada do serviço. • Requerer que as pessoas de contato produzam um *feedback* sobre a adequação das promessas feitas na propaganda e na venda pessoal do serviço. • Evitar o envolvimento com concorrentes em guerras de preço e propaganda, porque elas distraem o cliente e elevam as promessas para além do nível em que de fato podem ser realizadas. • Formalizar as promessas de serviço por meio de uma garantia de serviço voltada para os funcionários da empresa, com a promessa de oferecer *feedback* sobre o número de vezes em que promessas não são cumpridas.
Promessas de serviço implícitas	• Garantir que os tangíveis de serviço reflitam precisamente o tipo e o nível de serviço prestado. • Garantir que os preços cobrados sejam justificados pelos altos níveis de desempenho da companhia, quanto a atributos importantes do serviço.
Comunicação boca a boca	• Simular a propaganda boca a boca por meio de testemunhos e formadores de opinião. • Identificar as influências e os formadores de opinião para o serviço e neles concentrar os esforços de marketing. • Utilizar incentivos com clientes existentes para encorajá-los a emitir opiniões positivas sobre o serviço.
Experiência passada	• Utilizar a pesquisa de marketing para delinear as experiências passadas dos clientes com serviços semelhantes.

Quadro 3.1 Os clientes de serviços querem o básico

Tipo de serviço	Tipo de cliente	Principais expectativas
Mecânica de automóveis	Consumidores	• Ser competente. ("Conserte isso de vez.") • Explicar os problemas. ("Explique para mim porque os consertos sugeridos são necessários – faça uma lista.") • Ser respeitoso ("Não me faça de bobo.")
Seguro de automóveis	Consumidores	• Manter-me informado. ("Não deveria ter de abrir os jornais para descobrir as mudanças na legislação sobre seguros.") • Estar do meu lado. ("Não quero ser tratado como um criminoso só porque tenho um pedido a fazer.") • Jogar de modo justo. ("Não me abandone se algo der errado.") • Oferecer proteção contra uma catástrofe. ("Certifique-se de que minha propriedade tem cobertura no caso de um grande acidente.") • Fornecer o serviço de imediato. ("Quero o ressarcimento rápido.")
Hotéis	Consumidores	• Oferecer um quarto limpo. ("Não tenha um carpete grosso que não pode ser limpo por completo. Dá para ver os germes nele.") • Oferecer um quarto seguro. ("Fechaduras de qualidade e olho-mágico na porta.") • Tratar o cliente como um hóspede. ("Parece que eles examinam você de cima a baixo para então decidir se disponibilizam ou não um quarto.") • Manter a promessa. ("Eles disseram que o quarto estaria pronto, mas ele não estava pronto na hora prometida.")
Seguro de bens imóveis e contra acidentes pessoais	Clientes corporativos	• Atender às obrigações. ("Pague sua conta na íntegra.") • Aprender sobre o negócio do cliente e trabalhar com ele. ("Espero que eles conheçam a mim e à minha empresa.") • Proteger em caso de catástrofe. ("Eles deveriam cobrir minha exposição ao risco, pois assim não há uma única grande perda.") • Oferecer serviço imediato. ("Serviço rápido de ressarcimento.")
Conserto de equipamentos	Clientes corporativos	• Compartilhar o senso de urgência. ("Velocidade de resposta. Certa vez tive de comprar um segundo equipamento em função do longo tempo de parada do primeiro.") • Ser competente. ("Há vezes em que você menciona trechos dos manuais de instruções dos produtos da companhia para os funcionários, e estes não sabem do que você está falando.") • Estar preparado. ("Todas as peças têm de estar prontas.")
Aluguel e *leasing* de caminhões e tratores	Clientes corporativos	• Manter o equipamento funcionando. ("É preciso que o equipamento funcione o tempo todo – isso é essencial.") • Ser flexível. ("A companhia locadora deve ter a flexibilidade de alugar o equipamento de que precisamos na hora certa.") • Oferecer o serviço completo. ('Livre-se de toda a papelada e das dores de cabeça.")

Fonte: Reproduzido de "Understanding Customer Expectations of Service" de A. Parasuraman, L. L. Berry, and V. A. Zeithaml, *Sloan Management Review* 32 (Spring 1991), pp. 39–48, com permissão do editor. Da MIT Sloan Management Review. Direitos autorais (1991) Massachusetts Institute of Technology. Todos os direitos reservados. Distribuído por Tribune Media Services.

Outra abordagem envolve uma campanha de educação dos clientes sobre as maneiras de utilizar e aperfeiçoar o serviço que recebem no momento. Além disso, é sensato disponibilizar atualizações aos clientes, à medida que o serviço é melhorado, para atender a suas necessidades e desejos. Estas atualizações permitem que a empresa obtenha créditos pelos esforços graduais que faz para a melhoria de seus serviços.

Uma empresa deve tentar agradar ao cliente?

Alguns consultores de gestão exortam as companhias prestadoras de serviço a "agradar" ao cliente e assim ganhar uma vantagem competitiva. A acepção do termo "agradar" a que eles se referem define um estado emocional profundamente positivo e que resulta de ver as próprias expectativas sendo excedidas de forma surpreendente.[14] Um pesquisador descreve o tipo de serviço que resulta em prazer como um "serviço definitivamente imbatível" – aquele que é inesperado, aleatório, extraordinário e desproporcionalmente positivo.[15]

Uma das maneiras de os gerentes conceberem o prazer do cliente, como mostra a Figura 3.8, consiste em considerar as características do produto e do serviço em termos de anéis concêntricos.[16] O ponto central de tal diagrama faz referência aos atributos vitais à função básica do produto ou serviço, os chamados *essenciais*. A prestação destes atributos não é especialmente notável, mas sua ausência é. Circundando os atributos essenciais estão os *atributos de satisfação*, as características que têm o potencial de aumentar a satisfação para além da função do produto. No próximo e último nível estão os *prazeres* ou as características do produto que são esperadas e surpreendentemente agradáveis. Estas características não são esperadas pelos clientes e, portanto, estes se surpreendem e até se emocionam quando as recebem. Por exemplo, em suas aulas, as características essenciais são os professores, as salas de aula, o currículo e as aulas propriamente ditas. Os atributos de satisfação incluem aulas interessantes, professores amigáveis e divertidos, e recursos audiovisuais de qualidade em sala de aula. Os elementos de prazer incluem um livro-texto fornecido gratuitamente aos alunos matriculados na disciplina ou biscoitos e refrescos oferecidos na aula inaugural.

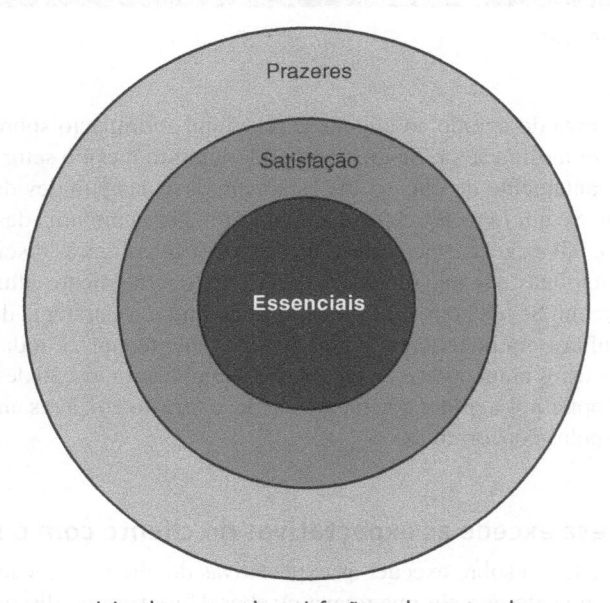

Figura 3.8 Elementos essenciais, elementos de satisfação e elementos de prazer.

Encantar os clientes parece uma boa ideia, podendo levar à repetição da compra e à fidelidade do cliente.[17] No entanto, este nível de prestação de serviço exige esforços e custos adicionais para a empresa. Portanto, os benefícios de agradar ao cliente precisam ser avaliados criteriosamente. Entre as considerações a tomar estão a capacidade de resistência e as implicações competitivas destes prazeres.

A capacidade de resistência envolve a questão de quanto tempo uma companhia espera que uma experiência agradável conserve a atenção do cliente. Se esta experiência for efêmera e o cliente a esquece com rapidez, então talvez ela não justifique os custos associados. Em contrapartida, se o cliente recordar o prazer obtido e ajustar seu nível de expectativa proporcionalmente, então esta medida aumentará o custo de apenas satisfazê-lo, o que na prática eleva o padrão de comparação no futuro. Pesquisas indicam que agradar a um cliente na verdade amplia as expectativas e dificulta a concretização de sua satisfação futura.[18]

Um cliente feliz

A implicação competitiva do agrado ao cliente se relaciona ao impacto sobre as expectativas de outras empresas em um mesmo setor. Se um competidor em um mesmo setor é incapaz de copiar uma estratégia de encantamento do cliente, ele estará em desvantagem devido às maiores expectativas do consumidor. Se um livro-texto for oferecido sem custos em uma das disciplinas em que você está matriculado, talvez você espere que o mesmo ocorra nas outras disciplinas de seu curso. Provavelmente, as disciplinas que não oferecem o livro-texto terão menos alunos matriculados do que aquelas que oferecem. Se um competidor for capaz de imitar a estratégia de agradar ao cliente, nenhuma das companhias terá benefícios (ainda que o cliente tenha!), e todas as empresas saem prejudicadas, pois os custos aumentam e os lucros se diluem. A implicação desta estratégia mostra que, se uma empresa optar por agradar ao cliente, ela deve fazê-lo em áreas em que esta estratégia não pode ser copiada pelos concorrentes.

Como uma empresa excede as expectativas do cliente com o serviço?

Hoje, muitas empresas falam sobre exceder as expectativas do cliente – encantando-o e surpreendendo-o, ao oferecer mais do que ele imaginava receber. Um exemplo disso é dado pelo Pebble Beach Resort, localizado na costa do Pacífico, no norte do estado da Califórnia. O clube de golfe não apenas declara sua intenção de exceder as expectativas do cliente, como também imprime a seguinte mensagem no verso dos cartões de visita dos funcionários: "Exceda todas as expectativas de cada cliente, oferecendo um serviço único, sempre". Esta filosofia traz a pergunta: A empresa prestadora de serviço deve simplesmente tentar atender às expectativas do cliente, ou excedê-las?

Em primeiro lugar, é indispensável reconhecer que exceder as expectativas do cliente com relação aos aspectos básicos do serviço é simplesmente impossível. Cumprir as promessas – ter o quarto reservado disponível, respeitar prazos, comparecer a reuniões, executar o serviço principal – é o que se espera da empresa. *Espera-se* que as empresas tenham precisão e confiabilidade, e que prestem o serviço prometido.[19] À medida que você examina os exemplos das expectativas básicas dos clientes no Quadro 3.1, pergunte-se se uma empresa prestadora que executa qualquer um destes serviços lhe agrada. A conclusão é que é difícil surpreender ou mesmo encantar os clientes de forma consistente somente com a execução de um serviço confiável.

Então, como uma empresa agrada a seus clientes e excede suas expectativas? Em quase qualquer serviço oferecido, o desenvolvimento de um relacionamento com o cliente é uma das abordagens para ultrapassar suas expectativas. A United Services Automobile Association (USAA), seguradora que oferece apólices a militares e seus dependentes, ilustra como uma empresa que raramente tem interações diretas com seus clientes é capaz de surpreendê-los e agradá-los com a personalização do serviço e o conhecimento sobre o cliente. Ao adotar um sistema de imagens de última geração, a empresa permitiu o acesso de todos os seus funcionários aos dados de todos os seus clientes em questão de segundos, o que disponibiliza conhecimento total da história do cliente e de suas exigências, além do *status* das suas recentes interações com a companhia. Como esperam um nível modesto de personalização no atendimento de uma companhia de seguros e na maioria das interações de serviço ao telefone, os clientes da USAA se surpreendem com o cuidado e a preocupação demonstrados pelos funcionários da empresa.

A adoção de um tipo semelhante de tecnologia da informação permitiu à rede de hotéis Ritz-Carlton, por duas vezes vencedora do prêmio de Qualidade Malcolm Baldrige, oferecer cuidados altamente personalizados a seus hóspedes. A empresa treina cada um de seus funcionários a observar o que os hóspedes preferem ou rechaçam e registrar estas informações em um perfil computadorizado da história do hóspede. A companhia armazena informações sobre as preferências de centenas de milhares de hóspedes que retornam ao Ritz-Carlton, o que implica algo além do mero serviço personalizado. O objetivo não é simplesmente atender às expectativas dos hóspedes, mas oferecer a eles uma "hospedagem memorável". A empresa utiliza as informações sobre os hóspedes para atender a suas expectativas acerca do tratamento que receberão. Quando um cliente que deseja hospedar-se novamente em um hotel da cadeia disca o número de telefone disponibilizado apenas para reservas, o agente responsável acessa as informações sobre este hóspede e, posteriormente, envia-as por via eletrônica ao hotel para o qual a reserva foi solicitada. O hotel insere estas informações em um relatório diário sobre o reconhecimento e as preferências dos hóspedes, que circula entre os funcionários. Estes então recebem o hóspede em pessoa na recepção e garantem que suas preferências e necessidades sejam antevistas e atendidas.[20]

Esta estratégia funciona? Sim, e muito bem. De acordo com um levantamento independente sobre hotéis de luxo feito pela J. D. Power and Associates, o Ritz-Carlton foi por quatro vezes eleito o hotel com o melhor desempenho em termos de satisfação do cliente entre 2007 e 2011.[21]

Outra maneira de exceder as expectativas do cliente consiste em deliberadamente prometer pouco em relação ao serviço de forma a aumentar a probabilidade de exceder as expectativas do cliente.[22] A estratégia é: prometa menos e cumpra mais. Se toda a promessa de serviço traz menos do que de fato é executado, os clientes podem ser agradados com mais frequência. Ainda que o raciocínio pareça lógico, uma empresa precisa ponderar acerca de dois problemas em potencial antes de adotar esta estratégia. O primeiro envolve o fato de que os clientes com quem uma empresa interage com regularidade provavelmente perceberão a modéstia das promessas feitas, ajustarão suas expectativas de acordo e assim negarão o benefício de serem agradados pela companhia. Os clientes reconhecerão o padrão de promessas mais tímidas toda vez que uma empresa anuncia uma hora de entrega ("Não podemos executar o serviço antes das cinco da tarde") e repetidamente a antecipa (ao executar o serviço ao meio-dia). O segundo problema mostra que as promessas menores em uma situação de venda reduzem, de forma expressiva, o apelo competitivo de uma oferta e precisam ser ajustadas de acordo com o que a concorrência oferece. Quando as pressões competitivas são altas, talvez a estratégia mais sensata seja a apresentação de um panorama coeso e honesto do serviço, tanto de forma explícita (por meio de propaganda e vendas personalizadas) quanto de forma implícita (por intermédio da aparência das instalações da prestação ou do preço do serviço). O controle das promessas que a companhia faz, para que sejam consistentes com o serviço executável, é visto como uma boa estratégia.

Outra maneira de exceder as expectativas sem elevá-las no futuro sugere posicionar um serviço diferente como exclusivo, não como padrão. A bordo de um avião que voava de Raleigh-Durham para Charlotte, na Carolina do Norte, um de nós presenciou uma amostra desta estratégia. O voo é curto, menos de meia hora, e pode prescindir do oferecimento de bebidas. Nesse voo, um dos membros da tripulação anunciou, pelo alto-falante, que uma tripulação extraordinariamente ousada desejava oferecer bebidas. Ele avisou aos passageiros que a equipe talvez não conseguisse atender a todos e implorou que não esperassem bebidas em outras ocasiões. Nesse cenário, os passageiros pareceram encantados, mas suas expectativas em termos do serviço regular não foram elevadas por conta desta iniciativa. (Até hoje nunca recebemos bebidas nesta rota de voo, e não esperamos receber!)

As expectativas dos clientes com o serviço aumentam gradativamente?

Conforme ilustramos no início deste capítulo, as expectativas do cliente são dinâmicas. No setor de cartões de crédito e de telefonia móvel, como em muitos setores de serviço competitivos, as empresas concorrentes procuram superar uma à outra e com isso aumentam o nível de serviço. As expectativas com o serviço – neste caso, as expectativas por um serviço adequado – elevam-se com rapidez à medida que a execução ou as promessas do serviço sobem. Em um setor competitivo e em constante mudança, as expectativas podem aumentar com rapidez. Por esta razão, as empresas precisam monitorar as expectativas pelo serviço adequado continuamente – quanto mais conturbado o setor, mais frequente deve ser este monitoramento.

As expectativas pelo serviço desejado, por outro lado, são muito mais estáveis. Em função de serem motivadas por fatores mais duradouros, como as necessidades pessoais ou a filosofia pessoal de serviço, elas tendem a ser maiores no início, e esta inclinação permanece no tempo.

De que modo uma empresa de serviços mantém-se à frente da concorrência na satisfação das expectativas do cliente?

Se todas as outras variáveis forem mantidas constantes, o objetivo de uma empresa é atender às expectativas do cliente com mais eficiência do que as concorrentes. Uma vez que as expectativas pelo serviço adequado alteram-se rapidamente em um setor conturbado, como uma empresa mantém-se à frente da competição?

O nível de serviço adequado reflete o nível mínimo de desempenho esperado pelo cliente após considerar vários fatores pessoais e externos (Figura 3.7), que incluem a disponibilidade de opções de serviço junto a outras provedoras. As empresas cujo desempenho no serviço está abaixo deste nível estão em franca desvantagem competitiva, e esta aumenta com a largura da lacuna. Os clientes destas empresas podem ser clientes "relutantes", prontos para fazer negócio com outra empresa no momento que percebem a existência de alternativas aceitáveis.

Se as companhias desejam utilizar a qualidade do serviço como vantagem competitiva, então elas precisam ter um desempenho superior ao do serviço adequado. Contudo, este nível pode sinalizar uma vantagem apenas temporária. Os níveis do serviço adequado, menos estáveis do que os níveis do serviço desejado, elevam-se rapidamente sempre que a concorrência promete e executa um serviço de maior qualidade. Se o nível de serviço de uma empresa está um pouco acima do nível de serviço adequado no início, então um competidor ganha a chance de eliminar esta vantagem com rapidez. Para desenvolver a verdadeira predileção de um cliente – a fidelidade inabalável – a empresa precisa não apenas exceder o nível de serviço adequado com consistência, como também atingir o nível de serviço desejado. Serviços excepcionais intensificam a fidelidade do cliente a ponto de torná-lo imune às alternativas propostas pela concorrência.

As empresas também precisam considerar como apresentar suas promessas aos clientes, em comparação com a concorrência. O Capítulo 14 discute diversas técnicas para comunicar as promessas de uma empresa, mas no momento consideramos apenas duas opções. Na primeira, se o vendedor sabe que nenhum concorrente é capaz de cumprir uma promessa exagerada em um dado setor de atuação empresarial, ele pode apresentar este conhecimento ao cliente e assim rebaixar as promessas apresentadas pela concorrência. A segunda opção requer que o prestador do serviço efetue a venda com um "pé na realidade" acerca da execução do serviço. Um de nós adquiriu uma casa junto a um construtor. As promessas típicas sobre a qualidade da construção foram apresentadas, algumas nada precisas, de forma a concretizar a venda. Antes de entregar a casa, o construtor fez uma verificação final na obra. Parado diante da porta da casa, ele explicou que uma casa nova típica tem entre 3.000 e 5.000 elementos individuais e que, de acordo com sua experiência, entre 100 e 150 destes itens apresentam algum defeito. Armado com seu "pé na realidade", os 32 defeitos encontrados na casa pareceram relativamente menos graves.

Resumo

Ao utilizarmos a estrutura conceitual da natureza e dos determinantes das expectativas do cliente com o serviço, mostramos que ele tem dois tipos de expectativas: o serviço desejado, que reflete o que o cliente quer, e o serviço adequado, ou o nível mínimo de serviço que ele está disposto a aceitar. O nível de serviço desejado está menos sujeito a alterações do que o nível de serviço adequado. Uma zona de tolerância separa estes dois níveis de expectativa. A zona de tolerância varia entre diferentes clientes e pode expandir-se ou encolher-se para um mesmo cliente.

As expectativas do cliente são influenciadas por vários fatores. As expectativas do serviço desejado são influenciadas por necessidades pessoais, pela filosofia pessoal de serviço, pelas expectativas do serviço derivadas, pelas promessas explícitas e implícitas do serviço, pelas informações veiculadas boca a boca e pela experiência passada do cliente. As expectativas sobre um serviço adequado são influenciadas pelas alternativas percebidas do serviço e por fatores situacionais. Estas fontes de expectativas são as mesmas para consumidores finais e clientes corporativos, para serviços puros e serviços relacionados a produtos e para clientes experientes e inexperientes.

Questões para discussão

1. Qual é a diferença entre o serviço desejado e o serviço adequado? Por que um profissional de marketing de serviços precisa entender os dois tipos de expectativas com o serviço?
2. Considere um serviço adquirido recentemente. Quais dos fatores que influenciam as expectativas foram os mais importantes em sua decisão? Por quê?
3. Por que as expectativas do serviço desejado são mais estáveis do que as do serviço adequado?
4. De que modo o progresso tecnológico, discutido na seção Tecnologia em Foco, influencia as expectativas do cliente?
5. Descreva diversos casos em que as promessas de serviço explícitas de uma empresa foram exageradas e causaram sua decepção com o desfecho do serviço.
6. Considere uma pequena empresa que se prepara para adquirir um sistema de informática. Quais são as influências sobre as expectativas do cliente que você considera essenciais? Quais são os fatores que exercem a maior influência? Quais são os fatores que têm a menor importância nesta decisão?
7. Quais estratégias você acrescentaria na seção Visão Estratégica deste capítulo, quanto à influência dos fatores?
8. Você acredita que alguma de suas expectativas com serviços seja irrealista? Quais? Um profissional de marketing deve abordar as expectativas irrealistas do cliente?
9. Em sua opinião, quais são as empresas de serviço que realmente construíram a predileção do cliente (a fidelidade inabalável)?
10. É possível dizer que os gerentes desejam que seus clientes tenham zonas de tolerância amplas para o serviço. Mas, se os clientes têm de fato estas zonas como amplas, é mais difícil para as empresas com um serviço de qualidade superior conquistarem a fidelidade do cliente? Estas empresas teriam melhores resultados se tentassem estreitar as zonas de tolerância do cliente para assim reduzir o apelo competitivo de prestadoras de serviço medianas?
11. Os profissionais de marketing de serviços devem tentar agradar a seus clientes?

Exercícios

1. Quais são os fatores que influenciam suas expectativas com esta disciplina? Quais são os fatores mais importantes? De que modo suas expectativas se alterariam se esta disciplina fosse obrigatória em seu curso? (Ou, se esta disciplina é obrigatória, como ficariam suas expectativas se ela fosse reclassificada como opcional?)
2. Registre os serviços que você utiliza em um dia. Indique, antes de cada encontro de serviço, suas expectativas com o serviço para este encontro. Após, verifique se suas expectativas foram atendidas ou ultrapassadas. De que modo a resposta a esta pergunta se relaciona com seu desejo de voltar a fazer negócios com uma prestadora de serviço?
3. Liste cinco incidentes em que uma empresa de serviço excedeu suas expectativas. De que modo você reagiu ao serviço? Estes incidentes mudaram a maneira como você passou a ver as interações subsequentes com cada uma das prestadoras listadas? De que modo?

Literatura citada

1. "Japanese Put Tourism on a Higher Plane," *International Herald Tribune,* February 3, 1992, p. 8.
2. O modelo em que este capítulo está baseado foi retirado de V. A. Zeithaml, L. L. Berry, and A. Parasuraman, "The Nature and Determinants of Customer Expectations of Service," *Journal of the Academy of Marketing Science* 21 (Winter 1993), pp. 1–12.
3. Veja referências como C. Gronroos, *Strategic Management and Marketing in the Service Sector* (Helsingfors, Sweden: Swedish School of Economics and Business Administration, 1982); R. K. Teas and T. E. DeCarlo, "An Examination and Extension of the Zone-of-Tolerance Model: A Comparison to Performance-Based Models of Perceived Quality," *Journal of Service Research* 6 (February 2004), pp. 272–286; K. B. Yap and J. C. Sweeney, "Zone-of-Tolerance Moderates the Service Quality-Outcome Relationship," *Journal of Services Marketing* 21, no. 2 (2007), pp. 137–148.
4. R. B. Woodruff, E. R. Cadotte, and R. L. Jenkins, "Expectations and Norms in Models of Consumer Satisfaction," *Journal of Marketing Research* 24 (August 1987), pp. 305–314.
5. J. A. Miller, "Studying Satisfaction, Modifying Models, Eliciting Expectations, Posing Problems, and Making Meaningful Measurements," in *Conceptualization and Measurement of Consumer Satisfaction and Dissatisfaction,* ed. H. K. Hunt (Bloomington: Indiana University School of Business, 1977), pp. 72–91.
6. A. Parasuraman, L. L. Berry, and V. A. Zeithaml, "Understanding Customer Expectations of Service," *Sloan Management Review* 32 (Spring 1991), p. 42.
7. L. L. Berry, A. Parasuraman, and V. A. Zeithaml, "Ten Lessons for Improving Service Quality," *Marketing Science Institute,* Report No. 93–104 (May 1993).
8. Zeithaml, Berry, and Parasuraman, "Customer Expectations of Service," p. 7.
9. Ibid., p. 8.
10. D. L. Davis, J. G. Guiltinan, and W. H. Jones, "Service Characteristics, Consumer Research, and the Classification of Retail Services," *Journal of Retailing* 55 (Fall 1979), pp. 3–21; W. R. George and L. L. Berry, "Guidelines for the Advertising of Services," *Business Horizons* 24 (May–June 1981), pp. 52–56; F. v. Wangenheim and T. Bayón, "The Effect of Word-of-Mouth on Services Switching: Measurement and Moderating Variables," *European Journal of Marketing* 38 no. 9–10 (2004), pp. 1173–85; T. J. Brown, T. E. Barry, P. A. Dacin, and R. F. Gunst, "Spreading the Word: Investigating Antecedents of Consumers' Positive Word-of-Mouth Intentions and Behaviors in a Retailing Context," *Journal of the Academy of Marketing Science* 33 (Spring 2005), pp. 123–138.
11. M. Trusov, R. E. Bucklin, and K. Pauwels, "Effects of Word-of-Mouth versus Traditional Marketing: Findings from an Internet Social Networking Site," *Journal of Marketing* 73 (September 2009), pp. 90–102.
12. Discussões sobre o papel da experiência passada na formação das expectativas dos clientes são dadas em L. L. Berry, "Cultivating Service Brand Equity," *Journal of the Academy of Marketing Science* 28 (Winter 2000), pp. 128–137; and R. L. Hess Jr., S. Ganesan, and N. M. Klein, "Interactional Service Failures in a Pseudorelationship: The Role of Organizational Attributions," *Journal of Retailing* 83 (January 2007), pp. 79–95.
13. Parasuraman, Berry, and Zeithaml, "Understanding Customer Expectations," p. 40.
14. R. T. Rust and R. L. Oliver, "Should We Delight the Customer?" *Journal of the Academy of Marketing Science* 28 (Winter 2000), pp. 86–94.
15. T. S. Gross, *Positively Outrageous Service* (New York: Warner Books, 1994).
16. J. Clemmer, "The Three Rings of Perceived Value," *Canadian Manager* 15 (Summer 1990), pp. 12–15.
17. T. Keiningham and T. Vavra, *The Customer Delight Principle: Exceeding Customers' Expectations for Bottom-Line Success* (New York: Mcgraw-Hill, 2001); R. Chitturi, R. Raghunathan, and V. Mahajan, "Delight by Design: The Role of Hedonic versus Utilitarian Benefits," *Journal of Marketing* 72 (May 2008), pp. 48-63; D. C. Barnes, M. B. Beauchamp, and C. Webster, "To Delight, or Not to Delight? This Is the Question Service Firms Must Address," *Journal of Marketing Theory and Practice* 18 (Summer 2010), pp. 275-283.
18. Rust and Oliver, "Should We Delight the Customer?"
19. Parasuraman, Berry, and Zeithaml, "Understanding Customer Expectations," p. 41.
20. "How the Ritz-Carlton Hotel Company Delivers 'Memorable' Service to Customers," *Executive Report on Customer Satisfaction* 6, no. 5 (March 15, 1993), pp. 1–4.
21. J. D. Power and Associates, *http://businesscenter.jdpower.com/*, accessed December 20, 2011.
22. W. H. Davidow and B. Uttal, "Service Companies: Focus or Falter," *Harvard Business* Review 67 (July–August), pp. 77–85.

Capítulo 4

As percepções do cliente sobre o serviço

Os objetivos deste capítulo são:

1. Oferecer uma base concreta para o entendimento dos fatores que influenciam as percepções do cliente sobre o serviço e os relacionamentos entre a satisfação do cliente, a qualidade do serviço e os encontros de serviço individuais.
2. Demonstrar a importância da satisfação do cliente – o que ela significa, os fatores que a influenciam e seus resultados mais importantes.
3. Desenvolver o conhecimento crítico da qualidade do serviço e de suas cinco dimensões básicas: a confiabilidade, a responsividade, a empatia, a segurança e os tangíveis.
4. Mostrar que o encontro de serviço, ou a "hora da verdade", é um evento essencial na construção das percepções do cliente.

A Zane's Cycles: o serviço como diferenciador estratégico

Para a Zane's Cycles, de Branford, Connecticut, o serviço sempre foi a chave do sucesso da companhia, o aspecto que verdadeiramente a diferencia das outras lojas que vendem bicicletas.[1] Chris Zane, CEO da empresa, hoje na casa dos 40 anos, é o dono do negócio desde que tinha 16, quando convenceu seu avô a lhe emprestar $20 mil para comprar a loja junto a seu antigo proprietário. Ainda jovem, ele construiu a empresa sobre princípios básicos como "serviço inigualável", "marketing direto", "relacionamento com o cliente" e "respeito e poder de decisão ao funcionário". Desde então, a empresa cresceu, com mais de $10 milhões em vendas ao ano (incluindo vendas no varejo e vendas a clientes corporativos), e a Zane's eliminou todos exceto alguns pequenos concorrentes dos 16 competidores originais. Além disso, a empresa teve muito sucesso ao desenvolver maneiras de competir com empresas como a Walmart e construiu um negócio totalmente novo, ao fornecer bicicletas a empresas que as dão como presente de motivação a seus funcionários. Então, como a Zane's compete? O que ela faz para oferecer um serviço exemplar, inigualável – o serviço que tirou a concorrência do negócio? A seguir discutimos algumas das estratégias exemplares de serviço adotadas pela Zane's:

- **Serviço grátis por toda a vida.** A Zane's oferece "serviço grátis por toda a vida" para as bicicletas que vende, pois a empresa atua no setor de serviços, não apenas no de bicicletas. Não há dúvida de que o serviço grátis por toda a vida (durante o período em que o cliente for o dono da bicicleta) é também uma boa maneira de fazer os clientes retornarem à loja, o que oferece uma oportunidade para construir um relacionamento duradouro.

- **Garantia para peças por toda a vida.** Com a adoção da estratégia de serviço grátis por toda a vida, a Zane's percebeu que deveria oferecer uma garantia para peças também por toda a vida. Esta garantia é propiciada por conta do fato de a Zane's ter um número limitado de fornecedores e por mantê-los responsáveis pelos produtos que vendem.

- **Proteção de 90 dias para o preço.** Para dissipar rumores e crenças de que os preços da Zane's são muito altos (com a intenção de cobrir as despesas com as garantias vitalícias), a empresa instituiu uma garantia de 90 dias para o preço que cobra, o que permite aos clientes retornar, dentro deste período, para receber uma devolução em dinheiro acrescida de 10% do valor, se encontrarem a mesma bicicleta em outra loja por um preço menor. Em função de a Zane's estar de fato no setor de serviços, são poucos os clientes que compram também da concorrência ou que comparam preços meticulosamente. O resultado disso são as poucas devoluções por preços menores. Além disso, quando a empresa faz uma devolução, o cliente muitas vezes gasta o dinheiro na hora, comprando outro artigo na loja!

- **Seguro contra pneu furado.** Para os clientes de primeira compra ou ciclistas menos experientes, a ideia de um pneu furado é perturbadora. Por isso a Zane's oferece um seguro contra pneus furados, mediante pagamento de uma taxa anual. Ainda que poucos pneus sejam consertados sob a proteção desta garantia, os ciclistas que retornam à loja para recorrer a este seguro recebem tratamento de rei. Tudo para: a bicicleta é levada à oficina da loja, o pneu é trocado e ela é limpa – tudo em tempo recorde e com muita ostentação. Mais uma vez, o cliente (e qualquer pessoa na loja) é tratado de forma a ter uma experiência inesperada, agradável, e os relacionamentos são fortalecidos – tudo com baixos custos para a Zane's – sobretudo diante do número de apólices de seguro contra pneu furado que são vendidas mas nunca utilizadas!

- **Presentes de menos de $1.** Outra maneira de agradar os clientes consiste em dar peças pequenas, mas essenciais, que custam menos de $1. Chris Zane acredita que estes presentes resultam em compras adicionais (na mesma ocasião ou em visita subsequente), que representam muito mais do que os poucos centavos gastos com estas ofertas.

- **Área para crianças.** A área destinada às crianças na Zane's permite que elas brinquem e mantenham-se ocupadas enquanto os pais fazem as compras. Alguns deles são capazes de adquirir as famosas "Bicicletas de Natal", bem debaixo do nariz de seus filhos.

- **Cafeteria e bar.** Para proporcionar um contexto social e também um local para as pessoas que precisam esperar devido ao movimento na loja, Chris Zane construiu uma cafeteria com mobília em mogno, que imita uma cafeteria aconchegante que ele conheceu em uma loja de bicicletas na Suíça. Na Zane's são oferecidos café e outras bebidas, e os clientes podem assistir aos consertos feitos em suas bicicletas através de uma grande vidraça. E, como uma xícara de café custa menos de $1, claro que ele não é cobrado!

- **Troca de bicicletas infantis.** Uma das estratégias de serviço mais inovadoras na Zane's, que a ajuda a competir de frente com a Walmart, consiste em trazer a bicicleta velha e oferecê-la de entrada, com seu preço integral sem desconto, para a aquisição de uma bicicleta nova e maior. Como muitos dos planos de serviço da Zane's, este também é retroativo. Quando ele foi adotado, a Zane's enviou cartões a todos os que haviam comprado uma bicicleta pequena nos últimos anos, informando acerca do plano de troca de bicicletas.

Você talvez esteja se perguntando como todas estas ofertas de serviço aparentemente "boas demais para serem verdadeiras" são disponibilizadas sem afetar os lucros. Fato é que a proporção de clientes recentes que tiram proveito de muitas destas ofertas é pequena. Nada há de "doce" nessa estratégia, e Chris Zane está tão concentrado em análises financeiras quantitativas objetivas quanto qualquer outro CEO competente. O que Zane descobriu, para a tristeza de seus competidores, é que um serviço excelente pode ser a chave para consolidar a fidelidade do cliente, e que esta fidelidade, no final das contas, é o que promove o crescimento e os lucros. Não causa surpresa o fato de a Zane's ter recebido o título de *Local Hero*, oferecido pela revista *Fast Company*, na escolha dos vencedores de seu prêmio *Customer First*.

A Zane Cycle's em Branford, Connecticut, Estados Unidos

Bicicletas de qualidade, serviço excelente, inúmeros itens opcionais e a surpreendente atenção dada pela equipe da Zane's contribuem para a satisfação do cliente da empresa. O mesmo vale para outras empresas de serviço que abriram caminho no setor, como a Land's End, a IBM Global Services, a Amazon.com e a rede Ritz-Carlton de hotéis. Em todas estas empresas, a qualidade do produto principal e o serviço exemplar ao cliente resultam em ótimas notas no quesito satisfação do cliente.

AS PERCEPÇÕES DO CLIENTE

Este capítulo trata da maneira como os clientes percebem os serviços, como avaliam se receberam um serviço de qualidade e como se sentem satisfeitos. Nossas atenções serão voltadas para o retângulo do *serviço percebido* no modelo de lacunas. À medida que avançamos por este capítulo, lembre-se de que as percepções são sempre consideradas em relação às expectativas. Em função de estas expectativas serem dinâmicas, as avaliações também podem se alterar com o tempo – de pessoa para pessoa e de cultura para cultura. Tudo o que hoje é considerado serviço de qualidade ou fator de satisfação do cliente pode ser diferente amanhã. Além disso, lembre-se de que a discussão acerca da qualidade e da satisfação está baseada nas *percepções do cliente sobre o serviço* – não em critérios objetivos predefinidos acerca do que o serviço é ou deveria ser.

A satisfação *versus* a qualidade do serviço

Os profissionais liberais e as pessoas que escrevem para a imprensa popular tendem a utilizar os termos *satisfação* e *qualidade* como se tivessem o mesmo sentido, mas os pesquisadores tentam ser mais precisos quanto ao significado e à aplicação destes dois termos, o que levanta intensos debates.[2] O consenso diz que os dois conceitos são fundamentalmente diferentes quanto aos seus agentes causais e aos desfechos resultantes.[3] Embora estas duas noções tenham pontos em co-

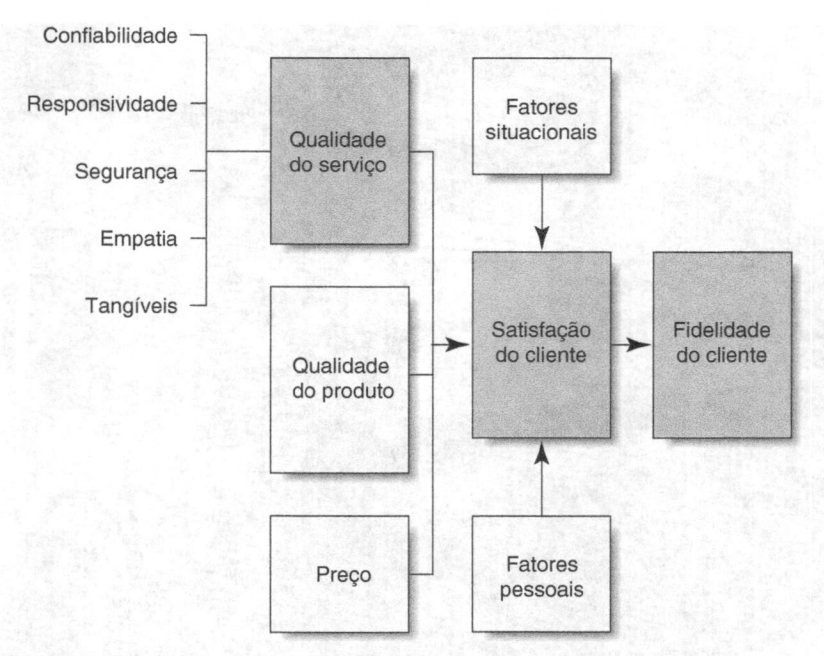

Figura 4.1 A satisfação e as percepções do cliente sobre a qualidade do serviço.

mum, a *satisfação* costuma ser entendida como um conceito mais amplo, ao passo que a *qualidade do serviço* se volta especificamente para as dimensões do serviço. Com base nesta perspectiva, a *qualidade do serviço percebido* é um componente da satisfação do cliente. A Figura 4.1 ilustra as relações entre os dois conceitos.

Conforme mostra a figura, a qualidade do serviço é uma avaliação coordenada, reflexo da percepção do cliente sobre a confiabilidade, a segurança, a responsividade, a empatia e os tangíveis.[4] Por outro lado, a satisfação é mais inclusiva: ela é influenciada pelas percepções da qualidade do serviço, pela qualidade do produto e pelo preço, além de fatores situacionais e pessoais. Por exemplo, a qualidade do serviço de uma academia de ginástica é avaliada em termos de quesitos como a disponibilidade dos aparelhos e seu funcionamento no momento do exercício, a prestatividade dos funcionários quanto às necessidades dos clientes, o treinamento dos instrutores, além da manutenção das instalações. A satisfação do cliente com a academia é um conceito mais amplo, certamente influenciado pelas percepções da qualidade do serviço, mas também exposto às percepções da qualidade do produto (como qualidade dos produtos vendidos na loja interna da própria academia), ao valor da mensalidade,[5] a fatores pessoais, como o estado emocional do cliente, e até mesmo a fatores situacionais fora de controle, como o clima e as experiências durante o trajeto de ida e volta para o estabelecimento.[6]

As percepções sobre a transação *versus* as percepções cumulativas

Ao considerarmos as percepções, é importante reconhecer o fato de que os clientes têm percepções a partir de contatos individuais, específicos à transação em questão, além de outras percepções sobre uma companhia com base em suas experiências como um todo.[7] Por exemplo, um cliente de um banco tem uma percepção da maneira como ele foi tratado em um dado contato com um funcionário em uma determinada agência, e constrói uma percepção daquela transação com base nos elementos do serviço presenciados durante o processo. Esta percepção se dá em um nível muito específico, particular àquela transação. Mas esse mesmo cliente terá também percepções globais sobre o banco construídas com base em seus contatos ao longo de certo período de tempo. Estas experiências podem incluir contatos pessoais na agência e experiências com transações feitas pela Internet e com os caixas eletrônicos do banco em muitas cidades. Em um nível ainda mais geral, o cliente talvez desenvolva percepções sobre os serviços bancários ou sobre todo o setor como resultado de suas experiências com bancos e de todo o conhecimento que acumula sobre eles.

As pesquisas indicam a importância de entender todas estas classes de percepção por diferentes motivos, enfatizando que estes pontos de vista são complementares, não conflitantes.[8] A compreensão das percepções em nível de transação é vital para o diagnóstico de questões relativas a serviços e à implementação imediata das mudanças necessárias. Esses encontros isolados são também os fatores constituintes de todas as avaliações da experiência cumulativa, conforme veremos mais adiante neste capítulo. Em contrapartida, as avaliações da experiência cumulativa provavelmente são mais eficientes na previsão da fidelidade global a uma companhia. Isso significa que a fidelidade do cliente resulta da avaliação do cliente sobre todas as suas experiências, não apenas sobre um único encontro. (Para ver uma exceção a esta regra, consulte antecipadamente o Quadro 4.2.)

SATISFAÇÃO DO CLIENTE

O que é a satisfação do cliente?

"Qualquer pessoa sabe o que é a satisfação do cliente, até lhe pedirem uma definição. Nesse instante, parece que ninguém sabe o que ela significa".[9] Esta frase, dita por Richard Oliver, conceituado especialista, autor e pesquisador com uma longa carreira na área de satisfação do cliente, traduz o desafio de definir um dos conceitos mais básicos relacionados ao cliente. Com base em definições anteriores, Oliver nos oferece sua própria definição para satisfação do cliente (p. 13):

> Satisfação é a manifestação da realização do cliente. Ela é a compreensão de que uma característica de um produto ou de um serviço, ou de que o produto ou serviço propriamente dito, oferece um nível prazeroso de realização relacionada ao consumo.

Em outras palavras, *satisfação* é a avaliação do cliente para um produto ou serviço em termos de ele atender as expectativas e necessidades deste cliente. O fracasso em atender a essas necessidades e expectativas é entendido como a causa da *insatisfação* com o produto ou serviço.

Além da noção de *realização* diante do conhecimento de que as necessidades de uma pessoa foram atendidas, a satisfação também pode ser relacionada a outros tipos de sentimentos, dependendo do contexto ou do serviço.[10] Por exemplo, a satisfação pode ser vista como *contentamento* – uma reação passiva que os clientes associam a serviços, sobre os quais eles nem sempre refletem, ou a serviços que recebem rotineiramente. É possível que a satisfação também seja vinculada ao sentimento de *prazer* por serviços que fazem o cliente se sentir bem, ou com um sentimento de felicidade. Para os serviços que surpreendem positivamente o cliente, satisfação pode significar *encantamento*. Em algumas situações, nas quais a eliminação de algo negativo leva à satisfação, o cliente manifesta um sentimento de *alívio*. Por fim, a satisfação é relacionada a sentimentos de *ambivalência*, em que há uma mescla de experiências positivas e negativas envolvendo o produto ou serviço.

Apesar da tendência de medir a satisfação do cliente a um dado momento no tempo como se fosse imutável, a satisfação é na verdade uma característica dinâmica, que evolui com o tempo, influenciada por vários fatores.[11] De modo especial, sempre que ocorre o uso do produto ou a experiência com o serviço, a satisfação pode variar bastante, dependendo do ponto em que se concentra o ciclo de uso ou de experiência. Da mesma forma, no caso de serviços muito recentes ou de serviços inéditos, as expectativas do cliente talvez não tenham se formado no momento da primeira compra. Estas expectativas se solidificam à medida que o processo avança, e o cliente passa a formar suas próprias percepções. Em todo o ciclo do serviço, o cliente talvez tenha diversas experiências – algumas agradáveis, outras não – e cada uma exerce impacto na satisfação.

O que determina a satisfação do cliente?

Conforme mostra a Figura 4.1, a satisfação do cliente é influenciada por características específicas do produto ou serviço, pelas percepções da qualidade do produto ou serviço, bem como pelo preço. Fatores pertencentes à esfera pessoal, como humor ou estado emocional do cliente, e fatores situacionais, como opiniões de familiares, igualmente influenciam a satisfação.

As características do produto e do serviço

A satisfação do cliente com um produto ou serviço é influenciada, de modo expressivo, pela avaliação que o cliente faz das características do produto ou serviço em questão.[12] Para um serviço como um hotel de férias, características importantes para a satisfação do cliente incluem a área das piscinas, o acesso ao campo de golfe, os restaurantes, o conforto e a privacidade das acomodações, a diligência e a cortesia dos funcionários, o preço das diárias, entre outras. Na execução de estudos de satisfação, a maior parte das companhias determina, por meio de recursos como grupos de foco, as características e os atributos importantes para o serviço que executam e então medem as percepções acerca destas características e da satisfação geral com o serviço. Pesquisas revelam que os clientes de serviços contrastam as vantagens e desvantagens entre as diferentes características dos serviços (por exemplo, o nível de preço, a qualidade, a gentileza dos funcionários, o nível de customização), dependendo do tipo de serviço em avaliação e de sua importância.[13]

As emoções do consumidor

As emoções do cliente também afetam as percepções da satisfação com produtos e serviços.[14] Estas emoções podem ser estáveis, preexistentes, como seu estado de espírito e a satisfação com a vida que leva. Pense nas vezes em que você esteve em um momento muito feliz de sua vida (quando você esteve em férias, por exemplo), e como seu bom humor e sua atitude mental positiva influenciaram sua opinião sobre os serviços que você recebeu. Ao contrário, quando você está de mau humor, seus sentimentos negativos podem influenciar a maneira como você responde aos serviços, fazendo-o ter reações exageradas ou negativas ao menor problema.

As emoções específicas também podem ser induzidas pela experiência de consumo propriamente dita, influenciando a satisfação do cliente com o serviço. Uma pesquisa feita sobre o serviço de passeios de *rafting* em corredeiras revelou que os guias exercem forte efeito nas reações emocionais de seus clientes em relação aos passeios, e que estas emoções (tanto as positivas quanto as negativas) estão vinculadas à satisfação geral com a aventura.[15] Emoções positivas, como felicidade, prazer, entusiasmo e a noção de acolhimento, são responsáveis por uma elevação na satisfação do cliente com o passeio. Por sua vez, emoções negativas, como tristeza, melancolia, arrependimento e raiva, levam à diminuição da satisfação do cliente. De modo geral, no contexto do *rafting*, as emoções positivas têm um efeito mais intenso do que as negativas. (Essas emoções positivas ficam claras na foto mostrada a seguir). Em um contexto diferente, com base na teoria do contágio emocional[*], os pesquisadores descobriram que a autenticidade da manifestação das emoções dos funcionários afeta as emoções dos clientes de forma direta, conforme mostra um serviço de varejo e consultoria em vídeo.[16] Efeitos semelhantes das emoções sobre a satisfação foram revelados em uma sequência de manifestações emocionais de funcionários no contexto da recuperação do serviço em um restaurante na China. Nessa pesquisa, as emoções positivas e negativas dos funcionários afetaram o estado emocional e também a satisfação do cliente.[17]

---

[*] N. de T.: Contágio emocional refere-se a um estado emocional gerado em uma pessoa (observador) como consequência direta da percepção do estado emocional de outra (objeto de observação). A intensidade desta emoção é elevada e o observador a canaliza para si próprio.

Os praticantes de *rafting* **sentem diversas emoções positivas, o que aumenta sua satisfação com o serviço.**

As causas do sucesso ou do fracasso

As *responsabilidades* – as causas percebidas de eventos – também influenciam as percepções da satisfação.[18] Sempre que são tomados de surpresa pelo desfecho de um serviço (sendo este muito melhor ou muito pior do que o esperado), os clientes tendem a procurar os motivos para esta discrepância em relação às expectativas, e suas avaliações destas razões são capazes de influenciar a satisfação que demonstram. Por exemplo, se um cliente de uma clínica para perda de peso não consegue emagrecer conforme o esperado, ele provavelmente procurará as causas (ele fez algo errado? A dieta não foi eficaz? As circunstâncias simplesmente não permitiram que ele adotasse a dieta?) antes de determinar seu nível de satisfação ou insatisfação com a empresa em questão.[19] São muitos os serviços para os quais os clientes assumem uma responsabilidade parcial pelo resultado do processo.

Até nos casos em que o cliente não assume o ônus pelo desfecho, a satisfação é influenciada por outros tipos de fatores. Por exemplo, uma pesquisa feita em um contexto de agências de viagem descobriu que os clientes sentiam-se menos insatisfeitos com um erro na definição do preço cometido pelo agente, se percebessem que o motivo estava fora do controle dele, ou se entendessem que o equívoco ocorria raramente e com muita certeza não se repetiria.[20]

As percepções de igualdade ou justiça

A satisfação do cliente é influenciada do mesmo modo pelas percepções de igualdade e justiça.[21] Os clientes perguntam a si próprios: "Fui tratado com justiça em comparação com outros clientes?", "Os outros clientes receberam tratamento melhor, preços mais vantajosos ou melhor qualidade de serviço?", "O preço que paguei pelo serviço é justo?", "Fui bem tratado considerando o que paguei e o esforço que despendi?". Noções de justiça são essenciais às percepções dos clientes com relação a produtos e serviços, sobretudo em situações de recuperação de serviços. Conforme veremos no Capítulo 7, a satisfação com uma empresa prestadora de serviço após uma falha é, em grande parte, determinada pelas percepções do tratamento justo recebido. O exemplo dado pela divisão de veículos da rede de lojas Sears, a Sears Auto Centers, ilustra as intensas reações dos clientes a tratamentos marcados por desigualdade.[22] Há mais de uma década a divisão foi acusada de defraudar os consumidores em 44 estados ao executar manutenções desnecessárias. O sistema de recompensas dadas aos funcionários da Sears havia sido baseado no número de manutenções efetuadas, o que levou a expressivas despesas desnecessárias para seus clientes. A quantia de $27 milhões que a Sears pagou na forma de acordo de compensação por estes prejuízos e a consequente perda de negócios foram os resultados da extrema insatisfação dos clientes com o tratamento injusto que receberam.

Outros consumidores, familiares e colegas
Além das características do produto e do serviço e dos próprios sentimentos e crenças de um cliente, a satisfação é muitas vezes ditada por outras pessoas.[23] Por exemplo, as decisões que uma família toma sobre um destino turístico para suas férias e a satisfação com a viagem são fenômenos dinâmicos, influenciados pelas reações e emoções de cada um dos membros desta família.[24] O que os membros desta família expressam mais tarde em termos da satisfação ou insatisfação com a viagem é influenciado pelas narrativas contadas na família e pelas memórias seletivas sobre os eventos. Pela mesma razão, a satisfação de um participante do *rafting* mostrado na fotografia anterior sem dúvida sofre a influência das percepções individuais, e é também afetada pelas experiências, pelos comportamentos e pelas opiniões dos outros participantes. Em um cenário empresarial, a satisfação com um novo serviço ou tecnologia – por exemplo, um novo serviço relativo a um *software* de gestão do relacionamento com o cliente – é influenciada não somente pelas experiências pessoais de cada indivíduo com o *software* propriamente dito, como também pelo que é dito na empresa, pela maneira como as outras pessoas utilizam o *software* e sentem-se em relação a ele, e pela extensão em que ele é adotado na organização.

Os índices nacionais de satisfação do cliente

Devido à importância da satisfação do cliente para as empresas e para a qualidade de vida global, muitos países têm índices nacionais que medem a satisfação do cliente em nível macro.[25] Muitas pessoas que decidem sobre as políticas públicas acreditam que estes indicadores podem e devem ser utilizados como ferramentas para a avaliação da saúde da economia de um país, ao lado dos indicadores tradicionais de produtividade e preço. Os índices de satisfação do cliente aferem a *qualidade* da produção econômica, enquanto os indicadores econômicos tradicionais tendem a refletir apenas as *quantidades* envolvidas nesta produção. O primeiro desta classe de indicadores foi o Barômetro de Satisfação do Cliente Sueco, criado em 1989.[26] Subsequentemente, índices semelhantes foram adotados na Alemanha (o Deutsche Kundenbarometer, ou DK, em 1992), nos Estados Unidos (o American Customer Satisfaction Index, ou Índice Norte-Americano de Satisfação do Cliente, ASCI, em 1994) e na Suíça (o Swiss Index of Customer Satisfaction, ou Índice Suíço de Satisfação do Cliente, SWICS, em 1998).[27] Mais recentemente, outros países, como Reino Unido, Indonésia, República Dominicana, Turquia, México, Colômbia e Cingapura adotaram a metodologia do ACSI no desenvolvimento de índices de satisfação do cliente nacional.[28]

O Índice Norte-Americano de Satisfação do Cliente (ACSI)

O Índice Norte-Americano de Satisfação do Cliente (ACSI),[29] desenvolvido pelos pesquisadores do National Quality Research Center da Universidade de Michigan, é um indicador da satisfação com produtos e serviços. O índice trimestral calcula a percepção do cliente em relação a 200 empresas que representam todos os principais setores da economia, incluindo as agências governamentais. Para cada grupo de setores industriais são incluídos os principais segmentos econômicos, e para cada setor, as maiores empresas que nele atuam são selecionadas para participar. Para cada empresa são conduzidas cerca de 250 entrevistas com clientes atuais. Na definição deste índice, cada empresa recebe uma nota, calculada a partir das percepções de seus clientes sobre qualidade, valor, satisfação, expectativas, queixas e fidelidade no futuro.[30]

Os resultados do ACSI de 2010 por setor são mostrados na Tabela 4.1.[31] A tabela mostra que via de regra os clientes tendem a estar mais satisfeitos com bens não duráveis (como refrigerantes e produtos de higiene pessoal), um pouco menos satisfeitos com bens duráveis (carros, eletrodomésticos e eletroeletrônicos) e muito menos satisfeitos com serviços (como companhias aéreas, telefonia celular e TV a cabo). Exceto pelas varejistas da Internet, que ficam no topo,

Tabela 4.1 O Índice Norte-Americano de Satisfação do Cliente por setor

Setor	Escore ACSI 2010	Diferença percentual em relação ao escore ACSI do ano anterior
Eletrônicos	85	2,4
Refrigerantes	84	−1,2
Entrega expressa	84	1,2
Produtos de higiene pessoal e limpeza	83	−2,4
Vestuário	83	1,2
Ração para animais domésticos	83	−1,2
Cervejarias	82	−2,4
Automóveis e veículos leves	82	−2,4
Equipamentos principais	82	1,2
Produção de alimentos	81	−2,4
Varejo via Internet	80	−3,6
Seguro de vida	80	1,3
Seguro de imóveis e acidentes pessoais	80	0,0
Calçados esportivos	80	0,0
Restaurantes de serviços limitados	79	5,3
Corretagem pela Internet	78	0,0
Computadores pessoais	78	4,0
Viagens pela Internet	78	1,3
Varejo especializado	78	1,3
Programas de computador	78	2,6
Lojas de produtos naturais e de cuidados pessoais	77	−1,3
Hotéis	77	2,7
Hospitais	77	5,5
Portais e mecanismos de busca via Internet	77	−7,2
Noticiário de TV aberta e a cabo	77	4,1
Bancos	76	1,3
Cigarros	76	5,6
Lojas de departamento e ponta de estoque	76	1,3
Supermercados	75	−21,3
Telefones celulares	75	−1,3
Notícias e informação via Internet	74	0,0
Correio dos Estados Unidos	74	4,2
Serviços públicos de propriedade de investidores	74	NA
Filmes	73	−3,9
Serviços públicos municipais	73	NA
Planos de saúde	73	−2,7
Telefonia fixa	73	−2,7
Telefonia móvel	71	−1,4

(continua)

Tabela 4.1 O Índice Norte-Americano de Satisfação do Cliente por setor *(continuação)*

Setor	Escore ACSI 2010	Diferença percentual em relação ao escore ACSI do ano anterior
Postos de gasolina	70	−7,9
Redes sociais	70	NA
Jornais	65	−1,5
Companhias aéreas	65	0,0

Fonte: American Customer Satisfaction Index – Notas por setor, *website* do ACSI, www.theacsi.org. Reproduzido com permissão do American Customer Satisfaction Index, www.theasci.org.

outros serviços on-line têm colocações intermediárias no cálculo do índice. A observação de que os serviços tendem a ficar nas posições inferiores do ACSI em comparação com bens duráveis e não duráveis é uma tendência observada ao longo de toda a história do índice. No entanto, é importante sublinhar que estas classificações são médias de setor. Quase todo setor tem expoentes de ótimo desempenho em termos de satisfação do cliente. Como exemplo, mencionamos as notas de 2010 para as companhias aéreas, que variaram de 56 (para a Delta Airlines) a 81 (para a Southwest Airlines).

Neste cenário, apenas conjeturamos acerca das razões para a pouca satisfação com os serviços em geral. É possível que este quadro seja decorrência das estratégias de *downsizing* e de *rightsizing** adotadas no setor de serviços e que resultaram em funcionários estressados e sobrecarregados na execução do trabalho de contato com os clientes, o que dificulta a prestação do serviço no nível exigido. Isso talvez ocorra em função da inerente heterogeneidade dos serviços, discutida no Capítulo 1; em outras palavras, como os serviços são difíceis de padronizar e cada cliente tem suas próprias expectativas, o resultado pode ser uma maior variação e uma satisfação potencialmente menor com os serviços oferecidos. Outro motivo para esta insatisfação está na dificuldade de encontrar funcionários qualificados para a linha de frente dos serviços. Cita-se também o possível aumento das expectativas dos clientes, sem um declínio real ou absoluto na qualidade do serviço propriamente dito. Qualquer que seja a razão para esta limitada satisfação com serviços, há espaço para melhorias nas notas de satisfação do cliente em diversos setores de serviços.

Os resultados da satisfação do cliente

Qual é o motivo de tanta atenção à satisfação do cliente? Conforme mencionado na seção anterior, algumas pessoas encarregadas da definição de políticas públicas acreditam que a satisfação do cliente é um importante indicador da saúde econômica de um país. Elas acreditam que não basta rastrear a eficiência da economia e elaborar estatísticas de precificação. Essas pessoas defendem a noção de que a satisfação também é um importante termômetro do bem-estar. Além disso, muitas delas creem que a satisfação do cliente está correlacionada a outros indicadores de saúde econômica, como receitas e valor do estoque de ações de uma corporação. Ao utilizarem os dados do ACSI, os pesquisadores da Universidade de Michigan foram capazes de documentar um vínculo evidente entre as notas do índice e o valor de mercado agregado (MVA, do inglês *Market Value Added*), que mede o sucesso de uma empresa em gerar riqueza para seus acionistas. Esta relação está descrita na Figura 4.2, que mostra as médias do MVA para as empresas dentro do quarto superior e aquelas dentro do quarto inferior do ACSI.[32]

---

* N. de T.: *Downsizing* é a redução de volume no redimensionamento de atividades de uma empresa. *Rightsizing* é o redimensionamento das atividades para a obtenção do melhor desempenho possível.

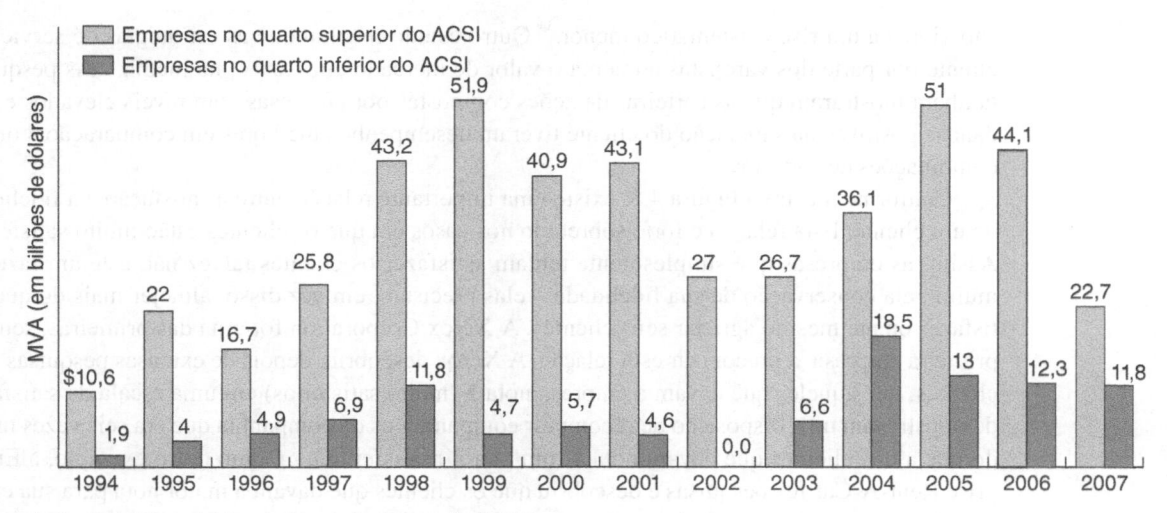

Figura 4.2 O ASCI e o Valor de Mercado Agregado (MVA).

Fonte: *Website* do ACSI, www.theacsi.org, About ACSI, "Economic Indicator," acessado em 11/7/2011.
Reproduzido com permissão do American Customer Satisfaction Index, www.theasci.org.

No entanto, além das implicações macroeconômicas, as empresas estão descobrindo que os crescentes níveis de satisfação do cliente podem ser associados à fidelidade do cliente e aos lucros da companhia.[33] As pesquisas também mostram que as empresas que investem em serviço e conquistam a excelência na satisfação de seus clientes oferecem retornos relativos* a seus acionistas. Um estudo descobriu que as companhias que têm melhor desempenho em comparação com suas concorrentes em termos de satisfação do cliente (conforme medido pelo ACSI) geram retornos

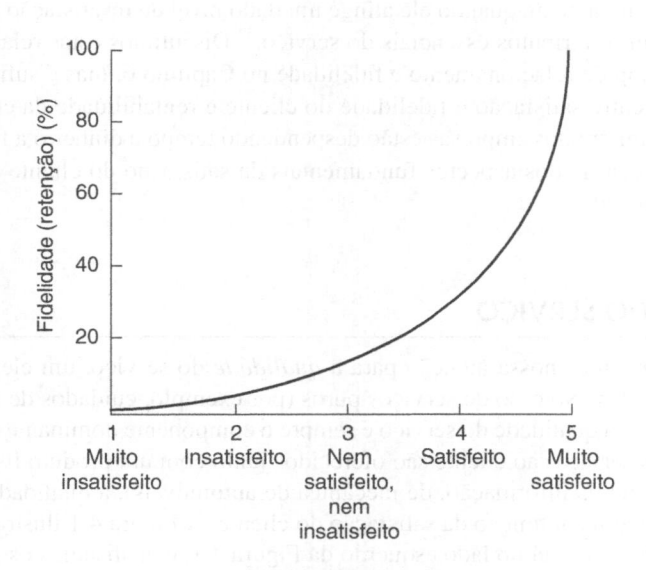

Figura 4.3 A relação entre a satisfação do cliente e a fidelidade em setores competitivos.

Fonte: J. L. Heskett, W. E. Sasser Jr., and L. A. Schlesinger, *The Service Profit Chain: How Leading Companies Link Profit and Growth to Loyalty, Satisfaction, and Value* (New York: The Free Press, 1997), p. 83. Copyright © 1997 J. L. Heskett, W. E. Sasser, Jr., and L. A. Schlesinger. Reproduzido com permissão da Free Press, uma divisão da Simon & Schuster, Inc.

---

* N. de T.: Em inglês *excess returns*, ou a diferença entre uma carteira de investimento e o *benchmark*.

superiores a um risco sistemático menor.[34] Outro estudo revelou que as estratégias de serviço ao cliente por parte dos varejistas aumenta o valor de mercado em 1,09%, na média.[35] As pesquisas também mostraram que as carteiras de ações compostas por empresas com níveis elevados e mudanças positivas na satisfação do cliente tiveram desempenhos melhores em comparação a outras combinações de carteiras.[36]

Conforme mostra a Figura 4.3, existe uma importante relação entre a satisfação e a fidelidade de um cliente. Esta relação é forte sobretudo nos casos em que os clientes estão muito satisfeitos. Assim, as empresas que simplesmente tentam satisfazer os clientes talvez não estejam fazendo muito pela conservação de sua fidelidade – elas precisam, em vez disso, almejar mais do que satisfazer ou até mesmo agradar seus clientes. A Xerox Corporation foi uma das primeiras, senão a primeira empresa, a preconizar esta relação. A Xerox descobriu, depois de extensas pesquisas com clientes, que aqueles que davam à empresa nota 5 (muito satisfeitos) em uma escala de satisfação demonstravam uma disposição de recomprar equipamentos da companhia que era seis vezes maior do que a dos clientes que davam nota 4 (um tanto insatisfeitos).[37] Como outro exemplo, a Enterprise Rent-A-Car fez pesquisas e descobriu que os clientes que davam a maior nota para sua experiência com locação de veículos exibiam uma probabilidade de alugar um automóvel da empresa novamente que era três vezes maior do que aquela demonstrada pelos clientes que conferiam a ela a segunda maior nota.[38] As informações fornecidas pela TARP Worldwide Inc. – com base em dados publicados em 10 estudos, os quais avaliaram 8 mil clientes de diversos setores em todo o mundo – chegaram a conclusões semelhantes. A TARP descobriu que 96% dos clientes que estavam "muito satisfeitos" disseram que "definitivamente voltariam a comprar" da mesma companhia. Contudo, para os clientes que estavam "um tanto satisfeitos", este número diminuía bruscamente para 52%. Apenas 7% dos clientes que estavam "indiferentes ou muito insatisfeitos" diziam não ter dúvidas de que voltariam a comprar.[39]

Na outra ponta do espectro da satisfação, os pesquisadores descobriram que há um forte elo entre a insatisfação e a infidelidade – também chamada de deserção do cliente. A fidelidade do cliente pode cair abruptamente quando ele atinge um dado nível de insatisfação ou sempre que ele está insatisfeito com os atributos essenciais do serviço.[40] Discutimos estas relações e as implicações para o marketing de relacionamento e fidelidade no Capítulo 6, mas é suficiente dizer, neste ponto, que os elos entre satisfação e fidelidade do cliente e rentabilidade da empresa estão hoje bem definidos. Assim, muitas empresas estão despendendo tempo e dinheiro a fim de desenvolver uma melhor compreensão dos aspectos fundamentais da satisfação do cliente e das maneiras de melhorar seu desempenho.

A QUALIDADE DO SERVIÇO

Neste momento dirigimos nossa atenção para a *qualidade* do serviço, um elemento crucial das percepções dos clientes. No caso de serviços puros (por exemplo, cuidados de saúde, serviços financeiros, educação), a qualidade do serviço é sempre o componente dominante nas avaliações dos clientes. Quando os serviços ao cliente são oferecidos junto com um produto físico (por exemplo, serviços de tecnologia da informação, de mecânica de automóveis), a qualidade do serviço pode ser igualmente crucial na definição da satisfação do cliente. A Figura 4.1 ilustrou estes relacionamentos. Aqui, o interesse está no lado esquerdo da Figura 4.1, e analisamos os fatores intrínsecos que formam as percepções da qualidade do serviço. Primeiro discutimos *o que* os clientes avaliam e, em seguida, examinamos mais especificamente as cinco dimensões do serviço de que os clientes dependem para elaborar seus julgamentos.

A qualidade do resultado, da interação e do ambiente físico

O que os consumidores avaliam no momento em que julgam a qualidade do serviço? Há muitos anos que os pesquisadores na área de serviços sugerem que os consumidores julgam a qualidade do serviço com base nas suas percepções do resultado técnico gerado, do processo pelo qual o resultado foi produzido e da qualidade do ambiente físico em que o serviço é executado.[41] Por exemplo, em uma execução judicial, o cliente dos serviços de advocacia estima a qualidade do resultado no âmbito técnico, ou a maneira como o processo foi resolvido, além da qualidade da interação. A qualidade da interação inclui fatores como o tempo levado pelo advogado para retornar ligações telefônicas de seu cliente, sua empatia com ele e sua cortesia ao escutá-lo. Pela mesma razão, um cliente de um restaurante julga o serviço com base em suas percepções da refeição (qualidade do resultado técnico) e da maneira como os pratos foram servidos e de como os funcionários interagem com ele (qualidade da interação). A decoração do interior (o ambiente físico), tanto do escritório de advocacia quanto do restaurante, também afeta as percepções da qualidade geral do serviço.

As dimensões da qualidade do serviço

As pesquisas feitas sobre o assunto sugerem que os clientes não percebem a qualidade de modo unidimensional; ao contrário, eles julgam a qualidade com base em fatores diversos, relevantes ao contexto. As dimensões da qualidade do serviço foram identificadas no trabalho pioneiro de Parsu Parasuraman, Valarie Zeithaml e Leonard Berry. As pesquisas desse grupo identificaram cinco dimensões específicas da qualidade do serviço aplicáveis a diversos contextos de serviço.[42] As cinco dimensões definidas aqui são mostradas na Figura 4.1 como condutores da qualidade do serviço, e aparecem novamente no Capítulo 5, junto com a escala desenvolvida para medi-las, a SERVQUAL.

- *Confiabilidade* é a capacidade de executar o serviço prometido de forma confiável e precisa.
- *Responsividade* é a disposição de ajudar os clientes e fornecer o serviço imediatamente.
- *Segurança* é o conhecimento e a cortesia dos funcionários, e sua capacidade de inspirar confiança e certeza.
- *Empatia* é a atenção individualizada dispensada aos clientes.
- *Tangíveis* constituem a aparência das instalações físicas, do equipamento, dos funcionários e dos materiais de comunicação.

Essas dimensões representam como os consumidores organizam as informações sobre a qualidade do serviço em suas mentes. Na esfera da pesquisa investigativa e quantitativa, estas cinco dimensões foram vistas como relevantes para o setor bancário, de seguros, de manutenção de eletrodomésticos, de corretagem de seguros, de serviços telefônicos de longa distância, de manutenção de automóveis, entre outros. Estas dimensões também são aplicáveis aos serviços do varejo e de negócios, e a lógica sugere que sejam relevantes do mesmo modo para serviços internos. Algumas vezes os clientes recorrem a todas as dimensões para determinar as percepções sobre a qualidade do serviço, em outras não. Por exemplo, no caso de um caixa eletrônico, a empatia talvez não seja uma dimensão relevante. Igualmente, em um contato telefônico para agendar um conserto, os tangíveis não são importantes.

As pesquisas feitas na área indicam que as diferenças culturais também afetam a importância relativa dada às cinco dimensões, conforme discutido na seção Tema Global. Interessantes diferenças nas dimensões da qualidade do serviço emergem, de modo análogo, em estudos específicos a um país. Por exemplo, um estudo conduzido no Paquistão e que se baseou nas dimensões originais da qualidade do serviço revelou as seguintes dimensões da qualidade do serviço: tangíveis, confiabilidade, segurança, sinceridade, personalização e formalidade.[43] Esse estudo também demonstrou que a diversidade cultural é capaz de fazer as dimensões originais serem interpretadas com ligeiras diferenças. No Paquistão, a "confiabilidade" não foi tão absoluta em seu significado; ao contrário, ela foi interpretada como "promessas que são quase sempre cumpridas", "nível mínimo de erros nos relatórios ou demonstrativos" e "o serviço via de regra está disponível quando necessário".

Nas páginas seguintes expandimos o raciocínio sobre cada uma das cinco dimensões originais do SERVQUAL e oferecemos exemplos de como os clientes as julgam.

> **Tema global** — A importância das dimensões da qualidade do serviço para diferentes culturas
>
> O desenvolvimento das dimensões da qualidade do serviço (a confiabilidade, a responsividade, a segurança, a empatia e os tangíveis) foi baseada em uma pesquisa conduzida em diversos contextos nos Estados Unidos. A confiabilidade é vista como a mais importante de todas as dimensões da qualidade do serviço naquele país, seguida pela responsividade. Porém, o que acontece ao examinarmos diferentes culturas? As dimensões da qualidade do serviço permanecem relevantes? Quais são as mais importantes? As respostas a estas perguntas são extremamente valiosas para as empresas que executam serviços em diferentes países ou em ambientes multiculturais.
>
> Diversos pesquisadores utilizaram as famosas dimensões culturais de Geert Hofstede para avaliar a possibilidade de a relevância da qualidade do serviço variar entre diferentes orientações culturais. Por exemplo, a *distância hierárquica* refere-se até que ponto as diferenças de *status* são esperadas e aceitas em uma cultura. Pesquisas sugerem que em sua maioria os países asiáticos são caracterizados por grandes distâncias hierárquicas, ao passo que as nações ocidentais têm valores menores para esta dimensão. Em termos gerais, o *individualismo* reflete uma auto-orientação característica à cultura do Ocidente, enquanto seu oposto, o *coletivismo*, é mais típico do Oriente. Comparações semelhantes entre culturas foram elaboradas para as outras dimensões: *masculinidade, aversão à incerteza* e *foco no longo prazo*. A questão pertinente a esses aspectos envolve a possibilidade de estes tipos de diferenças culturais afetarem a importância dada pelos consumidores às dimensões da qualidade do serviço.
>
> O gráfico mostrado a seguir sugere a existência de expressivas distinções na importância das dimensões da qualidade do serviço entre grupos de clientes definidos por diferentes dimensões culturais. O perfil de cada um destes grupos foi delineado da seguinte forma:
>
> Os *seguidores*: grande distância hierárquica, forte coletivismo, forte masculinidade, neutralidade na aversão à incerteza, foco no curto prazo.
>
> Os *que buscam equilíbrio*: curta distância hierárquica, forte coletivismo, masculinidade neutra, forte aversão à incerteza, foco no médio prazo.
>
> Os *autoconfiantes*: curta distância hierárquica, forte individualismo, feminilidade mediana, pequena aversão à incerteza, foco no longo prazo.
>
> Os *que buscam o lado sensorial*: grande distância hierárquica, individualismo mediano, forte masculinidade, pequena aversão à incerteza, foco no curto prazo.
>
> Os *analistas funcionais*: curta distância hierárquica, individualismo mediano, forte feminilidade, forte aversão à incerteza, foco no longo prazo.
>
> O gráfico deixa claro que as dimensões da qualidade do serviço são importantes para diferentes culturas; contudo, esta importância relativa varia com a orientação do valor cultural. Por exemplo, as culturas com curta distância hierárquica, individualismo de alto a mediano e foco no longo prazo (os autoconfiantes e os analistas funcionais) valorizam a con-

A confiabilidade: o cumprimento das promessas
Entre as cinco dimensões da qualidade do serviço, a confiabilidade é repetidamente indicada como a mais importante na definição das percepções sobre a qualidade do serviço entre clientes norte-americanos.[44] *Confiabilidade* é definida como a capacidade de cumprir a promessa de serviço de modo fidedigno e preciso. No sentido mais amplo do termo, confiabilidade significa que a empresa cumpre suas promessas – as promessas feitas sobre a execução e prestação do serviço, a solução de problemas e a precificação. Os clientes desejam fazer negócios com empresas que mantêm suas promessas, sobretudo as relacionadas ao desfecho e aos atributos principais do serviço.

Uma das empresas que divulga e opera com base na dimensão confiabilidade é a Federal Express (FedEx). A mensagem de confiabilidade da companhia – que tem "de chegar ao destino, sem dúvida, positivamente" – reflete o posicionamento da companhia frente aos serviços que oferece. Embora muitas empresas decidam não se posicionar com clareza quanto à confiabilidade do serviço, tal como faz a FedEx, esta dimensão é de extrema importância para os consumidores. Toda empresa precisa estar ciente das expectativas dos clientes quanto à confiabilidade. As empresas que não oferecem o serviço principal que o cliente pensa estar adquirindo fracassam com ele de modo mais contundente.

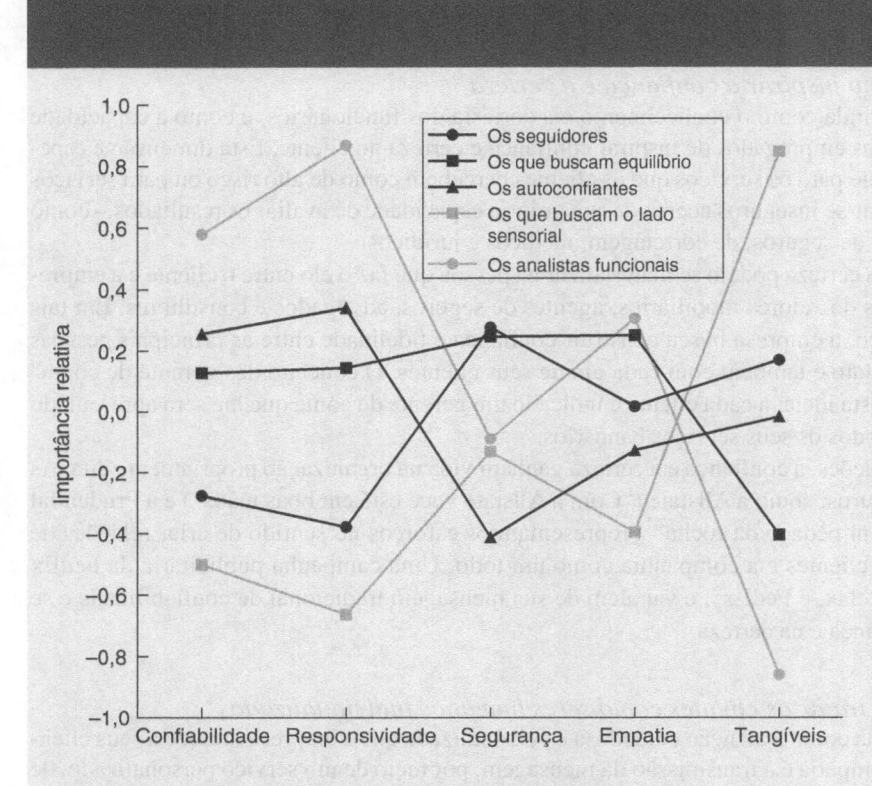

[Gráfico: Importância relativa das dimensões de qualidade de serviço por perfil cultural]

Legenda:
- Os seguidores
- Os que buscam equilíbrio
- Os autoconfiantes
- Os que buscam o lado sensorial
- Os analistas funcionais

Eixo X: Confiabilidade, Responsividade, Segurança, Empatia, Tangíveis
Eixo Y: Importância relativa (de −1,0 a 1,0)

fiabilidade e a responsividade como dimensões mais importantes. Por outro lado, culturas com grande distância hierárquica e forte masculinidade (os seguidores e os que buscam o lado sensorial) classificam estas dimensões como menos importantes. A dimensão dos tangíveis mostra a maior variação, e é classificada pelos que buscam o lado sensorial como a mais importante e pelos analistas funcionais como a menos importante.

Os pesquisadores deste estudo sugerem diversas implicações para as empresas que operam em muitas culturas. Por exemplo, se o mercado almejado tem um perfil cultural de seguidor, então as empresas prestadoras de serviço talvez precisem dar ênfase ao treinamento de seus funcionários para desenvolverem seus conhecimentos profissionais e ganharem credibilidade, o que traz a confiança dos clientes, aliado a tangíveis e à empatia para transmitir a qualidade do serviço. Por outro lado, para atender aos autoconfiantes, as prestadoras precisam sublinhar a capacitação e o poder de decisão dos funcionários, a fim de oferecer serviços confiáveis e responsivos.

Fontes: G. Hofstede, *Cultures and Organizations: Software of the Mind* (New York, McGraw-Hill, 1991); O. Furrer, B. Shaw-Ching Liu, and D. Sudharshan, "The Relationships between Culture and Service Quality Perceptions," *Journal of Service Research* 2 (May 2000), pp. 355–371; www.geert-hofstede.com.

A responsividade: a disposição de ajudar
Responsividade é o desejo de auxiliar os clientes e oferecer um serviço imediato. Esta dimensão enfatiza a atenção e a prontidão em lidar com as solicitações do cliente, com suas perguntas, queixas e problemas. A responsividade é traduzida ao cliente como o período de tempo que ele tem de esperar por assistência, respostas a suas perguntas ou atenção a seus problemas.

Para conquistar a primazia na dimensão responsividade, uma empresa precisa enxergar o processo de execução do serviço e o tratamento de solicitações segundo a perspectiva do cliente. Os padrões para a velocidade e a prontidão que refletem a visão da empresa acerca das exigências dos processos internos podem ser bastante diferentes das reivindicações do cliente em relação à velocidade e à prontidão. A fim de distinguir-se no quesito responsividade, uma companhia precisa de um número adequado de funcionários em seu departamento de atendimento ao cliente, além de pessoas na linha de frente em todas as posições de contato que demonstrem boa capacidade de resposta. O serviço de manutenção de computadores disponível 24 horas Geek Squad construiu sua reputação no serviço rápido e responsivo, "pois um vírus de computador não trabalha apenas no horário comercial", conforme mostram os anúncios da companhia (veja foto). As percepções acerca da responsividade

A Geek Squad enfatiza a dimensão da qualidade do serviço *responsividade* em seu posicionamento nos serviços.

diminuem quando os clientes precisam esperar para obter atendimento ao telefone, têm sua ligação transferida para um complexo sistema de voz ou encontram problemas ao acessar um *website*.

A segurança: como inspirar a confiança e a certeza
A *segurança* é definida como o conhecimento e a cortesia dos funcionários, e como a capacidade da empresa e de seus empregados de inspirar confiança e certeza no cliente. Esta dimensão é especialmente importante para os serviços que os clientes percebem como de alto risco ou para serviços com os quais sentem-se inseguros acerca de sua própria capacidade de avaliar os resultados – como serviços bancários, de seguros, de corretagem, médicos e jurídicos.

A confiança e a certeza podem se materializar na pessoa que faz o elo entre o cliente e a empresa, como corretores de valores mobiliários, agentes de seguros, advogados e consultores. Em tais contextos de serviço, a empresa busca construir confiança e fidelidade entre as principais pessoas incumbidas do contato e também com cada um de seus clientes. O conceito de "gerente de conta" traduz muito bem esta ideia: a cada cliente é indicado um gerente de conta que lhe será apresentado e que coordenará todos os seus serviços bancários.

Em outras situações, a confiança e a certeza ganham vida na organização propriamente dita. As companhias de seguros, como a Allstate ("Com a Allstate você está em boas mãos") e a Prudential ("Seja o dono de um pedaço da rocha"*) representam os esforços no sentido de criar relações de confiança entre os clientes e a companhia como um todo. Uma campanha publicitária da FedEx utiliza o bordão "Relax, é FedEx", e vai além de sua mensagem tradicional de confiabilidade e se concentra na confiança e na certeza.

A empatia: como tratar os clientes como seres humanos individualizados
A empatia é definida como a atenção cuidadosa e personalizada que a empresa oferece a seus clientes. A essência da empatia é a transmissão da mensagem, por meio de um serviço personalizado, de que os clientes são únicos e especiais, e de que suas necessidades são compreendidas. Os clientes desejam se sentir compreendidos, importantes para as empresas que lhes prestam algum serviço. O quadro de pessoal de empresas de pequeno porte muitas vezes conhece os clientes pelo nome e constrói relacionamentos que são o reflexo deste conhecimento personalizado de suas exigências e preferências. Quando uma empresa pequena compete com empresas maiores, a capacidade de ser empática pode trazer à primeira uma clara vantagem sobre as outras.

Na prestação de serviços *business-to-business*, os clientes desejam que as empresas prestadoras conheçam seus respectivos setores de atuação e entendam seus problemas. Inúmeras empresas de consultoria em informática de pequeno porte obtêm sucesso na competição com grandes organizações ao posicionarem-se como especialistas em determinados setores. Ainda que as empresas maiores tenham recursos de qualidade superior, as pequenas são vistas como mais bem informadas dos problemas e das necessidades específicas dos clientes, e são capazes de oferecer serviços com elevado grau de customização.

Os tangíveis: como representar o serviço na esfera física
Os tangíveis são definidos como a aparência das instalações físicas, dos equipamentos, do quadro de pessoal e dos materiais de comunicação. Eles fornecem as representações físicas ou as imagens do serviço que os clientes, sobretudo os novos, utilizam para avaliar a qualidade. Os setores de serviço que enfatizam os tangíveis em suas estratégias incluem serviços em que os clientes visitam o estabelecimento de forma a receber o serviço, como restaurantes e hotéis, lojas e empresas do setor de entretenimento.

---

* N. de T.: A rocha em questão é a *Plymouth Rock*, rocha que, diz a tradição, foi aquela que serviu de apoio para o desembarque, o primeiro ponto de contato entre os Peregrinos e o solo da América do Norte, em 1620. A companhia de seguros Prudential utiliza a imagem da rocha como noção de segurança e de proteção.

Ainda que muitos tangíveis sejam utilizados frequentemente por empresas de serviço com o intuito de aprimorar a imagem, fornecer continuidade e demonstrar qualidade para os clientes, a maioria das empresas combina tangíveis a outra dimensão, a fim de gerar uma estratégia de qualidade em serviço. Por exemplo, a Jiffy Lube enfatiza tanto a responsividade quanto os tangíveis – ao oferecer um serviço rápido e eficiente e uma área de espera confortável e limpa. Contrastando com esta posição, as empresas que não dão enfoque à dimensão tangíveis em suas estratégias de serviços acabam confundindo e até mesmo destruindo uma estratégia que de outro modo seria ótima.

A Tabela 4.2 fornece exemplos de como os clientes julgam cada uma das cinco dimensões da qualidade do serviço em vários contextos de serviço, inclusive os serviços relacionados ao consumidor e os relacionados a outras empresas.

Tabela 4.2 Exemplos de como os clientes julgam as cinco dimensões da qualidade do serviço

Setor	Confiabilidade	Responsividade	Segurança	Empatia	Tangíveis
Manutenção de automóveis (consumidor)	Problema resolvido de início e pronto quando prometido	Acessível, sem tempo de espera; atende a pedidos	Mecânicos treinados e instruídos	Reconhece o cliente pelo nome; lembra de problemas anteriores e de preferências	Instalação de manutenção; área de espera; uniformes; equipamentos
Companhia aérea (consumidor)	Voos para os destinos especificados partem e chegam no horário	Sistema rápido e disponível de emissão de passagens; serviço de carregador de bagagem a bordo	Nome confiável; boas estatísticas de segurança; funcionários competentes	Entende as necessidades especiais de cada um; antevê as necessidades do cliente	Aeronave; emissão de passagens; balcões; área para a bagagem; uniformes
Serviços médicos (consumidor)	Consultas ocorrem na hora marcada; os diagnósticos são precisos	Acessível; sem esperas; disposição em escutar o paciente	Conhecimento; habilidades; credenciais; reputação	Reconhece um paciente como pessoa; lembra de problemas anteriores; escuta com atenção; tem paciência	Sala de espera; sala de exames; equipamentos; materiais escritos
Arquitetura (clientes corporativos)	Entrega as plantas no momento prometido e dentro do orçamento	Retorna as chamadas telefônicas; adapta-se a mudanças	Credenciais; reputação; nome na comunidade; conhecimento e habilidades	Entende o setor do cliente; reconhece e se adapta a necessidades específicas do cliente; conhece o cliente	Área dos escritórios; relatórios; planeja com independência; emissão de faturas; vestuário dos funcionários
Processamento de dados (interno)	Fornece as informações necessárias quando solicitado	Pronta resposta a pedidos; não é "burocrático"; lida com problemas de imediato	Funcionários instruídos e bem treinados; credenciais	Conhece os clientes como indivíduos; entende as necessidades individuais e dos departamentos	Relatórios internos; área dos escritórios; vestuário dos funcionários
Corretagem pela Internet (consumidor e clientes corporativos)	Fornece as informações corretas e executa os pedidos dos clientes com precisão	*Website* rápido e de fácil acesso, sem tempo fora do ar	Fontes fidedignas de informações sobre o *website*; reconhecimento da marca; credenciais visíveis no *website*	Responde com interação humana conforme a necessidade	Aparência do *website* e de folhetos, brochuras e outros materiais impressos

A qualidade no *e-service*

O crescimento do varejo eletrônico e dos *e-services* levou muitas empresas a se indagarem sobre como os clientes avaliam a qualidade do serviço na Internet e se os critérios utilizados são diferentes daqueles adotados na avaliação da qualidade de serviços não relacionados à rede.[45] Um estudo patrocinado pelo Instituto de Ciências do Marketing foi conduzido para entender como os consumidores julgam a qualidade nos *e-services*.[46] Nesse estudo, *E-S-QUAL* é definido como o grau em que um *website* facilita a pesquisa, a compra e a entrega eficiente. Ao empregar grupos de foco exploratórios e duas fases de coleta e análise de dados empíricos, esta pesquisa identificou sete dimensões críticas à avaliação do serviço principal (quatro dimensões) e à avaliação da recuperação do serviço (três dimensões).

As quatro dimensões que os clientes utilizam para avaliar os *websites* com os quais não têm problemas ou dúvidas são:[47]

Eficiência: A facilidade e a velocidade de acessar e utilizar o *website*.

Satisfação: A extensão em que as promessas do *website* para a entrega e disponibilidade são atendidas.

Disponibilidade do sistema: O correto funcionamento do *website*.

Privacidade: O grau em que o *website* é seguro e protege as informações do cliente.

O estudo também revelou três dimensões que o cliente utiliza para julgar a recuperação do serviço quando algum problema ou dúvida aparece:

Responsividade: O tratamento eficaz dos problemas e das devoluções por meio do *website*.

Compensação: O grau em que o *website* compensa os clientes por algum problema.

Contato: A disponibilidade de assistência por meio do telefone ou atendimento *on-line*.

O *website* da L. L. Bean, mostrado a seguir, exibe todas as qualidades do excelente varejista eletrônico. A empresa conquistou a excelência nas dimensões principais da qualidade do *e-service*, oferecendo uma recuperação primorosa e de fácil compreensão por meio de sua garantia de serviço.

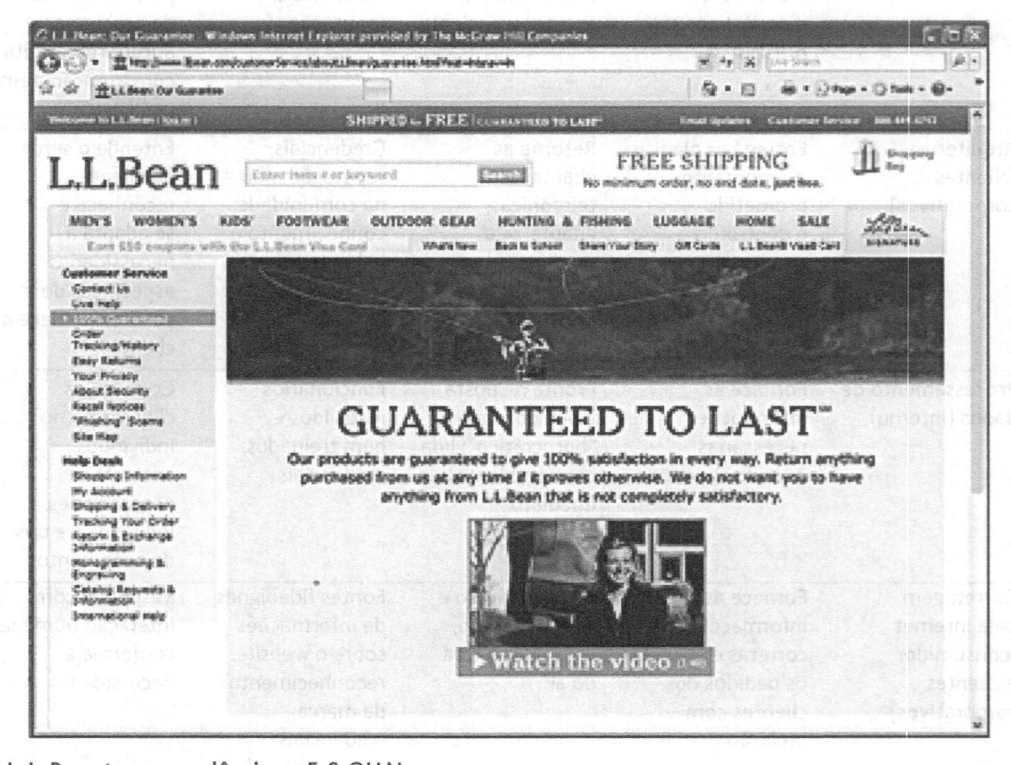

A L. L. Bean tem a excelência no E-S-QUAL

OS ENCONTROS DE SERVIÇO: OS ELEMENTOS DE COMPOSIÇÃO DAS PERCEPÇÕES DO CLIENTE

Anteriormente apresentamos uma discussão das percepções do cliente, enfatizando a satisfação do cliente e a qualidade do serviço. Conforme apresentado na seção Visão Estratégica, as empresas hoje reconhecem que conseguem competir de forma mais eficiente ao diferenciarem-se no âmbito da qualidade do serviço, da satisfação e da fidelidade do cliente. A seguir, voltamos nossas atenções para o que foi chamado de elementos da construção das percepções do cliente – os encontros de serviço, ou "a hora da verdade". Os encontros de serviço são os momentos em que as promessas são cumpridas ou quebradas, em que tudo acontece – por vezes chamado também de "marketing em tempo real". É nesses encontros de serviço que os clientes desenvolvem suas percepções.

O encontro de serviço ou "a hora da verdade"

Da perspectiva do cliente, a impressão mais vívida do serviço ocorre no *encontro de serviço*, ou "a hora da verdade", o instante em que o cliente interage com a empresa prestadora. Por exemplo, entre os encontros de serviço que um hóspede de hotel presencia estão o registro da chegada, a condução a um quarto por um mensageiro, uma refeição no restaurante, o serviço de despertar e a saída do hotel. Você pode considerar o encadeamento destas horas da verdade como uma cascata de encontros de serviço (veja a Figura 4.4). É nestes contatos que os clientes fazem uma prova da qualidade do serviço da companhia, e cada encontro contribui para a satisfação total do cliente e para sua disposição de voltar a fazer negócios com a organização. Do ponto de vista da empresa prestadora, cada encontro representa uma oportunidade de provar seu potencial como prestadora de serviço de qualidade e de aumentar a fidelidade do cliente, conforme sugere o anúncio da rede de hotéis Doubletree, mostrado a seguir.

Para alguns tipos de serviços os encontros são em pequeno número, enquanto para outros esses eventos são mais frequentes. A Disney Corporation estima que cada um dos clientes de seus parques têm cerca de 74 encontros de serviço e que uma experiência negativa em qualquer um destes pode levar a uma avaliação negativa generalizada. Os erros e problemas que ocorrem nos primeiros estágios da cascata do serviço são especialmente críticos. A rede de hotéis Marriott fez esta descoberta por meio das suas extensas pesquisas com o cliente, conduzidas para desvendar os elementos do serviço que mais contribuem para a fidelidade do cliente. A Marriott descobriu que quatro dos cinco principais fatores entram em ação nos primeiros 10 minutos da hospedagem do cliente.[48]

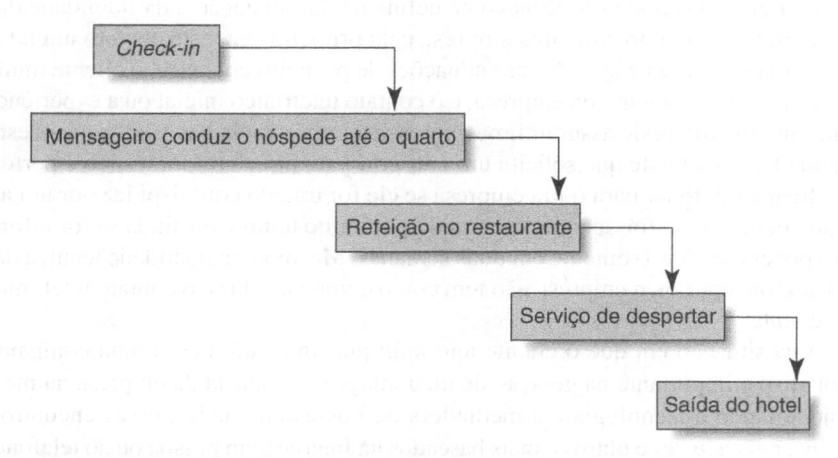

Figura 4.4 A Cascata de encontros de serviço para a experiência em um hotel.

> **Visão estratégica** — A satisfação do cliente, a fidelidade e o serviço como estratégias corporativas
>
> Os CEOs de muitas empresas de sucesso e voltadas para o crescimento estão preocupados com a satisfação do cliente, com sua fidelidade e o serviço prestado. Eles enxergam estes objetivos corporativos como importantes desafios e como a chave para o crescimento lucrativo e constante de suas empresas. Desde a queda na atividade econômica iniciada em 2008, muitas organizações reforçaram o foco nos serviços, a fim de reconstruir a fidelidade do cliente.
>
> Os indicadores da melhoria na satisfação e na fidelidade muitas vezes são a base para o sistema de incentivos e compensações de gerentes e funcionários, para o desempenho do estoque acionário, para as previsões de crescimento e para as estratégias de melhoria dos serviços. Veja esses exemplos específicos:
>
> - Na Enterprise Rent-A-Car, os gerentes de filial precisam alcançar ou ultrapassar as médias de satisfação e fidelidade do cliente corporativo com base no ESQi (Índice da Qualidade do Serviço para Empresas, *Enterprise Service Quality Index*) para serem candidatos a uma promoção. Sem dúvida, essa exigência motiva esses gerentes a desenvolver abordagens e estratégias interdisciplinares que melhorem a satisfação em suas respectivas filiais.
> - A Harrah's Entertainment desenvolveu uma estratégia para vincular as recompensas do funcionário da linha de frente diretamente com a satisfação do cliente. Todos os funcionários – desde as recepcionistas até os *chefs* de cozinha – sabem que: "Se seu serviço consegue persuadir um cliente a fazer uma segunda visita em um ano, você faz um bom trabalho. Se você consegue persuadir três, você faz um excelente trabalho". A empresa também implementou um plano de bonificações para recompensar os trabalhadores horistas com valores extras caso atinjam notas melhores de satisfação do cliente.
> - A General Electric, reconhecida a cada ano que passa como uma das 10 maiores empresas do mundo, utiliza a satisfação e a fidelidade do cliente para orientar as estratégias da corporação em suas unidades de negócio. Por exemplo, na unidade de Serviços Financeiros e de Saúde da GE, as principais descobertas sobre suas notas de fidelidade e pesquisas relacionadas ao assunto permitiram à companhia desenvolver programas voltados para a eficiência e a melhoria de seus relacionamentos com os clientes.
> - Durante a recuperação econômica após a crise de 2008, muitos executivos aumentaram o foco no serviço ao cliente para ganhar fatia de mercado. Por exemplo, a rede de farmácias Walgreens treinou seus farmacêuticos a passar mais tempo auxiliando os clientes, respondendo a suas perguntas sobre doenças; a Comcast iniciou um programa de retreinamento de todos os seus atendentes do serviço ao cliente; e a American Express está expandindo seu programa para melhorar o serviço ao cliente entre seus funcionários.
>
> Conforme mostram estes exemplos, a satisfação, a fidelidade do cliente e a qualidade do serviço são utilizadas para prever o crescimento e o desempenho a fim de definir recompensas ao funcionário; logo, medi-las apropriadamente e usá-las com sabedoria são tarefas cruciais. Embora haja

A importância dos encontros

Ainda que os primeiros eventos na cascata dos encontros de serviço sejam especialmente importantes, *qualquer* encontro pode ser decisivo na definição da satisfação e da fidelidade do cliente. Se um cliente está interagindo com uma empresa pela primeira vez, este contato inicial cria uma primeira impressão da organização. Nestas situações de primeiro encontro, o cliente muitas vezes não tem uma base de julgamento da empresa, e o contato telefônico inicial ou a experiência face a face com um funcionário pode assumir uma expressiva importância nas percepções deste cliente sobre a qualidade. Um cliente que solicita um conserto para um eletrodoméstico é perfeitamente capaz de desligar e telefonar para outra empresa se ele for tratado com rispidez por um atendente do serviço ao cliente, ou se for deixado esperando por muito tempo, ou ainda se for informado de que o reparo poderá ser feito somente em duas semanas. Mesmo se a qualidade técnica do serviço de manutenção for superior, a empresa não tem como demonstrá-la se o contato telefônico inicial afugentar o cliente.

Inclusive na situação em que o cliente tem múltiplas interações com uma companhia, todo encontro por si só é importante na geração de uma imagem composta da empresa na memória do cliente. Hoje, quando a tecnologia é a mediadora de nossas atividades, esses encontros podem ocorrer on-line, em *websites* e outros canais baseados na Internet, em pessoa ou ao telefone. Muitas

inúmeras maneiras de aferir a qualidade, a satisfação e a fidelidade do cliente, nem todos esses métodos têm a mesma taxa de sucesso. Alguns são melhores para prever resultados como crescimento ou desempenho, enquanto outros tipos de indicadores de qualidade e satisfação são necessários para diagnosticar problemas ocultos e implementar melhorias.

A Enterprise concentra-se estrategicamente na satisfação do cliente em todas as suas filiais.

Uma estratégia de mensuração, a "Net Promoter", foi desenvolvida pelo especialista em fidelidade do cliente Frederick Reichheld, com base em estudos de caso de negócios conduzidos por sua empresa. A Net Promoter conquistou imensa popularidade em diversos setores. A pesquisa propõe uma pergunta sobre fidelidade do cliente como a melhor para a maioria dos setores, em termos da previsão de retorno do cliente, crescimento ou indicações. Essa pergunta é: "Qual é a probabilidade de você recomendar a companhia X a um amigo ou colega?". Com base nesta pergunta, muitas empresas hoje empregam a métrica "Net Promoter" de Reichheld (a diferença proporcional entre os "promotores" e os "detratores" de uma companhia, com base nessa questão) para prever o crescimento e a fidelidade do cliente.

Fontes: T. Keiningham, B. Cooil, T. W. Andreassen, and L. Aksoy, "A Longitudinal Examination of Net Promoter and Firm Revenue Growth," *Journal of Marketing*, 71 (July 2007), pp. 39–51; F. F. Reichheld, *The Ultimate Question: Driving Good Profits and True Growth* (Boston: Harvard Business School Press, 2006); F. Reichheld and R. Markay, *The Ultimate Question 2.0* (Boston: Harvard Business School Press, 2011); G. Loveman, "Diamonds in the Data Mine," *Harvard Business Review*, May 2003, pp. 109–113; C. J. Loomis, "The Big Surprise Is Enterprise," *Fortune*, July 24, 2006, pp. 141–150; J. McGregor, "Will You Recommend Us?" *BusinessWeek*, January 30, 2006, pp. 94–95; GE 2007 Customer Citizenship Report, GE website; M. Sanserino and C. Tuna, "Companies Strive Harder to Please Customers," *The Wall Street Journal*, July 27, 2009, p. B4; D. Mattioli, "Customer Service as a Growth Engine," *The Wall Street Journal*, June 7, 2010, p. B6.

experiências positivas somam-se a uma imagem múltipla de alta qualidade da empresa, enquanto muitas interações negativas exercem o efeito oposto. Por outro lado, uma combinação de interações positivas e negativas desperta a incerteza no cliente acerca da qualidade da empresa, e ele duvidará da consistência na execução do serviço, sentindo-se vulnerável aos apelos da concorrência. Por exemplo, um cliente corporativo de uma empresa de refeições industriais que presta serviços no setor de alimentação para todas as suas cantinas pode ter uma série de encontros positivos com o gerente de contas ou os vendedores que lidam com esse contrato. Esses encontros ocorrem em uma diversidade de canais, como pela Internet (por meio do *website* corporativo), por email, ao telefone ou em pessoa. Estas experiências talvez sejam seguidas de encontros positivos com o pessoal de operações, que na verdade é quem prepara as instalações necessárias ao serviço de refeições. No entanto, até mesmo com estes encontros positivos, uma experiência negativa com as pessoas que servem a comida ou com o departamento de contabilidade que administra os procedimentos de pagamento pode acarretar uma mescla de impressões sobre a qualidade geral do serviço. Esta variação nas experiências é capaz de fazer o cliente corporativo refletir sobre a qualidade do serviço oferecido pela prestadora, deixando-o incerto sobre o que esperar no futuro. Um encontro com diferentes pessoas e departamentos que representam a empresa de refeições aumenta ou diminui o potencial para um relacionamento duradouro.

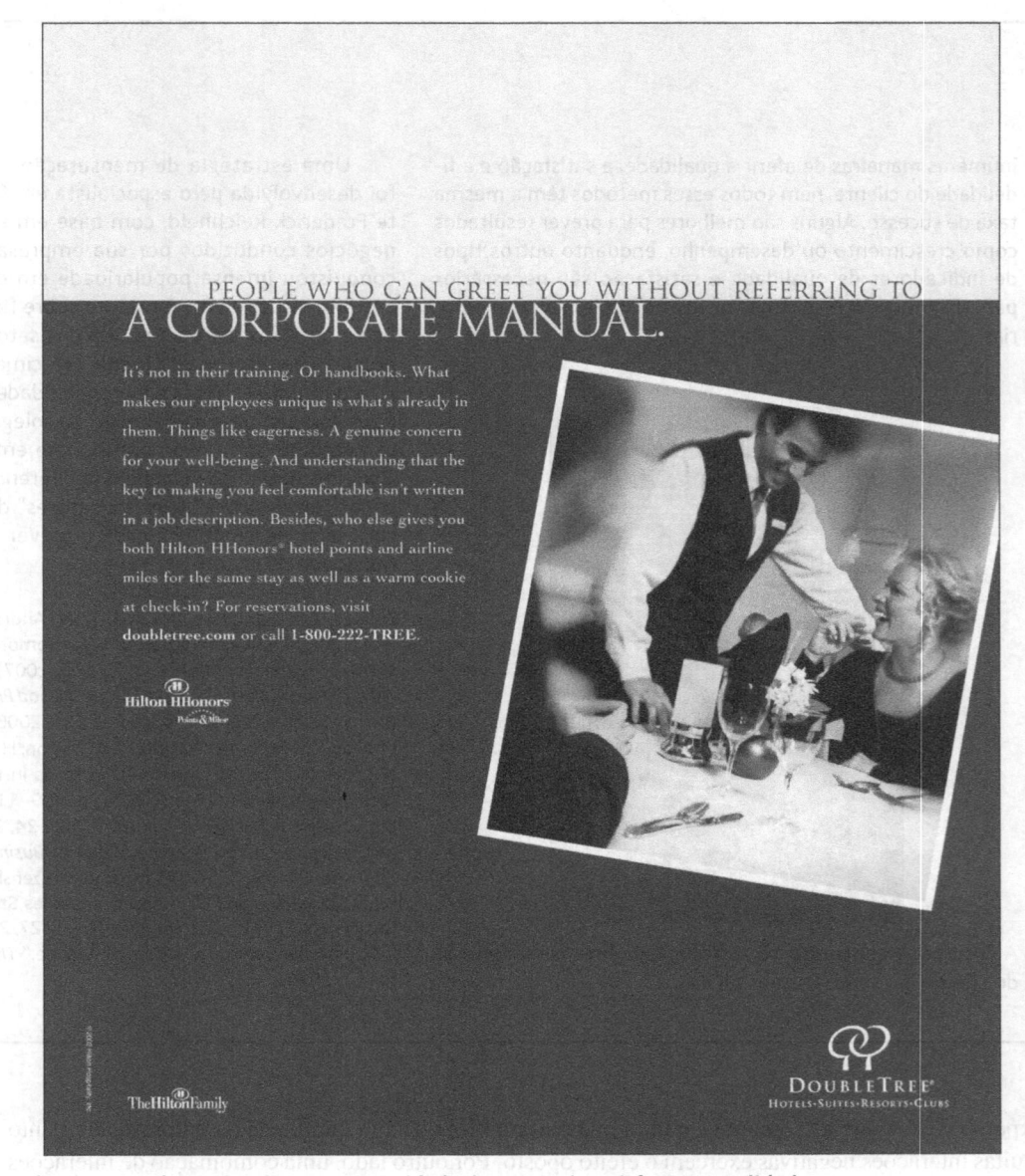

Todo encontro de serviço é uma oportunidade de construir satisfação e qualidade.

A lógica diz que nem todos os encontros são igualmente importantes na construção de relacionamentos. Para cada organização, certos encontros são provavelmente os mais importantes para a satisfação do cliente. Para a rede de hotéis Marriott, conforme dissemos, os primeiros encontros são os mais relevantes. Em um contexto hospitalar, um estudo com pacientes revelou que os contatos com as enfermeiras eram mais importantes na previsão da satisfação do que aqueles com o pessoal que servia refeições ou com os encarregados da alta do paciente.[49]

Além destes encontros-chave, há outros encontros relevantes que simplesmente arruínam o restante e afugentam o cliente, não importa o número ou a qualidade dos encontros ocorridos no passado. Estes encontros importantes podem acontecer em conexão com eventos muito significativos (como a falha ao entregar uma parte indispensável do equipamento antes do prazo), ou ainda parecer inconsequentes, como na narrativa do cliente de banco descrita no Quadro 4.1. Pela mesma razão, os encontros positivos por vezes são capazes de prender um cliente a uma organização pelo resto da vida. Uma pesquisa feita junto a um *call center* concluiu que, embora a qualidade dos

Quadro 4.1 Um encontro crítico destrói um relacionamento de 30 anos

"Não importa se você tem $1 ou $1 milhão depositados em um banco. Em qualquer caso, acho que eles deveriam ter sido gentis e carimbado o tíquete do estacionamento", disse John Barrier. Certa vez o Sr. Barrier fez uma visita a seu banco em Spokane, Washington. Ele vestia as mesmas roupas velhas que costumava usar e deixou sua caminhonete no estacionamento que ficava ao lado do banco. Após descontar um cheque, ele foi parado na saída do estacionamento por um atendente, que lhe disse que havia uma taxa de 60 centavos a pagar, mas que poderia pedir para que o banco carimbasse seu tíquete, pois assim o estacionamento sairia de graça. Sem problema, pensou Barrier, e retornou ao banco (em que, a propósito, ele havia sido correntista por 30 anos). O caixa fitou-o de cima a baixo e recusou-se a carimbar seu tíquete, explicando que o carimbo era aplicado apenas no caso da execução de uma transação bancária, e que descontar um cheque não era uma transação. O Sr. Barrier então pediu para falar com o gerente, que também olhou para ele de cima a baixo, deu um passo para trás, dirigiu a ele uma "olhada daquelas", e igualmente recusou-se a validar o tíquete do estacionamento. Com isso, o Sr. Barrier disse, "Entendi. Vocês não precisam de mim e eu não preciso de vocês". Ele retirou todo o seu dinheiro daquele banco e o levou para outro concorrente, na mesma rua, em que o primeiro cheque que depositou era de $1 milhão.

Fonte: "Shabby Millionaire Closes Account, Gives Bank Lesson about Snobbery." Reprinted with permission of United Press International from *The Arizona Republic* issue of February 21, 1989, p. A3.

eventos individuais em uma sequência de encontros de serviço seja importante, a satisfação pode ser melhorada por uma experiência extremamente positiva ocorrida nesta sequência.[50] Esta e outras pesquisas indicam que "nem todos os eventos em uma sequência de experiências são gerados da mesma maneira" e que na verdade há vantagens a serem colhidas com a criação de experiências verdadeiramente agradáveis (ou "de pico") em pontos predefinidos dessa sequência.

Os tipos de encontros de serviço

Um encontro de serviço ocorre cada vez que um cliente interage com a organização prestadora. Há três tipos de encontro de serviço: *encontros remotos*, *encontros mediados pela tecnologia* e *encontros pessoais*.[51] Um cliente vivencia qualquer um destes tipos de encontros, ou uma combinação destes, em suas interações com uma empresa prestadora de serviços.

Em primeiro lugar, os encontros podem acontecer sem interação humana direta (*encontros remotos*), como na situação em que um cliente interage com um banco por meio do caixa eletrônico, com um varejista em seu *website*, ou com um serviço de entrega postal por meio de um pedido via discagem telefônica. Encontros remotos também ocorrem quando a empresa envia as faturas ou veicula outros tipos de informação ao cliente por correio comum ou email. Embora não exista interação humana direta nestes casos de encontro remoto, cada um deles representa uma oportunidade para a empresa reforçar ou estabelecer as percepções de qualidade no cliente. Nos encontros remotos, as provas tangíveis do serviço e a qualidade dos processos e sistemas de natureza técnica tornam-se as bases para o julgamento da qualidade. Cada vez mais serviços estão sendo executados com a ajuda da tecnologia, sobretudo com o advento das aplicações para a Internet. As compras no varejo, a emissão de passagens aéreas, a solução de problemas relativos a consertos e manutenção, além do rastreamento de encomendas, são apenas alguns dos exemplos de serviços disponíveis via Internet. Todos estes tipos de encontros de serviço são considerados contatos remotos (ver a seção Tecnologia em Foco).

Em muitas empresas (como companhias de seguros, de serviços públicos e de telecomunicação), o tipo de encontro mais frequente entre um cliente final e a empresa ocorre ao telefone (encontros telefônicos) ou por meio de mensagens de texto, bate-papos *on-line* e outras plataformas que permitem a comunicação baseada na tecnologia com uma pessoa em tempo real (*os encontros mediados pela tecnologia*). A maior parte das empresas (quer as fabricantes de bens de consumo, quer prestadoras de serviços) depende dos encontros telefônicos, até certo ponto, para executar o serviço ao cliente, responder perguntas de natureza geral ou registrar pedidos. O julgamento da qualidade nos encontros telefônicos é diferente daquele feito nos encontros remotos, pois potencialmente existe uma maior variação na interação.[52] O tom de voz, o conhecimento dos funcionários e a eficiência/eficácia ao lidar com as questões dos clientes são critérios importantes para julgar a qualidade nestes encontros. Em trocas de mensagens de texto, email ou bate-papos *on-line* em tempo real, não há voz humana para detectar indícios: as percepções sobre a qualidade se baseiam na escolha de palavras e no tom geral da comunicação.

Um terceiro tipo de encontro é aquele que ocorre entre um funcionário e um cliente em interação direta (*encontros pessoais*). Na Clínica Mayo, os encontros pessoais ocorrem entre pacientes e recepcionistas, enfermeiros, médicos, técnicos dos laboratórios, trabalhadores do serviço de refeições, equipes das farmácias, entre outros. Para uma empresa como a IBM, em um cenário *business-to-business*, os encontros diretos ocorrem entre o cliente corporativo e a equipe de vendas, de entregas, de manutenção e com consultores especializados. A determinação e o entendimento dos problemas com o serviço de qualidade em contextos pessoais são os aspectos mais complexos. Os comportamentos verbais e não verbais são importantes determinantes da qualidade, assim como os tangíveis (por exemplo, o uniforme dos funcionários e outros símbolos do serviço, como equipamentos, brochuras contendo informações, ambiente físico). Nos encontros pessoais, o cliente também desempenha um papel na geração do serviço de qualidade para si mesmo, por meio do próprio comportamento durante a interação.

As fontes de prazer e desprazer nos encontros de serviço

Devido à importância dos encontros de serviço para a construção das percepções, os pesquisadores conduzem vários estudos sobre esses encontros em muitos contextos, com o intuito de definir as fontes das impressões favoráveis e desfavoráveis do cliente. As pesquisas utilizam a técnica do incidente crítico para fazer os clientes e funcionários narrarem suas histórias sobre os encontros de serviço satisfatórios e insatisfatórios pelas quais passaram (veja o Capítulo 5 para uma descrição detalhada e as referências desta técnica de pesquisa).

Com base nas milhares de narrativas de encontros de serviço, quatro temas comuns – recuperação (após uma falha), adaptabilidade, espontaneidade e intervenção – foram identificados como fontes de satisfação ou insatisfação dos clientes em encontros de serviço de que guardam lembranças.[53] Cada um destes temas é discutido a seguir, e histórias que servem de exemplos de incidentes satisfatórios ou insatisfatórios para cada tema estão no Quadro 4.2. Estes temas envolvem os comportamentos de serviço em encontros efetuados em diversos setores.

A recuperação – a reação do funcionário a uma falha no sistema de execução de serviços
O primeiro tema inclui todos os incidentes em que tenha havido alguma falha no sistema de execução de serviços e em que é preciso um funcionário reagir de certa maneira diante das queixas e decepções do consumidor. Esta falha pode ter relação, por exemplo, com um quarto de hotel que não está disponível, com um voo atrasado em seis horas, um item enviado por engano por uma empresa de encomendas pelo correio, ou um erro crítico em um documento interno. O conteúdo ou a forma da reação do funcionário é o que faz o cliente se lembrar do evento, de forma favorável ou desfavorável.

A adaptabilidade – a reação do funcionário às necessidades e solicitações do cliente
Um segundo tema subjacente à satisfação ou insatisfação nos encontros de serviço é até que ponto o sistema de execução do serviço se adapta às necessidades ou aos pedidos especiais do cliente e que trazem diferentes demandas para o processo. Nestes casos, os clientes julgam a qualidade do encontro do serviço em termos da flexibilidade dos funcionários e do sistema. Os incidentes classificados neste tema contêm um pedido, implícito ou explícito, para que o serviço atenda a uma necessidade. Muito do que os clientes enxergam como necessidades ou pedidos especiais pode na verdade ser bastante rotineiro do ponto de vista do funcionário. O importante é que o cliente perceba que algo especial está sendo feito por ele com base em suas próprias necessidades. Os clientes

internos e externos de uma empresa sentem-se igualmente felizes quando o provedor do serviço se esforça para acomodar e adaptar o sistema com o objetivo de atender a suas exigências. Por outro lado, eles se sentem irritados e frustrados diante da falta de vontade de resolver os problemas e de promessas que nunca são cumpridas. Os funcionários da linha de frente também veem suas habilidades de adaptação ao sistema como principal fonte de satisfação do cliente, e muitas vezes sentem-se igualmente desapontados pelas restrições que os impedem de ser flexíveis.

A espontaneidade – as ações inesperadas e naturais dos funcionários
Até quando não há falhas no sistema, nem um pedido ou uma necessidade especial, os clientes lembram-se dos encontros de serviço satisfatórios ou insatisfatórios. A espontaneidade do funcionário em executar um serviço que será lembrado como satisfatório ou insatisfatório é nosso terceiro tema. Os incidentes que trazem satisfação neste grupo representam as surpresas muito agradáveis para o cliente (atenção especial, tratamento de realeza, algo desejado mas não solicitado), ao passo que os incidentes desagradáveis neste grupo representam os comportamentos negativos ou inaceitáveis dos funcionários (rispidez, roubo ao cliente, discriminação, negligência).

A intervenção – a reação dos funcionários aos clientes problemáticos
Os incidentes classificados neste grupo vêm à tona quando os funcionários são solicitados a descrever os incidentes do encontro de serviço em que os clientes sentiram-se extremamente satisfeitos ou insatisfeitos. Além de narrar os incidentes dos tipos definidos nos três primeiros temas, os funcionários descrevem muitos outros incidentes em que os clientes foram os geradores da própria insatisfação. Clientes como estes essencialmente não cooperam – isto é, eles não estão dispostos a colaborar com o prestador do serviço, com outros clientes, com a regulamentação do setor e/ou as legislações pertinentes. Nestes casos, nada que o funcionário faça traz prazer ao encontro de serviço. O termo *intervenção* é utilizado para descrever estes incidentes porque intervir é a atitude em geral exigida dos funcionários para lidar com os problemas nos encontros com o cliente. Raramente esses encontros são vistos como satisfatórios do ponto de vista do cliente.[54] Além disso, é interessante observar que os clientes não relatam os incidentes com "clientes problemáticos". Isso quer dizer que ou os clientes não enxergam, ou fingem que não lembram as vezes em que foram obtusos ao ponto de causar a própria insatisfação durante o encontro de serviço.

A Tabela 4.3 resume os comportamentos específicos que causam a satisfação e a insatisfação nos encontros de serviço de acordo com os quatro temas mencionados anteriormente: recuperação, adaptabilidade, espontaneidade e intervenção. A coluna esquerda da tabela sugere as atitudes dos clientes que resultam em encontros positivos, enquanto a coluna da direita mostra os comportamentos negativos em cada tema.

Os encontros de serviço baseados em tecnologia

Todas as pesquisas sobre encontros de serviço descritas até agora e os temas resultantes que subjazem as avaliações destes encontros baseiam-se em serviços interpessoais – isto é, em encontros face a face entre os clientes e os funcionários das empresas prestadoras de serviço. Alguns pesquisadores passaram a examinar também as fontes de prazer e desprazer nos encontros de serviços baseados em tecnologia.[55] Estes tipos de encontros envolvem a interação dos clientes com serviços para a Internet, serviços telefônicos automáticos, serviços oferecidos via quiosques, além daqueles disponibilizados em DVD ou outra tecnologia de vídeo. Muitas vezes estes sistemas são chamados de tecnologias de autoatendimento (TAAs), porque o cliente é quem executa o serviço para si próprio.

As pesquisas na área de TAA desvendam alguns temas diferentes quanto aos agentes que causam satisfação ou insatisfação do cliente. Os temas a seguir foram identificados a partir da análise de centenas de narrativas de incidentes críticos em uma ampla gama de contextos, incluindo varejo via Internet, serviços para a Internet, caixas eletrônicos, sistemas telefônicos automáticos, entre outros:

Tecnologia em foco   Os clientes adoram a Amazon

Em seu *website*, a Amazon afirma a intenção "de ser a empresa mais focada no cliente em toda a Terra, na qual os clientes poderão encontrar e descobrir tudo o que quiserem comprar on-line." Jeff Bezos, o CEO da Amazon, cujo nome se tornou uma marca registrada em todo o mundo, sempre acreditou que seus clientes estão em primeiro lugar. Em 2011, em sua carta aos acionistas, ele disse que "os interesses de longo prazo dos acionistas estão perfeitamente alinhados aos interesses dos clientes". Com esse foco inquestionável no cliente, nos relacionamentos e no valor, as vendas em 2010 aumentaram 40%, atingindo a marca de $34,2 bilhões. Em 2010, o Índice de Satisfação do Cliente Norte-americano para a Amazon foi de 87 – um dos mais altos entre todas as companhias e todos os setores, e certamente muito mais alto do que os 80 que as empresas de *e-business* conseguiram na média, do que os 70 para as mídias sociais na Internet ou do que os 65-75 para muitas outras empresas do setor de serviços. De acordo com Bezos: "Os clientes estão em primeiro lugar. Se você se concentrar no que os clientes desejam e construir um relacionamento, eles deixam você ganhar dinheiro".

Poucas pessoas negam que a Amazon é mestre na tecnologia e em serviços baseados em tecnologia. Na verdade, outras empresas, como Target e Office Depot, buscaram uma parceria com a Amazon para se beneficiarem da experiência e do sucesso que ela tem com seus clientes. A Amazon oferece serviços de varejo pela Internet para estas duas companhias, bem como *web services*, serviços de atendimento de pedidos e serviços de infraestrutura tecnológica a outras empresas. Por exemplo, em 2009 a Amazon adquiriu a Zappos.com, a renomada varejista online, trazendo seu incansável CEO defensor do cliente, Tony Hsieh para a família Amazon.com.

Em sua atividade principal, a venda on-line de livros, a Amazon transformou uma transação que sempre fora interpessoal em uma experiência de serviço para a Internet. Examinemos de perto o que a companhia está fazendo e o motivo de as pessoas gostarem tanto dela. Desde seu nascimento, em julho de 1995, a Amazon cresceu a ponto de hoje oferecer mais títulos do que uma livraria física jamais poderia armazenar. Assim, a seleção e a disponibilidade de títulos é um aspecto-chave para sua popularidade com seus clientes. Mas isso é só o começo. Além de uma ampla seleção de títulos, a Amazon se esforça para simular a sensação de estar em uma loja de bairro, em que um cliente pode se misturar com outros clientes, conversar sobre livros e ouvir recomendações dos funcionários da loja. Com os anos, a Amazon incorporou o *feedback* do usuário em suas páginas de produto, adicionando o recurso "Look Inside", o qual permite ler trechos de um livro com facilidade. Ela oferece uma experiência de compra personalizada para cada cliente, além de uma finalização de compra muito conveniente, com seu "Compre com um clique" e um serviço de postagem grátis, mediante o pagamento de uma taxa anual. A Amazon permite que os clientes encontrem livros relacionados a praticamente qualquer tópico: basta digitar as palavras-chave e iniciar uma pesquisa em sua gigantesca base de dados. Seu sistema de marketing direto permite que a empresa rastreie o que cada cliente compra e os informe de outros títulos que podem ser interessantes a ele. Este marketing é implementado ao mesmo tempo em que o cliente está comprando, além dos e-mails periódicos que a empresa envia e que identificam livros relacionados aos interesses e padrões de compras passadas do cliente.

Em 2007, a Amazon apresentou o Kindle, um dispositivo que permite aos clientes lerem livros e outros materiais impressos em um leitor eletrônico pessoal. Mas o Kindle é mais do que um dispositivo de leitura – ele também permite adquirir livros, ler resenhas e comprar e baixar livros via uma conexão sem fio disponível 24 horas por dia. Sua tecnologia patenteada, chamada Whispersinc, garante que os clientes tenham sua biblioteca particular onde quer que estejam e que acessem todos os principais pontos, notas e páginas lidas recentemente na hora em que quiserem. Em poucos anos, as vendas de livros no Kindle superaram as de livros impressos como formato mais popular nas vendas feitas pela Amazon. No começo de 2011, a companhia vendia 115 livros para o Kindle para cada 100 volumes impressos – revelando uma tendência que parece ter tudo para continuar. A exemplo do que fez com outras inovações e serviços, a Amazon concebeu o Kindle a partir da perspectiva do cliente, aperfeiçoando seu design e alterando suas características para garantir a fidelidade dos leitores assíduos, em vez de meramente acompanhar a evolução dos últimos aparatos da tecnologia. A tecnologia por trás do Kindle é invisível para o cliente, e as melhorias no dispositivo visam a melhorar sua experiência. Como disse Bezos, "Para a vasta maioria dos livros, a adição de recursos de vídeo e animações em nada ajuda". Eles distraem o leitor e em nada aperfeiçoam sua experiência. Você não melhora Hemingway adicionando trechos de vídeos."

Jeff Bezos, CEO da Amazon, e o Kindle

À medida que a Amazon se mantém na dianteira dos serviços executados via tecnologia, cada vez menos pessoas duvidam do sucesso de longo prazo da companhia. A filosofia de manter o cliente no centro de tudo parece, em todos os casos, ter sido compensatória.

Fontes: Amazon.com, www.amazon.com, accessed July 18, 2011; ACSI results at www.theacsi.org, 2011; A. Penenberg, "The Evolution of Amazon," *Fast Company*, July–August 2009, pp. 66–72, 74; J. Authors, "An Amazing 10-year Amazonian Adventure LONG VIEW," *Financial Times*, April 28, 2007, p. 24; G. Fowler, "Kindle to Go 'Mass Market,'" *The Wall Street Journal*, July 29, 2010, p. 6; S. Woo, "Amazon Grows— at a High Price," *The Wall Street Journal*, January 28, 2011, p. B1.

Quadro 4.2 Os temas do encontro de serviços

TEMA 1: A RECUPERAÇÃO

Satisfatória	Insatisfatória
Eles extraviaram a reserva de meu quarto, mas o gerente me colocou em uma suíte VIP pelo mesmo preço.	Fizemos reservas com muita antecedência no hotel. Quando chegamos, descobrimos que não tínhamos um quarto – sem explicações, sem pedidos de desculpa, sem assistência para encontrar outro hotel.
Ainda que eu não tenha queixas sobre a espera de uma hora e meia, a garçonete não parou de se desculpar e disse que a despesa ficava por conta da casa.	Uma de minhas malas foi danificada e parecia que tinha caído de uma altura de 100 metros. Quando tentei pedir um reembolso pela bagagem danificada, o funcionário insinuou que eu estava mentindo e tentando enganá-los.

TEMA 2: A ADAPTABILIDADE

Satisfatória	Insatisfatória
Eu não tinha uma consulta marcada com o médico, mas a enfermeira que presta cuidados quanto a minha alergia conversou com a assistente de um clínico geral e conseguiu me encaixar na agenda dele. Recebi o tratamento após uma espera de apenas 10 minutos. Fiquei muito satisfeito com o tratamento especial que me dispensaram, pelo tempo de espera curto e pela qualidade do serviço.	Meu filho mais novo, que viajava de avião sozinho, precisaria de ajuda geral de uma aeromoça do começo ao fim da viagem. No aeroporto de Albany, a aeromoça encarregada o deixou sozinho, sem alguém para acompanhá-lo ao seu voo de conexão.
Estava nevando e meu carro enguiçou. Verifiquei 10 hotéis e não encontrei quartos disponíveis. Por fim, um hotel entendeu minha situação e ofereceu-me uma cama e a preparou em uma pequena sala de jantar auxiliar.	Apesar de nossos insistentes pedidos, os funcionários do hotel não solucionaram o problema das pessoas que faziam barulho durante uma festa, às três horas da manhã.

TEMA 3: A ESPONTANEIDADE

Satisfatória	Insatisfatória
Sempre levamos nossos ursinhos de pelúcia em nossas viagens. Quando voltamos ao nosso quarto, a camareira do hotel havia colocado nossos ursinhos confortavelmente em uma poltrona. Eles estavam de mãos dadas.	A funcionária do guichê comportava-se como se a estivéssemos perturbando. Ela assistia à TV e prestava mais atenção ao programa do que aos hóspedes do hotel.
O anestesiologista passou tempo explicando exatamente o que eu sentiria e prometeu tomar cuidado especial para eu não acordar durante a cirurgia. Fiquei impressionado como ele me acalmou e explicou a ação do medicamento que eu tomava para curar um resfriado.	Eu precisava de alguns minutos a mais para decidir sobre o que pedir. A garçonete disse: "Se você lesse o menu em vez do mapa das ruas, você saberia o que pedir".

TEMA 4: A INTERVENÇÃO

Satisfatória	Insatisfatória
Um passageiro bebeu demais durante o voo e passou a falar alto, o que perturbava os outros passageiros. A aeromoça perguntou a ele se ele dirigiria algum veículo quando desembarcasse e lhe ofereceu uma xícara de café. Ele aceitou, acalmou-se e começou a se comportar de modo mais amigável.	Um bêbado começou a beliscar as aeromoças. Uma delas disse para ele parar com aquilo, mas ele continuou e passou a fazer o mesmo com outro passageiro. O copiloto foi chamado e mandou ele se sentar e parar de perturbar as outras pessoas, mas ele se recusou. Com isso, o copiloto deu um soco no sujeito, derrubou-o no chão e o recolocou em sua poltrona.

Tabela 4.3 Os comportamentos gerais do serviço com base nos temas de encontros de serviço – o certo e o errado

Tema	Certo	Errado
Recuperação	Reconhecer o problema	Ignorar o cliente
	Explicar as causas	Culpar o cliente
	Pedir desculpas	Abandonar o cliente
	Compensar/melhorar	Reduzir o nível de vantagem
	Opções de reembolso	Agir como se nada estivesse errado
	Assumir a responsabilidade	"Passar a bola para outro"
Adaptabilidade	Reconhecer a seriedade da necessidade	Ignorar
	Aceitar	Prometer e fracassar ao cumprir a promessa
	Prever	Demonstrar falta de disposição
	Tentar resolver dentro do possível	Constranger o cliente
	Adaptar o sistema	Rir do cliente
	Explicar as regras e políticas	Evitar responsabilidades
	Assumir a responsabilidade	"Passar a bola para outro"
Espontaneidade	Levar o tempo que for necessário	Demonstrar impaciência
	Demonstrar atenção	Ignorar o cliente
	Prever as necessidades	Gritar/rir/blasfemar
	Escutar o cliente	Roubar os clientes
	Fornecer informações	Discriminar
	Demonstrar empatia	
Intervenção	Escutar	Levar a insatisfação do cliente para o lado pessoal
	Tentar acomodar o serviço	Permitir que a insatisfação do cliente atinja outras pessoas
	Explicar	
	Deixar o cliente livre	

Para as TAAs satisfatórias

Resolveu uma necessidade intensificada. Os clientes desta categoria ficaram maravilhados ao descobrir que a tecnologia lhes tiraria de uma situação difícil – por exemplo, um caixa eletrônico encontrado na hora certa, o que permitiu ao cliente pagar uma corrida de táxi e chegar a tempo no trabalho bem no dia em que seu carro enguiçou.

É melhor do que as alternativas disponíveis. Muitas histórias relacionadas às TAAs dizem respeito à maneira como o serviço baseado em tecnologia foi, de certo modo, melhor do que as alternativas existentes – fácil de usar, poupa tempo e dinheiro e está disponível quando e onde o cliente precisa dele.

Cumpre sua função. Como ocorrem diversas falhas com a tecnologia, muitos clientes simplesmente sentem-se maravilhados no momento em que as TAAs funcionam conforme o esperado!

Para as TAAs insatisfatórias

Falha na tecnologia. Muitas narrativas envolvendo TAAs desfavoráveis relacionam-se ao fato de as tecnologias simplesmente não funcionarem conforme o prometido – ela não está disponível quando necessária, as senhas pessoais não funcionam ou os sistemas estão fora do ar.

Falha no processo. Frequentemente a tecnologia parece funcionar, porém de repente o cliente percebe que um processo secundário ou desconhecido, que ele supunha estar habilitado, não funciona. Por exemplo, o pedido de um produto parece ter sido emitido com sucesso, mas o produto nunca chega, ou o produto enviado é diferente do encomendado.

Design ineficiente. São muitas as histórias relacionadas à insatisfação do cliente com a maneira como a tecnologia foi concebida, em termos tanto do processo técnico (a tecnologia é confusa, as opções do menu não são claras) quanto do design do serviço propriamente dito (a entrega leva muito tempo, o serviço não é flexível).

Falha causada pelo cliente. Em alguns casos, os clientes narram histórias de suas próprias incapacidades ou fracassos ao utilizar a tecnologia. Estes tipos de narrativas são (naturalmente) muito menos comuns do que aquelas que culpam a tecnologia ou a empresa.

Em cada história desfavorável envolvendo as TAAs, existe um elemento de falha do serviço. É interessante observar que as pesquisas revelam poucas tentativas de recuperação da falha nestes contatos baseados em tecnologia – diferentemente dos contatos interpessoais descritos há pouco, em que uma excelente recuperação do serviço pode se tornar a base para reter clientes e até mesmo deixá-los muito satisfeitos. À medida que as empresas evoluem na ção de TAAs e melhoram a execução dos serviços desta forma, cresce a expectativa de que aumente a execução de serviços de qualidade nesta área. Muitas empresas já fazem isso, conforme mostra a seção Tecnologia em Foco sobre a Amazon.com. Acreditamos que, no futuro, muitas companhias serão capazes de executar serviços altamente confiáveis, responsivos e customizados pela via tecnológica, e que oferecerão meios fáceis e eficazes para a recuperação do serviço nas situações em que uma falha ocorrer.[56]

Resumo

Este capítulo descreveu as percepções do cliente de serviços, apresentando, primeiramente, dois conceitos essenciais: a satisfação do cliente e a qualidade do serviço. Estas percepções foram definidas e discutidas em termos dos fatores que influenciam cada uma delas. A satisfação do cliente é uma percepção bastante ampla, influenciada pelas características e pelos atributos do produto e pelas reações emocionais do cliente, por suas atribuições e por suas percepções de justiça. A qualidade do serviço, a percepção do componente de serviço presente em um produto, também é um fator determinante crítico da satisfação do cliente. Por vezes, como no caso de um serviço puro, a qualidade do serviço pode ser o fator determinante mais crítico da satisfação. As percepções da qualidade do serviço são baseadas em cinco dimensões: a confiabilidade, a segurança, a empatia, a responsividade e os tangíveis.

Outra importante finalidade deste capítulo foi apresentar a ideia de encontro de serviço, também chamado de "hora da verdade", como elemento tanto da satisfação quanto da qualidade. Todo encontro de serviço (quer remoto, telefônico ou pessoal) é uma oportunidade de construir as percepções e a satisfação do cliente. Os temas por trás do prazer ou desprazer nos encontros de serviço foram igualmente descritos. A importância de gerir a evidência do serviço em todo e qualquer contato foi discutida.

Os Capítulos 3 e 4 ofereceram uma base para o estudo de questões importantes envolvendo o cliente de serviços. Esses capítulos têm o objetivo de propiciar uma sólida compreensão das expectativas e percepções sobre o serviço. Ao longo do livro ilustramos estratégias que as empresas podem utilizar para fechar a lacuna entre as expectativas e as percepções do cliente.

Questões para discussão

1. O que é a satisfação do cliente, e por que ela é tão importante? Discuta como a satisfação do cliente pode ser influenciada pelos seguintes fatores: atributos e características do produto, emoções do cliente, atribuições de sucesso ou falhas, percepções de justiça, e familiares ou outros clientes.

2. O que é o ACSI? Você acredita que os indicadores de satisfação de um país devem ser incluídos como padrões de comparação de bem-estar econômico, como o Produto Interno Bruto (PIB), os índices de preço e as medidas de produtividade?

3. Por que as empresas de serviço em geral recebem notas menores no quesito satisfação, de acordo com o ACSI, em

comparação com empresas de bens duráveis e de consumo?
4. Discuta as diferenças entre as percepções da qualidade do serviço e a satisfação do cliente.
5. Liste e defina as cinco dimensões da qualidade do serviço. Descreva os serviços prestados por uma empresa com quem você faz negócios (seu banco, seu médico, seu restaurante favorito) em cada uma das dimensões. Em sua opinião, esta empresa se distingue de suas concorrentes em alguma dimensão da qualidade do serviço em especial?
6. Descreva um encontro remoto, um encontro mediado pela tecnologia (via telefone, mensagens de texto em tempo real ou bate-papo *on-line*) e um encontro pessoal que você teve recentemente. De que forma você avaliou o encontro? Quais são os fatores mais importantes que determinaram sua satisfação/insatisfação em cada um?
7. Descreva uma "cascata de encontros" para um voo. Na sua opinião, quais são os encontros mais importantes nesta cascata em termos de sua impressão geral da qualidade oferecida pela companhia aérea?
8. Por que o cavalheiro descrito no Quadro 4.1 abandonou seu banco após um relacionamento de 30 anos? Quais foram os motivos de sua insatisfação neste caso, e por que estes motivos foram suficientes para que ele tomasse essa atitude?
9. Suponhamos que você é um gerente de uma academia de ginástica. Discuta as estratégias gerais disponíveis para maximizar as percepções positivas dos clientes de sua academia. Como você descobre que está tendo sucesso?

Exercícios

1. Mantenha um diário de seus encontros de serviço com diferentes organizações (ao menos cinco) por uma semana. Para cada entrada no diário, responda às seguintes perguntas: Quais são as circunstâncias que levaram a este encontro? O que o funcionário disse ou fez? Como você avalia este encontro? O que exatamente fez você avaliar este encontro desta maneira? O que a organização deveria ter feito de diferente (se cabível)? Classifique seus encontros de acordo com os quatro temas da satisfação/insatisfação com o encontro de serviço (recuperação, adaptabilidade, espontaneidade, intervenção).
2. Entreviste uma pessoa que não pertença à sua cultura. Pergunte a ela acerca da qualidade do serviço, e se as cinco dimensões da qualidade do serviço são relevantes em sua cultura. Pergunte também quais são as dimensões mais importantes na determinação da qualidade de serviços bancários (ou de outro tipo de serviço) em seu país.
3. Entreviste um funcionário de uma empresa local de prestação de serviços. Peça a esta pessoa para discutir cada uma das cinco dimensões da qualidade do serviço em relação à empresa. Quais são as dimensões mais importantes? Quais são as dimensões em que a empresa se sai melhor? Por quê? Quais são as dimensões que podem se beneficiar com alguma melhoria? Por quê?
4. Entreviste um gerente, proprietário ou presidente de uma empresa. Discuta com esta pessoa as estratégias que ela utiliza para garantir a satisfação do cliente. De que modo a qualidade do serviço participa de cada estratégia? Ela participa? Descubra como esta pessoa mensura a satisfação do cliente e/ou a qualidade do serviço.
5. Visite o *site* da Amazon. Visite uma livraria tradicional. Como você compara as duas experiências? Compare e contraste os fatores que mais influenciaram sua satisfação e suas percepções da qualidade do serviço nas duas situações. Em que casos você escolhe um ou outro tipo de loja?

Literatura citada

1. C. Zane, *Reinventing the Wheel,* Dallas, TX: BenBella Books, 2011; "Creating Lifetime Customers," http://www.Christopherzanecom/media/, accessed July 2011; A. Danigelis, "Local Hero: Zane's Cycles," *Fast Company,* September 2006, p. 60; D. Fenn, *Alpha Dogs: How Your Small Business Can Become a Leader of the Pack* (New York: Collins, 2003); apresentação de Chris Zane, "Compete through Service" Symposium, November 2010, Center for Services Leadership, Arizona State University.
2. Para uma discussão mais detalhada sobre as distinções entre qualidade e satisfação, veja A. Parasuraman, V. A. Zeithaml, and L. L. Berry, "Reassessment of Expectations as a Comparison Standard in Measuring Service Quality: Implications for Future Research," *Journal of Marketing* 58 (January 1994), pp. 111–124; R. L. Oliver, "A Conceptual Model of Service Quality and Service Satisfaction: Compatible Goals, Different Concepts," in *Advances in Services Marketing and Management,* vol. 2, ed. T. A. Swartz, D. E. Bowen, and S. W. Brown (Greenwich, CT: JAI Press, 1994), pp. 65–85; M. J. Bitner and A. R. Hubbert, "Encounter Satisfaction vs. Overall Satisfaction vs. Quality: The Customer's Voice," in *Service Quality: New Directions in Theory and Practice,* ed. R. T. Rust and R. L. Oliver (Newbury Park, CA: Sage, 1993), pp. 71–93; D. Iacobucci et al., "The Calculus of Service Quality and Customer Satisfaction: Theory and Empirical Differentiation and Integration," in *Advances in Services Marketing and Management,* vol. 3, ed. T. A. Swartz, D. E. Bowen, and S. W. Brown (Greenwich, CT: JAI Press, 1994), pp. 1–67; P. A. Dabholkar, C. D. Shepherd, and D. I. Thorpe, "A Comprehensive Framework for Service Quality: An Investigation of Critical Conceptual and

Measurement Issues through a Longitudinal Study," *Journal of Retailing* 7 (Summer 2000), pp. 139–173; J. J. Cronin Jr., M. K. Brady, and G. T. M. Hult, "Assessing the Effects of Quality, Value, and Customer Satisfaction on Consumer Behavioral Intentions in Service Environments," *Journal of Retailing* 76 (Summer 2000), pp. 193–218.

3. Ver Parasuraman, Zeithaml, and Berry, "Reassessment of Expectations"; Oliver, "A Conceptual Model of Service Quality"; and M. K. Brady and J. J. Cronin Jr., "Some New Thoughts on Conceptualizing Perceived Service Quality: A Hierarchical Approach," *Journal of Marketing* 65 (July 2001), pp. 34–49.

4. A. Parasuraman, V. A. Zeithaml, and L. L. Berry, "SERVQUAL: A Multiple-Item Scale for Measuring Consumer Perceptions of Service Quality," *Journal of Retailing* 64 (Spring 1988), pp. 12–40.

5. Parasuraman, Zeithaml, and Berry, "Reassessment of Expectations."

6. Oliver, "A Conceptual Model of Service Quality."

7. Ver V. Mittal, P. Kumar, and M. Tsiros, "Attribute-Level Performance, Satisfaction, and Behavioral Intentions over Time," *Journal of Marketing* 63 (April 1999), pp. 88–101; L. L. Olsen and M. D. Johnson, "Service Equity, Satisfaction, and Loyalty: From Transaction-Specific to Cumulative Evaluations," *Journal of Service Research* 5 (February 2003), pp. 184–195; P. C. Verhoef, G. Antonides, and A. N. De Hoog, "Service Encounters as a Sequence of Events: The Importance of Peak Experiences," *Journal of Service Research* 7 (August 2004), pp. 53–64.

8. Olsen and Johnson, "Service Equity, Satisfaction, and Loyalty."

9. R. L. Oliver, *Satisfaction: A Behavioral Perspective on the Consumer* (New York: McGraw-Hill, 1997).

10. Para uma discussão mais detalhada sorbe os diferentes tipos de satisfação, ver E. Arnould, L. Price, and G. Zinkhan, *Consumers*, 2nd ed. (New York: McGraw-Hill, 2004), pp. 754–796.

11. S. Fournier and D. G. Mick, "Rediscovering Satisfaction," *Journal of Marketing* 63 (October 1999), pp. 5–23; Verhoef et al., "Service Encounters as a Sequence of Events."

12. Oliver, *Satisfaction*, chap. 2.

13. A. Ostrom and D. Iacobucci, "Consumer Trade-Offs and the Evaluation of Services," *Journal of Marketing* 59 (January 1995), pp. 17–28.

14. Para detalhes sobre emoções e satisfação, veja Oliver, *Satisfaction*, chap. 11; L. L. Price, E. J. Arnould, and S. L. Deibler, "Consumers' Emotional Responses to Service Encounters," *International Journal of Service Industry Management* 6, no. 3 (1995), pp. 34–63.

15. L. L. Price, E. J. Arnould, and P. Tierney, "Going to Extremes: Managing Service Encounters and Assessing Provider Performance," *Journal of Marketing* 59 (April 1995), pp. 83–97.

16. T. Hennig-Thurau, M. Groth, M. Paul, and D. D. Gremler, "Are All Smiles Created Equal? How Emotional Contagion and Emotional Labor Affect Service Relationships," *Journal of Marketing* 70 (July 2006), pp. 58–73.

17. J. Du, X. Fan, and T. Feng, "Multiple Emotional Contagions in Service Encounters," *Journal of the Academy of Marketing Science*, 39, no. 3 (June 2011), pp. 449–466.

18. Para detalhes sobre as atribuições e a satisfação, ver V. S. Folkes, "Recent Attribution Research in Consumer Behavior: A Review and New Directions," *Journal of Consumer Research* 14 (March 1988), pp. 548–565; and Oliver, *Satisfaction*, chap. 10.

19. A. R. Hubbert, "Customer Co-Creation of Service Outcomes: Effects of Locus of Causality Attributions," tese de doutorado, Arizona State University, Tempe, Arizona, 1995.

20. M. J. Bitner, "Evaluating Service Encounters: The Effects of Physical Surroundings and Employee Responses," *Journal of Marketing* 54 (April 1990), pp. 69–82.

21. Para detalhes sobre justiça e satisfação, ver E. C. Clemmer and B. Schneider, "Fair Service," in *Advances in Services Marketing and Management*, vol. 5, ed. T. A. Swartz, D. E. Bowen, and S. W. Brown (Greenwich, CT: JAI Press, 1996), pp. 109–126; Oliver, *Satisfaction*, chap. 7; and Olsen and Johnson, "Service Equity, Satisfaction, and Loyalty."

22. Conforme descrito em K. Seiders and L. L. Berry, "Service Fairness: What It Is and Why It Matters," *Academy of Management Executive* 12 (May 1998), pp. 8–20.

23. Fournier and Mick, "Rediscovering Satisfaction."

24. A. M. Epp and L. L. Price, "Designing Solutions around Customer Network Identity Goals," *Journal of Marketing*, 75 (March 2011), pp. 36–54.

25. C. Fornell, M. D. Johnson, E. W. Anderson, J. Cha, and B. E. Bryant, "The American Customer Satisfaction Index: Nature, Purpose, and Findings," *Journal of Marketing* 60 (October 1996), pp. 7–18; *ACSI 10-Year Report Analysis (1994–2004)*, University of Michigan, National Quality Research Center, 2005; www.theacsi.org.

26. E. W. Anderson, C. Fornell, and D. R. Lehmann, "Customer Satisfaction, Market Share, and Profitability: Findings from Sweden," *Journal of Marketing* 58 (July 1994), pp. 53–66.

27. M. Bruhn and M. A. Grund, "Theory, Development and Implementation of National Customer Satisfaction Indices: The Swiss Index of Customer Satisfaction (SWICS)," *Total Quality Management* 11, no. 7 (2000), pp. S1017–S1028; A. Meyer and F. Dornach, "The German Customer Barometer," http://www.servicebarometer.de.or.

28. Ver www.theacsi.org and F. V. Morgeson III, S. Mithas, T. L. Keiningham, and L. Aksoy, "An Investigation of the Cross-national Determinants of Customer Satisfaction," *Journal of the Academy of Marketing Science*, 39 (April 2011), pp. 198–215.

29. Fornell et al., "The American Customer Satisfaction Index;" *ACSI 10-Year Report Analysis*.

30. Para uma lista de empresas e seus escores, consulte o *website* da ACSI: www.theacsi.org.

31. ACSI site, www.theacsi.org.

32. Ibid, "About ACSI," "Economic Indicator," website accessed July 11, 2011.

33. Ver J. L. Heskett, W. E. Sasser Jr., and L. A. Schlesinger, *The Service Profit Chain* (New York: Free Press, 1997); S. Gupta and V. A. Zeithaml, "Customer Metrics and Their Impact on Financial Performance," *Marketing Science*, 25 (November–December), 2006, pp. 718–739.

34. C. Fornell, S. Mithas, F. V. Morgeson III, and M.S. Krishnan, "Customer Satisfaction and Stock Prices: High Returns, Low Risk," *Journal of Marketing* 70 (January 2006), pp. 3–14.

35. M. A. Wiles, "The Effect of Customer Service on Retailers' Shareholder Wealth: The Role of Availability and Reputation

Cues," *Journal of Retailing*, Special Issue on Service Excellence 83 (January 2007), pp. 19–32.

36. L. Aksoy, B. Cooil, C. Groening, T. L. Keiningham, and A. Yalcin, "The Long-Term Stock Market Valuation of Customer Satisfaction," *Journal of Marketing*, 72 (July 2008), pp. 105–122.

37. M. A. J. Menezes and J. Serbin, *Xerox Corporation: The Customer Satisfaction Program*, case no. 591-055 (Boston: Harvard Business School, 1991).

38. F. F. Reichheld, "The One Number You Need to Grow," *Harvard Business Review*, December 2003, pp. 47–54.

39. Informações fornecidas pela TARP Worldwide, Inc., Agosto de 2007.

40. E. W. Anderson and V. Mittal, "Strengthening the Satisfaction–Profit Chain," *Journal of Service Research* 3 (November 2000), pp. 107–120; B. Hindo, "Satisfaction Not Guaranteed," *BusinessWeek*, June 19, 2006, pp. 32–36.

41. Brady and Cronin, "Some New Thoughts on Conceptualizing Perceived Service Quality"; C. Gronroos, "A Service Quality Model and Its Marketing Implications," *European Journal of Marketing* 18, no. 4 (1984), pp. 36–44; R. T. Rust and R. L. Oliver, "Service Quality Insights and Managerial Implications from the Frontier," in *Service Quality: New Directions in Theory and Practice*, ed. R. T. Rust and R. L. Oliver (Thousand Oaks, CA: Sage, 1994), pp. 1–19; M. J. Bitner, "Managing the Evidence of Service," in *The Service Quality Handbook*, ed. E. E. Scheuing and W. F. Christopher (New York, AMACOM, 1993), pp. 358–370.

42. Parasuraman, Zeithaml, and Berry, "SERVQUAL: A Multiple-Item Scale." Detalhes sobre a escala SERVQUAL e os itens usados para avaliar as dimensões são dados no Capítulo 5.

43. N. Raajpoot, "Reconceptualizing Service Encounter Quality in a Non-Western Context," *Journal of Service Research* 7 (Novemer 2004), pp. 181–201.

44. Parasuraman, Zeithaml, and Berry, "SERVQUAL: A Multiple-Item Scale."

45. Para uma revisão sobre a prestação de serviços de qualidade na Internet, ver V. A. Zeithaml, A. Parasuraman, and A. Malhotra, "Service Quality Delivery through Web Sites: A Critical Review of Extant Knowledge," *Journal of the Academy of Marketing Science* 30 (Fall 2002), pp. 362–375. Ver também: M. Wolfinbarger and M. Gilly, "Etailq: Dimensionalizing, Measuring and Predicting Etail Quality," *Journal of Retailing* 79, no. 3 (2003), pp. 183–198; B. B. Holloway and S. E. Beatty, "Satisfiers and Dissatisfiers in the Online Environment," *Journal of Service Research*, 10, no. 4 (May 2008), pp. 347–364.

46. A. Parasuraman, V. A. Zeithaml, and A. Malhotra, "E-S-QUAL: A Multiple-Item Scale for Assessing Electronic Service Quality," *Journal of Service Research* 7 (February 2005), pp. 213–233.

47. Ibid.

48. "How Marriott Makes a Great First Impression," *The Service Edge* 6, no. 5 (May 1993), p. 5.

49. A. G. Woodside, L. L. Frey, and R. T. Daly, "Linking Service Quality, Customer Satisfaction, and Behavioral Intention," *Journal of Health Care Marketing* 9 (December 1989), pp. 5–17.

50. Verhoef et al., "Service Encounters as a Sequence of Events."

51. G. L. Shostack, "Planning the Service Encounter," in *The Service Encounter*, ed. J. A. Czepiel, M. R. Solomon, and C. F. Surprenant (Lexington, MA: Lexington Books, 1985), pp. 243–254.

52. Ibid.

53. Para uma discussão completa sobre a pesquisa na qual esta seção foi baseada, ver M. J. Bitner, B. H. Booms, and M. S. Tetreault, "The Service Encounter: Diagnosing Favorable and Unfavorable Incidents," *Journal of Marketing* 54 (January 1990), pp. 71–84; M. J. Bitner, B. H. Booms, and L. A. Mohr, "Critical Service Encounters: The Employee's View," *Journal of Marketing* 58 (October 1994), pp. 95–106; D. Gremler and M. J. Bitner, "Classifying Service Encounter Satisfaction across Industries," in *Marketing Theory and Applications*, ed. C. T. Allen et al. (Chicago: American Marketing Association, 1992), pp. 111–118; D. Gremler, M. J. Bitner, and K. R. Evans, "The Internal Service Encounter," *Journal of Service Industry Management* 5, no. 2 (1994), pp. 34–56.

54. Bitner, Booms, and Mohr, "Critical Service Encounters."

55. Esta discussão foi baseada em um estudo e nos resultados apresentados em M. L. Meuter, A. L. Ostrom, R. I. Roundtree, and M. J. Bitner, "Self-Service Technologies: Understanding Customer Satisfaction with Technology-Based Service Encounters," *Journal of Marketing* 64 (July 2000), pp. 50–64.

56. M. J. Bitner, S. W. Brown, and M. L. Meuter, "Technology Infusion in Service Encounters," *Journal of the Academy of Marketing Science* 28 (Winter 2000), pp. 138–149; Parasuraman, Zeithaml, and Malhotra, "E-S-QUAL: A Multiple-Item Scale."

Parte III

A compreensão das exigências do cliente

Capítulo 5 Como escutar o cliente por meio de pesquisas
Capítulo 6 A construção do relacionamento com o cliente
Capítulo 7 A recuperação do serviço

A lacuna da compreensão do cliente

Desconhecer o que os clientes esperam é uma das principais causas do fracasso na concretização de suas expectativas. A lacuna 1 da empresa, a lacuna da compreensão do cliente, é a diferença entre as expectativas do cliente do serviço e a compreensão da empresa acerca destas expectativas. Observe que na figura a seguir criamos um elo entre o cliente e a empresa, que mostra as expectativas do cliente acima da linha que divide o modelo, e as percepções da empresa prestadora de serviços acerca destas expectativas ficam abaixo desta linha. Esta disposição significa que as expectativas dos clientes nem sempre equivalem ao que as empresas acreditam que eles esperam.

A lacuna 1 da empresa

Cliente → Serviço esperado

Lacuna 1: A lacuna da compreensão do cliente

Empresa → As percepções da empresa acerca das expectativas do cliente

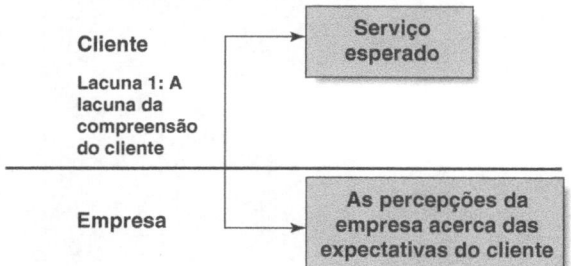

A Parte III deste livro descreve três formas de fechar a lacuna 1. No Capítulo 5, detalhamos as maneiras como as empresas escutam os clientes por meio de pesquisas. Métodos tanto formais quanto informais de pesquisa são descritos, que incluem questionários, estudos de incidentes críticos e solicitação de reclamações. A comunicação com os níveis hierárquicos superiores, entre os funcionários do atendimento e a gerência, um fator indispensável na compreensão do cliente, também é discutida.

O Capítulo 6 trata das estratégias que uma companhia adota para reter os clientes e fortalecer os relacionamentos que mantém com eles, em uma abordagem chamada de marketing de relacionamento. O marketing de relacionamento é diferente do marketing transacional, a abordagem mais convencional que tende a se concentrar na aquisição de novos clientes em vez de retê-los. Na existência de relacionamentos consolidados com os clientes existentes, as oportunidades para escutar atentamente aumentam com o tempo, e as chances de ocorrer a lacuna da compreensão do cliente são menores. Diversas estratégias, que incluem a geração de barreiras contra trocas e o desenvolvimento de vínculos de relacionamento, são apresentadas como meios de criação de relacionamentos e, por fim, da conservação da fidelidade do cliente.

O Capítulo 7 descreve a recuperação do serviço, outra importante estratégia necessária para fechar a lacuna 1 da empresa. A recuperação do serviço envolve a compreensão dos motivos por trás das queixas dos clientes e da maneira como se deve lidar com as falhas no serviço. As empresas engajadas na recuperação do serviço precisam, amparadas por outras estratégias, criar um procedimento de tratamento de reclamações e dar poder de decisão aos funcionários para que reajam em tempo real na solução destas falhas a fim de garantir a execução do serviço. As melhores estratégias de recuperação do serviço voltam-se para a construção de conhecimento a partir destas falhas, o que permite às empresas entender melhor seus clientes e suas expectativas.

Capítulo 5

Como escutar o cliente por meio de pesquisas

Os objetivos deste capítulo são:

1. Apresentar a tipologia e as orientações para a pesquisa com o cliente no setor de serviços.
2. Mostrar como as informações geradas com pesquisas com o cliente podem e devem auxiliar na execução do serviço.
3. Descrever as estratégias utilizadas pelas empresas para facilitar a interação e a comunicação entre a gerência e os clientes.
4. Apresentar maneiras de as companhias de fato facilitarem a interação entre as pessoas encarregadas do contato e a gerência.

Como escutar os clientes nas redes sociais

As redes sociais são uma das ferramentas mais novas e úteis disponíveis para as empresas que desejam conhecer o que seus clientes pensam delas. Por meio dessas redes, as empresas observam, monitoram e coletam informações para ter uma noção geral das expectativas e das frustrações de seus clientes. As trocas de opinião *on-line* entre clientes permitem que as empresas ouçam suas queixas, lidem com elas com rapidez, façam ajustes que os clientes desejam e descubram quais são seus maiores fãs. Consideremos alguns exemplos:

- A Comcast, após ter sido criticada nas redes sociais na forma de vídeos virais e mensagens pouco elogiosas postadas no Twitter por conta de um serviço deficiente, reagiu e hoje é um exemplo de "serviço social ao cliente". A empresa tem "detetives digitais" que navegam intensamente nas redes sociais em busca de comentários e queixas de seus clientes. Eles monitoram *blogs*, o Twitter, fóruns de discussão, o Facebook – em suma, todos os locais em que seus clientes podem conversar sobre a empresa. Quando encontram uma reclamação, esses detetives são rápidos em enviar uma resposta da conta da empresa no Twitter, Comcastcares: "Há algo que possamos fazer por você?". Em vez de mandar o cliente entrar em contato com o serviço de atendimento ao cliente para uma solução, os funcionários lidam com o problema diretamente no meio social em que a queixa apareceu. Esse procedimento gera uma resposta rápida para lidar com o problema.

- Em resposta a milhares de mensagens dos clientes postadas em redes sociais, a Dominos Pizza remodelou todo o seu produto de maneira a refletir as variações no gosto dos clientes (e atenuar os efeitos negativos de um vídeo que mostrava um funcionário brincando com as pizzas preparadas pela empresa).
- A rede de hotéis Hilton desenvolveu uma ferramenta de *software* para monitorar e agregar os comentários do cliente postados em *sites*, *blogs* e redes sociais como o Twitter. Nesse sentido, o monitoramento constante e completo permite detectar e lidar com problemas sistêmicos.
- As redes de hotéis Starwood e Marriott utilizam um *software* chamado ReviewAnalyst para monitorar dezenas de sites, como o TripAdvisor, o Priceline e o YouTube. Uma das vantagens especiais deste *software* é que ele emite alertas imediatos para os hotéis quando termos predefinidos comumente citados em referência a problemas são detectados nas redes, como "presença de insetos", "expulsão de hóspedes" e "segurança".

Mas nem todas as companhias prestam atenção ao que ocorre nas redes sociais, e uma falha pode trazer-lhes consequências negativas. O músico Dave Carroll, cuja guitarra Taylor de $3.500 teve seu cabo quebrado durante o transporte da bagagem em um voo da United Airlines, apresentou uma queixa aos funcionários da companhia sobre o serviço ao cliente, mas foi informado de que sua reclamação não lhe dava direito a uma indenização. Ele se sentiu tão frustrado com o prejuízo com a guitarra e com a leviandade da empresa, que compôs uma canção sobre sua experiência negativa com ela. Sua banda, a Sons of Maxwell, criou um vídeo para a canção e postou-o no YouTube em 2009. E qual foi o final triste para a United? A canção teve 10 milhões de acessos no YouTube e foi assunto de discussão nas redes sociais em todo o mundo.

As redes sociais facilitam a coleta de noções dos clientes, em comparação com as técnicas tradicionais, como pesquisas, linhas de atendimento ao cliente e fichas de avaliação. O relato de problemas nas redes sociais exige menos esforços dos clientes e elimina a necessidade de ir atrás deles para obter *feedback*. As empresas que utilizam as redes sociais conseguem dialogar e manter abertos os canais desse diálogo com seus clientes, o que faz eles perceberem que estão sendo ouvidos. As redes sociais também permitem uma maior qualidade nesses *feedbacks*; o tipo de informação que as empresas recebem é semelhante ao que obtêm com grupos de foco, mas os custos são muito menores e o número de clientes que podem enviar um retorno sobre a empresa é muito maior.

Mas, qual é a melhor maneira de lidar com essas queixas? Um estudo feito pela Lightspeed Research e pelo Internet Advertising Bureau indicou que 25% dos clientes que postam alguma queixa no Facebook ou no Twitter esperam uma resposta em 60 minutos, e que 6% esperam uma resposta em 10 minutos. Esses estudos demonstram claramente que as empresas precisam incluir as redes sociais entre as ferramentas que usam para escutar o cliente, mas – o mais importante – é que elas precisam desenvolver modos no interior de sua organização para lidar com as queixas que surjam.

Fontes: V. Kumar and Yashoda Bhagwat, "Listen to the Customer," *Marketing Research*, Summer 2010, pp.14–19; Thomas M. Tripp and Yany Gregoire, "When Unhappy Customers Strick Back on the Internet," *MIT Sloan Management Review*, January 2011, pp. 1–8; Roger Yu, "Hearing Online Critiques: More Hotel Managers Read and Respond to Guests' Remarks," *USA Today*, March 23, 2010, p. 4B; Alison Diana, "Social Media Users Expect Rapid Response to Complaints," *Information Week*, January 12, 2011; Myra Golden, "How Do You Engage Consumers in Social Media? Three Words: 'Can I Help,'" Myra Golden Media Blog, May 2, 2011.

Apesar do genuíno interesse em atender às expectativas de seus clientes, muitas empresas perdem o passo ao adotarem um raciocínio inverso ao que deveriam: elas acreditam que conhecem o que os clientes *talvez desejam* e executam serviços de acordo, em vez de descobrir o que eles *de fato desejam*. Sempre que isso ocorre, as empresas prestam serviços que não atendem às expectativas de seus clientes: importantes características são omitidas e os níveis de desempenho quanto às características fornecidas não são adequados. Em virtude de os serviços terem poucas informações claramente definidas e tangíveis, esta dificuldade é bem maior do que vemos em empresas do setor de produtos. Uma abordagem muito mais eficiente envolve um modo de pensar de fora para dentro – determinar as expectativas do cliente e concretizá-las para ele. O modo de pensar *de fora para dentro* utiliza as pesquisas de marketing para compreender os clientes e suas exigências por completo. A pesquisa de marketing, assunto deste capítulo, envolve muito mais do que pesquisas convencionais: ela consiste em um conjunto de estratégias de escuta, que permite às companhias executar o serviço de acordo com as expectativas de seus clientes.

COMO UTILIZAR AS PESQUISAS COM O CLIENTE PARA ENTENDER SUAS EXPECTATIVAS

Descobrir o que os clientes esperam é essencial à prestação de um serviço de qualidade, e a pesquisa com o cliente é um dos principais caminhos para a compreensão das expectativas e percepções do serviço que os clientes constroem. No setor de serviços, como com qualquer outra oferta, uma empresa que não faz pesquisas com o cliente provavelmente não o entende. Uma companhia que promove pesquisas com o cliente, mas não no tópico pertinente a suas expectativas, talvez falhe também em conhecer o que é preciso para manter-se em sintonia com suas exigências, que mudam a toda a hora. A pesquisa com o cliente precisa concentrar-se em questões relacionadas a serviços, como as características mais importantes para ele, os níveis destas características que deseja receber e as ações que julga possíveis e imperativas na ocorrência de problemas com a execução do serviço. Mesmo quando uma empresa prestadora de serviços é de pequeno porte, cujos recursos para pesquisa de marketing são limitados, os caminhos estão abertos para a exploração das expectativas de seus clientes.

Nesta seção, discutimos os elementos dos programas de pesquisas em marketing de serviços que auxiliam as empresas a identificarem as expectativas e percepções dos clientes. Nas seções seguintes, tratamos de como as táticas geralmente adotadas na condução da pesquisa com o cliente podem ser alteradas a fim de maximizar a eficiência do serviço.

Os objetivos das pesquisas voltadas para os serviços

A primeira etapa no projeto da pesquisa em marketing de serviços é sem dúvida a mais importante: a definição dos problemas e objetivos da pesquisa. É neste ponto que o profissional de marketing de serviços coloca as questões a serem respondidas ou os problemas a serem resolvidos. A empresa deseja saber como os clientes enxergam o serviço que ela presta? Quais são as exigências dos clientes? De que modo os clientes respondem ao lançamento de um novo serviço? O que os clientes desejarão da empresa daqui a cinco anos? Cada uma destas perguntas requer uma estratégia de pesquisa diferente. Assim, é indispensável dedicar tempo e recursos para definir o problema de forma precisa e completa. Apesar da importância deste primeiro estágio, muitos estudos sobre pesquisas com o cliente são iniciados sem a devida atenção a seus objetivos.

Os *objetivos da pesquisa* traduzem-se em quesitos relativos à ação. Inúmeras questões podem fazer parte de um programa de pesquisa com o cliente; a seguir listamos os objetivos mais comuns da pesquisa de serviços:

- Descobrir as exigências ou expectativas dos clientes para com o serviço
- Monitorar e rastrear o desempenho do serviço
- Avaliar o desempenho geral da empresa em comparação com a concorrência
- Avaliar as lacunas entre as expectativas e as percepções dos clientes

- Identificar os clientes insatisfeitos de forma a possibilitar a recuperação do serviço
- Mensurar a eficiência das mudanças na execução do serviço
- Medir o desempenho de indivíduos e de equipes na execução do serviço para fins de avaliação, reconhecimento e recompensas
- Determinar as expectativas dos clientes relativas a um novo serviço
- Monitorar as alterações nas expectativas dos clientes em um dado setor
- Prever as expectativas futuras dos clientes

Em muitos aspectos, as pesquisas sobre serviços são semelhantes às pesquisas conduzidas para produtos físicos: ambas almejam avaliar as exigências, a insatisfação e a demanda do cliente. Contudo, as pesquisas em serviços incorporam elementos adicionais que requerem atenção especial.

Em primeiro lugar, a pesquisa sobre serviços precisa monitorar e rastrear continuamente o desempenho do serviço, porque ele está sujeito a variações e distinções no âmbito humano. A condução de pesquisas de desempenho em um único ponto no tempo, possível para produtos físicos, como um automóvel, seria insuficiente no caso dos serviços. Um dos principais enfoques da pesquisa sobre serviços envolve a representação do desempenho humano – em nível de funcionário, de equipe, filial, organização como um todo e concorrência. Outro ponto de atenção na pesquisa sobre serviços envolve a documentação do processo pelo qual o serviço é executado. Mesmo na situação em que os funcionários saem-se a contento, uma empresa prestadora não pode prescindir de acompanhar este desempenho, pois o potencial para variação na execução do serviço sempre existirá.

Uma segunda distinção na pesquisa sobre serviços diz respeito à necessidade de considerar e monitorar a lacuna entre as expectativas e as percepções. Esta lacuna é dinâmica, já que tanto as percepções quanto as expectativas têm natureza variável. A lacuna existe porque o desempenho está em declínio, porque o desempenho varia com os níveis de oferta e de demanda, ou porque as expectativas estão se elevando?

O Quadro 5.1 lista vários objetivos da pesquisa sobre serviços. Assim que esses objetivos forem identificados, eles passam a indicar o caminho para a tomada de decisões acerca do tipo mais importante de pesquisa, os métodos de coleta de dados e as maneiras como as informações podem ser utilizadas. As outras colunas nesta tabela são descritas em outras seções deste capítulo.

Os critérios para um programa de pesquisa sobre serviços eficaz

Um *programa de pesquisa em serviços* é definido como um portfólio de tipos de estudos necessários para tratar dos objetivos da pesquisa e executar uma estratégia geral de mensuração. Muitas classes de pesquisa podem ser consideradas em um programa. O entendimento dos critérios para um programa de pesquisa em serviços eficaz (veja Figura 5.1) auxilia uma empresa a avaliar os diferentes tipos de pesquisa e escolher o mais indicado para os objetivos definidos. Estes critérios são discutidos nesta seção.

Incluir a pesquisa quantitativa e a qualitativa

A pesquisa de marketing não se limita a questionários e estatísticas. Algumas formas de pesquisa, chamadas *pesquisas qualitativas*, têm caráter exploratório, preliminar, e são conduzidas para esclarecer a definição do problema, preparar o terreno para pesquisas mais formais, ou obter um *insight* no caso de uma pesquisa mais estruturada não ser necessária. A Trader Joe's, varejista do comércio de alimentos que vende principalmente produtos com marca própria, escuta seus clientes com atenção por meio de pesquisas qualitativas informais. Esse tipo de pesquisa não é executado com grupos de foco ou centros de contato. Além disso, a companhia não tem uma linha telefônica gratuita nem um endereço de e-mail para atendimento ao cliente. É falando com os clientes que a empresa descobre o que eles desejam. Os gerentes (os "capitães") passam a maior parte do dia nos corredo-

- Incluir as pesquisas quantitativa e qualitativa
- Incluir tanto as expectativas quanto as percepções do cliente
- Equilibrar os custos da pesquisa e o valor da informação
- Incluir a validade estatística sempre que necessário
- Mensurar as prioridades ou a importância dos atributos
- Ocorrer com frequência apropriada
- Incluir a mensuração da fidelidade, as intenções comportamentais ou o comportamento real

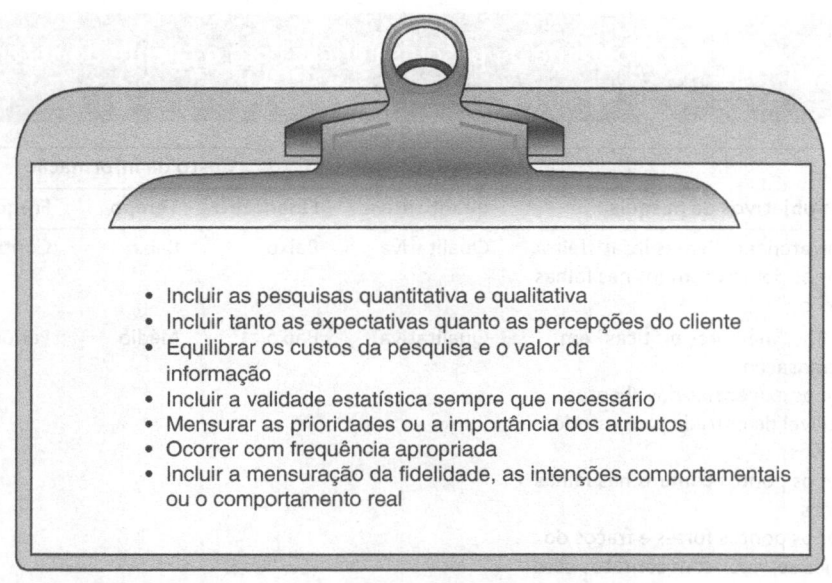

Figura 5.1 Os critérios para um programa de pesquisa em serviços eficaz.

res da loja, em que sempre ocorrem demonstrações; qualquer pessoa da equipe de vendas (os "marujos") pode enviar um e-mail diretamente a um comprador para informar do que as pessoas estão gostando ou não.[1] As noções coletadas nas conversas pessoais, como as mantidas na Trader Joe's, nos grupos de foco, nas pesquisas de incidentes críticos (descritos em detalhes mais adiante), além da observação direta das transações de serviço, revelam ao profissional de marketing as questões corretas a serem formuladas para os clientes. Com frequência, a pesquisa qualitativa é o primeiro tipo de pesquisa que uma empresa conduz, pois seus resultados desempenham um papel crucial no projeto de pesquisas quantitativas. As pesquisas qualitativas também podem ser conduzidas após a pesquisa quantitativa para dar mais sentido aos números gerados pelas primeiras, oferecendo aos gerentes a perspectiva e a sensibilidade que são essenciais na interpretação de dados e na adoção de esforços por melhorias.[2]

No marketing, a *pesquisa quantitativa* é projetada para descrever a natureza, as atitudes e os comportamentos dos clientes de forma empírica, e testar as hipóteses que um profissional de marketing deseja examinar. Estes estudos são decisivos para a quantificação da satisfação do cliente, da importância dos atributos do serviço, da extensão das lacunas na sua qualidade e das percepções de valor. Esses estudos também disponibilizam aos gerentes os padrões de comparação para avaliar a concorrência. Por fim, os resultados dos estudos quantitativos servem para sinalizar as deficiências no serviço, que podem ser averiguadas em maior profundidade com a utilização de pesquisas qualitativas de acompanhamento.

Incluir tanto as expectativas quanto as percepções do cliente
Conforme discutimos no Capítulo 3, as expectativas funcionam como padrões para os clientes. Ao avaliarem a qualidade do serviço, os clientes comparam o que percebem que obterão em um encontro de serviço com suas expectativas acerca deste encontro. Por esta razão, um programa de mensuração que capturar apenas as percepções do serviço está deixando de incluir um membro crucial na equação da qualidade do serviço. Logo, as empresas precisam incorporar indicadores das expectativas de seus clientes.

É possível incluir a mensuração destas expectativas no programa de pesquisa de diversas maneiras. Na primeira, as pesquisas básicas relacionadas às exigências dos clientes – e que identificam as características ou os atributos dos serviços importantes para eles – podem ser conside-

Quadro 5.1 Os elementos de um programa de pesquisa eficaz com o cliente do setor de serviços

Tipo de pesquisa	Principais objetivos da pesquisa	Qualitativa/ quantitativa	Custo da informação		
			Financeiro	Tempo	Frequência
Solicitação de reclamação	Identificar/atender clientes insatisfeitos Identificar os pontos comuns nas falhas nos serviços	Qualitativa	Baixo	Baixo	Contínua
Estudos sobre incidentes críticos	Identificar as "melhores práticas" em nível de transação Identificar as exigências dos clientes como variável de entrada para estudos quantitativos Identificar os pontos comuns nas falhas nos serviços Identificar os pontos fortes e fracos do sistema nos serviços com contatos com o cliente	Qualitativa	Baixo	Médio	Periódica
Pesquisas de exigências	Identificar as exigências dos clientes como variáveis de entrada para pesquisas quantitativas	Qualitativa	Médio	Médio	Periódica
Questionários sobre relacionamentos e SERVQUAL	Monitorar e rastrear o desempenho do serviço Avaliar o desempenho geral da empresa em comparação com a concorrência Determinar os elos entre a satisfação e as intenções comportamentais Avaliar as lacunas entre as expectativas e as percepções dos clientes	Quantitativa	Médio	Médio	Anual
Telefonemas de sondagem para questionários pós-transação	Obter *feedback* imediato sobre o desempenho das transações do serviço Medir a eficácia das alterações na execução do serviço Avaliar o desempenho do serviço de funcionários e equipes Utilizar como variável de entrada para melhorias em processos Identificar os pontos comuns nas falhas nos serviços	Quantitativa	Baixo	Baixo	Contínua
Redes sociais	Identificar/atender a clientes insatisfeitos Encorajar a comunicação boca a boca Mensurar o impacto de outros meios de anúncios	Qualitativa e quantitativa	Baixo	Médio	Contínua

radas pesquisas de expectativa. Desta forma, o *conteúdo* das expectativas do cliente é percebido, inicialmente em alguma forma de pesquisa qualitativa, como nas entrevistas com grupos de foco. A pesquisa acerca dos *níveis* das expectativas do cliente também é necessária. Este tipo de pesquisa avalia, no âmbito quantitativo, os níveis das expectativas dos clientes e os compara aos

Tipo de pesquisa	Principais objetivos da pesquisa	Qualitativa/ quantitativa	Custo da informação		
			Financeiro	Tempo	Frequência
Encontros e discussões sobre expectativas com serviços	Dialogar com clientes importantes Identificar o que os clientes importantes desejam e garantir a execução Completar o ciclo com clientes importantes	Qualitativa	Médio	Médio	Anual
Avaliações dos controles do processo	Determinar as percepções dos clientes de serviços profissionais de longo prazo durante a prestação do serviço Identificar os problemas com o serviço e resolvê-los no início do relacionamento de serviço	Quantitativa	Médio	Médio	Periódica
Etnografia orientada para o mercado	Pesquisar os clientes em cenários corriqueiros Estudar os clientes de culturas diferentes de modo neutro	Qualitativa	Médio	Alto	Periódica
Compras-fantasma	Mensurar o desempenho dos funcionários para avaliação, reconhecimento e recompensas Identificar os pontos fortes e fracos do sistema nos serviços com contatos com o cliente	Quantitativa Qualitativa	Baixo	Baixo	Trimestral
Painéis de clientes	Monitorar as mudanças nas expectativas dos clientes Disponibilizar um ponto de discussão para os clientes sugerirem e avaliarem novas ideias de serviço	Qualitativa	Médio	Médio	Contínua
Pesquisa sobre o cliente perdido	Identificar as razões para a deserção do cliente Avaliar as lacunas entre as expectativas e as percepções dos clientes	Qualitativa	Baixo	Baixo	Contínua
Pesquisa sobre expectativas futuras	Prever as expectativas futuras dos clientes Desenvolver e testar novas ideias de serviços	Qualitativa	Alto	Alto	Periódica
Pesquisa na base de dados de marketing	Identificar as necessidades dos clientes utilizando a tecnologia da informação e as informações da base de dados	Quantitativa	Alto	Alto	Contínua

níveis das percepções, via de regra por meio de uma estimativa da lacuna entre as expectativas e as percepções.

Equilibrar os custos da pesquisa e o valor da informação
Uma avaliação dos custos da pesquisa, em comparação com os benefícios ou a importância dela para a empresa, é outro critério-chave. Um desses custos é o custo financeiro, que inclui os custos diretos com empresas de pesquisa com o consumidor, o pagamento às pessoas que respondem à pesquisa e os custos internos incorridos pela empresa por conta da coleta de informações. Os custos com tempo são importantes e incluem o tempo necessário internamente para os funcionários aplicarem a pesquisa e o intervalo entre a coleta de dados e a disponibilização destes para uso da empresa. Estes e outros custos precisam ser avaliados à luz dos ganhos para a empresa quanto à melhoria na tomada de decisão, à retenção de clientes e ao sucesso com o lançamento de um novo produto.

Incluir a validade estatística sempre que necessário
Como vimos, os objetivos das pesquisas são muitos e variados, e determinam o tipo e a metodologia apropriados para a sua condução. Por exemplo, algumas pesquisas são utilizadas menos para mensurar do que para construir relacionamentos com os clientes – pois permitem que os funcionários encarregados do contato descubram o que os clientes desejam, que os pontos fortes e fracos em seus esforços e nos da empresa sejam diagnosticados quanto ao tratamento dos desejos do cliente, que um plano para satisfazer estas exigências seja preparado, e que a execução deste plano seja confirmada (em geral depois de transcorrido um ano). O objetivo deste tipo de pesquisa é fazer as pessoas incumbidas do contato identificarem os itens de ação que gerem o máximo retorno em termos de satisfação do cliente. Este tipo de pesquisa não requer uma análise quantitativa sofisticada, nem o anonimato dos clientes, nem o controle cuidadoso das amostras ou controles estatísticos intensos.

Por outro lado, as pesquisas utilizadas para rastrear a qualidade geral do serviço a fim de programar aumentos de salários e participação nos lucros para funcionários precisam ser cuidadosamente controladas para evitar o viés de amostragem e garantir a viabilidade estatística. Um de nós trabalhou com uma empresa que remunerava a equipe de vendas com base nos escores de satisfação do cliente. Ao mesmo tempo, a companhia deixava a amostragem dos clientes a cargo da própria equipe de vendas. Ficou óbvio que a equipe de vendas não demorou a perceber que poderiam enviar os questionários apenas aos clientes satisfeitos, o que inflava os escores e – naturalmente – minava a confiabilidade do sistema de mensuração.

Nem todos os modelos de pesquisa têm validade estatística, e nem todos precisam ter. Por exemplo, a maioria dos modelos de pesquisa qualitativa não tem significância estatística.

Mensurar as prioridades ou a importância dos atributos
Os clientes têm muitas exigências com os serviços, mas nem todas são igualmente importantes. Um dos equívocos mais comuns que os gerentes cometem ao tentar melhorar a execução de um serviço é o dispêndio de recursos em iniciativas erradas, o que traz decepções, pois as percepções do cliente acerca do serviço da empresa não melhoram! A mensuração da importância relativa das dimensões e dos atributos do serviço auxilia os gerentes a canalizar os recursos com eficácia. Portanto, a pesquisa precisa documentar as prioridades do cliente.

Ocorrer com frequência adequada
Em função de as expectativas e as percepções serem dinâmicas, as empresas precisam instituir um processo de pesquisa de qualidade do serviço, não apenas estudos isolados. Um único estudo sobre os serviços disponibiliza apenas um "instantâneo" do momento em questão. Para entender por completo o modo como o mercado aceita o serviço de uma empresa, as pesquisas com o cliente precisam ser constantes. Sem um padrão de estudos reprodutível e executado com frequência apropriada, as gerências são incapazes de afirmar se a empresa avança ou retrocede, ou de des-

cobrir quais de suas iniciativas estão surtindo efeito. Assim, o que exatamente significa "pesquisa constante" em termos de frequência? A resposta é específica ao tipo de serviço e à finalidade e ao método de cada modalidade de pesquisa de serviços adotada por uma empresa. À medida que discutimos os diferentes tipos de pesquisa na próxima seção, ficará clara a frequência com que cada um deve ser conduzido.

Incluir a mensuração da fidelidade, as intenções comportamentais ou o comportamento real
Uma importante tendência na pesquisa com o cliente envolve a mensuração das consequências positivas e negativas da qualidade do serviço junto com diversos escores de satisfação global ou de qualidade do serviço. Entre as *intenções comportamentais* genéricas mais comuns estão a disposição de recomendar o serviço a outras pessoas e a intenção de recompra. Estas intenções comportamentais podem ser interpretadas como consequências positivas ou negativas da qualidade do serviço. As intenções comportamentais positivas incluem a enunciação de opiniões favoráveis sobre a companhia, a recomendação dos serviços que ela presta, a conservação da fidelidade, os maiores gastos com os serviços que disponibiliza e o pagamento de preços mais altos. As intenções comportamentais negativas incluem as opiniões desfavoráveis sobre a empresa, o menor volume de negócios feitos com ela, a troca por outra companhia, além das queixas junto a organizações independentes e outras companhias nas redes sociais. Outros comportamentos, mais específicos, diferem para cada tipo de serviço. Por exemplo, os comportamentos relacionados aos serviços de saúde incluem a obediência às instruções do médico, a observação dos horários da medicação e o retorno do paciente para a reconsulta. Estas ideias podem auxiliar uma empresa a estimar o valor relativo das melhorias no serviço em vantagem própria, bem como identificar os clientes que estão prestes a desertar.

OS ELEMENTOS DE UM PROGRAMA DE PESQUISA EM SERVIÇOS EFICAZ

Um bom programa de pesquisa em marketing de serviços inclui diversas modalidades investigativas. O conjunto de estudos e tipos de pesquisa difere de companhia para companhia, pois a amplitude de usos para a pesquisa em qualidade do serviço – desde a avaliação do desempenho dos funcionários até o desenvolvimento de uma campanha publicitária e o planejamento estratégico – requer o fluxo de um grande volume de informações sobre diversos fatores. Na hipótese de uma empresa ter de adotar todos os tipos de pesquisa em serviços, o conjunto destas pesquisas se pareceria com o mostrado no Quadro 5.1; porém, as empresas que tomam este rumo são poucas. Para uma dada empresa, este conjunto deve estar em consonância com seus recursos e tratar das áreas essenciais ao entendimento dos clientes da empresa. De forma a identificar com mais facilidade o tipo apropriado de pesquisa para os diferentes objetivos, estes são listados na coluna 2 do Quadro 5.1. As seções a seguir descrevem cada um dos principais tipos de pesquisa e apontam o caminho para tratar dos critérios associados. Em Tecnologia em Foco há uma discussão sobre pesquisas conduzidas *on-line*.

A solicitação de reclamações

Muitos de vocês já queixaram-se a funcionários de organizações prestadoras de serviços e surpreenderam-se ao descobrir que nada acontece com as queixas apresentadas. Ninguém se apressa a resolver o problema, e da próxima vez que você recebe o serviço, o problema continua presente. Isso é muito frustrante! Mas as boas prestadoras de serviço levam a sério estas queixas. Elas não se limitam a escutar esses protestos, e adotam a *solicitação de reclamação* como forma de comunicação do que pode ser feito para melhorar o serviço que prestam e o desempenho de seus fun-

Tecnologia em foco — Como conduzir uma pesquisa com o cliente na Internet

Uma das aplicações mais intrigantes da Internet é a pesquisa *on-line*, em que os consumidores respondem a ciber-questionários desafiadores, porém divertidos, em vez de preencher os formulários de comentários e atender a intrusivas chamadas telefônicas. Esta função da rede mundial de computadores vem crescendo rapidamente nos últimos anos. Em 2005, as empresas gastaram mais de $1,1 bilhão em pesquisas de marketing *on-line*, um aumento observado de 16% em relação a 2004. Estimava-se que os gastos anuais chegariam a $26 bilhões no ano 2010. As razões são óbvias – as pesquisas via Internet oferecem inúmeros benefícios para os profissionais de marketing, além de respostas dadas com mais disposição, incluindo:

- A *velocidade*. Em vez de três ou quatro meses necessários para coletar dados por meio de questionários enviados por correio, ou de seis a oito semanas para treinar entrevistadores e obter dados por telefone, os questionários *on-line* podem ser preparados e executados com rapidez. Uma amostra de 300 a 400 entrevistados, grande o bastante para muitos estudos, pode ser disponibilizada para exame por clientes, em um website seguro, já na semana seguinte à execução da pesquisa. Consta que uma empresa de pesquisas de mercado completou mil questionários de satisfação do cliente em apenas duas horas.
- A *qualidade equivalente*. Deukstens e colaboradores descobriram que a qualidade dos conjuntos de dados coletados *on-line* é comparável àquela de dados coletados por formulários enviados pelo correio: "No contexto de grandes avaliações de qualidade em *business-to-business*, uma análise da precisão e completude das respostas dos entrevistados, tanto para perguntas abertas quanto para perguntas com alternativas predefinidas de resposta, sugere que os questionários *on-line* e aqueles enviados pelo correio produzem resultados equivalentes".[3]
- A *capacidade de focar populações de difícil acesso*. Uma das dificuldades mais comuns na pesquisa, sobretudo a pesquisa de segmentação, consiste em identificar e acessar os entrevistados que se encaixam em um estilo de vida ou perfil de interesses em especial. O mercado *business-to-business* de difícil acesso responde por cerca de um quarto de todos os estudos de mercado conduzidos por empresas de pesquisa norte-americanas. Médicos, advogados, profissionais liberais e mães de família que trabalham fora estão entre os grupos de clientes difíceis de contatar e que, no entanto, têm grande importância. Estas pessoas assinam revistas de interesse especial (como publicações de cunho profissional ou de *hobby*), que cobram caro para publicar anúncios. A fim de contatar estas pessoas para pesquisas, uma empresa precisaria adquirir a lista de assinantes destas revistas a preço de ouro. Contudo, os *sites* de interesses especiais são simples de identificar e acessar, permitindo a inserção de *links* para a execução de pesquisas.
- A *capacidade de focar os clientes com dinheiro*. As pesquisas *on-line* permitem que as empresas do setor de serviços atinjam os clientes que têm rendas elevadas, níveis educacionais mais altos e maior disposição de gastar. Os consumidores que possuem computadores e que utilizam serviços *on-line* regularmente são classificados nestes grupos demográficos, e podem ser pesquisados por meio de questionários *on-line*. Em comparação com a amostra que seria obtida com pesquisas tradicionais utilizando todos os assinantes na lista telefônica, a amostra dos usuários *on-line* é muitas vezes mais eficiente em termos de potencial de marketing.
- A *oportunidade de utilizar recursos multimídia para apresentar vídeo e áudio*. As pesquisas por telefone são limitadas ao recurso de voz, ao passo que as pesquisas via correio ficam limitadas ao aspecto visual bidimensional. No passado, a fim de apresentar toda a gama de recursos de áudio e de vídeo necessários para dar aos entrevistados uma noção real do serviço sendo pesquisado, os questionários tinham de ser preenchidos em pessoa e eram, portanto, muito caros (entre $30 e $150 por unidade, dependendo do tópico e da amostra). As pesquisas *on-line* oferecem um potencial de estímulo

---

cionários. A Vail Resorts, proprietária dos hotéis Vail, Breckenridge, Heavenly, Keystone e Beaver Creek, tem uma maneira inovadora de receber as queixas e os comentários de seus clientes. A rede contrata pesquisadores para acompanhar os esquiadores nos teleféricos, que registram em um computador de mão as respostas dos hóspedes a questões relativas à percepção que eles têm dos serviços oferecidos. Feito isso, os pesquisadores esquiam montanha abaixo e repetem o processo de entrevistas. Ao final do dia, eles passam os resultados obtidos para um computador no escritório da empresa. Nessa busca por padrões para os comentários e queixas recebidos, são entrevistados 200 esquiadores por semana. Por exemplo, se os pesquisadores ouvem um dado número de queixas

maior por conta de todas as possibilidades multimídia disponíveis a baixo custo.

- *Nada de entrevistas – e, portanto, nada de erros ou vieses do entrevistador.* Os vieses ocorrem quando o entrevistador está de mau humor, cansado, impaciente ou não demonstra objetividade. Estes problemas ocorrem nas entrevistas com seres humanos, mas não nas ciber-entrevistas.
- *O controle da qualidade dos dados.* Esse controle é capaz de eliminar respostas contraditórias ou que não fazem sentido. Com as pesquisas tradicionais, os pesquisadores precisam obedecer a uma etapa chamada "limpeza e edição de dados", na qual os dados são verificados para descobrir algum problema. As verificações eletrônicas podem ser inseridas nas pesquisas *on-line* a fim de dar conta deste problema à medida que ele ocorre.
- As *pesquisas não são dispendiosas.* Os custos das coletas de dados podem ser os mais altos de um estudo, e a parcela mais cara da coleta de dados talvez seja a oferta de pagamento às pessoas participantes. É surpreendente que as pesquisas *on-line* com o cliente sejam entre 10 e 80% mais baratas do que as outras abordagens conhecidas. A Internet também elimina custos com postagem, telefone, mão de obra e impressão que são típicos das outras abordagens. Outro aspecto é que os entrevistados parecem capazes de completar as pesquisas via Internet na metade do tempo que um pesquisador levaria para preencher o questionário, o que possivelmente explica o fato de incentivos não serem necessários.

Um dos benefícios adicionais, mas que permanece pouco explicado, é a maior taxa de resposta – que aparentemente chega a 70% – o que talvez seja causado pelo fato de a natureza interativa da pesquisa eletrônica tornar divertido responder a estas perguntas. Enquanto fica mais difícil fazer os consumidores responderem às pesquisas tradicionais, o valor de entretenimento das pesquisas eletrônicas facilita o recrutamento de participantes. Um estudo prova que a disposição de completar uma pesquisa eletrônica é cinco vezes maior do que no caso em que materiais impressos são utilizados. Outra constatação foi a de que os pesquisadores obtêm três benefícios adicionais: (1) os consumidores "se divertem" com uma pesquisa eletrônica por mais tempo do que na pesquisa tradicional e respondem a mais perguntas; (2) as pessoas tendem a se concentrar mais nas respostas que oferecem; e (3) o valor de entretenimento de uma pesquisa eletrônica na verdade diminui a percepção sobre o tempo necessário para completar uma pesquisa.

As vantagens de uma pesquisa eletrônica provavelmente são maiores do que as desvantagens. Contudo, os profissionais de marketing precisam estar atentos ao fato de que reveses também ocorrem. O principal problema talvez seja a composição da amostra. Diferentemente do processo adotado na maioria das pesquisas por telefone ou correio, a população de entrevistados nem sempre é selecionada metodologicamente; muitas vezes trata-se de uma questão de conveniência sobre quem será incluído ou não na pesquisa. Isso é problemático, sobretudo no caso em que os entrevistados são recrutados junto a outros *sites*, e quando respondem às perguntas com cliques do mouse. Nestas situações, os profissionais de marketing talvez não conheçam os entrevistados ou não saibam onde vivem, o que não oferece informações sobre a possibilidade de serem de fato as pessoas com o melhor perfil para a condução da pesquisa. De forma a tratar desta questão, as empresas pré-selecionam entrevistados via telefone ou e-mail, solicitando informações de caráter demográfico para garantir que eles atendam às exigências colocadas. Como alternativa, os entrevistadores também podem apresentar questões para selecionar os participantes no início da pesquisa eletrônica.

Fontes: R. Weible and J. Wallace, "Cyber Research: The Impact of the Internet on Data Collection," *Marketing Research*, Fall 1998, pp. 19–24; R. Nadilo, "On-Line Research Taps Consumers Who Spend," *Marketing News*, June 8, 1998, p. 12; R. Kottler, "Eight Tips Offer Best Practices for Online Market Research", *Marketing News*, April 1, 2005; E. Deutskens, K. Ruyter, and M. Wetzels, "An Assessment of Equivalence Between Online and Mail Surveys in Service Research," *Journal of Service Research*, 8 (May 2006), 346–355.

---

sobre alguma linha de teleférico ou sobre os serviços em um dos restaurantes, eles alertam os gerentes nestas áreas para que os problemas possam ser resolvidos com rapidez. Ao final da semana, os dados são coletados e relatados em reuniões semanais.

As empresas que utilizam queixas e reclamações como modalidade de pesquisa coletam esses dados e os empregam na identificação de clientes insatisfeitos, na correção de problemas específicos sempre que possível, e na caracterização de pontos comuns de falha no serviço. Embora estas pesquisas sejam usadas igualmente para produtos e serviços, nestes elas têm uma finalidade que se manifesta em tempo real – melhorar os pontos de falha e aperfeiçoar ou corrigir o desempenho dos

Clientes discutem os serviços utilizando a técnica do incidente crítico.

funcionários de contato com o cliente. As pesquisas sobre queixas são fáceis de serem conduzidas, o que leva muitas companhias a depender exclusivamente das reclamações como forma de contato com os clientes. No entanto, há provas de que as queixas do cliente são uma fonte um tanto inadequada de informações. Conforme discutimos no Capítulo 7, apenas uma pequena parcela de clientes com problemas é que de fato faz alguma reclamação junto à companhia; o restante permanece insatisfeito, e afirma esta insatisfação a outras pessoas.

Para serem eficazes, as solicitações de reclamação requerem o registro rigoroso dos números e dos tipos de queixas por meio de diversos canais; em seguida, é preciso trabalhar para eliminar os problemas mais comuns. Os canais destinados às queixas incluem funcionários de contato, organizações intermediárias que prestam serviços, gerentes, além de terceiros, como grupos de defesa do consumidor. As empresas precisam resolver os problemas de clientes individuais e identificar padrões gerais a fim de eliminar pontos de falha no futuro. Formas mais sofisticadas de solucionar reclamações definem o termo "reclamação" com maior abrangência, de forma a incluir qualquer comentário feito – tanto positivo quanto negativo – inclusive perguntas que o cliente venha a formular. As empresas devem construir repositórios, por assim dizer, para estas informações e preparar relatórios de resultados com frequência semanal ou mensal.

Estudos sobre incidentes críticos

A *técnica do incidente crítico* (TIC) é um procedimento qualitativo de entrevista em que os clientes são requisitados a narrar, em suas próprias palavras, as histórias sobre contatos de serviço satisfatórios ou não. De acordo com um recente apanhado geral acerca do emprego desta técnica no setor de serviços, a TIC serve para avaliar a satisfação em hotéis, restaurantes, companhias aéreas, parques temáticos, manutenção de veículos, varejo, operações bancárias, televisão a cabo, transporte público e educação.[4] Os estudos exploram uma ampla gama de tópicos de serviço: avaliação do consumidor dos serviços, falha no serviço e recuperação, funcionários, participação do cliente na prestação do serviço e experiência do serviço.[5] Com a técnica, os clientes (tanto internos quanto externos) são chamados a responder às seguintes perguntas:

Pense sobre uma situação em que, como cliente, você vivenciou uma interação particularmente *satisfatória* (ou *insatisfatória*).

Quando este incidente ocorreu?

Quais circunstâncias específicas acarretaram esta situação?

Mais precisamente, o que o funcionário (ou representante da empresa) disse ou fez?

Quais resultados observados fizeram você perceber que o serviço era *satisfatório* (ou *insatisfatório*)?

O que poderia ou deveria ter sido feito de forma diferente?

Com frequência, as pessoas incumbidas do contato com o cliente são requisitadas a se colocar em seu lugar e responder estas mesmas perguntas: "Coloque-se no lugar dos *clientes* de sua empresa. Em outras palavras, tente ver sua empresa com os olhos do cliente. Agora, pense em uma ocasião recente em que um cliente de sua empresa teve uma interação particularmente *satisfatória/*

insatisfatória com você ou um colega de trabalho". Feito isso, os relatos são analisados para identificar os temas comuns acerca da satisfação/insatisfação em cada evento. No Capítulo 4 descrevemos quatro temas corriqueiros que são fontes de prazer ou desprazer nos encontros de serviço – a recuperação (após uma falha), a adaptabilidade, a espontaneidade e a intervenção – identificados por meio de pesquisas. Estas pesquisas são conduzidas para identificar as fontes da satisfação ou da insatisfação para empresas ou setores.

As vantagens da TIC são muitas. Primeiro, os dados são coletados da perspectiva do entrevistado e normalmente são representativos, pois são expressos com suas próprias palavras e refletem seus pensamentos. Segundo, o método oferece informações concretas acerca do modo como a companhia e seus funcionários se comportam, o que torna a pesquisa fácil de traduzir em termos de ações a tomar. Terceiro, tal como a maior parte dos métodos qualitativos, a pesquisa é útil sobretudo no caso de o tópico ou serviço ser novo, com poucas informações disponíveis. Por fim, o método é indicado para a avaliação das percepções dos clientes de diferentes culturas, pois permite aos entrevistados compartilhar suas percepções em vez de responder a perguntas definidas pelo pesquisador.[6]

As pesquisas de exigências

As *pesquisas de exigências* envolvem a identificação das vantagens e dos atributos que os clientes esperam do serviço. Este tipo de pesquisa é essencial, pois define as perguntas que serão formuladas em questionários e, com isso, as melhorias que a empresa deverá adotar. Em função da natureza básica destes estudos, as técnicas qualitativas são as mais apropriadas no princípio do processo. As técnicas quantitativas podem ser empregadas em seguida, em geral durante um estágio de pré-teste do processo. Estas pesquisas servem para identificar as fontes da satisfação ou da insatisfação para empresas ou setores.

Uma abordagem para as pesquisas de exigências que provou sua eficiência nos setores de serviços consiste em examinar as pesquisas existentes sobre as exigências dos clientes em setores de atuação semelhantes. As cinco dimensões da qualidade do serviço são generalizáveis para diferentes setores e, por vezes, o modo como estas dimensões são manifestadas também é parecido. Os pacientes de um hospital e os hóspedes de um hotel, por exemplo, esperam diversas características comuns sempre que utilizam um destes serviços. Além da especialidade médica, os pacientes esperam quartos confortáveis, equipes de pessoas bem-educadas e refeições saborosas – as mesmas características visíveis para os hóspedes de um hotel. Nestes e em outros setores que compartilham as expectativas do cliente, os gerentes descobrem a especial utilidade do conhecimento sobre as pesquisas existentes em setores relacionados. Em função de os hotéis utilizarem marketing e pesquisas de marketing há mais tempo do que os hospitais, as noções sobre as expectativas dos hóspedes podem trazer informações sobre as expectativas dos pacientes. Por exemplo, os administradores hospitalares do Centro Médico Albert Einstein na Filadélfia pediram a um grupo de nove executivos da rede hoteleira local que fornecessem conselhos sobre a compreensão e o manejo de pacientes. Muitas melhorias resultaram desta iniciativa, incluindo melhores refeições, etiquetas de identificação mais fáceis de ler, balcões de informações mais visíveis e rádios em diversos quartos.[7]

As pesquisas de relacionamento e as pesquisas SERVQUAL

As *pesquisas de relacionamento* são assim denominadas porque apresentam perguntas sobre todos os elementos presentes no relacionamento do cliente com a empresa (incluindo o serviço, o produto e o preço). Esta abrangente abordagem auxilia a empresa a diagnosticar seus pontos fortes e fracos em um relacionamento. Por exemplo, a FedEx executa diversas pesquisas sobre a satisfação

Quadro 5.2 — A SERVQUAL: uma escala multidimensional para capturar as percepções e as expectativas do cliente com a qualidade do serviço

A escala SERVQUAL foi publicada pela primeira vez em 1988, e desde então passou por numerosas melhorias e revisões. A escala contém 21 itens de percepção distribuídos nas cinco dimensões da qualidade do serviço. A escala também contém itens relativos às expectativas. Apesar de diferentes formatos da SERVQUAL serem empregados atualmente, aqui são mostrados os primeiros 21 itens relativos à percepção e uma amostra de como os itens relativos às expectativas foram apresentados.

PERCEPÇÕES

Os quesitos sobre a percepção para a dimensão confiabilidade

	Discorda totalmente						Concorda totalmente
1. Quando a Companhia XYZ promete fazer algo em dado intervalo de tempo, ela cumpre.	1	2	3	4	5	6	7
2. A Companhia XYZ executa o serviço certo já na primeira vez.	1	2	3	4	5	6	7
3. A Companhia XYZ oferece seus serviços na hora prometida.	1	2	3	4	5	6	7
4. A Companhia XYZ insiste em ter registros sem erros.	1	2	3	4	5	6	7

Os quesitos para a dimensão responsividade

1. A Companhia XYZ mantém os clientes informados acerca do momento em que os serviços serão executados.	1	2	3	4	5	6	7
2. Os funcionários da Companhia XYZ executam o serviço prontamente.	1	2	3	4	5	6	7
3. Os funcionários da Companhia XYZ estão sempre dispostos a auxiliá-lo.	1	2	3	4	5	6	7
4. Os funcionários da Companhia XYZ nunca estão ocupados demais para responder a suas solicitações.	1	2	3	4	5	6	7

Os quesitos para a dimensão segurança

1. O comportamento dos funcionários da Companhia XYZ inspira confiança.	1	2	3	4	5	6	7
2. Você sente-se seguro em suas transações com a Companhia XYZ.	1	2	3	4	5	6	7
3. Os funcionários da Companhia XYZ são corteses com você o tempo todo.	1	2	3	4	5	6	7
4. Os funcionários da Companhia XYZ têm o conhecimento para responder a todas as suas questões.	1	2	3	4	5	6	7

Os quesitos para a dimensão empatia

1. A Companhia XYZ oferece a você uma atenção individual.	1	2	3	4	5	6	7
2. A Companhia XYZ tem empregados que dão a você atenção personalizada.	1	2	3	4	5	6	7
3. A Companhia XYZ leva a sério seus maiores interesses.	1	2	3	4	5	6	7
4. Os funcionários da Companhia XYZ entendem suas necessidades específicas.	1	2	3	4	5	6	7
5. A Companhia XYZ tem horários de atendimento que são convenientes a todos os seus clientes.	1	2	3	4	5	6	7

Os quesitos para a dimensão tangíveis

1. A Companhia XYZ tem equipamentos modernos.	1	2	3	4	5	6	7
2. A Companhia XYZ tem instalações visualmente atraentes.	1	2	3	4	5	6	7
3. A Companhia XYZ tem funcionários que se vestem apropriadamente.	1	2	3	4	5	6	7
4. Os materiais associados ao serviço (como panfletos ou balanços) são visualmente atraentes na Companhia XYZ.	1	2	3	4	5	6	7

EXPECTATIVAS: diversos formatos para mensurar as expectativas dos clientes utilizando versões do SERVQUAL

Há diversas maneiras de averiguar as expectativas em pesquisas. Apresentamos quatro delas: (1) Os quesitos equivalentes para as expectativas, (2) os formatos referentes de expectativas, (3) os quesitos que combinam as expectativas e as percepções, e (4) os quesitos que cobrem diferentes tipos de expectativas.

Os quesitos equivalentes para as expectativas
(pareados com os quesitos para as percepções, mostrados anteriormente)

	Discorda totalmente						Concorda totalmente
Sempre que os clientes têm um problema, as empresas de desempenho excelente demonstram um sincero interesse em resolvê-lo.	1	2	3	4	5	6	7

Os formatos referentes de expectativas

1. Considere uma empresa de "excelência mundial" tendo nota sete. Como você classifica o desempenho da Companhia XYZ quanto às seguintes características do serviço?

	Baixo						Alto
Funcionários sinceros, interessados	1	2	3	4	5	6	7
O serviço é executado corretamente da primeira vez	1	2	3	4	5	6	7

2. Em comparação com o nível de serviço que você espera de uma companhia excelente, como você classifica o desempenho da Companhia XYZ quanto aos seguintes aspectos?

	Baixo						Alto
Funcionários sinceros, interessados	1	2	3	4	5	6	7
O serviço é executado corretamente da primeira vez	1	2	3	4	5	6	7

Os quesitos que combinam as expectativas e as percepções

Para cada um dos quesitos a seguir, circule o número que indica a maneira como o serviço da Companhia XYZ se compara ao nível que você espera:

	Inferior ao nível que desejo				Igual ao nível que desejo				Superior ao nível que desejo
1. Serviço imediato	1	2	3	4	5	6	7	8	9
2. Funcionários gentis	1	2	3	4	5	6	7	8	9

As expectativas que distinguem entre o serviço desejado e o serviço adequado

Para cada um dos quesitos a seguir, circule o número que indica a maneira como o serviço da Companhia XYZ se compara a seu *nível mínimo de serviço* e a seu *nível desejado de serviço*.

	Em comparação com meu *nível mínimo de serviço*, o desempenho do serviço da Companhia XYZ é:									Em comparação com meu *nível desejado de serviço*, o desempenho do serviço da Companhia XYZ é:								
Quando se trata de...	Menor			Igual			Maior			Menor			Igual			Maior		
1. Serviço imediato	1	2	3	4	5	6	7	8	9	1	2	3	4	5	6	7	8	9
2. Funcionários que são gentis consistentemente	1	2	3	4	5	6	7	8	9	1	2	3	4	5	6	7	8	9

Fonte: A. Parasuraman, V. A. Zeithaml, and L. L. Berry, "SERVQUAL: A Multiple-Item Scale for Measuring Consumer Perceptions of Service Quality," *Journal of Retailing* 64, no. 1 (Spring 1988). Reproduzido com permissão de C. Samuel Craig.

do cliente para avaliar a satisfação, identificar as razões para a insatisfação e monitorar a evolução da satisfação com o tempo. A companhia conduz 2.400 entrevistas por telefone a cada trimestre, mensura 17 atributos do serviço no mercado interno nos Estados Unidos, 22 atributos relativos a serviços na exportação, oito atributos *drop-box* e oito atributos do centro de serviço, além de 10 estudos dedicados à avaliação de funções especializadas de negócios.

As pesquisas de relacionamento via de regra monitoram e acompanham o desempenho do serviço em base anual. Um primeiro estudo sempre fornece o ponto de partida para as análises. As pesquisas de relacionamento também são eficientes na aferição do desempenho da empresa em relação ao da concorrência, frequentemente considerando o desempenho da melhor concorrente como padrão de comparação. Sempre que são utilizadas com esta finalidade, a empresa requisitante dessa pesquisa não é identificada, e as questões são apresentadas sobre ela e um ou mais concorrentes.

Uma medida representativa da qualidade do serviço é necessária para identificar os aspectos do serviço que precisam de melhoria no desempenho, avaliar o montante de melhorias necessárias para cada aspecto e averiguar o impacto dos esforços feitos para a concretização destas melhorias. Diferentemente da qualidade de produtos, que pode ser mensurada de forma objetiva por indicadores como durabilidade e número de defeitos, a qualidade do serviço é abstrata, sendo mais bem retratada por pesquisas que medem as avaliações que os clientes fazem deste serviço. Um dos primeiros indicadores desenvolvidos especificamente para mensurar a qualidade de um serviço foi a *pesquisa SERVQUAL*.

A escala SERVQUAL inclui uma pesquisa contendo 21 atributos de serviço, agrupados em cinco dimensões de qualidade de serviços (discutidas no Capítulo 4): a confiabilidade, a responsividade, a segurança, a empatia e os tangíveis. A pesquisa às vezes pede aos clientes que forneçam duas notas para cada atributo – a primeira reflete o nível de serviço que esperam de companhias de excelente desempenho no setor e, a segunda, as percepções do serviço executado por uma companhia específica atuante no setor. A diferença entre as notas de expectativa e de percepção constitui uma mensuração quantificada da qualidade do serviço. O Quadro 5.2 ilustra os itens da escala SERVQUAL básica, além das verbalizações das expectativas e percepções da escala.[8] Os dados coletados por meio de uma pesquisa SERVQUAL servem para:

- Determinar o escore médio da lacuna (entre as percepções do cliente e suas expectativas) para cada atributo do serviço.
- Avaliar a qualidade do serviço de uma empresa em relação às cinco dimensões do SERVQUAL.
- Rastrear as expectativas e as percepções dos clientes (quanto aos atributos individuais do serviço e/ou às dimensões do SERVQUAL) ao longo do tempo.
- Comparar os escores no SERVQUAL de uma empresa com os de empresas concorrentes.
- Identificar e examinar os segmentos de clientes que diferem expressivamente em suas avaliações do desempenho do serviço de uma empresa.
- Avaliar a qualidade do serviço interno (isto é, a qualidade do serviço executado por um departamento ou divisão da empresa a outros departamentos da mesma empresa).

Este instrumento gerou muitos estudos voltados para a avaliação da qualidade do serviço e é utilizado em setores de serviço de todo o mundo. Estudos já publicados utilizaram o SERVQUAL e suas variações em diversos contextos: corretagem de imóveis, prática médica em clínicas particulares, programas de recreação pública, faculdades de odontologia, centros de colocação em faculdades de administração, lojas de pneus, empresas transportadoras rodoviárias, escritórios de contabilidade, lojas de descontos e de departamentos, empresas de gás e de eletricidade, hospitais, bancos, empresas de dedetização, lavanderias a seco, restaurantes de *fast food* e instituições de ensino superior.

Telefonemas de sondagem ou pesquisas pós-transação

Enquanto a finalidade do SERVQUAL e das pesquisas de relacionamento é, via de regra, a mensuração do relacionamento global com o cliente, o propósito das pesquisas de transação consiste em coletar informações sobre os principais contatos de serviço com o cliente. Neste método, os clientes respondem a uma pequena lista de perguntas imediatamente após uma determinada transação (daí o nome *telefonemas de sondagem*) acerca de sua satisfação com a transação e as equipes de contato com quem eles interagiram. Uma vez que os questionários são aplicados de forma contínua a um amplo espectro de clientes, eles são mais eficientes do que as solicitações de reclamações (em que as informações são oriundas apenas dos clientes insatisfeitos).

Ao deixarem o hotel Fairfield Inns, os hóspedes são solicitados a utilizar um terminal de computador para responder a cinco questões sobre sua hospedagem. Esta abordagem traz vantagens claras em relação aos formulários de opinião presentes em todos os quartos de hotel – a taxa de resposta é muito maior porque o processo é envolvente para os clientes e não toma mais do que alguns minutos. Em outras empresas, as pesquisas sobre transações são feitas por e-mail (Best Buy, Geek Squad e Panera Bread). Os clientes preenchem uma pesquisa completa discando um número 0800 ou visitando um *site* informado na nota fiscal. O incentivo para completar a pesquisa é uma chance de vencer prêmios ou ganhar cupons das lojas.

Um dos benefícios deste tipo de pesquisa é que frequentemente os clientes pensam que o telefonema de sondagem é executado para garantir que ele esteja satisfeito. Assim, a chamada tem duas funções: a pesquisa de mercado e o serviço ao cliente. Este tipo de pesquisa é simples, rápido e disponibiliza à gerência um fluxo contínuo de informações sobre as interações com os clientes. Além disso, a pesquisa permite aos gerentes associar o desempenho na qualidade do serviço com os funcionários de contato individual com o cliente, de forma que o bom desempenho possa ser recompensado e, o mau desempenho, corrigido. Ela também serve com um incentivo para os funcionários oferecerem um serviço de melhor qualidade, pois percebem como e quando estão sendo avaliados. Um dos estudos pós-transação bastante conhecido é o BizRate.com, executado após uma compra *on-line*. Quando um cliente faz uma compra com um dos parceiros *on-line* do BizRate (que incluem diversas companhias), uma mensagem aparece automaticamente no *site*, convidando os consumidores a preencher um questionário. Aos que concordam são apresentadas perguntas sobre a facilidade no preenchimento do pedido, a seleção do produto, a navegação do *site* e o suporte ao cliente.

As reuniões e o exame das expectativas de serviço

Em situações *business-to-business* envolvendo grandes contas, uma das formas mais eficientes de pesquisa do cliente é a revelação das expectativas do cliente em uma dada época do ano, com acompanhamento posterior (em geral após 12 meses) para determinar se as expectativas foram satisfeitas. Inclusive na situação em que a empresa fabrica produtos físicos, essas reuniões têm como principal objetivo o serviço esperado e prestado por uma gerência de conta ou por uma equipe de venda designada para este cliente. Diferentemente de outras modalidades de pesquisa já discutidas, estas reuniões não são conduzidas por pesquisadores objetivos e neutros; ao contrário, elas são iniciadas e facilitadas por integrantes seniores da gerência de conta, que escutam atentamente às expectativas dos clientes. Pode parecer surpreendente que esta interação não ocorra naturalmente nas equipes de vendas, habituadas a falar com os clientes, em vez de ouvir

Nos serviços de profissionais liberais, as avaliações são conduzidas em importantes pontos de controle do processo.

as suas expectativas com critério. Desta forma, as equipes têm de ser cuidadosamente treinadas, não para defender ou explicar, mas para compreender. Certa vez, uma empresa descobriu que a única maneira de instruir sua equipe de vendas a não falar nestas entrevistas consistia em trazer um pesquisador de marketing, que dava um gentil pontapé no vendedor que se afastava da metodologia, sob a mesa!

Este formato, quando apropriado, consiste em (1) perguntar aos clientes quais são suas expectativas em termos de 8 a 10 exigências básicas determinadas por meio de uma pesquisa com grupos de foco, (2) indagar acerca de quais destas exigências básicas foram atendidas com sucesso pela equipe no passado e de quais aspectos precisam ser melhorados e (3) solicitar que o cliente classifique a importância relativa destas exigências. Após obterem estes dados, os integrantes seniores encontram-se com suas equipes e planejam seus objetivos para as exigências dos clientes para o período de um ano. A próxima etapa consiste em verificar com o cliente se o plano de conta satisfaz suas necessidades e, em caso negativo, administrar as expectativas para informar ao cliente o que não pode ser realizado. Depois da execução do plano anual, a equipe de gerentes de conta volta a conversar com o cliente sobre o sucesso do plano executado e a satisfação das expectativas, e estabelecem um novo conjunto de expectativas para o ano seguinte.

As avaliações dos controles do processo

No caso de profissionais liberais, como consultores, engenheiros e arquitetos, os serviços são muitas vezes prestados por um longo período e não há maneiras ou momentos certos de coletar informações sobre os clientes. Esperar pela finalização do projeto – que pode levar anos – não é a melhor alternativa, pois é possível que, passado esse tempo, esteja-se diante de vários problemas insolúveis. Mas encontros de serviço separados para avaliar as percepções do cliente geralmente não estão disponíveis. Nestas situações, o prestador de serviços consciente define um processo para a execução de serviços e então estrutura o *feedback* em torno do processo, verificando-o em diversos pontos para garantir que as expectativas do cliente estejam sendo atendidas. Por exemplo, uma empresa de consultoria pode definir o seguinte processo para a execução de serviços a seus clientes: (1) coletar informações, (2) diagnosticar problemas, (3) recomendar soluções alternativas, (4) selecionar alternativas e (5) implementar soluções. Na sequência, ela concorda com o cliente, já de início, em informar os principais *pontos de controle do processo* – depois de diagnosticar o problema, antes de selecionar alternativas, e assim sucessivamente – para assegurar que o trabalho evolua de acordo com o planejado.

A etnografia orientada para o mercado

Questionários estruturados permitem elaborar hipóteses importantes acerca do que as pessoas estão conscientes ou são capazes de relembrar em relação a seus comportamentos e sobre o que elas estão dispostas a explicar aos pesquisadores quanto a suas próprias opiniões. Para entender como os clientes avaliam e utilizam serviços, talvez seja necessário e mais eficiente adotar abordagens diferentes, como a *etnografia orientada para o mercado*. Uma empresa de produtos e serviços nova, a IDEO, está fundamentada nessa abordagem ao projeto de pesquisas. Este conjunto de abordagens permite aos pesquisadores observar o comportamento de consumo em conjunturas naturais. O objetivo é adentrar o mundo do consumidor, o máximo possível, em ambientes domésticos e de consumo reais, observando-o enquanto faz uma refeição em um restaurante ou quando vai a um show. Entre as técnicas utilizadas estão observação, entrevistas, documentos e posse de objetos materiais. A observação envolve entrar na experiência como observador participante e verificar o que ocorre, sem formular perguntas. Em entrevistas individuais, sobretudo com informantes importantes na cultura, não com consumidores, é possível obter noções interessantes sobre o comportamento baseado nela. O estudo de apontamentos existentes e de objetos com conteúdo cultural é igualmente capaz de fornecer ideias valiosas, especialmente sobre estilos de vida e padrões de utilização.[9]

A Best Western International utilizou esta técnica para entender mais profundamente seu mercado de pessoas idosas. Em vez de trazer os participantes às salas destinadas aos grupos de foco e apresentar perguntas, a empresa pagou 25 casais com mais de 55 anos para filmarem-se em viagem pelo país. Com isso, a empresa foi capaz de estudar como estes casais tomam decisões, não a maneira como eles as relatam. As noções coletadas com esta pesquisa foram muito diferentes daquelas que teriam sido obtidas de outra forma. O mais notável foi a descoberta de que os idosos que conseguiam convencer funcionários de hotéis a oferecer descontos em quartos na verdade estavam em perfeitas condições de pagar pelo preço originalmente pedido – eles estavam atrás da emoção da barganha, conforme ilustra esta descrição:

> A mulher, na casa dos 60 anos, aparecia no vídeo de baixa qualidade sentada na cama de seu quarto de hotel, e disse a seu marido, depois de um dia de viagem na estrada: "Bom trabalho! Dominamos o recepcionista e conseguimos um excelente quarto."[10]

Depois disso, esses clientes utilizaram as quantias poupadas com o desconto para jantares melhores em outros locais, e em nada contribuíram para a Best Western. "O tamanho do desconto não é o mais importante – descobrimos isso com a pesquisa", afirmou o gerente de programas da Best Western. Esta descoberta teria sido bastante improvável se a pesquisa tradicional tivesse sido utilizada, com perguntas formuladas diretamente aos clientes, pois são poucos os que admitem estarem dispostos a pagar um preço mais alto por um serviço.

As compras-fantasma

Nesta modalidade de pesquisa, exclusiva a serviços, as empresas contratam organizações externas para enviar pessoas aos estabelecimentos das prestadoras e construir uma experiência com o serviço, como se fossem clientes. Estes *compradores-fantasma** são treinados nos critérios importantes para os clientes do estabelecimento. Eles elaboram avaliações objetivas quanto ao desempenho do serviço por meio de questionários sobre os padrões de serviço ou, em outros casos, com o uso de perguntas de resposta espontânea que lhes conferem um caráter qualitativo. Os questionários contêm itens que representam questões relativas à qualidade ou ao serviço consideradas importantes pelos clientes. A Au Bon Pain, por exemplo, envia compradores-fantasma a suas lojas para comprar refeições e então completar questionários sobre os atendentes, o restaurante e o alimento propriamente dito. Os atendentes são avaliados com base em padrões como:

> É cumprimentado dentro de no máximo três segundos depois de chegar ao primeiro lugar na fila.
>
> É cumprimentado com educação.
>
> O atendente sugere itens adicionais.
>
> O atendente solicita o pagamento antes de entregar o pedido.

---

* N. de T.: No Brasil, também chamados "clientes ocultos".

Recebeu a nota fiscal.

Recebeu o troco correto.

O pedido correto é servido.

Com o programa de compradores-fantasma, a Au Bon Pain motiva seus funcionários a trabalharem de acordo com os padrões do serviço. Além disso, o programa é um elemento-chave em seu sistema de recompensas e participação nos lucros. Os funcionários que recebem notas positivas têm seus nomes publicados no boletim da empresa e recebem cartas de recomendação, além de bônus. Os gerentes cujas lojas recebem notas altas obtêm bônus imediatos na forma de dólares do "Club of Excellence" (Clube da Excelência), que podem ser comercializados da mesma forma que os selos de um catálogo de uma empresa. Talvez o mais importante seja que os escores gerais recebidos pelos gerentes de turno e de zona os qualificam para bônus de participação nos lucros mensais. Um escore abaixo de 78% os retira da lista de elegíveis para o bônus, ao passo que valores acima deste percentual trazem ótimas bonificações.

As compras-fantasma mantêm os trabalhadores "na linha", pois eles sabem que podem ser avaliados a qualquer momento com base nos padrões de serviço da companhia e, portanto, desempenham suas funções de acordo com esses padrões de forma mais consistente do que se não estivessem sendo testados. As compras-fantasma são eficientes como modo de reforçar os padrões de serviço.

Os painéis de clientes

Os *painéis de clientes* são grupos de clientes formados a fim de revelar atitudes e percepções acerca de um serviço ao longo do tempo. Estes grupos oferecem informações regulares e oportunas sobre o cliente – em outras palavras, eles medem o pulso do mercado. As empresas recorrem aos painéis de clientes como forma de representação de grandes segmentos de clientes finais.

Os painéis de clientes são utilizados pela indústria do entretenimento para avaliar filmes antes de seu lançamento no mercado. Após a produção de uma cópia preliminar do filme, esta é assistida por um painel de consumidores que representa seu público-alvo. Nos painéis mais básicos, os consumidores participam de entrevistas conduzidas após a exibição ou de grupos de foco em que relatam suas reações sobre o filme. Eles respondem a perguntas de caráter geral, por exemplo, sobre o que pensam do final do filme, ou sobre elementos nais específicos, como o quanto entenderam dos diferentes aspectos da trama. Com base nestes painéis, os filmes são revisados e editados para garantir que comuniquem a mensagem desejada e que tenham sucesso de mercado. Em situações extremas, o final de um filme é alterado para ser mais consistente com a opinião do espectador.

As pesquisas sobre clientes perdidos

Este tipo de pesquisa envolve a busca deliberada por clientes que abandonaram o serviço da empresa para indagar sobre as razões por que tomaram essa atitude. Algumas das *pesquisas sobre clientes perdidos* são semelhantes às entrevistas com funcionários após sua saída da empresa, na medida em que formulam perguntas de resposta espontânea e detalhada que expõem as razões para a deserção e os eventos específicos que levaram à insatisfação. Além disso, é possível utilizar pesquisas mais padronizadas sobre clientes perdidos. Por exemplo, uma empresa do centro-oeste dos Estados Unidos adota uma pesquisa enviada pelo correio para descobrir como antigos clientes veem o desempenho passado da empresa em diferentes estágios do relacionamento cliente-representante. A pesquisa também busca razões para as deserções dos clientes e pede a eles que descrevam os problemas que desencadearam a diminuição em seus volumes de compra.

Um dos benefícios deste tipo de pesquisa é a identificação dos pontos de falha e dos problemas mais comuns no serviço. Além disso, elas são capazes de estabelecer um sistema de alarme inicial para o caso de possíveis desertores no futuro. Outra vantagem é que a pesquisa pode ser utilizada para calcular o custo dos clientes perdidos.

As pesquisas sobre expectativas futuras

As expectativas dos clientes são dinâmicas e se alteram com muita rapidez em mercados altamente competitivos e voláteis. À medida que a competição aumenta, que as preferências mudam e que os clientes adquirem mais conhecimento, as empresas precisam atualizar suas informações e estratégias. Nos mercados dinâmicos, as empresas desejam entender não apenas as expectativas atuais dos clientes, como também as expectativas futuras – as características dos serviços desejados no futuro. As pesquisas sobre *expectativas futuras* são de diferentes tipos. A *pesquisa de características* envolve a triagem e a investigação em termos de variáveis ambientais sobre as características desejáveis de possíveis serviços. A *pesquisa de usuário líder* entrevista clientes inovadores formadores de opinião sobre as exigências que não estão sendo atendidas pelos produtos ou serviços existentes.

A questão do envolvimento do cliente em estudos sobre expectativas é discutida com frequência. Os projetistas e os desenvolvedores afirmam que os consumidores não sabem o que desejarão no futuro, sobretudo em setores ou serviços que são novos e passam por rápidas mudanças. Por outro lado, os consumidores e os pesquisadores de marketing dizem que os serviços desenvolvidos sem as informações sobre o cliente provavelmente almejam necessidades inexistentes. Para estudar essa questão, os pesquisadores avaliaram as contribuições feitas por usuários em comparação com as de desenvolvedores profissionais para os usuários finais de serviços de telecomunicação. Três grupos foram estudados: os usuários individualmente, os desenvolvedores individualmente e os usuários na presença de um especialista em projeto que fornecia as informações sobre a exequibilidade do serviço. Os resultados dessa pesquisa revelam que os usuários geram ideias mais originais, mas menos passíveis de serem postas em prática. No entanto, é possível gerar resultados positivos ao convidar os usuários para testar e explorar possibilidades uma vez que o protótipo tenha sido gerado.[11]

A ANÁLISE E A INTERPRETAÇÃO DAS DESCOBERTAS DAS PESQUISAS COM O CLIENTE

Um dos principais desafios enfrentados por um pesquisador de marketing é a conversão de um complexo conjunto de dados em um formulário que possa ser lido e entendido rapidamente por executivos, gerentes e outros funcionários que tomam decisões a partir da pesquisa. Por exemplo, a gestão de base de dados está sendo adotada como iniciativa estratégica por muitas empresas (veja a seção Visão Estratégica), mas a mera existência de uma base de dados não garante que as descobertas de uma pesquisa sejam úteis aos gerentes. Muitas das pessoas que utilizam os resultados de uma pesquisa com o cliente não receberam treinamento em estatística e tampouco têm o tempo ou a experiência requeridos para analisar os relatórios preparados pelo computador e outras informações técnicas de pesquisa. O objetivo neste estágio da pesquisa com o cliente é veicular informações de forma clara às pessoas certas, no momento certo. Entre as considerações a serem feitas estão as seguintes: Quem recebe estas informações? Por que elas são necessárias? Como serão usadas? Isso significa que a mesma situação é verificada em outras culturas? Sempre que os usuários sentem-se confiantes de que entenderão os dados, eles demonstram maior probabilidade de aplicá-los apropriadamente. No momento em que os gerentes desconhecem um modo de interpretar os dados ou

Visão estratégica — De cartões a jogos, as empresas apostam na pesquisa de marketing de base de dados

A maior parte das abordagens à pesquisa com o cliente discutidas neste capítulo estuda os padrões dos clientes em grupos. Estes levantamentos examinam as percepções sobre a qualidade dos serviços da totalidade dos clientes de uma empresa para construir noções de como eles se sentem como um grupo. Os grupos de foco identificam as necessidades de importantes segmentos de serviços, e as pesquisas sobre o cliente perdido enfatizam as principais razões por trás da deserção de clientes insatisfeitos com uma empresa. Porém, uma poderosa e importante forma de pesquisa – chamada de *marketing de base de dados* ou *gestão do relacionamento com o cliente* (GRC) – estuda os clientes um a um, de forma a gerar um perfil para suas necessidades, comportamentos e reações ao marketing. Esta abordagem permite a uma empresa chegar bem perto de seus clientes e projetar serviços exclusivos a estes indivíduos.

A pesquisa com o cliente individual está fundamentada sobre uma base de dados que permite à empresa diferenciar seus clientes e lembrar cada um de forma única. Nos Estados Unidos, este tipo de coleta de dados é feito por meio de cartões de fidelidade do cliente emitidos por supermercados – como o VIC da Harris Teeter ou o MVP da Food Lion – que registram informações sobre suas compras e oferecem cupons e ofertas customizadas segundo seus padrões de compra. Um dos exemplos mais comuns da utilização de uma base de dados tecnológica para lembrar os clientes é o registro de cliente frequente do Ritz-Carlton, que documenta as preferências de cada hóspede frequente. (Ele utiliza quartos para fumantes ou não fumantes? Ele prefere travesseiros de pena? Ele lê o *USA Today* ou o *The Wall Street Journal*?) Toda vez que ele se hospeda em um dos hotéis da rede, novas observações sobre suas preferências são registradas, o que permite à empresa "conhecer" cada um de seus clientes.

A seguir, são apresentados dois dos mais inovadores exemplos do marketing de base de dados e de como ele é aplicado para entender o cliente e fazer negócios com ele.

A Hallmark Gold Crown

A base de dados da Hallmark, capaz de reconhecer os clientes em todas as 3 mil lojas da companhia, rastreia compras, contatos e comunicações para permitir que a empresa saiba o que cada cliente valoriza no relacionamento com ela. Essas informações incluem o produto principal ou a vantagem mais importante para o cliente, além dos pontos que diferenciam a Hallmark de suas concorrentes. O mecanismo utilizado para rastrear estas informações é o Gold Crown Card, que os clientes utilizam para acumular pontos com suas compras. Os clientes recebem balancetes personalizados informando seus pontos, boletins informativos, certificados de premiações e notícias individualizadas sobre produtos e eventos que ocorrem nas lojas mais próximas. Os 10% dos clientes que compram mais cartões ou ornamentos recebem ofertas especiais, como períodos mais longos de bônus e seu próprio número de discagem grátis, além de informações especiais sobre produtos específicos que valorizam.

A Hallmark transforma as informações que coleta em comunicações de marketing direto utilizando três aspectos-chave do comportamento do consumidor: os tipos de produtos comprados, a frequência com que as compras são feitas e o tempo transcorrido depois da última compra. Se o cliente não visitou as lojas por um longo período de tempo, a empresa envia uma oferta especial para fazê-lo retornar. Se ele fez uma visita recente, então uma mensagem de agradecimento é enviada. Na situação em que os itens favoritos de um cliente estão com preço especial, como no caso da decoração de Natal no final do ano, as ofertas e as informações são enviadas para encorajar a compra.

Diversas vezes ao ano os executivos da Hallmark reúnem-se com os membros designados e regulares do programa para descobrir como se sentem sobre ele, o que gostariam que fosse incluído ou alterado e como reagem às ofertas de produtos. Os resultados do programa são impressionantes. Ele tem mais de 17 milhões de membros permanentes, 12 milhões que fizeram alguma compra nos últimos seis meses, e mais de 14 milhões que fizeram alguma compra nos últimos 12 meses. As vendas desses membros respondem por 35% do total das transações da companhia e por 45% do faturamento total em vendas.

A Harrah's Entertainment Inc.

Há tempos que a indústria dos jogos reconheceu que certos clientes são melhores do que outros e que estimular os *high rollers** a passar mais tempo em um cassino é uma estratégia lucrativa e que vale a pena. Uma das principais maneiras de encorajar a clientela consiste no *comping* – a oferta gratuita de bebidas, quartos de hotel, limusines e por vezes até fichas de jogo aos melhores clientes. Na maioria dos cassinos, a oferta está limitada a clientes que podem ser identificados e acompanhados, o que fragmenta a estratégia, impossibilitando a atração de clientes recorrentes em potencial. Mas a Harrah's Entertainment, que possui e opera 17 cassinos em cidades como Las Vegas e Atlantic City, descobriu uma maneira mais sistemática de estender esta prática a um grupo mais amplo de clientes. A Harrah's desenvolveu um sistema de gestão do relacionamento com o cliente chamado programa Total Rewards (Recompensa Total). Trata-se de um programa de fidelidade que rastreia os nomes e endereços de visitantes frequentes e das máquinas caça-níqueis em que fazem suas apostas, o tempo de utilização e os montantes apostados. A abordagem da empresa utiliza o cartão Total Reward, disponível a qualquer cliente – muitas vezes com o incentivo de cobrir seus prejuízos com os caça-níqueis por meia hora, ao limite de $100. De forma a acumular pontos que dão direito a bebidas, quartos ou outras vantagens, os clientes permitem que seus cartões sejam lidos quando estão no cassino para monitorar as somas apostadas e o tempo passado em caça-níqueis e jogos de cartas. A Harrah's conta com o desejo dos clientes por pontos, que deve ser forte o bastante para que concordem em ter seu comportamento rastreado.

Apesar de os jogadores receberem o *status* de jogador platina ou jogador ouro, dependendo de seus níveis de aposta, o programa é projetado para os mercados de massa. Em média, o jogador da Harrah's aposta menos de $3 mil em um ano, e viaja a Las Vegas apenas uma ou duas vezes no mesmo período. Este programa permite à Harrah's determinar a rentabilidade trazida por um jogador e apresentar uma oferta especial, customizada para seu comportamento no cassino, de forma a fazê-lo retornar. A empresa converte o programa em recompensas imediatas. Por exemplo, os dados da Harrah's identificam o momento em que um cliente está perdendo e disponibilizam a ele um crédito imediato para apostas futuras. Impressoras instaladas nas máquinas de apostas imprimem estes créditos em tempo real.

No momento em que a análise revelou que os principais clientes eram os que apostavam em máquinas caça-níqueis, a empresa reconheceu que precisava de uma abordagem para rastrear um grupo muito mais amplo de clientes do que havia considerado no passado. O cartão "Total Rewards" foi uma forma de permitir a participação de todos os clientes e a coleta de dados sobre eles. O rastreamento também revelou que os clientes com os maiores valores de apostas eram aqueles que visitavam os cassinos após o trabalho regularmente – não os que vinham para visitas de poucos dias – o que demonstrou que os atrativos típicos que a empresa oferecia (estadias e refeições grátis nos hotéis) não eram a melhor maneira de encorajar os negócios.

O valor da pesquisa de marketing de base de dados

O marketing de base de dados tem aplicações em quase todo o tipo de serviço em que os clientes efetuam compras com frequência. Na base desta abordagem está a necessidade de uma companhia gerar arquivos de informação que integrem diferentes fontes de dados sobre clientes individuais, incluindo informações demográficas, de segmentação, de utilização, dados de satisfação do cliente, além de informações de ordem contábil e financeira. Ainda que a estratégia levante questões no âmbito da privacidade para alguns clientes, a pesquisa com o cliente é melhorada com o uso de bases de dados. Hoje, uma empresa não depende mais de questionários e consegue rastrear o comportamento real de seus clientes sem precisar adivinhar quais segmentos demográficos têm melhor relação com as informações de segmentação psicográfica dos clientes – a empresa de hoje tem todo o instrumental para efetuar uma análise que forneça dados válidos e confiáveis sobre o tópico.

Fontes: F. Newell, *loyalty.com* (New York: McGraw-Hill, 2000), pp. 232–238; C. T. Heun, "Harrah's Bets on IT to Understand Its Customers," *Informationweek*, December 11, 2000; Gary Loveman, "Diamonds in the Data Mine," *Harvard Business Review*, May 2003, pp. 109–112; www.harrahs.com, 2011; www.hallmark.com, 2007; "Getting to Know You," *Chain Store Age*, November 2005, p. 51.

---

* N. de T.: Jogador que aposta grandes quantias em cassinos.

> ## Tema global — A realização de pesquisas com o cliente em mercados emergentes
>
> Para terem sucesso em pesquisas com o cliente em mercados emergentes – como Brasil, Rússia, Índia e China – os profissionais de marketing atuantes nos Estados Unidos precisam adaptar suas metodologias. Na opinião das pesquisadoras Linda Steinbach e Virginia Weil, esses profissionais precisam ter em mãos informações básicas importantes antes de realizar essas pesquisas, para se certificarem de que não tomarão decisões erradas empregando dados ou análises equivocadas. Essas pesquisadoras, as quais também são diretoras de contas-chave globais de uma renomada empresa de pesquisa com o cliente de atuação internacional, a Synovate, elaboraram uma lista muito útil do que se deve e do que não se deve fazer com relação a pesquisas com o cliente de quatro mercados emergentes. As noções apresentadas a seguir são trechos de um artigo que as autoras publicaram.
>
> **BRASIL**
>
> Ao realizar pesquisas com o consumidor brasileiro, um profissional de marketing precisa compreender que:
>
> - As pesquisas feitas por terceiros, as quais incluem estatísticas "oficiais", não são de todo confiáveis, por conta do pequeno número de fontes e das discrepâncias entre as fontes.
> - Uma vez que os clientes estão preocupados com fatores associados à violência, os entrevistadores provavelmente não terão acesso ao interior das residências dos entrevistados. Por essa razão, telefonemas e pesquisas via Internet são os meios mais indicados.
> - Os contatos pessoais são muito importantes. Por isso, conhecer alguém que conhece alguém permite aos pesquisadores um acesso muito mais rápido ao cliente. De modo semelhante, as referências pessoais são essenciais. Se você fez algum negócio com alguém que um brasileiro conhece e respeita, essas informações serão úteis.
> - O preço é importante tanto para os consumidores gerais quanto para os compradores corporativos.
>
> **RÚSSIA**
>
> Steinbach e Weil recomendam que, quando uma empresa conduz uma pesquisa na Rússia, ela deva estabelecer alguma conexão com empresas locais, porque os gerentes russos preferem falar o idioma nativo e lidar com seus compatriotas. Outros fatos a serem lembrados incluem:
>
> - As pesquisas feitas por terceiros provavelmente não são precisas, devido ao número limitado de fontes e às discrepâncias entre elas.
> - As entrevistas presenciais no setor *business-to-business* são preferidas a pesquisas via telefone.
> - O serviço postal local leva várias semanas para entregar uma encomenda ou uma pesquisa. Por essa razão, use outro meio de distribuição.
> - Embora os contatos pessoais sejam muito importantes, o *cold calling** também é eficiente.
> - A maioria dos pesquisadores na Rússia têm formação em matemática, o que permite obter explicações e soluções muito específicas nos seus resultados.
> - As empresas na Rússia precisam se convencer de que as recomendações refletem as realidades do país, uma vez que essas companhias acreditam que a Rússia é muito diferente do resto do mundo.
> - A Rússia tem 11 fusos horários e temperaturas que variam entre zero e -40°C, o que pode afetar o marketing ou qualquer iniciativa em ambientes externos.
>
> ---
> * N. de T.: Técnica de marketing que consiste em estabelecer um contato com o cliente sem aviso. Esse contato pode ser por telefone, email ou redes sociais.

sempre que lhes faltar a confiança na pesquisa, o investimento em tempo, habilidade e esforço é perdido.

A representação gráfica das descobertas feitas pela pesquisa de marketing é uma ferramenta poderosa para veicular informações sobre a pesquisa. Amostras de representações gráficas dos tipos de dados de pesquisas de marketing discutidas neste capítulo são apresentadas a seguir.

Os gráficos das zonas de tolerância

No momento em que as empresas coletam dados sobre os dois níveis de expectativa descritos no Capítulo 3 – o serviço desejado e o serviço adequado – junto com dados de desempenho, elas conseguem gerar informações concisas em gráficos de zonas de tolerância. A Figura 5.2 ilustra as percepções da qualidade do serviço do cliente em relação a suas zonas de tolerância. As percepções do desempenho da empresa estão indicadas como círculos, e os retângulos da zona de tolerância têm como limite superior o escore para o serviço desejado e como limite inferior o escore do serviço adequado. Sempre que os escores de percepção ficam dentro dos retângulos, conforme visto na

- Parar representar todo o país, uma pesquisa deve abranger pelo menos 53 cidades em 7 regiões de território total.
- A divisão de responsabilidades (coletivismo), não o individualismo, é um valor central.

ÍNDIA

Apenas 70% dos adultos indianos são alfabetizados e um terço dos habitantes vive com o equivalente a 70 centavos de dólar norte-americano ao dia. Alguns desses grupos demográficos afetam as pesquisas, como:

- A pesquisa com o cliente precisa ser simples. A qualidade das entrevistas acerca de conceitos complexos provavelmente será baixa.
- O inglês é o idioma dos negócios, mas há 14 "línguas maternas" no país, além de muitos dialetos. Por isso, entrevistas por telefone para fins de pesquisa precisam ser personalizadas para cada idioma falado no país.
- Muitas pessoas não querem responder a questionários em suas casas, porque são sensíveis acerca da pobreza de seus lares.
- Nas pesquisas *business-to-business*, o email é popular e as entrevistas via telefone são uma alternativa possível, mas as entrevistas presenciais são difíceis.
- A corrupção no setor público é comum, e pagamentos em dinheiro como propina podem ser necessários.
- As relações entre os sexos são um fator importante. Muitas mulheres ou seus parceiros não se sentem confortáveis na presença de entrevistadores em ambientes informais.

CHINA

A China tem 1,3 bilhão de consumidores e, portanto, é um mercado-chave para muitos produtos. A seguir são apresentados alguns fatos sobre o modo de realizar uma pesquisa com o consumidor neste país:

- Política, religião e sexo são assuntos muito delicados e nunca devem fazer parte de uma pesquisa.
- Como os funcionários de uma empresa se encontram a grandes distâncias uns dos outros, entrevistas presenciais no *business-to-business* são difíceis.
- O mandarim é o idioma oficial, mas os dialetos locais continuam importantes para as respectivas populações.
- As entrevistas *on-line* funcionam se o público-alvo for alfabetizado e estiver na faixa etária com menos de 40 anos.
- Uma vez que a China é um país grande, os estilos de comportamento e a sofisticação dos profissionais e pesquisadores de marketing podem variar de região para região.
- A maioria dos projetos exige muitas reuniões e envolve inúmeras pessoas.
- Os chineses têm um respeito muito forte pela hierarquia; por isso, comportar-se com respeitabilidade é essencial.
- Nos negócios, é importante capturar a noção do "guanzi"*: relações pessoais, não corporativas.

Extraído de L. Steinbach and V. Weil, "From Tactical to Personal: Synovate's Tips for Conducting Market Research in Emerging Markets," *Marketing News*, April 30, 2011, com permissão das autoras.

___

* N. de T.: O termo define um modo de relação pessoal, onde uma pessoa consegue persuadir a outra a lhe fazer um favor ou prestar um serviço. Também pode ser usado para descrever a rede de contatos de um indivíduo.

Figura 5.2, a empresa está executando serviços que estão acima do nível mínimo de expectativa dos clientes. Quando os escores de percepção ficam abaixo dos retângulos, o desempenho da empresa está aquém do nível mínimo, e os clientes estão insatisfeitos com o serviço que ela oferece.[12]

As matrizes de importância e desempenho

Uma das modalidades de análise mais úteis na pesquisa de marketing é a *matriz de importância e desempenho*. Esse gráfico combina informações sobre as percepções do cliente e níveis de importância. A Figura 5.3 dá um exemplo desta matriz. A importância de um atributo está representada no eixo vertical, e varia de alta (no topo) a baixa (na parte inferior do eixo). O desempenho é mostrado no eixo horizontal, e se estende de alto (no lado esquerdo) a baixo (no lado direito do eixo). Há muitas variantes desta matriz. Algumas empresas definem o eixo horizontal como a lacuna entre as expectativas e as percepções, outras como o desempenho em relação à concorrência. A área sombreada indica o nível mais alto para a implementação de melhorias na qualidade do serviço – o ponto em que a importância é alta e o desempenho é baixo. Nesse quadrante estão os atributos que

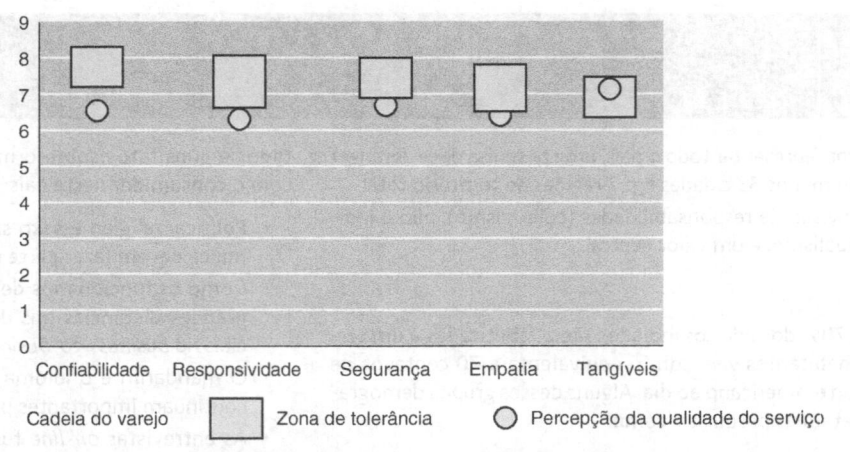

Figura 5.2 As percepções sobre a qualidade do serviço em relação às zonas de tolerância para cada dimensão.

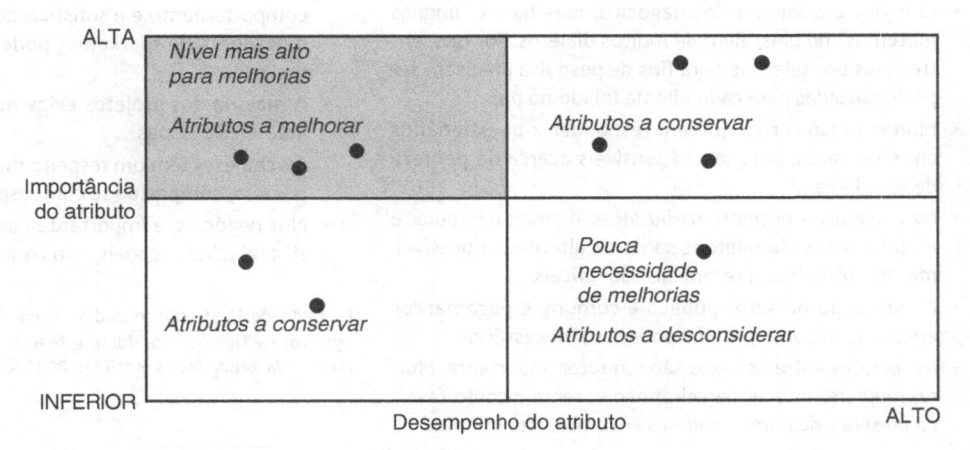

Figura 5.3 A matriz de desempenho e importância.

mais precisam ser melhorados. No quadrante ao lado estão aqueles que devem ser conservados, que a empresa desempenha a contento e que são muito importantes para os clientes. Os dois quadrantes inferiores contêm atributos de menor relevância, alguns dos quais são desempenhados satisfatoriamente, outros não. Nenhum desses dois quadrantes merece a mesma atenção em termos de melhoria dos serviços do que os quadrantes superiores, pois os clientes não estão muito interessados nos atributos neles contidos.

COMO UTILIZAR AS INFORMAÇÕES DA PESQUISA DE MARKETING

A condução de pesquisas acerca das expectativas do cliente é apenas o primeiro passo para compreendê-lo, mesmo quando a pesquisa é projetada, executada e apresentada de forma apropriada. Uma empresa de serviço também precisa utilizar os resultados das pesquisas de modo significativo – para assim desencadear uma mudança ou uma melhoria na maneira como o serviço é executado. O mau uso (ou mesmo a não utilização) de dados de pesquisa pode levar a uma grande lacuna na *compreensão das expectativas dos clientes*. Toda vez que um gerente deixa de ler os

Quadro 5.3 Os elementos de um programa de comunicação ascendente eficaz

Tipo de interação ou pesquisa	Objetivo da pesquisa	Quantitativa/qualitativa	Custo da informação		
			Financeiro	Temporal	Frequência
Visitas dos executivos aos clientes	Obter informações em primeira mão sobre os clientes	Qualitativa	Médio	Médio	Contínua
Seções em que os executivos ouvem os clientes	Obter informações em primeira mão sobre os clientes	Qualitativa	Baixo	Baixo	Contínua
Pesquisa com clientes intermediários	Obter informações detalhadas sobre o cliente final	Quantitativa	Médio	Médio	Anual
Pesquisas internas de satisfação do funcionário	Melhorar a qualidade do serviço interno	Quantitativa	Médio	Médio	Anual
Visitas ou sessões em que o funcionário é ouvido	Obter informações em primeira mão sobre os funcionários	Qualitativa	Médio	Médio	Contínua
Sugestões dos funcionários	Obter ideias para melhorias nos serviços	Qualitativa	Baixo	Baixo	Contínua

relatórios de uma pesquisa porque está muito ocupado lidando com os desafios cotidianos da empresa, as companhias fracassam ao utilizar os recursos disponíveis. Além disso, sempre que os clientes participam de uma pesquisa, mas nunca veem as mudanças na maneira como a empresa opera, eles sentem-se frustrados e aborrecidos com ela. O entendimento do melhor modo de utilizar uma pesquisa – para pôr em prática o que foi aprendido – é um aspecto-chave para fechar a lacuna entre as expectativas do cliente e as percepções que a gestão tem destas expectativas. Os gerentes têm de aprender a transformar as informações e as noções presentes em uma pesquisa em ação, para entender que a finalidade da pesquisa é promover melhorias e aumentar a satisfação do cliente.

O plano de pesquisa precisa delinear o mecanismo pelo qual os dados do cliente serão utilizados. A pesquisa deve ser específica, confiável e posta em ação no momento certo. Ela também pode dispor de um mecanismo que permita a uma empresa reagir de imediato diante da insatisfação do cliente.

A COMUNICAÇÃO ASCENDENTE

Em algumas empresas de serviço, sobretudo empresas de operação local e de pequeno porte, os proprietários ou gerentes estão em constante contato com os clientes, o que gera informações em primeira mão sobre expectativas e percepções. Contudo, em grandes corporações de prestação de serviços, os gerentes nem sempre têm a chance de presenciar o que os clientes desejam de imediato.

Quanto maior a empresa, maior a dificuldade dos gerentes de interagir diretamente com o cliente e menor o volume de informações em primeira mão sobre suas expectativas. Até mesmo na situação em que eles leem e digerem as pesquisas, os gerentes estão propensos a deixar escapar a realidade do cliente, se não tiverem a oportunidade de ver a execução do serviço real. Uma visão hipotética de como as coisas deveriam acontecer não é capaz de proporcionar a riqueza de informações disponibilizada no encontro de serviço. A fim de entender de fato as necessidades do cliente, os gerentes se beneficiam do conhecimento direto do que ocorre nas lojas, nas linhas de atendimento ao cliente, nas filas de serviço e nos encontros de serviço. Se a lacuna da compreensão tem de ser fechada, os gerentes das grandes empresas precisam de alguma forma de contato com o cliente.

Os objetivos da comunicação ascendente

O Quadro 5.3 ilustra os principais objetivos da pesquisa para melhorar a comunicação ascendente em uma organização. Estes objetivos incluem o conhecimento em primeira mão sobre os clientes, a melhoria da qualidade do serviço interno, a obtenção de informações diretas dos funcionários, além da geração de ideias para a melhoria do serviço. Estes objetivos são concretizados por meio de dois tipos de atividades interativas na organização: uma delas é projetada para melhorar o tipo e a eficácia das comunicações dos clientes com os gerentes, a outra tem a intenção de melhorar as comunicações entre os funcionários e a gerência.

As pesquisas para a comunicação ascendente

Os executivos visitam os clientes

Esta abordagem é frequentemente utilizada pelo marketing de serviços no *business-to-business*. Em algumas visitas, os executivos da empresa prestadora efetuam ligações telefônicas de vendas ou de prestação de serviços com o pessoal de contato do cliente (a equipe de vendas). Em outras situações, os executivos da empresa prestadora marcam reuniões com os executivos de mesmo nível hierárquico dos clientes.

Os executivos ou os gerentes ouvem as opiniões dos clientes

A interação direta com os clientes confere clareza e profundidade ao entendimento que os gerentes têm das expectativas e necessidades dos clientes. Com vistas a melhorar a compreensão sobre o comportamento do cliente, muitas companhias exigem que seus executivos assumam funções básicas quando são contratados. Um dos vice-presidentes da DaVita Inc., a segunda empresa norte-americana no setor de hemodiálise, passou três dias, em 2007, auxiliando no tratamento de pacientes graves ao lado de funcionários especializados.[13] Um número crescente de empresas prestadoras de serviço – incluindo Walt Disney, Continental Airlines, Amazon.com e Sysco – exige que seus gerentes passem um tempo na linha de frente, em contato direto com o cliente e presenciando a execução do serviço. Um programa formal de encorajamento da interação informal é, na maioria dos casos, a melhor maneira de garantir que este contato de fato ocorra.

A pesquisa com clientes intermediários

Os clientes intermediários (como funcionários de contato, representantes, distribuidores, agentes e corretores) são as pessoas atendidas pela empresa e que atendem ao cliente final. A pesquisa das

Quadro 5.4 — Os funcionários fornecem a comunicação ascendente na Cabela's, a maior varejista de artigos esportivos do mundo

Se você não pratica a pesca, a caça, o tiro ao alvo, ou não acampa nem explora cavernas, talvez você não conheça a Cabela's, a maior varejista de artigos esportivos do mundo. Ela comercializa seus produtos em suas lojas, pelo correio e pela Internet. Fundada em 1961 como uma empresa especializada em iscas de pesca vendidas via catálogo, a empresa cresceu rápido graças à sua filosofia de que o cliente está em primeiro lugar, e da premissa de que os funcionários têm um papel fundamental na concretização desta filosofia. Em função de a companhia ter sido uma varejista de venda via catálogo pelos primeiros 30 anos de sua existência, ela dependia muito de funcionários que dominavam o conhecimento dos esportes ao ar livre para a descrição de seus produtos aos consumidores.

Seu mix de produtos gigantesco (245 mil itens) e variado (com artigos para a prática da caça, da pesca, do tiro ao alvo, do arco e flecha, além de itens para observação visual, acampamento e barcos) faz da Cabela's a principal fonte de itens para atender às necessidades e aos desejos do cliente que pratica esportes ao ar livre. Contudo, este grande número de itens dificulta a oferta aos clientes. Foi a partir deste desafio que nasceu uma solução nova e criativa e que deixou os funcionários tão felizes quanto os clientes. A empresa decidiu emprestar seus produtos a seus funcionários para que pudessem aprender tudo sobre eles, utilizando-os. O programa permite aos funcionários, que via de regra também são entusiastas dos esportes ao ar livre, tomar emprestados os produtos da companhia por um mês e aprender a formular as mesmas perguntas que os clientes apresentam na hora da compra. Com isso, os funcionários tornam-se especialistas tanto nos produtos quanto nas experiências que os clientes terão ao adquiri-los e utilizá-los.

Após utilizar os produtos, os funcionários os devolvem e ensinam seus colegas tudo sobre eles – o que é feito por meio de conversas ou do preenchimento de formulários em que são apontadas as características positivas e negativas de cada item. Estas informações tornam-se parte de uma gigantesca base de dados, chamada "notas sobre produtos", que oferece acesso fácil aos funcionários, até mesmo aos que trabalham nos *call centers*, de forma que as perguntas dos clientes – até as mais insólitas – sejam respondidas com rapidez e precisão. Além disso, a companhia convida alguns clientes esclarecidos nos produtos para que tomem alguns desses emprestados e ofereçam sua própria parcela de contribuição com informações.

A comunicação ascendente se prolonga ao cofundador da empresa, Jim Cabela, que intercepta e lê todos os comentários dos clientes à medida que estes chegam, antes de repassá-los ao funcionário indicado para lidar com eles. Jim gosta de ficar de olho no que os clientes desejam saber, pois assim ele ganha a certeza de que seus funcionários mantêm-se atualizados.

Fonte: Michael A. Prospero, "Leading Listener Winner: Cabela's," *Fast Company*, October 2005, p. 47.

necessidades e expectativas destes clientes ao *servirem os clientes finais* se transforma em uma ferramenta útil e eficiente, tanto para melhorar o serviço quanto para obter informações sobre esses clientes. A interação com os clientes intermediários abre oportunidades para a compreensão das expectativas e dos problemas dos clientes finais. Além disso, ela auxilia a empresa no aprendizado e na satisfação das expectativas dos clientes intermediários em relação ao serviço, um processo essencial na garantia de um serviço de qualidade para o cliente final.

A pesquisa com os clientes internos
Os funcionários que executam serviços são clientes de serviços internos, dos quais dependem diretamente para executarem seu trabalho de forma satisfatória. Conforme discutiremos no Capítulo 11, existe uma relação consistente e direta entre a qualidade do serviço interno que os funcionários recebem e a qualidade do serviço que eles oferecem a seus próprios clientes. Por esta razão, é importante conduzir pesquisas com o funcionário voltadas para o serviço que os clientes internos recebem e prestam. Em muitas companhias, esta orientação requer a adaptação de pesquisas de opinião existentes a fim de que sejam direcionadas para a satisfação com o serviço. A pesquisa com os funcionários complementa a pesquisa com o cliente sempre que a qualidade do serviço é o quesito em avaliação. As pesquisas com o cliente trazem noções sobre o que está ocorrendo, ao passo que as pesquisas com o funcionário oferecem ideias dos motivos por trás destes acontecimentos. Os dois tipos de pesquisa desempenham papéis diferentes e igualmente importantes na melhoria da qualidade do serviço. As companhias que concentram a pesquisa sobre a qualidade do serviço exclusivamente nos clientes externos estão desperdiçando uma fonte de informação valiosa e vital.

As abordagens para os executivos ou gerentes ouvirem o que os funcionários têm a dizer
Os funcionários que de fato executam o serviço têm a melhor perspectiva para a observação do serviço e a identificação dos obstáculos para a qualidade. As equipes de contato com o cliente mantêm uma comunicação constante com ele e, portanto, conseguem entender muito sobre suas expectativas e percepções. Se as informações que coletam são repassadas à alta gerência, o conhecimento destes gerentes sobre o cliente pode ser melhorado. Na verdade, é possível dizer que em muitas companhias a compreensão que a alta gerência tem do cliente depende, em grande parte, da extensão e do tipo da comunicação recebida das equipes de contato e de equipes que não fazem parte da companhia (como corretores de seguro independentes e varejistas) que representam a ela e aos serviços oferecidos. Sempre que estes canais de comunicação são fechados, a gerência talvez não obtenha um *feedback* sobre os problemas encontrados na execução do serviço e sobre a maneira como as expectativas do cliente estão mudando.

Sam Walton, o falecido fundador da Walmart, varejista de imenso sucesso, certa vez disse: "Nossas melhores ideias nascem com os garotos dos estoques e das entregas".[14] Com o objetivo de manter contato com as fontes de novas ideias, Walton passava incontáveis horas nas lojas, trabalhando nos corredores, ajudando os funcionários ou dando o visto de aprovação em cheques, ou mesmo aparecendo na doca de descarga de mercadorias com uma caixa cheia de rosquinhas para surpreender uma turma de trabalhadores.[15] Ele ficou famoso ao pedir que o piloto de seu avião particular aterrissasse em um campo de trigo, junto ao qual ele encontrou um dos motoristas de caminhão da Walmart. Ele dera instruções ao piloto, para que ele o encontrasse em outro ponto do interior dos Estados Unidos, cerca de 200 milhas ao longo da estrada, pois Walton queria percorrer um trecho da viagem com o motorista e escutar o que este tinha a dizer sobre a companhia.

As sugestões dos funcionários

A maioria das companhias tem alguma forma de programa de sugestões de funcionários, por meio do qual as equipes de contato com o cliente são capazes de veicular aos gerentes suas ideias relativas à melhoria do trabalho. Os sistemas de sugestão evoluíram muito, depois das tradicionais caixas de sugestão. Os sistemas de sugestão eficazes são aqueles em que os funcionários têm o poder de transmitir suas ideias, e os supervisores conseguem implementá-las de imediato. Estes sistemas motivam os funcionários na constante melhoria de seu trabalho. Os supervisores têm a chance de reagir com rapidez a essas ideias e recebem treinamento sobre as melhores maneiras de lidar com essas sugestões. Nas empresas modernas, as sugestões dos funcionários são mediadas por equipes de trabalho autodirigido, que encorajam os funcionários a identificar problemas e trabalhar no desenvolvimento de soluções para eles.

As vantagens da comunicação ascendente

A comunicação ascendente deste tipo disponibiliza informações para a alta gerência sobre atividades e desempenhos em toda a organização. Os tipos de comunicação relevantes são o formal (como relatórios de problemas e exceções na execução do serviço) e o informal (como conversas das equipes de contato com a alta gerência). Os gerentes que se mantêm próximos a suas equipes de contato com o cliente beneficiam-se com essa atitude, não apenas por manterem seus funcionários felizes, como também por aprenderem mais sobre seus clientes.[16] Estas companhias encorajam, reconhecem e recompensam a comunicação ascendente a partir das pessoas de contato, conforme exemplifica o Quadro 5.4. Esse canal importante permite que os gerentes aprendam sobre as expectativas do cliente com relação aos funcionários em contato regular com os clientes e, portanto, consigam estreitar a lacuna 1 da empresa.

Resumo

Este capítulo discutiu o papel da pesquisa com o cliente na compreensão de suas expectativas e percepções. Ele começou com uma descrição dos critérios utilizados na condução de uma pesquisa de serviços eficaz e que devem ser incorporados a qualquer programa de estudos sobre o marketing de serviços. A seguir, discutimos os elementos que compõem um programa eficaz de pesquisa em marketing de serviços e indicamos como as abordagens adotadas atendem a estes critérios. Além dos tipos e das técnicas de pesquisa (mostradas no Quadro 5.1), diferentes seções deste capítulo demonstram como as abordagens eletrônicas ou baseadas em outras tecnologias contribuem com as informações que os gerentes têm à disposição.

O capítulo descreveu as principais formas de pesquisa em serviços, que incluem os estudos de incidentes críticos, as compras-fantasma, as reuniões e o exame das expectativas de serviço, as avaliações dos controles do processo e a pesquisa em base de dados. Tópicos importantes na pesquisa sobre serviços – que incluem o desenvolvimento de objetivos de pesquisa – foram descritos. Por fim, também foi discutida a comunicação ascendente, isto é, as maneiras de a gestão obter e utilizar informações dos clientes e das equipes em contato com estes. Estes tópicos se fundem, a fim de fechar a lacuna da compreensão do cliente – a lacuna entre as expectativas do cliente e a compreensão da empresa sobre estas expectativas, a primeira das quatro lacunas da empresa definidas no modelo de lacunas da qualidade do serviço.

Questões para discussão

1. Cite cinco razões para que os objetivos da pesquisa sejam definidos antes de a pesquisa de marketing ser iniciada.
2. Por que os métodos de pesquisa qualitativos e quantitativos são igualmente necessários em um programa de pesquisa de marketing de serviços?
3. Por que a frequência da pesquisa difere para os métodos de pesquisa ilustrados no Quadro 5.1?
4. Compare e contraste os tipos de pesquisa que auxiliam uma companhia a identificar os pontos comuns de falhas (veja a segunda coluna do Quadro 5.1). Em sua opinião, quais são os tipos que geram as melhores informações? Por quê?
5. Em que situações uma empresa de serviço precisa de pesquisa sobre exigências?
6. Quais são as razões que você mencionaria para o fato de uma empresa não utilizar as informações contidas em uma pesquisa? Como motivar os gerentes de uma companhia a utilizar estas informações mais extensivamente? De que

Parte III A compreensão das exigências do cliente

forma é possível motivar as equipes de contato com o cliente a utilizar estas informações?

7. Dado um orçamento fixo para a condução de pesquisas de marketing, quais seriam suas recomendações para o percentual a ser gasto na pesquisa com o cliente em comparação ao percentual destinado à comunicação ascendente? Por quê?

8. Quais são os tipos de informações que podem ser coletadas a partir de uma pesquisa com clientes intermediários? Nesse sentido, quais são as informações de que dispõem estes clientes intermediários e que os clientes finais não disponibilizam?

9. Para quais tipos de produtos e serviços a pesquisa via Internet é preferível, em comparação com uma pesquisa tradicional?

Exercícios

1. Escolha uma organização local de prestação de serviços para conduzir entrevistas sobre a pesquisa de marketing. Descubra os objetivos da empresa e os tipos de pesquisa de marketing que ela vem adotando recentemente. Utilize as informações discutidas neste capítulo e reflita sobre a eficácia desta pesquisa de marketing. Quais são seus pontos fortes? Quais são seus pontos fracos?

2. Escolha um serviço que você adquire regularmente. Se você fosse incumbido de criar um questionário para este serviço, quais perguntas você prepararia? Dê exemplos. Qual tipo de pesquisa (de relacionamento ou baseada em transações) seria o mais indicado para o serviço em questão? Quais são suas recomendações à gerência da companhia quanto a pôr em prática ações com base nos resultados desta pesquisa?

3. Se você fosse o diretor de marketing de sua universidade, quais tipos de pesquisa (veja o Quadro 5.1) seriam essenciais para a compreensão dos clientes externos e internos? Se você pudesse escolher entre um dos três tipos de pesquisa, quais você selecionaria? Por quê?

4. Utilize a escala SERVQUAL apresentada neste capítulo e crie um questionário para uma empresa de serviço que você contrata. Apresente o questionário a 10 pessoas e descreva o que você aprendeu.

5. Para ter uma noção do poder da técnica dos incidentes críticos, utilize-a em um serviço de restaurante. Pense em um momento em que, como cliente, você teve uma interação especialmente satisfatória com o estabelecimento. Siga as instruções a seguir, que são as mesmas de um estudo real de incidentes críticos, e observe as noções que você obtém sobre suas exigências para este serviço:
   a. Quando aconteceu o incidente?
   b. Quais circunstâncias levaram a esta situação?
   c. Mais precisamente, o que disseram ou fizeram os funcionários (ou a própria empresa)?
   d. Quais aspectos do desfecho da situação o fizeram julgar a interação como satisfatória?
   e. O que poderia ou deveria ter sido feito de modo diferente?

Literatura citada

1. J. McGregor, "Customers First: 2004 Fast Company Customers First Awards," *Fast Company*, October 2004, pp. 79–88.

2. A. Parasuraman, L. L. Berry, and V. A. Zeithaml, "Guidelines for Conducting Service Quality Research," *Marketing Research: A Magazine of Management and Applications*, December 1990, pp. 34–44.

3. J. Neff, "Chasing the Cheaters Who Undermine Online Research," *Advertising Age*, March 31, 2008, p. 12; B. Johnson, "Forget Phone and Mail: Online's the Best Place to Administer Surveys," *Advertising Age*, July 17, 2006, p. 23.

4. Esta seção é baseada em uma avaliação detalhada da técnica do incidente crítico dada em D. D. Gremler, "The Critical Incident Technique in Service Research," *Journal of Service Research* 7 (August 2004), pp. 65–89.

5. Para uma discussão detalhada sobre a técnica do incidente crítico, ver J. C. Flanagan, "The Critical Incident Technique," *Psychological Bulletin* 51 (July 1954), pp. 327–358; M. J. Bitner, J. D. Nyquist, and B. H. Booms, "The Critical Incident as a Technique for Analyzing the Service Encounter," in *Services Marketing in a Changing Environment*, ed. T. M. Bloch, G. D. Upah, and V. A. Zeithaml (Chicago: American Marketing Association, 1985), pp. 48–51; S. Wilson-Pessano, "Defining Professional Competence: The Critical Incident Technique 40 Years Later," apresentação no encontro anual da American Educational Research Association, New Orleans, 1988; I. Roos, "Methods of Investigating Critical Incidents," *Journal of Service Research* 4 (February 2002), pp. 193–204; Gremler, "The Critical Incident Technique in Service Research."

6. Ibid.

7. J. Carey, J. Buckley, and J. Smith, "Hospital Hospitality," *Newsweek*, February 11, 1985, p. 78.

8. Ver V. A. Zeithaml and A. Parasuraman, *Service Quality*, MSI Relevant Knowledge Series (Cambridge, MA: Marketing Science Institute, 2004) para uma revisão completa sobre esta pesquisa, incluindo as muitas publicações dos autores da SERVQUAL e as contribuições de outros pesquisadores.

9. E. Day, "Researchers Must Enter Consumer's World," *Marketing News*, August 17, 1998, p. 17.
10. G. Khermouch, "Consumers in the Mist," *BusinessWeek*, February 26, 2001, pp. 92–93.
11. P. R. Magnusson, J. Mathing, and P. Kristensson, "Managing User Involvement in Service Innovation: Experiments with Innovating End Users," *Journal of Service Research* 6 (November 2003), pp. 111–124.
12. A. Parasuraman, V. A. Zeithaml, and L. L. Berry, "Moving Forward in Service Quality Research," *Marketing Science Institute Report* No. 94–114, September 1994.
13. J. S. Lublin, "Top Brass Try Life in the Trenches," *The Wall Street Journal*, June 25, 2007, p. B1.
14. S. Koepp, "Make That Sale, Mr. Sam," *Time*, May 18, 1987.
15. Ibid.
16. Zeithaml, Parasuraman, and Berry, *Delivering Quality Service*, p. 64.

Capítulo 6

A construção do relacionamento com o cliente

Os objetivos deste capítulo são:

1. Explicar o marketing de relacionamento, seus objetivos e os benefícios de relacionamentos de longo prazo para empresas e clientes.
2. Explicar os motivos e as maneiras de estimar o valor do relacionamento com o cliente.
3. Apresentar o conceito de segmentos de rentabilidade do cliente como estratégia para a definição do foco dos esforços de marketing de relacionamento.
4. Apresentar estratégias para o desenvolvimento de relacionamentos – que incluem o serviço principal de qualidade, as barreiras contra a troca e os vínculos de relacionamento.
5. Identificar os desafios no desenvolvimento de relacionamentos, incluindo a ideia um tanto controversa de que o "cliente nem sempre está certo".

A USAA se concentra nos relacionamentos de longo prazo

A United Services Automobile Association (USAA) é um exemplo notável de uma organização focada na construção de relacionamentos de longo prazo com seus clientes.[1] A retenção do cliente é um valor central da USAA há muito, e remonta à popularização do conceito de fidelidade do cliente. Em atividade desde 1922, a USAA atende às necessidades de um segmento de mercado altamente cobiçado: os militares norte-americanos na ativa e reformados. Com matriz em San Antonio, Texas, a USAA é proprietária e administra mais de $110 bilhões em ativos. Ela é a empresa que vem ocupando o primeiro ou o segundo lugares na lista de "Campeãs de Serviço ao Cliente" da revista *BusinessWeek* entre 2007 e 2010, e regularmente aparece na lista das 100 melhores empresas norte-americanas para trabalhar da revista *Fortune*. As estatísticas de retenção dos associados se aproximam de 100%.[2] Na verdade, a razão mais provável para um associado deixar a empresa é a morte.

O objetivo da USAA é "considerar os eventos na vida de um militar de carreira e então encontrar caminhos para auxiliá-lo a vencer qualquer obstáculo". A USAA está determinada a atender às necessidades de sua base de associados e a crescer com ela. Para isso, a USAA utiliza muitas pesquisas executadas por meio de questionários, bem como promove reuniões entre o conselho de associados e os executivos da empresa. A USAA também está voltada para a retenção dos melhores funcionários e adota um sistema de recompensas baseado em objetivos relacionados aos

USAA: empresa que regularmente ocupa as posições mais altas do ranking anual da revista *BusinessWeek* em serviço ao cliente.

associados, como porcentagem de questões resolvidas no primeiro telefonema, sem a necessidade de acompanhamento. A USAA acredita piamente na importância da retenção do cliente, e as bonificações destinadas aos executivos são baseadas nesta métrica. A ênfase que a empresa dá a estes aspectos é compensadora: empresas de pesquisa independentes relatam que 81% dos associados da USAA acreditam que a empresa faz o melhor por eles, não pelo próprio lucro.[3]

A USAA: as campeãs de serviço ao cliente de 2007 da revista *BusinessWeek*

Um notável exemplo de como a USAA tenta escutar seu associado é ilustrado por este trecho da revista *BusinessWeek*:

> Muitas empresas dão a entender que escutam "a voz do cliente". Na USAA, essa voz é transformada no que a empresa chama de *surround sound** — uma abordagem abrangente ao treinamento de seus funcionários para que eles desenvolvam uma empatia com as necessidades de cada associado. "Queremos oferecer serviços nos momentos fáceis, nos momentos angustiantes, nos momentos em que nosso cliente está em combate", diz Elizabeth D. Conklyn, ex-vice-presidente executiva da USAA para serviços pessoais. "Tentamos desenvolver empatia, não apenas para nossos associados, como também para suas famílias."[4]

A USAA criou um programa aperfeiçoado de consciência militar que requer que os representantes de serviço ao associado se envolvam em atividades que lhes permitem desenvolver uma empatia pelos associados que atendem. Por exemplo, há vezes em que os funcionários são solicitados a usar um capacete, uma mochila pesando 35 kg e um colete à prova de balas, ou consumir uma refeição pré-pronta dada aos soldados em campanha, bem como ler cartas de soldados lotados no exterior. Não é de todo incomum para um funcionário ler uma carta escrita por um soldado à sua mãe, ou de alguém que veio a falecer em combate.

A USAA é um excelente exemplo de uma organização focada na conservação de seus clientes e na construção de relacionamentos de longo prazo com eles. Diferentemente da USAA, muitas outras empresas fracassam em entender de fato seus clientes, porque são incapazes de se voltar para os relacionamentos que têm com eles. Essas empresas tendem a se concentrar na aquisição de novos clientes em vez de interpretar cada um dos clientes existentes como ativos, que precisam ser trata-

---

* N. de T.: Sistema que utiliza quatro caixas de som, em vez das duas comumente vistas, e que oferece uma experiência sonora mais realista, sobretudo para gravações ao vivo.

dos e conservados. Ao dar enfoque a novos clientes, as empresas facilmente caem nas armadilhas das promoções de curto prazo, dos descontos ou dos anúncios sedutores que atraem clientes novos e que, no entanto, não bastam para fazê-los retornarem. Por outro lado, com a adoção de uma filosofia que preconiza relacionamentos, uma companhia começa a entender melhor seus clientes com o passar do tempo, o que aumenta sua capacidade de atender às necessidades e expectativas em transformação destes clientes.

As estratégias de marketing empregadas para compreender os clientes com o passar do tempo e construir relacionamentos de longo prazo são os objetivos deste capítulo.

O MARKETING DE RELACIONAMENTO

Vemos a ocorrência de uma troca de foco, da transação para o relacionamento, nos processos de marketing. Os clientes passam a ser parceiros e a empresa precisa assumir compromissos de longo prazo para conservar estes relacionamentos com qualidade, serviço e inovação.[5]

O *marketing de relacionamento* representa, em essência, uma troca de paradigma no marketing – do foco na aquisição/transação para o foco na retenção/relacionamento.[6] O marketing de relacionamento (ou gestão de relacionamento) é uma filosofia de fazer negócios, uma orientação estratégica focada na *conservação e melhoria* dos relacionamentos com os clientes existentes de uma empresa, não na aquisição de novos clientes. Essa filosofia pressupõe que muitos consumidores e clientes corporativos preferem ter um relacionamento duradouro com uma organização a trocar continuamente de prestadora de serviços em sua busca por valor. Baseados nesta hipótese – e na suposição de que em geral os custos de manter um cliente são menores do que os de atrair novos clientes – os profissionais de marketing trabalham a fim de desenvolver estratégias para a retenção de clientes. O exemplo dado no texto de abertura deste capítulo ilustra como a USAA efetua suas operações alicerçada na filosofia de conservação de relacionamentos.

Há quem sugere que as empresas muitas vezes concentram seus esforços para atrair novos clientes (o "primeiro ato"), e dispensam pouca atenção ao que elas deveriam fazer para conservar estes clientes (o "segundo ato").[7] As ideias expressas em uma entrevista com James L. Schorr, o então vice-presidente executivo de marketing da rede de hotéis Holiday Inn, ilustra muito bem este ponto.[8] Naquela entrevista, ele referiu-se à "teoria do balde". A expressão significa que o marketing pode ser considerado um grande balde: é o que as vendas, a propaganda e os programas de promoções fazem que eleva o nível de negócios à borda do balde. Enquanto estes programas forem eficazes, o balde permanece cheio. Contudo, "há um pequeno problema", disse ele. "Há um buraco neste balde". Sempre que a empresa vai bem e o hotel cumpre suas promessas, o buraco é pequeno e são poucos os clientes que abandonam a empresa. Conforme indica a Figura 6.1, sempre que as operações estão enfraquecidas e os clientes não estão satisfeitos com o serviço prestado – e, portanto, o relacionamento está cambaleante – as pessoas passam a sair do balde por esses buracos a uma velocidade mais alta do que são colocadas dentro dele.

Uma empresa interessada em um relacionamento compromissado com seus clientes obtém benefícios de longo prazo.

A teoria do balde revela os motivos pelos quais uma estratégia focada no fechamento destes buracos no balde faz tanto sentido. Ao longo da história, os profissionais de marketing se concentraram na aquisição de clientes e, portanto, a troca por uma estratégia baseada em relacionamentos muitas vezes representa uma mudança na mentalidade, na cultura corporativa e nos sistemas de recompensa a funcionários. Por exemplo, os sistemas de incentivos às vendas adotados por muitas organizações são definidos de forma a recompensar a conquista de novos clientes. Com frequência há menos recompensas (ou mesmo nenhuma) pela retenção de clientes existentes. Assim, ainda que as pessoas entendam a lógica da retenção de clientes, os sistemas corporativos atuais talvez não tenham condições de suportar sua implementação.

A evolução nos relacionamentos com os clientes

Os relacionamentos com os clientes, como qualquer outro relacionamento social, tendem a evoluir com o passar do tempo. Os estudiosos no assunto sugerem que os clientes, nos relacionamentos de troca com os prestadores de serviço, muitas vezes evoluem de estranhos a conhecidos, a amigos a e parceiros. O Quadro 6.1 mostra as diferentes questões em cada um dos níveis do relacionamento.[9]

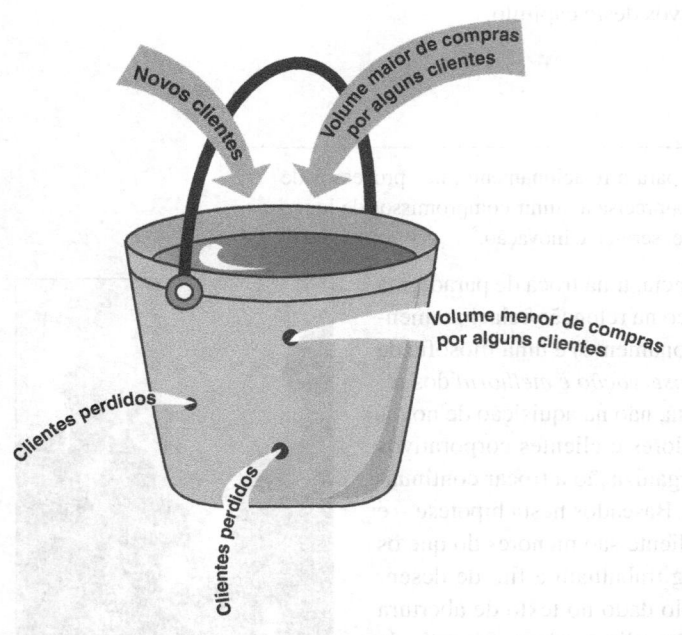

Figura 6.1 Há um buraco no balde: por isso faz sentido desenvolver relacionamentos com o cliente.

Os clientes como estranhos

Os *estranhos* são os clientes que ainda não efetuaram transações (interações) com uma empresa e que talvez nem tenham tomado conhecimento da existência dela. No âmbito setorial, os estranhos são definidos como os clientes que ainda não entraram no mercado. Em nível de empresa, eles incluem os clientes da concorrência. Sem dúvida, nesse ponto a empresa não tem um relacionamento com o cliente. Assim, o principal objetivo da empresa quanto a estes clientes em potencial (os "estranhos") consiste em iniciar uma comunicação com eles para *atraí-los* e *adquirir* seus volumes de negócio. Logo, os principais esforços de marketing dirigidos a estes clientes tratam de familiarizá-los com as ofertas da empresa e, depois disso, encorajá-los para que deem uma chance à empresa.

Os clientes como conhecidos

Uma vez conquistada a consciência do cliente e concluída a fase de avaliação, a familiarização do cliente com a empresa fica estabelecida e as duas partes podem tornar-se *conhecidos*, o que gera uma base para um relacionamento de troca. O principal objetivo para a empresa, neste estágio do relacionamento, é a *satisfação* do cliente. No estágio da familiarização, as empresas preocupam-se em oferecer uma proposta de valor ao cliente que seja equiparável à da concorrência. Para um cliente, um relacionamento de familiaridade é eficaz enquanto ele estiver relativamente satisfeito e se o que estiver sendo oferecido em troca seja percebido com a importância adequada. No caso de interações repetidas, o cliente ganha experiência e se familiariza mais com as ofertas de produtos da empresa. Esses contatos têm o poder de reduzir a incerteza sobre os benefícios esperados com a troca e, portanto, aumentam a atratividade da empresa em comparação com a concorrência. As interações repetidas melhoram o conhecimento que a empresa tem de seu cliente e a auxiliam em seus esforços de marketing, de vendas e de serviço. Assim, um relacionamento de familiaridade facilita as transações, sobretudo por meio da diminuição do risco percebido pelo cliente e dos custos da empresa prestadora.

Os clientes como amigos

À medida que o cliente continua comprando junto a uma empresa e recebendo valor com o relacionamento de troca, a empresa começa a coletar conhecimento específico acerca de suas necessidades, o que permite a geração de ofertas que tratem diretamente da situação deste cliente. A apresentação de uma oferta exclusiva e, portanto, de um valor diferenciado transforma o relacionamento de familiaridade em *amizade*. Essa transição, sobretudo nos relacionamentos de troca em serviços, exige o desenvolvimento da confiança.[10] Uma vez que os clientes talvez não sejam capazes de avaliar os resultados de um serviço antes da compra e do consumo, eles possivelmente não têm

Quadro 6.1 Uma tipologia para os relacionamentos de troca

Os clientes como...	Estranhos	Conhecidos	Amigos	Parceiros
A oferta do produto	Atraente em comparação com as ofertas da concorrência ou a compras alternativas.	Produtos de paridade como forma de padrão do setor.	Produto diferenciado adaptado a segmentos de mercado específicos.	Produto customizado e recursos especiais dedicados a um cliente ou organização individual.
Fonte de vantagem competitiva	Atratividade	Satisfação	Satisfação + confiança	Satisfação + confiança + compromisso
Atividade na compra	Interesse, investigação e avaliação.	A satisfação facilita e reforça a atividade de compra e reduz a necessidade de pesquisas sobre informações de mercado.	A confiança na empresa é necessária para a atividade de compra.	O compromisso na forma de compartilhamento de informações e de investimentos idiossincráticos são necessários para atingir o grau de produto customizado e ajustar o produto continuamente, de acordo com as necessidades e situações que se alteram.
O foco nas atividades de vendas	A consciência das ofertas da empresa (a avaliação de encorajamento) facilita as vendas iniciais.	A familiarização e o conhecimento geral acerca do cliente (identificação) facilitam as vendas.	O conhecimento específico das necessidades do cliente e da situação facilita as vendas.	O conhecimento específico das necessidades do cliente, da situação e de investimentos idiossincráticos facilita as vendas.
Horizonte de tempo de relacionamento	*Nenhum:* o comprador talvez nunca teve uma interação prévia com a empresa, ou não tem conhecimento sobre ela.	*Curto:* o comprador pode trocar de empresa sem grandes esforços ou custos.	*Médio:* em geral é mais longo do que os relacionamentos de familiaridade, pois a confiança em uma posição diferenciada toma mais tempo para ser construída e imitada.	*Longo:* porque a construção (ou substituição) de atividades relacionadas é demorada, e mais tempo é necessário para desenvolver conhecimentos detalhados das necessidades dos clientes e aprimorar os recursos exclusivos de uma prestadora comprometidos na construção do relacionamento.
Sustentabilidade da vantagem competitiva	*Baixa:* porque a empresa precisa continuamente conservar sua atratividade, em termos de valor oferecido, para induzir o período de avaliação.	*Baixa:* a concorrência pode variar nas maneiras de inserir valor exclusivo na venda e no atendimento, ainda que o produto seja do tipo padrão para o setor.	*Média:* depende da capacidade dos concorrentes em entender as diferentes necessidades dos clientes e situações distintas, e da capacidade de transformar este conhecimento em produtos diferenciados e importantes para o cliente.	*Alta:* depende do quão exclusivas e eficazes as atividades de conexão entre cliente e prestadora são organizadas.
Principal objetivo do marketing de relacionamento	*Adquirir* o volume de negócio com um cliente.	*Satisfazer* as necessidades e os desejos do cliente.	*Reter* o cliente.	*Aperfeiçoar* o relacionamento com o cliente.

Fonte: Adaptado de M. D. Johnson and F. Seines, "Customer Portfolio Management: Toward a Dynamic Theory of Exchange Relationships," *Journal of Marketing* 68 (April 2004), p. 5. Reproduzido com permissão da American Marketing Association.

> **Tecnologia em foco** Os sistemas de informações sobre o cliente auxiliam na melhoria do relacionamento com ele
>
> O potencial dos atuais sistemas de informação sobre clientes excede o de qualquer sistema de informação tradicional. A quantidade de informações sobre clientes individuais permite que a organização customize, em nível de indivíduo, o que anteriormente seria visto como um serviço indiferenciado.
>
> **O sistema OnQ da rede de hotéis Hilton**
>
> A rede de hotéis Hilton tem uma plataforma integrada de tecnologia chamada "OnQ", que forma a base para o sistema de gestão do relacionamento com o cliente (GRC) da companhia. O OnQ centraliza todas as informações de perfil pessoal que os hóspedes relatam ao Hilton – por meio de reservas feitas no próprio hotel ou na central de reservas, dos *websites* dos hotéis ou da associação ao programa de fidelidade HHonors – e com isso gera um "administrador de perfil do cliente". Os perfis são criados para qualquer hóspede associado do programa HHonors ou que simplesmente se hospede em um dos hotéis da rede no mínimo quatro vezes ao ano. Um sistema desse tipo requer um extraordinário investimento em tecnologia da informação para capturar as informações dos quase 600 mil quartos dos mais de 3.500 hotéis da rede espalhados em mais de 80 países, nos seis continentes. As informações coletadas pelo sistema são combinadas com o histórico de hospedagem do cliente e quaisquer queixas feitas em suas estadias anteriores. O pacote de informações permite que muitos dos 130 mil funcionários da rede Hilton reconheçam e recompensem os hóspedes com mensagens apropriadas de boas-vindas, melhorias nos quartos reservados ou informações relacionadas a visitas anteriores.
>
> **Como utilizar as informações para desenvolver relacionamentos com os clientes**
>
> O OnQ tem um mecanismo que permite aos hotéis aprenderem – e lembrarem – os interesses e as preferências dos hóspedes. Tim Harvey, Gerente de Informações do Hilton, descreve o sistema:
>
> O funcionamento do sistema lembra uma visita de sua avó. Você sabe exatamente quem ela é. Você sabe exatamente o que ela come no café da manhã. Você conhece o tipo de travesseiro que ela gosta. Você sabe se ela consegue subir as escadas ou não e, por isso, sabe qual é o quarto em que ela terá de ficar. Esse é o tipo de paixão que temos pelo setor hoteleiro. Queremos saber quem são nossos hóspedes e cuidar deles toda a vez que temos a oportunidade de um contato com eles. É por isso que o valor do OnQ está sobretudo nas informações detalhadas de nossos clientes.
>
> A coleta de informações sobre todos os clientes não é tarefa fácil, em especial por causa dos inúmeros hotéis da família de marcas Hilton. A empresa possui, administra ou franqueia um portfólio de algumas das marcas de hotéis mais conhecidas e respeitadas, que incluem o Hilton, o Conrad Hotels & Resorts, o Doubletree, o Embassy Suites, o Hampton Inn, o Hilton Garden Inn, o Homewood Suites by Hilton e o Waldorf-Astoria. O OnQ disponibiliza uma maneira de coletar e administrar informações sobre os clientes Hilton em uma diversidade de propriedades, marcas e países que têm suas próprias exigências locais.
>
> **As opções apresentadas aos hóspedes**
>
> Alguns clientes preferem iniciar um contato com o Hilton via Internet. Cerca de 20% de todos os quartos, o que responde por cerca de $2,3 bilhões, são reservados dessa forma. Apesar da falta de um contato direto, o OnQ permite ao Hilton desenvolver um relacionamento pessoal com seus hóspedes. Assim que um hóspede se identifica via Internet, o Hilton sabe exatamente se o cliente é um associado do programa HHonors e o tipo de quarto e as instalações que ele prefere. O OnQ também oferece a possibilidade de os clientes registrarem-se antes da chegada no hotel – exatamente como fazem para reservar uma poltrona em um voo. Os clientes têm a chance de ver as instalações do hotel, os quartos que estão disponíveis, e então escolher o que mais lhe agrada – talvez um quarto na fachada oeste, indicada

condições de analisar o desempenho do serviço, mesmo depois de o terem recebido e, portanto, precisam acreditar que a empresa prestadora cumpra as promessas do serviço. Quando os clientes tornam-se amigos da empresa, eles não apenas se familiarizam com ela, como também passam a acreditar que ela fornece um valor superior.

Um dos principais objetivos das empresas no estágio da amizade no relacionamento com seus clientes é a *retenção*. O potencial de uma companhia para desenvolver vantagens competitivas sustentáveis por meio da amizade com seus clientes é maior do que no caso dos clientes familiarizados, pois a oferta tem mais atributos exclusivos (e, portanto, é mais difícil de ser imitada pela concorrência), e o cliente passa a confiar nesta exclusividade.[11]

para quem dorme até tarde, ou um quarto mais próximo da piscina.

O Hilton também aceita reservas via Internet de pequenos grupos para eventos ou reuniões, e recebe confirmação imediata destas reservas. Os clientes em potencial que representam grupos que precisam de 25 quartos ou menos – como no caso de reuniões familiares, festas de casamento ou eventos esportivos – conseguem verificar a disponibilidade de quartos em todas as marcas e locais de atuação da rede. Além disso, o OnQ permite que amadores na organização de eventos, proprietários de pequenas empresas ou representantes de uma família encontrem os quartos que melhor se encaixam nas respectivas necessidades em termos de preço, tipo e proximidade de atrações locais. Os organizadores podem reservar quartos para convidados, salas de reunião, refeições e bebidas, equipamentos audiovisuais, e muito mais, com até um ano de antecedência sem a necessidade de proposta ou fila de espera. Outra vantagem é que o OnQ permite aos organizadores administrar todos os quartos que reservam, incluindo acesso instantâneo 24 horas por dia, sete dias por semana, aos detalhes das reservas para seus grupos e às informações sobre os quartos. Os organizadores veem instantaneamente quem reservou quartos para o evento ou têm a escolha de reservarem os quartos em nome de seus convidados e assim acompanhar o total de pessoas que devem comparecer a qualquer momento.

Os resultados

Qual é o sucesso do OnQ na gestão do relacionamento com o cliente? Três das marcas Hilton (Hilton Garden Inn, Embassy Suite Hotels e Homewood Suites) recebem regularmente os maiores prêmios de satisfação do cliente nos respectivos setores hoteleiros, prêmios estes conferidos a partir de pesquisas independentes conduzidas pela empresa J. D. Power and Associates. O Hilton Garden Inn e o Embassy Suites já ficaram com o primeiro lugar ao menos seis vezes, desde 2001, e outra marca (Hampton Inn) em geral fica com uma das três primeiras colocações. Além disso, Harvey estimou que a "fatia da carteira" conferida ao Hilton pelos melhores hóspedes aumentou de 40 para 60% desde que a operacionalização do OnQ foi concluída. O relacionamento do Hilton com seus hóspedes certamente foi melhorado por meio do programa OnQ.

Fontes: Tim Harvey, entrevista em ZDNet.com, http://video.zdnet.com/CIOSessions/?p5143, acessado em 16/7/2010; www.hilton.com, acessado em 16/7/2010.

O Hilton de Chicago.

Os clientes como parceiros

À medida que aumenta a interação entre cliente e empresa, o nível de confiança sobe, o cliente recebe ofertas e participa de interações mais customizadas. A confiança desenvolvida no estágio da amizade é uma condição necessária mas não suficiente para o desenvolvimento de uma *parceria* entre cliente e empresa.[12] Isso significa que a geração da confiança leva (em condições ideais) à criação de um compromisso – uma condição necessária para que os clientes estendam a perspectiva temporal de um relacionamento.[13] O aprofundamento da confiança e a definição de um compromisso reduzem a necessidade de o cliente resolver problemas do modo tradicional ao "buscar uma alternativa melhor". Logo, para transformar esse relacionamento em uma parceria, uma empresa precisa utilizar o conhecimento do cliente e sistemas de informação para gerar ofertas com alto teor de customização e personalização.

No estágio da parceria, as preocupações da empresa estão em *aperfeiçoar* o relacionamento. Os clientes ficam mais propensos a preservar o relacionamento se perceberem que a companhia entende suas diferentes necessidades e que ela está disposta a investir no relacionamento com a constante melhoria e evolução de seu mix de produtos e de serviços. Ao aperfeiçoar esses relacionamentos, a empresa espera que seus clientes não se sintam atraídos pelas ofertas da concorrência e que demonstrem maior disposição de adquirir outros produtos e serviços que oferece ao longo do tempo. Clientes fiéis como esses não apenas constituem um sólido alicerce para as operações da empresa, como também representam um potencial de crescimento. Este é, sem dúvida, o caso da USAA, a empresa apresentada no texto de abertura, cujos associados têm necessidades relativas a seguros que aumentam com o ciclo de vida próprio e de seus familiares. Mas existem outros exemplos. Um correntista comum de um banco passa a ser um cliente melhor no momento em que abre uma conta poupança, requer um empréstimo ou utiliza os serviços de consultoria financeira da instituição. Além disso, uma empresa torna-se um cliente melhor quando decide executar 75% de suas compras junto a uma empresa prestadora em especial, em vez de dividir seus negócios entre três fornecedores. Recentemente, muitas companhias passaram a considerar a ideia de tornarem-se a "empresa prestadora exclusiva" de um dado produto ou serviço a seus clientes. Ao longo do tempo, estes relacionamentos aperfeiçoados aumentam a fatia de mercado e os lucros para a organização. A seção Tecnologia em Foco comenta a rede de hotéis Hilton e o sucesso da companhia ao utilizar a tecnologia da informação para aprimorar os relacionamentos com seus clientes.

O objetivo do marketing de relacionamento

A discussão sobre a evolução dos relacionamentos com o cliente demonstra o modo como eles podem ser aprimorados à medida que os clientes se deslocam no continuum do relacionamento. À medida que o valor do relacionamento cresce, a empresa prestadora fica mais propensa a perseguir uma forma mais próxima de relacionamento com seus clientes. Assim, o principal objetivo do marketing de relacionamento é *a construção e a manutenção de uma base de clientes compromissados e que são rentáveis para a organização*. A Figura 6.2 apresenta uma ilustração dos objetivos do marketing de relacionamento. A meta, para todas as etapas, é fazer o cliente subir os degraus da escada (isto é, deslocar-se ao longo do continuum do relacionamento), do ponto em que ele é um estranho que precisa ser atraído àquele em que ele é um cliente altamente valorizado, de longo prazo e cujo relacionamento com a empresa foi aprimorado. Do ponto de vista da solução de problemas do cliente, a construção da confiança, da satisfação e do compromisso está diretamente relacionada com a disposição do cliente de se engajar em um relacionamento de troca, nas vezes de um conhecido, amigo e parceiro, nesta ordem. Na perspectiva da alocação de recursos de uma empresa, a viabilização de valor diferenciado ou customizado tem correlação positiva com a extensão de sua capacidade ou desejo de gerar um relacionamento de familiarização, de amizade ou de parceria com este cliente. À medida que evolui a transição do cliente, da familiarização baseada em satisfação, passando pela amizade calcada na confiança e indo até a parceria fundamentada em um relacionamento de compromisso, eleva-se a necessidade de aumentar o valor recebido e o nível de cooperação.

Os benefícios para clientes e empresas

No relacionamento cliente-empresa, ambas as partes podem tirar proveito da retenção do cliente. Isso significa que não é somente interesse da empresa construir e conservar uma base de clientes fiéis: os clientes também beneficiam-se com vínculos de longo prazo.

Figura 6.2 O objetivo do marketing de relacionamento: mover os clientes escada acima.

Os benefícios para o cliente
Na hipótese de terem escolha, os clientes preferem conservar a fidelidade a uma companhia sempre que lhes é oferecido um valor maior em relação ao que esperam de uma empresa concorrente. O *valor* representa um *trade-off* para o cliente, entre os componentes "dar" e "receber". Os consumidores apresentam maior propensão de permanecer em um relacionamento sempre que os aspectos recebidos (qualidade, satisfação, vantagens específicas) excedem o que eles têm de dar em retribuição (custos financeiros e não financeiros). No momento em que uma empresa é capaz de oferecer valor aos olhos do cliente de forma consistente, ele sem dúvida se beneficiará e terá com isso um incentivo para preservar esse relacionamento.

Além das vantagens específicas inerentes ao valor do serviço, os clientes tiram proveito de outras formas de associações de longo prazo com as empresas. Por vezes esses benefícios dos relacionamentos mantêm os clientes fiéis a uma empresa em maior medida do que os próprios atributos principais do serviço contratado. As pesquisas revelaram os tipos de vantagens que os clientes desfrutam nos relacionamentos de longo prazo, incluindo benefícios na esfera da confiança, vantagens de fundo social e tratamento especial.[14]

Os benefícios na esfera da confiança. Estes benefícios englobam sentimentos de confiança ou credibilidade na empresa prestadora, ao lado de uma noção de menor ansiedade e maior conforto ao saber o que pode ser esperado. Um cliente descreveu a confiança que sentiu, resultante da evolução de um relacionamento com uma empresa prestadora de serviços, da seguinte forma:

> "Há uma espécie de conforto em ter um certo nível de experiência [com a empresa prestadora]. Em outras palavras, sei que serei tratado da maneira certa, porque eles me conhecem... Não me sinto ansioso, com medo de ter uma experiência abaixo do nível do aceitável... Você sabe que será bom antes de começar, ou se algo der errado, alguém tomará conta da situação."[15]

Em todos os serviços estudados na pesquisa, as vantagens relacionadas à confiança foram as mais importantes para os clientes.

A natureza humana se compõe de tal modo que a maior parte dos clientes prefere não trocar de prestadora, sobretudo quando há uma considerável parcela de investimento em jogo nesse relacionamento. Ao transferir operações, os custos de troca frequentemente são altos em termos financeiros, além dos custos de ordem psicológica e temporal. A maioria dos clientes (quer pessoas físicas, quer jurídicas) têm demandas distintas e que competem pelo seu tempo e pelo seu dinheiro. Esses clientes continuamente buscam novos caminhos para equilibrar e simplificar o processo de tomada de decisão e, assim, melhorar sua qualidade de vida. No momento em que adquirem confiança – e são capazes de manter um relacionamento – com uma empresa prestadora, eles têm mais tempo para tratar de outras preocupações e prioridades.

Os benefícios sociais. Com o passar do tempo, os clientes desenvolvem um senso de familiaridade e até um relacionamento social com suas prestadoras de serviço. Esses laços diminuem a probabilidade de estes clientes trocarem de empresa prestadora, ainda que descubram uma concorrente que ofereça mais qualidade a um preço menor. A descrição dada por uma dessas clientes para seu cabeleireiro, citada em uma das pesquisas mencionadas, ilustra o conceito de benefício social.

> "Gosto dele... Ele é realmente engraçado e sempre tem ótimas piadas para contar. Ele é como um amigo hoje... É mais divertido ter contato com alguém com quem você já está acostumada. Você se diverte fazendo negócios com estas pessoas."

Em alguns relacionamentos de curto prazo, uma empresa prestadora pode na verdade tornar-se parte do sistema de apoio social do cliente.[16] Cabeleireiros, como mostra esse exemplo, muitas vezes atuam como confidentes. Exemplos menos corriqueiros incluem os proprietários de lojas locais, que se tornam figuras centrais nas redes sociais de seus bairros, os gerentes de academias ou de restaurantes, que conhecem pessoalmente seus clientes, o diretor da escola particular, que conhece toda a família de seu aluno e as necessidades especiais que apresentam, ou ainda o guia de canoagem, que faz amizade com os clientes durante o passeio de *rafting*.[17]

Estes tipos de relacionamentos pessoais desenvolvem-se igualmente para clientes corporativos e clientes finais de serviços. As vantagens de cunho social que resultam desses relacionamentos são mais importantes para a qualidade de vida do cliente (na vida pessoal e/ou profissional), do que as vantagens técnicas do serviço prestado. Muitas vezes os relacionamentos pessoais e profissionais que se desenvolvem entre a prestadora e o cliente formam o alicerce para a fidelidade desse cliente. O lado negativo desses benefícios ao cliente é o risco de a empresa perder clientes no instante em que um funcionário valorizado a deixa, e leva consigo aqueles que atendia com muita eficiência.[18]

Os benefícios de tratamentos especiais. Os tratamentos especiais incluem a obtenção do benefício da dúvida, um acordo ou preço especial, ou de um tratamento preferencial, como exemplificam as declarações relatadas pela pesquisa e reproduzidas a seguir:

> Acho que você consegue um tratamento especial [quando você estabeleceu um relacionamento]. O pediatra que consultamos nos deu permissão para utilizarmos a porta dos fundos, para que minha filha pudesse evitar o contato com outras crianças doentes. Há vezes em que estou com pressa e eles me levam direto pela porta dos fundos.

> Muitas vezes você deveria ter direito ao benefício da dúvida. Por exemplo, sempre pago minha fatura do cartão de crédito dentro do prazo, antes da incidência de uma multa. Certa vez meu pagamento não foi processado a tempo e quando telefonei para a operadora, ao examinarem minha história de pagamentos, eles perceberam que eu sempre pagava adiantado. Por isso a multa foi cancelada.

É interessante observar que os benefícios de tratamento especial, embora importantes, são de menor relevância do que outros tipos de vantagem recebida no relacionamento de serviço.[19] Apesar de as vantagens do tratamento especial serem indiscutivelmente cruciais à fidelidade do cliente em alguns setores (como nos planos de milhagem de passageiros que utilizam uma companhia aérea com frequência), elas não parecem muito atraentes para outros, como serviços médicos ou jurídicos.

Os benefícios para as empresas

São inúmeras as vantagens para as empresas geradas pela conservação e pelo desenvolvimento de uma base de clientes fiéis. Além das vantagens econômicas que uma empresa obtém com o cultivo de relacionamentos próximos com seus clientes, aparecem vários benefícios relativos ao comportamento dos clientes e à gestão de recursos humanos.

As vantagens econômicas. Uma das vantagens econômicas da retenção de clientes citadas com mais frequência é o *maior volume de compras* verificado com o tempo, conforme ilustra a Figura 6.3. Ali estão resumidos os resultados de estudos que mostram que os clientes de diferentes setores via de regra gastam mais a cada ano com um dado parceiro de relacionamento do que gastavam no período anterior.[20] À medida que os clientes conhecem melhor a empresa e se sentem satisfeitos com a qualidade dos serviços que prestam em comparação com a concorrência, eles tendem a levar um maior volume de seus negócios para esta prestadora. As pesquisas também indicam que os clientes altamente satisfeitos estão *mais inclinados a pagar mais* pelos serviços de uma prestadora.[21]

Outro proveito tirado na esfera econômica é o *menor custo*. As estimativas dizem que as compras repetidas efetuadas por clientes constantes requerem até 90% menos em termos de esforço de marketing.[22] Muitos dos custos iniciais estão associados à atração de novos clientes, e incluem os custos com propaganda e outras despesas relativas a promoções, os custos operacionais inerentes à abertura de novas contas e os custos temporais subjacentes ao processo de conhecer um novo cliente. Por vezes esses custos iniciais ultrapassam a receita esperada com novos clientes no curto prazo e, por isso, é interessante que a empresa cultive relacionamentos de longo prazo. O Capítulo 16 mostra detalhes sobre o impacto da retenção de clientes.

Os benefícios relativos ao comportamento do cliente. A contribuição de clientes fiéis para uma empresa prestadora de serviços é capaz de sobrepujar o impacto financeiro gerado para ela.[23] A primeira vantagem conseguida com clientes de longo prazo – e talvez a mais visível – é a publicidade grátis, *veiculada boca a boca*. Para um produto complexo e de difícil avaliação com um risco

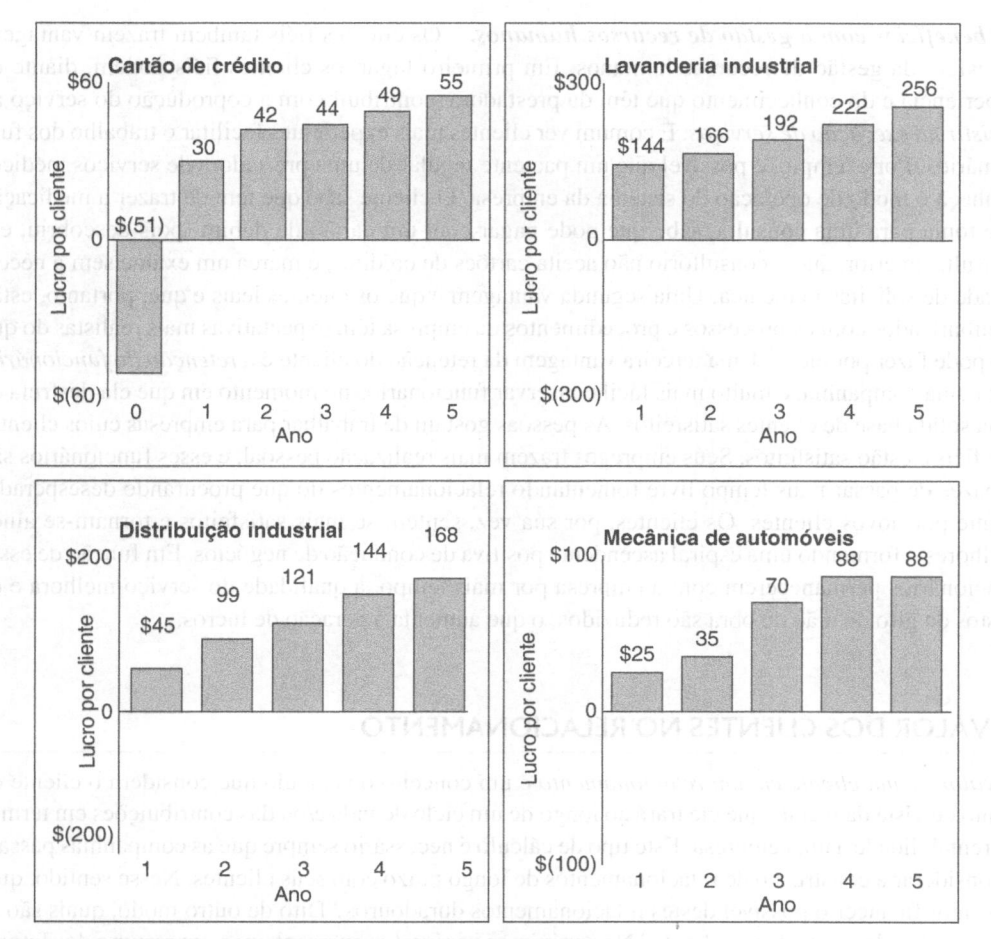

Figura 6.3 O lucro gerado por um cliente ao longo do tempo.

Fonte: Adaptado e reproduzido com permissão de *Harvard Business Review*. Um quadro presente em "Zero Defection: Quality Comes to Services," F. F. Reichheld and W. E. Sasser, Jr., *Harvard Business Review* 68 (September–October 1990). Direitos autorais 1990 da Harvard Business School Publishing Corporation; todos os direitos reservados.

inerente à decisão de adquiri-lo – como ocorre em diversos tipos de serviços – muitas vezes os consumidores recorrem a outras pessoas em busca de conselhos sobre qual prestadora de serviço contratar. Se ficarem satisfeitos, os clientes fiéis provavelmente endossarão a adoção de uma empresa que lhes presta serviços, por meio de uma propaganda boca a boca consistente. Essa forma de publicidade pode ser mais eficaz do que qualquer comercial pago utilizado por uma empresa, e tem o benefício extra de reduzir os custos de atrair novos clientes.

Além da comunicação boca a boca, uma segunda vantagem relativa ao comportamento do cliente se reflete nos *benefícios sociais* a outros clientes que se manifestam como amizade ou encorajamento.[24] Por exemplo, em uma clínica de fisioterapia, um paciente que se recupera de uma cirurgia no joelho demonstra maior apreço pela organização quando outros pacientes oferecem encorajamento e apoio emocional a ele durante o processo de recuperação. Os clientes fiéis atuam como *mentores* e, em função de sua experiência com a prestadora, auxiliam outros clientes a compreenderem as regras de conduta definidas explícita ou tacitamente.[25]

Se ficarem satisfeitos, os clientes fiéis provavelmente endossarão a adoção de uma empresa que lhes presta serviços, por meio de uma propaganda boca a boca consistente.

Os benefícios com a gestão de recursos humanos. Os clientes fiéis também trazem vantagens na esfera da gestão de recursos humanos. Em primeiro lugar, os clientes fiéis podem, diante da experiência e do conhecimento que têm da prestadora, contribuir com a coprodução do serviço ao *assistir na execução de serviços*. É comum ver clientes mais experientes facilitar o trabalho dos funcionários. Por exemplo, é possível que um paciente regular de uma prestadora de serviços médicos conheça o modo de operação do sistema da empresa. O cliente sabe que tem de trazer a medicação que toma para uma consulta, sabe que pode pagar com um cartão de débito (pois descobriu, em consulta anterior, que o consultório não aceita cartões de crédito), e marca um exame sem a necessidade de solicitação médica. Uma segunda vantagem é que os clientes leais e que, portanto, estão familiarizados com os processos e procedimentos da empresa têm expectativas mais realistas do que ela pode fazer por eles.[26] Uma terceira vantagem da retenção do cliente é a *retenção do funcionário*. Para uma companhia, é muito mais fácil conservar funcionários no momento em que ela desfruta de uma sólida base de clientes satisfeitos. As pessoas gostam de trabalhar para empresas cujos clientes são fiéis e estão satisfeitos. Seus empregos trazem mais realização pessoal, e esses funcionários são capazes de passar mais tempo livre fomentando relacionamentos do que procurando desesperadamente por novos clientes. Os clientes, por sua vez, sentem-se mais satisfeitos e tornam-se ainda melhores – formando uma espiral ascendente positiva de condução de negócios. Em função de esses funcionários permanecerem com a empresa por mais tempo, a qualidade do serviço melhora e os custos de giro de mão de obra são reduzidos, o que aumenta a geração de lucros.

O VALOR DOS CLIENTES NO RELACIONAMENTO

O *valor de um cliente em um relacionamento* é um conceito ou cálculo que considera o cliente do ponto de vista da receita que ele trará ao longo de um ciclo de vida e/ou das contribuições em termos de rentabilidade a uma empresa. Este tipo de cálculo é necessário sempre que as companhias passam a considerar a construção de relacionamentos de longo prazo com seus clientes. Nesse sentido, qual é o valor financeiro possível destes relacionamentos duradouros? Dito de outro modo, quais são as implicações da *perda* de um cliente? Nos próximos parágrafos apresentamos um resumo dos fatores que influenciam o valor do cliente em um relacionamento e demonstramos maneiras para estimá-lo. O Capítulo 16 dá mais detalhes sobre o cálculo do valor de um cliente ao longo de sua vida.

O valor do ciclo de vida ou de relacionamento de um cliente é governado pela duração média do "ciclo de vida", isto é, a receita gerada por um período de tempo relevante ao longo de toda a vida de um cliente, as vendas de produtos ou serviços adicionais, as indicações geradas pelo cliente ao longo do tempo e os custos associados ao atendimento fornecido a ele. O *valor do ciclo de vida* frequentemente se refere a um único fluxo de receita. O valor do ciclo de vida às vezes se refere apenas ao faturamento no ciclo; quando custos são considerados, o termo mais indicado é *rentabilidade no ciclo de vida*. O Quadro 6.2 apresenta exemplos de fatores a serem considerados quando do cálculo do provável valor do relacionamento de um cliente usuário de um software de organização de finanças pessoais, o Quicken.

Se as empresas de fato soubessem quanto custa perder um cliente, elas seriam capazes de avaliar com precisão os investimentos designados para sua retenção. Uma das maneiras de documentar o valor monetário dos clientes fiéis a uma companhia consiste em estimar o valor aumentado ou os lucros incidentes para cada cliente adicional que permanece fiel à empresa. A Bain & Co. descobriu que, no momento em que a taxa de fidelidade aumenta em cinco pontos percentuais, o lucro da companhia pode subir de 35 a 95%.[27]

Com a ajuda de sistemas contábeis sofisticados para documentar os fluxos de custo e receita reais ao longo do tempo, uma empresa tem a chance de dominar a precisão no registro do valor financeiro e os custos da retenção de clientes. Estes sistemas tentam estimar o valor financeiro de *todos* os benefícios e custos associados a um cliente fiel, não apenas o fluxo de receita de longo prazo. O valor da propaganda boca a boca, a retenção de funcionários e a redução nos custos de manutenção de contas também entram neste cálculo.[28]

Quadro 6.2 O cálculo do valor do relacionamento de um cliente Quicken

O software Quicken, desenvolvido pela Intuit Corporation para uso em finanças pessoais, é adquirido por cerca de $60*. Contudo, o valor de um cliente do Quicken no relacionamento com a Intuit é potencialmente muito maior. Como isso acontece?

Primeiramente, consideremos os produtos adicionais disponibilizados aos clientes Quicken. Quando ele adota o software, diversos outros produtos também poderão despertar seu interesse. Por exemplo, o Quicken tem um serviço de pagamento de contas que sai por $10 ao mês. Os clientes Quicken imprimem seus boletos e os enviam em envelopes especiais por cerca de $70 (para uma caixa que pode conter até 250 boletos). Ao custo aproximado de $60, os clientes adquirem o Turbo Tax, um serviço que utiliza dados gerados anteriormente no Quicken para preparar declarações de imposto de renda estaduais e federais. O Quicken também oferece um administrador de estoques domésticos por $30 e um software para a criação de inventários a $60. Se um cliente utilizar todos estes serviços, a receita gerada para a empresa, em apenas um ano, seria de $400. (A Intuit fornece diversos outros serviços, como softwares de contabilidade para pequenas empresas e a administração de financiamentos para casa própria que podem interessar os clientes Quicken. Ela também disponibiliza um cartão de crédito aos clientes, sem anuidade, mas que traz a possibilidade de gerar receita com o pagamento de juros sobre contas em aberto.)

Após o primeiro ano, o cliente Quicken que está satisfeito provavelmente continuará a adquirir atualizações anuais para seus softwares, pois essas garantem o direito a novas características de produto e informações relativas ao pagamento de impostos. No período de cinco anos, a receita gerada por este único cliente seria maior do que $2.000.

Por fim, os clientes Quicken que estão felizes com o produto provavelmente o indicarão a outras pessoas, o que aumenta ainda mais o valor desse relacionamento. Mesmo uma única indicação por ano é capaz de aumentar o valor do relacionamento com este primeiro cliente em cerca de alguns milhares de dólares em poucos anos!

* Os números apresentados neste exemplo são baseados nos preços válidos para o ano 2011 e presentes em http://www.intuit.com.

Por exemplo, a Tabela 6.1 mostra como a First Data Corporation estima o valor do ciclo de vida de um cliente mediano em sua subsidiária TeleCheck International. A TeleCheck é uma grande empresa de negociação de cheques que presta diversos serviços financeiros para clientes corporativos. Estes serviços estão relacionados a serviços de garantia, verificação e cobrança de cheques. Ao considerar estimativas das receitas aumentadas em um ciclo de vida de cinco anos por conta de seu produto principal (o QuickResponse), dos custos decrescentes por unidade de serviço, das maiores receitas geradas por um novo produto (o FastTrack) e dos lucros oriundos de indicações, a empresa estimou que um aumento anual de 20% nas receitas sobre seu produto-base resultaria em um aumento anual de 33% no lucro operacional em um ciclo de vida de cinco anos.[29]

OS SEGMENTOS DE RENTABILIDADE DO CLIENTE

As empresas desejam tratar todos os seus clientes com excelentes serviços, mas, em geral, descobrem que os clientes diferem em termos de valor do relacionamento e que talvez não seja prático nem rentável atender (e muito menos exceder) as expectativas de *todos* os clientes.[30] A FedEx, por exemplo, classificava seus clientes internamente como "bons, maus e feios"* – com base na renta-

---

* N. de T.: *The Good, The Bad And The Ugly*, título em inglês do filme do diretor italiano Sergio Leone e que no Brasil foi chamado "Três Homens em Conflito".

Tabela 6.1 O valor no ciclo de vida de um cliente com volume médio de negócios na TeleCheck International

	Ano 0	Ano 1	Ano 2	Ano 3	Ano 4	Ano 5
Receita:[a]						
QuickResponse	—	$33.000	$39.600	$47.520	$57.024	$68.429
FastTrack	—	—	5.500	6.600	7.920	9.504
Custos:						
QuickResponse	$6.600	$24.090	$28.908	$34.690	$41.627	$49.953
FastTrack	—	—	4.152	4.983	5.980	7.175
Valor no ciclo de vida do cliente						
Lucro no QuickResponse	($6.600)	$ 8.910	$10.692	$12.830	$15.397	$18.476
Lucro no FastTrack	—	—	1.348	1.617	1.940	2.329
Redução de custos indiretos[b]	—	—	1.155	1.486	1.663	1.995
Lucros com indicações[c]	—	—	1.100	1.650	3.300	6.600
Lucro total	($6.600)	$ 8.910	$14.295	$17.583	$22.300	$29.400

Nota: Os nomes dos produtos e os números foram alterados. Em função disso, o lucro com estes produtos é maior do que o real.
[a] Na hipótese de a receita aumentar para ambos os produtos em 20% ao ano.
[b] Em queda a uma taxa de 15% ao ano em relação à receita, para refletir os menores custos do relacionamento com o cliente associados aos efeitos da curva de aprendizagem do cliente e da prestadora.
[c] Estimativas com base na hipótese relativa (1) à importância das indicações para novos clientes a partir de clientes antigos, (2) à frequência com que os clientes satisfeitos indicam novos clientes, (3) à proporção dos clientes indicados e (4) ao cálculo do valor no ciclo de vida para novos clientes.
Fonte: Reproduzido com permissão da The Free Press, uma divisão da Simon & Schuster, Inc., adaptado de J. L. Heskett, W. E. Sasser, Jr., and L. A. Schlesinger, *The Service Profit Chain: How Leading Companies Link Profit and Growth to Loyalty* (New York: The Free Press, 1997), p. 201. Direitos autorais 1997 de J. L. Heskett, W. E. Sasser, e L. A. Schlesinger.

bilidade de cada um. Em vez de tratar todos da mesma forma, a empresa dá atenção especial à melhoria do relacionamento com os bons, tenta transportar os maus para junto dos bons e desencoraja os feios.[31] Outras empresas também tentam identificar segmentos – ou melhor, faixas de clientes – que diferem em termos de rentabilidade presente ou futura para a companhia.[32] Esta abordagem ultrapassa a utilização da segmentação em volume, pois rastreia custos e receitas dos segmentos de clientes. Com isso, são capturados os valores destes clientes para as empresas. Após a identificação de marcas rentáveis, a companhia oferece serviços e níveis de serviços alinhados com os segmentos identificados. A construção de uma base de clientes adequados e altamente fiéis aumenta a rentabilidade. As pesquisas sugerem que é comum que os lucros de uma empresa subam em mais de 60% quando a retenção dos clientes certos aumenta em 5%.[33]

As faixas de rentabilidade – a pirâmide dos clientes

Embora algumas pessoas tenham uma opinião negativa sobre o agrupamento de clientes da FedEx como "bons, maus e feios", os rótulos descritivos das faixas podem ser bastante úteis no âmbito interno. Estes rótulos são valiosos se auxiliarem a companhia a rastrear os clientes rentáveis. A vasta maioria das empresas está ciente, até certo ponto, de que seus clientes diferem no quesito rentabilidade e que a minoria de seus clientes responde pela maior proporção de vendas ou lucros.

Uma abordagem útil para avaliar como os clientes diferem em termos de rentabilidade é o sistema de quatro faixas mostrado na Figura 6.4, o qual inclui:

1. A faixa *platina*, que descreve os clientes mais lucrativos para a empresa, via de regra os maiores usuários do produto que nem sempre são sensíveis ao preço praticado, que estão dispostos a investir e experimentar novos lançamentos e são compromissados com a empresa.

2. A faixa *ouro* difere da platina pois os níveis de rentabilidade não são tão altos, talvez porque os clientes desejam receber descontos que limitam as margens ou porque talvez não sejam muito fiéis. É possível que esses clientes sejam usuários constantes que minimizam riscos ao trabalhar com diversas prestadoras, em vez de recorrer apenas à companhia focal.

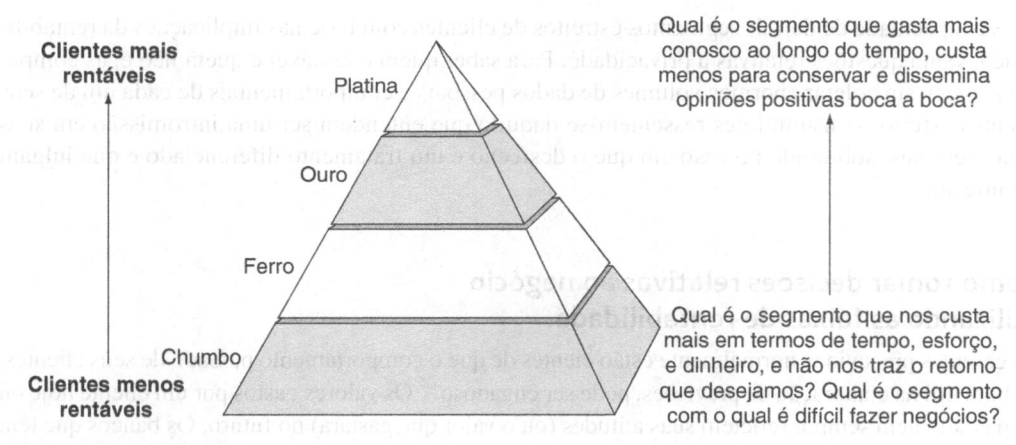

Figura 6.4 A pirâmide dos clientes.

[Diagrama: pirâmide com níveis Platina (topo), Ouro, Ferro, Chumbo (base). Lado esquerdo indica "Clientes mais rentáveis" no topo e "Clientes menos rentáveis" na base. Anotações à direita: no topo — "Qual é o segmento que gasta mais conosco ao longo do tempo, custa menos para conservar e dissemina opiniões positivas boca a boca?"; na base — "Qual é o segmento que nos custa mais em termos de tempo, esforço, e dinheiro, e não nos traz o retorno que desejamos? Qual é o segmento com o qual é difícil fazer negócios?"]

3. A faixa *ferro* contém os clientes essenciais, que fornecem o volume de negócio necessário para a utilização da capacidade de trabalho da empresa, mas cujos níveis de gastos, fidelidade e rentabilidade não são expressivos o bastante para merecer tratamento especial.

4. A faixa *chumbo* consiste nos clientes que custam dinheiro para a empresa. Eles demandam mais atenção do que merecem em termos de gastos e rentabilidade e, por vezes, tornam-se clientes-problema – que ocupam os recursos da companhia e queixam-se dela a outras pessoas.

Observe que esta classificação lembra ligeiramente o modo de segmentação tradicional adotado por companhias aéreas, como a American Airlines, embora existam diferenças. As distinções óbvias são duas. A primeira diz que, na pirâmide do cliente, é a rentabilidade, e não a utilização, que define todos os níveis. A segunda mostra que os níveis mais baixos na verdade contêm classes de clientes que requerem outro tipo de atenção. A empresa precisa trabalhar a fim de alterar o comportamento do cliente – para torná-lo mais lucrativo por meio de aumentos de receita – ou mudar sua estrutura de custos para fazer estes clientes aumentarem a lucratividade com a redução nos custos.

Uma vez definido um sistema para a categorização dos clientes, muitos níveis podem ser identificados, incentivados e atendidos, e é provável que estas faixas de clientes gerem níveis diferenciados de lucro para as empresas. As companhias melhoram suas oportunidades de aumentar lucros sempre que aumentam as proporções de compras de clientes que têm a maior necessidade por serviços ou que demonstram a maior fidelidade a uma única prestadora. Ao fortalecer os relacionamentos com os clientes fiéis, aumentar as vendas com os clientes existentes e elevar a rentabilidade a cada oportunidade de venda, as companhias aumentam o potencial de cada cliente.

As faixas de rentabilidade, na opinião do cliente

Enquanto as faixas de clientes fazem sentido do ponto de vista da companhia, os clientes nem sempre são compreensivos, nem aceitam serem classificados em uma faixa menos desejável.[34] Por exemplo, em algumas empresas (como a eTrade) os principais clientes têm administradores individuais para suas contas, com quem têm canais de comunicação pessoal sempre abertos. A faixa seguinte é tratada por representantes que têm um número limitado de clientes (por exemplo, 100). Ao mesmo tempo, a maioria dos clientes é atendida por um *site*, um número de discagem telefônica gratuita ou um sistema de resposta de voz. Os clientes via de regra estão cientes deste tratamento desigual, e muitos resistem e se ressentem com isso. Este tratamento faz sentido na perspectiva da organização, mas os clientes muitas vezes se decepcionam em termos do nível de serviço que recebem e, por isso, dão a estas companhias notas baixas no quesito qualidade. Portanto, é importante que as empresas se comuniquem com seus clientes de forma a conscientizá-los sobre o nível de serviço que podem esperar, explicando o que devem fazer ou o quanto devem pagar para receber serviços mais rápidos e eficientes.

A capacidade de definir segmentos estreitos de clientes com base nas implicações da rentabilidade levanta questões relativas à privacidade. Para saber quem é rentável e quem não é, as companhias precisam coletar enormes volumes de dados pessoais e comportamentais de cada um de seus clientes. Muitos consumidores ressentem-se daquilo que entendem ser uma intromissão em suas vidas pessoais, sobretudo no caso em que o desfecho é um tratamento diferenciado e que julgam ser injusto.

Como tomar decisões relativas ao negócio utilizando as faixas de rentabilidade

Os gerentes precavidos normalmente estão cientes de que o comportamento passado de seus clientes, embora útil na elaboração de previsões, pode ser enganoso.[35] Os valores gastos por um cliente hoje ou no passado nem sempre refletem suas atitudes (ou o valor que gastará) no futuro. Os bancos que têm estudantes universitários como clientes sabem muito bem disso – um universitário típico tem necessidades mínimas de serviços financeiros (isto é, uma conta-corrente), e tende a não apresentar níveis altos de depósitos. Contudo, em alguns anos, este mesmo estudante terá uma carreira profissional, começará uma família e comprará uma casa, o que demandará diversos outros serviços financeiros e o tornará um cliente potencialmente rentável para o banco. Em termos gerais, uma companhia gostaria de conservar os clientes que consomem muito regularmente e se livrar dos que consomem pouco de forma esporádica. Porém, são muitas as vezes em que uma empresa vê-se obrigada a lidar com dois outros grupos de clientes: os que consomem muito de modo errático e os que consomem pouco com regularidade. Assim, em algumas situações em que o fluxo de caixa consistente é uma das preocupações da companhia, talvez seja interessante a ela ter um portfólio de clientes que inclua clientes constantes, ainda que tenham uma história de baixa rentabilidade para a companhia.[36]

Algumas empresas prestadoras de serviços na verdade vêm obtendo sucesso ao almejar clientes que anteriormente eram considerados desmerecedores de esforços de marketing adicionais.[37] A Paychex, uma empresa de processamento de folhas de pagamento, conquistou êxito ao prestar seus serviços a pequenas empresas que não eram consideradas grandes o bastante para gerar os lucros desejados por outras empresas do setor. Pela mesma razão, a Progressive Insurance ganhou renome com a venda de apólices de seguros de automóveis para clientes indesejados – motoristas jovens ou com péssimas histórias ao volante – e a cujos relacionamentos a maior parte das empresas do ramo não dava muito valor. Como sugerem esses exemplos, as empresas devem refletir cautelosa e estrategicamente ao aplicar cálculos de valor do cliente.

AS ESTRATÉGIAS DE DESENVOLVIMENTO DE RELACIONAMENTOS

Até aqui, nossas atenções focaram a base do marketing de relacionamento, os benefícios (a clientes e empresas) relativos ao desenvolvimento de relacionamentos de troca consolidados e a compreensão do valor do relacionamento com um cliente. Nesta seção examinamos diversos fatores que influenciam o desenvolvimento de relacionamentos fortes com os clientes, como a avaliação geral dos produtos e serviços de uma empresa por eles, os vínculos que ela estabelece com eles e as barreiras que estes encontram para desistir de um relacionamento. Estes fatores, ilustrados na Figura 6.5, formam a base lógica para as estratégias frequentemente adotadas por empresas para conservar seus clientes.

A prestação do serviço principal

Em geral, as estratégias de retenção terão sucesso tímido no longo prazo, a menos que a empresa tenha uma sólida base de qualidade de serviço e de satisfação do cliente. Todas as estratégias de retenção discutidas nesta seção estão alicerçadas na hipótese da existência de qualidade competi-

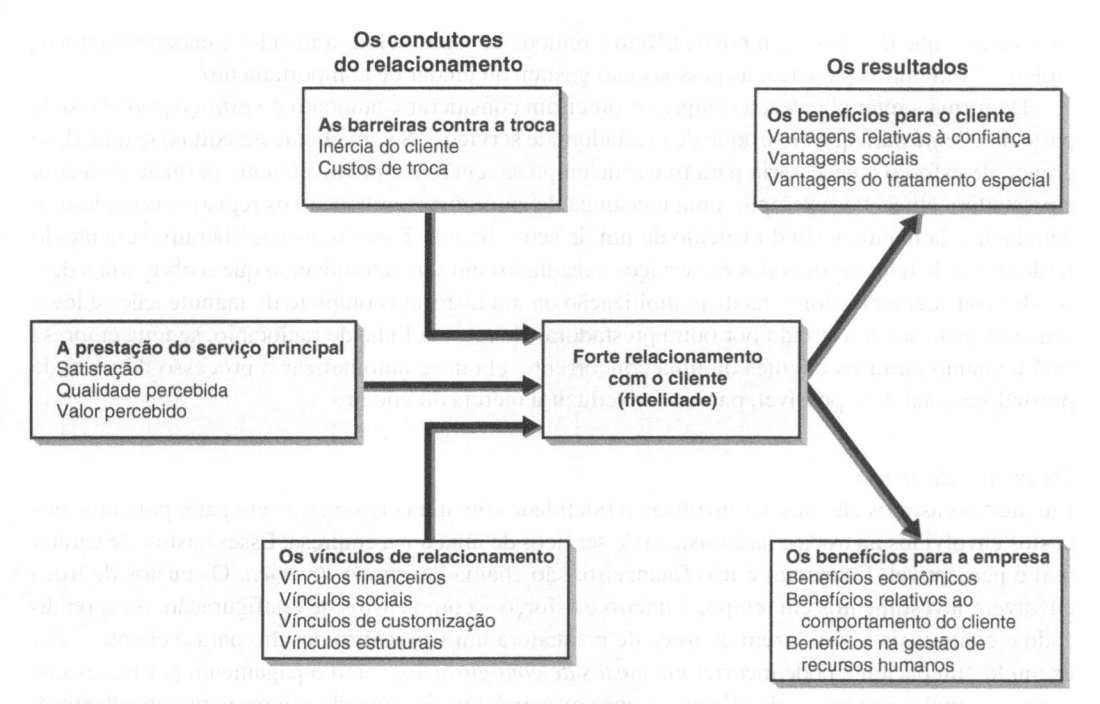

Figura 6.5 O modelo para o desenvolvimento de relacionamentos.

Os condutores do relacionamento

- **As barreiras contra a troca**
  - Inércia do cliente
  - Custos de troca

- **A prestação do serviço principal**
  - Satisfação
  - Qualidade percebida
  - Valor percebido

- **Os vínculos de relacionamento**
  - Vínculos financeiros
  - Vínculos sociais
  - Vínculos de customização
  - Vínculos estruturais

→ **Forte relacionamento com o cliente (fidelidade)**

Os resultados

- **Os benefícios para o cliente**
  - Vantagens relativas à confiança
  - Vantagens sociais
  - Vantagens do tratamento especial

- **Os benefícios para a empresa**
  - Benefícios econômicos
  - Benefícios relativos ao comportamento do cliente
  - Benefícios na gestão de recursos humanos

Fonte: Adaptado de D. D. Gremler and S. W. Brown, "Service Loyalty: Antecedents, Components, and Outcomes," in *1998 AMA Winter Educators' Conference: Marketing Theory and Applications*, Vol. 9, D. Grewal and C. Pechmann, eds. [parcial]Chicago, IL: American Marketing Association, pp. 165–166.

tiva e valor disponibilizado. Está claro que toda empresa precisa iniciar um processo de desenvolvimento de relacionamentos por meio da oferta de um bom serviço principal e que este atenda às expectativas dos clientes, no mínimo.[38] De nada adianta desenvolver estratégias de relacionamento para serviços de qualidade inferior. Os dois exemplos anteriores, a Intuit e a USAA, fornecem um respaldo indiscutível ao argumento de que a excelência no serviço ou produto principal oferecido é essencial ao sucesso da estratégia de relacionamentos. As duas companhias mencionadas vêm obtendo imensos benefícios com sua base de clientes fiéis. Elas oferecem excelente qualidade e utilizam estratégias de construção de relacionamentos para aperfeiçoar este sucesso.

As barreiras contra a troca

Ao considerar as barreiras contra a troca de prestadoras de serviço, é possível que o cliente se depare com inúmeras barreiras que dificultam a opção de abandonar a prestadora atual e iniciar um relacionamento com outra. A literatura especializada sugere que essas *barreiras contra a troca* influenciam as decisões dos clientes quanto a abandonar um relacionamento com uma empresa e, portanto, atuam em favor da retenção do cliente.[39]

A inércia do cliente

Uma das razões para os clientes se compromissarem com o desenvolvimento de um relacionamento com uma dada empresa é que certo volume de esforço é necessário para a troca de prestadora. Por vezes os clientes afirmam, de modo simplista, que "não vale a pena" trocar de empresa. A *inércia* pode até explicar os motivos pelos quais alguns clientes insatisfeitos permanecem com uma prestadora. Na discussão dos motivos pelos quais as pessoas prosseguem com relacionamentos (em geral) que julgam insatisfatórios, os estudiosos no assunto sugerem que as pessoas continuam na situação em que se encontram porque a ruptura do relacionamento exige que elas reestruturem suas vidas – que desenvolvam novos hábitos, remodelem suas velhas amizades e encontrem novos amigos.[40] Em outras palavras, as pessoas não gostam de mudar de comportamento.

De forma a reter clientes, as empresas precisam considerar o aumento do *esforço percebido* de parte do cliente para que ele troque de prestadora de serviço.[41] Se um cliente acredita que uma dose grande de esforço é necessária para trocar de empresa, então ele provavelmente permanecerá com a prestadora atual. Por exemplo, uma mecânica de automóveis armazena os registros completos e detalhados da manutenção do veículo de um de seus clientes. Esses registros liberam o cliente do fardo de ter de lembrar de todos os serviços executados em seu automóvel, o que o obrigaria a despender considerável esforço na disponibilização de um histórico completo de manutenção se levar seu carro para ser consertado por outra prestadora. Na mesma linha de raciocínio, se uma empresa está tentando atrair os clientes de uma concorrente, ela deve automatizar o processo de troca de prestadora o máximo possível, para assim reduzir a inércia do cliente.

Os custos da troca

Em muitos casos os clientes desenvolvem a fidelidade com uma organização em parte por conta dos custos envolvidos na troca e na aquisição de serviços de uma nova empresa. Esses custos, de caráter real e perceptível, financeiro e não financeiro, são chamados *custos de troca*. Os custos de troca envolvem investimentos em tempo, dinheiro e esforço – como custos de configuração, de aprendizado e contratuais – que fazem da troca de prestadora um verdadeiro desafio para o cliente.[42] Por exemplo, um paciente pode incorrer em *custos de configuração*, como o pagamento por um exame médico completo ao trocar de clínica ou por novas radiografias quando migrar para outro dentista. Os *custos com aprendizado* são aqueles associados com o conhecimento das idiossincrasias inerentes aos modos de utilização de um produto ou serviço. Em muitas situações, um cliente que deseja trocar de empresa talvez tenha de desenvolver novas habilidades de usuário ou *know-how* de cliente. Os *custos contratuais* aparecem na situação em que o cliente tem de arcar com algum tipo de penalidade por trocar de prestadora. Por exemplo, ele pode ter de arcar com taxas pré-pagas previstas para uma troca – solicitada pelo cliente – entre financeiras de hipoteca ou operadoras de telefonia celular, o que dificulta, senão impossibilita, a interrupção precoce do relacionamento.

Para reter clientes, as empresas podem considerar a necessidade de aumentar seus custos de troca para dificultar o encerramento do relacionamento (ou ao menos criar uma percepção dessa dificuldade). Na verdade, muitas empresas definem de forma explícita esses custos nos contratos que os clientes têm de assinar (por exemplo, nos serviços de telefonia celular e academias de ginástica). De forma a atrair novos clientes, uma prestadora de serviços considera a implementação de estratégias projetadas para *diminuir* os custos de troca aos clientes que no momento não estão utilizando seus serviços. A fim de reduzir os custos de configuração envolvidos na troca, as prestadoras completam a papelada solicitada ao cliente. Por exemplo, alguns bancos adotam "kits de troca", que automaticamente transferem as informações de débito em conta sobre um cliente de um banco da concorrência. Estes kits eliminam os custos que envolvem uma das maiores barreiras impostas à troca de banco – a transferência das contas pagas pelo sistema *on-line*.[43]

Os vínculos do relacionamento

As barreiras contra a troca tendem a atuar como restrições que mantêm o cliente em um relacionamento com a empresa prestadora, pois eles "têm de ficar com ela".[44] Contudo, as empresas podem se envolver em atividades que encorajam os clientes a permanecer no relacionamento porque eles "querem", o que gera um vínculo de relacionamento. Nesta seção apresentamos um método que sugere que o marketing de relacionamento ocorre em diferentes níveis e que cada nível sucessivo da estratégia resulta em elos que aproximam o cliente da companhia, o que eleva o potencial para vantagens competitivas sustentáveis.[45] Com base nos níveis da noção de estratégia de retenção, a Figura 6.6 ilustra os quatro tipos de estratégia de retenção. Porém, é interessante lembrar que as estratégias de retenção mais eficientes se constroem sobre os fundamentos da excelência no serviço principal.

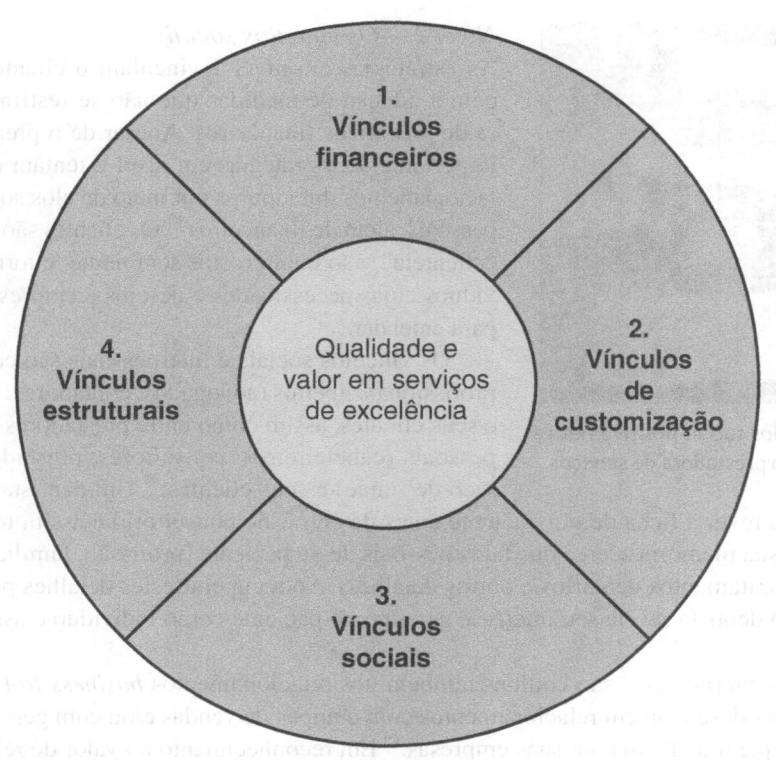

Figura 6.6 Os níveis de estratégia de relacionamento.

Nível 1 – Os vínculos financeiros

No nível 1, o cliente está vinculado à empresa principalmente por meio de incentivos financeiros – menores preços para maiores volumes de venda ou para clientes que estão com a empresa há muito tempo. Por exemplo, pense em uma companhia aérea e nos setores de serviço relacionados a viagens, como hotéis e locadoras de automóveis. Os programas para clientes frequentes oferecem incentivos financeiros e recompensas para os viajantes que utilizam a mesma empresa com maior intensidade. Hotéis e locadoras de automóveis fazem o mesmo. Uma das razões para estes programas de incentivos financeiros terem tanto sucesso está na pouca dificuldade de serem adotados e na oportunidade de gerarem lucros de curto prazo, no mínimo. No entanto, os incentivos financeiros normalmente não geram vantagens de longo prazo para uma empresa porque, a menos que sejam combinados com outra estratégia de relacionamento, eles não diferenciam a empresa de suas concorrentes.

Outros tipos de estratégias de retenção, que dependem primordialmente de recompensas financeiras, estão voltados para a venda de serviços combinados e complementares. Nestes casos, os programas de fidelidade de clientes de companhias aéreas são um bom exemplo. Muitas companhias aéreas vinculam seus programas de recompensa a ofertas de cadeias de hotéis, locação de veículos e, em alguns casos, utilização de cartões de crédito. Ao associar pontos de milhagem dados por companhias aéreas ao uso dos serviços de outras companhias, os clientes têm a chance de obter melhores benefícios em troca de sua fidelidade.

Apesar de serem muito utilizados como tática de retenção, os programas de fidelidade elaborados com base em recompensas financeiras precisam ser tratados com cautela.[46] Conforme mencionamos, esses programas são facilmente imitados. Assim, qualquer elevação no uso dos serviços ou na fidelidade por parte dos clientes pode ter vida curta. Além disso, essas estratégias nem sempre têm sucesso garantido, a menos que sejam estruturadas de forma a levar à utilização constante ou aumentada, sem a preocupação de servir como meio para atrair novos clientes e potencialmente causar uma interminável cadeia de troca entre diferentes prestadoras.

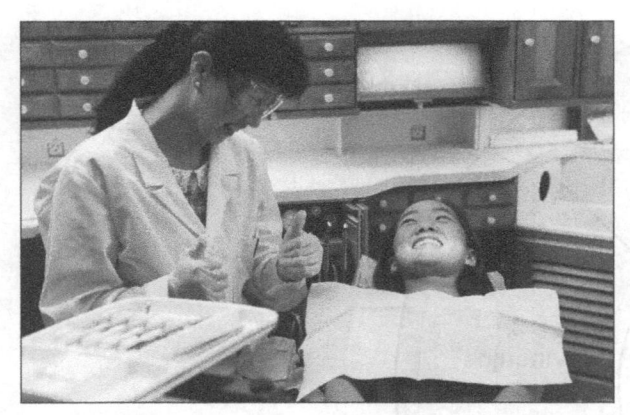

As estratégias em nível 2 geram vínculos sociais positivos entre o cliente e os funcionários da empresa prestadora de serviços.

Nível 2 —Os vínculos sociais

As estratégias em nível 2 vinculam o cliente à empresa com a adoção de medidas que não se restringem à esfera de incentivos financeiros. Apesar de o preço continuar importante, as estratégias em nível 2 tentam construir relacionamentos duradouros por meio de elos sociais e interpessoais, além de financeiros.[47] Os clientes são vistos como "clientela", não como rostos sem nome, e tornam-se indivíduos cujas necessidades e desejos a empresa esforça-se para entender.

Os vínculos sociais e interpessoais são comuns entre profissionais liberais (advogados, contadores, professores) e seus clientes, assim como entre prestadores de cuidados pessoais (cabeleireiros, consultores, prestadores de serviço de saúde) e seus clientes.[48] Um dentista leva alguns minutos para rever a ficha de um paciente antes de entrar no consultório e assim tem a chance de refrescar sua memória acerca dos fatos pessoais desse paciente (profissão, família, interesses, história dos tratamentos dentários e outros detalhes). Ao recuperar estes detalhes pessoais para a conversa, o dentista revela seu interesse genuíno no paciente como indivíduo e assim constrói laços sociais.

Os laços interpessoais são comuns também nos relacionamentos *business-to-business*, em que os clientes desenvolvem relacionamentos com equipes de vendas e/ou com gerentes de relacionamento que trabalham com suas empresas.[49] Em reconhecimento ao valor de relacionamentos contínuos na construção da fidelidade de seus clientes, a Caterpillar Corporation credita seu sucesso ao seu extenso e estável departamento de distribuição mundial. A companhia é a maior fabricante de equipamentos pesados para a indústria da mineração, construção e agricultura do mundo. Embora sua engenharia e sua política de qualidade sejam superiores, a empresa atribui a maior parte de seu sucesso a sua sólida rede de representantes e aos serviços de suporte ao produto que disponibiliza em todo o planeta. O conhecimento de mercados locais e os relacionamentos próximos com os clientes propiciados pelos representantes da companhia mostraram-se valiosíssimos. Os representantes da Caterpillar tendem a ser importantes líderes de negócios em seus territórios de serviço e envolvem-se profundamente em atividades comunitárias, assumindo compromissos com o estilo de vida nas respectivas áreas. Os laços sociais formados com base nesses relacionamentos de longo prazo com os clientes são um ingrediente importante do sucesso da companhia.

Há vezes em que os relacionamentos formam-se com a empresa prestadora devido aos laços sociais que se desenvolvem *entre os clientes*, não entre os clientes e ela.[50] Esses vínculos são formados em academias de ginástica, clubes, instituições de ensino e outros ambientes de prestação de serviço em que os clientes interagem uns com os outros. Ao longo do tempo, os relacionamentos sociais com outros clientes tornam-se fatores importantes no impedimento da troca de prestadora. Uma empresa que construiu uma significativa estratégia com base nos vínculos entre clientes é a Harley Davidson, por meio de seus Grupos Locais de Donos de Harleys, ou HOGs (Harley Owner Groups). Os HOGs estão envolvidos em ralis, passeios e festas locais, além de encontros de abrangência nacional organizados pela companhia. Por meio dos HOGs, os clientes da Harley Davidson conhecem uns aos outros e desenvolvem um senso de comunidade em torno de um interesse comum, o motociclismo, como mostra a foto a seguir.

Por si só os vínculos sociais talvez não consigam relacionar o cliente à empresa permanentemente. Contudo, eles são mais difíceis de imitar pela concorrência em comparação com os incentivos relativos a preço.[51] Na falta de motivos fortes para trocar de prestadora, os vínculos interpessoais encorajam os clientes a permanecer no relacionamento.[52] Quando utilizadas em combinação com os incentivos financeiros, as estratégias de vínculo social podem ser eficazes.

Nível 3 – Os vínculos de customização

As estratégias de nível 3 envolvem mais do que laços sociais e incentivos financeiros, ainda que elementos comuns às estratégias em nível 1 e 2 estejam embutidos nas estratégias de customização, e vice-versa. Uma abordagem à customização sugere que a fidelidade pode ser encorajada por meio do conhecimento pessoal de cada um dos clientes – muitas vezes chamada *intimidade com o cliente* – e do desenvolvimento de soluções individualizadas que se encaixam em suas necessidades.

Para ilustrar o funcionamento dos vínculos de customização, consideremos a Pandora – um serviço de busca de música na Internet que auxilia seus clientes a encontrar e desfrutar de canções de que gostam. Com base em uma única e imensa base de dados que classifica canções de mais de 10 mil artistas de acordo com atributos exclusivos, a Pandora customiza seus serviços e disponibiliza canções que têm características semelhantes às canções ou aos artistas de que seus clientes gostam. Eles podem criar até 100 "estações" exclusivas, identificando canções e artistas preferidos, e o sistema da Pandora analisa as informações dadas e sugere outras canções com base nesta análise. Para isso um analista musical experiente da Pandora analisa cada canção com base em 400 características musicais distintas, ou "genes musicais". Em conjunto, esses genes capturam a identidade musical exclusiva de uma canção – tudo, desde melodia, harmonia e ritmo até instrumentos, orquestração, arranjos, letras, canto e harmonia vocal – e utiliza essas informações para personalizar as músicas de acordo com os gostos e interesses exclusivos de cada cliente. A seção Tecnologia em Foco deste capítulo mostra como a rede de hotéis Hilton recorre à tecnologia para customizar serviços a cada um de seus clientes. Em Tema Global ilustramos como a rede de farmácias Alliance Boots, do Reino Unido, utiliza a tecnologia para compreender seus clientes e construir o maior plano de cartão de fidelidade do mundo.

Os motociclistas proprietários de Harley Davidsons desenvolvem vínculos cliente/cliente com atividades promovidas pelos HOGs (Harley Owner Groups).

Nível 4 – Os vínculos estruturais

As estratégias de nível 4 são as mais difíceis de imitar. Elas envolvem vínculos estruturais, financeiros, sociais e de customização entre cliente e empresa. Os vínculos estruturais são criados pela prestação de serviços ao cliente planejados já no sistema de prestação de serviço para este cliente específico. Muitas vezes os vínculos estruturais são criados com a prestação de serviços baseados em tecnologia e aumentam a produtividade do cliente, do ponto de vista da companhia prestadora.

Um exemplo de vínculo estrutural é dado no contexto de *business-to-business* pela Cardinal Health. Ao trabalhar em proximidade com os pacientes, a Cardinal Health definiu caminhos para o aperfeiçoamento de pedidos e de processos de entrega e faturamento de materiais hospitalares que melhoraram expressivamente seu valor como empresa fornecedora. Muitos dos hospitais que são clientes da Cardinal Health usam o serviço ValueLink®, um programa de distribuição *just in time*, o qual elimina a necessidade de manter estoques muito grandes. Utilizando tecnologias sofisticadas e sistemas de acompanhamento para monitorar estoques, o ValueLink® permite que a Cardinal Health entregue quantidades exatas dos suprimentos necessários – diversas vezes ao dia – diretamente nos andares e departamentos em que são necessários. Ao relacionar o hospital, por meio de seu serviço Value-Link®, a um sistema de pedidos de base de dados, e ao agregar mais valor ao processo de entrega propriamente dito, a Cardinal Health vincula-se – do ponto de vista estrutural – a mais de 200 hospitais de cuidado intensivo nos Estados Unidos. Além do melhor serviço disponibilizado pelo ValueLink®, a Cardinal

O ValueLink® da Cardinal Health cria vínculos estruturais com os hospitais que contratam seus serviços.

Tema global — O desenvolvimento de clientes fiéis na Alliance Boots

A Alliance Boots é uma marca que conquistou a confiança do cliente na Europa.

A Alliance Boots, carinhosamente chamada "Boots" por seus clientes, é uma das mais conhecidas e confiáveis marcas em atuação na Europa, e é considerada líder no varejo de saúde e beleza no Reino Unido, na Irlanda, na Noruega, nos Países Baixos, na Itália e na Rússia. A empresa, fundada em 1887, oferece seus produtos em mais de 3.200 lojas.

O sucesso recente da companhia está alicerçado no crescente foco que a companhia dá ao cliente e ao desejo de desenvolver a fidelidade por intermédio de diversas estratégias de retenção e de relacionamento. No cerne da estratégia de fidelidade da companhia está o Advantage Card (ou Cartão de Vantagens), lançado em 1997. Após a fusão da Boots the Chemists com a Alliance, em 2006, o Advantage Card tornou-se um dos maiores esquemas de cartão de fidelidade do mundo, com mais de 17 milhões de associados. Mais de 70% das vendas atuais da Boots são geradas com o cartão. Ele oferece diversas vantagens aos clientes e auxilia a empresa a expandir as vendas. Porém, mais do que isso, o cartão tornou-se a base para a construção de uma maior fidelidade entre os melhores clientes da Boots.

O uso do cartão para efetuar compras dá aos clientes Boots 4 pontos a cada libra esterlina gasta. Estes pontos podem ser trocados por produtos selecionados, o que é visto como uma estratégia voltada para tratar os clientes de modo especial, e não como um mero desconto nas próximas compras. Na verdade, o cartão *não* oferece descontos, mas sim um tratamento melhor aos clientes. Eles podem utilizar seus pontos para ganhar um almoço simples ou um dia inteiro em um *spa*. Do ponto de vista financeiro, a companhia hoje desfruta de transações a valores cada vez maiores entre os clientes que gastam mais. Os gerentes da Boots afirmam que hoje lucram com os gastos maiores e a fidelidade consolidada de pessoas que no passado já eram classificadas como clientes rentáveis — uma vitória inquestionável para a companhia.

Health estima que o sistema reduza o estoque médio dos clientes em 20%, gerando uma economia de $600 mil ou mais para seus clientes a cada ano.[53]

OS DESAFIOS NOS RELACIONAMENTOS

Diante das inúmeras vantagens trazidas pelos relacionamentos de longo prazo, a primeira impressão é que uma companhia não pensaria em recusar-se a terminar um relacionamento com qualquer um de seus clientes. Contudo, há situações em que a empresa, o cliente, ou mesmo ambas as partes desejam encerrar (ou têm de encerrar) o relacionamento. A última seção deste capítulo discute as situações em que é a *empresa* quem considera terminar o relacionamento com um cliente e como isso pode ocorrer. No próximo capítulo discutimos situações em que o *cliente* deseja encerrar o relacionamento para trocar de prestadora.

O cliente *nem* sempre tem razão

A hipótese de que todos os clientes são bons clientes é compatível com a crença de que "o cliente sempre tem razão", um preceito quase sagrado em todos os setores dos negócios. Porém, qualquer

O Boots Advantage Card ajuda a construir a fidelidade do cliente.

Várias iniciativas estão vinculadas ao Advantage Card, o que o torna mais do que um simples programa de pontuação, da perspectiva do cliente. Por exemplo, a Boots envia pelo correio uma revista de primeira qualidade sobre saúde e beleza aos 3 milhões de clientes que mais gastam utilizando o Advantage Card. A revista é a publicação mais importante no assunto em todo o Reino Unido, sendo vista como um periódico sobre saúde e beleza enviado pela Boots, e não como "uma revista da Boots". Os detentores do cartão têm acesso também a vantagens adicionais e a descontos caso utilizarem os quiosques interativos presentes em mais de 500 lojas da companhia. O cartão pode ser utilizado para efetuar compras na loja *on-line*. Muitos dos produtos oferecidos no *site* não estão disponíveis nas lojas Boots. Além disso, o *site* disponibiliza acesso a uma revista *on-line*, responde às perguntas dos usuários e conta com uma sala de bate-papo e outras características e serviços. Uma versão do Advantage Card que pode ser utilizada como cartão de crédito foi lançada em 2001, e a Boots formou uma parceria com o Ministério da Saúde para permitir aos associados registrarem-se junto ao departamento incumbido do programa de doação de órgãos do sistema único de saúde britânico.

Além disso, do ponto de vista da companhia, o cartão é muito mais do que um programa de bonificação. Os dados que ele gera servem para entender os clientes e prever e identificar as necessidades individuais em termos de produtos de saúde e beleza. O programa do Advantage Card permitiu à Boots obter noções sobre os clientes, construir uma base de dados para adaptar ofertas às necessidades do cliente no âmbito individual, aumentar as vendas com a construção da fidelidade do cliente, e utilizar o conhecimento sobre os clientes no desenvolvimento e lançamento de novos produtos e serviços.

Este programa de fidelidade ensinou à Boots que quanto mais amplo o espectro de compras dos clientes e maior o número de categorias de produtos que adquirem ao longo do tempo, maior será o número de visitas que os clientes efetuarão às lojas da companhia. O resultado deste programa é a customização de produtos e serviços, o aumento no volume de vendas e a maior fidelidade dos melhores clientes da companhia.

Fontes: Frederick Newell, *Loyalty.com* (New York: McGraw-Hill, 2000), chap. 3 (1999), pp. 239–245; www.boots-uk.com, 2011.

funcionário de uma empresa de serviço é capaz de dizer que esta afirmação *nem* sempre é verdadeira e, em alguns casos, é preferível para a empresa e o cliente interromper o relacionamento que vinham mantendo. A discussão a seguir apresenta uma visão do relacionamento com o cliente que sugere que alguns tipos de relacionamentos talvez não sejam benéficos, e que nem todo o cliente tem razão o tempo todo.

O segmento errado
Uma empresa não pode dirigir seus serviços a todos os clientes. Alguns segmentos são mais apropriados do que outros. Não seria vantajoso, nem para a empresa, nem para o cliente, que ela estabelecesse um relacionamento com um cliente a cujas necessidades ela não consegue atender. Por exemplo, uma universidade que oferece um curso de MBA diurno em turno integral não atrai uma pessoa que trabalha, ou um escritório de advocacia especializado em questões governamentais não estabelece vínculos com pessoas que procuram serviços legais na área de direito imobiliário. Nos dois casos, a organização provavelmente teria dificuldades em prestar os serviços e atender às expectativas desses clientes. Com frequência as empresas sucumbem à tentação de efetuar uma venda e atendem a um cliente que seria melhor servido por outra companhia.

Por essa mesma razão, não seria indicado forjar relacionamentos simultâneos com segmentos de mercado incompatíveis. Em muitos setores de serviços (como restaurantes, hotéis, operadoras de turismo especializadas em pacotes, setores de entretenimento e educação), os clientes vivenciam o serviço um ao lado do outro e influenciam as percepções individuais acerca do valor recebido. Assim, para maximizar o serviço aos principais segmentos, uma organização deve desistir de segmentos que oferecem lucratividade marginal e que são incompatíveis com suas atividades. Por exemplo, um hotel que disponibiliza infraestrutura para eventos precisa considerar a inadequabilidade em misturar executivos em viagem à cidade para um programa educacional sério com estudantes locais reunidos para uma competição regional de corridas e saltos. Se os executivos são vistos como clientes importantes no longo prazo, o hotel não deve aceitar o grupo de esportistas, no interesse de manter a preferência dos executivos.

Não rentáveis no longo prazo

Na ausência de disposições éticas ou legais, as organizações preferem *não* ter relacionamentos de longo prazo com clientes que não trazem rentabilidade a elas. Alguns segmentos de clientes não são rentáveis para a empresa, ainda que suas necessidades sejam atendidas pelos serviços oferecidos. Alguns exemplos desta situação são verificados quando não há clientes o bastante no segmento para que ele gere lucros, ou no caso em que o segmento não tem condições de pagar pelos custos do serviço, ou ainda no cenário em que os fluxos de receita do segmento não cobrem os custos incorridos para gerar e manter negócios.

Em nível de cliente individual, talvez não seja rentável para uma empresa envolver-se em um relacionamento com um cliente que tenha uma história de crédito ruim ou que signifique um alto risco para ela por alguma razão. O varejo, os bancos, as financeiras e as operadoras de cartão de crédito frequentemente recusam-se a fazer negócios com pessoas cujos históricos de crédito não inspiram confiança. A despeito das vantagens na venda de curto prazo, do ponto de vista da companhia, o risco de inadimplência levanta incertezas no longo prazo. Pela mesma razão, algumas empresas de locação de veículos verificam os eventos da história ao volante de um cliente e rejeitam os maus motoristas.[54] Embora controversa, da perspectiva da locadora essa prática faz sentido, pois a empresa tem a chance de minimizar os custos com seguros e solicitações de ressarcimento por acidentes (o que reduz os custos de locação para os bons clientes), ao deixar de lado uma operação com um motorista propenso a sofrer acidentes.

Além dos custos financeiros associados com o serviço oferecido a clientes ruins, talvez seja necessário investir mais tempo com clientes que, se computados adequadamente, significam prejuízos para a companhia. Todos já passaram pela experiência de esperar em uma fila no banco, em uma loja ou mesmo em uma instituição de ensino enquanto um cliente particularmente exigente parece demandar mais tempo da prestadora de serviço do que lhe seria indicado. O valor do tempo gasto com um dado cliente via de regra não é computado ou calculado no preço do serviço.

Em um relacionamento *business-to-business*, a variação no comprometimento de tempo com os clientes é muito mais visível. Alguns clientes utilizam um montante considerável de recursos da organização prestadora de meio de um número impraticável de telefonemas, de um excesso de solicitações de informações ou de outras atividades que consomem muito tempo. Na advocacia, os clientes são cobrados pelas horas do tempo do escritório que utilizam, pois o fator tempo é, em última análise, o único recurso que a empresa tem para usar. Porém, em outros setores de serviço, todos os clientes pagam o mesmo, independentemente da demanda de tempo que impõem às respectivas prestadoras.

Os clientes difíceis

Os gerentes repetem a frase "o cliente sempre tem razão" tantas vezes, que você espera que ela se torne verdade para todos os funcionários de todas as organizações prestadoras de serviços. Mas por que isso não ocorre? Talvez porque simplesmente não seja verdade. O cliente nem sempre está certo. Não importa quantas vezes a frase seja dita – repeti-la como um mantra não a torna uma realidade, e os funcionários dos setores de serviço sabem disso.

Em muitas situações, as empresas têm encontros de serviço que fracassam em função de clientes *problemáticos*. O comportamento do cliente problemático refere-se às ações – intencionais ou não – perpetradas de modo a interromper encontros de serviço que de outro modo seriam funcionais.[55] Esses clientes foram descritos como "clientes infernais", "clientes-problema", ou "clientes tolos". Durante uma estada em um hotel, um de nós foi acordado às 4h00 da manhã por hóspedes embriagados que discutiam em um dos quartos do andar de cima. O gerente chamou a polícia e pediu que os oficiais acompanhassem os hóspedes barulhentos para fora do prédio. Em outro caso, uma cliente da Enterprise Rent-A-Car exigiu que não lhe fossem cobradas as duas semanas em que ficara com o carro, pois ao final deste período ela descobriu uma pequena mancha no banco traseiro.[56] Este comportamento é considerado problemático pela prestadora, e talvez até por outros clientes.

Alguns clientes são difíceis, senão impossíveis, de atender.

O comportamento de um cliente problemático é capaz de afetar funcionários, outros clientes e a organização prestadora como um todo. As pesquisas sugerem que a exposição a este tipo de comportamento tem consequências nas esferas psicológica, emocional, comportamental e física dos funcionários.[57] Por exemplo, o funcionário da linha de frente exposto a atitudes rudes, ameaçadoras, obstrutivas, agressivas ou excêntricas muitas vezes vê seu moral, seu humor e sua motivação afetados negativamente por estes comportamentos. Este tipo de cliente é difícil de atender e frequentemente é um fator de estresse para os funcionários.[58] (Veja a fotografia anterior, por exemplo.) Os clientes problemáticos também têm impacto em outros clientes: seus comportamentos podem arruinar a experiência de serviço para outras pessoas e contaminar clientes que o testemunham. Por fim, o comportamento problemático gera custos diretos e indiretos para a organização. Os custos diretos incluem o gasto com patrimônio danificado, prêmios de seguro maiores, prejuízos por furto, custos incorridos na compensação de clientes afetados por este comportamento problemático, além das despesas geradas por conta de solicitações ilegítimas. Outra desvantagem relaciona-se à possibilidade de os custos indiretos incluírem maiores volumes de trabalho para os funcionários incumbidos de lidar com este comportamento inadequado, as despesas elevadas para atrair e reter as pessoas adequadas para a função e, talvez, o dispêndio com pagamentos por absenteísmo.

A finalização de um relacionamento de negócio

Conforme sugerimos na seção anterior, as empresas identificam alguns clientes que não pertencem ao segmento que almejam, que não são rentáveis no longo prazo, que dificultam a prestação do serviço, ou que são muito problemáticos. É perfeitamente possível que uma companhia *não* deseje prosseguir em um relacionamento com todo e qualquer cliente. Para uma gestão de relacionamento de serviço eficaz, os gerentes devem conhecer as maneiras não apenas de iniciar, como também de finalizar um relacionamento. No entanto, uma saída elegante de um relacionamento nem sempre é fácil. Os clientes acabam desapontados, confusos ou magoados se uma empresa tenta terminar o relacionamento. Em Visão Estratégica, ilustramos como três empresas terminaram o relacionamento com seus respectivos clientes.

O fim de um relacionamento

Os relacionamentos terminam de modos diferentes – dependendo do tipo.[59] Em algumas situações, um relacionamento se estabelece com uma finalidade e por um dado período de tempo, e se dissolve após os objetivos terem se concretizado ou o tempo expirado. Por exemplo, um serviço

Visão estratégica — "O cliente sempre tem razão": a reconsideração de um velho preceito

O antigo preceito "o cliente sempre tem razão" funciona como regra básica nos negócios há tanto tempo que cristalizou-se como "verdade absoluta". Contudo, na realidade do dia a dia, às vezes é o cliente que está errado. Em situações em que esta questão chega a extremos, o problema se resume a descobrir o que fazer a respeito. Os gerentes de serviços entendem que há momentos em que é preciso demitir um funcionário. Em outros, esta estratégia precisa ser adotada também para clientes.

A Sprint/Nextel descarta mil clientes

Em 29/6/2007, a Sprint/Nextel enviou uma carta a cerca de mil de seus 53 milhões de clientes avisando-os de que, com efeito, haviam sido desvinculados da companhia. Ao fazê-lo, a Sprint tentava libertar-se de clientes que utilizavam suas linhas de atendimento com muita frequência. A carta dizia que o serviço seria cancelado para esses clientes ao final do mês seguinte. Nelas, a empresa afirmava: "Ainda que tenhamos nos esforçado, dentro de nossa capacidade, para resolver seus problemas e responder a suas questões, o número de consultas que você fez no período de prestação do serviço prova que não somos capazes de atender a suas atuais necessidades em telefonia celular".

Os clientes foram avisados de que seus contratos de serviço seriam cancelados, que nada deveriam à companhia em sua última fatura, e que a empresa abriria mão das taxas relativas ao cancelamento precoce do contrato. Os clientes também receberam a informação de que teriam de trocar de operadora de telefonia móvel antes de 30/7/2007, se quisessem manter o mesmo número de telefone.

Um cliente Sprint/Nextel irritado.

Esses mil clientes haviam telefonado ao serviço de atendimento ao cliente da Sprint/Nextel em média 25 vezes ao mês, o que representa mais de 40 vezes o número de chamadas efetuadas por um cliente normal. A Sprint decidiu que esses clientes não estavam gerando receita grande o bastante para compensar os altos custos em atendê-los. Uma pesquisa interna, que durou mais de seis meses, revelou à companhia os tipos de problemas que eles apresentavam e as informações que procuravam ao telefonarem para o serviço de atendimento. O estudo descobriu que muitos desses clientes relatavam os mesmos problemas, repetidamente, mesmo após os funcionários da Sprint terem dado as questões como resolvidas. Além disso, alguns dos clientes muitas vezes solicitavam informações sobre as contas de outros clientes, o que os funcionários do serviço não estão autorizados a fazer. A companhia percebeu que este volume de tempo despendido na solução dos mesmos problemas estava afetando negativamente sua capacidade de atender a outros clientes.

Os resultados

A princípio, a iniciativa da Sprint foi manchete na imprensa especializada e provocou publicidade boca a boca negativa de parte desses mil clientes. Além disso, ela provavelmente espantou novos clientes, no curto prazo. Porém, a estratégia melhorou a experiência do cliente para aqueles que procuravam o serviço de atendimento. Com isso, o serviço ao cliente melhorou a ponto de, apenas três anos depois, a Sprint ser nomeada uma das 40 empresas campeãs em serviço ao cliente pela J. D. Power and Associates.

A Zane's Cycles avisa ao cliente: "Dê o fora... e conte para todos os seus amigos"

Um artigo na revista *Business Horizons* conta a história de uma loja de bicicletas bastante conhecida por sua dedicação ao serviço ao cliente — a Zane's Cycles de Bradford, Connecticut (para saber mais sobre a Zane's Cycles, consulte o texto de abertura do Capítulo 4):

> O pai havia ido buscar uma bicicleta mandada para conserto, para sua filha que, sem avisar a ele, havia aprovado a substituição de ambos os pneus (um serviço que sairia por $40). Apesar de a funcionária ter explicado, paciente e repetidamente, que a substituição havia sido aprovada e de ter se oferecido para verificar outra vez, o cliente fez comentários acusadores e gritou com a atendente,

com raiva, e disse: "Ou você está achando que sou idiota, ou você é idiota. Você está querendo me roubar." Nesse instante, Chris Zane, o dono da loja, dirigiu-se até o cliente e disse: "Sou Chris Zane, dê o fora de minha loja e conte para todos os seus amigos!". Após o cliente ter atirado os $40 sobre o balcão, sem dizer uma palavra e sair a passos largos, a funcionária ofendida olhou para Zane e perguntou: "E conte para todos os seus amigos?".

Zane explicou a ela e aos outros funcionários que haviam se aproximado que ele queria deixar claro que valorizava sua funcionária muito mais do que um cliente rude e agressivo. "Também expliquei que era a primeira vez que eu expulsava um cliente da loja e que não toleraria ver meus funcionários serem maltratados por qualquer pessoa... Acredito que meus funcionários precisam saber que os respeito e que espero que respeitem nossos clientes. É simples. Se estou disposto a demitir um funcionário por maltratar um cliente, o que já fiz no passado, também preciso estar preparado para expulsar um cliente por ter maltratado um de meus funcionários."

Os resultados
Após voltar para casa e refletir sobre o encontro de serviço, o cliente telefonou ao proprietário para desculpar-se, três horas mais tarde. Ele explicou que havia discutido com sua esposa um pouco antes da visita à loja e que, portanto, estava de mau humor. Ao chegar em casa e ser informado de que a funcionária da loja estava certa, ele percebeu que seu comportamento havia sido exagerado. Ele perguntou se tinha permissão de voltar a comprar na loja, e também disse que respeitava o proprietário por dar apoio à sua funcionária, ainda que estivesse perdendo um cliente. O Sr. Zane agradeceu a ele pelo telefonema, disse que o cliente seria bem-vindo à loja novamente e que o pedido de desculpas seria transmitido à funcionária.

Um organizador de eventos diz a um grande cliente: "nunca mais"
A Capitol Services Inc. – empresa de organização de eventos baseada em Washington DC – gastou bastante tempo e dinheiro tentando garantir a relação comercial lucrativa que iniciara com uma grande montadora de automóveis.

Em meio aos preparativos para o primeiro evento com este cliente em um museu em Washington, a pessoa que supervisionava o evento (que trabalhava para uma terceirizada e, portanto, não era funcionária da companhia), assumiu atitudes exageradas, detratoras e desrespeitosas com os funcionários da Capitol. Nada do que a Capitol fazia, em sua opinião, estava bom o bastante. Toda a equipe, que estava na iminência de proporcionar um evento exatamente conforme o prometido para a montadora, estava sendo vigiada de perto, em todos os detalhes do trabalho. Os funcionários da Capitol sentiram-se maltratados, sem razão aparente. David Hainline, presidente da companhia, aproximou-se da representante do cliente e disse que a Capitol terminaria o serviço, mas que jamais voltaria a trabalhar com ela – perfeitamente ciente de que esta atitude poderia acarretar a perda de um cliente com um altíssimo valor em termos de relacionamento.

Os resultados
O evento foi organizado conforme o prometido, mas a funcionária não estava satisfeita. Terminado o evento, ela passou a exigir que a Capitol Services reduzisse o montante devido pelos serviços que prestara – assim, a empresa fez um abatimento de $60 mil. Meses depois, Hainline teve uma reunião com a montadora e iniciou com uma explicação do que havia ocorrido no museu Smithsonian. A montadora entendeu, e concordou em contratar os serviços da Capitol para organizar outros eventos no futuro em Washington DC. Com isso, os funcionários da Capitol sentiram-se valorizados e apoiados pela gerência.

Terminar um relacionamento com um cliente pode ser a melhor decisão do ponto de vista estratégico
As empresas prestadoras de serviços não são obrigadas a atender todo e qualquer cliente, não importa o volume de receita que gere. Ainda que as estratégias de marketing de serviços que objetivam desenvolver relacionamentos com clientes recebam muita atenção – e com razão – dos gerentes, há ocasiões em que a seleção de uma estratégia que resulte no fim de um relacionamento com um cliente é o melhor caminho a trilhar.

Fontes: S. Srivastava, "Sprint Drops Clients over Excessive Inquiries," *The Wall Street Journal*, July 7, 2007, p. A3. L. L. Berry and K. Seiders, "Serving Unfair Customers," *Business Horizons* 51 (January/February 2008), pp. 29–37; D. Hainline, President, Capitol Services Inc., Washington, DC, entrevista pessoal em 15/8/2007.

de pintura de uma casa pode ser contratado por quatro dias para a pintura externa; contudo, ambas as partes envolvidas entendem que o fim do relacionamento está predefinido – ele termina no momento em que a casa foi pintada e o cliente paga pelo serviço. Há também situações em que o relacionamento termina de modo natural.[60] Por exemplo, lições de piano para crianças muitas vezes são interrompidas no instante em que a criança atinge certa idade e desenvolve interesses por outras áreas da música (como o canto ou o clarinete). Nessas situações, a necessidade de um relacionamento diminuiu ou mesmo acabou. Há casos em que ocorre um evento que impõe o término do relacionamento. Por exemplo, uma empresa prestadora que muda suas instalações para o outro lado da cidade talvez veja seus antigos clientes obrigados a escolher outra empresa. Em outras instâncias, um relacionamento termina porque o cliente não está cumprindo suas obrigações. Por exemplo, um banco pode decidir terminar um relacionamento com um cliente que normalmente fica sem fundos em sua conta-corrente. Quaisquer que sejam as razões por trás do desejo (ou da necessidade) de terminar um relacionamento, as empresas devem expressá-las, de modo que os clientes compreendam a situação.[61]

As empresas devem descartar seus clientes?
Uma conclusão a ser tirada da discussão acerca dos desafios que as empresas enfrentam nos relacionamentos com o cliente diz que elas talvez devessem livrar-se dos clientes que não são adequados para a companhia. Muitas empresas estão tomando este tipo de decisão com base na crença de que os clientes problemáticos são em geral menos rentáveis e menos fiéis, e de que possivelmente seja contraproducente tentar reter estes tipos de relacionamentos. Outra razão para "dispensar" um cliente é o efeito negativo que estes clientes têm sobre a qualidade de vida e o moral dos funcionários.

Uma empresa levou ao extremo a redução de sua base de clientes. A Nypro, empresa controlada por seus próprios funcionários com atuação global no ramo de plásticos e cujos clientes são companhias como Gillette, Abbott Laboratories, Hewlett-Packard e outras grandes organizações,[62] reduziu sua base de clientes de 800 a cerca de 30, na década de 1980, baseada na noção de que seria capaz de atender melhor e crescer com mais eficácia tendo menos relacionamentos. A Nypro adotou uma estratégia de proximidade com o cliente e estabeleceu vínculos reforçados com esses clientes reduzidos. Alguns desses clientes estão com a Nypro há mais de 40 anos e se tornaram muito valiosos para ela; em 2009, cinco desses clientes geraram mais de $50 milhões em receitas para a companhia, e 21 outros clientes renderam mais de $10 milhões.

Ainda que pareça uma boa ideia, a dispensa de clientes não é tão simples e precisa ser conduzida de forma a prevenir a geração de publicidade negativa ou propaganda boca a boca desfavorável. Há momentos em que a elevação de preços ou a cobrança por serviços que anteriormente eram prestados de graça são iniciativas capazes de espantar clientes que não geram lucros para a companhia. Auxiliar um cliente a encontrar outra prestadora que seja capaz de melhor atender a suas necessidades é outro modo elegante de sair de um relacionamento improdutivo. Se o cliente se torna muito exigente, então é possível resgatar o relacionamento com a negociação de suas expectativas, ou com a procura de caminhos mais eficientes para sua satisfação. Se esta condição não se verificar, então ambas as partes terão de encontrar uma maneira amigável de terminar este relacionamento.

Resumo

Este capítulo discutiu as explicações, vantagens e estratégias para o desenvolvimento de relacionamentos de longo prazo com os clientes. Está claro que as organizações que se concentram apenas na aquisição de novos clientes talvez não compreendam seus clientes atuais. Assim, ao mesmo tempo em que uma companhia está trazendo novos clientes pela porta da frente, um número igual ou maior de seus clientes existentes talvez esteja saindo pela porta dos fundos. As estimativas do valor de um relacionamento mantido durante o ciclo de vida do cliente destacam a importância da retenção de clientes atuais.

A estratégia adotada por uma organização para reter seus clientes atuais pode e deve ser customizada em termos de setor, cultura e necessidades dos clientes da organização. Contudo, em geral os relacionamentos com os clientes são motivados por uma diversidade de fatores que influenciam o desenvolvimento de relacionamentos sólidos, como: (1) a avaliação global que o cliente faz da qualidade do serviço principal prestado pela empresa, (2) as barreiras contra a troca enfrentadas pelo cliente ao sair do relacionamento e (3) os vínculos de relacionamento formados entre a companhia e o cliente. Ao consolidar relacionamentos com os clientes e focar nos fatores que influenciam estes relacionamentos, a organização entenderá quais são as expectativas dos clientes ao longo do tempo e, com isso, estreitará a lacuna 1 da qualidade do serviço.

Este capítulo encerrou com uma discussão dos desafios enfrentados por empresas no desenvolvimento de relacionamentos com seus clientes. Ainda que os relacionamentos de longo prazo sejam cruciais e possam ser bastante lucrativos, as empresas devem evitar relacionamentos com qualquer cliente, indiscriminadamente. Em outras palavras, "o cliente nem sempre tem razão". Na verdade, em algumas situações é mesmo melhor para a empresa encerrar um relacionamento com um cliente-problema – pelo bem dele, dela ou de ambos.

Questões para discussão

1. Discuta como o marketing de relacionamento ou o marketing de retenção é diferente da ênfase tradicional dada ao marketing.
2. Descreva como os relacionamentos entre uma empresa e seus clientes evoluem com o tempo. Para cada nível de relacionamento discutido neste capítulo, identifique uma empresa com que você tem este nível de relacionamento e explique como seus esforços de marketing diferem dos de outras empresas.
3. Considere uma prestadora de serviço que retém você como cliente fiel. Por que você é fiel a esta prestadora? Quais são as vantagens em permanecer fiel, sem mudar de prestadora? O que precisaria acontecer para que você trocasse de empresa?
4. Com relação à mesma prestadora de serviço, quais são as vantagens que ela tem em conservá-lo como cliente? Calcule o "valor no ciclo de vida" para a organização.
5. Descreva a lógica da "segmentação da rentabilidade do cliente" pela perspectiva da empresa. Discuta também o que os clientes pensam desta prática.
6. Descreva as diversas barreiras contra troca apresentadas neste capítulo. Quais destas barreiras são enfrentadas na troca de um banco por outro? Na troca de uma prestadora de serviços de telefonia móvel? E de universidades?
7. Descreva os quatro níveis de estratégias de retenção e dê exemplos de cada um. Considere mais uma vez uma prestadora de serviços à qual você é fiel. Você é capaz de descrever as razões para sua fidelidade em termos dos diferentes níveis? Em outras palavras, o que vincula você à organização?
8. Você alguma vez trabalhou como funcionário de contato com clientes? Você é capaz de lembrar de ter lidado com algum cliente difícil ou "problemático"? Discuta como você administrou a situação. Como gerente de uma equipe de contato com clientes, como você auxiliaria seus funcionários a lidar com clientes difíceis?

Exercícios

1. Entreviste um gerente de uma organização prestadora de serviços local. Discuta com ele o(s) mercado(s)-alvo do serviço. Estime o valor de um cliente no ciclo de vida em um ou mais segmentos-alvo. Para isso, você precisará obter o máximo possível de informações junto a este gerente. Se ele não for capaz de responder todas as suas perguntas, estabeleça algumas hipóteses.
2. Em pequenos grupos, na sala de aula, debata a pergunta "O cliente sempre tem razão?". Em outras palavras, há vezes em que o cliente pode ser o cliente errado para a organização?
3. Escolha um contexto empresarial específico (a empresa desenvolvida em seu projeto em sala de aula, a empresa para a qual você trabalha ou uma empresa em um setor com que você está familiarizado). Calcule o valor do ciclo

de vida de um cliente para esta companhia. Você precisará estabelecer hipóteses para este cálculo, portanto, defina-as com clareza. Utilizando as noções e os conceitos apresentados neste capítulo, descreva uma estratégia de marketing de relacionamento a fim de aumentar o número de clientes em todo o ciclo de vida da empresa.

Literatura citada

1. A USAA é mencionada nos dois livros citados a seguir, que basearam o material desta seção: L. L. Berry, *Discovering the Soul of Service* (New York: The Free Press, 1999); F. F. Reichheld, *Loyalty Rules!* (Boston: Harvard Business School Press, 2001).

2. D. Shah, R. T. Rust, A. Parasuraman, R. Staelin, and G. S. Day, "The Path to Customer Centricity," *Journal of Service Research* 9 (November 2006), pp. 113–124.

3. J. McGregor, "Employee Innovator: USAA," *Fast Company*, October 1999, p. 57.

4. J. McGregor, "Customer Service Champs," *BusinessWeek*, March 5, 2007, pp. 52–64.

5. F. E. Webster Jr., "The Changing Role of Marketing in the Corporation," *Journal of Marketing* 56 (October 1992), pp. 1–17.

6. Para outras discussões acerca do marketing de relacionamento e de sua influência no marketing de serviços, bens de consumo, alianças estratégicas, canais de distribuição e interações entre comprador e vendedor, ver *Journal of the Academy of Marketing Science*, Special Issue on Relationship Marketing (vol. 23, Fall 1995). Algumas das raízes desta mudança de paradigma são encontradas em C. Gronroos, *Service Management and Marketing* (New York: Lexington Books, 1990); E. Gummesson, "The New Marketing—Developing Long-Term Interactive Relationships," *Long Range Planning* 20 (1987), pp. 10–20. Excelentes análises do marketing de relacionamento para vários tópicos são dadas em J. N. Sheth, *Handbook of Relationship Marketing* (Thousand Oaks, CA: Sage, 2000).

7. L. L. Berry and A. Parasuraman, *Marketing Services* (New York: Free Press, 1991), chap. 8.

8. G. Knisely, "Comparing Marketing Management in Package Goods and Service Organizations," uma série de entrevistas publicadas em *Advertising Age*, January 15, February 19, March 19, and May 14, 1979.

9. Esta discussão está baseada em M. D. Johnson and F. Selnes, "Customer Portfolio Management: Toward a Dynamic Theory of Exchange Relationships," *Journal of Marketing* 68 (April 2004), pp. 1–17.

10. R. M. Morgan and S. D. Hunt, "The Commitment-Trust Theory of Relationship Marketing," *Journal of Marketing* 58 (July 1994), pp. 20–38; N. Bendapudi and L. L. Berry, "Customers' Motivations for Maintaining Relationships with Service Providers," *Journal of Retailing* 73 (Spring 1997), pp. 15–37.

11. Johnson and Selnes, "Customer Portfolio Management."

12. Ibid.

13. Ver também D. Siredeshmukh, J. Singh, and B. Sabol, "Customer Trust, Value, and Loyalty in Relational Exchanges," *Journal of Marketing* 66 (January 2002), pp. 15–37.

14. Três tipos de vantagens de relacionamento discutidas nesta seção foram baseados em K. P. Gwinner, D. D. Gremler, and M. J. Bitner, "Relational Benefits in Service Industries: The Customer's Perspective," *Journal of the Academy of Marketing Science* 26 (Spring 1998), pp. 101–114. Para uma revisão recente acerca da pesquisa sobre vantagens associadas a relacionamentos, ver D. D. Gremler and K. P. Gwinner, "Relational Benefits Research: A Synthesis," in *Handbook on Research in Relationship Marketing*, ed. R. Morgan, G. Deitz, and J. Parish (*no prelo*).

15. Gwinner, Gremler, and Bitner, "Relational Benefits in Service Industries: The Customer's Perspective," p. 104.

16. Ver M. B. Adelman, A. Ahuvia, and C. Goodwin, "Beyond Smiling: Social Support and Service Quality," in *Service Quality: New Directions in Theory and Practice*, ed. R. T. Rust and R. L. Oliver (Thousand Oaks, CA: Sage Publications, 1994), pp. 139–172; C. Goodwin, "Communality as a Dimension of Service Relationships," *Journal of Consumer Psychology* 5, no. 4 (1996), pp. 387–415.

17. E. J. Arnould and L. L. Price, "River Magic: Extraordinary Experience and the Extended Service Encounter," *Journal of Consumer Research* 20 (June 1993), pp. 24–45.

18. N. Bendapudi and R. P. Leone, "How to Lose Your Star Performer without Losing Customers, Too," *Harvard Business Review* 79 (November 2001), pp. 104–115.

19. Compare Gwinner, Gremler, and Bitner, "Relational Benefits in Service Industries" e T. Hennig-Thurau, K. P. Gwinner, and D. D. Gremler, "Understanding Relationship Marketing Outcomes: An Integration of Relational Benefits and Relationship Quality," *Journal of Service Research* 4 (February 2002), pp. 230–247 com R. Lacey, J. Suh, and R. M. Morgan, "Differential Effects of Preferential Treatment Levels on Relational Outcomes," *Journal of Service Research* 9 (February 2007), pp. 241–256.

20. F. F. Reichheld and W. E. Sasser Jr., "Zero Defections: Quality Comes to Services," *Harvard Business Review* 68 (September–October 1990), pp. 105–111; F. F. Reichheld, *The Loyalty Effect* (Boston: Harvard Business School Press, 1996); S. Gupta and V. Zeithaml, "Customer Metrics and Their Impact on Financial Performance," *Marketing Science* 25 (November–December 2006), pp. 718–739.

21. C. Homburg, N. Koschate, and W. D. Hoyer, "Do Satisfied Customers Really Pay More? A Study of the Relationship between Customer Satisfaction and Willingness to Pay," *Journal of Marketing* 69 (April 2005), pp. 84–96.

22. R. Dhar and R. Glazer, "Hedging Customers," *Harvard Business Review* 81 (May 2003), pp. 86–92.

23. D. D. Gremler and S. W. Brown, "The Loyalty Ripple Effect: Appreciating the Full Value of Customers," *International Journal of Service Industry Management* 10, no. 3 (1999), pp. 271–291.

24. M. S. Rosenbaum and C. A. Massiah, "When Customers Receive Support from Other Customers: Exploring the Influence of Intercustomer Social Support on Customer Voluntary Performance," *Journal of Service Research* 9 (February 2007), pp. 257–270.

25. S. J. Grove and R. P. Fisk, "The Impact of Other Customers on Service Experiences: A Critical Incident Examination of 'Getting Along,'" *Journal of Retailing* 73 (Spring 1997), pp. 63–85.
26. P. J. Danaher, D. M. Conroy, J. R. McColl-Kennedy, "Who Wants a Relationship? Conditions When Consumers Expect a Relationship with Their Service Provider," *Journal of Service Research* 11 (August 2008), pp. 43–62.
27. Reichheld and Sasser, "Zero Defections."
28. Outras estruturas para o cálculo do valor do ciclo de vida do cliente que incluem diversas variáveis são encontradas em W. J. Reinartz and V. Kumar, "The Impact of Customer Relationship Characteristics on Profitable Lifetime Duration," *Journal of Marketing* 67 (January 2003), pp. 77–99; Dhar and Glazer, "Hedging Customers"; H. K. Stahl, K. Matzler, and H. H. Hinterhuber, "Linking Customer Lifetime Value with Shareholder Value," *Industrial Marketing Management* 32, no. 4 (2003), pp. 267–279.
29. Este exemplo é citado em J. L. Heskett, W. E. Sasser Jr., and L. A. Schlesinger, *The Service Profit Chain* (New York: The Free Press, 1997), pp. 200–201.
30. Para mais detalhes sobre os segmentos de rentabilidade de clientes e estratégias relacionadas, ver V. A. Zeithaml, R. T. Rust, and K. N. Lemon, "The Customer Pyramid: Creating and Serving Profitable Customers," *California Management Review* 43 (Summer 2001), pp. 118–142.
31. R. Brooks, "Alienating Customers Isn't Always a Bad Idea, Many Firms Discover," *The Wall Street Journal*, January 7, 1999, p. A1.
32. C. Homburg, M. Droll, and D. Totzek, "Customer Prioritization: Does It Pay Off, and How Should It Be Implemented?" *Journal of Marketing* 72 (September 2008), pp. 110–130.
33. F. Reichheld, "Loyalty-Based Management," *Harvard Business Review* 71 (March–April 1993), pp. 64–74.
34. D. Brady, "Why Service Stinks," *BusinessWeek*, October 23, 2000, pp. 118–128.
35. Dhar and Glazer, "Hedging Customers."
36. C. O. Tarsi, R. N. Bolton, M. D. Hutt, and B. A. Walker, "Balancing Risk and Return in a Customer Portfolio," *Journal of Marketing* 75 (May 2011), pp. 1-17.
37. D. Rosenblum, D. Tomlinson, and L. Scott, "Bottom-Feeding for Blockbuster Businesses," *Harvard Business Review* 81 (March 2003), pp. 52–59.
38. M. D. Johnson, A. Herrman, and F. Huber, "The Evolution of Loyalty Intentions," *Journal of Marketing* 70 (April 2006), pp. 122–132.
39. Ver T. A. Burnham, J. K. Frels, and V. Mahajan, "Consumer Switching Costs: A Typology, Antecedents, and Consequences," *Journal of the Academy of Marketing Science* 32 (Spring 2003), pp. 109–126; F. Selnes, "An Examination of the Effect of Product Performance on Brand Reputation, Satisfaction, and Loyalty," *European Journal of Marketing* 27, no. 9 (2003), 19–35; M. Colgate, V. T.-U. Tong, C. K.-C. Lee, and J. U. Farley, "Back from the Brink: Why Customers Stay," *Journal of Service Research* 9 (February 2007), pp. 211–228.
40. L. White and V. Yanamandram, "Why Customers Stay: Reasons and Consequences of Inertia in Financial Services," *Managing Service Quality* 14, nos. 2/3 (2004), pp. 183–194.
41. Colgate et al., "Back from the Brink."
42. Ver J. P. Guiltinan, "A Classification of Switching Costs with Implications for Relationship Marketing," in *Marketing Theory and Practice*, ed. Terry L. Childers et al. (Chicago: American Marketing Association, 1989), pp. 216–220; P. G. Patterson and T. Smith, "A Cross-Cultural Study of Switching Barriers and Propensity to Stay with Service Providers," *Journal of Retailing* 79 (Summer 2003), pp. 107–120; M. A. Jones, K. E. Reynolds, D. L. Mothersbaugh, and S. E. Beatty, "The Positive and Negative Effects of Switching Costs on Relational Outcomes," *Journal of Service Research* 9 (May 2007), pp. 335–355.
43. J. J. Kim, "Banks Push Harder to Get You to Switch—Services Aim to Ease Hassle of Moving Your Accounts," *The Wall Street Journal*, October 12, 2006, p. D1.
44. Ver Bendapudi and Berry, "Customers' Motivations for Maintaining Relationships with Service Providers"; H. S. Bansal, P. G. Irving, and S. F. Taylor, "A Three-Component Model of Customer Commitment to Service Providers,"*Journal of the Academy of Marketing Science* 32 (Summer 2004), pp. 234–250.
45. A Figura 6.6 e a discussão sobre os quatro níveis das estratégias de relacionamento são baseadas em Berry and Parasuraman, *Marketing Services*, pp. 136–142.
46. Para mais informações sobre a cautela na implementação de estratégias de recompensa, ver H. T. Keh and Y. H. Lee, "Do Reward Programs Build Loyalty for Services? The Moderating Effect of Satisfaction on Type and Timing of Rewards," *Journal of Retailing* 82 (June 2006), pp. 127–136; L. Meyer-Waarden and C. Benavent, "Rewards That Reward," *The Wall Street Journal*, September 17, 2008, p. R5; J. D. Hansen, G. D. Deitz, and R. M. Morgan, "Taxonomy of Service-based Loyalty Program Members," *Journal of Services Marketing* 24, no. 4 (2010), pp. 271–282.
47. C. K. Yim, D. K. Tse, and K. W. Chan, "Strengthening Customer Loyalty through Intimacy and Passion: Roles of Customer-Firm Affection and Customer-Staff Relationships in Services," *Journal of Marketing Research* 45 (December 2008), pp. 741–756.
48. Colgate et al., "Back from the Brink:"
49. Bendapudi and Leone, "How to Lose Your Star Performer without Losing Customers"; E. Anderson and S. D. Jap, "The Dark Side of Close Relationships," *Sloan Management Review* 46 (Spring 2005), pp. 75–82; R. W. Palmatier, R. P. Dant, D. Grewal, and K. R. Evans, "Factors Influencing the Effectiveness of Relationship Marketing: A Meta-Analysis," *Journal of Marketing* 70 (October 2006), pp. 136–153.
50. Rosenbaum and Massiah, "When Customers Receive Support from Other Customers."
51. W. Ulaga and A. Eggert, "Value-Based Differentiation in Business Relationships: Gaining and Sustaining Key Supplier Status," *Journal of Marketing* 70 (January 2006), pp. 119–136.
52. D. D. Gremler and S. W. Brown, "Service Loyalty: Its Nature, Importance, and Implications," in *Advancing Service Quality: A Global Perspective*, ed. Bo Edvardsson et al. (Jamaica, NY: International Service Quality Association, 1996), pp. 171–180; H. Hansen, K. Sandvik, and F. Selnes, "Direct and Indirect Effects of Commitment to a Service Employee on the Intention to Stay," *Journal of Service Research* 5 (May 2003), pp. 356–368.
53. Arthur Andersen, *Best Practices: Building Your Business with Customer-Focused Solutions* (New York: Simon & Schuster, 1998), pp. 125–127; http://www.cardinal.com/, acessado em 14/7/2010.

54. S. Stellin, "Avoiding Surprises at the Car Rental Counter," *The New York Times*, June 4, 2006, p. TR6.
55. Ver L. C. Harris and K. L. Reynolds, "The Consequences of Dysfunctional Customer Behavior," *Journal of Service Research* 6 (November 2003), p. 145, para cidades; ver também A. A. Grandey, D. N. Dickter, and H. P. Sin, "The Customer Is *Not* Always Right: Customer Aggression and Emotion Regulation of Service Employees," *Journal of Organizational Behavior* 25 (2004), pp. 397–418. Ver também R. Fisk, S. Grove, L. C. Harris, D. A. Keeffe, K. L. Daunt, R. Russell-Bennett, and J. Wirtz, "Customers Behaving Badly: A State of the Art Review, Research Agenda, and Implications for Practitioners," *Journal of Services Marketing* 24, no. 6 (2010), pp. 417–429.
56. K. Ohnezeit, supervisor de recrutamento da Rent-A-Car, comunicação pessoal, 12/2/2004.
57. Ver Harris and Reynolds, "The Consequences of Dysfunctional Customer Behavior."
58. L. L. Berry and K. Seiders, "Serving Unfair Customers," *Business Horizons* 51 (January/February 2008), pp. 29–37.
59. Para uma discussão detalhada sobre o encerramento de um relacionamento com o cliente, ver A. Halinen and J. Tähtinen, "A Process Theory of Relationship Ending," *International Journal of Service Industry Management* 13, no. 2 (2002), pp. 163–180.
60. H. Åkerlund, "Fading Customer Relationships in Professional Services," *Managing Service Quality* 15, no. 2 (2005), pp. 156–71.
61. M. Haenlein and A. M. Kaplan, "Unprofitable Customers and Their Management," *Business Horizons* 52 (2009), pp. 89-97; M. Haenlein, A. M. Kaplan, and D. Schoder, "Valuing the Real Option of Abandoning Unprofitable Customers When Calculating Customer Lifetime Value," *Journal of Marketing* 70 (July 2006), pp. 5–20.
62. http://www.nypro.com, acessado em 16/7/2010. Para exemplos semelhantes, ver R. Flandez, "It Just Isn't Working? Some File for Customer Divorce," *The Wall Street Journal,* November 10, 2009, p. B7.

Capítulo 7

A recuperação do serviço

Os objetivos deste capítulo são:
1. Ilustrar a importância da recuperação após a falha do serviço a fim de conservar clientes e construir fidelidade.
2. Discutir a natureza das queixas dos clientes e os motivos pelos quais as pessoas as apresentam ou não.
3. Fornecer evidências do que os clientes esperam e os tipos de respostas que desejam no momento em que apresentam uma reclamação.
4. Apresentar estratégias para a recuperação eficaz do serviço, incluindo maneiras de "solucionar o cliente" após uma falha no serviço e "resolver o problema".
5. Discutir as garantias do serviço – o que são, os benefícios relativos e o momento em que devem ser adotadas – como forma especial de estratégia de recuperação do serviço.

A JetBlue e a tempestade de gelo do Dia dos Namorados no Aeroporto John F. Kennedy

Em 2000, quando a JetBlue Airways iniciou seus voos diários de Nova York para Fort Lauderdale, estado da Flórida, e para Buffalo, estado de Nova York, a companhia aérea prometia tarifas que seriam até 65% mais baratas do que as da concorrência. Naquela época, a JetBlue tinha 300 funcionários e oferecia a seus clientes reserva de poltronas, estofamento em couro e TV via satélite em telas individuais para todos os passageiros. As baixas tarifas foram um sucesso imediato, ao mesmo tempo em que os passageiros gostaram das aeromoças bem-vestidas e gentis que serviam bolachas salgadas, biscoitos Oreo e salgadinhos de batata tingidos com corante azul. Na verdade, já no começo de 2007, a JetBlue tinha 9.300 funcionários e 125 aeronaves, e oferecia cerca de 575 voos diários a 52 destinos nos Estados Unidos e no Caribe. Os clientes passaram a adorar a companhia. Ela havia ganhado diversos prêmios pelos serviços e recebido algumas das notas mais altas de satisfação com companhias aéreas pela J.D. Power and Associates, entre outras.

A reputação da JetBlue em termos de serviço excelente foi desafiada no Dia dos Namorados, 14 de fevereiro de 2007, quando uma forte tempestade de gelo depositou duas polegadas de neve nas pistas do aeroporto John F. Kennedy, em Nova York. Ainda que o clima tenha dado dor de cabeça a todas as companhias aéreas operando na costa leste dos Estados Unidos naquela quarta-feira, foi a JetBlue que atraiu mais atenção. Por quê? A companhia que havia conquistado uma reputação por conta de uma abordagem que preconizava o bom atendimento ao cliente agora sofria uma queda impressionante. Mais de mil voos foram cancelados nos seis dias após a tormenta. Os passageiros ficaram presos em aviões por até 10 horas. Os atrasos chegavam a quase 4 horas. Foi preciso uma semana para as operações da JetBlue voltarem ao normal.

O que de fato aconteceu? Conforme discutido no Estudo de Caso da JetBlue, no final deste livro, o mau tempo e as decisões de gestão equivocadas levaram a portões cheios e longas filas de aviões que esperavam pela liberação dos portões. As reações iniciais da companhia diante das condições climáticas no Dia dos Namorados não foram boas. Enquanto caía a tormenta, e mesmo logo após ela ter terminado, a JetBlue não cancelou voos, deixando os passageiros aguardando por até 10 horas. A política inicial, de atrasar mas não cancelar voos, resultou em uma avalanche de cancelamentos por quase uma semana, formando longas filas no aeroporto à medida que os passageiros tentavam entrar nas aeronaves.

Infelizmente para a JetBlue, isso tudo aconteceu na capital mundial da mídia – o que fez seus deslizes receberem muita atenção da imprensa. O golpe mais devastador de todos talvez tenha sido desferido pela BUSINESSWEEK. A revista descreveu a situação como "um extraordinário tropeço" em sua matéria de capa de cinco de março do mesmo ano, que apresentava pela primeira vez uma lista das melhores empresas no setor de serviços. Por que a JetBlue recebeu tanta atenção, em um momento em que companhias como a Delta e a American sofreram com problemas semelhantes? A resposta está no fato de os clientes terem começado a nutrir expectativas mais altas com a JetBlue do que com outras empresas.

Sem dúvida, essa falha no serviço recebeu mais atenção na imprensa do que a maioria das falhas vivenciadas pelos clientes. Os clientes naturalmente teriam preferido não passar por esse fracasso, mas em muitas situações o modo como uma empresa reage nesses cenários é mais importante. Logo, como a JetBlue reagiu a essa falha no serviço? Essa situação será discutida em detalhes no estudo de caso da JetBlue, no final deste livro.

Alguns dos passageiros da JetBlue passaram até 9 horas presos em aeronaves e nos saguões dos aeroportos.

Os dois capítulos anteriores serviram de base para entender as expectativas dos clientes em relação ao serviço por meio de pesquisas, pelo conhecimento deles como indivíduos e pelo desenvolvimento de relacionamentos consolidados com eles. Essas estratégias, unidas ao projeto, à execução e à comunicação de serviços eficazes – que serão tratados mais adiante – compõem o alicerce do sucesso no setor de serviços. Contudo, em todos os contextos de serviço – seja serviço ao cliente, ao consumidor ou *business-to-business* – fracassos são difíceis de evitar. As falhas são inevitáveis até para a melhor das companhias com a melhor das intenções ou para sistemas de serviço de excelência mundial.

De forma a entender e reter seus clientes, as empresas precisam saber o que os clientes esperam no caso de um problema com o serviço. Além disso, elas não podem prescindir de implementar estratégias eficazes de recuperação de serviço. O texto de abertura deste capítulo ilustra os problemas enfrentados por uma empresa quando há uma falha no serviço.

O IMPACTO DA FALHA E DA RECUPERAÇÃO DO SERVIÇO

Uma *falha no serviço* geralmente é descrita como um desempenho de serviço que fica abaixo das expectativas de um cliente e que gera sua insatisfação. A *recuperação do serviço* se refere às ações adotadas por uma organização em resposta a uma falha do serviço. As falhas ocorrem por diversos motivos – o serviço talvez não esteja disponível no momento prometido, pode ser executado com atraso ou muito lentamente, seu resultado é impreciso ou foi mal executado, ou os funcionários foram rudes ou descuidados.[1] Estes tipos de falhas despertam sentimentos e reações negativas nos clientes. As pesquisas indicam que somente 45% dos clientes que vivenciam um problema com a execução de um serviço de fato reclamam aos funcionários que os atendem, e que um número muito pequeno (entre 1 e 5%) reclama a alguém na matriz da companhia.[2] Este fenômeno, comu-

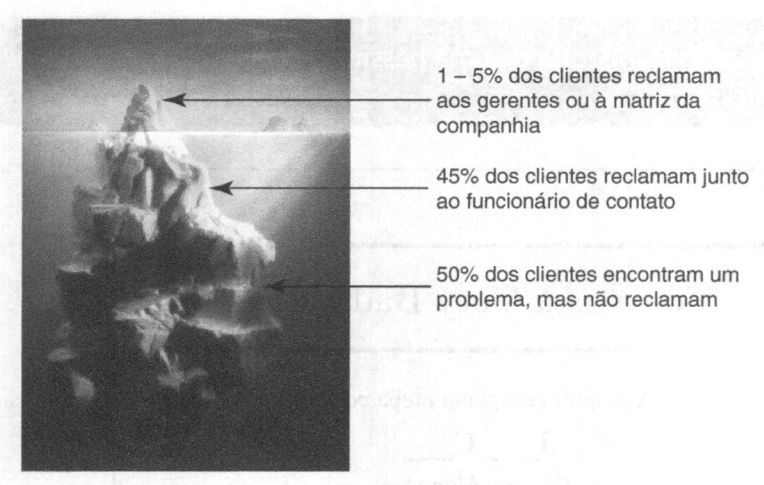

Figura 7.1 Os clientes que se queixam: a ponta do *iceberg*.
Fonte: TARP Worldwide Inc., 2007.

1 – 5% dos clientes reclamam aos gerentes ou à matriz da companhia

45% dos clientes reclamam junto ao funcionário de contato

50% dos clientes encontram um problema, mas não reclamam

mente chamado "ponta do *iceberg*", ilustrado na Figura 7.1, sugere que o tratamento dado a toda e qualquer queixa recebida por um gerente na matriz de uma empresa na verdade representa entre 20 e 100 outros clientes que passaram pelo mesmo problema, mas que não se queixaram. As falhas do serviço não resolvidas motivam os clientes a abandonarem a companhia, a narrarem suas experiências negativas para outros clientes e mesmo a desafiarem a organização por meio de órgãos de defesa do consumidor ou pela via legal.

Os efeitos da recuperação do serviço

As pesquisas mostram que a solução eficaz dos problemas dos clientes exerce forte impacto na satisfação, na fidelidade, na publicidade boca a boca e no desempenho do lucro líquido da empresa.[3] Isso significa que os clientes que vivenciam problemas com o serviço e que se sentem satisfeitos com os esforços de recuperação adotados pela empresa serão mais fiéis do que aqueles que passam por problemas sem solução. A fidelidade se traduz em rentabilidade, conforme vimos no Capítulo 6. Os dados da TARP Worldwide comprovam esta relação, conforme mostra a Figura 7.2.[4] Entre os clientes das empresas prestadoras de serviço que reclamam e veem seus problemas

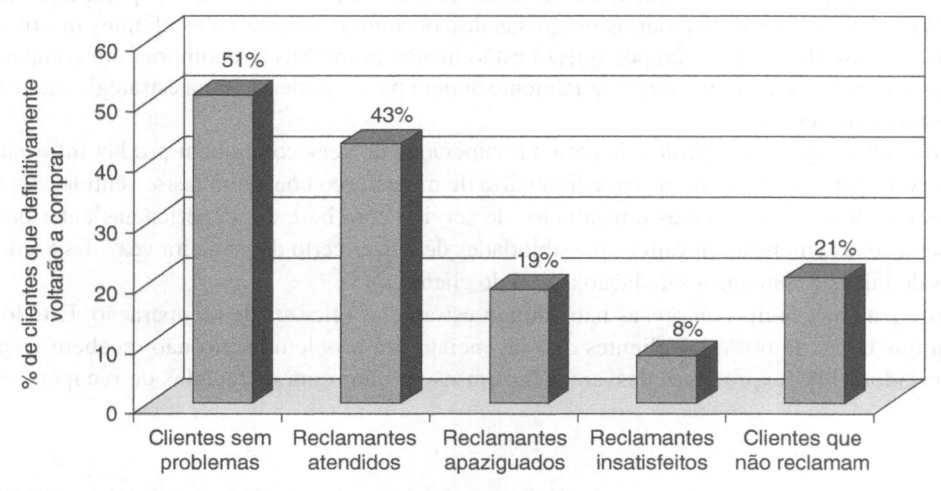

Figura 7.2 As intenções de recompra de clientes insatisfeitos.
Fonte: TARP Worldwide Inc., 2007. Service Industry Data, 2007.

	Clientes sem problemas	Reclamantes atendidos	Reclamantes apaziguados	Reclamantes insatisfeitos	Clientes que não reclamam
% de clientes que definitivamente voltarão a comprar	51%	43%	19%	8%	21%

Quadro 7.1 A Internet espalha a história de uma péssima recuperação do serviço: "Seu hotel é muito ruim!"

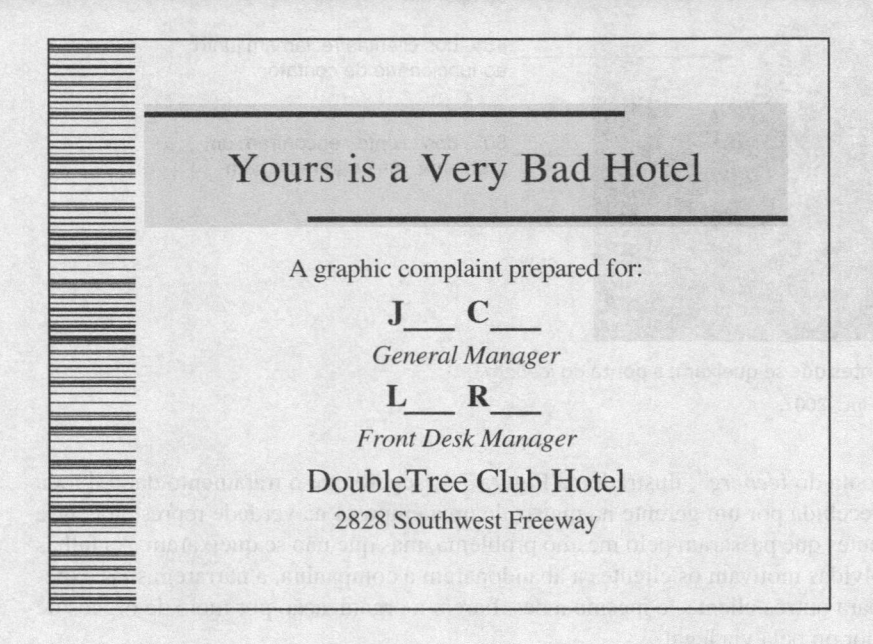

Yours is a Very Bad Hotel

A graphic complaint prepared for:

J___ C___
General Manager

L___ R___
Front Desk Manager

DoubleTree Club Hotel
2828 Southwest Freeway

Tom F. e Shane A. receberam serviços inadequados de um hotel no sudoeste dos Estados Unidos e decidiram criar uma representação de *slides* no PowerPoint como forma de liberarem suas frustrações. A intenção foi abrir um canal para a crônica do "tratamento ruim" que receberam em um hotel Doubletree Inn quando estavam em viagem de negócios. Os dois enviaram a apresentação a dois gerentes do hotel, a dois clientes da cidade em que fica o hotel e à sogra de Shane. No intervalo de um mês, a apresentação – intitulada "Seu hotel é muito ruim" – havia circulado em todo o planeta. Em consequência disso, os consultores de Seattle receberam mais de 9 mil mensagens, oriundas dos seis continentes, e a experiência virou reportagem do jornal *USA Today*.

---

serem satisfatoriamente resolvidos, 43% indicam que sem dúvida voltariam a contratar serviços junto à mesma prestadora – o que ilustra o poder de uma boa estratégia de recuperação do serviço. No entanto, esse estudo e outras pesquisas descobriram também que os clientes insatisfeitos com o processo de recuperação pós-queixa estão menos propensos a recomprar, em comparação com os que não se queixam – o que igualmente aponta para o poder de uma estratégia ineficaz de recuperação do serviço![5]

Uma abordagem bem projetada para a recuperação do serviço também produz informações que servem para melhorar o serviço como parte de um esforço constante nesse sentido. Ao fazer ajustes nos processos, sistemas e resultados de serviço com base em experiências anteriores de recuperação, as empresas elevam as possibilidades de "fazer certo da primeira vez". Isso reduz os custos de falhas e aumenta a satisfação inicial do cliente.

Infelizmente, muitas empresas não adotam estratégias eficazes de recuperação. Estudos indicam que cerca de 60% dos clientes que vivenciam um problema sério não recebem resposta da prestadora.[6] Há expressivas desvantagens em não contar com estratégias de recuperação ou

O problema começou naquela madrugada de novembro, quando os dois homens, com sua chegada atrasada ao hotel (que pertence à rede Hilton) em função de um voo também atrasado, entraram na recepção às duas horas da manhã com uma confirmação de reserva e uma garantia de cartão de crédito para atrasos. Infelizmente, o hotel estava cheio e os quartos reservados haviam sido oferecidos a outros hóspedes, poucas horas antes. Mesmo desapontados, os dois compreenderam a situação. "Essas coisas acontecem, e não esperamos milagres", lembra Tom. Porém, como portador de um cartão VIP Gold Hilton HHonors que havia acumulado 100 mil milhas de viagem de negócios no ano anterior, Tom e seu companheiro de viagem Shane esperavam por um pedido de desculpas e uma solução imediata do recepcionista da noite, que mais tarde chamariam de "porteiro noturno Mike". Em vez disso, tal como afirmam na apresentação, eles receberam "insolência somada a insulto" e, por fim, dois quartos para fumantes em uma "espelunca" de um hotel, vários quilômetros distante (e 15 minutos mais longe) da área da cidade em que eles teriam uma reunião na mesma manhã.

Quando os dois viajantes decepcionados voltaram a Seattle, eles detalharam suas frustrações por meio de gráficos e análises estatísticas. ("A chance de morrer em uma banheira é de 1 em 10.455, de ganhar na loteria britânica é de 1 em 13.983.816. A chance de voltarmos ao Doubletree: menor que as outras.") Após os dois terem criado e enviado a apresentação de *slides* por e-mail aos gerentes do hotel, eles encorajaram as três outras pessoas a quem enviaram a mensagem a "compartilharem com alguns de seus amigos", imaginando que poucos viajantes receberiam a apresentação. Em vez disso, a resposta "foi além de nossos maiores sonhos", disse Tom. Com o passar do tempo, diversas reportagens sobre o assunto apareceram no *The Wall Street Journal*, na revista *Forbes*, na rede de TV MSNBC e na *Travel Weekly* – sem a participação dos dois – com base em uma página de perguntas e respostas que os dois haviam criado devido às indagações que recebiam sobre a experiência com o hotel.

Tom e Shane receberam centenas de pedidos de escolas de administração e de empresas do setor de hotelaria para que permitissem a utilização da apresentação como exemplo de "serviço ao cliente que saiu completamente errado". Além do apoio de pessoas que simpatizaram com eles, o Hilton ofereceu uma estada de duas noites grátis em qualquer hotel da rede. Tom e Shane recusaram a oferta em troca de uma doação de $1.000 a uma instituição de caridade local, a Toys for Tots, e encorajaram seus "fãs" a fazerem o mesmo em situações semelhantes àquela que presenciaram. A gerência do hotel também apresentou a eles uma lista de ações para melhorar o treinamento dos funcionários e as políticas de reservas. Todas essas atitudes ocorreram simplesmente porque dois homens documentaram suas frustrações e as disponibilizaram a alguns amigos via Internet!

Fonte: L. Bly, "Online Complaint about Bad Hotel Scores Bull's-eye", *USA Today*, January 4, 2002, p.D6. © 2002 Gannett. Todos os direitos reservados. Reproduzido com permissão e proteção da Lei de Direitos Autorais dos Estados Unidos. É vedada a impressão, cópia, redistribuição ou retransmissão deste conteúdo sem autorização expressa e por escrito.

em dispor de estratégias ineficazes. A recuperação insatisfatória que se segue a uma experiência negativa com um serviço tem o poder de gerar a insatisfação do cliente, a ponto de ele ativamente perseguir toda e qualquer oportunidade de criticar a empresa.[7] Sempre que um cliente passa por uma falha no serviço, ele a discute com outros clientes, não importa o resultado. As pesquisas revelam que os clientes satisfeitos com os esforços de recuperação de serviço de parte de uma prestadora em média conversam com oito pessoas, ao passo que os que se sentem insatisfeitos com a resposta recebida comentam o fato com 18,5 pessoas, em média.[8] Além disso, a possibilidade de compartilhar estas narrativas via Internet aumentou o alcance dos clientes insatisfeitos. (Ver o Quadro 7.1 sobre os dois hóspedes do Doubletree Inn que não se satisfizeram com as tentativas de recuperação do serviço adotadas pela empresa.) Outro aspecto a considerar diz que repetidas falhas sem uma estratégia eficaz de recuperação em funcionamento consegue irritar até os melhores funcionários. A diminuição do moral dos funcionários e mesmo a perda deles implicam custos imensos que muitas vezes são desprezados, por conta da falta de uma estratégia eficaz de recuperação do serviço.

O paradoxo da recuperação do serviço

Há vezes em que uma empresa tem clientes que no início não se satisfazem com o serviço que recebem, mas que depois desfrutam de uma excelente recuperação – o que aparentemente aumenta sua satisfação e os torna mais propensos a fazer uma nova compra, em comparação com os clientes que não passam por problemas com a prestadora. Isso significa que aqueles clientes parecem mais satisfeitos após vivenciarem uma falha no serviço do que estariam se nenhuma falha tivesse acontecido![9] Por exemplo, consideremos um cliente de uma locadora de automóveis que chega no balcão da companhia e descobre que não há automóveis disponíveis do tipo reservado e do preço solicitado. Em um esforço de recuperação, o funcionário da locadora imediatamente oferece um carro melhor para esse cliente, ao mesmo preço do modelo reservado. O cliente, feliz com esta compensação, relata que está extremamente satisfeito com a experiência e muito mais impressionado com a locadora do que jamais se sentira, jurando com isso manter-se fiel a ela no futuro. Ainda que tais exemplos extremos sejam relativamente raros, esta noção – de que um cliente a princípio desapontado e que passou por uma experiência satisfatória de recuperação de serviço se torne mais fiel e satisfeito depois dela – recebeu o nome de *paradoxo da recuperação*.

Assim, uma empresa deve "melar o serviço" só um pouquinho, para poder depois "dar um jeito no problema" de forma espetacular? Se isso de fato leva a clientes mais satisfeitos, vale à pena adotar a estratégia? A conclusão lógica – mas não muito racional – é a de que as empresas deveriam *planejar desapontar seus clientes* – de forma a promover uma boa recuperação do serviço e, se tudo der certo, obter maior fidelidade junto a seus clientes!

Quais são os problemas com esta abordagem?

- Conforme indicamos anteriormente neste capítulo, a vasta maioria dos clientes não reclama diante de um problema. A possibilidade de recuperação existe apenas em situações em que a companhia está ciente de um problema e é capaz de resolvê-lo com eficiência. Se os clientes não informam à companhia acerca da falha – e a maioria não o faz – a insatisfação é o resultado mais provável.
- A solução de erros é um processo caro. A recriação ou o retrabalho de um serviço podem ser bastante dispendiosos para uma empresa.
- Parece um tanto ridículo encorajar as falhas de um serviço – afinal, a confiabilidade ("fazer certo da primeira vez") é o fator mais crítico da qualidade do serviço em diferentes setores.
- As pesquisas sugerem que mesmo que a satisfação de um cliente com a empresa aumente como resultado de uma ótima recuperação de serviços, as intenções de recompra e as percepções da imagem da empresa não aumentam – isto é, os clientes não necessariamente formam uma opinião mais positiva da companhia no longo prazo.[10]
- Apesar de o paradoxo da recuperação indicar que um cliente pode acabar mais satisfeito após receber uma excelente recuperação, não há garantias de que este cliente de fato se sinta mais satisfeito.

O paradoxo da recuperação depende muito do contexto e da situação. Embora um cliente ache mais fácil perdoar um restaurante que oferece a ele uma reserva garantida para outra data por ter perdido sua reserva para hoje, outro cliente, que havia planejado pedir a namorada em casamento em um jantar e que passa por esse problema, talvez não se sinta tão contente com este cenário de recuperação.

O debate estimulado pelo paradoxo da recuperação fomentou pesquisas empíricas sobre o assunto. Apesar de as evidências práticas oferecerem algum apoio para o paradoxo da recuperação, as pesquisas parecem indicar que este fenômeno não está difundido. Em um dos estudos conduzidos, os pesquisadores descobriram que apenas as notas mais altas dadas à recuperação do serviço resultavam em maior fidelidade ou satisfação.[11] Este estudo traz indícios de que os clientes conferem considerável peso a suas experiências mais recentes quando tomam a decisão de voltar ou não a comprar. Se a experiência mais recente foi negativa, os sentimentos sobre a companhia diminuem, e as intenções de recompra também decrescem expressivamente. A menos que o esforço de recuperação seja excelente, ele não será capaz de sobrepujar a impressão negativa da experiência inicial com intensidade suficiente para construir a intenção de recompra além do ponto em que estaria, no caso de o serviço ter sido executado corretamente da primeira vez. Outros estudos dão a entender que as condições sob as quais a recuperação do serviço tem mais chance de ocorrer são vistas quando a falha não é considerada grave pelo cliente, quando o cliente não sofreu os efeitos de falhas anteriores com a mesma empresa ou vê a falha como esporádica, ou ainda no caso de ele perceber que a empresa não tem controle absoluto sobre esta causa.[12] Aparentemente, as condições precisam ser as corretas para o paradoxo da recuperação ocorrer.

Diante das diferentes opiniões sobre até que ponto existe o paradoxo da recuperação, "fazer certo da primeira vez" continua sendo a estratégia mais adequada e segura a adotar no longo prazo. No entanto, sempre que ocorrer uma falha, é preciso se engajar nos melhores esforços por uma recuperação excelente, para mitigar os efeitos negativos da falha. Se for viável ultrapassar a falha no serviço por completo, se a falha não for tão grave, ou se o esforço de recuperação não deixar dúvidas sobre sua qualidade, então talvez seja possível observar as evidências do paradoxo da recuperação.[13]

COMO OS CLIENTES REAGEM ÀS FALHAS NO SERVIÇO

Os clientes que presenciaram falhas no serviço reagem de modos variados, conforme ilustra a Figura 7.3.[14] Após uma falha, um certo nível de insatisfação do cliente é esperado. Na verdade, as pesquisas mostram que diversas emoções negativas são vistas após uma falha, que incluem raiva, descontentamento, decepção, autopiedade, ansiedade e arrependimento.[15] Estas reações negativas iniciais afetam a maneira como os clientes avaliam o esforço de recuperação de serviço e, presumivelmente, suas decisões relativas a voltar ou não a utilizar os serviços da prestadora.

Muitos clientes são muito passivos quanto à sua insatisfação, e simplesmente nada fazem ou dizem. Quer partam ou não para a ação, chega o ponto em que eles decidem se continuam com a mesma prestadora de serviços ou se procuram uma concorrente. Conforme já colocamos, os clientes que não reclamam não são muito propensos a retornar. Para as companhias, a passividade do cliente diante de uma insatisfação é uma ameaça a seu sucesso futuro.

Por que as pessoas reclamam (ou não)

Os clientes que não estão inclinados a tomar alguma atitude – a maioria dos clientes, na maioria das situações, conforme indica a Figura 7.1 – têm muitas razões para nada fazerem. Com frequência, este tipo de cliente interpreta uma reclamação como perda de tempo e de esforço.[16] Eles não creem que algum resultado positivo ocorrerá para si ou para outras pessoas a partir destas ações. Há também situações em que estes clientes não sabem como reclamar – eles não compreendem o processo ou não percebem que os canais estão abertos para que verbalizem suas reivindicações. Em certos casos, estes clientes que não reclamam envolvem-se em um tipo de "resistência baseada nas emoções" para lidar com suas experiências negativas. Este tipo de mecanismo envolve culpa, negação e até a busca de apoio social.[17] Eles sentem que o fracasso foi, de certo modo, culpa deles mesmos, e que não merecem qualquer desagravo.

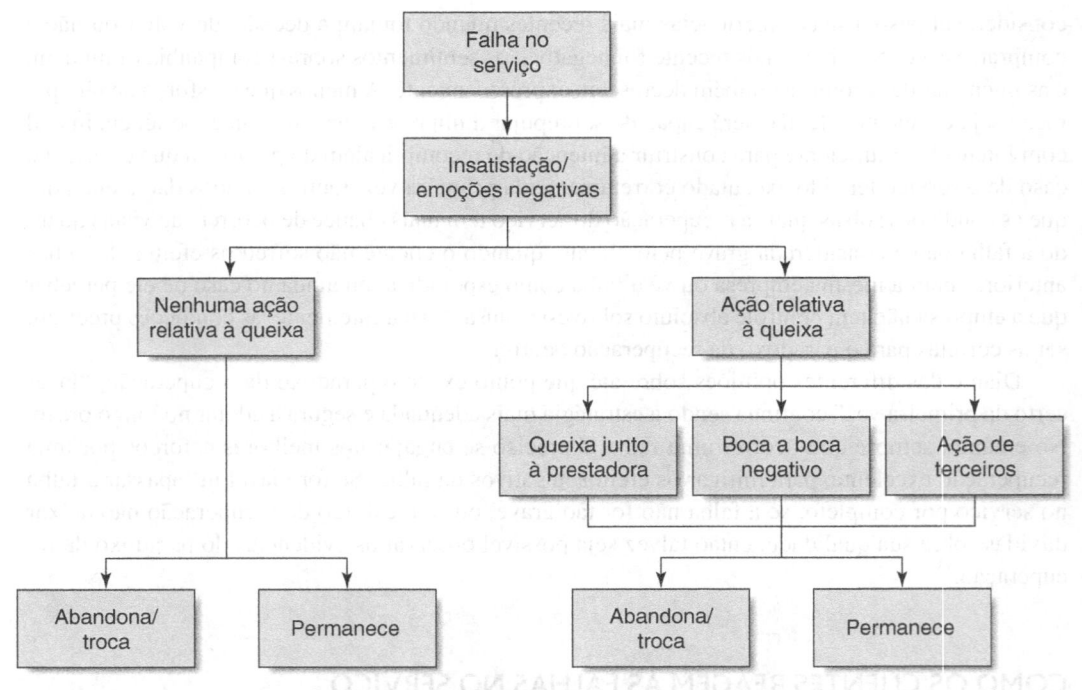

Figura 7.3 As ações relativas às queixas dos clientes após uma falha no serviço.

Alguns clientes tendem a reclamar mais do que outros por vários motivos. Estes clientes acreditam na possibilidade de consequências positivas e de benefícios sociais serem gerados por uma reclamação. Além disso, suas regras pessoais respaldam a cultura da reivindicação. Estes clientes acreditam que algum tipo de compensação deveria e será dado por conta de uma falha no serviço, que merecem tratamento justo e serviço adequado e que, na ocorrência de falha, alguém precisa refazer o serviço do modo certo. Há casos em que eles sentem uma obrigação social de reclamar – o que auxiliaria outras pessoas a evitar situações semelhantes ou puniria a prestadora de serviços. Poucos clientes têm personalidades "queixosas" – isto é, que gostam de reclamar ou de causar problema.

A relevância pessoal da falha influencia a possibilidade de uma reclamação se concretizar.[18] Se a falha no serviço é de fato importante, se ela traz consequências graves para o cliente, ou se ele se envolve demais com a experiência do serviço, então ele provavelmente apresentará alguma reclamação. A situação vista no Doubletree Inn, descrita no Quadro 7.1, ilustra uma falha em um serviço que fora considerado especialmente importante pelos dois clientes. Nessas situações, quando as emoções do cliente são intensas, o resultado pode ser a raiva.[19]

Os clientes estão mais dispostos a reclamar sobre serviços caros, de alto risco, e em que eles se envolvem com intensidade (como pacotes de férias, viagens aéreas e serviços médicos) do que com serviços menos dispendiosos e adquiridos com mais frequência (o *drive-thru* de uma lanchonete, uma corrida de táxi, um telefonema a uma linha de suporte ao cliente). Estes serviços simplesmente não são importantes o bastante para merecerem o tempo gasto com a apresentação de uma queixa. Infelizmente, embora a experiência não seja importante para o cliente naquele instante, um contato insatisfatório poderá motivá-lo a trocar de empresa prestadora na próxima vez em que este mesmo serviço for necessário.

Os tipos de ações envolvendo queixas dos clientes

As possíveis atitudes que um cliente toma após uma falha no serviço são de diversos tipos. Um cliente insatisfeito pode decidir reclamar na mesma hora, o que dá à companhia a oportunidade de reagir de imediato. Esta reação é muitas vezes o cenário de melhor caso para a companhia, porque ela tem uma segunda chance de satisfazer o cliente no mesmo momento e de conservar negócios futuros com ele, evitando também uma provável publicidade boca a boca negativa. Os clientes que não se queixam logo talvez apresentem uma reclamação posterior, por telefone, carta ou Internet. Nestes casos, a empresa tem outra chance de recuperar o serviço. Os pesquisadores se referem a estes tipos proativos de comportamento queixoso como reação *verbalizada* ou *busca por desagravo*.

Alguns clientes decidem não reclamar diretamente com a prestadora e passam a espalhar comentários negativos sobre a empresa a seus amigos, parentes e colegas de trabalho. Esta publicidade boca a boca negativa é extremamente danosa, pois reforça os sentimentos de negativismo no cliente e espalha estas impressões desfavoráveis para outros. Além disso, a empresa não tem chance de se recuperar, a menos que a publicidade negativa seja acompanhada por uma queixa feita diretamente à companhia. Recentemente, os clientes passaram a reclamar via Internet. Inúmeros *sites*, entre os quais estão plataformas em que o cliente expressa sua opinião, além de *blogs* e uma variedade de redes sociais (como o Twitter e o Facebook),[20] hoje são veículos facilitadores da divulgação das queixas do cliente. Com isso, os clientes têm a possibilidade de espalhar propaganda negativa a um público muito maior. Alguns clientes se sentem tão insatisfeitos com uma falha em um produto ou serviço que desenvolvem *sites* dirigidos aos clientes atuais e potenciais da empresa. Nesses *sites*,[21] os clientes irritados revelam seus ressentimentos contra a empresa de forma a convencer outros clientes da incompetência e maldade da organização.[22]

Por fim, os clientes também reclamam a terceiros, como o *Better Business Bureau* nos Estados Unidos (ou o Instituto de Defesa do Consumidor no Brasil, o Idec), a agências governamentais de assuntos de consumo, a um órgão competente, a uma associação de profissionais liberais ou até a um advogado particular. Não importa a ação (ou a falta dela); afinal, é o cliente quem decide se volta a fazer negócios com a prestadora ou se a troca por outra.

Os tipos de reclamantes

As pesquisas sugerem que os clientes podem ser agrupados em quatro categorias, com base nos tipos de reação a uma falha no serviço: os clientes *passivos*, os *tagarelas*, os *irados* e os *ativistas*.[23] Apesar de a proporção dos tipos de reclamantes variar para diferentes contextos e setores de serviços, é provável que estas quatro classes sejam relativamente comuns e verificadas do mesmo modo em todas as companhias e setores.

Os passivos
Este grupo de clientes é o menos provável de adotar qualquer ação. As chances de eles se pronunciarem para a empresa prestadora são muito pequenas, e a probabilidade de espalharem propaganda boca a boca negativa ou de reclamarem a terceiros é menor do que a apresentada pelas outras classes. Na maioria das vezes, esta classe de clientes duvida da eficácia da reclamação, e pensa que as consequências não merecem o tempo nem o esforço necessários para a apresentação de uma queixa. Além disso, seus valores e preceitos pessoais condenam a reclamação.

Os tagarelas
Estes clientes queixam-se ativamente à prestadora de serviços, mas não tendem a espalhar publicidade boca a boca negativa, nem a trocar de empresa ou recorrer a terceiros para se queixar. *Estes clientes devem ser vistos como os melhores amigos da prestadora*. Eles reclamam ativamente e, com isso, proporcionam à empresa uma segunda chance. Eles tendem a acreditar que uma reclamação traz benefícios sociais e, portanto, não hesitam em revelar suas opiniões. Eles alimentam a convicção de que as consequências de uma queixa apresentada à prestadora podem ser bastante positivas, e não têm muita fé nos outros canais de reclamação, como a propaganda boca a boca negativa ou o contato com terceiros. Para os tagarelas, apresentar uma queixa está de acordo com seus preceitos pessoais.

Os clientes irados têm maiores chances de compartilhar suas frustrações com outras pessoas.

Os irados
Estes clientes, mais do que outros, tendem a se envolver em publicidade boca a boca negativa com amigos e parentes e a trocar de prestadora. Eles estão na média em termos de propensão a reclamar com a prestadora, mas não a terceiros. Conforme sugere o nome, eles demonstram mais raiva contra a prestadora, apesar de acreditarem que reclamar à empresa pode trazer benefícios. Eles não demonstram muita disposição de dar à prestadora uma segunda chance e, em vez disso, a trocam por uma empresa concorrente, informando esta troca a amigos e parentes. Estes clientes estão mais inclinados a engajarem-se na criação de *blogs* na Internet a fim de revelar suas frustrações a outras pessoas.

Os ativistas
Estes clientes são caracterizados por uma propensão acima da média de reclamar em todas as dimensões: eles queixam-se junto à empresa prestadora do serviço, narram suas experiências a outras pessoas e tendem a reclamar junto a terceiros. As queixas fazem parte de suas disposições pessoais. Tal como acontece com os irados, estes clientes são os mais isolados do mercado, e nutrem noções bastante otimistas das prováveis consequências positivas de todos os tipos de reclamação.

AS ESTRATÉGIAS DE RECUPERAÇÃO DO SERVIÇO: SOLUCIONANDO O CLIENTE

Muitas companhias aprenderam a importância de apresentar uma excelente recuperação do serviço para clientes decepcionados. As duas seções a seguir analisam algumas estratégias e apresentam exemplos de empresas que as utilizaram para lidar com este problema. De fato, uma excelente recuperação do serviço é composta por uma combinação de estratégias, ilustradas na Figura 7.4, e que precisam funcionar em conjunto. Em termos gerais, as estratégias de recuperação do serviço são de dois tipos básicos. Um tipo inclui as ações iniciadas pela empresa para restaurar a relação com o cliente, isto é, "solucioná-lo". O segundo tipo diz respeito às ações tomadas para corrigir o problema e, em uma situação ideal, impedir que ocorra outra vez; isto é, solucionar o problema. Sem dúvida, os dois tipos de ações são importantes, mas em muitas situações é preciso antes solucionar o cliente, para depois solucionar o problema. Por isso, começaremos com as estratégias que envolvem a solução do cliente.

Sempre que reservam tempo e esforços para apresentar uma queixa, os clientes normalmente desenvolvem grandes expectativas. Eles não se limitam a aguardar uma resposta: eles também querem ver a empresa assumir suas responsabilidades. Eles esperam ser auxiliados com rapidez e compensados pelo incômodo e pelo ressentimento por terem sido mal atendidos. Além disso, os clientes contam com um tratamento adequado neste processo. O Quadro 7.2 exemplifica este tipo de recuperação do serviço.

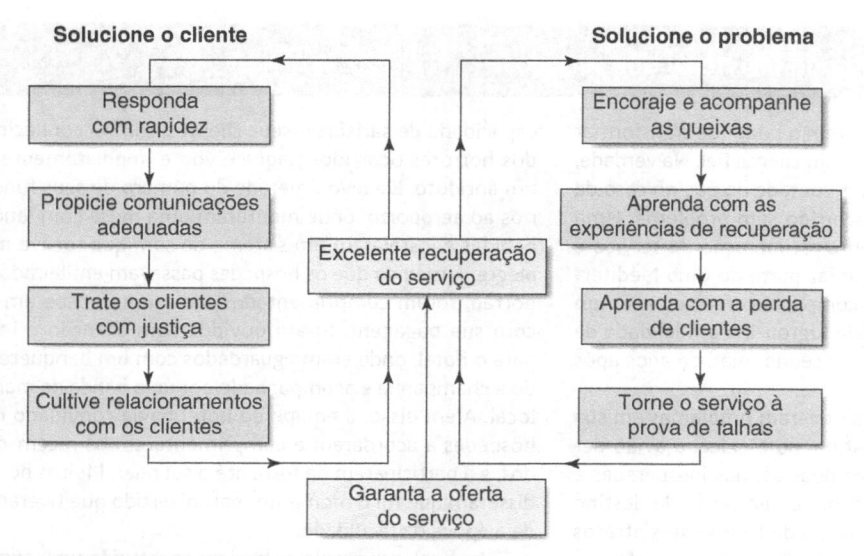

Figura 7.4 As estratégias de recuperação do serviço.

Solucione o cliente
- Responda com rapidez
- Propicie comunicações adequadas
- Trate os clientes com justiça
- Cultive relacionamentos com os clientes

Excelente recuperação do serviço

Solucione o problema
- Encoraje e acompanhe as queixas
- Aprenda com as experiências de recuperação
- Aprenda com a perda de clientes
- Torne o serviço à prova de falhas

Garanta a oferta do serviço

Responda com rapidez

Os clientes reclamantes desejam receber respostas com rapidez.[24] Assim, se a companhia teve falhas ou recebe reclamações, ela deve estar preparada para agir com rapidez na busca de uma solução. Conforme indica a Figura 7.5, uma pesquisa conduzida com clientes de serviço descobriu que mais da metade de todos os clientes que têm seus problemas resolvidos de imediato ou dentro de 24 horas da reclamação sentem-se "completamente satisfeitos" com a ação tomada pela companhia.[25] Infelizmente, muitas empresas exigem que seus clientes contatem diversos funcionários (uma prática conhecida como pingue-pongue) antes que seus problemas sejam resolvidos. Um estudo recente mostra que em média são necessários 4,7 contatos para que um problema seja resolvido.[26] Outras pesquisas indicam que se um problema é resolvido no primeiro contato, então os clientes se sentem satisfeitos com a reação da companhia em 46% das vezes. Porém, quando três ou mais contatos são necessários, a porcentagem de clientes satisfeitos com a resposta cai para 21%.[27] Qual é a lição dada por estes números? A habilidade de oferecer respostas imediatas para uma falha tem muito poder para apaziguar um cliente descontente.

A capacidade de oferecer respostas imediatas requer não apenas sistemas e procedimentos que permitam ações rápidas, mas também o poder de decisão dos funcionários. Isto é, para possibilitar a eles a capacidade de responder com rapidez, os funcionários precisam ser treinados e autorizados a resolver problemas no momento em que ocorrem. Um problema que permanece sem solução pode facilmente se agravar. Conforme já dissemos, é comum os clientes vivenciarem o pingue-pongue de funcionário a funcionário na ocorrência de uma falha. O poder de decisão dos funcionários, prática discutida detalhadamente no Capítulo 11, muitas vezes permite a apresentação de respostas rápidas e auxilia a aplacar clientes desgostosos. Por exemplo, o Ritz Carlton insiste que a primeira pessoa a escutar uma reclamação de um cliente é a "dona" desta queixa, até ela ter certeza de que o problema tenha sido resolvido. Se um funcionário da manutenção escuta uma reclamação de um cliente enquanto ele se encontra consertando uma luminária em um dos corredores do hotel, ele é o responsável pela queixa e se incumbe de certificar-se de que ela seja tratada do modo adequado, antes de retornar para sua tarefa.

Outra possível maneira de tratar de situações adversas ou reclamações consiste na elaboração de sistemas que permitem que os próprios clientes resolvam suas próprias necessidades de serviço e problemas. Via de regra, esta abordagem é executada por meio da tecnologia. Os clientes intera-

Quadro 7.2 A história de um herói dos serviços

Uma boa recuperação do serviço tem o poder de transformar um cliente frustrado e irritado em um cliente fiel. Na verdade, ela é capaz de despertar mais boa-vontade do que no caso de o processo do serviço ter transcorrido sem problema. Uma história clássica de uma excelente recuperação de serviço é dada pelo Club Med Cancun, que faz parte do Club Méditerranée de Paris. A resposta que a companhia ofereceu após um serviço que teve ares de pesadelo logrou-lhe a fidelidade de um grupo de veranistas e continua sendo relatada anos após ter acontecido.

Os veranistas em questão só tiveram problemas em sua viagem de Nova York a seu destino, no México: o avião decolou com 6 horas de atraso, fez duas escalas inesperadas e passou 30 minutos circulando sobre o aeroporto de destino antes de poder aterrissar. Em função de todos estes atrasos e imprevistos, o avião ficou em voo 10 horas a mais do que o planejado e os estoques de comida e bebida acabaram. A aeronave finalmente pousou às duas horas da manhã, com uma aterrissagem tão tumultuada que as máscaras de oxigênio e a bagagem de mão dos passageiros caíram sobre eles. No momento em que o avião taxiava junto ao portão de desembarque, os passageiros, agora agastados, fraquejavam de fome e estavam convencidos de que suas férias tinham sido arruinadas antes mesmo de começarem. Um deles, um advogado, passara a coletar nomes e endereços para impetrar uma ação coletiva.

Silvio de Bortoli, o gerente geral do *resort* de Cancun e administrador de renome na organização por conta de sua capacidade de satisfazer seus clientes, tomou conhecimento dos horrores ocorridos naquele voo e imediatamente criou um antídoto. Ele levou metade do número de seus funcionários ao aeroporto, onde montaram uma mesa com lanches e bebidas e instalaram um sistema de som que tocava música alegre. À medida que os hóspedes passavam enfileirados pelo portão, foram cumprimentados um a um, receberam ajuda com sua bagagem, foram ouvidos com atenção e levados para o hotel, onde eram aguardados com um banquete regado a champanhe e acompanhado por uma banda de mariachis local. Além disso, a equipe do hotel havia convidado outros hóspedes a acordarem e cumprimentarem os recém-chegados, e a participarem da festa até o sol raiar. Muitos hóspedes disseram que foi o momento mais divertido que tiveram desde a época da faculdade.

Ao final, os veranistas haviam construído uma experiência melhor do que teriam se o voo de Nova York tivesse saído como previsto. Ainda que provavelmente não fosse capaz de mensurá-la, o Club Med ganhou uma fatia de mercado naquela noite. Afinal, uma batalha por uma fatia de mercado é vencida não com a análise de tendências de mercado, mas com o agrado oferecido a cada um dos clientes da empresa.

Fonte: Reproduzido com permissão de *Harvard Business Review*. Trecho de C. W. L. Hart, J. L. Heskett, e W. E. Sasser Jr., "The Profitable Art of Service Recovery," *Harvard Business Review* 68 (July–August 1990), pp. 148, 149. Direitos autorais 1990 de Harvard Business School Publishing Corporation. Todos os direitos reservados.

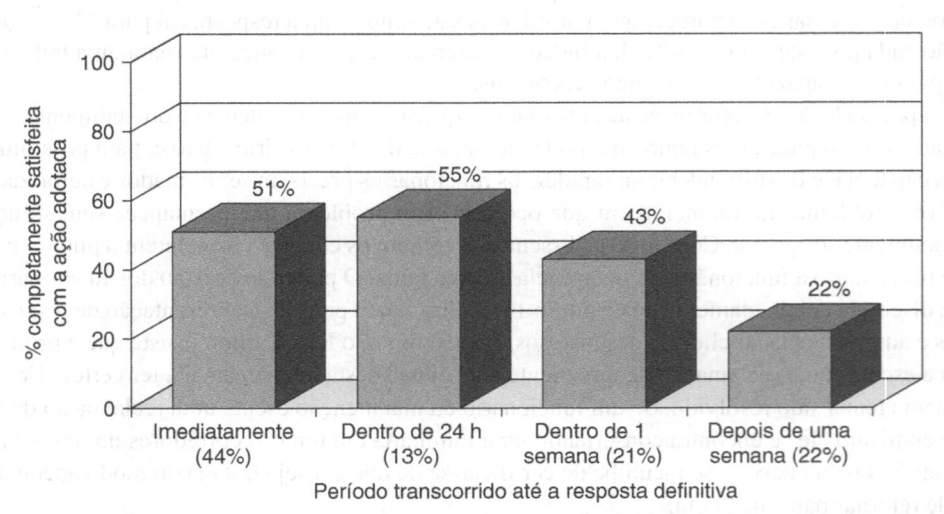

Os números dados na abscissa são os percentuais da amostra total cuja resposta (pela companhia) foi recebida no intervalo de tempo indicado. Portanto, 44% da amostra receberam uma resposta imediata. Deste grupo, 51% sentiram-se completamente satisfeitos com a resposta recebida.

Figura 7.5 A satisfação do cliente com a prontidão das respostas da companhia para as falhas no serviço.
Fonte: TARP Worldwide, dados do setor de serviço, 2007.

gem diretamente com a tecnologia da companhia para que eles mesmos executem os serviços, o que lhes traz respostas imediatas. A FedEx adota esta estratégia em seus serviços de rastreamento de encomendas, tal como faz a Symantec no caso de seus produtos de segurança para a Internet. A seção Tecnologia em Foco apresenta uma empresa que é mestre no serviço *on-line* ao cliente – a Cisco Systems.

Propicie comunicações adequadas

Demonstre compreensão e responsabilidade

Em muitas situações de falha no serviço, os clientes não esperam ações extremas de parte da empresa; eles tentam entender o que aconteceu e desejam que a companhia assuma a responsabilidade por suas ações (ou falta destas).[28] As pesquisas feitas pela Customer Care Alliance identificaram os oito "remédios" mais comuns que os clientes desejam sempre que vivenciam um problema sério.[29] Três destas soluções são: o conserto do produto ou a correção do serviço, o reembolso pelo incômodo de ter passado por um problema, e a oferta de um produto ou serviço grátis no futuro. No entanto, é interessante observar que as outras cinco soluções – que incluem uma explicação sobre o que aconteceu, uma garantia de que o problema não se repetirá, um agradecimento pelo fato de o cliente preferir a empresa, um pedido de desculpas e uma oportunidade para que o cliente revele suas frustrações para a companhia prestadora – custam muito pouco para a empresa.

Estas soluções de ordem não financeira consistem primordialmente em possibilitar que os funcionários se comuniquem com os clientes. A compreensão e a responsabilidade são muito importantes para os clientes após uma falha no serviço, pois se perceberem que ocorreu uma injustiça, alguém tem de assumir a culpa. Os clientes esperam um pedido de desculpas na ocorrência de algum erro, e a empresa que oferecer este pedido está na verdade demonstrando cortesia e respeito. Além disso, os clientes também desejam conhecer as providências que a empresa tomará para garantir que o problema não se repita.[30] Conforme sugerem os números na Tabela 7.1, o descontentamento do cliente pode

Os clientes que vivenciam uma falha no serviço muitas vezes esperam uma explicação da empresa sobre o que aconteceu.

Tabela 7.1 A insatisfação do cliente com as respostas dadas pelas empresas com relação às falhas nos serviços

Resposta da empresa	% de clientes insatisfeitos com a ação adotada
Nada faz	79%
Explica o ocorrido	20
Possibilita ao cliente a oportunidade de declarar suas frustrações	17
Pede desculpas ao cliente	10
Agradece ao cliente pela transação de serviço	10
Garante ao cliente que o problema não voltará a acontecer	6

Fonte: National Customer Rage Study, Care Alliance, 2007.

Tecnologia em foco
A Cisco Systems – os clientes executam a recuperação por si próprios

Um dos desafios trazidos pelo alto crescimento e pela diversificação de produtos cada vez maior está em aprender a como lidar rapidamente com as necessidades dos clientes. Este é um dos desafios continuamente enfrentados pela Cisco, líder mundial que possibilita que pessoas firmem poderosas conexões – quer no âmbito dos negócios, da educação, da filantropia ou da criatividade. Os produtos de *hardware*, *software* e de serviço da Cisco geram soluções para a Internet que permitem a construção de redes e fornecem a seus clientes (e aos clientes destes) acesso fácil à informação em qualquer local, a qualquer hora. À medida que as redes tornaram-se aspectos críticos das missões dos clientes da Cysco e de suas respectivas empresas, qualquer falha neste ambiente representa custos mais altos muito rapidamente. Os clientes desejam ser informados de que seus problemas podem ser resolvidos de imediato, e querem o controle sobre a situação e as soluções.

Para tratar destes problemas – o forte crescimento ao lado da natureza cada vez mais complexa e essencial dos negócios –, a Cisco voltou-se para a Internet como base para seu conjunto de serviços de excelência mundial. Como resultado deste esforço, o *site* de suporte e as comunidades *on-line* da Cisco disponibilizam documentação e ferramentas para auxiliar na solução de problemas técnicos ocorridos com os produtos e as tecnologias que a corporação comercializa. Este serviço *on-line* é o diferencial da Cisco no setor em que opera, e a respalda na construção da fidelidade do cliente em um ambiente marcado pela forte competição.

Os clientes utilizam a tecnologia para resolver problemas sozinhos

Em síntese, a Cisco possibilitou a seu cliente assumir a responsabilidade pelo próprio serviço e suporte, por meio de seu *site* de autossuporte e comunidades *on-line*. Na maioria dos casos, os clientes resolvem seus próprios problemas relativos a serviços, sem a intervenção do quadro de pessoal da companhia – o que permite a estes funcionários se concentrarem em questões complexas e que requerem apoio direto. O *site* de autossuporte da Cisco garante acesso imediato à informação. Isso é importante, porque a velocidade e a rapidez muitas vezes são as principais preocupações dos clientes em situações críticas relativas a suas missões. A Comunidade de Apoio Cisco inclui (1) fóruns de discussão, os quais permitem que os clientes formulem perguntas e obtenham informações sobre os problemas ocorridos com outros clientes corporativos da Cisco, (2) oportunidades de adquirir os mais recentes conhecimentos por meio de uma variedade de programas e *blogs* administrados por especialistas da Cisco e (3) documentação sobre suporte técnico e tutoriais publicados por especialistas da Cisco e parceiros em áreas que incluem redes de área locais, gestão de redes, segurança e armazenamento de dados.

Nos últimos anos, a Cisco evoluiu seus serviços para possibilitar uma experiência do cliente sem referência a canais e locais, reunindo todas as modalidades mencionadas de suporte. Hoje seus clientes podem entrar em contato com a Cisco mediante qualquer modalidade (isto é, comunidades, autossuporte, agentes) e obter todo o suporte de que precisam sem ter de se deslocar entre canais. A Cisco chamou essa abordagem de *Smart Interactions* (interações inteligentes), a qual tem três componentes.

O primeiro é uma *experiência do cliente unificada*. A *Smart Interactions* permite à Cisco oferecer uma experiência unificada de suporte a seus clientes e parceiros, em todas as modalidades disponibilizadas. Com a *Smart Interactions*, todos os canais de suporte da empresa foram coordenados para fornecer uma experiência unificada a seus clientes.

Embora seus clientes possam utilizar o telefone para falar com um atendente no *call center* da companhia, eles hoje exigem acesso em tempo real a informações e conhecimento especializado quando encontram problemas, e esperam solucionar essas questões mediante uma variedade de canais. A *Smart Interactions* fornece aos clientes da Cisco o suporte de que precisam no momento mais conveniente, quer estejam em trânsito, auxiliando seus próprios clientes, quer estejam solucionando problemas em campo. Um desses canais é a *Cisco Support Community*. Essa comunidade

---

ser moderado se as empresas simplesmente se comunicarem bem com ele. O cliente valoriza essa comunicação, pois as soluções que não estão na alçada econômica são diretamente proporcionais à satisfação com o processo de reclamação, à fidelidade prolongada e à publicidade boca a boca positiva.[31]

Forneça explicações adequadas
Em muitas falhas no serviço, os clientes tentam entender os motivos para sua ocorrência. As explicações auxiliam a diminuir reações negativas e a mostrar respeito pelo cliente.[32] As pesquisas

está disponível o tempo todo e está atualizada na compreensão de questões e soluções – até os atendentes dos *call centers* frequentemente a acessam em busca de ajuda para diagnosticar problemas. Os usuários da comunidade que contribuem sistematicamente ajudando outros clientes recebem o título de "Cisco VIP". Essas pessoas ganham um distintivo, afixado junto ao nome de usuário na comunidade, que sinaliza a condição especial dessas pessoas e exibe a categoria na qual obtiveram essa distinção. (Os "Cisco Designated VIPs" são os principais contribuidores e muitas vezes aconselham as comunidades sobre diretivas, características e outros itens.)

O segundo componente da *Smart Interactions* é o *suporte a qualquer hora, em qualquer lugar*. Ao reconhecer as necessidades dos clientes por engajamento independentemente de hora e lugar com seus especialistas e ferramentas, a Cisco expandiu sua experiência de suporte ao cliente nas redes sociais e nos dispositivos móveis. Na verdade, cada vez mais os clientes utilizam essas ferramentas na solução de problemas encontrados durante a utilização dos produtos da companhia. Muitas vezes essas questões emergem quando esses clientes não estão em seus escritórios, o que dificulta o acesso aos recursos disponibilizados pela Cisco a partir de um computador pessoal tradicional ou *laptop*. No começo de 2011, a Cisco lançou aplicativos (os chamados *apps*) para suporte técnico via iPhone e, mais recentemente, também via iPad. A facilidade de uso do *app* para iPad se tornou um sucesso, sobretudo entre os clientes mais jovens e aqueles de mercados emergentes. Quando se deparam com algum problema, os clientes Cisco também podem participar de fóruns de discussão, acessando especialistas da companhia em tempo real, e se conectar aos recursos de suporte técnico diretamente no Facebook, no Twitter, no LinkedIn e no YouTube. Em 2011, mais de 100 mil clientes Cisco eram usuários regulares de ao menos um desses recursos.

O terceiro componente é o *suporte proativo*. A Cisco alavanca suas comunidades no sentido de equipar seus clientes e parceiros com o capital intelectual mais recente da companhia, antes de um problema ocorrer. Ela também quer que os integrantes dessas comunidades se mobilizem para ajudar outros usuários de modo mais proativo. Para isso, os especialistas da Cisco de uma ampla gama de organizações compartilham seus conhecimentos atualizados em sessões interativas, chamadas "Ask the Expert" (pergunte ao especialista), *podcasts* ao vivo, tutoriais em vídeo e no *blog* da *Cisco Support Community*. A Internet é para os clientes pensarem sobre possíveis problemas e se exporem a eles, a fim de resolvê-los antes mesmo de ocorrerem – isto é a recuperação do serviço em sua melhor forma!

Os resultados

A meta da *Smart Interactions* é tornar o suporte dado pela Cisco contínuo a todos os seus clientes para permitir que construam uma base de conhecimento, participem de fóruns de discussão e aprendam com os especialistas técnicos da comunidade a solucionar quaisquer problemas que possam surgir. Por intermédio da constante inovação na prestação de serviços a seus clientes via Internet, a Cisco reconhece a geração de extraordinários benefícios. Hoje, 80% dos problemas relativos a suporte ao cliente são tratados no *site* de apoio no Cisco.com e na comunidade, utilizando propriedade intelectual disponibilizada pelos especialistas da companhia e ferramentas de diagnóstico e ajuda que permitem que os clientes resolvam seus problemas. A satisfação e a fidelidade do cliente aumentaram com a introdução do serviço ao cliente e de comunidades de suporte baseados na Internet. Além disso, a produtividade aumentou depois que a *Cisco Support Community* conseguiu ajudar a solucionar problemas dos clientes da companhia, a qual economiza cerca de $300 milhões ao ano com a transferência dessas dúvidas a sua comunidade e ao *site* de autossuporte. Esta abordagem representa verdadeiras vitórias para os lucros, funcionários e clientes da Cisco.

Fontes: www.cisco.com/support, acessado em agosto de 2011; comunicações via e-mail de Jason Cassee, Executive Communications, Cisco Services, Agosto de 2011.

---

sugerem que no momento em que a capacidade de uma empresa de fornecer um resultado adequado não tem sucesso, outras insatisfações podem ser reduzidas se uma explicação adequada for prestada ao cliente.[33] Para que uma explicação seja percebida como apropriada, ela precisa apresentar duas características principais. Primeiro, o *conteúdo* da explicação tem de ser apropriado. Os fatos relevantes e as informações pertinentes são importantes no auxílio ao cliente, para que ele entenda o que ocorreu. Segundo, o *estilo* em que a explicação é apresentada, ou a maneira como ela ocorre, também é um aspecto relevante na diminuição da insatisfação do cliente. O estilo contempla as características pessoais de cada pessoa encarregada de prestar explicações, inclusive credibilidade e sinceridade. As explicações percebidas como honestas e sinceras, não manipuladoras, em geral são eficazes. Parte da frustração dos hóspedes do Doubletree Inn mencionada no Quadro 7.1 resultou do fato de eles não terem recebido uma explicação do hotel. Estes hóspedes nunca ouviram uma justificativa quanto ao porquê de suas reservas – confirmadas e garantidas – não terem sido observadas, e de o recepcionista da noite aparentemente ter interagido com muita rispidez.

Trate os clientes com justiça

Os clientes também desejam justiça e igualdade no tratamento de suas queixas. Os especialistas em recuperação do serviço Steve Brown e Steve Tax documentaram três tipos de justiça que os clientes esperam após a apresentação de uma queixa: *justiça de resultado*, *justiça de processo* e *justiça de interação*.[34] A justiça de resultados diz respeito aos resultados que os clientes recebem por conta de suas reclamações; a justiça de processo se refere às políticas, às regras e à prontidão no processo de reclamação; e a justiça de interação se concentra no tratamento interpessoal recebido durante o processo.[35] O Quadro 7.3 mostra exemplos de cada tipo de justiça, extraídos do estudo de Brown e Tax sobre os consumidores que relatam suas experiências com a solução de problemas. A seção Tema Global apresenta como os clientes em diferentes culturas interpretam a recuperação justa do serviço.

A justiça de resultado
Em seus esforços de recuperação do serviço, as empresas devem apresentar resultados, ou compensações, equivalentes ao nível da insatisfação do cliente. Esta compensação pode assumir a forma de reembolso financeiro, de um pedido de desculpas, de uma oferta de serviços grátis, desconto em tarifas, consertos e/ou substituições. Os clientes esperam justiça nestas trocas – isto é, eles desejam sentir que a empresa "pagou" pelos seus erros do mesmo modo que eles sofreram – "pagando na mesma moeda". Os clientes esperam igualdade – isto é, eles querem ser compensados em semelhança a outros clientes que sofreram com o mesmo tipo de falha no serviço. Eles também ficam satisfeitos sempre que a companhia lhes dá opções em termos de compensação. Por exemplo, um estudante cujas fotos de formatura tiradas em um estúdio profissional não foram impressas adequadamente pode receber a chance de um reembolso ou uma seção de fotos e um pacote de fotografias grátis como compensação pelas fotos que não foram entregues conforme sua expectativa. A justiça de resultado é importante sobretudo em cenários em que os clientes demonstram reações negativas diante da falha no serviço. Nestas situações, os esforços de recuperação devem se concentrar na melhoria do resultado da perspectiva do cliente.[36]

No exemplo do Club Med dado no Quadro 7.2, os clientes foram recompensados com uma recepção no aeroporto que incluía lanches e bebidas, com a condução ao *resort*, com um banquete e com uma festa que varou a noite e que não fazia parte do pacote, inicialmente. Estes hóspedes haviam sofrido muito em função dos atrasos em suas tão sonhadas férias e, diante disso, a compensação oferecida foi definitivamente mais do que adequada, levando em consideração o fato de que a falha no serviço não fora de responsabilidade do Club Med.

Por outro lado, os clientes sentem-se desconfortáveis se forem compensados em excesso. No começo de sua experiência com as garantias de serviço, a Domino's Pizza liberava o cliente do pagamento se o entregador chegasse após o tempo de 30 minutos, que a companhia garantia. Muitos clientes não se sentiam confortáveis ao solicitar esta compensação, principalmente nas situações em que o atraso era de poucos minutos. Neste caso, "o castigo ultrapassava o crime". Por algum tempo, a Domino's alterou o sistema de compensação, oferecendo um desconto de $3 para as entregas atrasadas. Mais tarde, este tipo de garantia foi totalmente abandonado pela empresa, diante dos problemas que causava por conta de entregadores que deslocavam-se muito rápido para poderem efetuar as entregas no tempo estabelecido.

Quadro 7.3 Os temas de imparcialidade na recuperação do serviço

	Justo	Injusto
Justiça de resultado: os resultados que os clientes obtêm com a apresentação de uma reclamação	"A garçonete admitiu o problema. Ela levou os sanduíches de volta para a cozinha e pediu a troca. Além disso, ganhamos uma bebida grátis." "Eles foram bastante diligentes com minha queixa. Uma semana depois, recebi um cupom que dava direito a uma troca de óleo grátis, junto com um pedido de desculpas do dono da loja."	"A recusa em reembolsar nosso dinheiro ou nos compensar pelo inconveniente e pela comida fria foi imperdoável." "Se eu quisesse a devolução de meu dinheiro, teria de retornar à loja no dia seguinte. O trajeto dura 20 minutos de automóvel, e o valor a ser reembolsado não vale o esforço." "Tudo o que eu queria era que o atendente se desculpasse por duvidar de minha história. Mas nunca ouvi um pedido de desculpas."
Justiça de processo: as políticas, as regras e a prontidão no processo de reclamação	"O gerente do hotel disse que não fazia diferença de quem era a culpa, pois ele assumiria toda a responsabilidade pelo problema, imediatamente." "O gerente de vendas me telefonou uma semana depois de minha reclamação para saber se o problema havia sido solucionado de acordo com meu desejo."	"Eles deveriam ter me auxiliado com o problema, em vez de me dar um número de telefone. Ninguém retornou minhas chamadas, e nunca tive a oportunidade de falar com uma pessoa em carne e osso." "Tive de narrar meu problema a muitas pessoas. Somente depois de eu me irritar que consegui falar com o gerente, que aparentemente era a única pessoa capaz de oferecer uma solução real."
Justiça de interação: o tratamento interpessoal recebido durante o processo de reclamação	"O encarregado de liberar empréstimos foi muito gentil, atencioso e sabia do que falava – ele me manteve informado do progresso da queixa." "O caixa explicou que eles haviam sofrido uma queda de energia e que por isso as coisas estavam atrasadas. Ele fez um grande esforço para eu não precisar voltar no dia seguinte."	"A pessoa que lidou com minha reclamação sobre o conserto inadequado do ar condicionado nada faria a respeito e pelo visto não se importou com o problema." "A recepcionista foi muito grosseira, fazendo parecer que o tempo do médico era importante, mas o meu não."

Fonte: Reproduzido de "Recovering and Learning from Service Failure," S. S. Tax and S. W. Brown, *Sloan Management Review* 40 (Fall 1998), p. 79, com permissão do editor. Copyright © 1998 Massachusetts Institute of Technology. Todos os direitos reservados. Distribuído por Tribune Media Services.

A justiça de processo

Além da compensação justa, as empresas devem tratar os clientes com justiça em termos de políticas, regras e prontidão no processo de reclamação. Eles querem ter acesso fácil ao processo, e desejam ver as coisas serem resolvidas com rapidez, preferencialmente pela primeira pessoa que contatarem. As companhias que demonstram capacidade de adaptação em seus processos são as preferidas, pois assim o esforço de recuperação pode ser equiparado às circunstâncias do caso. Em algumas situações, sobretudo em serviços *business-to-business*, as empresas na verdade perguntam ao cliente: "O que podemos fazer para compensá-lo pela nossa falha?". Muitas vezes, o que o cliente pede é na verdade menos do que a empresa espera.

A justiça de processo se caracteriza por clareza, velocidade e ausência de incômodo. Os aspectos que despertam o senso de injustiça no processo são a lentidão, a falta de lógica e a in-

Tema global — A recuperação do serviço em diferentes culturas

As falhas no serviço são inevitáveis, independentemente de contexto, país ou cultura. Assim, os procedimentos adequados de recuperação do serviço são um imperativo para todas as empresas. As empresas do setor de serviços que atuam em diversos países, bem como as que têm operações em nações de grande diversidade étnica, como os Estados Unidos, o Reino Unido e a Austrália, precisam ter sensibilidade frente à diversidade cultural e às consequentes expectativas quanto a serviços e recuperação.

As expectativas com as atribuições

Sempre que ocorrem falhas, os clientes espontaneamente deduzem ou atribuem a culpa por este evento inesperado a alguém. Os pesquisadores Anna Mattila e Paul Patterson analisaram a recuperação do serviço em diferentes culturas e descobriram que, nos países do Ocidente, sempre que a falha é causada por algum fator externo fora do controle da prestadora do serviço, os clientes atribuem o problema ao contexto ou à situação verificados no entorno da falha – sobretudo se uma explicação é oferecida pela empresa sobre o que aconteceu. Uma ação deste tipo é capaz de amenizar a culpa que os clientes imputam à prestadora e a seus funcionários e, com isso, eles não abandonam suas noções de qualidade geral percebida. Contudo, para os clientes de países orientais, uma explicação das causas tem impacto relativamente pequeno sobre a atribuição da culpa. Estes clientes preferem outros recursos, como uma solução rápida para o problema e um genuíno pedido de desculpas de um gerente (não de um funcionário de atendimento) para recuperar a "moral" aos olhos de sua família e de seus amigos. Os clientes dos países orientais também apresentam menor tolerância diante de situações incertas e ambíguas. Assim, sempre que uma falha está sendo solucionada, estes clientes preferem uma noção de controle – e a empresa oferece esta noção mantendo-os informados do que exatamente está sendo feito para retificar a situação.

As expectativas com a justiça

A justiça de resultado

Mattila e Patterson também estudaram questões de justiça na recuperação do serviço. Em suas pesquisas, eles descobriram que clientes ocidentais (isto é, norte-americanos) estão mais interessados e esperam receber uma compensação tangível (um desconto) na ocorrência de uma falha, em comparação com clientes orientais (tailandeses ou malaios). A oferta de uma compensação é particularmente eficaz na restauração de uma noção de justiça junto a clientes norte-americanos. Evidentemente, estes clientes se preocupam sobretudo com a justiça de resultado. De fato, os norte-americanos são em geral mais assertivos e estão mais habituados a solicitar reparações do que clientes de culturas orientais. Pesquisas anteriores sobre a recuperação do serviço em contextos ocidentais mostram, de forma inequívoca, que a compensação exerce efeitos positivos na satisfação pós-recuperação e na fidelidade. Os clientes orientais, por exemplo, que via de regra são mais propensos a evitar a incerteza, preferem outros tipos de soluções para uma falha no serviço. As culturas orientais demonstram uma disposição de se concentrar na prevenção de perdas, não em ganhos individuais. Os clientes asiáticos destacam a necessidade de encaixarem-se no comportamento da maioria e de evitar conflitos.

A justiça de interação

A pesquisa de Matilla e Patterson sugere que, nas culturas ocidentais, dar uma explicação para uma falha no serviço desloca o foco dado pelo cliente à ideia de que a prestadora é incompetente, desatenciosa ou preguiçosa. Esta explicação tende a fazer os clientes ocidentais voltarem suas atenções à situação como uma causa da falha. No entanto, nas culturas orientais, os clientes estão mais inclinados a nutrir uma consciência das restrições situacionais, a tentar conservar a harmonia social e a evitar a perda de compostura. Para eles, a justiça de interação parece ser especialmente relevante. Assim, fornecer uma explicação e tratar o cliente oriental ofendido com uma abordagem formal, cortês e empática é mais importante do que a compensação oferecida.

A justiça de processo

Para empresas do setor de serviços com operações nos Estados Unidos, os procedimentos que evitam incômodos, de rápida recuperação e que levem a uma compensação por uma possível perda ou inconveniente desencadeado por uma falha constituem a solução preferida pelos clientes. Apesar de a compensação ser, em geral, o principal condutor da percepção que o cliente norte-americano constrói da justiça, a velocidade e a conveniência no processo de recuperação também parecem ser valorizados. Nas culturas orientais, um autêntico pedido de desculpas de um gerente (em vez de um funcionário de contato) é o mais desejado. Este procedimento permite que os clientes recuperem a "moral" junto a seus familiares e amigos. Estes clientes também preferem ter uma sensação de controle e, portanto, as gerências constantemente os informam do que está sendo feito para retificar a situação, atitude que consideram adequada.

Na recuperação do serviço, como em qualquer situação de prestação de serviços, as empresas precisam se sensibilizar para o fato de que a cultura e outros fatores têm um papel específico. Conforme sugerem estes estudos, os clientes em todas as culturas esperam uma recuperação expressiva do serviço, mas as preferências por um tipo de recuperação ou o enfoque dado a uma das três dimensões de justiça podem variar.

Fontes: A. S. Mattila and P. G. Patterson, "Service Recovery and Fairness Perceptions in Collectivist and Individualist Contexts," *Journal of Service Research* 6 (May 2004), pp. 336–346; A. S. Mattila and P. G. Patterson, "The Impact of Culture on Consumers' Perceptions of Service Recovery Efforts," *Journal of Retailing* 80 (Fall 2004), pp. 196–206. 336-346; A. S. Mattila and P. G. Patterson, "The Impact of Culture on Consumers' Perceptions of Service Recovery Efforts," *Journal of Retailing* 80 (Fall 2004), pp. 196-206.

conveniência. Os clientes sentem esta injustiça se têm de apresentar provas do que afirmam – nos casos em que a companhia acha que eles estão errados ou mentindo, até que possam provar o contrário.

No caso do Club Med, dado no Quadro 7.2, a recuperação aconteceu o mais rápido possível, no momento do desembarque dos passageiros no México. Ainda que os problemas não fossem de responsabilidade da companhia, ela assumiu a compensação pelos atrasos imediatamente no desembarque. Os veranistas não passaram por outros incômodos depois que puseram os pés no solo.

A justiça de interação

Além de compensação justa e procedimentos rápidos e sem problemas, os clientes esperam ser tratados com polidez, cuidado e honestidade. Esta forma de justiça domina as outras se os clientes sentirem que as atitudes da companhia e de seus funcionários forem descuidadas e se perceberem que ela fez pouco para resolver o problema. Este tipo de comportamento de parte dos funcionários pode soar estranho – por que eles tratariam os clientes com rispidez ou falta de atenção em tais circunstâncias? Muitas vezes isso ocorre por conta da falta de treinamento ou poder de decisão – um funcionário de contato frustrado e que não tem autoridade de compensar o cliente pode facilmente reagir de modo distante ou descuidado, sobretudo se o cliente sente raiva ou é rude.

No caso do Club Med apresentado no Quadro 7.2, Silvio de Bortoli e sua equipe de funcionários foram afáveis, atenciosos e positivos ao recepcionarem os passageiros que haviam sofrido com grandes atrasos. Eles cumprimentaram os passageiros pessoalmente no aeroporto, mesmo sendo tarde da noite; além disso, foram além, convidando outros hóspedes do hotel a cumprimentarem os recém-chegados e a juntarem-se à festa que organizaram, melhorando a percepção de boas-vindas e ajudando a energizar esse começo de férias.

Cultive relacionamentos com os clientes

No Capítulo 6, discutimos a importância de desenvolver relacionamentos de longo prazo com os clientes. Uma vantagem adicional do marketing de relacionamento diz que se a companhia falha na execução do serviço, os clientes que têm um relacionamento consolidado com ela muitas vezes são mais compreensivos e mais abertos aos esforços de recuperação do serviço. Dito de outro modo, talvez seja mais fácil "solucionar o cliente" se a empresa estabeleceu um relacionamento forte com ele. As pesquisas indicam que os relacionamentos sólidos entre clientes e empresas auxiliam a protegê-las contra os efeitos negativos das falhas sobre sua satisfação.[37] Por exemplo, um estudo demonstrou que a harmonia entre clientes e funcionários traz vários benefícios relativos à recuperação do serviço, como uma maior satisfação pós-falha, intenções mais claras de fidelidade e menos publicidade boca a boca negativa.[38] Outro estudo descobriu que os clientes que esperam que o relacionamento perdure também tendem a nutrir expectativas mais modestas quanto à recuperação do serviço e talvez demandem menos compensação imediata por uma falha, já que eles consideram o equilíbrio gerado pela justiça em horizontes de tempo mais amplos.[39] Desta forma, o cultivo de relacionamentos sólidos com seus clientes ergue uma importante barreira de proteção para empresas do setor de serviços na ocorrência de falhas.[40]

AS ESTRATÉGIAS DE RECUPERAÇÃO DO SERVIÇO: SOLUCIONANDO O PROBLEMA

Muitas vezes a necessidade mais forte e imediata na recuperação do serviço é a "solução do cliente". Contudo, em muitas situações o problema real gerado na prestação deficiente do serviço também precisa ser sanado. Isso pode exigir considerar, elaborar e prestar o serviço mais uma vez, se possível, para proporcionar ao cliente o que ele esperava desde o início. Se existem chances de o

Visão estratégica — O incentivo às reclamações e os relatórios de falha no serviço

As falhas ocorrem de diversas maneiras e em numerosas oportunidades no processo de execução do serviço. Contudo, em muitos casos é difícil, senão impossível, a empresa descobrir que uma falha ocorreu, a menos que o cliente a informe do fato. Infelizmente, apenas uma pequena porcentagem dos clientes apresenta uma reclamação para a empresa. Assim, um dos maiores desafios enfrentados pela gestão consiste em encontrar uma maneira de fazer os clientes reclamarem no momento em que vivenciam uma falha no serviço e/ou não estão satisfeitos com a sua execução. Nesse sentido, o que a empresa pode fazer para incentivar a apresentação de reclamações? Algumas das questões a serem consideradas são mostradas a seguir:

- *Desenvolva a mentalidade de que uma reclamação faz bem.* Muitas vezes o cliente que se queixa é visto como um *inimigo* pelos funcionários da organização – alguém que precisa ser dominado e subjugado. A abordagem mais prudente manda desenvolver a mentalidade de forma que o cliente reclamante seja *amigo* da companhia. As queixas oferecem um valioso retorno para a empresa, pois trazem a chance não apenas de lidar com a falha no serviço reportada pelo cliente, como também de identificar os problemas que outros clientes (menos diretos) também podem estar sofrendo (o fenômeno da "ponta do *iceberg*"). Um pesquisador sugere que os "reclamantes deveriam ser tratados com a dignidade e o respeito dirigidos aos mais renomados analistas e consultores". Uma empresa chegou ao ponto de adicionar cada cliente que apresenta uma reclamação a uma lista VIP. A aceitação de uma queixa é o reflexo do verdadeiro nível de proximidade que uma companhia mantém com seus clientes.

- *Facilite a apresentação de uma reclamação.* Se a empresa de fato deseja ouvir os clientes que sofrem com serviços ineficientes, ela precisa facilitar o compartilhamento destas experiências com seus funcionários. Ocorrem situações em que os clientes não fazem a menor ideia de quem procurar para apresentar uma reclamação e não conhecem os detalhes do processo ou os aspectos envolvidos. A apresentação de uma reclamação deveria ser fácil – a última coisa que os clientes desejam é ter de enfrentar um processo complexo e de difícil acesso para esta finalidade. Os clientes precisam conhecer o local a que deverão se dirigir ou a pessoa com quem terão de falar na ocorrência de um problema. Além disso, é preciso gerar confiança neles de que algo positivo surtirá de seus esforços por apresentarem uma reclamação. Os progressos tecnológicos oferecem aos clientes diversos caminhos para uma queixa, que incluem *call centers* de discagem grátis, endereços de e-mail da empresa e formulários de *feedback* via Internet. A empresa deve regularmente lembrar a seus clientes que uma reclamação é fácil de apresentar e que ela acolhe e agradece este tipo de retorno.

---

problema ocorrer de novo para o cliente em questão ou outros clientes, então todo o processo de prestação talvez precise ser revisto também. Esta seção discute as estratégias que podem ser adotadas para auxiliar a empresa a "solucionar o problema", tanto no curto quanto no longo prazo.

Encoraje e acompanhe as reclamações

Falhas ocorrem mesmo em uma organização que objetiva a qualidade 100% do serviço. Um dos componentes essenciais de uma estratégia de recuperação do serviço é, portanto, o encorajamento ao acompanhamento das queixas. A seção Visão Estratégica descreve diversas maneiras de incentivar os clientes a apresentarem suas reclamações.

As empresas utilizam diversos métodos para promover e acompanhar reclamações. As pesquisas com clientes podem ser concebidas especificamente para esta finalidade, com questionários de satisfação, estudo de incidentes críticos e pesquisa com clientes perdidos, conforme apresentado no Capítulo 5. *Call centers* de chamada gratuita, e-mail e uma variedade de redes sociais servem para facilitar, encorajar e rastrear reclamações. Aplicações de software em diversas companhias também permitem que as reclamações sejam analisadas, classificadas, respondidas e rastreadas automaticamente.[41]

Há casos em que a tecnologia prevê problemas e reclamações, o que permite aos funcionários do serviço diagnosticar estas situações antes mesmo de o cliente reconhecer sua existência. Empresas como a IBM, a John Deere e a Caterpillar têm sistemas de informação implementados para

- *Seja um ouvinte atento*. Os funcionários devem ser encorajados e treinados para escutarem os clientes atentamente, e sobretudo verificarem a possibilidade de coletar algum indício que sugira a ocorrência de um serviço que ficou abaixo do esperado. O cliente de um restaurante talvez responda "Boa" à pergunta feita pelo garçom "Como está sua refeição?". Contudo, a linguagem corporal, o tom de voz do cliente e a quantidade de alimento que ficou no prato podem indicar que a comida na verdade não agradou. Alguns clientes nem sempre são assertivos na manifestação do próprio desprazer, mas deixam pistas de que algo está faltando. Os funcionários e os gerentes devem escutar atentamente não apenas as palavras pronunciadas, mas também tudo o que o cliente esteja tentando ou desejando revelar.
- *Pergunte sobre problemas específicos do serviço ao cliente*. Uma maneira simples e informal de descobrir a ocorrência de uma falha no serviço consiste em simplesmente perguntar. Os gerentes de um hotel com grande porcentagem de hóspedes em viagem de negócios têm como preceito permanecer no balcão da recepção entre 7h45 e 8h45 da manhã, todos os dias, pois cerca de 80% desta classe de hóspedes deixa o hotel neste horário. Durante o processo de saída, os gerentes evitam perguntas que podem ser respondidas com um simples "sim", "OK" ou "boa" (por exemplo, "Como foi sua estada?"), e apresentam perguntas que requerem do cliente um *feedback* mais específico ("Como poderíamos ter melhorado a infraestrutura tecnológica em seu quarto?" ou "O que precisa ser feito para aperfeiçoar nosso centro de recreação?"). Apresentar perguntas específicas aos clientes, que não sejam respondidas com simples afirmativas ou negativas, abre um caminho simplificado para que eles relatem expectativas que permaneceram insatisfeitas.
- *Conduza pesquisas curtas e simples*. Uma chamada telefônica de sondagem feita a um cliente em meio à experiência com o serviço auxilia a identificar os problemas em tempo real e assim possibilita sua solução no mesmo ritmo. Por exemplo, a Enterprise Rent-A--Car Company telefona regularmente a seus clientes um dia depois de terem alugado um automóvel para perguntar se tudo vai bem com o veículo. Os clientes que relatam problemas, como uma vidraça estragada ou um odor de fumaça no interior do carro, recebem outro carro no mesmo dia, sem mais perguntas ou incômodos. Pesquisas de acompanhamento funcionam especialmente bem na solução de problemas em cenários *business-to-business*, antes de tornarem-se questões graves.

Fontes: S. S. Tax and S. W. Brown, "Recovering and Learning from Service Failure," *Sloan Management Review* 40 (Fall 1998), pp. 75–88; O. Harari, "Thank Heaven for Complainers," *Management Review* 81 (January 1992), p. 59.

prever falhas de equipamento e enviar alertas eletrônicos ao técnico de campo, com informações sobre a natureza do problema e as peças e ferramentas necessárias para a manutenção – conserto este de que o cliente ainda não tem conhecimento.[42]

Aprenda com as experiências de recuperação

"As situações envolvendo a solução de problemas são mais do que meras oportunidades de restaurar serviços insuficientes ou de fortalecer laços com os clientes. Elas são também uma fonte valiosa – embora frequentemente ignorada ou subutilizada – de informações de diagnóstico e prescrição para a melhoria do serviço ao cliente."[43] Ao rastrearem os esforços pela recuperação e solução dos serviços, os gestores muitas vezes aprendem sobre problemas no sistema de execução que precisam ser resolvidos. Ao conduzirem análises de causas principais, as empresas têm a chance de identificar as fontes dos problemas e assim modificar os processos, por vezes quase que eliminando por completo a necessidade de recuperação. Na rede de hotéis Ritz-Carlton, todos os funcionários sempre portam formulários de recuperação de serviço chamados "formulários de ação instantânea", a fim de registrar falhas no serviço imediatamente e sugerir ações corretivas. Cada funcionário é o "dono" de uma reclamação que receber e se torna o responsável por garantir que a recuperação do serviço ocorra. Por sua vez, os funcionários reportam estas fontes de falha no serviço e as respectivas soluções aos gerentes. Na rede de hotéis Hampton Inn®, sempre que a garantia de serviço (ver a Figura 7.6) é solicitada, a razão para a insatisfação do cliente é registrada como parte do processo e as informações são repassadas à gerência. Depois, estas informações

Figura 7.6 A garantia de 100% da rede de hotéis Hampton Inn®.

são inseridas em uma base de dados e analisadas para identificar os padrões e as questões relativas ao serviço no interior do sistema que precisam ser resolvidas. Se temas comuns forem observados em várias situações de falha, alterações nos processos ou atributos de serviço são propostas. Além disso, no Ritz-Carlton as informações são inseridas no arquivo pessoal do cliente, de forma que no momento em que ele volta a hospedar-se em algum hotel da rede (não importa qual), os funcionários têm dados sobre a experiência passada deste cliente, o que garante que a falha não voltará a ocorrer.

Aprenda com a perda de clientes

Outro aspecto-chave de uma estratégia eficaz para a recuperação do serviço consiste em aprender com os clientes que desertaram ou que decidiram deixar a prestadora. Pesquisas formais de marketing auxiliam na descoberta das razões que fazem os clientes deixarem a prestadora e na prevenção de falhas futuras. Contudo, este tipo de pesquisa é difícil e mesmo dolorosa para as companhias. Ninguém gosta de examinar suas próprias falhas. Ainda assim, essa análise é essencial para a prevenção dos mesmos erros e para evitar a perda de mais clientes no futuro.[44]

Conforme apresentado no Capítulo 5, a pesquisa sobre clientes que foram perdidos via de regra envolve a investigação detalhada sobre estes clientes, a fim de determinar suas verdadeiras razões para deixar a companhia. O modo mais eficaz de obter estas informações é por meio de entrevistas detalhadas, aplicadas por pesquisadores experientes e que de fato entendem o setor. Para a condução destas pesquisas, o melhor talvez seja recrutar os funcionários mais antigos da prestadora, sobretudo em contextos *business-to-business*, em que os clientes são de grande porte e o impacto de uma perda é considerável. Esse tipo de análise detalhada muitas vezes requer uma série de questões do tipo "Por quê?", ou "Conte-me mais sobre o problema", para chegar às razões reais e principais para a deserção do cliente.[45]

Ao conduzir este tipo de pesquisa, uma empresa precisa se concentrar nos clientes importantes ou rentáveis que a abandonaram – não meramente em todos os que trocaram a companhia por outra. Certa vez, uma seguradora da Austrália iniciou este tipo de pesquisa para desvendar mais informações acerca dos clientes que perdera, mas tudo o que ela descobriu foi que os clientes perdidos normalmente eram os menos rentáveis. A companhia não tardou a admitir que pesquisas detalhadas sobre maneiras de conservar esses clientes pouco rentáveis não seriam um bom investimento para ela!

Torne o serviço à prova de falhas – Faça certo da primeira vez!

A primeira regra da qualidade do serviço, a qual sem dúvida é a melhor estratégia de recuperação, diz que ele tem de ser executado corretamente da primeira vez. Dessa forma é possível evitar a recuperação do serviço e a compensação por erros. Conforme vimos, a confiabilidade, ou a execução correta da primeira vez, é a dimensão mais importante da qualidade do serviço em todos os contextos de setor.[46] De fato, as pesquisas sugerem que muitos clientes permanecem em um relacionamento porque não sofreram um incidente (negativo) crítico.[47]

Dick Chase, conhecido especialista em operações de serviço, recomenda a adoção da noção dos *poka yokes*[*] a fim de melhorar a confiabilidade do serviço.[48] Os *poka yokes* são alertas ou controles automáticos empregados para garantir que erros não sejam cometidos. Em síntese, eles são mecanismos de controle de qualidade, via de regra utilizados em linhas de montagem. Chase sugere que os *poka yokes* sejam concebidos em circunstâncias de serviço para "verificar" o serviço, garantir a observância de procedimentos essenciais e a execução ordenada das etapas do serviço no tempo certo. Em um cenário hospitalar, inúmeros *poka yokes* garantem que os processos sejam observados para evitar erros que potencialmente ameacem a vida humana. Por exemplo, as bandejas de instrumentos cirúrgicos têm sulcos específicos para acomodar cada instrumento. Desta forma, os cirurgiões e suas equipes sabem que todos os instrumentos estão em suas posições antes de fechar a incisão feita no paciente.[49]

Da mesma forma, os *poka yokes* são projetados para garantir que os tangíveis associados com o serviço sejam limpos e adequadamente mantidos, e os documentos, adequados e atualizados. Os *poka yokes* também podem ser implementados para comportamentos dos funcionários (listas de verificação, prática e simulação de incumbências, sinais de rememoração) e até para garantir que os clientes atuem satisfatoriamente. Muitas das estratégias discutidas nas Partes IV e V deste livro ("Como alinhar o projeto e os padrões de serviço" e "A prestação e a execução do serviço") têm o objetivo de garantir a confiabilidade do serviço e podem ser vistas como aplicações da noção básica "à prova de falhas" dos *poka yokes*.

Contudo, o mais importante é que a companhia desenvolva uma cultura de deserção zero, a fim de garantir que as coisas sejam feitas corretamente da primeira vez.[50] Em uma cultura de deserção zero, todas as pessoas entendem a importância da fidelidade do cliente. O objetivo de equipes e gerentes é satisfazer todos os clientes e encontrar maneiras de melhorar o serviço. Os funcionários em uma cultura de deserção zero têm total compreensão e entendimento do conceito de "valor do relacionamento com o cliente" apresentado no Capítulo 6. Desta forma, eles sentem-se motivados a oferecer um serviço de qualidade *em todas as ocasiões* e *a todos os clientes*.

AS GARANTIAS DE SERVIÇO

Uma garantia é um tipo especial de ferramenta de recuperação que serve para "solucionar" tanto o cliente quanto o serviço. Em um contexto de negócios, uma garantia é um compromisso ou certificação de que um produto oferecido por uma empresa terá o desempenho prometido e que, se isso não se verificar, então alguma forma de reparação será adotada pela companhia. Apesar de as garantias serem comuns para produtos manufaturados, foi só recentemente que passaram a ser utilizadas para serviços. Muitas pessoas acreditavam que os serviços simplesmente não poderiam ser garantidos, dado seu caráter intangível e sua natureza variável. Mas, o que poderia ser garantido então? Com um produto tangível, o cliente tem a garantia de que ele terá o desempenho prometido e que, se isso não ocorrer, ele poderá ser devolvido. Com um serviço, via de regra não é possível efetuar uma devolução ou "desfazer" o que já foi executado. Contudo, o ceticismo que cerca as garantias de serviço vem se dissipando, à medida que cada vez mais companhias

---

[*] N. de T.: Palavra japonesa que significa "à prova de falhas".

descobrem que são de fato capazes de garantir seus serviços e que os benefícios associados são consideráveis.

As empresas estão descobrindo que as garantias eficazes de serviço têm o poder de complementar a estratégia de recuperação que adotam – e assim servem como uma ferramenta de auxílio às estratégias de recuperação do serviço demonstradas na Figura 7.4. A garantia dada pela rede de hotéis Hampton Inn®, mostrada na Figura 7.6, é um exemplo desta prática.

As características das garantias eficazes

Algumas características tendem a tornar mais eficazes certas garantias, em comparação com outras. Christopher Hart defende que as garantias mais eficazes normalmente apresentam atributos semelhantes, como incondicionalidade, significação e facilidade de compreensão e de solicitação.[51]

Incondicionalidade
Hart defende que as garantias eficazes devem ser *incondicionais* – sem vínculos pessoais. A garantia dada pela rede de hotéis Hampton Inn® não impõe condições. Algumas garantias parecem ter sido escritas pelo departamento jurídico (e muitas vezes são), e contêm todo tipo de restrição, exigência de provas e limitações. Garantias com esse tipo de restrição via de regra não são eficazes.

Significação
Uma garantia eficaz deve ser *significativa*. Garantir o que é óbvio ou esperado não é significativo aos clientes. Por exemplo, uma companhia de entrega de água mineral ofereceu uma garantia de entregar água no dia prometido ou então um galão grátis seria oferecido na próxima vez. Nesse setor, a entrega no dia prometido é uma expectativa quase sempre satisfeita por todos os concorrentes – assim, a garantia não foi significativa para o cliente. Era como garantir quatro rodas em um automóvel! A recompensa, no caso de um problema, também deve ser significativa. Os clientes esperam ser reembolsados de modo que compense, integralmente, a insatisfação, o tempo e até o incômodo que sofreram. Um de nós ofereceu aos alunos de uma universidade uma garantia em um de nossos cursos de marketing de serviços. A compensação pelo serviço insatisfatório, a qual inclui o reembolso do custo com a disciplina de três créditos, em geral é percebida como bastante significativa por todos os alunos.[52]

Facilidade de compreensão
A garantia de uma empresa também deve ser *de fácil compreensão* e comunicação a clientes e funcionários. Há vezes em que a escolha das palavras gera confusão, em que a linguagem da garantia é verborrágica, ou em que as restrições e condições expressas são tantas que nem os clientes, nem os funcionários têm certeza do que está sendo garantido. Os restaurantes Bennigan's dão garantia de que o almoço será servido rapidamente – dentro de 15 minutos – com sua garantia chamada Lunch Crunch. A promessa, "É rápido, ou é grátis", deixa claro aos clientes que eles não terão de passar muito tempo esperando pela refeição, bem como indica aos funcionários que os almoços não devem levar mais de 15 minutos para chegar até a mesa do cliente.

Facilidade de solicitação
Na mesma linha de raciocínio, é preciso oferecer *facilidades na solicitação* da garantia. Recentemente a British Airways ofereceu uma garantia, apresentada a seguir, a fim de exceder as expectativas de seus clientes da classe executiva. Para solicitar a garantia, os clientes precisavam apenas completar um formulário *on-line* e explicar por que a British Airways não atendeu ou excedeu suas expectativas. Pedir que eles preencham uma carta detalhada e/ou forneçam provas documentais da falha no serviço é uma armadilha comum que torna o processo demorado e de pouca valia do ponto de vista do cliente, sobretudo se o valor monetário do serviço for relativamente baixo.

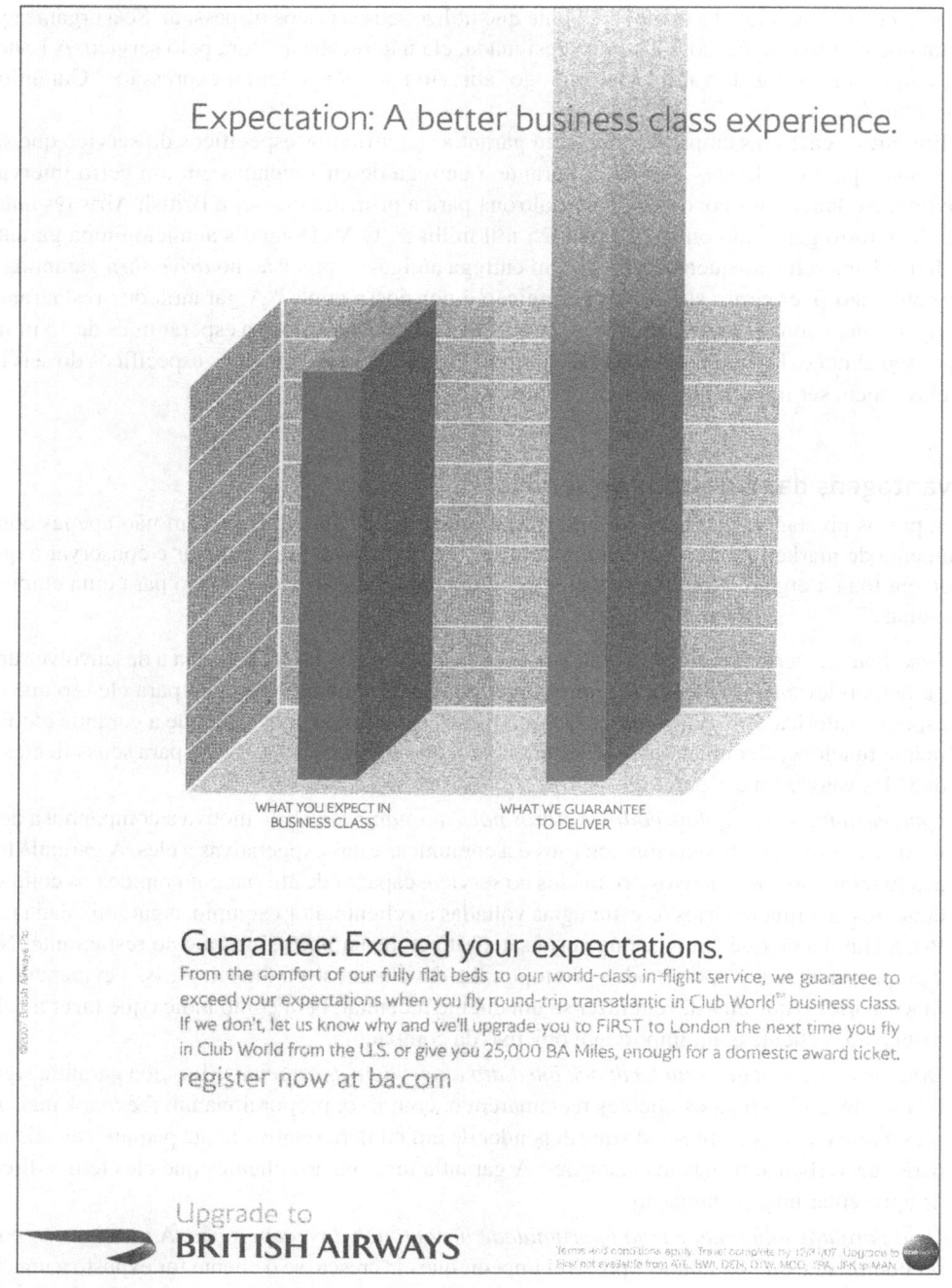

O anúncio da garantia de serviço da British Airways.

Os tipos de garantias de serviço

As garantias de serviço podem ser *garantias de satisfação incondicional* ou *garantias de atributos do serviço*. Para garantias de satisfação incondicionais, qualquer aspecto do serviço, relacionado ao desfecho do processo de prestação ou não, deve estar de acordo com as preferências do cliente – não pode haver limites ou condições. A garantia dada pelos hotéis Hampton Inn® é uma garantia de satisfação incondicional. Em outro contexto, a Bain & Company, uma empresa de consultoria em gestão, ofereceu a seus clientes uma garantia incondicional pelos seus serviços.[53] Se os clientes não se sentissem satisfeitos, eles não precisariam pagar pelos serviços contratados. A Pro Staff oferece uma garantia incondicional a qualquer cliente que utilize seus serviços de pessoal. Se a organização contratante não se satisfaz com a pessoa designada, ela não recebe a fatura pelo serviço. A Land's End, empresa do setor de varejo via catálogo, abreviou seu lema com a expressão: "Garantido. Ponto final."

Em outros casos, as empresas oferecem garantias de atributos específicos do serviço que são importantes para os clientes. A FedEx garante a entrega de encomendas em um certo intervalo de tempo. Ao lançar um novo design de poltrona para a primeira classe, a British Airways anunciou: "Conforto garantido ou você ganha 25 mil milhas". O McDonald's anunciou uma garantia que dizia "Uma refeição quente, rápida, com entrega amigável, precisão no *drive-thru* garantida... Se a gente não fizer certo, sua próxima refeição é por nossa conta." A garantia dos restaurantes Bennigan's mencionada anteriormente assegura que o cliente não precisa esperar mais de 15 minutos por seu almoço. Em todos estes casos, as empresas garantiram elementos específicos do serviço que elas sabem ser importantes para os clientes.

As vantagens das garantias de serviço

As empresas prestadoras de serviço hoje reconhecem que as garantias servem não apenas como ferramenta de marketing, mas também podem ser um meio de definir, cultivar e conservar a qualidade em toda a organização. As vantagens de uma garantia eficaz de serviço para uma empresa são muitas:[54]

- *Uma boa garantia força a companhia a se concentrar no cliente.* De forma a desenvolver uma garantia relevante ao cliente, a empresa precisa saber o que é importante para ele – o que ele espera e valoriza. Em muitos casos, a "satisfação" é garantida, mas para que a garantia efetivamente funcione, a companhia precisa entender o que significa a satisfação para seus clientes (o que eles valorizam e esperam).
- *Uma garantia eficaz define padrões claros para a organização.* Ela motiva a companhia a definir o que ela espera de seus funcionários e a comunicar estas expectativas a eles. A garantia traz aos funcionários os objetivos orientados ao serviço, capazes de alinhar com rapidez os comportamentos dos funcionários às estratégias voltadas ao cliente. Por exemplo, a garantia dada pela Pizza Hut é a de que "Se você não está satisfeito com sua pizza, informe ao restaurante. Nós a preparamos de novo, do modo correto, ou lhe devolvemos seu dinheiro". Isso evidencia aos funcionários o que eles devem fazer se um cliente reclamar, bem como indica que fazer a coisa certa para o cliente é um importante objetivo da companhia.
- *Uma boa garantia gera um feedback imediato e relevante dos clientes.* Ter uma garantia significa um incentivo para os clientes reclamarem e, com isso, proporciona um *feedback* mais representativo para a empresa, do que depender de um número relativamente pequeno de clientes para que verbalizem suas insatisfações. A garantia informa aos clientes que eles têm o direito de apresentar uma reclamação.
- *Uma garantia solicitada é uma oportunidade instantânea de recuperação.* A insatisfação pode ser controlada, ou no mínimo é possível impedir que ela cresça, se o cliente for exposto a uma recuperação instantânea. Uma recuperação rápida ajuda a satisfazer o cliente e a reter a fidelidade.
- *As informações geradas por meio da garantia podem ser rastreadas e integradas em contínuos esforços por melhorias.* As garantias são capazes de fornecer um mecanismo um tanto estruturado para escutar os clientes, o que auxilia a fechar a lacuna da compreensão do cliente. O elo de *feedback* entre os clientes e as decisões relativas às operações do serviço pode ser fortalecido por meio de uma garantia.
- *A garantia reduz a sensação de risco e constrói a confiança do cliente na organização.* Como os serviços são intangíveis e com frequência altamente pessoais ou comprometidos com aspectos da personalidade, os clientes buscam informações e indícios que auxiliam a reduzir sua sensação de incerteza. Já está provado que as garantias reduzem os riscos e melhoram a avaliação positiva do serviço antes de sua aquisição.[55]

> **Quadro 7.4** As questões a considerar quando da implementação de uma garantia de serviço
>
> **Decida quem decide**
> - Há um representante da garantia na empresa?
> - A alta gerência está compromissada com uma garantia?
> - O projeto da garantia é um esforço de equipe?
> - Os clientes estão trazendo informações?
>
> **Quando uma garantia faz sentido?**
> - Qual é o nível dos padrões de qualidade?
> - Existem condições de arcar com uma garantia?
> - Qual é o nível do risco para o cliente?
> - A concorrência está oferecendo uma garantia?
> - A cultura da companhia é compatível com uma garantia?
>
> **Qual tipo de garantia deve ser oferecido?**
> - Será oferecida uma garantia incondicional ou uma específica ao resultado observado?
> - Nosso serviço é mensurável?
> - Qual deve ser o escopo de nossa garantia específica?
> - Quais são os aspectos incontroláveis?
> - A companhia sofre alguma suscetibilidade especial diante de pedidos exorbitantes?
> - Qual deve ser a compensação?
> - Um reembolso revela uma mensagem equivocada?
> - Um reembolso total é capaz de despertar culpa nos clientes?
> - É fácil solicitar a garantia?
>
> **Fonte:** A. L. Ostrom and C. W. L. Hart, "Service Guarantees: Research and Practice," in *Handbook of Services Marketing and Management*, ed. D. Iacobucci and T. Swartz (Thousand Oaks, CA: Sage Publications, 2000), pp. 299–316. ©2000 by Sage Publications. Reproduzido com permissão de Sage Publications.

O ponto de partida para a empresa está no fato de que uma garantia eficaz é capaz de afetar a rentabilidade por meio da geração de conscientização e fidelidade do cliente, da publicidade boca a boca positiva e da redução de custos, à medida que as melhorias são implementadas e que as despesas inerentes à recuperação são reduzidas. Além disso, a garantia consegue amenizar indiretamente os custos do giro de mão de obra por conta da criação de uma cultura mais positiva do serviço.

O momento de usar (ou não) uma garantia

As garantias de serviço não são apropriadas para todas as companhias, e certamente também não o são em toda e qualquer situação de serviço. Antes de implementar uma estratégia de garantia do serviço, uma empresa precisa tratar de uma série de questões importantes (ver Quadro 7.4). Uma garantia provavelmente *não* é a estratégia correta quando:

- *A qualidade em vigor na companhia é ruim.* Antes de instituir uma garantia, a empresa precisa solucionar problemas de qualidade expressivos. Uma garantia certamente chama a atenção às falhas e à qualidade deficiente do serviço e, portanto, os custos de sua implementação nesse caso sobrepujam facilmente os seus benefícios. Estes custos incluem as compensações financeiras pagas a clientes por conta de serviços deficientes e os custos associados à preferência do consumidor.
- *Uma garantia não se encaixa à imagem da companhia.* Se a companhia já tem uma reputação de oferecer boa qualidade, e de fato garante o serviço de forma implícita, então uma garantia formal provavelmente não será necessária. Por exemplo, se a rede de hotéis Four Seasons oferecesse uma garantia explícita, esta poderia confundir os clientes que já esperam o mais alto nível de qualidade, garantido tacitamente, desta rede de hotéis de alto padrão. As pesquisas indicam que as vantagens em oferecer uma garantia para uma rede de hotéis de alta classe, como o Four Seasons e o Ritz-Carlton, podem ser expressivamente menores do que as vantagens desfrutadas por um hotel mais simples, e os benefícios talvez não justifiquem os custos.[56]
- *A qualidade do serviço é verdadeiramente incontrolável.* As prestadoras de serviço deparam-se com situações em que a qualidade do serviço é verdadeiramente incontrolável. A título de

ilustração, não seria muito indicado para uma universidade garantir que todos os alunos de MBA consigam o emprego que desejam logo após a formatura – a instituição não tem o poder de controlar os empregos disponíveis no mercado. Pelo mesmo motivo, uma companhia aérea que tem voos partindo de Chicago no inverno não deveria garantir partidas na hora, em virtude da imprevisibilidade e impossibilidade de controlar condições climáticas adversas.

- *Existe a probabilidade de o cliente abusar da garantia.* O temor acerca do comportamento oportunista de um cliente, que inclui a trapaça ou a solicitação fraudulenta de uma garantia de serviço, é uma das razões mais comuns para as empresas hesitarem em oferecer uma garantia.[57] Um estudo descobriu que as garantias são mais abusadas quando oferecidas em situações nas quais uma grade porcentagem dos clientes não é regular.[58] Contudo, o abuso das garantias de serviço é muito pequeno e não é prática disseminada.[59] Por exemplo, todo ano a rede de hotéis Hampton Inn® reembolsa menos de 0,5% de suas receitas com quartos a clientes insatisfeitos.

- *Os custos de uma garantia são maiores do que as vantagens que ela traz.* Tal como ocorre com qualquer investimento em qualidade, a empresa vai precisar calcular criteriosamente os custos esperados (as compensações por falhas e as despesas com melhorias) em relação às vantagens esperadas (a fidelidade do cliente, as melhorias com qualidade, a conquista de novos clientes, a publicidade boca a boca).

- *Os clientes percebem pouco risco no serviço.* Em geral, as garantias são mais eficazes sempre que os clientes estão incertos acerca da empresa e/ou da qualidade dos serviços que ela oferece. A garantia tem o poder de mitigar incertezas e reduzir riscos.[60] Se a percepção do risco é baixa, se o serviço é relativamente barato e pode ser prestado por diversas prestadoras, e se a qualidade é relativamente invariável, então é provável que a eficácia da garantia se limitará a gerar valor promocional para a companhia.

A TROCA OU A PERMANÊNCIA COM A PRESTADORA APÓS A RECUPERAÇÃO DO SERVIÇO

Em termos gerais, o modo como uma falha é tratada e a reação do cliente ao esforço de recuperação são fatores determinantes da fidelidade à prestadora ou da troca por outra. Em um estudo com 720 membros de HMOs*, os pesquisadores descobriram que aqueles que não estavam satisfeitos com a recuperação do serviço eram muito mais propensos a trocar de prestadora de serviços de saúde do que os que estavam contentes com o modo como seus problemas foram resolvidos.[61] A troca de prestadora por um cliente dependerá, além disso, de outros fatores. A magnitude e a gravidade da falha são fatores indiscutíveis na decisão de recompra futura. Quanto mais grave a falha, mais provável a troca de prestadora, não importando o esforço de recuperação feito.[62]

A natureza do relacionamento entre cliente e empresa também desempenha um importante papel na fidelidade do cliente ou na sua decisão de trocar de prestadora. Pesquisas indicam que os clientes que mantêm relacionamentos "verdadeiros" com suas prestadoras são mais compreensivos quanto a falhas mal resolvidas e menos inclinados a trocar em comparação com os que têm "pseudorrelacionamentos" ou "encontros".[63] Um relacionamento verdadeiro é aquele em que o cliente tem contatos constantes com um mesmo funcionário de uma empresa ao longo do tempo. Por sua vez, um relacionamento baseado em encontros é aquele em que o cliente tem apenas um contato, em termos de transação efetivada, com a companhia. Um pseudorrelacionamento é caracterizado por interações repetidas com uma empresa, mas sempre com funcionários diferentes.

---

* N. de T.: *Health Maintenance Organizations*: organizações norte-americanas que oferecem modalidades específicas de planos de saúde que, diferentemente dos planos tradicionais, trazem orientações para os médicos atenderem aos pacientes. Na média, a cobertura oferecida custa menos do que aquela disponibilizada por planos típicos, o que também limita as opções de tratamento.

Outras pesquisas revelam que a atitude de um cliente relativa à troca exerce forte influência sobre a possibilidade de ele acabar permanecendo com a prestadora, e que esta atitude é mais influente do que o nível básico de satisfação com o serviço.[64] Esta pesquisa sugere que certos clientes têm uma maior propensão a trocar de prestadora de serviço, não importa como as situações de falha são resolvidas. Por exemplo, uma pesquisa conduzida em um contexto de serviço *on-line* revela que fatores demográficos, como idade e renda, além de aspectos do próprio indivíduo, como aversão ao risco, influenciam a fidelidade do cliente no setor.[65] O "cliente que troca de serviço *on-line*" aparece na pesquisa tendo um perfil que sofre a influência para assinar o serviço por conta de uma publicidade boca a boca positiva, que não utiliza o serviço com muita frequência, que se satisfaz e se envolve menor com o serviço, que tem renda e escolaridade menores do que a média, e que apresenta maior inclinação para correr riscos.

Por fim, a decisão de trocar a prestadora atual por outra talvez não ocorra imediatamente após a falha no serviço ou na sua recuperação deficiente; ao contrário, ela pode acontecer devido a uma série de eventos. Isso significa que é possível interpretar a troca como um processo resultante de uma série de decisões e encontros críticos de serviço ao longo do tempo, não como uma decisão tomada em um momento específico.[66] Este processo de orientação sugere que as companhias são capazes de rastrear as interações com seus clientes e de prever a probabilidade de deserção com base em uma sequência de eventos, assim intervindo no início do processo a fim de que o cliente desista da troca.

Apesar de os clientes poderem decidir trocar de empresa prestadora em função de uma variedade de motivos, são a falha no serviço e a sua má recuperação os fatores que mais comumente levam a este comportamento. Um estudo que investigou cerca de 500 incidentes de troca de prestadora identificou oito temas gerais subjacentes à decisão por desertar.[67] Estes temas (precificação, inconveniência, falha no serviço principal, falha no encontro de serviço, resposta à falha no serviço, competição, problemas éticos e troca involuntária) são mostrados na Figura 7.7. Em cerca de 200 desses incidentes, um único tema foi identificado como a causa para a troca de prestadora de serviço, e as duas maiores categorias relacionaram-se à falha no serviço. A falha no serviço principal foi o motivo da troca para 25% dos entrevistados, e a falha no encontro de serviço foi a razão para outros 20% da amostra. Nos incidentes que listam dois temas, 29% dos entrevistados mencionaram

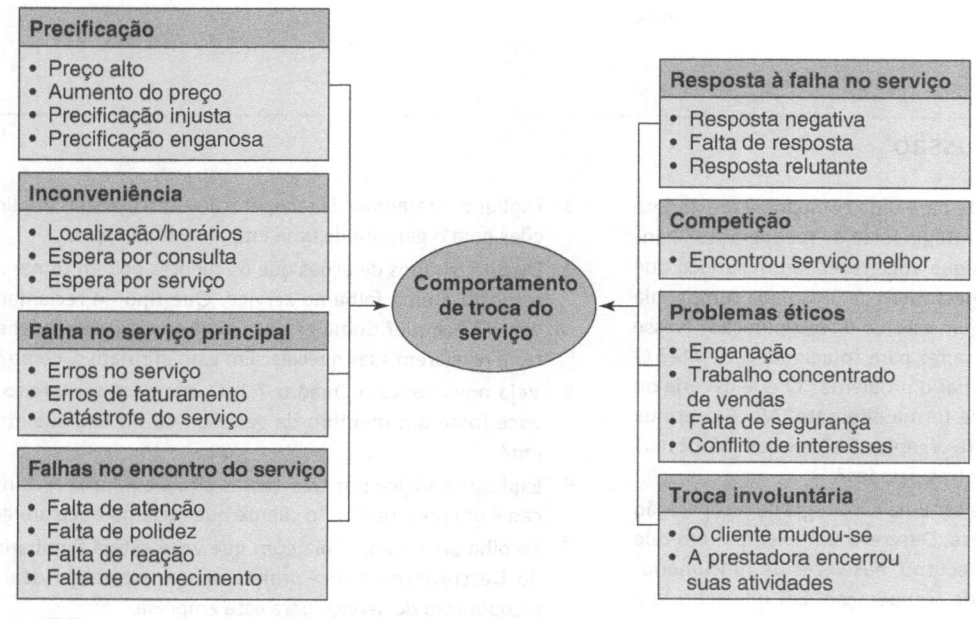

Figura 7.7 As causas da troca do serviço.

Fonte: Reproduzido com permissão da American Marketing Association. S. Keaveney, "Customer Switching Behavior in Service Industries: An Exploratory Study," *Journal of Marketing* 59 (April 1995), pp. 71–82.

a falha no serviço principal e 18% a falha no encontro de serviço como fatores que contribuíram para o desejo de trocar de prestadora. Uma resposta ineficiente à falha foi citada por outros 11% dos entrevistados como motivação para a troca. Conforme sugerem estes resultados, a falha no serviço pode fazer o cliente trocar de prestadora. No intuito de minimizar o impacto da falha no serviço, uma excelente recuperação do serviço se faz necessária.

Resumo

A Parte III deste livro (Capítulos 5, 6 e 7) se concentrou na importância de entender as expectativas dos clientes e nas muitas das estratégias que as companhias utilizam para alcançar este objetivo. Parte desta compreensão das expectativas dos clientes é estar preparado e saber o que fazer no caso de algo dar errado ou de ocorrer uma falha no serviço. Neste capítulo, voltamos nossas atenções para a recuperação do serviço, isto é, o conjunto de ações tomadas por uma organização em resposta a uma falha.

Vimos a importância de uma estratégia eficaz de recuperação do serviço no sentido de reter clientes e aumentar a publicidade boca a boca positiva. Outra grande vantagem em uma estratégia eficaz de recuperação é que as informações oferecidas podem ser úteis à melhoria do serviço. As prováveis desvantagens de uma má recuperação são imensas – publicidade negativa, clientes perdidos e, declínio nos negócios quando as questões de qualidade não são tratadas.

Neste capítulo abordamos como os clientes reagem a falhas no serviço e os motivos pelos quais alguns apresentam reclamações, enquanto outros não. Também vimos que os clientes esperam ser tratados com justiça ao apresentarem uma reclamação – não apenas em termos do resultado real ou da compensação que recebem, mas também quanto aos procedimentos adotados e à maneira como são tratados na esfera interpessoal. Enfatizamos que há um grande espaço para melhorias na eficácia da recuperação do serviço em diferentes empresas e setores.

A segunda metade deste capítulo se concentrou nos dois tipos de estratégias que as empresas utilizam para recuperar o serviço. Para "solucionar o cliente" após uma falha no serviço, as empresas precisam (1) responder com rapidez, (2) estabelecer uma comunicação adequada após o serviço falhar, (3) tratar os clientes com justiça ao longo do processo de recuperação e (4) cultivar relacionamentos com os clientes para talvez criar uma rede de proteção na ocorrência de outras falhas. Para "resolver o problema" e prevenir a recorrência de falhas do serviço, as empresas devem (1) encorajar e acompanhar as reclamações do cliente, (2) aprender com a experiência de recuperação, (3) aprender com os clientes perdidos e, na situação ideal, (4) tornar o serviço à prova de falhas "fazendo certo da primeira vez". O capítulo termina com uma discussão sobre as garantias de serviço como ferramenta utilizada por muitas companhias para facilitar a recuperação do serviço e para escutar os clientes – o que auxilia a fechar a lacuna da compreensão do cliente. Conhecemos os elementos de uma boa garantia, as vantagens das garantias de serviço e os prós e contras de adotar garantias sob diversas circunstâncias.

Questões para discussão

1. Por que é tão importante para uma companhia prestadora de serviços ter uma estratégia forte de recuperação? Pense em uma ocasião em que você recebeu um serviço que ficou abaixo de suas expectativas de uma dada companhia prestadora. Ocorreu algum esforço de recuperação? Nesse sentido, o que a empresa fez para solucionar o cliente? O que ela fez para solucionar o problema? O que deveria ou poderia ter sido feito de forma diferente? Você continua adquirindo serviços desta organização? Por quê? Você narrou sua experiência a outras pessoas?

2. Discuta os benefícios de ter uma estratégia de recuperação eficaz para uma empresa. Descreva um exemplo em que você presenciou (ou executou, nas vezes de funcionário) uma estratégia eficaz de recuperação. Em que sentido a empresa se beneficiou nesta situação?

3. Explique o paradoxo da recuperação e discuta suas implicações para o gerente de uma empresa de serviços.

4. Discuta os tipos de ações que os clientes podem tomar em resposta a uma falha no serviço. Que tipo de reclamante você é? Por quê? Como gerente, você encorajaria seus clientes a revelarem suas queixas? Em caso afirmativo, como?

5. Veja novamente o Quadro 7.1. O que você teria feito se você fosse um membro da gerência do hotel Doubletree Inn?

6. Explique a lógica por trás destas citações: "uma reclamação é um presente", e "o cliente que reclama é seu amigo".

7. Escolha uma companhia com que você esteja familiarizado. Descreva como você projetaria uma estratégia ideal de recuperação do serviço para esta empresa.

8. Quais são as vantagens de uma estratégia eficaz de garantia de serviço obtidas por uma empresa? Toda empresa prestadora de serviços deve ter uma estratégia deste tipo?
9. Descreva três garantias de serviço oferecidas por empresas ou organizações, além daquelas já descritas no capítulo. (Exemplos estão prontamente disponíveis na Internet.) Seus exemplos são boas garantias ou más garantias, com base nos critérios apresentados neste capítulo?

Exercícios

1. Escreva uma carta de reclamação (ou expresse sua queixa pessoalmente) a uma organização prestadora de serviços com a qual você vivenciou um serviço que ficou abaixo do nível desejado. O que você espera que a organização faça como esforço de recuperação? (Posteriormente, reporte os resultados de sua reclamação a seus colegas, sua satisfação ou insatisfação com a recuperação, o que deveria ou poderia ter sido feito de forma diferente e as probabilidades de você continuar utilizando o serviço.)
2. Entreviste cinco pessoas e indague acerca das expectativas que tiveram com a recuperação de serviços. O que aconteceu e o que elas esperavam que a empresa fizesse? Elas foram tratadas de maneira justa com base na definição de justiça na recuperação apresentada neste capítulo? Elas voltarão a adquirir os serviços da mesma empresa no futuro?
3. Entreviste um gerente. Pergunte sobre as estratégias de recuperação adotadas por sua empresa. Utilize as estratégias mostradas na Figura 7.4 para elaborar suas perguntas.
4. Leia novamente a seção Tecnologia em Foco deste capítulo, que apresenta a Cisco Systems. Visite o *site* de suporte (www.cisco.com/support) e estude o que a companhia está fazendo para ajudar seus clientes a resolver problemas. Compare as alternativas da Cisco com os esforços de autosserviço de outra prestadora de sua escolha.
5. Escolha um serviço com que você esteja familiarizado. Explique o serviço oferecido e desenvolva uma boa garantia de serviço para ele. Discuta os motivos pelos quais ela é excelente, e liste os benefícios que a empresa terá ao implementá-la.

Literatura citada

1. Para uma pesquisa que mostra os diferentes tipos de falhas no serviço, ver M. J. Bitner, B. H. Booms, and M. S. Tetreault, "The Service Encounter: Diagnosing Favorable and Unfavorable Incidents," *Journal of Marketing* 54 (January 1990), pp. 71–84; S. M. Keaveney, "Customer Switching Behavior in Service Industries: An Exploratory Study," *Journal of Marketing* 59 (April 1995), pp. 71–82.
2. Informações fornecidas por TARP Worldwide Inc., com base em dados de 10 estudos (que representam as respostas de mais de 8 mil clientes) conduzidos em 2006 e 2007. As companhias dos seguintes setores foram incluídas: varejo (lojas, catálogo e *on-line*), financiamento de automóveis e seguros (propriedade e acidentes pessoais).
3. Para uma pesquisa sobre os importantes resultados associados à recuperação do serviço, ver S. S. Tax, S. W. Brown, and M. Chandrashekaran, "Customer Evaluations of Service Complaint Experiences: Implications for Relationship Marketing," *Journal of Marketing* 62 (April 1998), pp. 60–76; S. S. Tax and S. W. Brown, "Recovering and Learning from Service Failure," *Sloan Management Review* 40 (Fall 1998), pp. 75–88; A. K. Smith and R. N. Bolton, "An Experimental Investigation of Customer Reactions to Service Failure and Recovery Encounters," *Journal of Service Research* 1 (August 1998), pp. 65–81; R. N. Bolton, "A Dynamic Model of the Customer's Relationship with a Continuous Service Provider: The Role of Satisfaction," *Marketing Science* 17, no. 1 (1998), pp. 45–65; A. K. Smith and R. N. Bolton, "The Effect of Customers' Emotional Responses to Service Failures on Their Recovery Effort Evaluations and Satisfaction Judgments," *Journal of the Academy of Marketing Science* 30 (Winter 2002), pp. 5–23; C. M. Voorhees, M. K. Brady, and D. M. Horowitz, "A Voice from the Silent Masses: An Exploratory and Comparative Analysis of Noncomplainers," *Journal of the Academy of Marketing Science* 34 (Fall 2006), pp. 514–527; C. Orsingher, S. Valentini, and M. de Angelis, "A Meta-analysis of Satisfaction with Complaint Handling in Services," *Journal of the Academy of Marketing Science* 38 (2010), pp. 169–186.
4. As informações incluídas na Figura 7.2 são baseadas em dados de 10 estudos conduzidos em 2006 e 2007, TARP Worldwide Inc.
5. Ibid; Voorhees, Brady, and Horowitz, "A Voice from the Silent Masses."
6. Estudos National Customer Rage de 2007, 2005 e 2004 feitos pela Customer Care Alliance em colaboração com o Center for Services Leadership na W. P. Carey School of Business da Arizona State University.
7. Tax and Brown, "Recovering and Learning from Service Failure."
8. Resultados agregados dos estudos National Customer Rage (2003–2007) conduzidos pela Customer Care Alliance.
9. Ver C. W. Hart, J. L. Heskett, and W. E. Sasser Jr., "The Profitable Art of Service Recovery," *Harvard Business Review*

68 (July–August 1990), pp. 148–156; M. A. McCollough and S. G. Bharadwaj, "The Recovery Paradox: An Examination of Consumer Satisfaction in Relation to Disconfirmation, Service Quality, and Attribution Based Theories," in *Marketing Theory and Applications*, ed. C. T. Allen et al. (Chicago: American Marketing Association, 1992), p. 119.

10. C. A. de Matos, J. L. Henrique, and C. A. V. Rossi, "Service Recovery Paradox: A Meta-analysis," *Journal of Service Research* 10 (August 2007), pp. 60–77.

11. Smith and Bolton, "An Experimental Investigation of Customer Reactions to Service Failure and Recovery Encounters."

12. V. P. Magnini, J. B. Ford, E. P. Markowski, and E. D. Honeycutt Jr., "The Service Recovery Paradox: Justifiable Theory or Smoldering Myth?" *Journal of Services Marketing* 21, no. 3 (2007), pp. 213–225; J. G. Maxham III and R. G. Netemeyer, "A Longitudinal Study of Complaining Customers' Evaluations of Multiple Service Failures and Recovery Efforts," *Journal of Marketing* 66 (October 2002), pp. 57–71; M. A. McCullough, L. L. Berry, and M. S. Yadav, "An Empirical Investigation of Customer Satisfaction after Service Failure and Recovery," *Journal of Service Research* 3 (November 2000), pp. 121–137.

13. S. Michel and M. L. Meuter, "The Service Recovery Paradox: True but Overrated?" *International Journal of Service Industry Management* 19, no. 4 (2008), pp. 441–457; R. Priluck and V. Lala, "The Impact of the Recovery Paradox on Retailer-Customer Relationships," Managing Service Quality 19, no. 1 (2009), pp. 42-59.

14. Para os fundamentos da pesquisa sobre tipologias das reações dos clientes às falhas dos serviços, ver R. L. Day and E. L. Landon Jr., "Towards a Theory of Consumer Complaining Behavior," in *Consumer and Industrial Buying Behavior*, ed. A. Woodside, J. Sheth, and P. Bennett (Amsterdam: North-Holland, 1977); J. Singh, "Consumer Complaint Intentions and Behavior: Definitional and Taxonomical Issues," *Journal of Marketing* 52 (January 1988), pp. 93–107; J. Singh, "Voice, Exit, and Negative Word-of-Mouth Behaviors: An Investigation across Three Service Categories," *Journal of the Academy of Marketing Science* 18 (Winter 1990), pp. 1–15.

15. Smith and Bolton, "The Effect of Customers' Emotional Responses to Service Failures." M. Zeelenberg and R. Pieters, "Beyond Valence in Customer Dissatisfaction: A Review and New Findings on Behavioral Responses to Regret and Disappointment in Failed Services," *Journal of Business Research* 57 (2004), pp. 445–455.

16. Voorhees, Brady, and Horowitz, "A Voice from the Silent Masses."

17. N. Stephens and K. P. Gwinner, "Why Don't Some People Complain? A Cognitive–Emotive Process Model of Consumer Complaining Behavior," *Journal of the Academy of Marketing Science* 26 (Spring 1998), pp. 172–189.

18. Ibid.

19. Para leitura complementar sobre a raiva do cliente, ver J. R. McColl-Kennedy, P. G. Patterson, A. K. Smith, and M. K. Brady, "Customer Rage Episodes: Emotions, Expressions, and Behaviors," *Journal of Retailing* 85, no. 2 (2009), pp. 222–237 e P. G. Patterson, J. R. McColl-Kennedy, A. K. Smith, and Z. Lu, "Customer Rage: Triggers, Tipping Points, and Take-Outs," *California Management Review* 52 (Fall 2009), pp. 6–28.

20. T. Hennig-Thurau, K. P. Gwinner, G. Walsh, and D. D. Gremler, "Electronic Word-of-Mouth via Consumer-Opinion Platforms: What Motivates Consumers to Articulate Themselves on the Internet?" *Journal of Interactive Marketing* 18 (Winter 2004), pp. 38–52.

21. Existem muitos *sites* desse tipo, como www.untied.com (para experiências com a United Airlines), www.starbucked.com (para o Starbucks), e www.homedepotsucks.com (para The Home Depot).

22. J. C. Ward and A. L. Ostrom, "Complaining to the Masses: The Role of Protest Framing in Customer-Created Complaint Web Sites," *Journal of Consumer Research* 33 (September 2006), pp. 220–230.

23. J. Singh, "A Typology of Consumer Dissatisfaction Response Styles," *Journal of Retailing* 66 (Spring 1990), pp. 57–99.

24. Davidow, "Organizational Responses to Customer Complaints."

25. Estudo conduzido em 2007 pela TARP Worldwide Inc.

26. Estudo National Customer Rage 2007 conduzido pela Customer Care Alliance.

27. Estudo conduzido em 2007 pela TARP Worldwide Inc.

28. J. R. McColl-Kennedy and B. A. Sparks, "Application of Fairness Theory to Service Failures and Service Recovery," *Journal of Service Research* 5 (February 2003), pp. 251–266; M. Davidow, "Organizational Responses to Customer Complaints: What Works and What Doesn't," *Journal of Service Research* 5 (February 2003), pp. 225–250.

29. Estudo National Customer Rage 2007 conduzido pela Customer Care Alliance.

30. Davidow, "Organizational Responses to Customer Complaints." Ver também T. Gruber, "I Want to Believe They Really Care: How Complaining Customers Want to Be Treated by Frontline Employees," *Journal of Service Management* 22, no. 1 (2011), pp. 85–110.

31. Estudo National Customer Rage 2007 conduzido pela Customer Care Alliance.

32. L. L. Berry and K. Seiders, "Serving Unfair Customers," *Business Horizons* 51 (January/February 2008), pp. 29–37.

33. J. Dunning, A. Pecotich, and A. O'Cass, "What Happens When Things Go Wrong? Retail Sales Explanations and Their Effects," *Psychology and Marketing* 21, no. 7 (2004), pp. 553–572; McColl-Kennedy and Sparks, "Application of Fairness Theory to Service Failures and Service Recovery"; Davidow, "Organizational Responses to Customer Complaints"; Berry and Seiders, "Serving Unfair Customers."

34. Ver Tax, Brown, and Chandrashekaran, "Customer Evaluations of Service Complaint Experiences"; Tax and Brown, "Recovering and Learning from Service Failure."

35. Tax and Brown, "Recovering and Learning from Service Failure."

36. Smith and Bolton, "The Effect of Customers' Emotional Responses to Service Failures."

37. Hess, Ganesan, and Klein, "Service Failure and Recovery"; Priluck, "Relationship Marketing Can Mitigate Product and Service Failures."

38. T. DeWitt and M. K. Brady, "Rethinking Service Recovery Strategies: The Effect of Rapport on Consumer Responses to

Service Failure," *Journal of Service Research* 6 (November 2003), pp. 193–207.

39. Hess, Ganesan, and Klein, "Service Failure and Recovery."
40. Y. Gregoire, T. M. Tripp, and R. Legoux, "When Customer Love Turns into Lasting Hate: The Effects of Relationship Strength and Time on Customer Revenge and Avoidance," *Journal of Marketing* 73 (November 2009), pp. 18–32. Contudo, pesquisas recentes sugerem o efeito oposto, isto é, os clientes com relacionamentos fortes com uma empresa na verdade "sobem o nível" em relação à recuperação do serviço e se sentem traídos se a empresa não atende a essas expectativas. Ver B. B. Holloway, S. Wang, and S. E. Beatty, "Betrayal? Relationship Quality Implications in Service Recovery," *Journal of Services Marketing* 23, no. 6 (2009), pp. 385–396.
41. L. M. Fisher, "Here Comes Front-Office Automation," *Strategy and Business* 13 (Fourth Quarter, 1999), pp. 53–65; R. A. Shaffer, "Handling Customer Service on the Web," *Fortune,* March 1, 1999, pp. 204, 208.
42. S. W. Brown, "Service Recovery through IT," *Marketing Management* 6, (Fall 1997), pp. 25–27.
43. L. L. Berry and A. Parasuraman, *Marketing Services* (New York: Free Press, 1991), p. 52.
44. F. F. Reichheld, "Learning from Customer Defections," *Harvard Business Review* 74 (March–April 1996), pp. 56–69.
45. Ibid.
46. A. Parasuraman, V. A. Zeithaml, and L. L. Berry, "SERVQUAL: A Multiple-Item Scale for Measuring Consumer Perceptions of Service Quality," *Journal of Retailing* 64 (Spring 1988), pp. 64–79.
47. M. Colgate, V. T.-U. Tong, C. K.-C. Lee, and J. U. Farley, "Back from the Brink: Why Customers Stay," *Journal of Service Research* 9 (February 2007), pp. 211–228.
48. R. B. Chase and D. M. Stewart, "Make Your Service Fail-Safe," *Sloan Management Review* 35 (Spring 1994), pp. 35–44.
49. Ibid.
50. F. R. Reichheld and W. E. Sasser Jr., "Zero Defections: Quality Comes to Services," *Harvard Business Review* 68 (September–October 1990), pp. 105–107.
51. Essas características foram propostas e discutidas em C. W. L. Hart, "The Power of Unconditional Guarantees," *Harvard Business Review* 66 (July–August 1988), pp. 54–62; C. W. L. Hart, *Extraordinary Guarantees* (New York: AMACOM, 1993).
52. Para mais informações, ver M. A. McCollough and D. D. Gremler, "Guaranteeing Student Satisfaction: An Exercise in Treating Students as Customers," *Journal of Marketing Education* 21 (August 1999), pp. 118–130; D. D. Gremler and M. A. McCollough, "Student Satisfaction Guarantees: An Empirical Examination of Attitudes, Antecedents, and Consequences," *Journal of Marketing Education* 24 (August 2002), pp. 150–160.
53. A. L. Ostrom and C. W. L. Hart, "Service Guarantees: Research and Practice," in *Handbook of Services Marketing and Management,* ed. D. Iacobucci and T. Swartz (Thousand Oaks, CA: Sage, 2000), pp. 299–316.
54. Ver Ibid.; Hart, "The Power of Unconditional Guarantees," Hart, *Extraordinary Guarantees.*
55. A. L. Ostrom and D. Iacobucci, "The Effect of Guarantees on Consumers' Evaluation of Services," *Journal of Services Marketing* 12, no. 5 (1998), pp. 362–378; S. B. Lidén and P. Skålén, "The Effect of Service Guarantees on Service Recovery," *International Journal of Service Industry Management* 14, no. 1 (2003), pp. 36–58.
56. J. Wirtz, D. Kum, and K. S. Lee, "Should a Firm with a Reputation for Outstanding Service Quality Offer a Service Guarantee?" *Journal of Services Marketing* 14, no. 6 (2000), pp. 502–512.
57. J. Wirtz, "Development of a Service Guarantee Model," *Asia Pacific Journal of Management* 15 (April 1998), pp. 51–75.
58. J. Wirtz and D. Kum, "Consumer Cheating on Service Guarantees," *Journal of the Academy of Marketing Science* 32 (Spring 2004), pp. 159–175.
59. Wirtz, "Development of a Service Guarantee Model."
60. Ostrom and Iacobucci, "The Effect of Guarantees."
61. D. Sarel and H. Marmorstein, "The Role of Service Recovery in HMO Satisfaction," *Marketing Healthcare Services* 19 (Spring 1999), pp. 6–12.
62. McCullough, Berry, and Yadav, "An Empirical Investigation of Customer Satisfaction after Service Failure and Recovery."
63. A. S. Mattila, "The Impact of Relationship Type on Customer Loyalty in a Context of Service Failures," *Journal of Service Research* 4 (November 2001), pp. 91–101; ver também R. L. Hess Jr., S. Ganesan, and N. M. Klein, "Service Failure and Recovery: The Impact of Relationship Factors on Customer Satisfaction," *Journal of the Academy of Marketing Science* 31 (Spring 2003), pp. 127–145; R. Priluck, "Relationship Marketing Can Mitigate Product and Service Failures," *Journal of Services Marketing* 17, no. 1 (2003), pp. 37–52.
64. H. S. Bansal and S. F. Taylor, "The Service Provider Switching Model (SPSM)," *Journal of Service Research* 2 (November 1999), pp. 200–218.
65. S. M. Keaveney and M. Parthasarathy, "Customer Switching Behavior in Online Services: An Exploratory Study of the Role of Selected Attitudinal, Behavioral, and Demographic Factors," *Journal of the Academy of Marketing Science* 29 (Fall 2001), pp. 374–390.
66. I. Roos, "Switching Processes in Customer Relationships," *Journal of Service Research* 2 (August 1999), pp. 68–85; I. Roos and A. Gustafsson, "Understanding Frequent Switching Patterns: A Crucial Element in Managing Customer Relationships," *Journal of Service Research* 10 (August 2007), pp. 93–108.
67. Keaveney, "Customer Switching Behavior in Service Industries."

Parte IV
Como alinhar o projeto e os padrões de serviço

Capítulo 8 A inovação e o projeto do serviço
Capítulo 9 Os padrões de serviço definidos pelo cliente
Capítulo 10 As evidências físicas e o cenário de serviços

Satisfazer as expectativas do cliente requer não apenas o entendimento do que são estas expectativas, como também tomar as atitudes necessárias com base neste conhecimento. Estas ações assumem diversas formas: o projeto de serviços inovadores e de melhorias no serviço com base nas exigências dos clientes, a definição de padrões de serviço que garantam que todos os serviços sejam executados conforme as expectativas dos clientes e a disponibilização de evidências físicas que gerem as indicações e o ambiente adequados para o serviço. No caso de uma ação não se concretizar, ocorre uma lacuna – a lacuna do projeto e dos padrões de serviço – conforme mostra a figura a seguir. Nesta seção, você vai aprender a identificar as causas da lacuna 2 e as estratégias eficazes para o seu fechamento.

A lacuna 2 da empresa

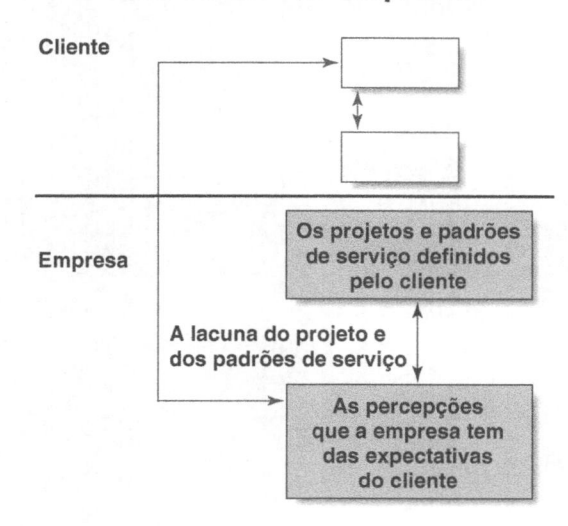

Cliente

Empresa

Os projetos e padrões de serviço definidos pelo cliente

A lacuna do projeto e dos padrões de serviço

As percepções que a empresa tem das expectativas do cliente

Parte IV   Como alinhar o projeto e os padrões de serviço

O Capítulo 8 descreve os conceitos e as ferramentas eficazes na inovação e no projeto do serviço, com destaque para o chamado mapa do serviço. O Capítulo 9 auxilia a verificar as diferenças entre os padrões definidos pela companhia e os definidos pelo cliente, e a reconhecer modos de desenvolvê-los. O Capítulo 10 explora a importância estratégica das evidências físicas, os diversos papéis que estas evidências desempenham, e as estratégias para o projeto eficaz das evidências físicas e do cenário do serviço para atender às expectativas dos clientes.

Capítulo 8

A inovação e o projeto do serviço

Os objetivos deste capítulo são:
1. Descrever os desafios inerentes à inovação e ao projeto do serviço.
2. Apresentar uma gama de diferentes tipos de inovações do serviço, incluindo a inovação na oferta do serviço, a inovação nos papéis do cliente e a inovação por meio de soluções do serviço.
3. Discutir a importância de engajar os clientes e funcionários e de utilizar a filosofia do projeto de serviço na inovação.
4. Apresentar os estágios e os elementos exclusivos da inovação do serviço e dos processos de desenvolvimento.
5. Demonstrar o valor do mapa do serviço como técnica de inovação e projeto do serviço, e apresentar o modo como desenvolver e interpretar estes mapas.

Os serviços inovadores são os mecanismos de crescimento e lucro para a PetSmart[1]

Apesar da crise econômica mundial, os serviços inovadores continuam seguindo uma forte trajetória de crescimento na líder do mercado *pet* nos Estados Unidos, a PetSmart. Com mais de 1.100 *pet shops* nos Estados Unidos, Canadá e Porto Rico, além de uma receita anual que atingiu a marca dos $5,7 bilhões em 2010, a visão da PetSmart é atender aos "pais de *pets*" mediante a "atenção total por toda a vida" de seus animais de estimação. Os "pais de *pets*" são descritos como pessoas cujos amigos peludos são antes um filho do que um animal de estimação, e que muitas vezes estão dispostos a sacrificar suas próprias necessidades em favor das necessidades e dos produtos para seus bichinhos. Embora a receita média anual da empresa tenha caído em mais de 20% no período 2001-2007, os serviços da PetSmart cresceram a uma taxa de 7,5% em 2010.

Para a PetSmart, a atenção total para toda a vida consiste em ofertar produtos e serviços para *pets*, do berço ao túmulo. Ainda que a venda de rações, brinquedos e acessórios faça parte desta visão, o cuidado vitalício, por assim dizer, implica muito mais. A empresa também oferece adestramento completo, banho e tosa, e cuidados diurnos e noturnos em seus hotéis para animais. Os hotéis PetsHotels da PetSmart não apenas garantem a segurança do animal no local nas 24 horas do dia, como oferecem atenção de profissionais e uma "experiência completa para o animal". Essa experiência inclui brincadeiras em grupo, durante as quais os animais podem socializar, além de lanches e mimos especiais e o "Bone Booth"*, um serviço que permite ao dono telefonar à loja e falar com seu animal. Os donos podem escolher as acomodações para seus animais, que variam

---

* N. de T.: O termo *bone* significa "osso" e possivelmente forma um jogo de palavras com *phone booth*, ou cabine telefônica.

O conceito de hotel da PetSmart.

de uma sala especial envidraçada a uma suíte, que inclui uma televisão sintonizada em um canal com programação sobre animais. Outros serviços incluem treinamentos ao ar livre para cães durante suas estadas no hotel, lanches especiais e um banho relaxante na saída. A PetSmart oferece uma gama de serviços relacionados a banho e tosa, escova, cuidado dos dentes e unhas e outras especialidades *pet*. Esses serviços têm a "Garantia de Visual Lindo", a qual oferece o dinheiro de volta se os pais dos *pets* não gostarem da aparência de seus animais de estimação após o serviço.

Os serviços inovadores nem sempre fizeram parte das ofertas da PetSmart para esse mercado. Na verdade, no final da década de 1990, a PetSmart era chamada de PetsMart – com ênfase no termo "Mart"*: a empresa era uma rede de lojas no estilo grande varejista focada quase exclusivamente na venda de ração animal, brinquedos e outros produtos da linha *pet*. As margens de lucro de seus produtos eram muito baixas. A Walmart estava invadindo seu nicho de venda de produtos *pet* tradicionais, e uma breve experiência com a venda de produtos *on-line* não solucionou o problema da rentabilidade em queda da companhia. No começo da década de 2000, o redirecionamento das atividades para o setor de serviços e o foco na eficiência operacional no setor varejista em que tradicionalmente sempre atuou resgataram a empresa. Desde então, os serviços representam um mecanismo de crescimento e lucro para a PetSmart, e a transição para esses serviços inovadores é muito consistente com a visão de longo prazo e o compromisso da companhia com animais de estimação. Este compromisso se reflete também na PetSmart Charities, uma organização independente sem fins lucrativos dedicada à proteção dos animais e à adoção de animais de estimação. Ele também se manifesta no *site* da empresa, o qual exibe fotos de seus executivos com seus animais de estimação, e em seus escritórios, toda sexta-feira, quando os funcionários têm permissão e são incentivados a trazerem seus próprios animais para o trabalho.

Para a PetSmart, o redirecionamento das atividades para o setor de serviços foi uma iniciativa corajosa, a qual exigiu investimentos no projeto das lojas no sentido de acomodar as áreas de cuidados e hospedagem *pet*. Em tese, essas áreas necessitam de espaço, leiautes diferentes e estilos distintos em comparação com o projeto tradicional de uma loja. Essa transformação também exigiu investimentos no treinamento e na contratação de diferentes tipos de funcionários que interagem com animais de estimação e os respectivos donos em cenários de serviço acolhedores. Por exemplo, quando a empresa intensificou a oferta de serviços de banho e tosa, ela percebeu a escassez de profissionais treinados e de qualidade para dar suporte a essa nova estratégia. Por essa razão, a empresa desenvolveu seu próprio programa de treinamento e certificação, com 400 horas de duração e que se estende por 12 semanas, para capacitar os contratados. A remodelação das lojas e as iniciativas relativas ao treinamento de profissionais são indicativos dos desafios relacionados a tipos de projeto, recursos humanos e integração que muitas empresas precisam enfrentar quando entram no mundo da prestação de serviços. Para a PetSmart, essa mudança para os serviços foi sem dúvida uma das melhores iniciativas que a empresa já adotou!

---

* N. de T.: Corruptela do termo *market*, "mercado".

Por que a PetSmart, em nosso texto de abertura, foi tão exitosa com as inovações nos serviços que adotou? Por que outras empresas fracassaram ao introduzir novos serviços no mercado? Se você decidir abrir sua própria empresa, ou se sua empresa deseja introduzir inovações nos serviços que oferece, o que você pode fazer para aumentar as chances de sucesso? Uma análise conduzida com mais de 60 estudos sobre o sucesso de novos produtos e serviços revelou que os indicadores mais confiáveis do sucesso de lançamentos relacionam-se com as *características dos produtos/ serviços* (a capacidade do produto em satisfazer as necessidades dos clientes, a vantagem competitiva do produto, o grau de sofisticação tecnológica), as *características da estratégia* (os recursos humanos dedicados ao suporte à iniciativa, os esforços em pesquisa e desenvolvimento [P&D] concentrados no novo produto), as *características de processo* (marketing, pré-desenvolvimento, proficiências tecnológicas e de lançamento) e as *características de mercado* (o potencial de mercado).[2] As falhas, por outro lado, podem ser atribuídas a uma série de causas: a falta de benefícios oferecidos, a demanda insuficiente, os objetivos irrealistas para o novo produto/serviço, a pouca relação entre o novo serviço e os já existentes no portfólio da organização, a má localização, apoio financeiro insuficiente, ou a falha ao reservar o tempo necessário para desenvolver e lançar o produto.[3] É comum vermos uma boa ideia de serviço fracassar em função de imperfeições no desenvolvimento, no projeto e na especificação, tópicos enfatizados neste capítulo. À medida que cada vez mais empresas voltam-se para os serviços como estratégia de crescimento em diferentes setores, os desafios e as oportunidades para o desenvolvimento e a execução de ofertas de serviço tornam-se mais visíveis.

OS DESAFIOS À INOVAÇÃO E AO PROJETO DE SERVIÇOS

Em virtude de os serviços serem essencialmente intangíveis e orientados ao processo (como um período de internação hospitalar, uma lição de golfe, um jogo de basquete da NBA, ou um sofisticado serviço de consultoria em tecnologia da informação), eles são de difícil descrição e comunicação. Sempre que os serviços são executados ou cogerados com o cliente em um longo período – uma semana de férias em um *resort*, um contrato de seis meses de serviços de consultoria, um contrato plurianual de terceirização de processos de negócios, 10 semanas em um programa dos Vigilantes do Peso – seu grau de complexidade aumenta, o que também eleva a dificuldade enfrentada ao defini-los e descrevê-los. Além disso, em função de os serviços serem executados pelos funcionários para os clientes, eles são variáveis. Raramente dois serviços são iguais ou vivenciados da mesma maneira. Essas características essenciais dos serviços, que exploramos no primeiro capítulo, estão no cerne do desafio envolvido na inovação e no projeto de serviços. As empresas de atuação global e os governos em todo o mundo estão despertando para estes desafios e hoje reconhecem que, apesar da dominância dos serviços nas economias mundiais, relativamente há pouca dedicação à pesquisa e à inovação em serviços.[4] À medida que se revela a importância da inovação no serviço, iniciativas mais expressivas passam a aflorar em outros países, conforme descrito na seção Tema Global.

Como não é possível examinar, tocar ou experimentar serviços com facilidade, as pessoas via de regra recorrem a palavras em seus esforços para descrevê-los. Contudo, há uma diversidade de riscos inerentes à tentativa de descrever serviços apenas com palavras.[5] O primeiro risco é a *supersimplificação*. "Dizer que 'gestão de portfólios' significa 'comprar e vender estoques de ações' equivale a descrever um ônibus espacial como 'algo que voa'. Com uma definição destas, algumas pessoas visualizariam um pássaro, outras um helicóptero, outras ainda um anjo."[6] Palavras são simplesmente inadequadas para descrever um sistema complexo como a gestão de um portfólio financeiro. Em nossa economia globalizada, os sistemas de serviço cresceram em complexidade, muitas vezes envolvendo redes de empresas de serviço, clientes e a evolução de ofertas ao longo do tempo. No meio destes sistemas, os riscos de simplificar em demasia são ainda mais evidentes.

O segundo risco de utilizar apenas palavras é a *incompletude*. Ao descreverem serviços, as pessoas (funcionários, gerentes e clientes) tendem a omitir detalhes ou elementos do serviço com os quais não estão familiarizadas. Uma pessoa pode, com bastante confiabilidade, descrever o modo como um serviço de corretagem com desconto recebe os pedidos dos clientes. Mas, esta pessoa seria capaz de descrever, por completo, a maneira como os balancetes mensais são gerados? O modo de funcionamento de um computador interativo? O modo como estes dois elementos estão integrados no processo de pedido?

O terceiro destes riscos é a *subjetividade*. Qualquer pessoa que descreve um serviço em palavras insere um viés com base nas experiências passadas e no grau de exposição ao serviço. Há uma tendência natural (e errada) de supor que, em função de todas as pessoas já terem ido alguma vez a um restaurante de *fast food*, todas elas entendem o que é o serviço em questão. As pessoas que trabalham em diferentes áreas funcionais de uma mesma organização prestadora de serviços (funcionários do marketing, do setor de operações ou do departamento financeiro) provavelmente descreverão o serviço de formas muito diferentes, com um viés ditado por suas áreas de atuação.

O último risco presente na descrição de serviços apenas com palavras é a *interpretação tendenciosa*. Não existem duas pessoas que descreveriam os termos "responsivo", "rápido" e "flexível" de maneiras idênticas. Por exemplo, um supervisor ou gerente sugere a um funcionário de contato com o cliente que ele deveria tentar ser mais responsivo ou flexível na prestação do serviço. A menos que o termo "flexibilidade" seja definido, o funcionário provavelmente o interpretará de modo diferente do gerente.

Todos estes riscos e desafios ganham mais visibilidade no processo de desenvolvimento e inovação em serviços, quando uma organização se esforça por projetar serviços complexos inéditos para seus clientes, ou quando ela tenta alterar seus serviços existentes.[7]

CONSIDERAÇÕES IMPORTANTES SOBRE A INOVAÇÃO NOS SERVIÇOS

Nesta seção salientamos algumas considerações importantes na inovação ou no desenvolvimento de novos serviços. Em função das características inerentes aos serviços descritas no Capítulo 1 e dos desafios do desenvolvimento e da inovação recém abordados, hoje muitos gestores atuantes no setor entendem que a inovação nos serviços é diferente daquela do setor de produtos físicos. Uma vez que os serviços são intangíveis e baseados em processos, e sabendo que frequentemente envolvem interações entre clientes e funcionários, é importante envolver as duas partes nos diversos pontos do processo de inovação. Além disso, é preciso adotar uma mentalidade voltada para sistemas ou projetos, às vezes chamada "filosofia de projeto", para ter certeza de que todos os elementos sejam considerados e integrados. A seguir apresentamos uma visão geral dessas considerações como pano de fundo para as ferramentas, técnicas e abordagens descritas no restante deste capítulo.

Envolva clientes e funcionários

Uma vez que os serviços são produzidos, consumidos e cocriados em tempo real e muitas vezes envolvem a interação entre funcionários e clientes, é crucial que a inovação e os processos de desenvolvimento de novos serviços incluam tanto funcionários quanto clientes. Os funcionários frequentemente *são* o serviço, ou pelo menos eles prestam ou executam o serviço, assim, é importante a participação deles na escolha de novos serviços e na definição de seu projeto e implementação. Os funcionários de contato com o cliente estão psicológica e fisicamente próximos aos clientes e, segundo pesquisas, são muito úteis na identificação das suas necessidades por novos serviços.[8] Envolver os funcionários no processo de projeto e desenvolvimento também aumenta a probabilidade de sucesso do novo serviço, pois os funcionários conseguem identificar questões organizacionais que precisam ser resolvidas a fim de garantir a execução do serviço aos clientes.[9]

Como os clientes muitas vezes participam da execução e/ou cogeração do serviço, eles também deveriam ser envolvidos no processo de desenvolvimento de um novo serviço. Além de apenas fornecer informações sobre suas novas necessidades, os clientes também podem ajudar a projetar o conceito do serviço e o processo de sua execução, sobretudo em situações em que o cliente executa pessoalmente parte do processo de serviço. Por exemplo, o Bank of America teve sucesso ao desenvolver inovações em sua rede bancária ao confiar nos resultados de uma série de experiências em suas redes baseadas na cidade de Atlanta.[10] As experiências foram projetadas para testar essas inovações em seus serviços com mais rigor, em tempo real e com clientes reais antes de lançá-las em larga escala em todas as suas agências. Na mesma linha de atuação, a Clínica Mayo estabeleceu seu Centro de Inovação na cidade de Rochester para o desenvolvimento de experiências com inovações em serviços e teste de pacientes e médicos de verdade em um cenário-protótipo, antes de lançar os novos serviços (veja Quadro 8.1).

Adote a filosofia e as técnicas do projeto de serviços

Um dos desafios da inovação e do projeto de serviços diz respeito ao fato de eles serem processos baseados na experiência e que se desenvolvem com o transcorrer do tempo. Em alguns casos, o tempo necessário para a prestação possivelmente não passa de alguns minutos; em outros, a experiência do serviço talvez se estenda por horas, dias, semanas ou mesmo anos, como em um curso universitário ou um contrato de terceirização. Muitas vezes serviços ocorrem como uma sequência de etapas e atividades inter-relacionadas, as quais envolvem muitas pessoas, processos e elementos tangíveis. Por exemplo, funcionários, clientes, empresas contratadas, tecnologias, equipamentos e espaços físicos frequentemente entram na composição do serviço e, por isso, precisam ser inseridos em seu projeto. O resultado é que o projeto de uma oferta ou de um sistema de serviços exigirá a colaboração interdisciplinar, além de coordenação e troca de informações entre funções.

Ao reconhecer as complexidades e demandas inerentes à inovação nos serviços, o campo de atuação "projeto de serviço" ganhou espaço e atenção crescentes no ambiente de negócios, na consultoria de projeto, no marketing de serviços e em uma variedade de disciplinas acadêmicas. Em um estudo de abrangência global que identificou as prioridades na pesquisa da ciência dos serviços, o projeto de serviços ocupa um lugar de vanguarda, como uma das 10 prioridades de avaliação.[11] Diversas empresas de consultoria global hoje concentram esforços no projeto de serviços. Por exemplo, a empresa de projeto IDEO, baseada nos Estados Unidos, a Engine Service Design, no Reino Unido, e a Live/Work no mesmo país dedicam suas atividades ao projeto de serviços.

Qual é exatamente o significado de "projeto de serviços" e de "filosofia do projeto de serviços"? O que essas consultorias em projeto de serviços fazem para ajudar seus clientes a gerar excelentes inovações no setor? Embora não haja uma definição consensual, duas noções acolhidas por empresas e especialistas renomados devem ser citadas:

> "O projeto de serviços objetiva garantir que as interfaces dos serviços sejam úteis, usáveis e desejáveis da perspectiva do cliente, e eficientes e diferenciadas do ponto de vista da prestadora." Birgit Mager, professora de projeto de serviços, Universidade de Colônia, Alemanha.[12]

> "O projeto de serviços se concentra em dar vida à estratégia de serviços e às ideias inovadoras no setor, alinhando os diversos *stakeholders*, internos e externos, em torno da criação de experiências de serviço integradas para clientes, empresas, funcionários, parceiros comerciais e cidadãos." Centro de Liderança em Serviços, Universidade do Estado do Arizona.[13]

Diante da natureza interdisciplinar e interativa do projeto de serviços e do foco nas experiências do cliente, um conjunto de cinco princípios foi proposto como estrutura essencial à filosofia do projeto de serviços:[14]

Tema global — O imperativo da inovação nos serviços globais

"O incentivo à inovação nos serviços é essencial à melhoria no desempenho do setor de serviços... tradicionalmente, o setor é visto como menos inovador do que o setor de manufatura, e parece desempenhar um papel meramente de suporte no sistema de inovações."

Esta citação, do relatório da Organização para a Cooperação e o Desenvolvimento Econômico, com o título "A Promoção da Inovação em Serviços", nos faz pensar com seriedade no assunto, ainda mais quando consideramos a dimensão e o crescimento do setor. Por exemplo, nos Estados Unidos, os serviços representam aproximadamente 80% do PIB e da mão de obra e, ainda que estes números sejam os mais altos do mundo, percentuais semelhantes são encontrados na maioria das economias avançadas. Além disso, fica evidente que os serviços aumentam como força econômica em países como China, Índia e outras nações de crescimento rápido. Porém, a despeito da prevalência econômica e do crescimento dos serviços, o foco formal dado por empresas e governos à pesquisa e inovação em serviços é relativamente tímido, em comparação à atenção dispensada a produtos e tecnologias tangíveis. Nos últimos anos, as empresas e os países começaram a perceber a necessidade de inovação nos serviços. As empresas estão começando a ver que para crescerem e lucrarem no futuro, não poderão abrir mão da competitividade no setor de serviços — quer sejam organizações de serviços puros, quer sejam empresas de setores produtivos ou de alta tecnologia. Muitos governos estão também reconhecendo a necessidade de investir na inovação, educação e pesquisa em serviços, diante da realidade da economia global do setor.

Neste quadro apresentamos algumas iniciativas implementadas na inovação em serviços em todo o mundo.

Estados Unidos

Muito do ímpeto por trás da crescente consciência da necessidade de inovações em serviços pode ser atribuído à liderança da IBM. A capacidade de antevisão da companhia vem catalisando um movimento global para moldar o futuro das inovações no serviço e uma nova disciplina, que a IBM chama de "ciência, gestão e engenharia do serviço" (SSME, *service science, management and engineering*) para desenvolver profissionais capacitados para a economia de serviços. As divisões de pesquisa da IBM empregam cerca de 500 pesquisadores para a inovação em serviços (número este que era de apenas 50, em 2004), e a mensagem que a companhia emite hoje é ouvida por outras companhias norte-americanas de atuação global, como Oracle, Microsoft e Xerox. Embora o ímpeto inicial para a inovação nos serviços nos Estados Unidos passe pelo setor privado, as agências governamentais também estão começando a responder. Em 2007, o Congresso norte-americano aprovou a lei America COMPETES, que tem um parágrafo que autoriza um estudo para determinar a maneira como o governo federal deve apoiar a pesquisa e a educação para os serviços. Também em 2007 foi lançada a Iniciativa para a Pesquisa e Inovação em Serviços (*Service Research and Innovation Initiative*), como ferramenta para o fomento de parcerias na pesquisa em serviços entre empresas e representantes da comunidade acadêmica (www.thesrii.org).

Focado no usuário: Os serviços devem ser vivenciados e projetados de acordo com a perspectiva do cliente.

Cocriado: Todas as partes interessadas devem ser incluídas no processo de projeto do serviço.

Sequenciado: Um serviço deve ser visualizado como uma sequência de ações inter-relacionadas.

Evidente: Os serviços intangíveis devem ser visualizados em termos de elementos físicos.

Holístico: Todo o ambiente de serviço deve ser considerado.

Os projetistas do serviço que aderem a esses princípios "envolvem-se na visualização, na formulação e na coreografia de serviços que ainda não estão disponíveis. Eles observam e interpretam as necessidades e os comportamentos do cliente, transformando-os em serviços em potencial no futuro."[15] O projeto, a inovação e a melhoria das experiências com um serviço com base nestes princípios resulta em uma variedade de novos termos, técnicas e métodos desenvolvidos e aplicados especificamente na inovação.[16] Por exemplo, termos como *jornada do cliente*, *pontos de contato*, *persona*, *cocriação* e *protótipo de serviço* hoje fazem parte do vocabulário do projeto de

China

O governo chinês enfatiza o crescimento e a inovação em serviços como parte de seus recentes planos quinquenais. Na verdade, o PIB do país cresceu de 34% para 43% em serviços no período de alguns anos, e o objetivo é ter um crescimento ainda maior no curto prazo. A necessidade de inovação nos serviços é inquestionável na China, e surge de uma diversidade de avanços sociais e econômicos. Primeiro, existe a necessidade de serviços de infraestrutura (educação, saúde, transporte) para atender às massas que migram das áreas rurais para as cidades em busca de empregos e de maior bem-estar social. Um crescente setor manufatureiro também demanda serviços de transporte, despacho, financiamento e comercialização dos produtos gerados. Existe também o reconhecimento de que o país não pode se tornar um concorrente verdadeiramente globalizado somente com a atuação do setor produtivo. Estes fatores levaram o governo e as empresas a dedicarem atenção a estratégias para a inovação e o crescimento de serviços.

Alemanha

A Alemanha é um país reconhecido por sua atuação nos setores de engenharia e manufatura. Porém, há anos, desde o início da década de 1990, que o governo alemão reconhece a necessidade de concentrar esforços em serviços, e passou a financiar projetos e pesquisas voltados para a inovação no setor. Com a intermediação do Ministério Federal da Educação e Pesquisa, o governo começou a financiar a inovação em serviços, com o programa "Inovação com Serviços". Uma brochura que define o programa diz: "A força inovadora da Alemanha depende do caminho que o setor de maior valor agregado do país [o setor de serviços] tomará no sentido de tornar-se o condutor em um mercado cada vez mais globalizado". Um dos principais parceiros neste trabalho é o Instituto Fraunhofer (www.fraunhofer.de), uma organização de pesquisa aplicada financiada em grande parte pela indústria e por fundos de projeto distribuídos pelo governo. O instituto emprega mais de 18 mil pessoas, a maioria cientistas, pesquisadores e engenheiros. Por meio de seu ramo de engenharia industrial, o Fraunhofer hoje conduz mais de 200 estudos no desenvolvimento e na gestão de serviços. Nos últimos anos, o instituto estabeleceu "laboratórios de serviço" para testar inovações no setor em cenários experimentais.

Finlândia

Os países escandinavos exibem algumas das melhores classificações em termos de qualidade de vida e evolução econômica. A Finlândia normalmente ocupa as primeiras posições nessas classificações. Com um setor de serviços que hoje representa cerca de 68% da economia, a Finlândia também reconhece a necessidade de inovar em serviços. Por meio da Tekes (www.tekes.fi), a agência finlandesa de financiamento para tecnologia e inovação, o país financia pesquisas para aumentar e ampliar o desenvolvimento de serviços do setor, além de promover a pesquisa acadêmica relacionada principalmente à inovação em serviços baseados em tecnologia. A Tekes também tem parcerias ativas na inovação em serviços nos Estados Unidos, na China, na Europa e no Japão.

Fontes: M. J. Bitner and S. W. Brown, "The Service Imperative," *Business Horizons 50th Anniversary Issue 51* (January– February 2008), pp. 39–46; "Succeeding through Service Innovation," University of Cambridge Institute for Manufacturing and IBM, October 2007; e Organization for Economic Cooperation and Deve-lopment, "Promoting Innovation in Services," 2005; www.fraunhofer.de, August 2011; www.tekes.fi, August 2011.

---

serviços. As metodologias incluem narrativas, expedições de serviços, *shadowing**, *storyboards***, dramatizações de serviços, entre outras. Uma das principais técnicas do projeto de serviço é o mapa do serviço, apresentado em detalhes neste capítulo. O Quadro 8.1 descreve o Centro de Inovação da Mayo Clinic, e fornece um exemplo de filosofia de serviço em ação.

---

* N. de T.: Técnica baseada na observação de um grupo de pessoas para descobrir e determinar padrões de comportamento, atitude e outros atributos.

** N. de T.: Pranchas ou desenhos elaborados para retratar um momento ou uma cena específica. O *storyboarding* é uma técnica comum na indústria cinematográfica.

> **Tecnologia em foco** O Facebook: Uma inovação radical em serviços
>
> Quando o Facebook foi lançado no dormitório que Mark Zuckerberg ocupava na casa do estudante da Universidade de Harvard, em 2004, a iniciativa não passava de um meio de comunicação para os alunos da universidade. Segundo o reconhecido livro de David Kirkpatrick sobre a empresa, o nascimento do Facebook está associado a outros projetos de Zuckerberg no mesmo ano em Harvard— como o Course Match (um mecanismo para saber quem se matriculou em uma dada disciplina e encontrar as disciplinas cursadas por seus amigos) e o Facemash, cujo objetivo era descobrir quem era a pessoa mais atraente no campus. No inverno de 2004, Zuckerberg lançou o Thefacebook.com, com base nesses projetos anteriores e alguns elementos que convidavam as pessoas a criarem perfis pessoais. Mas o conceito original do Facebook era limitado e despretensioso. Semelhante a outras redes sociais da época, sua proposta principal era auxiliar as pessoas a estabelecerem contatos sociais, muitas vezes para encontros. Inicialmente, o público-alvo do Facebook estava limitado aos alunos de Harvard. Não tardou para que outras universidades pedissem para entrar no Thefacebook e fundar *sites* também para seus alunos. No final do período letivo de 2004, 34 faculdades haviam se unido ao Thefacebook, trazendo consigo cerca de 100 mil usuários. Mas isso foi só o começo.
>
> Em poucos anos, o Facebook (o nome foi alterado em 2005) cresceria a ponto de se tornar a cara das redes sociais. Em 2010, perto de 143 milhões de norte-americanos tinham uma conta ativa na rede social, o que correspondia a 46,8% da população do país! Hoje, os países com os maiores números de usuários são os Estados Unidos, a Indonésia, o Reino Unido, a Turquia, a França, as Filipinas, a Itália, o Canadá, o México, a Índia e a Alemanha (o leitor pode consultar o livro *The Facebook Effect* para mais detalhes).As estatísticas do Facebook de 2011 davam conta de que a rede possuía cerca de 750 milhões de usuários registrados em *todo o mundo* e que, em média, um usuário estava conectado a 80 páginas de comunidades, grupos e eventos na rede social. Além disso, esse usuário médio criava 90 postagens ao mês, e mais de 30 bilhões delas eram compartilhadas no mesmo período via *blogs, web links,* álbuns de fotos e outros mecanismos. O Facebook é uma empresa privada que não revela suas finanças, mas estima-se que as receitas da empresa em 2010 foram de $1,5 bilhão, no mínimo.
>
> Sem dúvida, o Facebook representa uma inovação radical e extremamente popular no setor de serviços, cuja trajetória de crescimento é extraordinária. Nunca houve nada parecido na Internet, e seus limites e fronteiras permanecem uma incógnita. A partir da rede social dedicada a estudantes de Harvard, a empresa evoluiu, tornando-se um complexo gigante das redes sociais. Alguns defendem a tese de que o Facebook transformou setores inteiros – como a indústria de jogos e de compartilhamento de fotos – por completo. Indo muito além de seu foco inicial na facilitação das conexões sociais, o Facebook introduziu muitos recursos novos e aplicativos para celulares, como o "Facebook Deals", o qual permite que usuários de *smart phones* marquem sua entra-

OS TIPOS DE INOVAÇÕES NO SERVIÇO

A inovação nos serviços é definida de diversas maneiras. Às vezes, quando as pessoas falam sobre a inovação no setor, elas na verdade estão se referindo à inovação e às melhorias associadas às ofertas do serviço propriamente ditas. Por exemplo, a significativa remodelação dos restaurantes do McDonald's e as mudanças no menu adotadas nos últimos anos são inovações no serviço da companhia. Também há casos em que a inovação nos serviços está associada com processos internos do serviço voltados para o aumento da produtividade e da eficiência da organização. A introdução de novos sistemas de suporte à tecnologia para os funcionários da linha de frente representa esse tipo de inovação. Há situações em que a inovação nos serviços está vinculada a melhorias na experiência do cliente ou mudanças significativas no papel que ele desempenha. Por exemplo, a proliferação de inovações no autoatendimento alterou de forma expressiva o papel do cliente em muitos setores. A seção Tecnologia em Foco deste capítulo, sobre o Facebook, mostra exemplos desse tipo de inovação radical nos serviços. O termo *inovação nos serviços* está atrelado às principais iniciativas para a mudança adotadas em uma organização, como no caso em que uma empresa tradicional do setor de produção ou de operações decide converter toda sua estratégia de mercado em ofertas de serviços e soluções, deixando de lado os bens de consumo. Em um nível mais amplo, a inovação nos serviços pode ser vinculada a setores e sistemas inteiros.

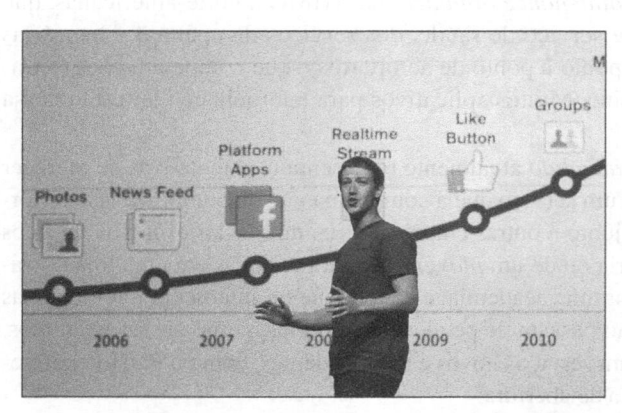

O CEO do Facebook, Mark Zuckerberg, descrevendo o rápido crescimento da companhia

da em um local físico específico (um restaurante ou uma cafeteria, por exemplo) e com isso obtenham uma pequena recompensa em tempo real.

O histórico e a trajetória do Facebook deixam claro seu futuro brilhante. A rede social se destaca pela inovação, por ir mais longe, parecendo prever e compreender os modos como as pessoas desejam interagir no ambiente digital. Mesmo assim, a companhia enfrenta desafios. De tempos em tempos a questão da privacidade do usuário é assunto de discussão, e recentemente foi destaque na companhia com a criação de opções ainda mais restritivas para controlar o acesso de informações pessoais. A competição sempre foi um desafio para o Facebook. O Google, seu concorrente mais direto e formidável, também desenvolve sua própria rede social, apelidada de "Facebook Killer" (assassino do Facebook) por alguns analistas. O Google+ pretende imitar os hábitos sociais corriqueiros no mundo real, o que permite a seus usuários separarem seus amigos em grupos pequenos (por exemplo, os colegas de trabalho são separados dos amigos de faculdade e da família), diferentemente do Facebook, no qual todos os seus amigos ficam em um único grupo.

O tempo dirá quem terá sucesso e quem fracassará no mundo das redes sociais. Mas não importa o desfecho: está claro que Mark Zuckerberg e o Facebook revolucionaram a inovação em serviços e no *networking*, e continuarão afetando pessoas, empresas, governos e setores por muito tempo no futuro.

Fontes: D. Gelles, "Every Industry Is Going to Be Rethought in a Social Way," *Financial Times*, December 4, 2010, p. 14; D. Kirkpatrick, *The Facebook Effect*, New York: Simon & Schuster Paperbacks, 2010; C. Nuttall and D. Gelles, "Facebook Becomes Bigger Hit Than Google," *Financial Times*, FT.com, publicado em 16/3/2010; www.facebook.com, acessado em agosto de 2011; J. Lehrer, "Social Networks Can't Replace Socializing," *The Wall Street Journal*, August 6–7, 2011.

Por exemplo, muitas das iniciativas Smarter Planet, da IBM, querem transformar sistemas de serviços por completo, e incluem inovações em serviços nos setores de saúde, educação, transporte e administração pública.

Nesta seção discutimos os diversos tipos e significados das inovações do serviço, incluindo a inovação na oferta do serviço, a inovação nos papéis do cliente e a inovação por meio de soluções do serviço.

A inovação na oferta de serviços

Nem todas as inovações nos serviços são "novas" da mesma maneira. Novos serviços podem variar muito, desde grandes revoluções até as menores mudanças em estilo, descritas a seguir:

- As *inovações maiores ou mais radicais* são os novos serviços para mercados ainda indefinidos, e exemplos incluem os primeiros serviços de transmissão de televisão e o lançamento do serviço de entrega de encomendas em escala nacional pela Federal Express. Muitas inovações, presentes e futuras, evoluirão a partir da informação e das tecnologias baseadas na Internet. Muitas vezes essas grandes inovações criam mercados completamente novos.[17]

- As *empresas entrantes* apresentam novos serviços para um mercado que já é atendido por produtos existentes e que servem às mesmas necessidades gerais. Exemplos destes serviços incluem a criação das *health maintenance organizations* (HMOs) norte-americanas, que oferecem uma forma alternativa de serviço de saúde, dos serviços de operações bancárias *on-line*, e de serviços de translado ponto a ponto de aeroportos e que competem com os tradicionais serviços de táxi ou limusine. Muitos aplicativos para telefonia celular estão nessa categoria.
- Os *novos serviços para o mercado atendido* atualmente representam as tentativas de oferecer a clientes existentes da organização um serviço que a companhia não disponibilizava anteriormente (ainda que esteja disponível junto a outras empresas). Exemplos destes novos serviços abrangem a inclusão de uma cafeteria ou de um *playground* para crianças em uma loja do varejo, a oferta de aulas de nutrição por uma academia, e de telefone ou Internet por companhias aéreas. Às vezes essas inovações não passam de pequenas melhorias, como nesses exemplos. Em outras, estes serviços representam serviços novos e independentes, como o PetHotel oferecido pela PetSmart, descrito no texto de abertura.
- *Extensões de linhas de serviço* representam os prolongamentos da linha de serviço existente, como a adição de novos pratos ao menu de um restaurante, a oferta de novas rotas por uma companhia aérea, a disponibilização de serviços jurídicos extras por um escritório de advocacia ou novos cursos criados por uma universidade.
- As *melhorias no serviço* representam talvez o tipo mais comum de inovação no serviço. As alterações nas características de serviços oferecidos podem envolver a execução mais rápida de um serviço existente, um período maior de disponibilização do serviço, ou uma expansão expressa como confortos adicionais em um quarto de hotel (por exemplo, conexões sem fio para a Internet).
- As *alterações no estilo* representam as inovações mais modestas em um serviço, apesar de muitas vezes serem bastante visíveis e exercerem efeitos expressivos na percepção, emoção e atitude do cliente. A troca de um esquema de cores em um restaurante, uma nova logomarca para uma empresa, um novo projeto de *site*, ou uma pintura diferente para as aeronaves de uma companhia aérea são aspectos da mudança de estilo. Essas inovações não alteram a essência do serviço, apenas sua aparência, do mesmo modo que ocorrem alterações em uma embalagem de um bem de consumo.

A inovação do papel do cliente

Os tipos de inovações no serviço descritos na seção anterior estão vinculados às ofertas propriamente ditas, o que sugere que a inovação ocorre sempre que uma oferta de serviço é alterada ou expandida, de certo modo – tanto de forma radical em um lado do espectro, quanto no estilo do serviço, por outro lado. Além disso, é possível que as inovações no serviço ocorram sempre que o papel de usuário ou cogerador do cliente passa por uma redefinição. Por exemplo, se supormos que o cliente desempenha o papel de usuário, comprador ou pagador, em um contexto de serviço, é possível que novos serviços sejam criados, quando o papel desempenhado anteriormente é redefinido.[18] Muitas inovações radicais reestabelecem de forma efetiva o papel do cliente. Por exemplo, a Netflix alterou por completo o papel de seus clientes para o aluguel de filmes. Enquanto os clientes costumavam visitar sua loja local da Blockbuster para alugar um ou mais filmes por um período predeterminado e pagar pelo serviço com base no número de filmes locados, a inovação trazida pela NetFlix permite a seus clientes receber os filmes pelo correio, pagar por eles com base em um contrato de prestação de serviços, e devolvê-los no momento que lhes for mais apropriado. Embora o envio de filmes pelo correio não tenha sido descontinuado, hoje os clientes também podem assistir a filmes e séries de TV via *streaming* na Internet utilizando dispositivos como o Xbox

360, o PS3, o Wii ou qualquer *tablet* ou outro dispositivo que suporte essa tecnologia, o que abole a entrega pelo correio. Assim, ainda que o passatempo de assistir filmes em casa não tenha mudado, todo o processo de serviço que envolve a aquisição, o recebimento, o pagamento e a devolução das cópias apresentam diferenças radicais.

A inovação por meio de soluções em serviços

Muitas organizações percebem que os clientes não estão procurando um produto ou serviço independente; ao contrário, eles querem soluções inovadoras para seus problemas. A filosofia tradicional entendia que soluções eram "pacotes de bens e serviços" oferecidos aos clientes. Essa concepção mudou com a pesquisa de Kapil Tuli, Ajay Kohli e Sundar Bharadwaj, a qual mostrou que uma solução, tal como definida pelo cliente, não é um pacote de produtos e serviços, mas um conjunto de processos voltados para o cliente. Esses processos incluem (1) a definição das exigências do cliente, (2) a customização e a integração de bens e serviços, (3) a disponibilização dessas soluções integradas e (4) o apoio ao cliente pós-disponibilização.[19] Outro pesquisador, Lance Bettencourt, sugere que a inovação no serviço é o resultado da compreensão sobre os problemas do cliente e as tarefas que eles querem ver realizadas, e do desenvolvimento de soluções para ajudá-los a alcançar esses objetivos.[20] Segundo Bettencourt, a chave consiste em descobrir o que os clientes desejam e desenvolver serviços e soluções considerando essa compreensão. Contudo, outros pesquisadores estão concentrados nas "cadeias de atividade do cliente" e no desenvolvimento de serviços e soluções para aperfeiçoar essas atividades.[21] Por exemplo, a Kodak Gallery oferece todo o tipo de serviços *on-line* para melhorar o compartilhamento das lembranças do cliente por meio de fotografias.

Quando as empresas passam a considerar as soluções para o cliente, elas ficam mais tempo com ele, escutando-o, observando seus problemas e identificando os pontos difíceis que podem ser abordados por meio de soluções inovadoras. Nos contextos *business-to-business*, isso muitas vezes se traduz na observação de que as empresas se distanciam de suas ofertas tradicionais de produtos, adotando atividades como a terceirização de processos de negócios, consultorias em áreas de experiência e serviços administrados.[22] Por exemplo, a Xerox fornece um serviço de administração de documentos impressos ou digitais de uma empresa. Para expandir a experiência com serviços e soluções, muitas empresas de tecnologia firmaram parcerias com ou adquiriram empresas prestadoras de serviços: a IBM comprou a PriceWaterhouseCoopers, a Hewlett-Packard adquiriu a Electronic Data Systems (EDS) e a Dell comprou a Perot Systems.

As soluções são relevantes não apenas nos contextos *business-to-business*. O texto de abertura deste capítulo ilustra a iniciativa da PetSmart na adoção de soluções "do berço ao túmulo" para *pets* e seus donos, e as soluções oferecidas pela Kodak Gallery claramente estão focadas no cliente. Pesquisas recentes indicam a relevância do projeto de soluções de viagens e férias para clientes que consideram os objetivos coletivos e familiares dos integrantes de uma família.[23] A abordagem típica do setor de serviços consiste em se concentrar nas características e nos atributos dos destinos, não nas metas, às vezes conflitantes, que os integrantes de uma família querem atingir durante suas férias. Em certo sentido, o Facebook (ver a seção Tecnologia em Foco) é um exemplo de solução para o cliente – ele representa uma solução social abrangente e radicalmente inovadora para os consumidores, oferecida *on-line*.

AS ETAPAS DA INOVAÇÃO E DO DESENVOLVIMENTO DE SERVIÇOS

Nesta seção, voltamos nossas atenções para as verdadeiras etapas a serem seguidas na inovação e no desenvolvimento de serviços. Estas etapas podem ser aplicadas a qualquer tipo de novo serviço. Muito do que é apresentado nesta seção tem paralelos diretos no processo de desenvolvimento de novos produtos para bens de consumo. Contudo, em função das características inerentes aos serviços, o processo de desenvolvimento de novos serviços requer adaptações.[24] A Figura 8.1 mostra os princípios e as etapas básicas do desenvolvimento de um novo serviço.[25] Apesar de estas etapas poderem apresentar semelhanças com as etapas do desenvolvimento de um novo bem de consumo, sua implementação é diferente no setor de serviço. Via de regra, os desafios estão na definição conceitual, já nos primeiros passos do processo de desenvolvimento, e também na etapa de elaboração de protótipos. Outros desafios surgem no projeto e na implementação de um novo serviço, pois essas etapas envolvem a coordenação de recursos humanos, tecnologia, processos internos e instalações, tudo no interior de sistemas existentes. Devido a estes desafios, as empresas prestadoras de serviço estão em geral menos propensas a executar um processo de desenvolvimento estruturado para inovações, em comparação com companhias do setor de manufatura ou de bens de consumo.[26]

Uma das hipóteses implícitas ao processo de desenvolvimento de novos produtos diz que novas ideias podem ser abandonadas a qualquer etapa do processo se não atenderem aos critérios de sucesso naquele estágio.[27] A Figura 8.1 ilustra os pontos de verificação (representados por sinais de "PARE") e que separam os estágios críticos do processo de desenvolvimento. Os pontos de verificação especificam as exigências que um novo serviço precisa atender antes de proceder à etapa seguinte do desenvolvimento.

Apesar do que sugere a Figura 8.1, o desenvolvimento de novos produtos ou serviços nem sempre é um processo linear. Muitas empresas descobrem que algumas etapas precisam ser desenvolvidas concomitantemente e que, em alguns casos, uma etapa pode até ser ignorada, sobretudo no caso de produtos e serviços simples. A superposição de etapas e o desenvolvimento simultâneo de diversos pontos do processo de desenvolvimento de produtos ou serviços recebeu o nome de

Planejamento inicial
- **Desenvolvimento ou revisão da estratégia de negócios**
- **Desenvolvimento da estratégia do novo serviço**
- **Geração de ideias**
  - *Verificar a compatibilidade das ideias em relação à nova estratégia de serviço* (PARE)
- **Desenvolvimento e avaliação do conceito**
  - *Testar o conceito com clientes e funcionários* (PARE)
- **Análise do negócio**
  - *Testar a rentabilidade e a viabilidade* (PARE)

Implementação
- **Desenvolvimento e teste do serviço**
  - *Conduzir testes com o protótipo do serviço* (PARE)
- **Testes de marketing**
  - *Testar o serviço e outros elementos do mix de marketing* (PARE)
- **Comercialização**
- **Avaliação de pós-produção**

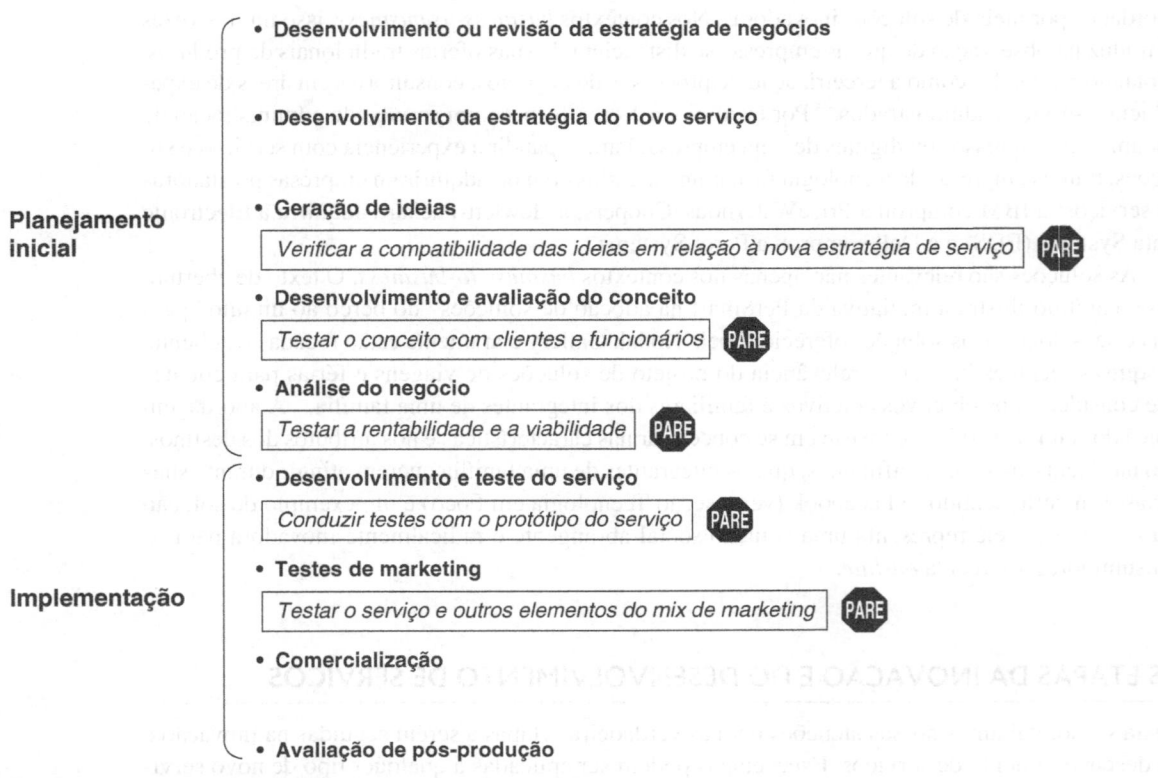

Figura 8.1 O processo de inovação e desenvolvimento de serviços.

desenvolvimento flexível de produto. Este tipo de processo flexível e rápido é especialmente importante nos setores de tecnologia, em que produtos e serviços evoluem com extrema rapidez. Nestes ambientes, a tecnologia da computação permite às companhias monitorar as opções e necessidades dos clientes durante o desenvolvimento e, com isso, alterar a oferta final antes do lançamento. Muitas vezes, a próxima versão do serviço está na fase de planejamento ao mesmo tempo em que a versão atual está sendo lançada. Ainda que estes estágios ocorram de modo simultâneo, os pontos de verificação mostrados na Figura 8.1 devem ser avaliados de forma a maximizar as chances de sucesso.

O processo mostrado na Figura 8.1 é dividido em duas seções: planejamento inicial e implementação. O planejamento inicial define os conceitos de serviço que serão desenvolvidos enquanto a retaguarda implementa o conceito do serviço. Quando indagados acerca das maiores fraquezas na inovação de produtos e serviços, os gerentes respondem que elas ocorrem normalmente no *planejamento inicial indefinido*.[28] O planejamento inicial é dito "indefinido" por conta de seu caráter relativamente abstrato, mais visível em serviços intangíveis, complexos e variáveis do que em produtos manufaturados.

O planejamento inicial

O desenvolvimento ou a revisão da estratégia de negócio

Uma das primeiras etapas no desenvolvimento de um novo serviço consiste em revisar essa missão e essa visão. A nova estratégia de serviço e as ideias relacionadas ao novo serviço precisam encaixar-se na missão e na visão mais amplas da organização. Por exemplo, a missão e a visão do banco Wells Fargo consistem em conquistar a liderança no setor de canais alternativos de execução de serviços financeiros e oferecer serviços customizados para sua clientela, no momento e no local em que são necessários. Sua ampla rede de caixas eletrônicos, filiais instaladas em supermercados e serviços bancários para a Internet dão suporte a esta estratégia. A PetSmart, a empresa discutida no texto de abertura deste capítulo, tem como missão oferecer serviços aos "pais de *pets*" por meio de "atenção por toda a vida do animal". Esta missão levou ao desenvolvimento de uma gama de novos serviços, como adestramento, banho e tosa, cuidado noturno e diurno, além dos tradicionais serviços de provimento de ração, brinquedos e acessórios oferecidos em suas lojas. Tanto para o Wells Fargo quanto para a PetSmart, a estratégia de novos serviços destas companhias encaixa-se perfeitamente na missão de cada uma delas.

O desenvolvimento de novas estratégias de serviço

As pesquisas sugerem que uma estratégia de portfólio de produto e uma estrutura organizacional para um novo produto ou serviço são aspectos críticos – e o alicerce – para o sucesso. Os tipos de novos serviços mais apropriados dependem dos objetivos, das visões, das capacitações e dos planos de crescimento de cada empresa. Ao definir uma estratégia de inovação em serviços (possivelmente em termos de mercados, tipos de serviços, horizonte de tempo para desenvolvimento, critérios de definição de lucros ou outros fatores relevantes), a organização se encontrará em uma posição mais confortável para começar a gerar ideias mais específicas. Por exemplo, ela pode passar a concentrar seu crescimento em novos serviços a um dado nível do *continuum* descrito, das maiores ou mais radicais inovações até as meras alterações no estilo. Como alternativa, a organização pode definir sua estratégia para novos serviços de modo ainda mais específico, em termos de segmentos de mercado ou de metas definidas de geração de lucros.

Uma das maneiras de começar a formular uma nova estratégia de serviço inclui o uso da estrutura mostrada na Figura 8.2 para a identificação de oportunidades de crescimento. A estrutura também permite à organização constatar as possíveis direções para o crescimento, servindo como catalisador de ideias criativas. Além disso, a mesma estrutura pode, em um momento posterior,

Ofertas	Mercados	
	Clientes existentes	Clientes novos
Serviços existentes	Ampliação da fatia de mercado	Desenvolvimento de mercado
Serviços novos	Desenvolvimento de serviços	Diversificação

Figura 8.2 A matriz de novos serviços para a identificação de oportunidades de crescimento.
Fonte: Adaptado de H. I. Ansoff, *Corporate Strategy* (New York: McGraw-Hill, 1965).

funcionar como um instrumento de triagem de ideias iniciais se, por exemplo, a organização decidir concentrar seus esforços de crescimento em uma ou duas das quatro células da matriz. A matriz sugere que as empresas são capazes de desenvolver uma estratégia de crescimento em torno de clientes existentes ou de novos clientes e orientar suas atenções a seus serviços atuais ou novos. Por exemplo, durante muito tempo a Kentucky Fried Chicken (KFC) cresceu disponibilizando serviços fora dos Estados Unidos, o que é uma forma de desenvolvimento de mercado (serviço existente oferecido para novos clientes). Após mais de duas décadas de expansão na China, a companhia hoje dirige sua atenção para a África como novo mercado, esperando duplicar o número de pontos de venda e receitas neste continente em 2014.[29] Em contrapartida, os serviços oferecidos pela PetSmart e discutidos no texto de abertura são exemplos de desenvolvimento de serviços (serviços novos disponibilizados à mesma base de clientes). A investida da Procter & Gamble no setor de serviços com a Tide Dry Cleaners e a Mr Clean Car Wash são exemplos de mais um tipo de estratégia de crescimento com base na diversificação (novos serviços, novos clientes). Como a Procter & Gamble e a PetSmart, muitas empresas hoje procuram crescer estrategicamente com a adoção de inovações nos serviços (ver a seção Visão Estratégica).

A geração de ideias
A próxima etapa no processo é a geração de ideias que podem ser avaliadas na triagem descrita na etapa anterior. Um *brainstorm* formal, a solicitação de ideias de funcionários e clientes, a pesquisa com os principais usuários e o conhecimento dos serviços da concorrência são algumas das abordagens mais comuns. Algumas companhias estão até colaborando com terceiros (por exemplo, concorrentes, representantes, parceiros em alianças) ou desenvolvendo contratos de licenciamento e *joint ventures* em um esforço para explorar todas as fontes de novas ideias.[30]

A observação de clientes e do modo como utilizam os produtos e serviços de uma empresa também gera ideias criativas para inovações. Por vezes chamada de *projeto empático*, a observação de clientes é particularmente eficaz em situações em que eles talvez não sejam capazes de reconhecer ou expressar suas necessidades.[31] Em empresas do setor de negócios, as pessoas de contato, que na verdade executam os serviços e interagem diretamente com os clientes, constituem excelentes fontes de novas ideias para serviços complementares e para o aprimoramento de serviços existentes.[32] Algumas organizações descobriram que as redes internas de funcionários, em diferentes funções e disciplinas, são ótimas fontes de ideias inovadoras. Portanto, as práticas no escopo organizacional que encorajam o pensamento em rede e facilitam a colaboração também constituem um caminho para a promoção de novas ideias.[33]

Se a fonte de uma nova ideia estiver dentro ou fora da organização, não importa: é preciso haver algum tipo de mecanismo que assegure a constância nas possibilidades de novos serviços. Este mecanismo deve incluir uma inovação formal nos serviços ou um departamento de P&D em serviços com a incumbência de gerar novas ideias, caixas de sugestão para funcionários e clientes, equipes de desenvolvimento de novos serviços que se reúnam a intervalos regulares, pesquisas e grupos de foco com clientes e funcionários, ou análises competitivas formais que descubram novos serviços.

O desenvolvimento e a avaliação do conceito de serviço
Depois que uma ideia considerada boa para os negócios e para as novas estratégias de serviço aparece, ela está pronta para o desenvolvimento inicial. As características inerentes ao serviço impõem demandas complexas durante essa fase do processo. Fazer ilustrações e descrever um serviço intangível em termos concretos são tarefas difíceis, sobretudo no caso em que o serviço não é padronizado e pode ser gerado em parceria com os clientes em tempo real. Portanto, é essencial chegar a um acordo, nesta etapa, acerca do conceito do serviço e das reais necessidades do cliente a que ele atende. Ao envolver diversas partes na definição do conceito, com frequência fica claro que as visões diferem. Por exemplo, há um caso documentado em que o projeto e o desenvolvimento de um novo serviço de corretagem com desconto foi inicialmente descrito pelo banco como um modo de "comprar e vender ações a clientes a preços mais baixos."[34] Ao longo da fase inicial de desenvolvimento, ficou claro que nem todos dentro da organização compartilhavam a mesma ideia de como esta descrição se traduziria no serviço propriamente dito, ou das inúmeras maneiras de como o conceito poderia ser desenvolvido. Foi somente com múltiplas iterações do serviço – e a discussão de centenas de questões, de todos os graus e importâncias – que se chegou a um acordo acerca do conceito de corretagem com desconto.

Após a elaboração de uma definição clara do conceito, é importante gerar uma descrição do serviço que represente suas características e atributos específicos, para depois determinar as respostas iniciais de clientes e funcionários ao conceito. O documento de projeto do serviço descreve o problema de que o serviço deve tratar, discute as razões para a oferta do novo serviço, explica o processo do serviço e os respectivos benefícios e lista os motivos que justificam a aquisição do serviço.[35] Os papéis dos clientes e funcionários no processo de execução também são descritos. Talvez seja muito útil criar um mapa em nível de conceito nesse ponto do processo de inovação nos serviços. O conceito do serviço é então avaliado por meio de perguntas dirigidas a funcionários e clientes quanto ao entendimento da ideia do serviço proposto, da aceitabilidade do novo conceito e da possibilidade de ele atender a uma necessidade pendente.

A análise do negócio
Supondo que o conceito de serviço receba uma avaliação favorável de clientes e funcionários na etapa de desenvolvimento do conceito, o próximo passo consiste em estimar a exequibilidade econômica e as principais implicações no âmbito dos lucros. A análise de demanda, as projeções de receita, as análises de custos e a exequibilidade operacional são avaliadas nesta etapa. Em função de o desenvolvimento do conceito de serviço estar atrelado ao sistema operacional da organização, este estágio envolve a formulação de hipóteses preliminares sobre os custos de contratação e treinamento de pessoal, das melhorias nos sistemas de execução, das alterações nas instalações e de outros custos operacionais previstos. A organização então repassa os resultados da análise do negócio por seu sistema de triagem de rentabilidade e exequibilidade para determinar se a nova ideia do serviço atende às exigências mínimas estabelecidas.

A implementação

Uma vez que o conceito de serviço venceu todos os obstáculos presentes no planejamento inicial, ele está pronto para as etapas do processo relativas à implementação.

O desenvolvimento e teste de um protótipo
No desenvolvimento de novos produtos tangíveis, a etapa de desenvolvimento e teste envolve a construção de protótipos de produto e os testes para verificar a aceitação de parte do consumidor. Mais uma vez, dado que os serviços são intangíveis e produzidos, consumidos e cogerados simultaneamente, essa etapa apresenta desafios singulares. Para enfrentar esses desafios, essa etapa do desenvolvimento de serviços deve envolver todas as pessoas que têm interesse no novo serviço: os

Visão estratégica   O crescimento estratégico por meio de serviços

As empresas de muitos setores estão descobrindo o valor do foco estratégico nas inovações em serviços como forma de elevar os lucros e as taxas de crescimento e de aumentar o valor para seus clientes. Com o acréscimo de novos serviços a suas ofertas existentes, as empresas conseguem se diferenciar da concorrência e até elevar as margens de lucro, em comparação com produtos manufaturados ou vendidos no varejo. O IBM Global Service é talvez o exemplo mais famoso deste tipo de estratégia de solução (veja o texto de abertura do Capítulo 1). Tal como a IBM, muitas outras empresas estão posicionadas para "crescer por meio dos serviços" em mercados *business-to-consumer* e *business-to-business*. À medida que se movem nesta direção, elas rapidamente reconhecem as grandes oportunidades e os complexos desafios inerentes ao lançamento de novos serviços. Neste quadro, discutimos três empresas, de setores diferentes, e suas estratégias de crescimento por meio de serviços.

A Tide Dry Cleaners – uma nova estratégia de serviços da Procter and Gamble.

A Procter & Gamble

A Procter & Gamble é uma das maiores e mais admiradas empresas de bens de consumo em todo o mundo. Por essa razão, não causa surpresa que algumas de suas iniciativas mais recentes estejam levando a companhia para a prestação de serviços inovadores. Com sua unidade FutureWorks, a P&G está estendendo marcas bem estabelecidas e muito respeitadas para o reino da prestação de serviços. A Tide Dry Cleaners e a Mr. Clean Car Wash são dois exemplos. Nos dois casos, a P&G buscou atuação em setores fragmentados, nos quais as expectativas do cliente não eram particularmente altas e os nomes de marca da P&G poderiam agregar mais valor mediante tecnologias próprias e melhorias na experiência do cliente. Por exemplo, a Tide Dry Cleaners tem sinalização e interiores alegres, de cores vivas, faixas de *drive-thru* e armários acessíveis para a coleta de itens a qualquer hora. A experiência e a qualidade da lavagem estão voltadas para a criação de um contraste marcante com as experiências do cliente com lavanderias escuras, mal cuidadas e, às vezes, inconvenientes. Contudo, a expansão da P&G no setor de serviços precisa ser muito bem planejada, feita com critério, para eliminar os riscos de prejuízo à marca-mãe, já que tanto a Mr. Clean quanto a Tide são marcas muito importantes para a P&G.

A Ericsson

Com sede na Suécia, a Ericsson é líder mundial em equipamentos de telecomunicações e serviços e soluções afins. Desde meados da década de 1990, ela passou a desenvolver uma estratégia de crescimento voltada ao cliente, a serviços e a soluções que agregam valor a seus sofisticados produtos tecnológicos. A Ericsson emprega cerca de 50 mil profissionais de serviços e opera em mais de 180 países. A Ericsson Global Services está focada na prestação de serviços para operadoras de telecomunicação em todo o mundo, para possibilitar que essas companhias concentrem-se em sua atividade principal: o suporte ao cliente e a geração de

---

clientes e funcionários de contato e os representantes dos setores de marketing, operações e recursos humanos. Durante essa fase, o conceito é refinado até ser possível gerar um mapa detalhado do serviço que ilustre a experiência do cliente e o plano de implementação do serviço. Este mapa evolui ao longo de uma série de interações com base nas informações trazidas por todas as partes envolvidas.

A IDEO, empresa de design de fama mundial, utiliza protótipos e simulações como forma de apresentar os conceitos de serviço em suas inovações, ao testar tanto as reações do cliente quanto os aspectos operacionais do serviço. Em seu trabalho com a cadeia de hotéis da rede Marriott voltada para estadas longas, a TownePlace, os pesquisadores do Smart Space da IDEO passaram várias semanas convivendo com os hóspedes no TownePlace para observar e aprender como eles utilizam os espaços e conhecer suas necessidades.[36] O resultado foi um saguão

receitas. Nos bastidores, por meio de seus contratos de "serviços administrados", a Ericsson trabalha com operadoras no aperfeiçoamento de seus sistemas, mantendo consultas com elas sobre o planejamento, o projeto e a operacionalização de redes. Além dessas operadoras, a Ericsson atua diretamente com governos e entidades comerciais privadas.

Por exemplo, desde a década de 1980, a Ericsson trabalha em parceria com a Polícia da Nova Zelândia, com suporte a suas necessidades em telecomunicações, oferecendo produtos e serviços. Em 2007, a Ericsson assinou um contrato de exclusividade de 21 anos para o fornecimento e suporte a um sistema de rede escalonável de rádio via micro-ondas, de ponto a ponto. O objetivo do sistema é garantir a segurança da comunidade por meio de uma rede de telecomunicações segura e customizada para toda a Nova Zelândia. À medida que a Ericsson continua a afastar-se de sua base tradicional no setor de produção, a empresa reorienta toda sua organização no sentido de fornecer soluções integradas para seus clientes.

A Philips Electronics

Empresas como a Royal Philips Electronics, a gigante europeia dos eletrônicos, deparam-se com a realidade da competição de preços de produtos mais baratos, produzidos principalmente na Ásia. Os resultados para muitas empresas são a queda nas vendas e as crescentes perdas com seus produtos. Parte da solução para estas companhias está na entrada no setor de serviços. Para a Philips, isso implica numa diversificação para o setor de saúde, com a união de sua experiência no marketing para o cliente e do conhecimento de sua divisão médica, com a demanda em aberto por monitoramento de saúde pessoal. O resultado foi o serviço Philips Lifetime, um sistema de alerta médico que oferece a pacientes idosos uma conexão imediata com um *call center*, em que os atendentes pessoais (os Personal Response Associates), com acesso aos perfis de saúde dos clientes, os ajudam em relação a algum problema. O acesso imediato é obtido por meio de um botão presente em um bracelete eletrônico usado pelo paciente. Outros serviços que a Philips oferece incluem uma modalidade que permite aos médicos monitorar os sinais vitais dos pacientes via Internet, e um frasco de medicamentos inteligente, que avisa quando uma pessoa não tomou seu remédio. Um frasco com excesso de pílulas automaticamente chama um amigo ou familiar, que pode alertar o paciente para que tome o remédio.

Para cada uma destas empresas, a migração para o setor de serviços representou uma escolha estratégica expressiva, que inicialmente as levou a águas desconhecidas. Para a P&G, o deslocamento significou um aprendizado sobre como administrar uma empresa de serviços, incluindo o projeto da experiência do cliente e a contratação e o treinamento de funcionários para prestarem o serviço na linha de frente. Para a Ericsson, esta mudança a levou da mentalidade manufatureira e tecnológica para uma linha voltada para clientes e soluções. Para a Philips, a migração para o setor de serviços foi ainda mais crucial, dado que a companhia passou a entender todo um novo setor na execução de serviços de saúde. Contudo, as prováveis recompensas são grandes e as demandas consumidoras por serviços e soluções são uma realidade. Estas recompensas e demandas são o que compelem cada vez mais empresas a trilharem o caminho dos serviços estratégicos.

Fontes: M. Sawhney, S. Balasubramanian, and V. V. Krishnan, "Creating Growth with Services," *Sloan Management Review* 45 (Winter 2004), pp. 34–43; www.ericsson.com, August 2011; L. Abboud, "Electronics Giant Seeks a Cure in Health Care," *The Wall Street Journal*, July 11, 2007, p. A1; www.healthcare.philips.com, 2011; L. Coleman-Lochner and M. Clothier, "P&G Looks to Franchise Tide Dry Cleaning," *Bloomberg Business Week*, September 2, 2010; B. Brown and S. D. Anthony, "How P&G Tripled Its Innovation Success Rate," *Harvard Business Review* 89 (June 2011), pp. 64–72; L. A. Bettencourt, *Service Innovation* (New York: McGraw-Hill, 2010).

---

completamente remodelado, que inclui um mapa em um mural com todas as indicações sobre opções locais de compras, restaurantes, parques e áreas de recreação à disposição dos hóspedes. Outra mudança foi um novo quarto, projetado para oferecer flexibilidade de conversão em um escritório de trabalho. Para testar os conceitos de serviço, a IDEO construiu um saguão e um quarto em escala real com material sintético branco e convidou executivos da Marriott, gerentes e hóspedes dos hotéis a gerarem algum *feedback* sobre o protótipo. O Quadro 8.1 mostra como o Centro de Inovação da Clínica Mayo testa novos serviços e modelos de execução em seu exclusivo cenário experimental.

Na última etapa, cada área envolvida na prestação do serviço deve traduzir o mapa e os protótipos finais em planos de implementação específicos à sua parte no processo de execução do serviço. Como o desenvolvimento, o projeto e a execução do serviço, e por vezes as atividades de

Quadro 8.1 — A inovação nos serviços da Clínica Mayo

A Clínica Mayo, empresa norte-americana com mais de 100 anos de idade, é uma das marcas mais respeitadas no setor de saúde em todo o mundo, sendo constantemente listada entre os principais hospitais nos Estados Unidos e reconhecida por seu modelo colaborativo de assistência à saúde, seus altos níveis de serviço e seu pioneirismo em questões de medicina. Em consonância com sua tradição inovadora, a Mayo fundou seu Laboratório de Inovação (antes chamado de SPARC Innovation Lab), voltado para o teste e a avaliação de novas práticas na execução de serviços de saúde. Ainda que os avanços na medicina e na tecnologia tenham alterado substancialmente a paisagem dos serviços de saúde nos últimos 50 anos, o mesmo não se verifica na maneira como estes serviços são executados para os pacientes. Tudo, desde as salas de exames até as experiências dos pacientes na sala de espera, mudou, mas pouco, em comparação aos avanços técnicos e científicos na medicina. A Mayo reconheceu esta situação e decidiu inovar — desta vez no âmbito das práticas e dos processos de execução de serviços de saúde.

O Centro de Inovação tornou-se o campo de testes para todos os tipos de inovação em prestação de serviços na Mayo — inovações estas voltadas para aprimorar a experiência do paciente e que também apresentam grandes benefícios em termos de saúde. O trabalho com a empresa de design IDEO resultou em um laboratório experimental para sua unidade de Rochester, Minnesota, em que as inovações no serviço podem ser testadas junto a pacientes, médicos e funcionários reais da companhia antes de serem lançadas nas unidades de atendimento. O laboratório foi concebido como uma clínica verdadeira, no interior da unidade, e as experiências são conduzidas com médicos e pacientes (claro, com conhecimento e aprovação prévios). Suas paredes de vidro revelam o interior dos escritórios e mostram as equipes de apoio, os médicos e os pacientes interagindo uns com os outros, o que permite a observação direta dos serviços sendo testados. O espaço é altamente flexível, de forma que as salas de exames, os espaços comuns, as paredes, a mobília e os computadores podem ser deslocados para avaliar diferentes configurações e serviços.

No Centro de Inovação, os pesquisadores se concentram em questões importantes e complexas para o setor de saúde em geral, com o princípio abrangente de "projeto centrado no paciente". Como exemplo, citamos a seguir alguns

O Laboratório do Centro para a Inovação (antes chamado SPARC) na unidade da Clínica Mayo em Rochester.

---

cogeração, são fatores extremamente relacionados, todas as partes envolvidas precisam trabalhar em conjunto nesta etapa, para assim delinear os detalhes do novo serviço. Se essa situação não se verificar, detalhes operacionais aparentemente irrelevantes poderão arruinar uma nova ideia de serviço que, de outro modo, teria sucesso.

O teste de mercado

Na etapa de testes de mercado do processo de desenvolvimento, um produto tangível precisa ser comercializado em nível experimental em um número limitado de áreas mercadológicas a fim de determinar sua aceitação nessas áreas e definir outras variáveis do mix de marketing, como sistemas de promoções, precificação e distribuição. Como as novas ofertas de serviço estão interligadas ao sistema de execução de serviços existentes, fica difícil testar os novos serviços isoladamente.

dos tópicos explorados e "reimaginados" – o termo que a clínica utiliza para representar melhoria no serviço e inovação futurista:

- Qual é a impressão que o paciente tem da integração dos cuidados à saúde?
- Qual é a relação entre comunicação, compreensão e satisfação, para o paciente?
- Como as salas de exames devem ser reconfiguradas para melhorar a experiência com o paciente e aperfeiçoar a comunicação médico-paciente?
- Como melhorar o processo de registro de consultas no próprio local?
- Como o espaço no interior da unidade de atendimento pode ser otimizado para atender melhor a pacientes e equipes de trabalho?
- Quais são as necessidades dos clientes no âmbito de educação e como estas necessidades podem ser sanadas?

Enquanto as inovações nas práticas de execução de serviços de saúde, como as listadas, são raras, as práticas da Mayo no Centro de Inovação são exclusivas – pois combinam princípios de serviços, projetos e cuidados à saúde. Por exemplo, o processo de entrada do paciente na unidade de Rochester era visto como problemático para os pacientes, com longas filas e considerável frustração por terem de esperar de pé, quando tudo o que queriam era um lugar para sentar. Diante disso, a equipe multidisciplinar passou a observar e ouvir a pacientes e funcionários, para começar o processo de identificação de soluções inovadoras para este desafio. A partir da abordagem participativa e centrada no ser humano, a equipe desenvolveu ideias, relatando narrativas que se transformaram em inovações testadas com protótipos no laboratório. No caso do processo de entrada de pacientes, a ideia básica de inovação consistiu em desenvolver um sistema automatizado de autorregistro.

Os protótipos iniciais do quiosque de autorregistro eram bastante rudimentares. Por exemplo, a primeira versão consistia em uma folha de papel que representava uma tela de computador. Outras versões do protótipo foram desenvolvidas utilizando telas de computador desativadas e, posteriormente, telas reais sensíveis ao toque colocadas no quiosque. A cada versão do protótipo, a equipe coletava um *feedback* dos pacientes e da equipe de funcionários. Os resultados desta experiência levaram a Mayo a investir recursos na investigação de um desdobramento para esta solução inovadora.

Em outro caso, uma inovação estudada no laboratório criou novas possibilidades para oferecer opções de tratamento a pacientes diabéticos que consideravam iniciar um tratamento com drogas da família das estatinas. Diversos protótipos voltados para a comunicação médico-paciente foram testados para explicar aos pacientes as opções disponíveis, com a revelação de informações sobre evidências médicas, fatores de risco e modalidades de tratamento em diferentes formatos. Os protótipos variavam de informações *on-line* e folhetos de uma página direcionados a promover o processo de decisão, e cada uma destas alternativas foi testada para definir qual delas seria mais eficaz em termos de participação, preferências e aderência do paciente à escolha de tratamento. Neste caso, a inovação melhorou não apenas a experiência do paciente na interação com o médico, como também resultou em uma maior probabilidade de o paciente aderir ao plano de tratamento até sua conclusão – com efeitos comprovados em seu estado de saúde.

O compromisso da Mayo com a inovação no cuidado à saúde também é visto em suas conferências anuais, chamadas "Transform", as quais trazem palestrantes que apresentam as últimas novidades relacionadas ao projeto e à inovação no cuidado à saúde.

Fontes: http://centerforinnovation.mayo.edu, 2011; C. Salter, "A Prescription for Innovation," *Fast Company* (April 2006), p. 83.

Além disso, há casos em que talvez não seja possível lançar um serviço em uma área isolada do mercado, em função de a organização possuir apenas um ponto de execução do serviço. Porém, existem caminhos alternativos para testar a reação às variáveis do mix de marketing. O novo serviço pode ser oferecido a funcionários da organização e suas famílias por tempo limitado para avaliar suas respostas às variações no mix de marketing.

Também é extremamente importante, nesta etapa do processo de desenvolvimento, executar um teste-piloto do serviço. Esta atitude garante que os detalhes operacionais estejam funcionando adequadamente. Esta etapa é frequentemente negligenciada, e o lançamento no mercado de fato pode se tornar o primeiro teste para verificar se o sistema de serviços funciona conforme o planejado. Neste ponto, os erros no projeto são de difícil correção. Conforme afirmou um especialista em serviços: "Simplesmente não há substituto para um bom ensaio", quando do lançamento de um novo serviço.[37]

A comercialização
Durante a etapa de comercialização, o serviço ganha vida e é lançado no mercado. Esta etapa tem dois objetivos principais. O primeiro consiste em construir e manter a aceitação do novo serviço entre as pessoas encarregadas de executá-lo e que terão a incumbência de zelar pela sua qualidade no dia a dia. Esta tarefa é facilitada se a aceitação for embasada no envolvimento de funcionários da prestação de serviços como um dos grupos-chave em todo o processo de projeto e desenvolvimento. O segundo objetivo é monitorar todos os aspectos do serviço durante o lançamento e em todo o seu ciclo de vida. Se o cliente precisa de seis meses para experimentar todo o serviço, então um cuidadoso monitoramento têm de ser observado neste período. Todos os detalhes do serviço precisam ser avaliados – telefonemas, transações em nível pessoal, emissão de faturas, reclamações e problemas na execução. A eficiência e os custos operacionais também devem ser rastreados.

A avaliação pós-lançamento
Neste ponto, as informações coletadas durante a comercialização do serviço são avaliadas, a que se seguem alterações no processo de execução, na alocação de mão de obra ou nas variáveis do mix de marketing com base na resposta real do mercado à oferta do serviço. Nenhum serviço permanece inalterado. Quer sejam deliberadas ou planejadas, mudanças sempre ocorrerão. Portanto, é essencial a formalização de um processo de revisão que promova alterações que aprimorem a qualidade do serviço do ponto de vista do cliente.

O MAPA DO SERVIÇO: UMA TÉCNICA PARA A INOVAÇÃO E O PROJETO DE SERVIÇOS

Uma das pedras no caminho para a inovação, o projeto e o desenvolvimento de serviços é a dificuldade em descrever e representar o serviço nas etapas de desenvolvimento do conceito, desenvolvimento do serviço e teste de mercado. Um dos segredos para fazer as especificações do serviço atenderem às expectativas dos clientes consiste na capacidade de descrever as características mais importantes do processo de serviço de forma objetiva para que funcionários, clientes e gerentes saibam do que se trata o serviço, sejam capazes de perceber seus respectivos papéis e entendam todas as etapas e movimentações inerentes ao processo de serviço. Nesta seção analisamos a elaboração do mapa do serviço, uma técnica útil ao projeto e à especificação de processos de serviços intangíveis.[38]

O que é um mapa do serviço?

Um *mapa do serviço* é uma imagem ou representação visual que retrata a experiência do cliente e o sistema do serviço para que as pessoas nele envolvidas o entendam de forma objetiva, independentemente de seus papéis ou de seus pontos de vista individuais. Os mapas do serviço são particularmente úteis na etapa do projeto ou do desenvolvimento do serviço. Um mapa do serviço disponibiliza uma representação visual do serviço junto com o processo de execução do serviço, os pontos de contato com o cliente, os papéis de clientes e funcionários e os elementos visíveis do serviço (veja Figura 8.3). Ele também é um caminho para segmentar um serviço em componentes lógicos e para retratar estas etapas ou tarefas no processo, os meios pelos quais as tarefas são executadas, e a evidência do serviço à medida que o cliente constrói sua experiência sobre ele. O mapa do serviço tem suas origens em diversos campos e técnicas, que incluem a logística, a engenharia industrial, a teoria das decisões, a análise de sistemas informatizados e a engenharia de softwares

Figura 8.3 O mapa do serviço.

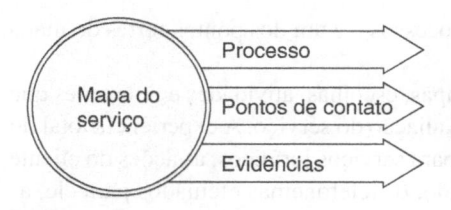

O mapa do serviço
Técnica que representa simultaneamente o processo do serviço, os pontos de contato com o cliente e as evidências do serviço, da perspectiva do cliente.

– todos estes campos de estudo que tratam da definição e da explicação de processos.[39] Em função de os serviços serem "experiências", e não objetos ou tecnologias, o mapa do serviço é uma técnica particularmente útil para descrevê-los.

Os componentes do mapa

Os principais componentes dos mapas do serviço são mostrados na Figura 8.4.[40] Eles são ações dos clientes, ações dos funcionários de contato visíveis ou verificadas no teatro do serviço, ações dos funcionários de contato invisíveis ou verificadas nos bastidores, além dos processos de auxílio. As convenções para o desenho de um mapa do serviço não são definidas com rigidez; portanto, os símbolos especiais utilizados, o número de linhas horizontais e as indicações para cada parte do mapa podem variar, dependendo da complexidade do mapa sendo descrito. Estas variações não são um problema, desde que você se lembre da finalidade do mapa e o considere uma técnica útil, não um conjunto de regras rígidas para o projeto de serviços. Na verdade, a flexibilidade – quando

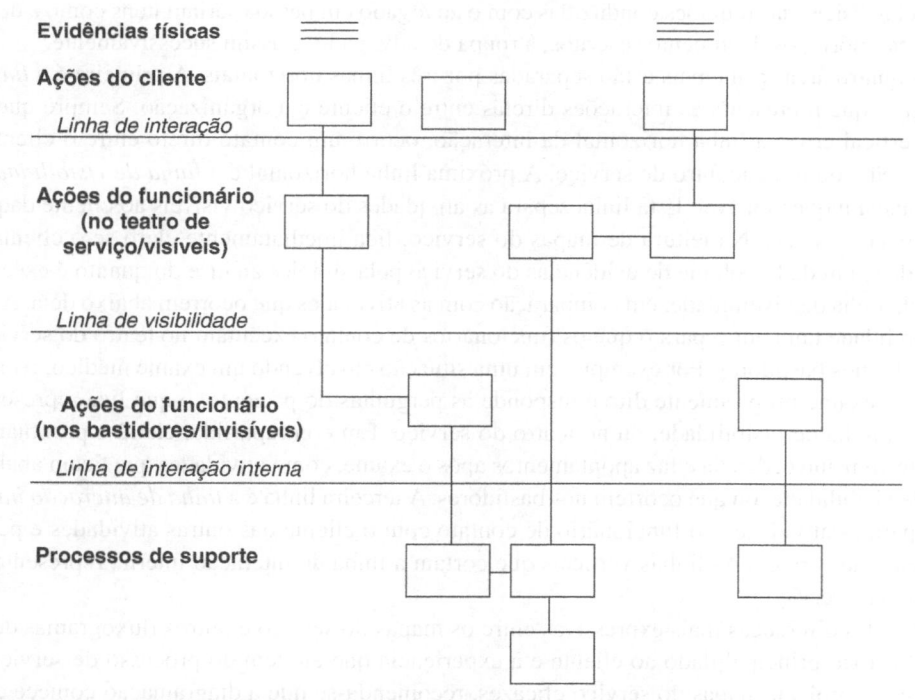

Figura 8.4 Os componentes do mapa do serviço.

comparada com outras abordagens de mapeamento de processos – é um dos pontos fortes do mapa do serviço.

A área reservada às *ações dos clientes* engloba as etapas, escolhas, atividades e interações que o cliente executa no processo de compra, experiência e avaliação do serviço. A experiência total do cliente é revelada nesta área do mapa. No exemplo dado para serviços jurídicos, as ações do cliente incluem a decisão de entrar em contato com um advogado, os telefonemas efetuados para ele, as reuniões e o recebimento de documentos e de faturas.

Ao lado das ações dos clientes estão duas áreas de ações dos funcionários de contato. As atividades desempenhadas pelo funcionário de contato visíveis ao cliente são as *ações do funcionário de contato no teatro do serviço/visíveis*. No contexto de serviços jurídicos, as ações do advogado (o funcionário de contato) visíveis ao cliente são, por exemplo, a entrevista inicial, as reuniões necessárias no decorrer do serviço e a entrega final de documentos jurídicos.

As ações dos funcionários de contato que ocorrem fora do palco de serviços como apoio às atividades no teatro do serviço são chamadas de *ações do funcionário de contato nos bastidores/invisíveis*. No exemplo dado, qualquer ação que o advogado execute fora do alcance do contato com o cliente para preparar reuniões ou documentos finais aparece nessa seção do mapa, junto com contatos telefônicos que o cliente tenha com o advogado ou outras pessoas de contato dentro do escritório de advocacia. Todas as ações *invisíveis* dos funcionários de contato são mostradas nesta área do mapa do serviço.

A seção de *processos de suporte* do mapa compreende os serviços internos, as etapas e interações que ocorrem como forma de suporte ao funcionário de contato na execução do serviço. Mais uma vez, em nosso exemplo de serviço jurídico, as atividades de suporte ao serviço, como pesquisa executada por equipes jurídicas, preparação de documentos e apoio da secretária para o agendamento de reuniões, são mostradas na área de processos de suporte do mapa.

Na parte superior do mapa está a *evidência física do serviço*. Via de regra, a evidência física real do serviço é representada acima de cada ponto de contato. No exemplo de serviços jurídicos, as evidências físicas das reuniões conduzidas com o advogado em pessoa seriam itens como a decoração do escritório, os documentos escritos, a roupa do advogado, e assim sucessivamente.

As quatro áreas principais estão separadas por três linhas horizontais. A primeira é a *linha de interação*, que representa as interações diretas entre o cliente e a organização. Sempre que uma linha vertical cruza a linha horizontal da interação, ocorre um contato direto entre o cliente e a organização, ou um encontro de serviço. A próxima linha horizontal é a *linha de visibilidade*, de importância inquestionável. Esta linha separa as atividades do serviço visíveis ao cliente daquelas que não são visíveis. Na leitura de mapas do serviço, fica imediatamente claro se o cliente tem diante de si um dado volume de evidências do serviço pela simples análise do quanto é executado acima da linha de visibilidade, em comparação com as atividades que ocorrem abaixo dela. A linha de visibilidade também separa o que os funcionários de contato executam no teatro do serviço do que é feito nos bastidores. Por exemplo, em uma situação envolvendo um exame médico, o médico executa o exame propriamente dito e responde às perguntas do paciente, o que fica representado acima da linha de visibilidade, ou no teatro do serviço. Em contrapartida, ele lê o prontuário do paciente com antecedência e faz apontamentos após o exame, como atividades que ficam abaixo da linha de visibilidade, ou que ocorrem nos bastidores. A terceira linha é a *linha de interação interna*, que separa as atividades do funcionário de contato com o cliente das outras atividades e pessoas de suporte ao serviço. As linhas verticais que cortam a linha da interação interna representam os encontros de serviço.

Uma das diferenças mais expressivas entre os mapas do serviço e outros fluxogramas de processo é o foco principal dado ao cliente e à experiência que ele tem do processo de serviço. Na verdade, ao projetar mapas do serviço eficazes, recomenda-se que a diagramação comece com a experiência do cliente, para depois trabalhar com o sistema de execução do serviço. Os retângulos mostrados em cada área de ação descrevem as etapas executadas ou vivenciadas pelos atores do serviço nos respectivos níveis.

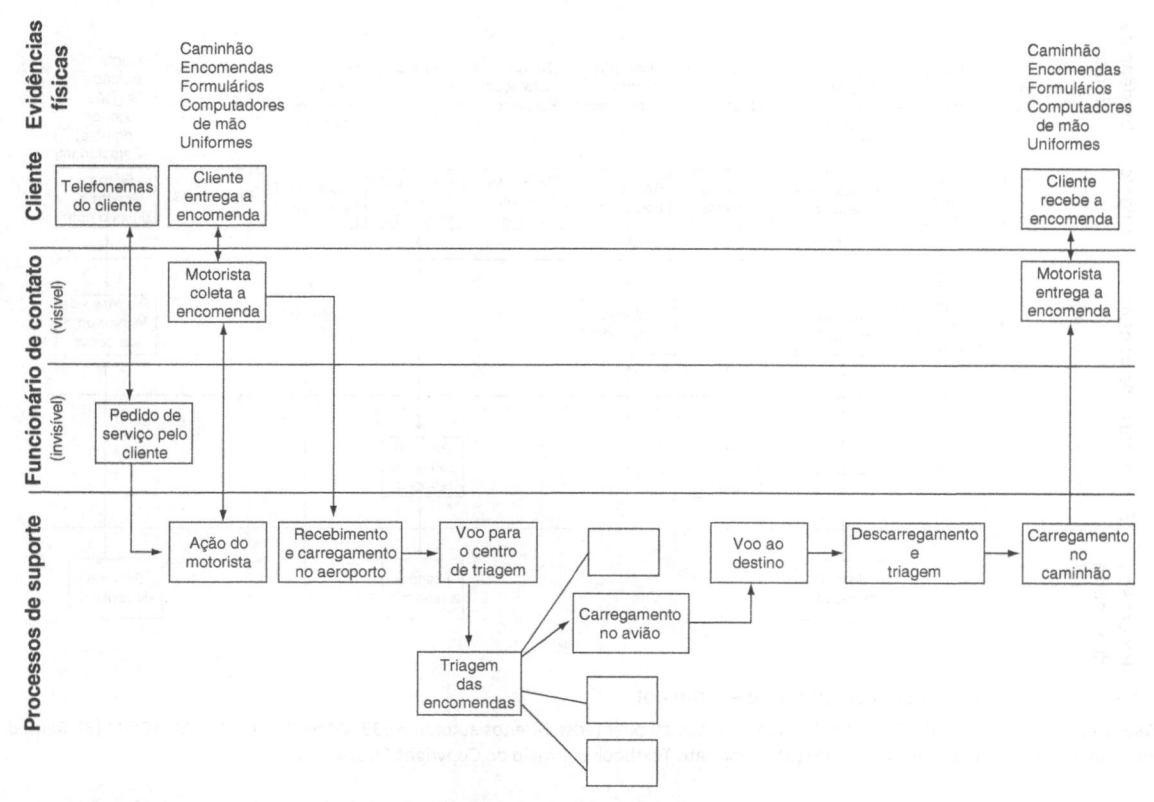

Figura 8.5 O mapa do serviço para um serviço de entrega expressa de encomendas.

Fonte: *Service Quality Handbook*, de E. E. Scheuing and W. F. Christopher (eds). Direitos autorais 1993 AM MGMT ASSN / AMACOM (B). Reproduzido com permissão de AM MGMT ASSN / AMACOM (B) no formato Textbook por meio do Copyright Clearance Center.

Alguns exemplos de mapas do serviço

As Figuras 8.5 e 8.6 ilustram mapas do serviço para dois serviços: a entrega expressa de encomendas e um pernoite em um hotel.[41] Estes mapas do serviço são simples e revelam as etapas mais básicas dos respectivos serviços. Diagramas mais enredados para cada etapa e processos internos mais complexos poderiam ter sido desenvolvidos. Além das quatro áreas de ação separadas pelas três linhas horizontais, estes mapas de serviço mostram as evidências físicas do serviço do ponto de vista do cliente em cada etapa do processo.

Examinemos o mapa do serviço para a entrega expressa de encomendas, da Figura 8.5. Fica claro que, do ponto de vista do cliente, há somente três etapas do processo de serviço: o telefonema, a coleta e a entrega da encomenda. O processo é relativamente padronizado; as pessoas que executam o serviço são o atendente que registra o pedido e o entregador. Por sua vez, as evidências físicas incluem a documentação, os formulários de transferência, o caminhão e o computador de mão. Em alguns casos o cliente também pode se envolver no sistema *on-line* ou telefônico de rastreamento da encomenda, embora este não esteja retratado aqui. Ainda que seja essencial ao sucesso da companhia, o complexo processo que ocorre por trás da linha de visibilidade é de pouco interesse ou valia para o cliente. Contudo, os serviços internos invisíveis são necessários para que as três etapas visíveis ao cliente se desenrolem com eficácia. A natureza destas etapas e o fato de que dão suporte à execução do serviço para o cliente externo ficam evidentes no mapa. As etapas presentes no mapa podem ser detalhadas em um segundo mapa auxiliar, se necessário. Por exemplo, se a empresa de encomendas descobriu que a etapa "descarregamento e triagem" demorava muito e causava atrasos inaceitáveis à entrega, essa etapa pode ser mapeada mais detalhadamente para identificar problemas.

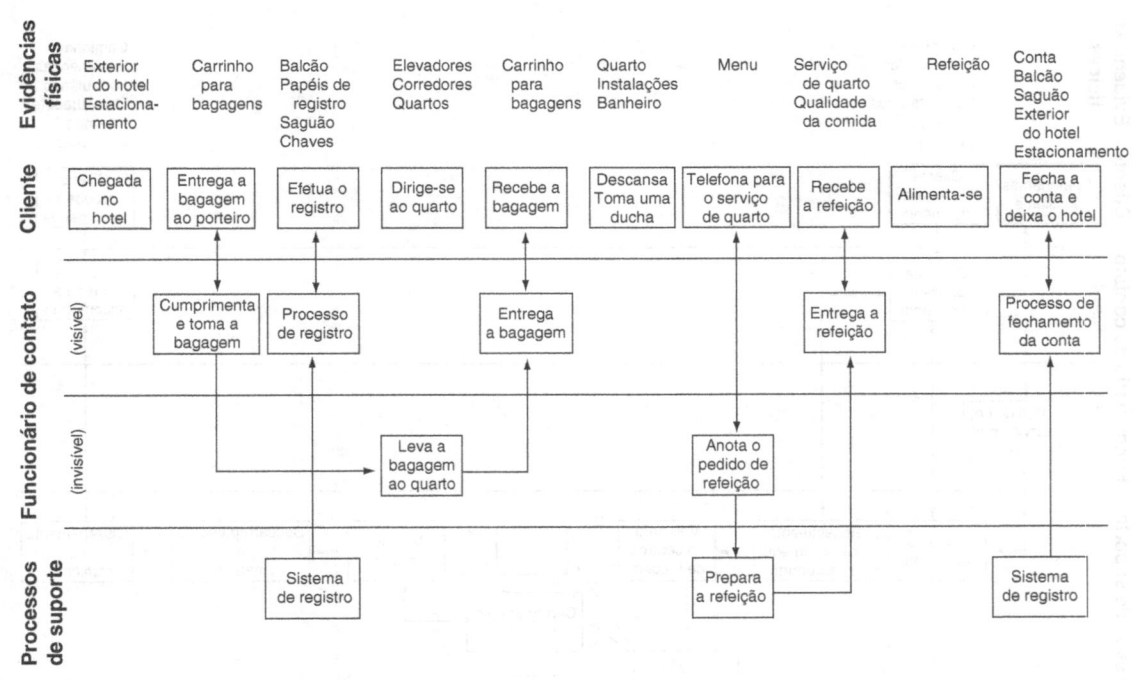

Figura 8.6 Mapa do serviço para um pernoite em um hotel.

Fonte: *Service Quality Handbook*, de E. E. Scheuing and W. F. Christopher (eds). Direitos autorais 1993 AM MGMT ASSN / AMACOM (B). Reproduzido com permissão de AM MGMT ASSN / AMACOM (B) no formato Textbook por meio do Copyright Clearance Center.

No caso do pernoite em um hotel descrito na Figura 8.6, o cliente obviamente tem um papel mais ativo no serviço do que no caso da entrega expressa de encomendas. Primeiro, o hóspede registra sua entrada no hotel; depois, vai para o quarto, onde ocorrem várias etapas (receber a bagagem, dormir, tomar uma ducha, tomar o café da manhã, e assim sucessivamente) e, por fim, fecha a conta. Imagine a complexidade deste processo e quantas interações ocorreriam se o mapa do serviço representasse uma semana de férias neste hotel, ou uma conferência de negócios de três dias! O mapa do serviço também esclarece (por meio da leitura ao longo da linha de interação) quais são os funcionários que interagem diretamente com o hóspede. Cada etapa contida na área está também associada a diversas formas de evidências físicas, entre as quais estão a área de estacionamento do hotel, o exterior do prédio, o interior, os formulários preenchidos no balcão, o saguão, o quarto e a comida. No exemplo do hotel, o processo é relativamente complexo (ainda que um tanto padronizado); as pessoas que prestam os serviços são funcionários atuantes em uma diversidade de linhas de frente, e as evidências físicas incluem tudo, desde o formulário de registro de entrada, a decoração do saguão e do quarto, até os uniformes usados por estes funcionários.

Os mapas de serviço para serviços de autoatendimento baseados na tecnologia

Até agora nossa discussão sobre o mapa do serviço restringiu-se a serviços executados em pessoa, isto é, serviços em que os funcionários interagem diretamente com os clientes em algum ponto do processo. Mas, o que dizer dos serviços executados por meio da tecnologia, como os *sites* de autoatendimento e os quiosques interativos? Qual é a possibilidade de utilizar o mapa do serviço de forma eficaz para projetar estes tipos de serviço? Sem dúvida, essa possibilidade é real, mas as linhas divisórias serão modificadas e alguns rótulos do mapa podem precisar de adaptações.

Se não há empregados envolvidos no serviço (exceto no momento em que há um problema ou no caso de o serviço não funcionar conforme o planejado), as pessoas da área de contato do mapa não são necessárias. Em vez disso, a área acima da linha de visibilidade pode ser utilizada para ilustrar a interface entre o cliente e o *site*, ou a interação física com o quiosque. Esta área é chamada de *tecnologia no teatro do serviço/visível*. As ações das pessoas presentes nos bastidores não são relevantes nesse caso.

Muitos serviços têm elementos interpessoais e tecnológicos. Consideremos o processo de *check-in* de uma companhia aérea. O *check-in* real pode ser efetuado em um balcão eletrônico, enquanto a bagagem, a inspeção de segurança e o recebimento da passagem durante o embarque são realizados por pessoas. Em um caso como esse, o mapa incluiria as três linhas de contato: uma para a tecnologia, uma para a pessoa de contato no teatro do serviço (visível) e uma para os funcionários nos bastidores (invisível). A Figura 8.7 é um mapa para um quiosque de aluguel de DVDs, o qual mostra as interações tecnológicas na área "tecnologia do teatro de serviços" do mapa. O mapa também ilustra o que o cliente vivencia se o DVD está arranhado. Quando isso acontece, o cliente chama o serviço ao cliente, o que caracteriza uma atividade do "funcionário de contato nos bastidores (invisível)".

Como ler e utilizar um mapa do serviço

Um mapa do serviço pode ser lido de diversas maneiras, dependendo da finalidade. Se a meta é entender o modo como o cliente vê o processo ou conhecer a experiência do cliente, o mapa pode ser lido da esquerda para a direita, na sucessão de eventos na área de ação do cliente. Nesta

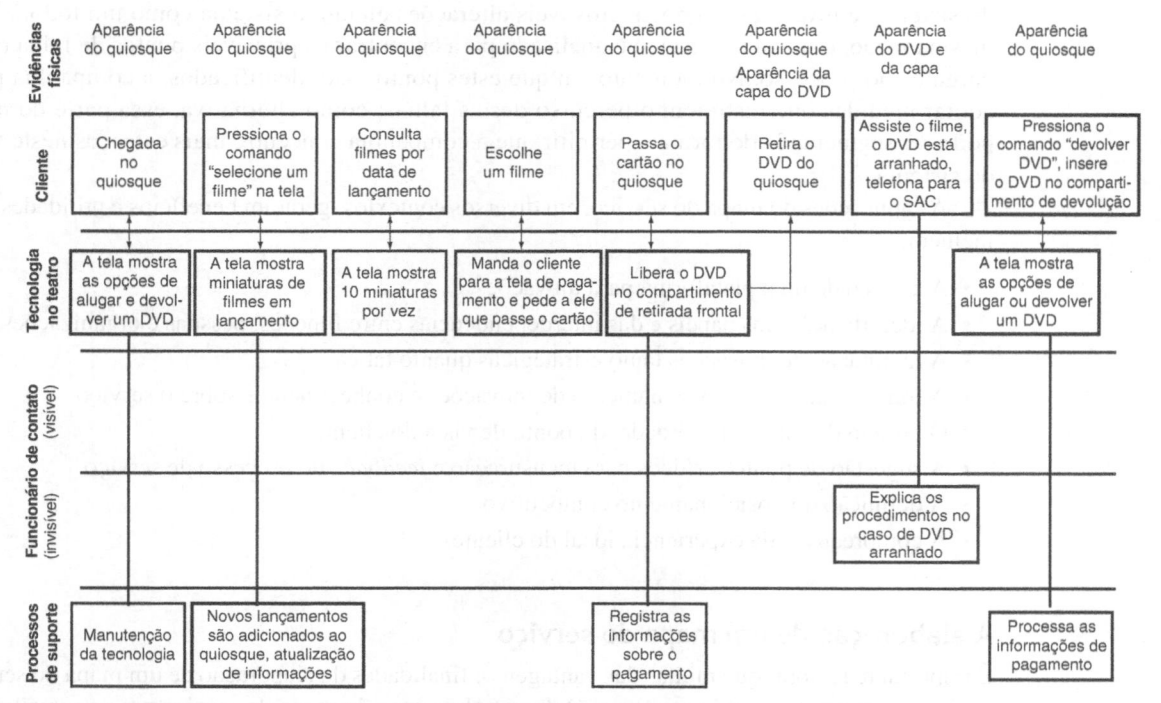

Figura 8.7 Mapa do serviço para um quiosque de aluguel de DVDs.
Fonte: Reproduzido com permissão de Amy L. Ostrom e Center for Services Leadership, Arizona State University, 2011.

leitura, surgem diversas perguntas, entre as quais: De que modo o cliente inicia o serviço? Quais são as escolhas que ele faz? O cliente está altamente envolvido na geração do serviço, ou são poucas as ações que ele tem de iniciar? Quais são as evidências físicas do serviço, do ponto de vista do cliente? As evidências físicas são consistentes com a estratégia e o posicionamento da companhia?

Se a finalidade é entender os papéis dos funcionários de contato ou a integração da tecnologia do teatro com as atividades dos funcionários de contato, o mapa também pode ser lido na horizontal, mas desta vez com enfoque nas atividades representadas diretamente acima e abaixo da linha de visibilidade. Entre as questões sugeridas estão: Qual é o nível de racionalidade, eficiência e eficácia do processo? Quem interage com os clientes, e a que momento e frequência ocorrem estas interações? Há uma pessoa responsável pelo cliente, ou o cliente é encaminhado a diferentes funcionários de contato? Essas interações e trocas entre pessoas e tecnologias são integradas e ininterruptas do ponto de vista do cliente?

A fim de compreender a integração dos diversos elementos do processo de serviço ou identificar os pontos em que funcionários específicos se encaixam no quadro mais amplo do serviço, o mapa deve ser analisado na dimensão vertical. Nessa análise, verificamos as tarefas e os funcionários essenciais à execução do serviço, do ponto de vista do cliente. Os elos entre as ações internas ocorridas em nível organizacional mais profundo e os efeitos da atuação da linha de frente sentidos pelo cliente também são visíveis no mapa. As perguntas possíveis incluem: Quais são as ações executadas nos bastidores em suporte aos pontos críticos da interação com o cliente? Quais são as ações de suporte associadas? De que forma ocorrem os encaminhamentos do cliente entre diferentes funcionários?

Quando a finalidade é o reprojeto do serviço, o mapa deve ser examinado como um todo, para avaliar a complexidade do processo, as possibilidades de alteração e a maneira como o ponto de vista do cliente afeta os funcionários de contato e outros processos, e vice-versa. Além disso, é possível utilizar o mapa do serviço para avaliar a eficiência global e a produtividade do sistema, e investigar como as prováveis alterações afetam o sistema como um todo.[42] Pela mesma razão, o mapa do serviço é analisado para encontrar os prováveis pontos de falha ou os gargalos no processo. No momento em que estes pontos são identificados, a companhia pode adotar medidas que rastreiem o percurso destas falhas; como alternativa, essa parte do mapa pode ser segmentada de forma a permitir que a companhia concentre mais esforços neste setor do sistema.

As aplicações do mapa do serviço, em diversos contextos, geraram benefícios e utilidades, que incluem:[43]

- A criação de uma plataforma para inovações.
- A identificação dos papéis e das interdependências entre funções, pessoas e organizações.
- A facilitação de inovações tanto estratégicas quanto táticas.
- A transferência e o armazenamento de inovações e conhecimentos sobre o serviço.
- O projeto das horas da verdade, do ponto de vista do cliente.
- A sugestão de pontos críticos para mensuração e *feedback* no processo de serviço.
- A definição do posicionamento competitivo.
- A compreensão da experiência ideal do cliente.

A elaboração de um mapa do serviço

É importante lembrar que muitas das vantagens e finalidades da elaboração de um mapa do serviço evoluem a partir do próprio processo. O desenvolvimento do mapa do serviço precisa envolver os representantes de diversas funções, além das informações trazidas pelos clientes. O desenho ou a

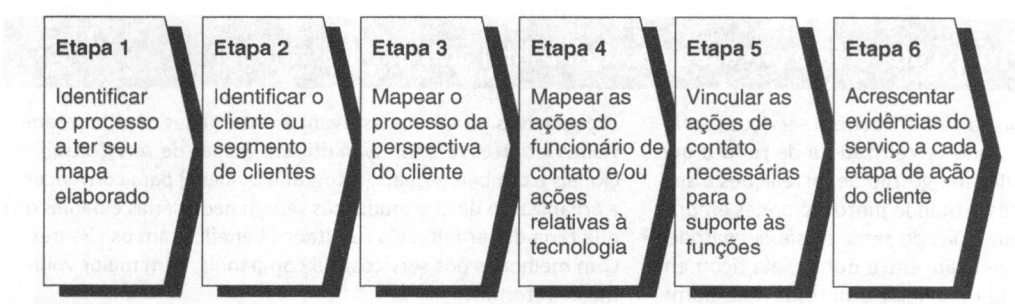

Etapa 1	Etapa 2	Etapa 3	Etapa 4	Etapa 5	Etapa 6
Identificar o processo a ter seu mapa elaborado	Identificar o cliente ou segmento de clientes	Mapear o processo da perspectiva do cliente	Mapear as ações do funcionário de contato e/ou ações relativas à tecnologia	Vincular as ações de contato necessárias para o suporte às funções	Acrescentar evidências do serviço a cada etapa de ação do cliente

Figura 8.8 A elaboração de um mapa de serviço.

elaboração de um mapa do serviço não é uma tarefa a ser entregue nas mãos de apenas uma pessoa ou aos cuidados de uma única área funcional. A Figura 8.8 identifica as etapas básicas na construção de um mapa do serviço.

Etapa 1: Identifique o processo do serviço a ter seu mapa elaborado

Um mapa pode ser desenvolvido em diferentes níveis, e é preciso haver um consenso acerca do seu ponto de partida. Por exemplo, o mapa para o serviço de entrega expressa de encomendas mostrado na Figura 8.5 está no nível básico de conceito de serviço. São poucos os detalhes presentes, e as variações baseadas no segmento de mercado ou em serviços específicos não são ilustradas. Os mapas do serviço podem ser desenvolvidos para serviços de correio de entrega em dois dias, grandes contas, serviços facilitados pela Internet e/ou os chamados *sites de classificados*. Cada um destes mapas compartilha algumas características com o conceito de mapa do serviço, sem deixar de incluir atributos específicos. Se as sequências do processo "triagem das encomendas" e "carregamento" fossem áreas problemáticas ou gargalos, poderia ser desenvolvido um mapa detalhado dos subprocessos em funcionamento nestas duas etapas.

Etapa 2: Identifique o cliente ou o segmento de clientes que recebe o serviço

Uma das justificativas para a segmentação de mercado diz que as necessidades de cada segmento são diferentes e, portanto, exigem variantes nas características de produtos ou serviços. Assim, os mapas têm sua utilidade comprovada quando são desenvolvidos para um cliente em especial ou um dado segmento de clientes, supondo que o processo de serviço varia entre diferentes segmentos. Em um nível abstrato ou conceitual, é possível combinar segmentos de mercado em um único mapa. Contudo, uma vez que qualquer nível de detalhe pode ser mapeado, diferentes mapas devem ser elaborados para evitar confusão e maximizar a utilidade de cada um.

Etapa 3: Mapeie o processo de serviço do ponto de vista do cliente

A etapa 3 envolve a representação das escolhas e ações que o cliente executa ou vivencia durante a compra, o consumo e a avaliação do serviço. Em um primeiro momento, a identificação do serviço do ponto de vista do cliente auxilia a evitar o foco nos processos e nas etapas que não exercem impacto sobre ele. Esta etapa gera o consenso sobre quem de fato é o cliente (por vezes, tarefa esta que não é pequena) e pode envolver considerável volume de pesquisa e observação para determinar exatamente o modo como o cliente constrói sua experiência com o serviço. Há casos em que o princípio e a finalização do serviço não estão óbvios para o cliente. Por exemplo, uma pesquisa no contexto de serviços de corte de cabelo revelou que os clientes veem o começo do processo no telefonema que marca a hora no salão de beleza, ao passo que os cabeleireiros via de regra não interpretam a marcação de hora como uma etapa do processo de serviço.[44] Se o mapa do serviço

Quadro 8.2 — O mapa do serviço em ação na ARAMARK Parks and Destinations

A ARAMARK é uma empresa global líder em serviços profissionais, com operações como terceirizadora de tudo o que vai de refeições à hospedagem, gestão de instalações e serviços relativos a uniformes. Atuando junto a grandes empresas, universidades, organizações do setor de saúde, parques e *resorts*, centros de convenção, entre outros, ela ficou em primeiro lugar no setor no ranking de empresas mais admiradas da revista *Fortune* em 2007. A companhia conta com aproximadamente 255 mil funcionários distribuídos em 22 países. Uma de suas divisões é a ARAMARK Parks and Destinations, um grupo que presta serviços para 17 dos principais destinos do setor nos Estados Unidos, que incluem o Parque Nacional de Denali, Alaska, o Parque Nacional de Shenandoah, na Virgínia, e o Lake Powell Resorts and Marinas, no Glen Canyon National Recreation Area, Estado do Arizona. Cada um destes parques tem ao menos três ou quatro empresas operadas pela ARAMARK, com base em um contrato de terceirização.

Objetivo: a melhoria do serviço e a retenção do cliente

Há alguns anos, Renee Ryan, a então diretora de marketing da ARAMARK Parks, deparou-se com um desafio. Não restava dúvida do declínio generalizado dos índices de retorno aos parques administrados pela ARAMARK. Este era o caso sobretudo no Lake Powell Resorts and Marinas no Arizona, em que a empresa operava serviços de aluguel de barcos com acomodações, um *resort*, instalações para acampamentos, serviços de passeio de barco e de refeições. Uma pesquisa revelou que muitas pessoas não retornavam ao Lake Powell porque sua primeira experiência com o local não teria atendido a suas expectativas ou ao que estavam acostumadas com base em visitas a outros *resorts*. Ryan utilizou mapas de serviço tradicionais e também visuais (fotografias, vídeos) para convencer a organização de que mudanças seriam necessárias e definir o que teria de ser feito. Os resultados beneficiaram os clientes, com melhorias nos serviços, e a companhia, com maior volume de retornos.

Em primeiro lugar, Ryan desenvolveu um mapa do serviço para uma experiência típica com hotéis ou *resorts* de qualidade, do ponto de vista de um cliente tradicional. Então, ela mapeou a experiência com o *resort* Lake Powell. A comparação entre os dois mapas foi reveladora em termos das diferenças em serviços, padrões e processos básicos. Este processo de comparação resultou no desenvolvimento de novos serviços, em melhorias nas instalações e na modernização dos principais elementos dos serviços. Com o auxílio do mapa do serviço visual, que mostrava todos os aspectos do serviço por meio de fotografias e vídeos, a necessidade por melhorias foi revelada.

Este mapa também trouxe outra descoberta: com o rastreamento visual da experiência do cliente, ficou claro que os clientes tinham de trabalhar duro em suas férias! Para conseguirem desfrutar da luxuosa e nada modesta experiência com os barcos de aluguel que contratavam, os clientes primeiramente tinham de fazer longas listas de compras, enfrentar o transtorno de comprar nas lojas apinhadas do *resort*, carregar todas as suas compras e bagagens por uma rampa de acesso muito íngreme e largar tudo no barco. Uma vez iniciada a viagem, mais trabalho duro seria necessário. Ancorar um grande barco a cada noite não é fácil, e cozinhar

---

for desenvolvido para um serviço existente, nesta etapa pode ser interessante filmar ou fotografar o processo de serviço, tal como feito no caso ARAMARK, ilustrado no Quadro 8.2. Os gerentes e as outras pessoas que não estão nas linhas de contato com o cliente podem ser pegos de surpresa no instante em que visualizarem a real experiência de serviço.

Etapa 4: Mapeie as ações do funcionário de contato e/ou as ações baseadas na tecnologia

Em primeiro lugar, são traçadas as linhas de interação e visibilidade, e então é mapeado o processo do ponto de vista da pessoa de contato com o cliente, com a separação das atividades visíveis executadas no teatro do serviço das atividades invisíveis executadas nos bastidores. Para serviços existentes, esta etapa envolve o questionamento ou a observação dos funcionários da linha de frente para gerar conhecimentos sobre o que eles fazem e sobre as atividades executadas diante do cliente, em contrapartida àquelas desenvolvidas nos bastidores.

O Houseboat Vacation no Lake Powell

a bordo pode ser uma tarefa árdua e demorada. Além disso, a navegação do tipo de barco disponibilizado era estressante, sobretudo para marinheiros inexperientes. As instalações terrestres desmanteladas, o árduo trabalho de lançar uma embarcação à água e o estresse inerente à navegação foram fatores que, combinados, desestimulavam a intenção de retorno dos clientes, após terem sobrevivido a suas primeiras férias no Lake Powell.

O exercício de elaboração de mapas do serviço construiu imagens reais destas situações para a alta gerência da companhia. O resultado foi um conjunto de novos serviços, renovações nas instalações existentes, treinamento de pessoal para a execução dos serviços de acordo com novos padrões e novos sistemas de mensuração e recompensa. Alguns dos novos serviços lançados incluíram diversos níveis de translado, desde o carregamento dos objetos dos clientes aos barcos, até o transporte destes clientes em um carro até as docas. Os pacotes de serviços foram estendidos a níveis mais elevados de consumo, como a compra de alimentos e a disponibilização de chefes de cozinha que viajariam com os clientes e cozinhariam a bordo. Capitães treinados também foram disponibilizados para diminuir o estresse inerente à navegação. Uma variedade de serviços intermediários passou a ser ofertada sob pedido.

Os resultados para a ARAMARK

O resultado de todas estas melhorias na qualidade do serviço e das inovações com novos serviços foi uma redução de 50% na apresentação de reclamações. O retorno de clientes subiu em 12%, e os níveis de satisfação também aumentaram de forma expressiva. Neste caso, os mapas do serviço foram extremamente úteis, pois permitiram aos gerentes perceber o serviço de uma forma nunca antes vista. Os mapas também forneceram um foco para as reuniões, o que resultou em novos padrões e mensurações de serviço. A técnica do mapa do serviço veio em auxílio às pessoas na divisão de parques, para o desenvolvimento de um verdadeiro foco no cliente.

Fontes: M. J. Bitner, A. L. Ostrom, and F. N. Morgan, "Service Blueprinting: A Practical Technique for Service Innovation," *California Management Review* 50 (Spring 2008), pp. 66–94; entrevista com Renee Ryan; e www.aramark.com, Agosto de 2011.

Para serviços baseados na tecnologia ou aqueles que combinam tecnologia e trabalho humano, as ações exigidas da interface tecnológica também serão mapeadas acima da linha de visibilidade. Se não houver um funcionário envolvido no serviço, a área pode ser renomeada "ações tecnológicas no teatro do serviço". No caso de interações tanto humanas quanto tecnológicas, uma linha horizontal pode ser incluída para separar as "ações visíveis dos funcionários de contato" das "ações visíveis via tecnologia".

Etapa 5: Vincule as atividades de contato às funções de suporte necessárias

A linha da interação interna pode agora ser traçada, e o vínculo entre as atividades de contato e as funções internas de apoio, identificado. Nesse processo, ficam evidentes os impactos diretos e indiretos das ações internas sobre os clientes. Os processos internos do serviço ganham mais importância no momento em que são vistos em relação ao vínculo que mantêm com o cliente. Como alternativa, certas etapas no processo podem ser vistas como desnecessárias se não há relação clara com a experiência do cliente ou com um serviço de apoio interno essencial.

Quadro 8.3 — As perguntas mais frequentes sobre o mapa do serviço

Quais processos devem ser mapeados?

Os processos a serem mapeados dependem dos objetivos da equipe ou da organização. Se estes não estiverem claramente definidos, então a identificação do processo pode ser um desafio. As perguntas a fazer: Por que estamos mapeando o processo? Qual é o nosso objetivo? Em que pontos começa e termina o processo do serviço? Estamos concentrados no serviço como um todo, em um componente do serviço ou em um período de tempo?

É possível incluir múltiplos segmentos de mercado em um único mapa?

Em geral, a resposta a esta pergunta é "não". Se supormos que os segmentos de mercado requerem diferentes processos ou atributos do serviço, o mapa para um segmento pode diferir bastante do mapa para outro segmento. Apenas a um nível elevado (por vezes chamado mapa conceitual) pode ser relevante mapear vários segmentos ao mesmo tempo.

Quem deve "desenhar" o mapa?

Um mapa é um esforço de equipe. Ele não deve ser a incumbência de um único indivíduo, sobretudo nos estágios de desenvolvimento. Todas as partes relevantes precisam ser envolvidas ou representadas no esforço de desenvolvimento. A tarefa deve incluir funcionários em diferentes departamentos da organização (marketing, operações, recursos humanos, projeto de instalações), além dos clientes, em alguns casos.

É o processo de serviço real ou do serviço desejado que precisa ser mapeado?

Se um novo serviço está sendo projetado, então não resta dúvida da importância de iniciar com o processo do serviço desejado. Contudo, nos casos de melhoria do serviço ou de reprojeto do serviço, é de suma importância mapear (ao menos em nível conceitual) o processo de serviço real, primeiramente. Depois que o grupo conhece como o serviço de fato funciona, então o mapa pode ser modificado ou utilizado como base para alterações ou melhorias.

As exceções ou os processos de recuperação podem ser incorporados ao mapa?

Talvez seja possível representar processos relativamente simples e de ocorrência comum na forma de um mapa do serviço, sob a hipótese de que não sejam muitos. Contudo, este processo pode rapidamente crescer em complexidade e tornar o mapa confuso e ilegível. Muitas vezes a melhor estratégia consiste em indicar os pontos de falha em comum no mapa e, caso necessário, desenvolver mapas individuais para os processos de recuperação do serviço.

Qual é o nível adequado de detalhe?

A resposta a esta pergunta depende da finalidade do mapa, em primeiro lugar. Se ele for utilizado principalmente para revelar a natureza geral do serviço, então um mapa conceitual com poucos detalhes é a melhor alternativa. Se ele for utilizado com o intuito de diagnosticar e melhorar o processo de serviço, então detalhes suplementares são necessários. Em função de algumas pessoas serem mais predispostas ao detalhe do que outras, esta pergunta sempre deve ser formulada e precisa ser respondida com o trabalho de uma equipe de elaboração de mapas.

Quais símbolos devem ser utilizados?

Não existe um dicionário de símbolos para a elaboração de mapas do serviço que deva ser utilizado. O mais importante é que os símbolos estejam definidos, sejam relativamente simples e usados de modo consistente pela equipe e em toda a organização, se os mapas circularem internamente.

Os custos financeiros ou de tempo devem ser incluídos no mapa?

Os mapas são versáteis. Se a redução no tempo tomado por diversas partes do processo do serviço é um dos objetivos do esforço de mapeamento, então o tempo pode ser incluído. O mesmo é válido para os custos ou qualquer outra coisa que seja relevante. Contudo, não é aconselhável incluir estas informações no mapa, a menos que sejam muito importantes.

Etapa 6: Acrescente evidências do serviço a cada etapa de ações do cliente

Por fim, a evidência do serviço pode ser acrescentada ao mapa para ilustrar o que o cliente vê e vivencia como evidência tangível do serviço a cada etapa do processo. Um mapa fotográfico, que inclua fotos, *slides* ou vídeos do processo, é útil nesta etapa, para auxiliar na análise do impacto das provas tangíveis e de sua consistência com a estratégia global e o posicionamento do serviço.

O Quadro 8.3 fornece respostas a questões comuns sobre o mapa do serviço.

Resumo

As empresas prestadoras de serviço precisam combinar as expectativas do cliente com as inovações no serviço e os projetos de processos de serviço reais de forma eficaz. Contudo, devido à natureza dos serviços – especificamente, os elementos relativos à intangibilidade, variabilidade e cogeração dos serviços – o projeto e o desenvolvimento de ofertas de serviço são complexos e desafiadores. Muitos serviços são definidos muito vagamente antes do lançamento no mercado. Este capítulo tratou de alguns desafios envolvidos na inovação e no projeto de serviços e de algumas estratégias para vencer estes desafios com eficácia. Ele também descreve uma gama de diferentes tipos de inovações do serviço, incluindo a inovação na oferta do serviço, a inovação nos papéis do cliente e a inovação por meio de soluções do serviço.

Com as adaptações do processo de desenvolvimento de um novo produto, comuns em empresas do setor de produção e manufatura, as empresas prestadoras de serviço hoje oferecem soluções de modo mais explícito e se esforçam para evitar falhas.

O processo de desenvolvimento de um novo serviço apresentado neste capítulo tem nove etapas, que iniciam com o desenvolvimento de um negócio e de uma nova estratégia, e terminam com a avaliação pós-lançamento do novo serviço. Entre estes estágios iniciais e finais há uma série de etapas e pontos de verificação definidos para maximizar a probabilidade de sucesso da inovação. A execução destas etapas requer a inclusão dos clientes, dos funcionários de contato, dos parceiros de negócios e de todos que afetam ou são afetados pelo novo serviço.

O mapa do serviço é uma técnica especialmente útil na inovação de serviços, e é descrito em detalhes neste capítulo. Um mapa representa concretamente o serviço, por meio da descrição visual de todas as etapas, atores, processos e evidências físicas do serviço. A principal característica dos mapas do serviço é o foco no cliente – a experiência do cliente é primeiramente documentada e sempre conservada, à medida que outras características do mapa são desenvolvidas.

Questões para discussão

1. Por que a inovação, o projeto e o desenvolvimento de novos serviços é um desafio?
2. Por que a inovação nos serviços é essencial para empresas e países?
3. Quais são os riscos em tentar descrever os serviços apenas com palavras?
4. Encontre exemplos dos diferentes tipos de inovações em serviços apresentados na seção "Os Tipos de Inovação nos Serviços" deste capítulo, e discuta-os em aula.
5. Compare e contraponha os mapas de serviço mostrados nas Figuras 8.5, 8.6 e 8.7.
6. De que modo um mapa de serviço pode ser empregado na tomada de decisão nas esferas do marketing, dos recursos humanos e das operações? Escolha um dos exemplos de mapa do serviço mostrados anteriormente para contextualizar sua resposta.
7. Considere que você tem uma empresa prestadora de diversos serviços que deseja se expandir com a adição de novos serviços. Como você descreveria um processo lógico para o lançamento de um novo serviço no mercado? Quais etapas no processo podem ser as mais difíceis, e por quê? De que modo você incorpora o mapa do serviço neste processo?
8. Discuta a Figura 8.2 em termos dos quatro tipos de oportunidades de crescimento nela representadas. Escolha uma companhia ou serviço, e explique como ela pode crescer com o desenvolvimento de novos serviços em cada uma das quatro células.

Exercícios

1. Pense em um novo serviço que você gostaria de desenvolver, se você fosse um empresário. Qual seria seu ponto de partida? Descreva suas iniciativas e suas fontes de informação.
2. Descubra um serviço novo e interessante em sua cidade, ou um serviço oferecido no campus de sua universidade. Documente o processo do serviço por meio de um mapa do serviço. Para este exercício, você provavelmente precisará entrevistar um dos funcionários do serviço e presenciar o serviço em pessoa. Após ter documentado o serviço existente, utilize os conceitos de mapa do serviço para reprojetar o serviço ou alterá-lo.
3. Escolha um serviço com que você esteja familiarizado e documente as etapas das ações do cliente, por meio de um mapa do serviço fotográfico ou em vídeo. Quais são as "evidências do serviço", do seu ponto de vista de cliente?
4. Desenvolva um mapa do serviço para um serviço executado com base na tecnologia (como um serviço de viagens para a Internet). Compare este mapa àquele desenvolvido para o mesmo serviço, executado por canais mais tradicionais (como um agente de viagem).

5. Compare dois serviços disponíveis na Internet. Discuta o projeto de cada um deles em termos da satisfação de suas expectativas. De que modo o projeto ou o processo do serviço podem ser alterados? Qual deles é o mais eficaz? Por quê?

Literatura citada

1. www.petsmart.com, 2011; C. Dalton, "A Passion for Pets: An Interview with Philip L. Francis, Chairperson and CEO of PetSmart, Inc.," *Business Horizons* 48 (November–December 2005), pp. 469–475; D. Brady and C. Palmeri, "The Pet Economy," *BusinessWeek*, August 6, 2007, p. 44; M. Jarman, "PetSmart Quarterly Income Up 33%," *Arizona Republic*, May 19, 2011, p. D1.

2. D. H. Henard and D. M. Szymanski, "Why Some New Products Are More Successful Than Others," *Journal of Marketing Research* 38 (August 2001), pp. 362–375.

3. R. G. Cooper, *Winning at New Products*, 3rd ed. (Cambridge, MA: Perseus, 2001); R. G. Cooper and S. J. Edgett, *Product Development for the Service Sector* (Cambridge, MA: Perseus Books, 1999); and C. M. Froehle, A. V. Roth, R. B. Chase, and C. A. Voss, "Antecedents of New Service Development Effectiveness," *Journal of Service Research*, 3 (August 2000), pp. 3–17; R. G. Cooper, "Effective Gating: Make Product Innovation More Productive by Using Gates with Teeth," *Marketing Management* 18 (March–April 2009), pp. 12–17.

4. M. J. Bitner and S. W. Brown, "The Service Imperative," *Business Horizons 50th Anniversary Issue*, 51 (January–February 2008), pp. 39–46.

5. G. L. Shostack, "Understanding Services through Blueprinting," in *Advances in Services Marketing and Management*, vol. 1, ed. T. A. Swartz, D. E. Bowen, and S. W. Brown (Greenwich, CT: JAI Press, 1992), pp. 75–90.

6. Ibid., p. 76.

7. Para excelentes discussões sobre pesquisa e questões relativas ao desenvolvimento de novos serviços, ver *Journal of Operations Management* 20 (2002), Special Issue on New Issues and Opportunities in Service Design Research; A. Johne and C. Story, "New Service Development: A Review of the Literature and Annotated Bibliography," *European Journal of Marketing* 32, no. 3–4 (1998), pp. 184–251; B. Edvardsson, A. Gustafsson, M. D. Johnson, and B. Sanden, *New Service Development and Innovation in the New Economy* (Lund, Sweden: Studentlitteratur AB, 2000); e B. Edvardsson, A. Gustafsson, P. Kristensson, P. Magnusson, and J. Matthing, *Involving Customers in New Service Development* (London: Imperial College Press, 2006).

8. A. Ordanini and A. Parasuraman, "Service Innovation Viewed through a Service-Dominant Logic Lens: A Conceptual Framework and Empirical Analysis," *Journal of Service Research* 14 (February 2011), pp. 3–23.

9. B. Schneider and D. E. Bowen, "New Services Design, Development and Implementation and the Employee," in *Developing New Services*, ed. W. R. George and C. Marshall (Chicago: American Marketing Association, 1984), pp. 82–101.

10. S.Thomke, "R&D Comes to Services: Bank of America's Pathbreaking Experiments," *Harvard Business Review* 81 (April 2003), pp. 70–79.

11. A. L. Ostrom, M. J. Bitner, S. W. Brown, K. A. Burkhard, M. Goul, V. Smith-Daniels, H. Demirkan, and E. Rabinovich, "Moving Forward and Making a Difference: Research Priorities for the Science of Service," *Journal of Service Research* 13 (February 2010), pp. 4–36.

12. B. Mager no Service Design Network, www.service-design-network.org, acessado em Agosto de 2011.

13. Ostrom et al., "Moving Forward and Making a Difference."

14. M. Stickdorn and J. Schneider, *This Is Service Design Thinking* (Amsterdam:, 2010), pp. 34–35.

15. Mager, www.service-design-network.org.

16. Para mais detalhes e informações sobre o projeto de serviço e a filosofia do projeto, ver: S. Dasu and R. B. Chase, "Designing the Soft Side of Customer Service," *Sloan Management Review*, 52, no. 1 (Fall 2010), pp. 33–39; L. G. Zomerdijk and C. A. Voss, "Service Design for Experience-Centric Services," *Journal of Service Research* 13 (February 2010), pp. 67–82; L. Patricio, R. P. Fisk, J. Falcao e Cunha, and L. Constantine, "Multilevel Service Design: From Customer Value Constellation to Service Experience Blueprinting," *Journal of Service Research* 14 (May 2011), pp. 180–200; Stickdorn and Schneider, *This Is Service Design Thinking*; Service Design Network, www.service-design-network.org.

17. L. L. Berry, V. Shankar, J. T. Parish, S. Cadwallader, and T. Dotzel, "Creating New Markets through Service Innovation," *Sloan Management Review* 47 (Winter 2006), pp. 56–63.

18. S. Michel, S. W. Brown and A. S. Gallan, "An Expanded and Strategic View of Discontinuous Innovations: Deploying a Service Dominant Logic," *Journal of the Academy of Marketing Science* (March 2008), pp. 54–66.

19. K. R. Tuli, A. K Kohli, and S. G. Bharadwaj, "Rethinking Customer Solutions: From Product Bundles to Relational Processes," *Journal of Marketing*, 71 (July), 2007, pp. 1–17.

20. L. A. Bettencourt, *Service Innovation*, New York: McGraw-Hill, 2010; L. A. Bettencourt and A. W. Ulwick, "The Customer-Centered Innovation Map," *Harvard Business Review*, 86 (5), May 2008, pp. 109–114.

21. M. Sawhney, S. Balasubramanian, and V. V. Krishnan, "Creating Growth with Services," *MIT Sloan Management Review*, Winter 2004, pp. 34–43.

22. Ver: C. Gronroos and P. Helle, "Adopting a Service Logic in Manufacturing," *Journal of Service Management*, 21 (5), 2010, 564–590; H. Gebauer, A. Gustafsson, and L. Witell, "Competitive Advantage Through Service Differentiation by Manufacturing Companies," *Journal of Business Research*, forthcoming, 2011;W. Ulaga and W. J. Reinartz, "Hybrid Offerings: How Manufacturing Firms Combine Goods and Services Successfully," *Journal of Marketing*, forthcoming, 2011; V. A. Zeithaml, S. W. Brown, and M. J. Bitner, "The Service Continuum: Delineating a Conceptual Domain for Researchers and Managers," working paper, Center for Services Leadership, Arizona State University, 2011.

23. A. M. Epp and L. L. Price, "Designing Solutions Around Customer Network Identity Goals," *Journal of Marketing*, 75 (March), 2011, pp. 36–54.

24. Para uma discussão sobre essas adaptações e questões relativas à pesquisa, ver I. Stuart, "Designing and Executing Memorable Service Experiences: Lights, Camera, Experiment, Integrate, Action!" *Business Horizons* 49 (2006), pp. 149–159; M. V. Tatikonda and V. A. Zeithaml, "Managing the New Service Development Process: Synthesis of Multidisciplinary Literature and Directions for Future Research," in *New Directions in Supply Chain Management: Technology, Strategy, and Implementation*, ed. T. Boone and R. Ganeshan (New York: AMACOM, 2002), pp. 200–236; e B. Edvardsson et al., *New Service Development and Innovation in the New Economy*.

25. Ver M. J. Bowers, "An Exploration into New Service Development: Organization, Process, and Structure," doctoral dissertation, Texas A&M University, 1985; A. Khurana and S. R. Rosenthal, "Integrating the Fuzzy Front End of New Product Development," *Sloan Management Review* 38 (Winter 1997), pp. 103–120; e R. G. Cooper, *Winning at New Products*, 3rd ed. (Cambridge, MA: Perseus Publishing, 2001). J. Hauser, G. J. Tellis, and A. Griffin,"Research on Innovation: A Review and Agenda for Marketing Science," *Marketing Science* 25 (November–December 2006), pp. 687–717.

26. Ver A. Griffin, "PDMA Research on New Product Development Practices: Updating Trends and Benchmarking Best Practices," *Journal of Product Innovation Management* 14 (1997), pp. 429–458; Thomke, "R&D Comes to Services"; Organization for Economic Cooperation and Development, "Promoting Innovation in Services," 2005.

27. R. G. Cooper, "Stage Gate Systems for New Product Success," *Marketing Management* 1, no. 4 (1992), pp. 20–29; J. Hawser, G. J. Tellis and A. Griffin, "Research on Innovations. A Review and Agenda for Marketing Science," *Marketing Science* 25 (63, 2006) pp. 687–717; Cooper, "Effective Gating."

28. A. Khurana and S. R. Rosenthal, "Integrating the Fuzzy Front End of New Product Development," *Sloan Management Review* 38 (Winter 1997), pp. 103–120.

29. J. Jargon, "KFC Savors Potential in Africa," *The Wall Street Journal*, December 8, 2010, p. B1.

30. D. Rigby and C. Zook, "Open-Market Innovation," *Harvard Business Review* 80 (October 2002), pp. 80–89.

31. D. Leonard and J. F. Rayport, "Spark Innovation through Empathic Design," *Harvard Business Review* 75 (November–December 1997), pp. 103–113; ver também P. Underhill, *Why We Buy: The Science of Shopping* (New York: Simon and Schuster, 2007).

32. Ver Ordanini and Parasuraman, "Service Innovation Viewed through a Service-Dominant Logic Lens"; H. L. Melton and M. D. Hartline, "Customer and Frontline Employee Influence on New Service Development Performance," *Journal of Service Research* 13 (November 2011), pp. 411–425; L. McCreary, "Kaiser Permanente's Innovation on the Front Lines," *Harvard Business Review* 88 (September 2010), pp. 92–97.

33. R. Cross, A. Hargadon, S. Parise, and R. J. Thomas, "Together We Innovate," *The Wall Street Journal,* September 15–16, 2007, p. R6; J. C. Spender and B. Strong, "Who Has Innovative Ideas? Employees." *Wall Street Journal*, August 23, 2010, p. R5.

34. G. L. Shostack, "Service Design in the Operating Environment," in *Developing New Services,* ed. W. R. George and C. Marshall (Chicago: American Marketing Association, 1984), pp. 27–43.

35. E. E. Scheuing and E. M. Johnson, "A Proposed Model for New Service Development," *Journal of Services Marketing* 3, no. 2 (1989), pp. 25–34.

36. L. Chamberlain, "Going Off the Beaten Path for New Design Ideas," *New York Times*, March 12, 2006, Sunday Business Section.

37. Shostack, "Service Design," p. 35; ver também I. Stuart, "Designing and Executing Memorable Service Experiences."

38. A seção sobre a elaboração do mapa do serviço deste capítulo foi baseada em trabalhos consagrados e atuais na área: G. L. Shostack, "Designing Services That Deliver," *Harvard Business Review* 62 (January–February 1984), pp. 133–139; G. L. Shostack, "Service Positioning through Structural Change," *Journal of Marketing* 51 (January 1987), pp. 34–43; and J. Kingman-Brundage, "The ABC's of Service System Blueprinting," in *Designing a Winning Service Strategy,* ed. M. J. Bitner and L. A. Crosby (Chicago: American Marketing Association, 1989), pp. 30–33; M. J. Bitner, A. L. Ostrom, and F. N. Morgan, "Service Blueprinting: A Practical Technique for Service Innovation," *California Management Review* 50 (Spring 2008), pp. 66–94.

39. Shostack, "Understanding Services through Blueprinting."

40. Esses componentes-chave são baseados em Kingman-Brundage, "The ABC's."

41. O texto explicativo das Figuras 8.5 e 8.6 é baseado em M. J. Bitner, "Managing the Evidence of Service," in *The Service Quality Handbook,* ed. E. E. Scheuing and W. F. Christopher (New York: American Management Association, 1993), pp. 358–370.

42. S. Fliess and M. Kleinaltenkamp, "Blueprinting the Service Company: Managing Service Processes Efficiently," *Journal of Business Research* 57 (2004), pp. 392–404.

43. Para uma cobertura sobre as vantagens práticas do mapa do serviço, ver E. Gummesson and J. Kingman-Brundage, "Service Design and Quality: Applying Service Blueprinting and Service Mapping to Railroad Services," in *Quality Management in Services*, ed. P. Kunst and J. Lemmink (Assen/Maastricht, Netherlands: Van Gorcum, 1991); e Bitner et al., "Service Blueprinting."

44. A. R. Hubbert, A. Garcia Sehorn, and S. W. Brown, "Service Expectations: The Consumer vs. the Provider," *International Journal of Service Industry Management* 6, no. 1 (1995), pp. 6–21.

Capítulo 9

Os padrões do serviço definidos pelo cliente

Os objetivos deste capítulo são:

1. Distinguir entre os padrões definidos pela companhia e os padrões definidos pelo cliente.
2. Diferenciar entre os padrões *hard* e os padrões *soft* definidos pelo cliente, e as soluções simples.
3. Explicar o papel essencial da sequência do encontro de serviço no desenvolvimento de padrões definidos pelo cliente.
4. Ilustrar como traduzir as expectativas do cliente em comportamentos e ações definíveis, repetíveis e práticas.
5. Explicar o processo de desenvolvimento de padrões de serviço definidos pelo cliente.

A FedEx define os padrões por meio do SQI

Os dados da pesquisa de marketing não são os únicos números que a FedEx rastreia na execução de seus negócios. A empresa conduz suas operações com o auxílio de um dos indicadores de padrões de serviço definidos pelo cliente mais abrangentes em todo o mundo. O indicador da qualidade do serviço da FedEx (Service Quality Indicator, SQI) foi projetado como um "implacável indicador interno de desempenho" para garantir que a companhia concretizasse seu objetivo de "100% de satisfação do cliente após cada interação e transação e 100% de desempenho de serviço em cada encomenda entregue".[1] O desenvolvimento e a implementação do SQI renderam à empresa o Prêmio Nacional de Qualidade Malcolm Baldrige.

O que diferencia este indicador de serviço dos de outras companhias é seu embasamento no *feedback* do cliente. Desde a década de 1980, a FedEx documenta as reclamações dos clientes e utiliza estas informações para melhorar os processos internos. A lista inicial com as 12 reclamações mais comuns, originalmente chamada de "Hierarquia dos Horrores", incluía datas de entrega erradas, entregas efetuadas na data certa, mas com atraso, coleta não realizada, extravio de encomendas, informações equivocadas dadas aos clientes, erros nas faturas e nos documentos, falhas no desempenho dos funcionários e encomendas avariadas. Apesar de esta lista ser

Toda a FedEx é dirigida por padrões definidos pelo cliente.

útil, ela não conseguia proporcionar à gerência da companhia a capacidade de prever e eliminar as reclamações dos clientes antes de elas ocorrerem.

Em 1988, a empresa desenvolveu um SQI estatístico de 12 itens, para tornar-se um "indicador da satisfação do cliente e da qualidade do serviço mais abrangente, proativo e voltado para o cliente."[2] Os itens incluídos no SQI mudaram ligeiramente com o tempo, assim como os pesos associados a cada um deles. Versões mais recentes do SQI para a FedEx Express incluem os seguintes componentes e pesos (com base na importância de cada um dos itens para os clientes):[3]

Indicador	Peso
Encomendas extraviadas	50
Encomendas avariadas	30
Falha na coleta (chamada por telefone)	20
Dia errado/entrega atrasada	15
Falha na coleta (marcada regularmente)	10
Encomendas faltando	10
Dia certo/entrega atrasada	5

Outra característica diferenciadora do SQI é a emissão de dados em termos de *números* de erros, não de porcentagens. A gerência da companhia acredita piamente que as porcentagens a distanciam do cliente: relatar 1% de atrasos em entregas minimiza a realidade de 70 mil clientes infelizes (1% dos aproximadamente 7 milhões de encomendas despachadas a cada dia). O relatório do SQI é divulgado semanalmente a todas as pessoas que trabalham na companhia. Ao receberem o relatório, as principais causas das falhas no serviço são investigadas. Com um funcionário sênior designado para cada componente e com bônus para todas as pessoas da empresa vinculadas ao desempenho no SQI, a empresa faz esforços contínuos para alcançar seu objetivo de 100% de satisfação com cada transação que conduz. Além do uso desses itens no SPQ da FedEx Express, métricas semelhantes de SQI são adotadas em outras divisões da companhia, incluindo a FedEx Ground, a FedEx Freight, a FedEx Office e a FedEx Services.[4]

Conforme vimos nos Capítulos 5, 6 e 7, a compreensão das exigências dos clientes é a primeira etapa na execução de serviços de alta qualidade. Depois que os gerentes das companhias prestadoras de serviço compreendem com precisão as expectativas dos clientes, eles têm diante de si um segundo grande desafio: a utilização deste conhecimento para definir os padrões e os objetivos relativos à qualidade da organização. As prestadoras de serviço muitas vezes passam por dificuldades na definição de padrões que atendam ou excedam as expectativas dos clientes, em parte porque, para alcançar este objetivo, seria necessário fazer seus departamentos de marketing e de operações trabalharem em conjunto. Na maioria das companhias do setor de serviços, a integração do trabalho do departamento de marketing ao trabalho executado pelo departamento de operações (que recebe o apropriado nome de *integração funcional*) não é uma abordagem comumente empregada. Com mais frequência, estas duas funções operam em separado – com a definição e a concretização de seus próprios objetivos – em vez de buscar um objetivo conjunto de desenvolver os padrões de operação que melhor atendam às expectativas de seus clientes.

A criação de padrões de serviço que tratem das expectativas dos clientes não é prática comum nas empresas norte-americanas. Muitas vezes, esta tarefa requer a alteração do mesmo processo por meio do qual o trabalho é executado, e que está profundamente enraizado na cultura corporativa da maioria destas empresas. Com frequência, a mudança requer novos equipamentos ou tecnologia, bem como o alinhamento dos executivos de diferentes setores da companhia, para que entendam coletivamente a visão plena da qualidade do serviço, da perspectiva do cliente. Além disso, a mudança quase sempre exige a disposição de acolher as diferentes maneiras de estruturar, calibrar e monitorar o modo como o serviço é executado.

OS FATORES NECESSÁRIOS AOS PADRÕES APROPRIADOS DE SERVIÇO

A padronização de comportamentos e ações no serviço

A tradução das expectativas do cliente em padrões específicos da qualidade do serviço depende do quanto as tarefas e os comportamentos a serem executados podem ser padronizados ou inseridos na rotina da companhia. O termo *padronização* via de regra implica um processo sequencial, invariável – semelhante à produção em massa de bens de consumo – em que cada etapa é delineada de forma a garantir a uniformidade de resultados, ao passo que a palavra *customização* em geral refere-se a algum nível de adaptação ou adequação do processo a um cliente em especial.[5] O objetivo da padronização é permitir que a prestadora de serviços gere um produto de serviço consistente em todas as transações. Em contrapartida, a meta da customização na prestadora de serviço é o desenvolvimento de um serviço que atenda às necessidades de cada cliente. Alguns executivos e gerentes acreditam que os serviços não podem ser padronizados – que a customização é essencial para a prestação de serviço de alta qualidade. Os gerentes também são da opinião de que padronizar tarefas não é consistente com a entrega de poder de decisão às mãos dos funcionários – que os funcionários sentem-se controlados pela companhia se as tarefas forem padronizadas. Além disso, eles dizem que os serviços são intangíveis demais para aceitarem uma mensuração. Essa visão leva a uma definição vaga e pouco estruturada de padrões, com pouco ou nenhum *feedback* ou mensuração.

Na verdade, muitas tarefas da execução de serviços são rotineiras (como aquelas necessárias para a abertura de contas ou a aplicação de herbicidas em gramados) e, para estas, regras e padrões específicos podem ser definidos com facilidade e executados de modo eficiente. Os funcionários tendem a acolher muito bem o conhecimento de como executar ações com maior eficiência, o que os liberta para utilizar a própria genialidade nos aspectos mais personalizados e individuais do trabalho que executam.

A padronização do serviço assume três formas: (1) a substituição do contato humano e do esforço individual pela tecnologia, (2) a melhoria nos padrões de trabalho e (3) as possíveis combinações destes dois métodos. Exemplos da substituição por tecnologia incluem os caixas automáticos, os "lava-jatos" para lavagem de veículos e os aparelhos de raio X instalados em aeroportos. As melhorias nos métodos de trabalho são ilustradas pelos métodos de limpeza doméstica por serviços de limpeza, como o Molly Maid e o The Maids, e os serviços rotinizados de cálculo de impostos e de contabilidade em geral lançados por empresas como a H&R Block.

A tecnologia e os métodos de melhoria no trabalho facilitam a padronização necessária para garantir uma prestação constante de serviços aos clientes. Ao segmentar tarefas e executá-las com eficiência, a tecnologia permite que a empresa calibre os padrões de serviço, como o tempo tomado para a execução de transações, a precisão com que as operações são conduzidas e o número de problemas que ocorrem. Ao desenvolver melhorias no trabalho, a empresa consegue compreender o processo pelo qual o serviço é executado, o que permite a definição de padrões apropriados de serviço com mais facilidade.

A padronização, quer implementada por meio da tecnologia, quer por melhorias nos processos de trabalho, reduz a lacuna 2 da empresa. A padronização definida pelo cliente garante que os elementos mais críticos de um serviço sejam executados com uniformidade e pode facilitar e ser compatível com o poder de decisão do funcionário – tópico discutido em detalhes no Capítulo 11. Um dos exemplos desta compatibilidade envolve os limites de tempo especificados por muitas empresas para o atendimento a telefonemas de seus clientes. Se as prioridades mais altas dos clientes envolvem a satisfação com o telefonema ou com a solução de problemas, então a definição de limites de tempo para as chamadas seria definida pela companhia, não pelos interesses dos clientes. Empresas como a American Express, a L.L. Bean e a Zappos.com, ao utilizarem as prioridades dos clientes em vez das próprias prioridades, não definiram um padrão para o período de tempo que um funcionário passa ao telefone com um cliente. Em vez disso, elas definem padrões que se concentram em satisfazer o cliente e preocupam-se com seu bem-estar, ao permitirem que seus representantes utilizem o próprio julgamento para decidir sobre limites de tempo. Como essas empresas descobriram, a padronização do serviço nem sempre é apropriada. Veja a seção Visão Estratégica para alguns exemplos.

Os objetivos e as metas formais para o serviço

As empresas que vêm tendo êxito na execução de serviços de qualidade são aquelas que definem padrões formais de orientação a seus funcionários encarregados da tarefa. Estas companhias têm uma noção bastante apurada do quão bem estão executando um serviço essencial a seus clientes – do tempo decorrido para cada transação, da frequência das falhas no serviço, da rapidez com que as reclamações são resolvidas – e se esforçam por melhorias, por meio da definição de objetivos que as levem a exceder as expectativas dos clientes.

Um tipo de definição de objetivos formais relevante no setor de serviços compreende as metas específicas para comportamentos e ações individuais. Como exemplo, consideremos o comportamento "retorna a ligação do cliente rapidamente", uma ação que sinaliza a responsividade dos funcionários de contato. Se o objetivo do serviço para o comportamento do funcionário estiver expresso em termos gerais, como "retorne o telefonema do cliente rapidamente", o padrão não dá muitas orientações para os funcionários de contato. Diferentes funcionários interpretam este objetivo vago de maneiras muito próprias, o que causa inconsistência no serviço: alguns talvez retornem o telefonema do cliente em 10 minutos, outros podem levar entre 2 e 4 dias para fazê-lo. Além disso, a própria empresa não será capaz de determinar quando ou se os funcionários alcançam o objetivo, pois a expressão deste não é mensurável – em síntese, qualquer período de tempo pode ser definido como "rapidamente". Por outro lado, se o objetivo do funcionário é o de retornar o telefonema dentro de 4 horas, os funcionários têm uma orientação específica e definida sobre a velocidade em que eles devem executar a ação (4 horas). A concretização do objetivo também é inequívoca: se o telefonema ocorrer dentro de 4 horas, a empresa alcançou o objetivo; porém, se esse período não for observado, a meta não foi atingida.

Outro tipo de definição envolve o objetivo geral de um departamento ou empresa, mais frequentemente expresso como percentual, entre todas as execuções de comportamentos ou ações. Um departamento define seu objetivo geral como "retornar o telefonema do cliente dentro de 4 horas em 97% dos casos" e coletar dados ao longo de um mês ou de um ano para avaliar a extensão em que a meta é atingida. Por exemplo, a Puget Sound Energy – uma empresa de serviços públicos que atende a clientes no Estado de Washington – tem como parte de seu SQI o objetivo de responder a 75% dos telefonemas dos clientes, atendidos por uma "pessoa de verdade", dentro de 30 segundos.[6]

As empresas de serviço que constantemente produzem serviços excelentes – como a Walt Disney, a FedEx e a Singapore Airlines – têm objetivos de serviço muito específicos, quantificados e mensuráveis. A Disney calibra o desempenho do funcionário por meio de comportamentos e ações que contribuem para as percepções que o hóspede tem da alta qualidade do serviço. Quer estes objetivos sejam definidos e monitorados com auditorias (como no caso das ações cronometradas) ou com as percepções do cliente (como as opiniões sobre cortesia), os padrões do serviço fornecem os meios para a definição de objetivos formais.

> ### Visão estratégica — Em que casos a estratégia de customização é melhor do que a de padronização?
>
> Este capítulo trata principalmente das vantagens dos padrões definidos pelo cliente em situações – hotéis, varejo, prestadoras de serviço – em que é importante executar um mesmo serviço a todos ou à maioria dos clientes. Nestes casos, os padrões definem orientações claras para que tecnologia e funcionários garantam a reprodutibilidade e a confiabilidade desejadas. Em outros serviços, a padronização não é apropriada nem possível, e a customização – a oferta de classes e níveis únicos de serviço aos clientes – é uma estratégia deliberada.
>
> Na maioria dos serviços "especializados" – como contabilidade, consultoria, engenharia e odontologia – os profissionais autônomos oferecem serviços customizados e individualizados; a padronização das tarefas é frequentemente percebida como impessoal, inadequada e incapaz de atender aos interesses dos clientes. Dado que pacientes e clientes são diferentes, estes profissionais liberais oferecem serviços customizados, que tratam das necessidades individuais, e precisam adaptar seus serviços em diferentes circunstâncias. Em uma especialidade médica, poucos pacientes têm uma mesma doença, com os mesmos sintomas e os mesmos registros médicos. Assim, a padronização do tempo passado pelo médico com um paciente raramente é possível – o que é um dos motivos por que um paciente precisa esperar antes de receber um serviço médico, ainda que tenha hora marcada. Em função de os profissionais liberais, como contadores e advogados, normalmente não disporem da possibilidade de padronizar os serviços que prestam, eles frequentemente cobram por hora, não por tarefa, o que lhes permite uma compensação por conta da customização de períodos de tempo passados com seus clientes. É importante reconhecer, porém, que até em serviços altamente customizados, alguns aspectos da prestação são de fato rotineiros. Médicos e dentistas, por exemplo, podem e na verdade padronizam aspectos recorrentes e não técnicos, como operações de entrada de pacientes, verificação do peso, execução de mensurações de praxe, emissão de faturas e recibos, além da coleta do pagamento. Ao delegar estas tarefas de rotina a seus assistentes, médicos e dentistas têm a chance de passar mais tempo utilizando a experiência técnica adquirida para produzir diagnósticos ou dar mais atenção ao paciente.
>
> Outra situação em que a customização é a estratégia escolhida ocorre em contextos *business-to-business*, sobretudo com contas importantes. No caso em que as contas são de porte e essenciais à prestadora, a maior parte dos aspectos da prestação são customizados. Em um nível elementar, a customização aparece como contratos de serviço – por vezes chamados de acordos de nível de serviço – em que o cliente e o prestador concordam quanto a questões como tempo de resposta diante de falhas em equipamentos ou execução e finalização, quando o cliente depende de itens em estoque em suas lojas. Em nível mais alto, a customização envolve a solução criativa de problemas e a apresentação de ideias inovadoras (como nos serviços de consultoria).
>
> Por fim, muitos serviços ao cliente são projetados para serem (ou parecerem) customizados. Estes serviços incluem visitas a *spas* e hotéis de alto padrão, a prática de *rafting*, férias em destinos exóticos, como safáris, e até cortes de cabelo em salões refinados. Em situações como estas, as etapas adotadas para garantir a execução bem-sucedida do serviço são com frequência padronizadas nos bastidores, mas parecem expressivamente individualizadas ao cliente. Até mesmo os parques temáticos da Disney adotam esta abordagem, ao empregarem centenas de padrões a fim de proporcionar a "mágica" para os clientes, de modo visivelmente exclusivo, nos diversos encontros de serviço.

Os padrões definidos pelo *cliente*, não pela *empresa*

Quase todas as empresas possuem padrões e indicadores de serviço *definidos pela companhia* – especificados para atingir as metas internas de produtividade, eficiência, custo ou qualidade técnica. Um padrão definido pela companhia que muitas vezes não atende às expectativas do cliente é a prática comum de sistemas de suporte acionados por voz, que não permitem aos clientes falar com seres humanos. Em função de estes sistemas pouparem o dinheiro das companhias (e na verdade fornecerem também serviços mais rápidos a alguns tipos de clientes), muitas organizações vêm substituindo a prática trabalhosa de ter representantes para os clientes por esses "sistemas" automatizados. Para fechar a lacuna 2 da empresa, os padrões definidos pelas companhias precisam ser construídos sobre as exigências e expectativas do cliente, não apenas sobre os objetivos que cada uma define internamente. Neste capítulo defendemos a tese de que os padrões definidos pela companhia não têm sucesso garantido na motivação de comportamentos que fechem a lacuna 2.

Ao contrário, uma empresa deve estabelecer padrões *definidos pelo cliente*: padrões operacionais fundamentados nas exigências básicas dos clientes que sejam visíveis e mensuráveis por eles. Estes padrões são escolhidos deliberadamente, de acordo com as exigências dos clientes, e devem ser calibrados segundo o modo como o cliente as vê e as expressa. Como estes objetivos são essenciais à prestação de serviços excelentes, o restante deste capítulo é voltado para os padrões definidos pelo cliente.

Conhecer as exigências, prioridades e expectativas dos clientes pode ser eficaz e eficiente. A ancoragem dos padrões de serviço aos clientes poupa recursos por meio da identificação do que o cliente valoriza, desta forma eliminando atividades e atributos que o cliente não percebe ou pelos quais não deseja pagar. Um dos principais desejos dos clientes que visitam o Departamento de Veículos Motorizados é o de não ter de esperar por muito tempo. Na Califórnia, o governo concedeu *status* de alta prioridade à melhoria do serviço no Departamento e à diminuição dos tempos de espera – com resultados impressionantes. Em todo o Estado, os tempos médios de espera nas sedes do Departamento foram reduzidos de cerca de uma hora para menos de 30 minutos. Entre as diversas alterações efetuadas constaram a adoção de quiosques com tela acionada por toque, que permite aos clientes inserir informações presentes em seus avisos de renovação de registro; o pagamento de taxas com dinheiro, cheques ou cartões de crédito e a realização dessas transações em questão de segundos. O governo identificou o que era importante a seus clientes, e implementou processos, contratou pessoal adicional e treinou seus funcionários para executar os serviços de acordo com as especificações determinadas.[7] A Puget Sound Energy (PSE) utiliza padrões definidos pelo cliente há anos. Seus clientes identificaram consultas que não foram atendidas, a frequência e a duração de blecautes e o período de tempo que a empresa precisa para lidar com as chamadas como alguns dos principais problemas. A Figura 9.1 mostra como a PSE se saiu em 9 padrões definidos pelo cliente em três áreas-chave.

Padrões	Valor de referência	Desempenho atingido
SATISFAÇÃO DO CLIENTE		
Porcentagem de clientes satisfeitos com os serviços do Centro de Acesso para o Cliente	90% ou maior	96%
Porcentagem de clientes satisfeitos com serviços em campo, com base em pesquisas	90% ou maior	96%
Número de queixas (por 1.000 clientes ao ano)	Menor que 0,40	0,30
NECESSIDADES DO CLIENTE		
Porcentagem de telefonemas atendidos ao vivo em 30 segundos	75% ou maior	78%
SERVIÇOS DE OPERAÇÕES		
Frequência de blecautes não devidos a grandes tempestades (ao ano, por cliente)	Menor que 1,30 blecaute	0,86 blecaute
Duração dos blecautes (por ano, por cliente)	Menor que 5 horas e 20 minutos	4 horas e 47 minutos
Tempo entre o telefonema do cliente e a chegada dos técnicos para manutenção de emergência nos sistemas de eletricidade	55 minutos ou menos	52 minutos
Tempo entre o telefonema do cliente e a chegada dos técnicos para a manutenção de emergência nos sistemas de gás natural	55 minutos ou menos	31 minutos
Porcentagem de requisições de serviço atendidas	92%	100%*

*Representa o arredondamento para o valor percentual inteiro mais próximo.

Figura 9.1 Os padrões de serviço ao cliente da Puget Sound Energy.
Fonte: Puget Sound Energy.

Ainda que os padrões definidos pelo cliente não devam entrar em conflito com a produtividade e a eficiência, eles não se originam com essas preocupações da companhia. Ao contrário, estes padrões são vinculados às mensurações de ordem perceptiva do cliente, para os quesitos qualidade ou satisfação. Os padrões de serviço que evoluem a partir da perspectiva do cliente provavelmente serão diferentes daqueles definidos pelas prioridades da empresa.

OS TIPOS DE PADRÕES DEFINIDOS PELO CLIENTE

Os tipos de padrões que fecham a lacuna 2 da empresa são os padrões *definidos pelo cliente*: as metas e medidas operacionais baseadas nas principais exigências identificadas pelos clientes, não nos interesses da companhia, como produtividade ou eficiência. Consideremos um padrão de operações típico como controle de estoques. A maior parte das empresas controla os estoques do próprio ponto de vista. Contudo, a Office Depot, varejista de grande sucesso no setor de suprimentos para escritório, captura todos os indicadores de serviço relacionados ao controle de estoque *do ponto de vista do cliente*. A empresa começa com a pergunta: "O que o cliente enxerga?", e responde: "O número médio de eventos de falta de estoque semanais". A Office Depot então passa a projetar um sistema de mensuração focado no cliente, com base em indicadores como o número de reclamações e de elogios recebidos por conta do estoque, além de uma pesquisa em nível de transação com o cliente sobre o desempenho da companhia nesta área. Estes e outros padrões definidos pelo cliente permitem que as exigências dos clientes sejam traduzidas como objetivos e diretrizes para o comportamento dos funcionários. Dois grandes tipos de padrões de serviço definidos pelo cliente são identificados: *hard* e *soft*, discutidos a seguir.

Os padrões *hard* definidos pelo cliente

Todos os padrões da FedEx que formam o SQI (mencionado anteriormente no texto de abertura do capítulo) são classificados como padrões e indicadores *hard*: *fatores que podem ser contados, cronometrados ou observados por meio de auditorias*. O Quadro 9.1 mostra exemplos de padrões *hard* definidos por várias empresas de serviço. Esta lista inclui apenas as companhias com padrões *hard* definidos pelo cliente – com base nas exigências e perspectivas que ele tem. Uma vez que a FedEx, uma das companhias incluídas nesta lista, tem um conjunto relativamente simples e padronizado de serviços, ela consegue traduzir a maior parte das solicitações dos clientes como padrões e indicadores *hard*. Muitos dos padrões da FedEx relacionam-se à entrega na hora e à ausência de erros por bons motivos. Conforme enfatizamos no Capítulo 3, as expectativas do cliente quanto à confiabilidade – a concretização das promessas do serviço – são altas. Estudos com diversos setores mostram que as queixas mais comuns dos clientes estão associadas ao desempenho insatisfatório de um produto (29% de todas as reclamações) e a erros e problemas nos serviços (24%).[8]

A fim de tratar da necessidade de confiabilidade, as empresas instituem sistemas de valores baseados nos preceitos "faça certo da primeira vez" e "honre suas promessas", por meio da definição de padrões de confiabilidade. Um exemplo de padrão de confiabilidade genérico que seria relevante a qualquer companhia é o "da primeira vez", que significa que o serviço é efetuado corretamente de início, em concordância com a avaliação do cliente. Se o serviço inclui a entrega de produtos físicos, na opinião do cliente "fazer certo da primeira vez" significa que o carregamento está correto – que contém tudo o que pediu e nada do que não pediu. Se o serviço inclui a instalação de equipamentos, "fazer certo da primeira vez" provavelmente significa que o equipamento foi instalado corretamente e que pôde ser utilizado de imediato pelo cliente. Outro exemplo de um padrão de confiabilidade é "na hora certa", o que significa que o serviço é executado no momento especificado. O representante da companhia chega no momento prometido ou a entrega é executa-

Quadro 9.1 Exemplos de padrões *hard* definidos pelo cliente

Companhia	Prioridades dos clientes	Padrões definidos pelos clientes
FedEx	Entrega no prazo combinado	• Número de encomendas correto, dia em atraso • Número de encomendas errado, dia em atraso • Número de coletas não realizadas
Cardinal Health	Entrega no prazo combinado	• Entrega 98% de todos os produtos hospitalares dentro do prazo
Dell Computer	Entrega no prazo combinado	• Expedido de acordo (porcentagem de pedidos entregues ao cliente no prazo, com precisão total)
	Computador funciona adequadamente	• Taxa inicial de incidente em campo (frequência de problemas encontrados pelos clientes)
	Problemas resolvidos na primeira vez	• Solução rápida imediata (porcentagem de problemas resolvidos na primeira visita por um representante do serviço que chega na hora combinada)
Departamento de Seguridade Social	Acesso telefônico	• 95% das chamadas atendidas em 5 minutos
Southwest Airlines	Confiabilidade	• Chegada na hora certa
	Responsividade a reclamações	• Resposta a cartas em duas semanas
Lenscrafters	Menor tempo na fabricação de óculos	• Óculos prontos em 1 hora
Fotomat	Revelação rápida de fotos	• Revelação de fotos em 1 hora
Honeywell Home and Building Division	Entrega rápida Entrega na hora certa Precisão no pedido	• Pedidos registrados no mesmo dia em que são recebidos • Pedidos entregues no prazo prometido • Pedido 100% correto
Puget Sound Energy	Confiabilidade	• Duração dos blecautes sem relação com tempestades, ao ano, por cliente • Frequência dos blecautes sem relação com tempestades, ao ano, por cliente • Percentual de visitas domiciliares efetuadas conforme prometido
	Responsividade	• Percentual de telefonemas atendidos dentro de 30 segundos pelo Centro de Acesso para o Cliente • Tempo transcorrido entre o telefonema e a chegada da equipe de técnicos às emergências no sistema de energia
Zappos.com	Responsividade	• Responder a 80% de todos os telefonemas em 20 segundos • Responder a todas as mensagens de *e-mail* em menos de 4 horas • Responder a bate-papos ao vivo (*on-line*) em menos de 10 segundos
Texas Instruments Defense System	Observação dos compromissos	• Entrega pontual • Conformidade do produto às exigências
	Contato mais personalizado	• Maior número de visitas em pessoa

da na hora em que o cliente a espera. No caso de serviços mais complexos, como a recuperação de um desastre ou a integração de sistemas de computação, "na hora certa" implica a finalização do serviço na data proposta.

A confiabilidade é muitas vezes a preocupação mais importante dos clientes de serviços. No varejo eletrônico, o atendimento a pedidos na hora e com a precisão desejada é um dos aspectos fundamentais da confiabilidade. Um dos melhores exemplos de padrões *hard* definidos pelo cliente no contexto da Internet é o conjunto de métricas que a Dell Computer utiliza para o atendimento de pedidos,[9] que inclui:

- Expedido de acordo (*Ship to target*, STT) – Percentual de pedidos entregues na hora certa e com precisão total.
- Taxa inicial de incidentes de campo (*Initial field incident rate*, IFIR) – frequência de problemas do cliente.
- Solução total na primeira oportunidade (*On time first time fix*, OTFTF) – percentual de problemas resolvidos na primeira visita por um dos representantes da companhia, no momento prometido.

A Dell sonda seu desempenho de acordo com estes padrões e recompensa seus funcionários com base em suas "promessas cumpridas" ou confiabilidade, que normalmente é maior do que 98%.

Os padrões de serviço *hard* para responsividade são definidos a fim de garantir a velocidade e a prontidão com que as companhias entregam produtos (no intervalo de dois dias úteis), lidam com reclamações (ao final do dia), respondem a perguntas (em duas horas), atendem ao telefone (veja a seção Tecnologia em Foco) e compareçam para um serviço de manutenção (dentro de 30 minutos do tempo estimado). Além de definir os padrões que especificam os níveis de reação, as empresas precisam ter departamentos de atendimento ao cliente com o número certo de funcionários. As percepções de responsividade diminuem quando os clientes têm de esperar para fazer um contato telefônico com a companhia, são deixados esperando ou são abandonados a um sistema de mensagens telefônicas.

Quando se trata de oferecer serviços em diferentes culturas ou continentes, as prestadoras de serviço têm que reconhecer o fato de que os padrões definidos pelo cliente muitas vezes precisam ser adaptados. A seção Tema Global dá exemplos de companhias com marcas mundiais que encontraram caminhos para atingir uma qualidade universalmente elevada nos serviços levando em conta diferenças locais nos padrões de serviço.

Os padrões *soft* definidos pelo cliente

Nem todas as prioridades dos clientes podem ser definidas, cronometradas ou observadas por meio de auditorias. Como disse Albert Einstein, certa vez: "Nem tudo o que é importante pode ser contado, e nem tudo o que pode ser contado é importante". Por exemplo, "entender e conhecer o cliente" é uma prioridade que não pode ser apropriadamente capturada por um padrão que conta, cronometra ou observa os funcionários. Em comparação com os indicadores *hard*, os indicadores *soft* precisam ser documentados por meio de dados de natureza perceptiva. Chamamos esta categoria de padrões definidos pelo cliente de *padrões e indicadores soft*, pois são indicadores baseados em opiniões e que não podem ser observados diretamente. Eles precisam ser coletados em conversas com clientes, funcionários ou outras partes. Os padrões *soft* dão uma direção, uma orientação e um *feedback* aos funcionários de modo a atingir a satisfação do cliente, e podem ser quantificados pela mensuração de suas percepções e crenças. Os padrões *soft* são importantes sobretudo nas interações pessoais, como vistas no processo de venda e na execução de serviços de profissionais liberais. O Quadro 9.2 mostra vários exemplos de padrões *soft* definidos pelo cliente. Um cassino em que um de nós trabalhou identificou cinco padrões de serviço *soft* para encorajar seus funcionários a fornecerem um nível apropriado de atenção e respeito a seus

Tecnologia em foco O poder de um bom padrão de resposta

95% dos telefonemas para o departamento de seguridade social são atendidos

Na década de 1990, na revista *National Performance Review*, uma ordem executiva exigia que todas as agências governamentais que lidam diretamente com o público efetuassem pesquisas junto a seus clientes para estabelecer padrões definidos pelo cliente. Em 1998, esta ordem resultou em mais de 4 mil padrões definidos pelo cliente, a partir de 570 agências. Um dos padrões de maior êxito foi obtido na Administração da Seguridade Social (Social Security Administration, SSA) e ilustra um padrão *hard* definido pelo cliente relacionado a uma questão de tecnologia e que todos os clientes enfrentam ao lidar com empresas públicas e privadas: a responsividade ao telefone.

A SSA sabia que o acesso – conseguir contato por meio de seu número de discagem gratuita – era o único grande condutor responsável por influenciar a satisfação do cliente e a percepção do público sobre a competência da agência. Os clientes comumente encontravam linhas ocupadas, nas 60 milhões de chamadas feitas ao número de discagem gratuita da SSA, sempre muito requisitado. A *National Performance Review* sugeriu à agência que seu padrão de serviço definisse que toda pessoa que telefonasse para seu número de discagem gratuita conseguisse atendimento na primeira tentativa, ou seja, 100% de acesso! A SSA reconheceu que sua tecnologia telefônica, seus limitados recursos de mão de obra e suas grandes flutuações na demanda seriam obstáculos à concretização do padrão.

Por fim, a agência decidiu sugerir um padrão mais razoável: 95% das pessoas teriam de ser atendidas dentro de cinco minutos. Este padrão tornou-se um objetivo claro e focado, que "todos conheciam e almejavam", nas palavras de um gerente da SSA. As primeiras mensurações deram conta de um desempenho modesto. Em 1995, apenas 73,5% das pessoas que telefonavam conseguiam ser atendidas em cinco minutos.

O que se seguiu foi um impressionante esforço no âmbito da tecnologia, de pessoal e de mensuração. De acordo com um especialista: "A SSA incorreu grandes despesas, perturbações – e até mesmo fracassos – para atender a este padrão". Primeiro, a SAA desenvolveu um novo sistema em parceria com a AT&T, que envolvia uma sofisticada abordagem de roteamento de chamadas. Em seguida, a organização treinou praticamente todo o seu pessoal técnico que tinha empregos diferentes dos do setor de telesserviços nas habilidades necessárias, para que estas pessoas pudessem ser transferidas durante os horários de pico e auxiliar com o maior volume de chamadas. Subsequentemente, a agência restringiu a concessão de licenças para o pessoal do telesserviço nos horários de pico, aumentou as horas-extras e trabalhou com funcionários para alterar processos e regras a fim de melhorar o desempenho.

O aspecto negativo do desempenho em relação ao padrão ocorreu durante a transação para o novo sistema. Em

O padrão adotado pelo Departamento de Seguridade Social de atender a 95% dos telefonemas em cinco minutos foi definido pelo cliente.

---

frequentadores – duas questões que os clientes indicaram como importantes para eles. Dois desses padrões estipulam que os funcionários "exibam um comportamento descrito como amistoso, educado, jovial e estimulante" e que "apresentem uma saudação verbal adequada" ao interagirem com os clientes. Diferentemente dos padrões de serviço *hard*, os padrões *soft* não são quantificáveis com facilidade, mas o desempenho de uma empresa relativo a esses padrões é avaliado com pesquisas e outras metodologias que capturem as percepções do cliente sobre o modo como a empresa atende a esses padrões.

Muitas companhias têm padrões *hard* e *soft* definidos pelo cliente. As diferenças entre os padrões *hard* e *soft*, ilustradas no Quadro 9.3, foram traçadas com base nos padrões de atenção ao cliente desenvolvidos pela Ford Motor Company.

novembro de 1995, apenas 57,2% das pessoas que telefonavam conseguiam ser atendidas em cinco minutos. Pior foi o fato de que no primeiro dia de trabalho, em janeiro de 1996, o sistema de discagem gratuita desenvolvido com a AT&T sofreu uma pane, o que deixou as linhas ainda mais ocupadas. Em fevereiro, após a AT&T ter consertado o sistema e a agência ter se habituado com as alterações, o desempenho desfrutou de considerável melhora. A taxa de acesso em cinco minutos foi de 92,1% em fevereiro, de 95,6% em novembro, e conserva-se acima de 95% desde então.

O padrão da SSA teve sucesso porque foi específico, mensurável e importante para os clientes. Em função de os resultados serem documentados e publicados tanto dentro quanto fora da agência, funcionários e gerentes eram responsáveis pelo desempenho. Diferentemente de muitos dos padrões vagos e inexpressivos que resultaram do trabalho da *National Performance Review* com órgãos governamentais, este deu certo.

80% dos telefonemas para a Zappos.com são atendidos

A Zappos.com é uma varejista de calçados *on-line* que conquistou fama por seu excelente serviço ao cliente. Desde os primeiros dias, a Zappos deu prioridade muito alta às respostas aos clientes que telefonam, enviam e-mails ou participam de bate-papos ao vivo com a companhia. As razões para esses contatos variam, desde a verificação do *status* de um pedido, uma queixa sobre o tamanho de um par de calçados, até questões relativas a produtos oferecidos como brinde. Com base no *feedback* recebido dos clientes, a Zappos quis ser rápida no atendimento aos telefonemas dos clientes e suas necessidades, criando uma experiência positiva e agradável. Alguns dos padrões de serviço adotados foram (1) atender a 80% de todas as chamadas no espaço de 20 segundos, (2) responder a todos os *e-mails* recebidos em menos de quatro horas e (3) responder às mensagens no bate-papo ao vivo em menos de 10 segundos.

A Zappos, diferentemente de muitas empresas, não dificulta o contato entre seus clientes e a empresa. Em seu *site*, os telefones de discagem gratuita ou os endereços para bate-papo ao vivo com um funcionário da empresa são exibidos com clareza, o que encoraja os clientes a entrar em contato com ela. A Zappos utiliza um sistema de tecnologia de gestão de telefonemas para monitorar constantemente os números ou chamadas na fila, o número de clientes em conversação com seus funcionários e o número de funcionários em horário de almoço ou intervalo. Essa tecnologia também coleta informações sobre uma variedade de outros tópicos, como os tipos de questões discutidas nos telefonemas e as soluções fornecidas para as necessidades dos clientes.

Para manter seu padrão de atender 80% de todos os telefonemas em 20 segundos, a Zappos se certifica de que tem o número suficiente de funcionários para essa finalidade. A empresa utiliza uma sofisticada tecnologia de previsão para analisar tendências relativas a telefonemas recebidos, horários de pico no atendimento em base diária, mensal e mesmo anual. Essa tecnologia também considera outras tendências passadas (como o número de telefonemas iniciados quando a empresa passa a comercializar uma nova linha de calçados ou a taxa de crescimento de compra de um segmento de mercado específico). Essas informações servem para prever a demanda de tráfego em seu *call center* e, assim, o número de pessoas necessárias para garantir que a empresa mantenha seu padrão de 80% de atendimento. Uma tecnologia semelhante permite à Zappos observar seus padrões de serviço regularmente em termos das respostas a mensagens de *e-mail* e de bate-papo ao vivo.

Fontes: D. Osborne, "Higher Standards," *Government Executive*, July 2000, pp. 63–71; *e-mails* trocados com Rob Siefker, Gerente Sênior da Zappos CLT, Inc., agosto de 2010.

As soluções simples

Quando pesquisas são feitas para revelar os aspectos do serviço que precisam ser alterados, as exigências podem ser atendidas por meio de soluções simples. *Soluções simples* são alterações tecnológicas, políticas ou de procedimento que, quando instituídas, tratam das exigências dos clientes. Soluções simples são definidas também como os padrões da companhia que podem ser atendidos por um ponto comercial (por exemplo, uma franquia), ao fazer uma alteração única que não envolva funcionários e que, portanto, não exige motivação nem monitoramento para garantir a aceitação. Incluímos soluções simples em nossa discussão dos padrões porque as organizações com diversos pontos comerciais muitas vezes precisam definir claramente estes padrões, para garantir a consistência nos serviços. Por exemplo, o programa "Make it Hampton" da rede de hotéis

Tema global O ajuste de padrões de serviço em todo o globo

De que modo as companhias adaptam-se às diferenças locais ou culturais nos padrões de serviço se elas reconhecem que estas diferenças geográficas estão relacionadas às diversas expectativas dos clientes? As empresas com marcas mundiais têm muito a perder se seus padrões de serviço variam demais entre países e, portanto, precisam encontrar caminhos para atingir a alta qualidade universal sem desconsiderar as diferenças locais.

Os padrões de serviço no Four Seasons: as normas globais e locais

Como líder mundial na operação de hotéis e *resorts* de luxo, a rede de hotéis Four Seasons administra 82 unidades em 35 países com sucesso, equilibrando padrões universais de serviço e padrões que variam por país. A companhia, que recebeu mais prêmios AAA Five Diamond do que qualquer outra rede de hotéis no mundo e que regularmente é listada como a primeira escolha em termos de hospedagem por viajantes norte-americanos na categoria "Hotéis, *Resorts* e *Spas*", deve muito deste êxito a seus sete "padrões culturais de serviço", que devem ser observados por *todos* os funcionários em *todo* o mundo, em *todos* os momentos. Os sete padrões, que formam o acróstico SERVICE*, são:

1. **Sorriso**: os funcionários cumprimentam os hóspedes com entusiasmo, sorrindo e falando de forma clara e amigável.
2. **Olho**: os funcionários fazem contato visual, ainda que de passagem pelos hóspedes, com um aceno da cabeça.
3. **Reconhecimento**: todas as equipes geram uma noção de reconhecimento, empregando o nome do hóspede, quando conhecido, de modo natural e discreto.
4. **Voz**: os funcionários falam com os hóspedes com atenção, naturalidade e cortesia, sem pretensões, e de forma clara.
5. **Informação**: todos os funcionários de contato com os hóspedes são informados, em detalhes, sobre o hotel em que trabalham, tomam para si o atendimento de pedidos simples, e não indicam os clientes a outros hotéis.
6. **Limpos**: os funcionários têm aparência sempre limpa, asseada, com viço, e os trajes que vestem são sempre do manequim certo.

---

* N. de T.: As palavras que a companhia adotou para formar um acróstico representativo de seu esforço pela qualidade são: *Smile*, *Eye*, *Recognition*, *Voice*, *Informed*, *Clean* e *Everyone*, que formam o acrônimo SERVICE.

Os padrões de serviço no Four Seasons são adaptados, quando necessário, a culturas locais.

7. **Todos**: todos, em todos os locais, a qualquer momento, demonstram atenção pelos hóspedes.

Além destes padrões culturais, esperados de todas as equipes de funcionários em todo o mundo, a rede de hotéis tem 270 padrões principais que se aplicam a diferentes aspectos da prestação de serviço (exemplos incluem "os funcionários devem estar cientes dos veículos que chegam e dirigir-se a estes, abrindo suas portas, dentro de 30 segundos" e "os telefonemas dos hóspedes devem ser atendidos com no máximo cinco toques, ou dentro de 20 segundos"). Exceções a estes 270 padrões são permitidas se fizerem sentido do ponto de vista cultural ou local. Por exemplo, nos Estados Unidos, os bules de café são deixados nas mesas do café da manhã; em muitas partes da Europa, inclusive a França, os clientes consideram esta prática como falta de serviço e os funcionários encarregados de servir a bebida o fazem pessoalmente, conforme a necessidade. Os padrões para uniformes e decoração diferem de cultura para cultura, mas as expectativas mínimas precisam ser observadas em todos os locais.

Os padrões de serviço na Toyota, Japão

Em 2005, a Toyota Japão passou a vender seu modelo de luxo, o Lexus, naquele país. Ainda que o Lexus fosse o modelo de luxo mais vendido nos Estados Unidos, no Japão ele contava com pouquíssimo reconhecimento em termos de marca. A companhia desejava encontrar um caminho para separar o Lexus da marca Toyota, e decidiu enfatizar o serviço ao cliente. O Japão tem uma longa história de hábitos exclusivos ao país, e a Toyota pensou que talvez poderia trazer esta exclusividade à marca Lexus. Assim, a Toyota buscou uma escola de etiqueta – o Instituto Ogasawara Ryu Reihou, em Tóquio – especializado em ensinar a arte do comportamento cotidiano, inclusive a maneira correta de curvar-se, de segurar os tradicionais *hashis* (pauzinhos) utilizados como talheres e de sentar-se em um *tatami*, para desenvolver técnicas que poderiam ser aplicadas à venda de automóveis.

Ainda que os clientes típicos da escola sejam famílias tradicionais que desejam que seus filhos aprendam as boas maneiras e a postura correta à mesa, o instituto passou vários meses estudando o Lexus e as interações dos funcionários com os clientes. O resultado foi o desenvolvimento de novos padrões de serviço, alguns inspirados no comportamento dos samurais. Por exemplo, os vendedores são instruídos a:

- Adotar a "posição de espera" dos guerreiros samurais, inclinando-se entre cinco a dez graus para a frente, quando um cliente está examinando um carro.
- Curvar-se mais para um cliente que adquiriu um automóvel do que para aquele que está somente olhando os modelos.
- Mostrar a "Cara Lexus", um sorriso de lábios fechados, exibido com o intuito de deixar os clientes à vontade.
- Permanecer de pé, com a mão esquerda segurando a direita, dedos juntos e polegares entrelaçados, posição adotada pelos samurais para indicar que não estavam prestes a desembainhar suas espadas.
- Permanecer de pé, a uma distância de dois braços do cliente, enquanto ele examina um veículo, e aproximar-se no momento de efetuar a venda.
- Apontar com todos os cinco dedos para o trinco da porta de um carro, com a mão direita e depois com a esquerda, e então abrir a porta usando as duas mãos, graciosamente.
- Ao servirem café ou chá, ajoelharem-se no piso, de pés juntos, e ambos os joelhos no chão.

A Toyota entende que estes padrões não funcionam bem em muitos de seus mercados, sobretudo nos Estados Unidos, mas sente também que os padrões eram necessários para que a marca Lexus pudesse competir com as duas líderes no mercado de veículos de luxo, a BMW e a Mercedes Benz, no Japão.

Os padrões de serviço no Paquistão

As pesquisas sobre a qualidade do serviço nos países ocidentais normalmente descobrem que a confiabilidade é a dimensão mais importante. Os clientes do Ocidente esperam que as companhias sejam confiáveis, precisas e que cumpram o que prometeram. As pesquisas feitas no Paquistão, contudo, sugerem que os clientes têm diferentes padrões para a qualidade do serviço.

- A confiabilidade foi conceitualizada como a capacidade de executar o serviço prometido de forma confiável e precisa. Apesar de os clientes paquistaneses preferirem aceitar a conceitualização, elas não esperam que o serviço seja executado em termos absolutos. "As promessas são cumpridas na maioria das vezes" é o modo como a confiabilidade seria descrita pelos paquistaneses. Aparentemente eles toleram uma falha no serviço relacionada ao conteúdo ou ao tempo de execução, desde que um substituto adequado seja oferecido em tempo hábil. Em geral, eles consideram importante manter um relacionamento de longo prazo com a prestadora de serviços.
- Os clientes paquistaneses incluem a acessibilidade na sua avaliação sobre a confiabilidade de uma prestadora de serviços. Isso é especialmente importante no caso de cuidados à saúde e de serviços públicos. A disponibilidade de um serviço em um momento em que ele é necessário é de extrema importância no Paquistão.
- A segurança física também é um fator importante quando os clientes paquistaneses avaliam os serviços disponibilizados. Em uma sociedade em que os problemas com a ordem social são comuns, a segurança física de um cliente torna-se importante quando da execução de negócios com uma prestadora de serviços.

Essas descobertas sugerem que as prestadoras de serviço do Ocidente que têm negócios no Paquistão provavelmente terão sucesso com padrões que não exigem um serviço perfeitamente confiável, que enfatizem a recuperação do serviço, que se voltem para a execução do serviço quando prometido e em grandes variações de tempo, ou que tratem de questões de segurança pessoal.

Fontes: R. Hallowell, D. Bowen, and C. Knoop, "Four Seasons Goes to Paris," *Academy of Management Executive* 16, no. 4 (2002), pp. 4 (2002), pp. 7–24; A. Chozick, "The Samurai Sell: Lexus Dealers Bow to Move Swank Cars," *The Wall Street Journal*, July 9, 2007, p. A1; N. Raajpoot, "Reconceptualizing Service Encounter Quality in a Non-Western Context," *Journal of Service Research* 7 (November 2004), pp. 181–201. 181–201.

Quadro 9.2 — Exemplos de padrões *soft* definidos pelo cliente

Companhia	Prioridades dos clientes	Padrões definidos pelos clientes
General Electric	Habilidades interpessoais dos operadores:	• Tomar para si o controle do telefonema • Prosseguir de acordo com as promessas feitas • Ser cortês e demonstrar conhecimento • Compreender o problema ou a solicitação do cliente
Ritz-Carlton	Ser tratado com respeito	• Reagir rapidamente para resolver problemas de imediato • Utilizar a etiqueta apropriada ao telefone • Não fazer triagem de chamadas • Eliminar a transferência de chamadas sempre que possível
Nationwide Insurance	Responsividade	• Utilizar uma voz humana na linha telefônica quando o cliente relata problemas
L.L. Bean	Voz humana tranquilizadora; mínima ansiedade do cliente	• Utilizar um tom de voz adequado; • Não executar outras tarefas (por exemplo, fazer embalagens para presente) durante o telefonema do cliente
Peninsula Regional Medical Center	Respeito	• Manter a confidencialidade das informações do paciente • Nunca discutir assuntos relativos a pacientes e seu estado de saúde em locais de trânsito de pessoas • Escutar os pacientes com empatia • Ser cortês e não utilizar jargões • Manter o nível de ruído no nível mínimo • Nunca discutir com o paciente
American Express	Solução de problemas	• Resolver o problema no primeiro contato (sem transferências, outras chamadas ou contatos múltiplos) • Comunicar e apresentar as instruções adequadas • Utilizar o tempo que for necessário
	Tratamento	• Escutar • Fazer o possível para ajudar • Oferecer o grau certo de confiança (ser aberto e honesto)
	Gentileza do representante	• Deixar o titular do cartão de crédito à vontade • Ser paciente ao explicar o processo de preparação da fatura • Demonstrar interesse sincero em ajudar o titular do cartão • Ouvir com atenção • Tratar o titular do cartão pelo primeiro nome • Agradecer ao titular do cartão ao final do telefonema

Hampton Inns, requeria que todos os estabelecimentos lançassem 60 novos padrões de produtos e serviços, muitos dos quais eram soluções simples. As soluções implementadas na primeira fase do programa incluíam a disponibilização de mesas de colo nos quartos, paisagismo externo especial para ocultar contêineres de lixo, tapetes vermelhos com os dizeres "Seja Bem-vindo", além de uma nova decoração e de música nos saguões.[10] A segunda fase do programa, chamada Cloud Nine Bed Experience*, incluía elevar as 150 mil camas presentes nos quartos em toda a rede em cerca de 28

---

* N. de T.: De acordo com a classificação de nuvens, este tipo denota o grande cúmulo-nimbo, considerado muito bonito.

Quadro 9.3 Os padrões *hard* e *soft* na Ford Motor Company

Neste capítulo discutimos dois tipos de padrões de serviço definidos pelo cliente. Os padrões e indicadores *hard* são instrumentos de medição operacional que podem ser contados, cronometrados ou observados por meio de auditorias. A outra categoria, os padrões *soft*, utiliza indicadores baseados em opiniões obtidas a partir da percepção do cliente, e não podem ser calculados via contagem ou cronometragem. A Ford Motor Company dá um exemplo que ilustra a diferença entre padrões *hard* e *soft*. Há vários anos, a Ford procurava desenvolver padrões de Atenção ao Cliente para os serviços em suas diversas concessionárias. Pesquisas de marketing com 2.400 clientes investigaram suas expectativas específicas em termos de vendas e serviço com automóveis. A Ford utiliza estes dados para identificar o nível de serviço que as concessionárias precisariam oferecer para receber em troca o certificado Blue Oval. Os sete padrões listados a seguir foram definidos como os mais essenciais aos clientes no departamento de serviço das concessionárias.

1. Agendamento disponível em um dia da solicitação do cliente.
2. As solicitações do cliente são anotadas em quatro minutos ou menos de sua chegada à concessionária.
3. As necessidades de serviço são identificadas com cortesia, precisamente registradas no pedido de conserto e verificadas com o cliente.
4. A *revisão* do veículo ocorre na primeira visita.
5. O *status* do serviço é disponibilizado dentro de um minuto de sua solicitação.
6. O veículo está pronto no tempo combinado.
7. Uma explicação completa é oferecida sobre o trabalho feito, a cobertura e as taxas cobradas.

Os padrões e indicadores *hard*

Diversos dos padrões da Ford identificados pertencem à categoria *hard* – eles podem ser contados, cronometrados ou observados por meio de auditorias. Os padrões 2 e 5, por exemplo, são cronometrados por um funcionário no próprio estabelecimento. O indicador *hard* pode ser tanto a frequência quanto o percentual de vezes em que os períodos de tempo do padrão são observados ou a média de tempos propriamente dita (por exemplo, o tempo médio em que as anotações começam). Outros padrões podem ser contados ou auditados, como os padrões 1, 4 e 6. O funcionário encarregado de atender ao telefone registra o número de vezes em que os agendamentos estiveram disponíveis dentro de um dia da solicitação pelo cliente. O número de visitas repetidas é contado para mensurar o padrão 4, e o número de veículos prontos no momento prometido é verificado à medida que os clientes chegam para buscar seus carros.

Os padrões e indicadores *soft*

Consideremos os padrões 3 e 7, em termos das diferenças com o que acabamos de descrever. Estes padrões representam os comportamentos desejados e que são *soft*, ou impossíveis de mensurar ou cronometrar. Por exemplo, a atitude cortês incluída no padrão 3 não pode ser mensurada. Pelo mesmo motivo, o padrão 7 exige um tipo diferente de mensuração – a percepção ou a opinião do cliente sobre este comportamento ter sido desempenhado de forma apropriada. Isso não quer dizer que esta classe de padrões não pode ser avaliada. Ao contrário, estes padrões precisam ser aferidos de modos diferentes.

Os padrões *soft* dão uma direção, uma orientação e um *feedback* aos funcionários de modo a atingir a satisfação do cliente, e podem ser quantificados pela mensuração de suas percepções e crenças. Os padrões *soft* são importantes sobretudo nas interações pessoais, como vistas no processo de venda e na execução de serviços de profissionais liberais. A fim de serem eficientes, as companhias precisam fornecer um *feedback* a seus funcionários acerca das percepções que o cliente tem de seu desempenho.

O Customer Care da Ford Motor Company em uma variedade de padrões de serviço *hard* e *soft*.

a 31 polegadas do piso – segundo o que se observa na maioria das casas hoje, além de aumentar o tamanho dos travesseiros, e disponibilizar mantas, lençóis com maior número de fios e capas de colchões mais adequadas. Os padrões de desempenho não precisaram ser desenvolvidos para estas soluções, pois a alteração nos aspectos de tecnologia, equipamentos, políticas ou procedimentos geraram a mudança desejada.

Outros dois exemplos de soluções simples que tiveram sucesso incluem os sistemas expressos de registro da locadora de automóveis Hertz e o serviço expresso 24 horas da Granite Rock. Em ambos, os clientes expressaram um desejo de serem servidos de modos diferentes do que eram no passado. Os clientes da Hertz haviam manifestado claramente suas frustrações por terem de esperar em longas filas. A Granite Rock, vencedora do Prêmio Nacional de Qualidade Malcolm Baldridge com uma *commodity*, tinha clientes que queriam brita disponível 24 horas nas pedreiras da empresa.

Enquanto muitas companhias nestes setores haviam decidido, por várias razões, não tratar destas exigências dos clientes, a Hertz e a Granite Rock responderam com soluções simples que essencialmente revolucionaram a qualidade do serviço executado por elas. A Hertz utilizou a tecnologia para criar o Express Checkout, uma solução simples que também resultou em melhorias na produtividade e na redução de custos. A companhia também foi a pioneira na adoção de uma solução simples semelhante, o Express Check-in para hotéis, em resposta aos desejos expressos pelos clientes. A Granite Rock criou um sistema semelhante ao de caixas eletrônicos, que possibilita o acesso dos clientes, nas 24 horas do dia, à brita moída nos 14 tamanhos mais populares. A empresa criou seu próprio Granite Xpress Card, que permite aos clientes selecionar, solicitar e receber os itens que desejam a qualquer hora do dia ou da noite.

As soluções simples muitas vezes são realizadas por meio da tecnologia. A tecnologia simplifica e melhora o serviço, sobretudo quando ela libera o quadro de pessoal das companhias de lidar com tarefas e transações rotineiras e repetitivas. Os funcionários do serviço ao cliente podem assim dedicar mais tempo à parte pessoal do trabalho, que provavelmente é a mais importante. Nos últimos anos, algumas alas de emergência em hospitais instalaram quiosques de registro de entrada, para que pacientes que não estejam enfrentando uma "verdadeira" emergência possam dar entrada de dados pessoais, o que reduz o tempo passado na fila de espera para a apresentação destes dados e o relato de sintomas.[11]

O DESENVOLVIMENTO DE PADRÕES DEFINIDOS PELOS CLIENTES

Os primeiros encontros de serviço, como na hospedagem em um hotel, são críticos e exercem um impacto expressivo nos clientes na maioria dos cenários de serviço.

Como transformar as exigências dos clientes em comportamentos e ações específicos

De que forma empresas como a FedEx, a Puget Sound Energy e a Zappos.com foram capazes de desenvolver padrões de serviço definidos pelo cliente merecedores de elogios? A Figura 9.2 mostra o processo geral de especificação dos padrões definidos pelo cliente.

Etapa 1: Identifique a sequência do encontro de serviço existente ou desejada

A avaliação global do serviço por um cliente é a acumulação das avaliações de diversas experiências de serviço. Os encontros de serviço são os componentes necessários para estabelecer os padrões de serviço em uma companhia. Ao definir padrões, as empresas demonstram preocupação com a qualidade do serviço, pois desejam entender, para cada encontro, as exigências e prioridades específicas do

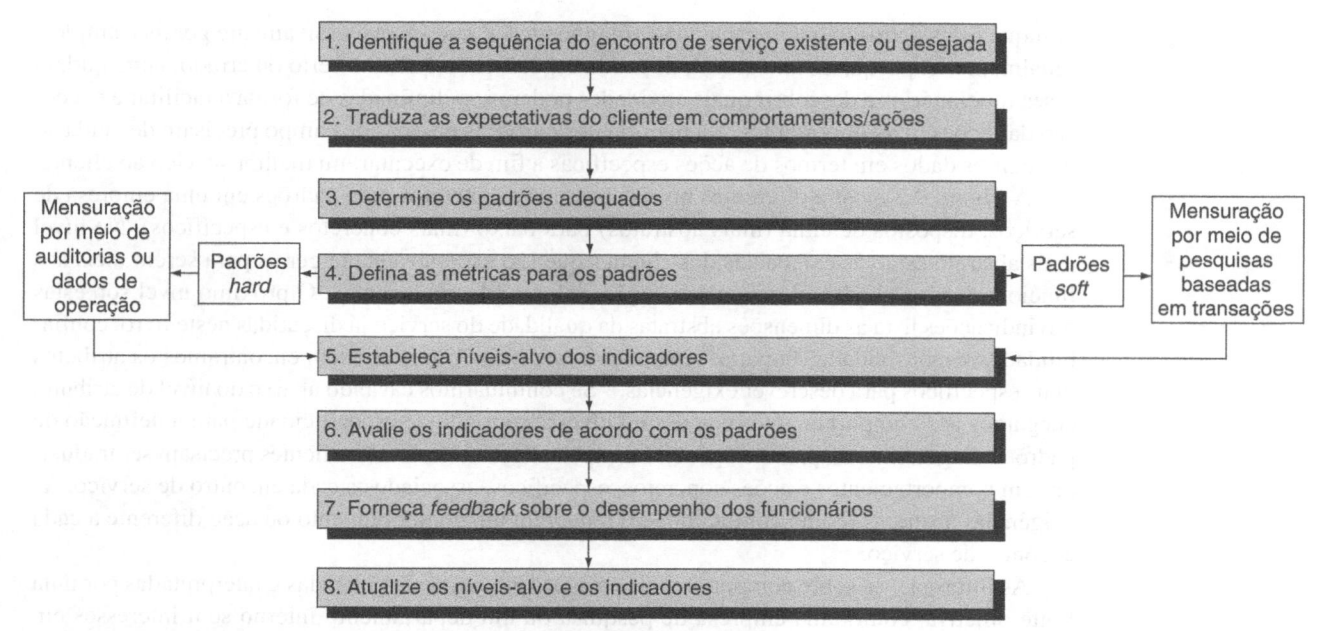

Figura 9.2 O processo de especificação de padrões definidos pelo cliente.

Fluxo do processo:

1. Identifique a sequência do encontro de serviço existente ou desejada
2. Traduza as expectativas do cliente em comportamentos/ações
3. Determine os padrões adequados
4. Defina as métricas para os padrões
   - Padrões *hard* → Mensuração por meio de auditorias ou dados de operação
   - Padrões *soft* → Mensuração por meio de pesquisas baseadas em transações
5. Estabeleça níveis-alvo dos indicadores
6. Avalie os indicadores de acordo com os padrões
7. Forneça *feedback* sobre o desempenho dos funcionários
8. Atualize os níveis-alvo e os indicadores

cliente. Portanto, a primeira etapa no estabelecimento de padrões definidos pelo cliente consiste em delinear a *sequência do encontro de serviço*. É possível fazer a identificação desta sequência com a listagem das etapas e atividades sequenciais que o cliente presencia ao receber o serviço. Como alternativa, os mapas do serviço (ver Capítulo 8) podem ser utilizados para identificar a sequência, com a observação das atividades do cliente ao longo da linha superior do mapa. As linhas verticais das atividades do cliente, que vão até os níveis inferiores do mapa, sinalizam os pontos em que os encontros de serviço ocorrem. Com isso, os padrões que atendem às expectativas do cliente são identificados para cada interação. Em uma situação ideal, a empresa se prepararia para descobrir as sequências de encontro de serviço desejadas pelos clientes, com a análise de como eles querem fazer negócios com a empresa.

Uma empresa talvez tenha de considerar os encontros de serviço que tiveram o maior impacto nos clientes. Por exemplo, a Marriott descobriu que os encontros que ocorrem nos primeiros 10 minutos de uma estada em um hotel são os mais críticos, o que fez a rede de hotéis voltar sua atenção às expectativas transcorridas no balcão da recepção (o *check-in* expresso, por exemplo). Algumas pesquisas indicam que a finalização eficaz no último evento do encontro de serviço tem o maior impacto na satisfação global do cliente.[12] O resultado é que outras redes de hotéis decidiram se concentrar no final da experiência – a apresentação da conta, o estacionamento, os serviços de porteiro – para deixar uma impressão final forte. Para não correr riscos, o Ritz-Carlton entende que tanto o começo quanto o final do contato são importantes e, portanto, inclui instruções de ao menos duas das três "Etapas de Serviço" (parte de seus famosos "Padrões Ouro") para que seus funcionários ofereçam aos hóspedes "uma recepção agradável e calorosa" e "uma carinhosa despedida, por meio de um caloroso adeus", sem deixar de empregar os nomes próprios dos clientes.[13]

Etapa 2: Traduza as expectativas do cliente em comportamentos e ações para cada encontro de serviço

A definição de um padrão em termos conceituais amplos, como "melhorar as habilidades na companhia", não é eficaz, pois o padrão é de difícil interpretação, mensuração e concretização. No momento em que uma empresa coleta dados, ela muitas vezes captura as exigências dos clientes em termos muito abstratos. De modo geral, os funcionários de contato ou de campo consideram que estes dados não têm capacidade diagnóstica, e que são excessivamente gerais e amplos. Igualmente, as pesquisas não dizem, de modo específico, o que está certo ou errado, nem ajudam esses funcionários a descobrir quais atividades podem ser eliminadas de forma a facilitar a execução das ações mais importantes. Na maioria dos casos, as pessoas de campo precisam de ajuda ao traduzir os dados em termos de ações específicas a fim de executar um melhor serviço ao cliente.

A Figura 9.3 mostra diferentes níveis abstratos e concretos para padrões em uma empresa de serviços, dispostos de cima (mais abstratos) para baixo (mais concretos e específicos). No nível mais abstrato estão as exigências dos clientes que são excessivamente gerais para serem úteis aos funcionários: os clientes desejam satisfação, valor e relacionamentos. O próximo nível sob estas reivindicações lista as dimensões abstratas da qualidade do serviço já discutidas neste livro: confiabilidade, responsividade, empatia, segurança e tangíveis. Um nível além encontramos os atributos mais específicos para descrever exigências.[14] Se continuarmos cavando abaixo do nível de atributo, chegamos aos comportamentos e ações no nível apropriado de especificidade para a definição de padrões. Logo, nesta etapa, as exigências e expectativas abstratas dos clientes precisam ser traduzidas em comportamentos e ações concretos, específicos, associados a cada encontro de serviço. As exigências abstratas (como confiabilidade) requerem um comportamento ou ação diferente a cada encontro de serviço.

As informações sobre comportamentos e ações precisam ser coletadas e interpretadas por uma fonte objetiva, como uma empresa de pesquisa ou um departamento interno sem interesses em jogo nas decisões finais tomadas. Se as informações são filtradas por gerentes ou funcionários de contato que trazem vieses internos, então o resultado será um padrão definido pela companhia, não um padrão definido pelo cliente. As técnicas de pesquisa discutidas no Capítulo 5 e relevantes para trazer à tona comportamentos e ações incluem entrevistas detalhadas com clientes, entrevistas com grupos de foco e outras formas de pesquisa, como parcerias. Utilizando esse tipo de pesquisa, o John Robert's Spa, localizado no nordeste do Estado de Ohio, Estados Unidos, identificou sete tipos de encontros de serviço que o cliente em média presencia ao chegar ao *spa*, que incluem o telefonema inicial para marcar uma visita, a chegada ao *spa*, a consulta com um dos funcionários antes de receber tratamento, a execução do serviço de *spa* propriamente dito, a finalização do tratamento,

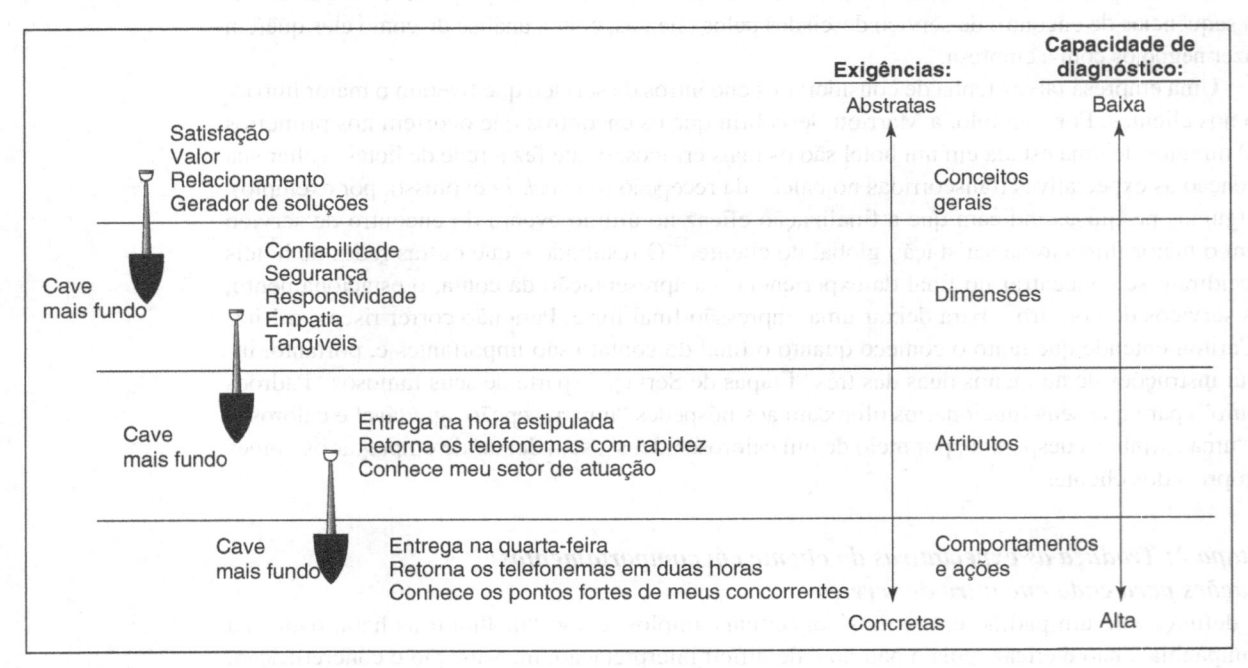

Figura 9.3 O que os clientes esperam: como dar início às etapas práticas.

o pagamento e a saída, e o contato pós-experiência. Os comportamentos específicos dos funcionários foram identificados em cada encontro (ver o Quadro 9.4). Por exemplo, quando o cliente entra no salão, a recepcionista tem de cumprimentá-lo com entusiasmo dentro de 10 segundos, confirmar a hora marcada, oferecer-se para guardar o casaco do cliente, convidá-lo a fazer uma visita às instalações (se o cliente for novo) e utilizar o nome do cliente ao menos quatro vezes neste processo.

Um exemplo real da diferença em termos de exigência entre os quatro níveis mostrados na Figura 9.3 ilustra sua importância prática. Em um sistema tradicional de mensuração para a divisão de treinamento de uma grande empresa, apenas um aspecto relativo ao instrutor foi incluído em sua avaliação de classe: a habilidade. Durante a pesquisa qualitativa relacionada aos atributos que satisfazem os alunos, três exigências com um dado grau de especificidade ficaram manifestadas: (1) o estilo do instrutor, (2) a experiência do instrutor e (3) seu modo de conduzir a aula. Apesar de a articulação destes três atributos ter sido mais útil aos instrutores do que a ampla "habilidade do instrutor", a gerência descobriu que os atributos eram muito gerais para servirem aos instrutores que desejassem aperfeiçoar seu método de ensino. Quando a companhia investiu em um projeto de padrões definidos pelo cliente, o sistema de mensuração resultante foi mais útil ao diagnóstico das necessidades dos alunos, pois a pesquisa concentrou-se nos *comportamentos e nas ações específicos* dos instrutores que atendiam às exigências dos alunos. Em vez de um único requisito abrangente ou de três atributos gerais, as exigências dos alunos foram expressas em 14 comportamentos específicos relacionados ao instrutor e a 11 ações específicas no âmbito do conteúdo do curso. Estes comportamentos e ações demonstraram um poder diagnóstico muito maior para revelar os aspectos positivos e negativos do curso. Uma vantagem adicional dessa abordagem foi que o *feedback* acerca de comportamentos e ações foi percebido como de ordem menos pessoal do que o *feedback* sobre peculiaridades e características pessoais. Além disso, os funcionários da companhia efetuaram alterações relacionadas a comportamentos, não a atributos pessoais, com mais facilidade.

Etapa 3: Determine os padrões apropriados

A próxima etapa envolve a determinação de padrões *hard* ou *soft* como os mais apropriados para capturar o comportamento e a ação. Lembre que os padrões *hard* consistem em métricas quantificáveis de comportamentos e ações dos funcionários; os padrões *soft* não são quantificáveis com a mesma facilidade, frequentemente são muito mais subjetivos e muitas vezes dizem respeito a questões ou necessidades mais abstratas. Um dos maiores erros que as companhias cometem nesta etapa é o de escolher um padrão *hard* apressadamente. As companhias estão habituadas a indicadores operacionais (muitas vezes facilmente quantificáveis), e apresentam vieses contra eles. No entanto, se o padrão *hard* não captura adequadamente o comportamento ou a ação esperados, ele não é do tipo definido pelo cliente. A melhor maneira de decidir se um padrão *hard* é o mais apropriado consiste em estabelecer um padrão *soft*, por meio de telefonemas de sondagem, e então determinar, ao longo do tempo, o aspecto operacional que melhor se correlaciona a este indicador *soft*. A Figura 9.4 mostra o elo entre a velocidade do tratamento de uma reclamação (um indicador *hard*) e a satisfação (um indicador *soft*). A figura revela que a satisfação sofre forte dependência do número de horas necessárias para resolver uma reclamação.

A priorização de comportamentos e ações, que podem ser muitos, na seleção daqueles que terão padrões definidos pelo cliente também desempenha um papel essencial na definição de padrões. Os critérios a seguir são os mais importantes para a geração de padrões de serviço adequados.

1. Os padrões são baseados em comportamentos e ações que são muito importantes para os clientes.
2. Os padrões cobrem desempenhos que precisam ser melhorados ou mantidos.
3. Os padrões cobrem comportamentos e ações que os funcionários podem controlar e melhorar.
4. Os padrões são compreendidos e aceitos pelos funcionários.

Quadro 9.4 Os comportamentos esperados para os encontros de serviço no John Robert's Spa

O John Robert's Spa desenvolveu uma reputação de oferecer extraordinários serviços de salão de beleza. Parte deste sucesso se deve à compreensão e à cuidadosa gestão da sequência dos encontros de serviço vivenciados pelos clientes, chamada pela companhia de "Ciclo de Experiência do Cliente". Na identificação dos sete encontros de serviço mais comuns que formam a base do processo de serviço, John Robert's especifica com precisão o que cada cliente precisa presenciar ao receber um corte de cabelo. Os padrões de serviço esperados dos funcionários nos sete encontros incluem:

Pré-experiência: prestada pelo pessoal de atenção ao cliente

- Atender ao telefone com entusiasmo, dizendo: "Obrigado por telefonar para o John Robert's Mayfield (informar a localização do salão). Aqui é Kelly, como posso ajudar?"
- Responder a todas as perguntas do cliente acerca de serviços, credenciais do cabeleireiro, disponibilidade, entre outras, sem limite de tempo para tal.
- Oferecer a cada cliente uma oportunidade de marcar uma hora durante a chamada.
- Usar o nome do cliente ao menos quatro vezes durante o contato.
- Informar como chegar ao salão.
- Confirmar o serviço, o nome do profissional, além de dia e hora.
- Como última coisa antes de finalizar o telefonema, perguntar: "Alguma outra coisa que posso fazer por você?"
- Efetuar um telefonema de confirmação da hora marcada com 24 horas de antecedência.

Começo da experiência: prestado pela recepcionista

- Cumprimentar o cliente com entusiasmo dentro de 8 a 10 segundos.
- Confirmar a hora do cliente.
- Pedir ao cliente que preencha uma ficha de dados.
- Notificar a telefonista assim que o cliente chegar.
- Oferecer-se para guardar o casaco do cliente, oferecer também um refresco.
- Informar o cliente de qualquer atraso.
- Oferecer uma visita guiada a todas as instalações.
- Mostrar ao cliente onde ficam os vestiários.
- Monitorar a espera dos clientes e notificar o profissional se o cliente não for recebido por ele a 10 minutos da hora marcada.
- Utilizar o nome do cliente ao menos quatro vezes durante este processo.

Pré-serviço: prestado pelo cabeleireiro

- Fornecer conselhos, a qualquer hora, a todos os clientes.
- Mostrar o catálogo de serviços, analisar as necessidades dos clientes e discutir as expectativas dos clientes.
- Fornecer uma massagem capilar relaxante.
- Para homens, oferecer uma pequena massagem facial.
- Fornecer xampu e condicionador.
- Utilizar uma capa branca com todos os novos clientes.

Serviço: prestado pelo cabeleireiro

- Executar um excelente corte de cabelo.
- Massagear mãos e braços.
- Limpar as joias do cliente durante a massagem.
- Manter a conversa em nível profissional.
- Dar instruções sobre como secar os cabelos.
- Descrever os produtos utilizados.

Pós-serviço: prestado pelo cabeleireiro

- Retocar a maquiagem para todas as clientes do sexo feminino.
- Informar o cliente de todos os serviços adicionais disponibilizados no salão.
- Fornecer retoques de corte gratuitos.
- Informar o cliente acerca das instruções para secar o cabelo dadas gratuitamente, de forma que ele possa secar os próprios cabelos em casa, com eficiência.
- Oferecer a clientes do sexo masculino um retoque de suíças e nuca, gratuitamente, entre visitas.
- Oferecer incentivos a quem indica o salão a amigos: um certificado de $5 de desconto para cada indicação, além de um concurso com prêmios para os clientes que indicarem o maior número de novos clientes em um ano.

Conclusão da experiência: prestada por diversos funcionários

- Assistente, telefonista e recepcionista: oferecer ao cliente uma despedida amigável.

---

5. Os padrões são preditivos, não reativos – com base nas expectativas atuais e futuras do cliente, não em queixas passadas.
6. Os padrões são desafiadores, mas realistas.

- Cabeleireiro e recepcionista: oferecer a oportunidade de adquirir os produtos utilizados.
- Telefonista principal: oferecer ao cliente um cartão de visitas.
- Recepcionista: oferecer ao cliente a oportunidade de marcar a próxima visita.
- Recepcionista: para os novos clientes, oferecer um pacote que contém uma lista dos serviços oferecidos, um boletim de informações atualizadas, um cartão de visitas, um ímã de geladeira e um questionário com cinco perguntas. Informe o cliente do desconto de 10% para a próxima visita, se ele devolver o questionário preenchido em seis semanas.
- Recepcionista: durante a saída, utilizar o nome do cliente ao menos quatro vezes.
- Telefonista: inserir as informações pessoais (como nome do cônjuge e dos filhos) no sistema, no cadastro do cliente, para uso em visitas futuras.

Pós-experiência: prestada pelo pessoal de apoio
- O cliente recebe um telefonema entusiasmado dentro de 24 horas.
- O cliente recebe um cartão de agradecimento dentro de 48 horas.
- O cliente recebe um boletim de informações trimestral.
- O cliente recebe um cartão de aniversário.
- Se o cliente tem alguma reclamação, lide com ela imediatamente, no local. Resolva o problema. Preencha a folha de reclamação e envie à gerência.
- Se o cliente não retornar em quatro meses, envie um cartão para lembrar a ele que uma nova hora poderia ser marcada.
- Se o cliente não retornar em oito meses, envie um incentivo (como um desconto de 25% na próxima visita).
- Se o cliente não retornar em 12 meses, faça uma pesquisa dos motivos, por carta ou telefone.

Fonte: J. R. DiJulius, *Secret Service: Hidden Systems That Deliver Unforgettable Customer Value* (New York: American Management Association, 2001), pp. 8–11.

O John Robert's Spa identificou os padrões de serviço esperados dos funcionários nos sete encontros de serviço mais comuns

Etapa 4: Desenvolva métricas para os padrões

Uma vez que as companhias tenham definido que tipo de padrão (*hard* ou *soft*) é o mais apropriado e quais os padrões que melhor capturam as exigências dos clientes, elas precisam desenvolver

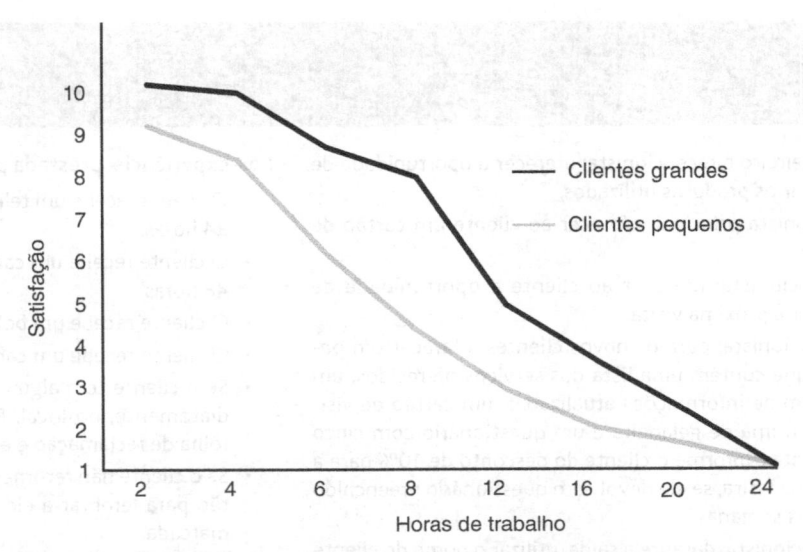

Figura 9.4 O elo entre os indicadores *hard* e *soft* para a velocidade em que as reclamações são tratadas.

medidas de *feedback* que captem esses padrões. Dois desses tipos de métricas são as métricas *hard* e as métricas *soft*.

As métricas hard via de regra envolvem contagens mecânicas ou mensurações de tempo ou de erros baseadas na tecnologia. O que distingue essas métricas das métricas *soft* é o fato de elas poderem ser avaliadas de forma contínua e operacional, sem a necessidade de requisitar a opinião que o cliente tem delas. A título de exemplo, apresentamos a seguir alguns dos indicadores para padrões *hard* dos componentes do SQI da FedEx Express:

- *Encomendas extraviadas:* o número de encomendas que não têm um destino final no período de dois dias úteis consecutivos.
- *Encomendas avariadas:* o número de pedidos de responsabilidade pelos custos de conteúdos com danos visíveis ou não.
- *Data de entrega errada/entrega em atraso*: definido como o número de encomendas entregues após a data acordada.[15]

Nestes e em outros indicadores *hard*, a medição envolve uma contagem do número e o tipo de ações e comportamentos que são corretos ou incorretos. Em algum ponto do sistema de operação, as ações e os comportamentos são tabulados, com frequência por meio da tecnologia da informação. Outras mensurações de padrões *hard* incluem os lapsos de garantia do serviço (o número de vezes em que uma garantia de serviço é invocada em função de o serviço não ter cumprido uma promessa), os períodos de tempo (como o número de horas ou dias necessários para responder a uma pergunta, para atender a uma reclamação ou os minutos esperados em uma fila) e as frequências associadas aos padrões relevantes (como o número de visitas feitas a clientes ou o número de solicitações telefônicas abandonadas). A L.L. Bean ganhou a reputação de oferecer um excelente serviço ao cliente por meio de uma base de dados continuamente atualizada (isto é, padrões *hard*) sobre modelos, cores e tamanhos dos produtos em estoque. Este sistema permite à companhia definir e atingir altos padrões de serviço ao cliente, atendendo a incríveis 99,4% dos pedidos com exatidão.[16]

O indicador *hard* apropriado para atender às exigências do cliente nem sempre é intuitivo ou óbvio, e a probabilidade de contar ou sondar um aspecto irrelevante das operações é alto. Por esta razão, é desejável vincular os indicadores de desempenho operacional a padrões *soft* (pesquisas ou contatos de sondagem), de forma a garantir uma forte correlação entre eles.

Os padrões *soft* são baseados em percepções do cliente que muitas vezes não são observáveis diretamente. Dois tipos de métodos de pesquisa descritos no Capítulo 5 documentam as opiniões dos clientes sobre a possibilidade de o desempenho oferecido atender aos padrões estabelecidos: contatos de sondagem e pesquisas de relacionamento. As pesquisas de relacionamento e a SERVQUAL cobrem todos os aspectos do relacionamento do cliente com a companhia, são normalmente expressas como atributos e, em geral, completadas uma vez ao ano. Os contatos de sondagem estão associados a encontros específicos de serviço, são curtos (apresentam aproximadamente seis ou sete perguntas) e efetuados dentro do mínimo intervalo possível da ocorrência do encontro de serviço. Para as exigências de longo prazo e verificadas em nível mais alto de abstração (como nos níveis de atributos), pesquisas anuais de relacionamento oferecem a chance de documentar as percepções do cliente periodicamente. Os contatos de sondagem são implementados de modo contínuo, sempre que um cliente passa por um encontro de serviço do tipo em avaliação, e fornecem um fluxo ininterrupto de dados.

Etapa 5: Estabeleça os níveis dos padrões
A próxima etapa requer que a companhia especifique níveis-alvo para os padrões. Sem esta etapa, a companhia não tem um caminho para quantificar a possibilidade de equiparação do serviço aos padrões. A Figura 9.4 ilustra um bom exemplo de uma abordagem que pode ser utilizada para definir padrões para a prontidão de resposta a reclamações em uma companhia de serviço. Na figura, toda vez que uma reclamação é feita para a companhia, e toda vez que uma destas reclamações é resolvida, os funcionários registram a hora. Eles também podem perguntar a cada cliente se ele está satisfeito com o desempenho na solução da reclamação. A companhia então elabora um gráfico com as informações de cada queixa para definir o quão bem ela está resolvendo problemas, além de possibilitar indícios para a solução de problemas futuros. Esta técnica é apenas uma dentre várias que definem o nível-alvo para os padrões de serviço.

Outra técnica consiste em elaborar um simples estudo de correlação entre ação e percepção. Quando um serviço é composto por processos repetitivos, as companhias podem relacionar níveis de satisfação do cliente aos desempenhos reais, verificados para um comportamento ou tarefa. Por exemplo, consideremos um estudo para avaliar o padrão do tempo de espera na fila. As informações coletadas incluem as percepções que o cliente tem do tempo de espera (uma medida de percepção da categoria *soft*), e o período de tempo que ele de fato espera (um indicador operacional da classe *hard*). A coleta conjunta destes dados acerca de diversas transações dá provas da sensibilidade dos clientes diante de diversos tempos de espera.

Uma companhia aérea conduziu este mesmo tipo de estudo, em que um comissário de bordo interceptava os clientes à medida que se aproximavam do balcão da empresa. No momento em que um cliente entrava na fila, o comissário carimbava a hora em um tíquete (utilizando um equipamento semelhante aos adotados em estacionamentos), e o entregava ao cliente. Quando ele saía da fila, ao final da operação de *check-in*, o comissário marcava o tíquete novamente, agora com a hora de saída, e formulava ao cliente três ou quatro perguntas sobre como ele percebera o tempo de espera e sobre sua satisfação com a transação. Ao agregar dados de clientes individuais, a companhia elaborou um gráfico do impacto das percepções do cliente com o quesito tempo de espera na fila.

Etapa 6: Indicadores de sondagem versus padrões
Roger Milliken, ex-presidente da Milliken Industries, certa vez disse: "Em Deus nós confiamos; quanto ao restante, buscamos dados". Empresas de sucesso no setor de serviços, como a FedEx e a Disney, possuem sistemas criteriosos e abrangentes que se baseiam em fatos para gerar informações sobre suas operações – o que lhes permite examinar o próprio desempenho em comparação com seus padrões de serviço de forma contínua. A Granite Rock de Watsonville, na Califórnia, é uma empresa familiar fornecedora de cimento, asfalto e brita que vive e cresce por meio da

gestão de fatos. Vencedora do Prêmio Baldridge na categoria empresa de pequeno porte, ela tem sistemas instalados para coletar, analisar e atuar sobre informações. O controle estatístico de processos e outros tipos de gráficos estão em toda a parte, rastreando uma ampla gama de questões – desde características dos processos que ela desenvolve para a produção de brita e de cimento, até o tempo que os clientes levam para encher seus caminhões. As reclamações dos clientes também são sondadas por meio do que a companhia chama de "relatórios de discrepância entre produto e serviço" e da análise de razões principais, além de atualizações distribuídas a todas as suas unidades. Os relatórios mostram o tempo transcorrido para a solução de uma reclamação, e fornecem análises trimestrais de tendências; as unidades acompanham tendências para quatro anos. Quanto à qualidade do produto e do serviço ao cliente, a Granite Rock nada deixa a desejar.

Etapa 7: Forneça feedback sobre o desempenho aos funcionários

Logo que as companhias tenham definido padrões adequados, desenvolvido medidas específicas que melhor capturem as exigências do cliente e estabelecido níveis apropriados para os padrões, elas precisam desenvolver mecanismos de *feedback* sobre as ações e os comportamentos dos funcionários. Um exemplo desse *feedback* é o monitoramento dos funcionários – em empresas com departamentos de serviço ao cliente, consiste na prática de os supervisores escutarem as interações dos funcionários com os clientes. É provável que você já tenha passado por esta situação, ao telefonar ao serviço de atendimento ao cliente de uma organização e ouvir uma mensagem dizendo que o telefonema está sendo gravado para fins de qualidade. O objetivo deste monitoramento é fornecer um *feedback* sobre o desempenho do funcionário em comparação com os padrões definidos pela organização. Um dos aspectos críticos do desenvolvimento de mecanismos de *feedback* consiste em garantir que o desempenho represente o processo do ponto de vista do cliente, não da companhia. Quando um supervisor monitora o modo como um funcionário lida com um telefonema de um cliente, por exemplo, o foco de sua atenção deve se concentrar menos na rapidez com que o funcionário consegue encerrar o telefonema e mais na maneira como ele trata o pedido do cliente.

A FedEx informa o desempenho com base em seu indicador semanal de qualidade (SQI), o que possibilita que todos os funcionários saibam como a companhia está se saindo. Na ocorrência de problemas, estes podem ser identificados e corrigidos. Os indicadores do SQI dão a todos dentro da empresa um *feedback* imediato sobre as atividades fortemente relacionadas às percepções do cliente. Em termos gerais, os dados e fatos precisam ser analisados e distribuídos para dar suporte à avaliação e ao processo de tomada de decisão, em diversos níveis dentro da organização. Os dados também devem ser liberados com rapidez o bastante para que as pessoas que deles necessitem possam tomar decisões envolvendo serviços e processos. A responsabilidade de atender às exigências do serviço tem de ser divulgada em toda a organização. Todas as partes de uma companhia precisam mensurar seus serviços prestados a clientes internos e, por fim, medir como este desempenho se relaciona às exigências do cliente externo.

Etapa 8: Atualize periodicamente os níveis-alvo e os indicadores

A última etapa envolve a revisão dos níveis-alvo, dos indicadores e até das exigências do cliente, de forma regular, para acompanhar suas expectativas. Quando a FedEx originalmente desenvolveu seu SQI, ela atribuiu o peso 10 ao quesito "encomendas extraviadas". Com o passar do tempo, a companhia descobriu que uma encomenda perdida é muito mais importante para o cliente do que diversos outros problemas incluídos em seu indicador, e hoje o quesito tem peso 50. Em seu programa "Fit For You" (Feito para Você), a Marriott requer de seus hotéis a inclusão de três pratos que se encaixem nos hábitos alimentares correntes que contam com maior popularidade. Apesar de a empresa ter uma exigência relativa a todos os seus hotéis oferecerem três pratos, cada hotel é encorajado a utilizar a criatividade em sua escolha e incluir variações locais e sazonais. Por exemplo, um hotel em Wisconsin oferece um omelete de queijo preparado com um queijo típico da região. Como disse o encarregado do departamento de hospedagem e alimentação: "Oferecemos as orientações, mas deixamos que os chefes de cozinha criem coisas interessantes".[17] Como sugerem esses exemplos, é possível conferir certa flexibilidade à gerência para mudar os padrões de serviço em alguns departamentos ou locais tão logo um nível básico e elevado de serviço tenha sido conquistado.

O desenvolvimento de índices de desempenho do serviço

Um dos resultados da anuência ao processo de desenvolvimento de padrões definidos pelo cliente é o índice de desempenho do serviço. O *índice de desempenho do serviço* é composto por um conjunto dos padrões de desempenho mais importantes. O desenvolvimento de um índice começa com a identificação de um grupo de padrões definidos pelo cliente que a empresa empregará para motivar comportamentos. Contudo, nem todos os índices de desempenho do serviço contêm padrões definidos pelo cliente, mas os melhores – como o SQI do FedEx, o SQI da Ritz-Carlton e o SPI da Singapore Airlines – são baseados neste tipo de padrão. A maioria das companhias elabora estes índices com base no entendimento das exigências mais importantes de seus clientes, vinculando-as a aspectos tangíveis e intangíveis da prestação do serviço, e recorrendo ao *feedback* destes índices para identificar e solucionar problemas. As empresas mais arrojadas também utilizam o *feedback* para definir sistemas de recompensa e de reconhecimento de seus funcionários.

Resumo

Este capítulo discutiu a discrepância entre as percepções que a companhia tem das expectativas de seus clientes e os padrões definidos para executar os serviços de acordo com essas expectativas. Entre as principais causas por trás da lacuna 2 da empresa, a lacuna do projeto e dos padrões de serviço, estão a padronização equivocada de comportamentos e ações de serviço, a ausência de processos formais para a especificação de metas de qualidade no setor e a falta de padrões definidos pelo cliente. Estes problemas foram discutidos e detalhados, junto com as estratégias desenvolvidas para fechar a lacuna. A fim de fechar a lacuna do projeto e dos padrões de serviço, os padrões definidos pelas empresas devem ser baseados nas exigências e expectativas do cliente, não apenas nos objetivos internos da companhia. Ou seja, os padrões definidos pela companhia via de regra não têm sucesso na motivação de comportamentos que fechem a lacuna 2 da empresa, e a companhia precisa especificar padrões *definidos pelo cliente*, com base nas principais exigências do cliente, visíveis e mensuradas por ele próprio.

Neste capítulo descrevemos dois tipos de padrões de serviço: os padrões *hard* (que podem ser contados, cronometrados ou observados por meio de auditorias) e os padrões *soft* (compostos por percepções dos clientes que não são passíveis de observação direta). Os padrões definidos pelo cliente estão no cerne da prestação do serviço que ele espera receber: eles são o elo entre as expectativas que ele expressa e as ações tomadas pela prestadora para executar o serviço de acordo com essas expectativas. A criação de padrões de serviço definidos pelo cliente não é uma prática comum nas empresas norte-americanas. Esta tarefa requer o trabalho em uníssono dos departamentos de marketing e de operações da empresa, por meio de pesquisas de marketing que trazem dados para a execução das operações. A menos que os padrões operacionais sejam definidos pelas prioridades do cliente, é provável que eles não tenham importância nas percepções que o cliente desenvolverá acerca do serviço.

Questões para discussão

1. De que forma os indicadores de serviço descritos neste capítulo diferem daqueles apresentados no Capítulo 5? Qual destes dois tipos você julga mais importante? Por quê?
2. Em que tipos de setores de serviço os padrões são mais difíceis de serem desenvolvidos? Por quê? Indique três padrões que podem ser desenvolvidos em uma das empresas atuantes nos setores que você especificou. De que forma os funcionários reagem a estes padrões? De que modo você consegue persuadi-los a aceitar estes padrões?

3. Dada a necessidade de padrões de serviço definidos pelo cliente, as empresas de fato precisam de padrões definidos por elas próprias? É possível definir todos os padrões de uma empresa a partir da perspectiva do cliente? Por quê? Por que não? Quais departamentos funcionais em uma empresa objetariam ter de adotar todos os seus padrões como definidos pelo cliente?

4. Qual é a diferença entre padrões *soft* e padrões *hard*? Em sua opinião, qual dos dois tipos é mais prontamente aceito pelos funcionários de uma empresa? E pela gerência? Por quê?

5. Considere a universidade que você frequenta. Quais são os padrões *hard*, *soft* e as soluções simples que tratam das necessidades dos alunos? A universidade utiliza padrões como esses para a execução do serviço a seus alunos? Por quê? Por que não? Você acha que as razões apresentadas como resposta podem ser aplicadas também a companhias do setor privado? E a companhias sem fins lucrativos do setor público?

6. Pense em um serviço que você utiliza atualmente, e então mapeie a sequência do encontro de serviço em questão. Qual é a exigência mais importante em cada interação? Relate estas exigências, certificando-se de que elas sejam expressas em nível concreto de ações e comportamentos.

Exercícios

1. Selecione uma empresa local de prestação de serviços. Visite a sede da empresa e verifique os indicadores que ela utiliza. Quais padrões *hard* devem ser monitorados? Quais indicadores *soft* precisam ser acompanhados? Com base em suas descobertas, desenvolva um índice de desempenho do serviço.

2. Escolha um dos serviços adicionais (como aulas de computação, biblioteca, colocação no mercado de trabalho) oferecidos pela sua universidade. Quais padrões *hard* seriam úteis ao atendimento das expectativas dos alunos? Quais padrões *soft* seriam adequados? Quais soluções simples poderiam melhorar os serviços oferecidos?

3. Pense em uma empresa do setor de serviços para a qual você trabalhou ou que você conhece. Utilizando a Figura 10.3 como modelo, insira as exigências dos clientes em cada um dos níveis. Até que ponto, na base do gráfico, você consegue descrever as exigências? Este ponto é o bastante?

4. Examine três *sites* junto aos quais você pode encomendar produtos (como amazon.com, llbean.com e zappos.com). Quais são as promessas de serviço das companhias? Quais são os tipos de padrões de serviço definidos para estas promessas? Estes padrões são definidos pelos clientes ou pelas empresas?

Literatura citada

1. "Taking the Measure of Quality," *Service Savvy*, March 1992, p. 3.
2. Ibid.
3. E-mails de David Spear, gerente do setor de serviço global e garantia de qualidade, FedEx Express, 17/9/2010.
4. 2009 FedEx Annual Report, http://ir.fedex.com/annuals.cfm, acessado em 8/10/2010.
5. G. L. Shostack, "Breaking Free from Product Marketing," *Journal of Marketing* 41 (April 1977), pp. 73–80.
6. Puget Sound Energy, "2010 Performance Report," http://www.pse.com/accountsandservices/NewToPSE/Documents/2774_SQI_Report_Card_2010.pdf, acessado em 19/7/2011.
7. *Site* do Departamento de Veículos Motorizados da Califórnia, http://www.dmv.ca.gov/pubs/newsrel/archive/2004-12.htm, acessado em 24/7/2010.
8. Estudos National Customer Rage, 2005 e 2004, conduzidos pela Customer Care Alliance em colaboração com o Center for Services Leadership, Arizona State University, W. P. Carey School of Business.
9. F. F. Reichheld and P. Schefter, "E-Loyalty: Your Secret Weapon on the Web," *Harvard Business Review* 78 (July–August 2000), pp. 105–113.
10. J. Weinstein, "Redesigning the Box," *Hotels* 38, no. 3 (2004), p. 7.
11. J. Stengle, "ER Kiosks Let Patients Avoid Long Lines," *Associated Press*, September 13, 2007.
12. Ver D. E. Hansen and P. J. Danaher, "Inconsistent Performance during the Service Encounter: What's a Good Start Worth?" *Journal of Service Research* 1 (February 1999), pp. 227–235; V. Dalakas, "The Importance of a Good Ending in a Service Encounter," *Services Marketing Quarterly* 28, no. 1 (2006), pp. 35–53.
13. Essas são duas das três etapas "three Steps of Service" no Padrão Ouro do Ritz-Carlton, as quais são encontradas no *site* da companhia: http://corporate.ritzcarlton.com/en/About/GoldStandards.htm, accessed July 19, 2011.
14. Para uma lista completa de atributos de serviço importantes em uma variedade de serviços, ver M. Paul, T. Hennig-Thurau, D.

D. Gremler, K. P. Gwinner, and C. Wiertz, "Toward a Theory of Repeated Purchase Drivers for Consumer Services," *Journal of the Academy of Marketing Science* 37 (Summer 2009), pp. 215–237.

15. Baseado em e-mails de David Spear, gerente do setor de serviço global e garantia de qualidade, FedEx Express, 17/9/2010.

16. Os dados estão disponíveis no *site* da Innovative Systems, Inc., http://www.innovativesystems.com/success/ll_bean.php, acessado em 20/9/2007.

17. R. Oliva, "Out with the Old Breakfast," *Hotels* 38 (April 2004), p. 45.

Capítulo 10

As evidências físicas e o cenário de serviços

Os objetivos deste capítulo são:

1. Explicar o impacto das evidências físicas, sobretudo do cenário de serviços, nas percepções e expectativas dos clientes.
2. Ilustrar as diferenças entre os tipos de cenários de serviços, os papéis desempenhados por estes cenários e as implicações relativas a estratégias.
3. Explicar o motivo de o cenário de serviços afetar o comportamento de clientes e funcionários, utilizando uma estrutura baseada no marketing, no comportamento corporativo e na psicologia ambiental.
4. Apresentar elementos de uma estratégia eficaz para as evidências físicas.

Como construir uma marca de serviços utilizando evidências físicas[1]

A Marriott International Inc., a maior rede de hotéis do mundo, tem uma marca para cada faixa de preço, ocasião e tipo de cliente. A empresa foi classificada como a mais admirada no setor hoteleiro e é também uma das melhores para trabalhar, de acordo com a revista *Fortune*. Atuando em 71 países e territórios, a Marriott emprega mais de 130 mil pessoas. Desde seus hotéis de alto padrão Ritz-Carlton e J. W. Marriott, até sua rede com diárias mais acessíveis, a Fairfield Inns, a companhia vem obtendo sucesso ao posicionar suas muitas marcas, distinguindo umas das outras e atraindo segmentos de mercado bem definidos para cada uma. De acordo com os executivos de *branding* e estratégias da Marriott, a construção destas marcas distintas envolve uma estratégia complexa que combina projeto de hotéis, treinamento e seleção de funcionários, cuidadosa segmentação de mercado, além de padrões operacionais específicos a suas marcas.

Da perspectiva do cliente, o aspecto mais visível das estratégias diferenciadoras das marcas Marriott é o "cenário de serviços", ou o meio físico em que o serviço é prestado – o design do hotel propriamente dito. O projeto de luxo da marca Ritz-Carlton encaixa-se muito bem em sua posição como o hotel onde "damas e cavalheiros atendem a damas e cavalheiros". Por outro lado, a presença física de um Marriot Courtyard, embora continue expressando conforto e estilo pessoal, tem um projeto muito mais eficiente e direto.

O projeto do "salão" Marriott Courtyard promove o trabalho e a socialização entre clientes.

A marca mais recente lançada pela Marriott é um pequeno hotel que une um projeto exclusivo inspirado em destinos turísticos e serviços sofisticados. Para este conceito, uma parceria com Ian Shrager, conhecido pioneiro no moderno setor de hotéis de luxo e de pequeno porte, foi o trampolim para a Marriott entrar em um mercado totalmente novo. Estes tipos de hotel em geral são propriedades pequenas, de alto padrão, que enfatizam estilos únicos e exclusivos para cada local. A rede de hotéis Starwood's W representa este segmento do mercado hoteleiro. Os elementos específicos do design deste novo tipo de boutique hotel chamado "Edition" são essenciais ao posicionamento deste novo conceito. Os primeiros dois hotéis de design exclusivo Edition abriram em Waikiki e Istambul, e cinco outros abrirão nos próximos anos.

À medida que a Marriott se prepara para o futuro, o *branding*, ao lado de um serviço de qualidade inquestionável, permanecerá sendo um importante foco estratégico para todos os hotéis da rede. A visão da companhia é "deixar de ser meramente uma escolha lógica, e assumir o *status* de marca adorada", de acordo com os executivos da rede. Para isso, o objetivo da empresa é conectar-se emocionalmente com seu hóspede, em todas as suas marcas, promovendo o envolvimento de todos os seus sentidos e a geração de experiências memoráveis, altamente diferenciadas, modernas e inovadoras para o cliente. Por exemplo, a Marriott vem trabalhando em parceria com a empresa de design IDEO e com equipes de sociólogos e antropólogos para identificar tendências e inovações para viajantes. Uma série de alterações propostas inclui o lançamento de instalações de alta tecnologia para laptops e outros dispositivos, além da mais nova tecnologia em televisão. Ao disponibilizar as mais recentes inovações tecnológicas nos quartos, a Marriott oferece aos seus hóspedes a chance de usufruir de coisas que eles talvez não tenham em suas próprias casas. Outra alteração é a transformação dos saguões da rede Courtyard em "grandes salas", para os que preferem locais públicos, de socialização, para trabalhar, em vez de seus próprios quartos (veja a fotografia).

Neste capítulo mostramos a importância das evidências físicas para a divulgação dos atributos da qualidade do serviço, para a especificação das expectativas dos clientes e para a criação da experiência do serviço. No Capítulo 1, quando apresentamos o mix expandido do marketing de serviços, definimos evidências físicas como *o ambiente onde o serviço é executado e onde a empresa e o cliente interagem, e qualquer outro item tangível que facilita o desempenho ou a comunicação do serviço*. A primeira parte desta definição engloba a instalação física onde o serviço é desempenhado, executado e consumido. Ao longo de todo este capítulo as instalações físicas serão chamadas de *cenário de serviços*.[2] As evidências físicas são especialmente importantes para a divulgação de serviços envolvendo confiança (como manutenção de automóveis e serviços médicos), e para serviços como hotéis, hospitais e parques temáticos, que são dominados por atributos de experiência, como aqueles descritos no texto de abertura sobre a rede de hotéis Marriott International.

AS EVIDÊNCIAS FÍSICAS

O que são evidências físicas?

Os clientes muitas vezes dependem de indícios tangíveis, ou evidências físicas, para avaliar o serviço antes de adquiri-lo e de aferir sua satisfação, durante e depois da prestação. O projeto eficaz de evidências físicas e tangíveis é importante para o fechamento da lacuna 2 da empresa. Os elementos gerais das evidências físicas são mostrados na Tabela 10.1. Eles incluem todos os aspectos das instalações físicas da empresa (o cenário de serviços), bem como outras formas de comunicação tangível. Os elementos do cenário de serviços que afetam os clientes abrangem tanto os atributos exteriores (como sinalização, estacionamento e paisagismo) quanto os atributos interiores (como design, leiaute, equipamentos e decoração). Observe que os *sites* e os cenários de serviços virtuais veiculados na Internet são as formas mais recentes de evidência física que as empresas utilizam para transmitir a experiência do serviço e assim torná-lo mais tangível para seus clientes, antes e depois de sua aquisição (veja a seção Tecnologia em Foco).

Exemplos de evidências físicas em diferentes contextos de serviço são dados na Tabela 10.2. Nela, fica claro que alguns serviços (como hospitais, *resorts* e creches) dependem muito das evidências físicas para veicular e criar experiências para os clientes. Outros (seguros, entrega de encomendas) fornecem evidências físicas limitadas para os clientes. Todos os elementos das evidências listadas para cada serviço veiculam algo sobre o serviço aos clientes, facilitam o desempenho do serviço e/ou acrescentam algo à experiência total do cliente. Embora este capítulo se concentre principalmente no cenário de serviços e em seus efeitos, lembre-se de que o que está sendo dito aplica-se também a outras formas de evidências.

Tabela 10.1 Os elementos das evidências físicas

Cenário de serviços	Outros tangíveis
Exterior das instalações	Cartões de visita
Projeto da fachada	Papéis timbrados
Sinalização	Informativos de conta
Estacionamento	Relatórios
Paisagismo	Trajes dos funcionários
Ambiente circundante	Uniformes
Interior das instalações	Brochuras
Projeto do interior	Páginas na Internet
Equipamentos	Cenário virtual de serviços
Sinalização	
Leiaute	
Temperatura e qualidade do ar	
Som/música/aromas/iluminação	

Tabela 10.2 Exemplos de evidências físicas, na perspectiva do cliente

Serviço	Evidência física	
	Cenário de serviços	Outros tangíveis
Seguros	Não aplicável	Apólice propriamente dita Faturas Atualizações periódicas Brochura da companhia Cartas e cartões Formulários de solicitação *Site*
Hospitais	Exterior do prédio Estacionamento Sinalização Áreas de espera Escritório de registro de baixas Sala de atendimento ao paciente Equipamentos médicos Sala de recuperação	Uniformes Relatórios/papéis timbrados Faturas *Site*
Companhias aéreas	Área do portão da companhia Exterior das aeronaves Interior das aeronaves (decoração, poltronas, qualidade do ar) Quiosques de *check-in* Área de verificação de segurança Área de entrega das bagagens	Bilhetes Refeições Uniformes *Site* Embalagens
Encomendas expressas	Lojas de atendimento Caixas de coleta de encomendas	Caminhões Uniformes Computadores de mão *Site*
Eventos esportivos	Estacionamento Exterior do estádio Área de compra de ingressos Entrada Assentos Sanitários Áreas reservadas a concessões Campo propriamente dito Placar eletrônico	Bilhetes de entrada Uniformes Programação dos eventos Mascote do time *Site*

De que modo as evidências físicas afetam a experiência do cliente?

As evidências físicas, sobretudo o cenário de serviços, podem exercer um profundo impacto na experiência do cliente. Isso vale para situações em que a experiência é simples (por exemplo, uma viagem de ônibus ou de metrô), importantes do ponto de vista pessoal (uma experiência com um destino em uma lua de mel ou uma sala de parto em um hospital), ou espetaculares (uma viagem de aventura por uma semana). Em todos os casos, a evidência física do serviço influencia o desenrolar da experiência, a importância que os clientes conferem a ela, a satisfação que sentem e seus vínculos pessoais com a empresa que executa o serviço e as interações sociais e pessoais com outras pessoas que vivenciam a prestação do serviço.

À medida que os profissionais de marketing e estrategistas corporativos dão mais atenção às experiências, eles reconhecem que o espaço físico e os tangíveis exercem maior impacto na geração dessas experiências. Lewis Carbone, importante consultor em gestão da experiência, desenvolveu todo um processo de definições e de gestão em torno da ideia básica de "engenharia da experiência" por meio da "gestão de indícios".[3] A *gestão de indícios* se refere ao processo de identificar e administrar com clareza todos os prováveis indícios que os clientes utilizam para formar impressões e sentimentos sobre uma companhia. Incluídos neste conjunto de indícios estão o que Carbone chama de *indícios mecânicos*, os indícios físicos e tangíveis que são o objeto de estudo deste capítulo. Outros autores e pesquisadores que voltam suas atenções para a gestão das experiências do cliente igualmente concordam acerca da importância das evidências e instalações físicas no processo de construção destas experiências. [4] Ao longo de todo este capítulo apresentamos diversos exemplos de como as evidências físicas se comunicam com os clientes e modificam suas experiências.

OS TIPOS DE CENÁRIOS DE SERVIÇOS

Este capítulo se baseia essencialmente em ideias e conceitos da psicologia ambiental, um campo de estudo que engloba a investigação do ser humano e seus relacionamentos com ambientes naturais, sociais e com os construídos pelo homem. [5] A configuração física pode ser mais ou menos importante na concretização de metas corporativas para o marketing e outras esferas, e depende de certos fatores. A Tabela 10.3 apresenta uma estrutura para a classificação das organizações prestadoras de serviço em duas dimensões, que capturam algumas das principais diferenças capazes de afetar a gestão do cenário de serviços. As prestadoras que compartilham uma célula nesta matriz tendem a enfrentar problemas e decisões semelhantes no quesito espaços físicos.

A utilização do cenário de serviços

Em primeiro lugar, as organizações diferem em termos de *quem* é afetado pelo cenário de serviços. Isto é, quem de fato entra na instalação de prestação de serviços e, portanto, é potencialmente influenciado pelo seu design – clientes, funcionários ou ambos? A primeira coluna da Tabela 10.3 sugere que há três tipos de organização de prestação de serviços que diferem acerca desta dimensão. De um lado fica o ambiente de *autoatendimento*, em que o cliente executa a maior parte das atividades e são poucos os funcionários envolvidos. Exemplos de ambientes de autoatendimento incluem caixas eletrônicos, cinemas, quiosques de *check-in* em aeroportos, atividades de entrete-

Tabela 10.3 Uma tipologia para empresas prestadoras de serviço baseada nas variações em forma e utilização do cenário de serviços

Utilização do cenário de serviços	Complexidade do cenário de serviços	
	Elaborada	Enxuta
Autoatendimento (apenas clientes)	Parque aquático eBay	Caixas eletrônicos Lavagem de automóveis Serviços simples da Internet Caixa de coleta para encomendas expressas
Serviços interpessoais (para clientes e funcionários)	Hotéis Restaurantes Clinica de saúde Hospitais Bancos Companhias aéreas Escolas	Lavanderias a seco Estante de vendas Salão de beleza
Serviços a distância (apenas funcionários)	Telecomunicações Companhia de seguros Serviços públicos Diversos serviços profissionais	Balcão de pedidos por telefone entregues pelo correio Serviços de mensagem de voz automáticos

Fonte: M. J. Bitner, "Servicescapes: The Impact of Physical Surroundings on Customers and Employees," *Journal of Marketing* 56 (April 1992), pp. 57–71. 57–71. Reproduzido com permissão da American Marketing Association.

> ### Tecnologia em foco   Os cenários virtuais de serviços: presenciando serviços na Internet
>
> As páginas da Internet e os *tours* de serviços virtuais permitem que os clientes tenham uma noção inicial das experiências de serviço por meio da Internet e constatem as evidências físicas do serviço sem de fato estarem no local. Este meio oferece às companhias um tremendo potencial para veicular o que anteriormente era bastante difícil, senão impossível. Apresentamos alguns exemplos observados em diferentes setores.
>
> #### Viagens
>
> Hoje, os viajantes têm a chance de visualizar destinos turísticos com antecedência, bem como hotéis e quartos, viajar por ambientes na natureza e "vivenciar" locais de entretenimento, tudo antes de reservar suas viagens ou mesmo decidir para onde irão. Antes de reservar uma viagem para a Grã-Bretanha, os viajantes podem visitar *sites* que mostram hotéis, pousadas e outras formas de acomodação em todo o país. É possível examinar o exterior das instalações, além dos quartos propriamente ditos, para fazer uma escolha. Ao planejar uma viagem aos parques nacionais dos Estados Unidos, os viajantes podem assistir a vídeos e desfrutar de diversos *tours* por seu interior. Por exemplo, no *site* do Parque de Yellowstone (www.yellowstone.net/intro/orientation-videos-visiting-yellowstone/), viagens por vídeo estão disponíveis na forma de passeios completos com um veículo automotivo no interior do parque, ao som de seus famosos gêiseres. Mapas detalhados também são incluídos, o que permite ao viajante planejar uma rota e escolher entre diversos locais de visita antes mesmo de chegar ao parque.
>
> #### Esportes e lazer
>
> Com *sites* sobre esportes e lazer e *feeds* ao vivo disponibilizados em dispositivos de alta tecnologia, hoje os fãs conseguem observar muito do que acontece no setor e receber notícias *on-line* sobre os eventos agendados. Um excelente exemplo é a NASCAR, cujos entusiastas de corridas de automóveis estão entre os mais leais fãs em qualquer modalidade esportiva e que hoje atingem a marca dos 75 milhões! Para aqueles que vivenciam uma corrida pela primeira vez, a atmosfera é carregada de emoções, a comida é abundante e uma ampla gama de produtos está disponível para compra. Além disso, a corrida propriamente dita é muito envolvente, com seus ruídos ensurdecedores, a imagem indefinida dos carros que passam em alta velocidade e a enorme expectativa de ver quem vencerá a corrida. Como se não bastasse essa experiência ao vivo, a Nascar fornece muitas oportunidades aos fãs para vivenciarem o cenário de serviços, e muito mais, por meio da tecnologia. *Feeds* de vídeos ao vivo do interior de diversos veículos participantes permitem aos expectadores escutar – em seus *smartphones*, *laptops* ou *tablets* – as conversas de rádio entre pilotos e equipes. Essa tecnologia também permite ter uma visão da pista a partir da cabine do carro e assistir aos vídeos mostrando deslizes ou acidentes com detalhes. Além disso, a NASCAR tem um serviço *on-line*, com mais de 300 mil assinantes, que fornece informações em tempo real sobre as corridas e um serviço de transmissão via cabo que possibilita aos fãs assistirem à corrida da perspectiva de um piloto.
>
> #### Experiências únicas com o varejo
>
> Muitas das experiências atuais com o varejo são efetivamente reproduzidas via Internet, para dar aos clientes uma noção prévia do que podem esperar. Um grande exemplo disso é a Build-a-Bear Workshop®, em que as crianças "de três a 103 anos" criam seus próprios ursinhos de pelúcia e outros amiguinhos peludos durante suas visitas à loja. A Build-a-Bear Workshop® tem mais de 400 estabelecimentos em todo o mundo, incluindo em redes nos Estados Unidos, em Porto Rico, no Canadá, no Reino Unido, na Irlanda, na França, e franquias na Europa, na Ásia, na Austrália, na África e no Oriente Médio. A experiência com o varejo interativo em si é memorável e interessante, e o ambiente temático do brinquedo de

nimento (como golfe e parques temáticos), além de serviços on-line. Nestes ambientes primordialmente orientados para o autoatendimento, a organização tem a chance de planejar o cenário de serviços de forma que ele se volte, com exclusividade, para objetivos de marketing, como a atração do segmento de mercado correto, a atratividade e a facilidade de utilização das instalações, além da geração da experiência de serviço desejada.

Na outra ponta do espectro de utilização está o *serviço a distância*, que tem pouco envolvimento do cliente com o cenário de serviços. Telecomunicações, serviços públicos, consultoria financeira, edição de textos e serviço de encomendas pelo correio são exemplos de serviços que podem ser prestados sem que o cliente sequer veja a instalação da prestadora. Na verdade, a instalação pode estar em um estado ou em um país diferente (veja a seção Tema Global no Capítulo 1). Nos serviços a distância, a instalação pode ser montada para manter os funcionários motivados e promover a produtividade, o trabalho em equipe, a eficiência operacional ou qualquer outro objetivo corporativo desejado na esfera comportamental, desconsiderando o cliente, pois ele nunca verá

pelúcia, marcadamente visual e presente em todas as lojas, é uma grande parte da fantasia deste local especial. Para uma noção prévia do funcionamento e da aparência das lojas, o *site* da Build-A-Bear Workshop (www.buildabear.com) inclui uma "visita virtual" passo a passo da loja, que mostra as suas diversas áreas e o que acontece em cada uma. Para criar um amiguinho peludo, os clientes passam pelas seguintes etapas: "Escolha-me, Ouça-me, Estofe-me, Costure-me, Afofe-me, Batize-me e Leve-me para Casa®". A visita virtual no *site* mostra as imagens de forma sequencial, detalhando as atividades a cada etapa e disponibilizando uma foto colorida que dá um sentido ao ambiente da loja e às emoções dos clientes.

Educação superior

Uma das decisões mais importantes que os jovens e suas famílias tomam é a de que universidade frequentar. Para aqueles afortunados o bastante com meios financeiros e capacidades, as escolhas podem ser infinitas. O ambiente físico de uma universidade – o campus propriamente dito, além das instalações específicas – desempenham um papel preponderante nas escolhas dos alunos e também em suas experiências. Muitas universidades oferecem viagens virtuais on-line por seus campi, que permitem aos alunos ter uma noção prévia do ambiente físico. A Universidade de Oregon, nos Estados Unidos, tem um *tour* particularmente eficaz em seu *site*, o qual permite aos alunos entrar em um passeio virtual (http://admissions.uoregon.edu/media) e viajar por uma variedade de caminhos para explorar diferentes aspectos da universidade, como as salas de aula, as acomodações, a vida dos estudantes, a prática de esportes, o campus e a comunidade. Ao percorrerem os caminhos desse *tour*, o futuro aluno e seus familiares têm a chance de visualizar fotos e vídeos adicionais, além de ler informações associadas a cada percurso. Essa exploração dos ambientes acadêmicos é fonte de muitas informações para os alunos que, por qualquer motivo, não podem visitar a universidade ou que desejam reduzir quantas universidades planejam visitar.

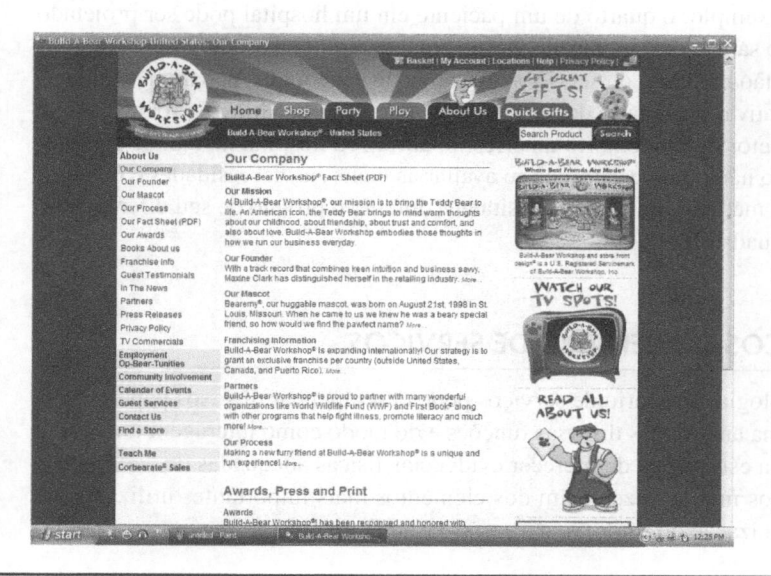

A tecnologia da Internet sem dúvida abre excelentes oportunidades para as empresas veicularem seus serviços. Imagens disponibilizadas na Internet geram expectativas para os clientes que definem padrões para a execução do serviço e, portanto, é essencial que os serviços prestados de fato atendam a estas expectativas. Imagens e *tours* virtuais de serviços apresentados na Internet precisam dar suporte ao posicionamento da marca do serviço e ser consistentes com outras mensagens de marketing.

---

nem visitará o cenário de serviços. Este é o caso da SAS, empresa que há 14 anos consta na lista das melhores para trabalhar da Revista *Fortune*, na qual ocupou o primeiro lugar em 2010 e em 2011. A empresa disponibiliza plano de saúde e creches de alta qualidade para seus funcionários, além de lavagem de carros, salão de beleza e uma academia de ginástica com mais de 6.000 m^2 para seus mais de 11 mil funcionários. Uma vez que a maioria dos clientes nunca visita as instalações da SAS, elas podem ser projetadas somente de acordo com o bem-estar e a produtividade dos funcionários.[6]

Na Tabela 10.3, os *serviços interpessoais* estão localizados entre os dois extremos e representam situações em que tanto o cliente quanto o funcionário estão presentes e ativos no cenário de serviços. Exemplos dessa classe são muitos, incluindo hotéis, restaurantes, hospitais, instituições de ensino e bancos. Nestas situações, o cenário de serviços precisa ser planejado para atrair, satisfazer e promover as atividades de clientes e funcionários simultaneamente. Atenção especial também deve ser dada ao modo como o cenário de serviços afeta a natureza e a qualidade das interações sociais entre clientes e funcionários. Um navio-cruzeiro é um bom exemplo de cenário de serviços que precisa dar suporte aos clientes e aos funcionários que ali trabalham, bem como facilitar as interações entre e no interior de diferentes grupos.

A complexidade do cenário de serviços

A Tabela 10.3 sugere outro fator que influencia a gestão do cenário de serviços: a complexidade dele. Alguns ambientes de prestação de serviços são bastante simples, com poucos elementos, espaços e equipamentos. Estes ambientes são chamados *enxutos*. Quiosques de informações em *shopping centers* e quiosques e lojas para a coleta de encomendas da FedEx são considerados ambientes enxutos, pois oferecem serviços a partir de uma única estrutura. No caso dos cenários enxutos de serviços, as decisões relacionadas a design são relativamente diretas, sobretudo em situações de autoatendimento ou a distância, em que não há interações entre funcionários e clientes.

Outros cenários de serviço são bastante complexos, com a presença de diversos elementos e formas. Eles são chamados de ambientes *elaborados*. Um exemplo deste tipo de cenário é um hospital, com seus diversos andares e quartos, equipamentos sofisticados e variadas e complexas funções desempenhadas no interior da instalação. Em ambientes com este grau de elaboração, é possível tratar de inúmeros objetivos corporativos e de marketing por meio da gestão cuidadosa do cenário de serviços. Por exemplo, o quarto de um paciente em um hospital pode ser projetado para promover seu conforto e satisfação, ao mesmo tempo em que facilita a produtividade do funcionário. As empresas que estão na célula de serviços interpessoais elaborados deparam-se com as mais intrincadas decisões relativas ao cenário de serviços. Quando a Clínica Mayo, provavelmente a marca mais conhecida no setor de saúde norte-americano, abriu seu hospital na cidade de Scottsdale, Arizona, a organização não poupou esforços ao avaliar as metas, as necessidades e os sentimentos de seus funcionários, médicos, pacientes e visitantes durante o projeto de seu diferenciado cenário de serviços (veja o Quadro 10.4).

OS PAPÉIS ESTRATÉGICOS DO CENÁRIO DE SERVIÇOS

Dentro das células desta tipologia, o cenário de serviços pode desempenhar diversos papéis estratégicos ao mesmo tempo. Uma análise das diversas funções e do modo como interagem umas com as outras revela a importância estratégica de oferecer evidências físicas adequadas do serviço. Na verdade, o cenário de serviços muitas vezes é um dos elementos mais importantes utilizados no posicionamento de uma organização do setor (veja a seção Visão Estratégica).

A embalagem

Semelhante à embalagem de um bem de consumo tangível, o cenário de serviços e outros elementos das evidências físicas são os que, em síntese, "servem de embalagem" para o serviço e traduzem para o cliente uma imagem externa do que está "lá dentro". As embalagens de produtos são projetadas para retratar uma imagem física e invocar uma determinada reação física ou emocional. A configuração física de um serviço faz o mesmo por meio da interação de numerosos estímulos complexos. O cenário de serviços constitui a aparência externa da organização e, portanto, pode ser essencial à formação de uma primeira impressão ou à definição das expectativas dos clientes – ele é uma metáfora visual para o serviço intangível. Essa embalagem é importante, sobretudo, na geração de expectativas dos novos clientes e para organizações recém-fundadas que tentam construir uma dada imagem (veja Quadro 10.1). O ambiente físico oferece para uma organização a oportunidade de traduzir uma imagem da mesma forma que uma pessoa escolhe "a roupa certa para o sucesso". O papel desse invólucro se estende à aparência dos funcionários de contato, em seus uniformes ou vestimenta, além de outros elementos relativos à sua aparência pessoal.[7]

Quadro 10.1 — A utilização de evidências físicas para posicionar um novo serviço

Quando a Speedi-Lube abriu suas portas em Seattle, Estado de Washington, ela tornou-se uma das primeiras prestadoras de serviço no setor de óleos e lubrificação. Hoje, o setor cresceu e tem milhares de lojas do tipo, mas naquela época o conceito era inédito. A ideia era oferecer uma alternativa para o serviço de lubrificação básica nos postos de gasolina com a prestação de serviços de lubrificação de veículos com rapidez (em 10 minutos) e sem a necessidade de hora marcada. Visto que o conceito era uma novidade para os clientes naquela época, os proprietários da Speedi-Lube precisaram divulgar e posicionar o serviço com clareza, para que os clientes construíssem uma expectativa precisa sobre ele. E, em virtude de a manutenção de automóveis ser altamente intangível e de os consumidores deste serviço muitas vezes não entenderem o que de fato é feito em seus carros, os proprietários do negócio dependeram de evidências físicas de alta tangibilidade para demonstrar o conceito antes, durante e depois da venda.

Para veicular uma imagem de serviço rápido e eficiente, a Speedi-Lube recorreu a uma estratégia publicitária direta, sem rodeios, desenvolvida com letras claras e de design limpo. Por exemplo, um anúncio mostrava, em letras grandes nas cores azul e branco, os dizeres: SPEEDI-LUBE, TROCA DE ÓLEO EM 10 MINUTOS, SEM HORA MARCADA, ABERTO SETE DIAS POR SEMANA, DAS 9 DA MANHÃ ÀS 6 DA TARDE. Os próprios prédios em que o serviço era prestado veiculavam a noção de eficiência com muita clareza. Na verdade, os exteriores de algumas das instalações da Speedi-Lube aparentavam um restaurante de *fast food*, consistente com a imagem de rapidez, eficiência e previsibilidade de serviços. Os sinais indicadores de entrada e saída foram instalados preconizando a visibilidade, para que os clientes que viessem à Speedi-Lube pela primeira vez soubessem exatamente onde estacionar seus carros.

Ao entrar na área de serviço, o cliente era recebido com mais evidências físicas indiscutíveis da diferenciação da Speedi-Lube em comparação com seus concorrentes na época. A área de serviço era organizada, tinha uma pintura vibrante e apresentava um balcão, em que o cliente preenchia a documentação de solicitação do serviço. Os funcionários que usavam uniformes especiais auxiliavam o cliente a preencher os formulários, e ele podia aguardar em uma sala de espera limpa em que café e revistas eram oferecidos. (Como alternativa, os clientes podiam permanecer na área e observar o trabalho efetuado em seus veículos.) Em uma das salas de espera, as paredes exibiam um desenho esquemático (reproduzido a seguir), mostrando o lado inferior de um carro e identificando todos os pontos de lubrificação e os detalhes exatos do serviço. Esta forma de evidência física mantinha os clientes informados e lhes despertava a confiança no que estava sendo feito.

Finalizado o serviço, o cliente recebia uma lista de verificação do serviço de lubrificação prestado, item a item. Como toque final, o funcionário lubrificava as fechaduras das portas do veículo, para deixar claro que nada fora negligenciado. Três meses após a prestação do serviço, a Speedi-Lube enviava uma correspondência lembrando ao cliente que era hora de uma nova troca de óleo.

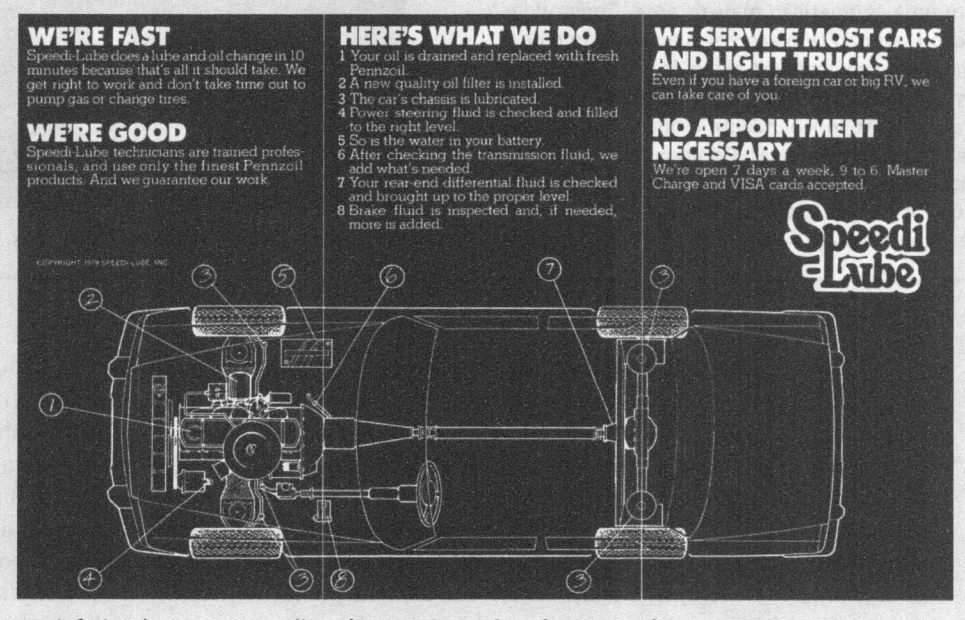

Esquema da parte inferior de um carro explicando o serviço, colocado na área de espera para os clientes na Speedi-Lube.

Visão estratégica — O posicionamento estratégico por meio do projeto arquitetônico

As revistas *BusinessWeek* e *Architectural Record*, ambas publicações da editora McGraw-Hill, patrocinam uma competição anual a fim de identificar o melhor uso da arquitetura para a solução de desafios estratégicos no mundo dos negócios. As empresas vencedoras demonstram claramente o impacto do design arquitetônico sobre as pessoas – clientes, funcionários, público em geral, ou todos ao mesmo tempo. Este quadro apresenta as empresas vencedoras, em diversos anos, para ilustrar como a arquitetura e os cenários de serviços executam ou reforçam as decisões estratégicas e o posicionamento de marketing.

As lojas da Apple, Nova York

Para projetar sua loja no bairro Soho, em Nova York, a Apple Computers reuniu arquitetos, designers gráficos, desenvolvedores de produto, equipes de merchandising e Steve Jobs, seu já falecido CEO, para criar um espaço de varejo que traduziria a filosofia da empresa ao mesmo tempo em que venderia computadores. O resultado foi uma loja ampla, espaçosa e sem excessos, que expõe poucos computadores para gerar uma atmosfera de museu. A empresa cria uma sensação de modernidade por meio de uma escada central construída em vidro, além das paredes brancas e de uma grande claraboia. Uma área no segundo andar encoraja as crianças a brincarem com *software* e disponibiliza uma ampla sala de conferências para a demonstração dos produtos da empresa. Como disse um dos juízes da competição: "a loja, como a Apple, tem tudo a ver com informação, interação e acesso". A loja da Apple na Quinta Avenida, em Nova York, que tem o maior volume de vendas, também recebeu um prêmio em uma competição mais recente. Construída na forma de cubo, ela não tem aço em sua estrutura e depende unicamente de um invólucro plano de vidro e de suas vigas, também em vidro, para gerar a sensação de estar em uma estrutura flutuante independente e que descansa sobre o verdadeiro espaço de vendas. Como na loja do Soho, o "cubo" é altamente eficaz ao atrair clientes, e seu interior, projetado sem muitos adornos, traduz uma atmosfera convidativa à experimentação dos inovadores e futuristas produtos da Apple. A loja desfruta de um grande volume de vendas por metro quadrado, e o espaço é bonito, funcional e muito lucrativo (essa loja venceu prêmios em 2003 e 2006).

Escritório de advocacia Eversheds, Londres, Inglaterra

O Eversheds é um escritório de advocacia de atuação mundial que busca atrair os melhores e jovens talentos para seu quadro de pessoal. Quando a matriz em Londres mudou de endereço, o escritório percebeu a oportunidade de atrair talen-

A loja da Apple no bairro Soho, em Nova York.

É interessante observar que a mesma atenção e os gastos com recursos destinados ao projeto de embalagens no marketing de produtos frequentemente não são reservados para serviços, mesmo que a embalagem de um serviço desempenhe importantes funções. Porém, esta observação tem caráter geral, e há diversas exceções. Empresas inteligentes, como Apple Stores (veja a seção Visão Estratégica), Starbucks, FedEx e Marriott, passam muito tempo e gastam muito dinheiro desenvolvendo a relação entre o projeto do cenário de serviços e suas marcas, disponibilizando a seus clientes metáforas visuais intensas e uma "embalagem de serviços" que traduz o posicionamento da marca. Por exemplo, a FedEx embarcou em uma grande renovação de sua imagem por meio de uma nova abordagem e de uma reengenharia de todos os seus tangíveis – tudo, desde suas caixas de coleta até seus centros de serviço e sacolas utilizadas por seus entregadores.[8] A ideia era traduzir

tos por meio do design do ambiente de trabalho. Na busca por construir um escritório de advocacia do futuro, os projetistas fizeram pesquisas abrangentes e elaboraram um protótipo de teste durante nove meses para o novo projeto em sua sede atual. O protótipo envolvia os funcionários no processo, do começo ao fim. O resultado foi uma mudança radical em relação ao design de um escritório de advocacia tradicional: mobília modulada, a qual pode ser trocada de lugar para promover a colaboração e a comunicação entre advogados e funcionários. Alguns confortos também foram adotados, como sofás, salas de refeições, duchas, bicicletário e acomodações para pernoite. A sustentabilidade também ficou no cerne desse novo design. Por exemplo, com a centralização de informações e documentos, o escritório conseguiu reduzir o número de documentos arquivados em 57% e o número de impressoras em 63%. Os resultados foram notáveis: 96% do quadro de pessoal se sente mais motivado para trabalhar devido ao design do novo ambiente de trabalho (o qual venceu um prêmio em 2009).

Clínica Sekii, Japão

De forma a reposicionar sua maternidade em forte oposição com os hospitais japoneses tradicionais, a Clínica de Senhoras Sekii baseou-se primordialmente em um novo projeto de cenário de serviços. As novas salas para partos e de recuperação são elegantes, acolhedoras e simples. Além disso, o prédio em si é moderno, amplo e bem iluminado. Com seus jardins de inverno, os espaços oferecem às futuras mães uma experiência de parto rica e confortável. As salas de parto e todas as áreas acolhem também os pais, em uma abordagem oposta à tradição japonesa, em que as mulheres dão à luz a seus bebês em grandes hospitais públicos, longe da presença de familiares. A clínica prioriza a saúde da mulher, sem escondê-la, como manda outra tradição daquele país (e venceu um prêmio em 2003).

Museu Darwin Centre, Londres

O Museu Darwin Centre precisava de mais espaço para abrigar sua imensa coleção de 22 milhões de espécimes de animais e oferecer um espaço adicional para os estudos laboratoriais de seus cientistas. A fim de atender a estes objetivos, o museu projetou um novo prédio, que disponibilizaria mais espaço de estocagem e o acesso do público a suas coleções. Um átrio no prédio permite aos visitantes observar os cientistas trabalhando, e prateleiras abertas exibem os espécimes. Terminais com a tecnologia de toque na tela oferecem mais um meio para explorar a coleção do museu. O telhado, que imita uma taturana, dá uma ideia do que encontraremos no interior da construção! O número de visitas ao museu cresceu vertiginosamente depois da inauguração desta nova sede (a qual venceu um prêmio em 2003).

A sociedade protetora dos animais de San Antonio

As sociedades protetoras dos animais acolhem animais perdidos, maltratados ou indesejados e oferecem um recurso comunitário para a adoção de animais de estimação. Em geral, as instalações destas sociedades são escuras, impessoais e desagradáveis para todas as partes envolvidas – os animais, os funcionários, os voluntários e as prováveis famílias adotivas. Contudo, este não é o caso da sociedade protetora da cidade de San Antonio, no Estado do Texas, em que um novo abrigo, que lembra um complexo de lojas, foi projetado para reverter este padrão. Estas construções estão organizadas em torno de um pátio central, o que gera uma impressão de comunidade, e os interiores dos prédios são confortáveis e acolhedores. As pessoas que desejam adotar um animal caminham pelos corredores do prédio como se estivessem em uma loja. Os animais mais desejados (em getal filhotes de cães e de gatos) estão localizados na parte de trás da unidade, para que os visitantes passem primeiro pelos animais adultos, que também merecem ser adotados. Desde a abertura da unidade recém-projetada, as adoções cresceram em 95%, e o número de animais adultos adotados triplicou (a instituição venceu um prêmio em 2004).

Fonte: "The *BusinessWeek/Architectural Record* Awards," Special Report, *BusinessWeek*, November 3, 2003, pp. 57–64; e http://archrecord.construction.com/features/bwarAwards/, acessado em julho de 2011.

uma imagem consistente e uma impressão de que "aqui as coisas são simples" e de que "ei, viemos coletar sua encomenda, deixe tudo por nossa conta".

O facilitador

O cenário de serviços também serve como facilitador aos desempenhos das pessoas envolvidas no ambiente de serviço. O modo como o serviço é projetado tem o poder de aumentar ou inibir o fluxo eficiente de atividades na configuração física do serviço, o que facilita ou dificulta, tanto para os clientes quanto para os funcionários, a concretização dos respectivos objetivos. Uma instalação bem projetada e funcional torna o serviço uma experiência agradável para o cliente, e um prazer de ser executado para o funcionário. Por outro lado, projetos inadequados e ineficientes frustram tanto uns quanto os outros. Por exemplo, um passageiro de voos internacionais que se encontra em um aeroporto mal projetado com pouca sinalização, péssima ventilação e um número limitado de locais para sentar ou se alimentar percebe que a experiência é significativamente insatisfatória, e os funcionários que ali trabalham sentem-se muito pouco motivados.

O mesmo viajante internacional prefere poltronas na aeronave que favoreçam o trabalho e o sono. A poltrona em si, parte do ambiente físico do serviço, passou por melhorias ao longo dos anos para facilitar o atendimento das necessidades dos passageiros das companhias aéreas no quesito sono. Na verdade, a concorrência em termos de melhores designs de interior de aeronaves continua como principal ponto de disputa entre as principais companhias aéreas internacionais, cujos resultados se traduzem em maior satisfação para os passageiros em viagens de negócio.[9] Alguns destes novos designs incluem poltronas da classe executiva reclináveis do tipo *skybed*, otomanos em couro na primeira classe e telas eletrônicas de separação de poltronas na classe executiva. Em outro contexto, os prestadores de serviços de saúde aprenderam, com base em pesquisas, que muitos elementos do projeto do cenário de serviços hospitalares podem tanto ajudar quanto frustrar pacientes e funcionários na concretização de suas respectivas metas.[10]

O socializador

O projeto de um cenário de serviços auxilia na socialização tanto de funcionários quanto de clientes no sentido de ajudar a revelar papéis, comportamentos e relacionamentos específicos. Por exemplo, um novo funcionário em uma empresa de prestação de serviços profissionais compreende sua posição na hierarquia por meio da designação de um local de trabalho no escritório, da qualidade da mobília a ele destinada e de sua localização em relação a outras pessoas dentro da organização.

O projeto da instalação indica ao cliente o papel que ele tem em relação aos funcionários, as seções do cenário de serviços em que são bem-vindos e aquelas de uso exclusivo dos funcionários, a maneira como devem comportar-se neste ambiente e os tipos de interações que são encorajadas. Por exemplo, muitas lojas da Starbucks apresentam agora ambientes tipo cafeteria, mais tradicionais, em que as pessoas passam tempo em contatos sociais, em vez de entrar meramente para um cafezinho rápido. Para encorajar este tipo de socialização, essas lojas da Starbucks oferecem poltronas mais confortáveis, mesas especiais e acesso a redes wi-fi para que os clientes interajam e permaneçam no interior do estabelecimento por mais tempo. A intenção é tornar-se o "terceiro lar" para o cliente, um local em que ele passe o tempo quando não está em casa ou no trabalho (veja o Quadro 10.3 para mais detalhes sobre "terceiros lares").

O diferenciador

O projeto de uma instalação física tem a capacidade de diferenciar uma empresa de suas concorrentes e de sinalizar a que segmento de mercado o serviço é oferecido. Dado este poder de diferenciação, as alterações feitas no ambiente físico servem para reposicionar a empresa e/ou atrair novos segmentos de mercado. Em *shopping centers*, a sinalização, as cores utilizadas na decoração e nos expositores, além do tipo de música tocada em uma loja são fatores que revelam o segmento de mercado almejado. No setor bancário, o Jyske Bank da Dinamarca – assunto de um estudo de caso no final deste livro – comunica-se com seus clientes de maneira clara por meio de seu cenário de serviços e seu diferencial como banco voltado para o cliente e suas famílias. Suas agências dispõem de uma área para recreação infantil, mesas redondas que facilitam a conversa entre funcionários e clientes, e uma aparência de loja de comércio de rua que o distingue dos bancos tradicionais.

Em outro contexto, o cenário de serviços vem sendo utilizado como principal ponto de diferenciação pela PetSmart, no lançamento de seu inovador conceito de hospedagem PetsHotel.[11] Os hotéis, que oferecem hospedagem noturna e cuidados diurnos para animais de estimação, são projetados com expressivas diferenças em relação a canis e clínicas veterinárias tradicionais. Estes hotéis incluem um saguão, áreas bastante coloridas para brincadeiras, salas confortáveis para o animal dormir, televisão, um "bone booth" * para receber telefonemas e outras características que dão ao PetsHotel um apelo mais caseiro do que os canis tradicionais.

O projeto de uma configuração física também diferencia uma área em uma organização prestadora de serviço de outras áreas. Por exemplo, no setor hoteleiro, um hotel de grande porte pode oferecer níveis de opções de jantar, cada um sinalizado por diferenças em termos de design. A diferenciação no preço também seria parcialmente concretizada por meio de variações na configuração física. Quartos maiores e com maior número de vantagens do ponto de vista físico custam mais, do mesmo modo que poltronas maiores e com mais espaço para as pernas (em geral na primeira classe) são mais caras em um avião.

ESTRUTURA PARA A COMPREENSÃO DOS EFEITOS DO CENÁRIO DE SERVIÇOS NO COMPORTAMENTO

Apesar da utilidade estratégica em refletir sobre os diversos papéis do cenário de serviços e do modo como eles interagem, na vida real a tomada de decisões sobre o projeto do cenário de serviços requer uma compreensão do porquê estes efeitos ocorrem e de como devemos administrá-los. As próximas seções deste capítulo apresentam uma estrutura ou modelo para relacionamentos ambientais e comportamentais da prestação de serviços. Além de influenciar comportamentos, o projeto físico também afeta o bem-estar. O Quadro 10.2 apresenta um exemplo de pesquisa que mostra o forte impacto que clientes e funcionários do setor de cuidados com a saúde vivenciam por conta do projeto do cenário de serviços.

A estrutura subjacente

A estrutura para o entendimento dos efeitos do cenário de serviços no comportamento baseia-se na teoria básica do *estímulo-organismo-resposta*. Nesta estrutura, o ambiente multidimensional é o *estímulo*, os consumidores e funcionários são os *organismos* que respondem aos estímulos, enquanto os comportamentos direcionados ao ambiente são as *respostas*. As hipóteses são que as dimensões do cenário de serviços afetam clientes e funcionários e que eles se comportam de modos que dependem de suas reações internas ao cenário de serviços.

Um exemplo específico ajuda a ilustrar a teoria em ação. Vamos supor que haja uma banca de venda de biscoitos do lado de fora do diretório acadêmico de uma universidade. A banca tem um projeto colorido e divertido, e dela exala um aroma de biscoitos frescos. A aparência da banca e o aroma de biscoito são dois elementos do cenário de serviços que afetam os clientes de algum modo. Agora, vamos supor que você é um estudante universitário com fome, que recém saiu de uma aula, e que caminha despreocupadamente pelo campus. O design da banca atrai sua atenção, ao mesmo tempo em que o cheiro de biscoito quente entra por suas narinas. Os dois fatores fazem você se sentir feliz, relaxado, e despertam seu apetite, tudo a um mesmo instante. Você se sente atraído e decide comprar uns biscoitos, pois tem ainda outras aulas antes do almoço. O movimento na direção da banquinha e a compra de biscoitos são comportamentos direcionados ao cenário de serviços. Dependendo do tempo disponível, você pode até conversar com o vendedor ou com outros clientes que estão na volta, comendo seus biscoitos, que constituem outras formas de comportamento voltado para o cenário de serviços.

A estrutura mostrada na Figura 10.1 é detalhada nas próximas seções. Ela representa um modelo abrangente de *estímulo-organismo-reação* que reconhece as dimensões complexas do ambiente, os impactos em todas as partes envolvidas (clientes, funcionários e suas interações), diversos tipos de reações (cognitivas, emocionais e fisiológicas), e uma variedade de comportamentos individuais e de grupo daí resultantes.

---

* Ver nota de tradução no texto de abertura do Capítulo 8.

> **Quadro 10.2** Os cenários de serviço e o bem-estar no cuidado com a saúde
>
> Evidências contundentes e crescentes geradas no campo de estudo "projeto com base em evidências" dão conta de que o projeto de ambientes no setor de cuidados com a saúde pode exercer forte influência no bem-estar do paciente, de sua família e dos funcionários. Pesquisadores demonstraram que desfechos como redução do estresse e do período de internação hospitalar e aumento da satisfação do paciente e da segurança são aspectos afetados pelo projeto das instalações físicas nesse setor. A seguir discutimos alguns exemplos do que se sabe sobre o assunto.
>
> **Som, música e redução de ruídos**
>
> Muitos estudos mostraram que a redução de ruídos e a introdução de sons agradáveis, como o de uma cachoeira ou uma música suave, podem exercer efeito benéfico nos pacientes e funcionários de um hospital. A minimização de ruídos, um desafio constante em hospitais e outros cenários do setor de cuidados com a saúde, ameniza as perturbações ao sono e o estresse, além de diminuir a pressão arterial, entre outros resultados desejáveis. O excesso de ruído afeta a concentração de médicos e enfermeiros, resultando em mais estresse, interrupções na comunicação e erros. Por essa razão, o controle de ruídos traz vantagens também para os funcionários.
>
> **A natureza e as distrações visuais**
>
> As pesquisas demonstram que distrações visuais positivas desviam a atenção do paciente da dor e dos sentimentos negativos, incentivando um melhor estado psicológico e o bem-estar emocional. Distrações naturais, como jardins, plantas de interior e janelas com vista para cenários naturais, comprovadamente reduzem o estresse, a dor e o uso de analgésicos, e aceleram a recuperação. A luz natural é outro aspecto benéfico, e foi associada com a melhora mais rápida de pacientes e a maior produtividade dos funcionários.
>
> **O projeto de quartos privativos**
>
> Muitos estudos comprovam os benefícios de quartos privativos para pacientes, em vez de enfermarias coletivas. Esses benefícios incluem redução do estresse, melhora no sono, diminuição das taxas de infecção, maior satisfação do paciente e períodos mais curtos de internação hospitalar. Muitas dessas vantagens também são vivenciadas pela família e por outras pessoas que passam tempo com o paciente, prestando apoio. Dar ao paciente o controle sobre os elementos do projeto do quarto é outra iniciativa positiva nesse sentido – como a capacidade de controlar a iluminação e a temperatura do cômodo.
>
> **A segurança do paciente**
>
> O projeto de uma instalação física exerce um impacto significativo em questões relativas à segurança do paciente, cruciais nos cenários de cuidados com a saúde. Por exemplo, evitar quedas e infecções é um problema importante no aspecto segurança que pode ser amenizado pelo projeto físico. Em seu projeto, um hospital determinou que todos os banheiros para pacientes deveriam ficar perto da cabeceira da cama. Essa característica simples de projeto eliminou a necessidade de o paciente atravessar o quarto para usar o banheiro, algo que em última análise reduziu o número de quedas. Projetos flexíveis de quartos que permitam trazer um equipamento para o quarto temporariamente ajudam a evitar a transferência de pacientes a outras salas durante a internação. De outro modo, é o equipamento que vai até o paciente, não o paciente até o equipamento. As pesquisas mostram que a transferência de pacientes entre cômodos aumenta os erros relativos à medicação, às quedas e à taxa de infecção.
>
> **O projeto voltado para o bem-estar**
>
> Os administradores, designers e arquitetos de hospitais voltam suas atenções aos resultados dessas pesquisas. Muitos novos hospitais são projetados contendo apenas quartos privativos, iluminação natural sempre que possível, música e jardins, aparelhos de comunicação pessoal baseados na tecnologia (como em *Jornada nas Estrelas*) que eliminam os *pagers*, além de estações de enfermagem centralizadas e quartos adaptados para evitar a transferência de pacientes. Salas de espera e áreas para refeições e pernoite destinados a familiares também são fornecidos para melhorar o bem-estar e a satisfação do paciente e de sua família. O Quadro 10.4 descreve como o hospital da Clínica Mayo, em Scottsdale, Arizona, foi projetado considerando muitos desses princípios baseados em evidências.
>
> **Fontes:** R. S. Ulrich, L. L Berry, X. Quan, and J. T. Parish, "A Conceptual Framework for the Domain of Evidence-Based Design," *Health Environments Research and Design Journal* 4, no. 1 (Fall 2010), pp. 95–114; R. S. Ulrich, C. M. Zimring, X. Zhu, J. DuBose, H. Seo, Y. Choi, and A. Joseph, "A Review of the Research Literature on Evidence-Based Healthcare Design," *Health Environments Research and Design Journal* 1, no. 1, pp. 131–174. 6–125; "Good Healthcare by Design," The Hastings Center Report 41, no. 1 (January–February 2011).

Nossa discussão desta estrutura começa pelo lado direito do modelo, com o item *comportamento*, uma vez que, da perspectiva da gerência, os comportamentos e as respostas desejados são o ponto de partida estratégico. Em seguida, explicamos e desenvolvemos a parte reservada para as *reações internas* do modelo. Por fim, voltamos nossas atenções para as dimensões do *ambiente* e para a sua percepção holística.

Figura 10.1

Dimensões do ambiente físico

Condições do ambiente
- Temperatura
- Qualidade do ar
- Ruído
- Música
- Odores
- Etc.

Espaço/função
- Leiaute
- Equipamento
- Mobília
- Etc.

Sinais, símbolos e acessórios
- Sinalização
- Acessórios pessoais
- Estilo da decoração
- Etc.

Ambiente holístico

Cenário de serviços percebido

Reações internas

Reações dos funcionários / Reações dos clientes

Cognitivas
- Crenças
- Classificação
- Significado simbólico

Emocionais
- Humor
- Atitude

Fisiológicas
- Dor
- Conforto
- Movimento
- Aptidão física / Adequação física

Comportamento

Comportamentos individuais (funcionários)
- Vínculo
- Exploração
- Permanência
- Compromisso
- Plano executado

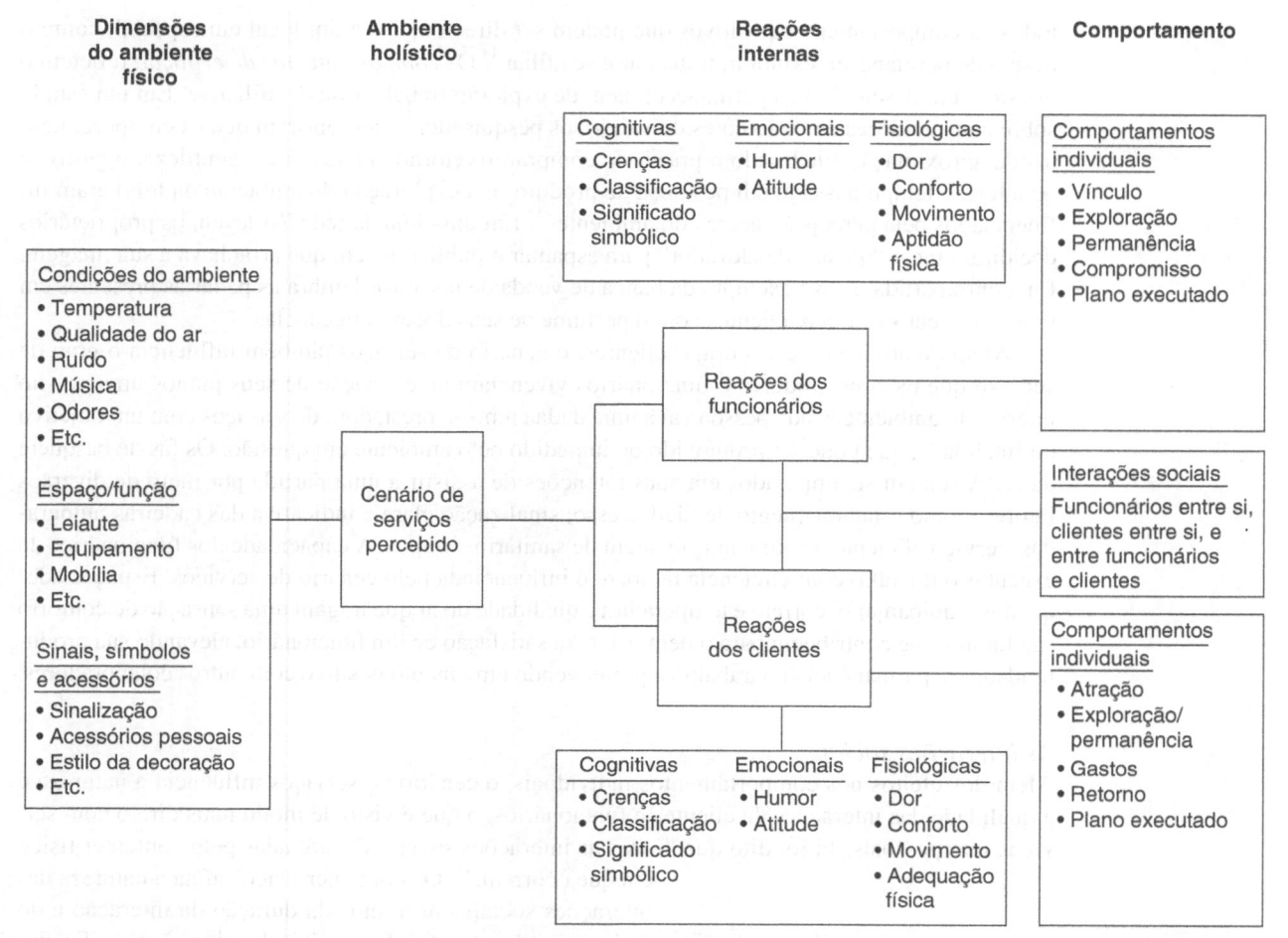

Interações sociais
Funcionários entre si, clientes entre si, e entre funcionários e clientes

Comportamentos individuais (clientes)
- Atração
- Exploração/permanência
- Gastos
- Retorno
- Plano executado

Figura 10.1 Uma estrutura para a compreensão dos relacionamentos entre usuário e ambiente em empresas do setor de serviços.
Fonte: Adaptado de M. J. Bitner, "Servicescapes: The Impact of Physical Surroundings on Customers and Employees," *Journal of Marketing* 56 (April 1992), pp. 57-71.

Os comportamentos no cenário de serviços

A influência do ambiente físico sobre o comportamento humano é essencialmente um axioma. Contudo, é interessante observar que até a década de 1960 os psicólogos ignoravam, em grande parte, os efeitos de um ambiente físico quando elaboravam suas previsões e explicações sobre comportamentos. Desde então, vem crescendo o número de estudos no campo da psicologia ambiental que levam em conta os relacionamentos entre seres humanos e os ambientes físicos que os circundam. O recente foco do marketing na experiência do cliente também passou a chamar a atenção para os efeitos dos espaços físicos e de designs no seu comportamento.[12] Por exemplo, um estudo recente explora os efeitos de uma remodelação do cenário de serviços em um contexto do setor de *fast food*, e examina os efeitos nas percepções do cliente no curto e longo prazos, além de padrões de gastos e imagem da loja. A pesquisa descobriu que a remodelação teve efeito positivo nas percepções do cliente, na imagem da loja e na quantidade de dinheiro gasta pelo cliente no restaurante, sobretudo no curto prazo. Após cerca de seis meses, os efeitos da remodelação perderam parte de sua atratividade, à medida que o restaurante reformado passou a ser considerado um ponto de referência para os clientes.[13]

Comportamentos individuais

Os psicólogos do ambiente sugerem que as pessoas reagem a locais com dois tipos gerais, e opostos, de comportamento: aproximação e evitação. Os *comportamentos de aproximação* incluem todos os comportamentos positivos que podem ser direcionados a um local em especial, como o desejo de permanecer, explorar, trabalhar e se afiliar.[14] Os *comportamentos de evitação* refletem o oposto – um desejo de não permanecer, nem de explorar, trabalhar ou de afiliar-se. Em um estudo sobre consumidores em ambientes do varejo, os pesquisadores descobriram que os comportamentos de aproximação (incluindo o prazer de comprar, o retorno, a atração e a gentileza, o gasto de quantias, o tempo passado em pesquisa de produtos e a exploração do ambiente da loja) eram influenciados pela percepção acerca do ambiente.[15] Em uma loja da rede 7-Eleven, os proprietários decidiram tocar "música de elevador" para espantar o público jovem que arranhava a sua imagem. Em contrapartida, nosso exemplo da banca de venda de biscoitos lembra as padarias presentes em ruas comerciais e atraem clientes com o perfume de seus doces com canela.

Além de atrair ou desencorajar clientes, o cenário de serviços também influencia o grau de sucesso que os consumidores e funcionários vivenciam na execução de seus planos uma vez no interior do ambiente. Cada pessoa vai a uma dada empresa prestadora de serviços com um objetivo ou finalidade, que pode ser promovido ou impedido pelo ambiente em questão. Os fãs de basquete da NBA sentem-se amparados em suas intenções de assistir a uma partida por meio de diversos fatores, como estacionamento de fácil acesso, sinalização clara e indicativa das cadeiras numeradas, serviço eficiente de alimentação, além de sanitários limpos. A capacidade dos funcionários de executar o trabalho com eficiência também é influenciada pelo cenário de serviços. Espaços adequados, equipamento correto e temperatura e qualidade do ar que tragam uma sensação de conforto são fatores que contribuem para o bem-estar e a satisfação de um funcionário, elevando sua produtividade e a permanência no trabalho e promovendo um vínculo positivo com outros colaboradores.

As interações sociais
Além dos efeitos nos comportamentos individuais, o cenário de serviços influencia a natureza e a qualidade das interações de clientes e funcionários, o que é visto de modo mais direto com serviços interpessoais. Já foi dito que "todas as interações sociais são afetadas pelo contêiner físico em que ocorrem."[16] O "contêiner físico" afeta a natureza das interações sociais em termos da duração da interação e do real avanço dos eventos. Em muitas das situações verificadas na prestação de serviços, uma empresa deseja garantir uma dada sequência de eventos (um "roteiro padrão") e limitar a duração do serviço. As variáveis ambientais, como proximidade física, disposição de cadeiras, tamanho e flexibilidade, têm o poder de definir as possibilidades e os limites de episódios de cunho social, como os que ocorrem entre clientes e funcionários, ou entre os próprios clientes. A fotografia da Holland America Cruise Line mostrada ilustra como o cenário de serviços auxilia a definir os papéis sociais, as convenções e as expectativas verificadas em um dado cenário, e serve também para definir a natureza da interação social.[17] A proximidade física entre os passageiros do *deck* destinado aos banhos de sol basta para indicar certos padrões de comportamento. Este tipo de viagem de férias não é adequado para pessoas tímidas! Alguns pesquisadores sugerem que padrões de comportamento social recorrente estão associados a configurações físicas específicas, e que no momento em que as pessoas se encontram em cenários típicos, seus comportamentos podem ser previstos.[18]

Exemplos de como os ambientes moldam interações sociais – e da maneira como estas interações por sua vez influenciam o meio – são numerosos.[19] A observação do fe-

As interações sociais são definidas em parte pela configuração do cenário de serviços.

nômeno "Nike Town" também mostra como esta forma de "varejo do entretenimento" molda os comportamentos dos consumidores ao mesmo tempo que permite que eles interpretem e gerem suas próprias realidades e experiências.[20] Em um passeio de *rafting* em um rio, o "cenário de serviços selvagem" exerce profunda influência sobre os comportamentos, as interações e as experiências globais dos consumidores do serviço e de seus guias. Neste caso, o ambiente natural e em sua maioria incontrolável é o local de execução do serviço.[21] Em alguns casos, importantes vínculos e relações sociais são construídos em um local de serviço, o que o transforma "no terceiro lar" para as pessoas que o frequentam (veja o Quadro 10.3).[22]

As reações internas ao cenário de serviços

Os funcionários e clientes reagem às dimensões de seus ambientes físicos na esfera cognitiva, emocional e fisiológica, e são estas reações que influenciam seus comportamentos no ambiente (conforme mostra a seção central da Figura 10.1). Em outras palavras, o cenário de serviços percebido *não tem um papel direto* no modo como as pessoas se comportam. Embora as reações internas sejam discutidas de forma independente neste livro, elas certamente são interdependentes: as crenças de uma pessoa sobre um local, uma reação cognitiva, podem definir a reação emocional desta pessoa, e vice-versa. Por exemplo, os pacientes que vão a um consultório odontológico projetado para acalmar sua ansiedade (reação emocional) provavelmente acreditarão, em consequência, que o dentista é atencioso e competente (reação cognitiva).

O ambiente e a cognição

O cenário de serviços percebido pode ter um efeito nas crenças das pessoas acerca de um local e das pessoas e dos produtos ali encontrados. De certa forma, um cenário de serviços é visto como uma forma de comunicação não verbal, que veicula significado por meio do que é chamado "linguagem do objeto".[23] Por exemplo, indícios especiais em um ambiente, como o tipo de mobília em um escritório e a decoração e os trajes vestidos por um advogado, têm o poder de alterar as crenças que um cliente nutre acerca do sucesso do profissional, da confiança que ele inspira e do preço dos serviços. Um estudo sobre consumo revelou que as variações e as configurações da atmosfera de lojas alteram a imagem construída do produto (perfume) vendido.[24] Outro estudo mostrou que a decoração do escritório de um agente de viagens afetava as prerrogativas e crenças dos clientes sobre o comportamento do agente.[25] Os agentes de viagem cujas instalações eram mais organizadas e profissionalizadas geravam uma interpretação mais positiva do que aqueles que eram desorganizados e careciam do profissionalismo desejado pelo cliente.

Em outros casos, as percepções sobre o cenário de serviços auxiliam as pessoas a distinguir uma empresa, influenciando a classificação recebida por ela. A percepção geral do cenário de serviços possibilita ao consumidor ou funcionário classificar mentalmente a companhia. As pesquisas indicam que no setor de restaurantes uma dada configuração de ambiente sugere que ele é do tipo *fast food*, ao passo que outra configuração indica que ele é "um restaurante elegante".[26] Nestas situações, os indícios presentes no ambiente servem como dispositivo de atalho que possibilita aos clientes classificar e distinguir entre os possíveis tipos de restaurante.

O ambiente e a emoção

Além de influenciar crenças, o cenário de serviços percebido traz à tona as reações emocionais que, por sua vez, afetam os comportamentos. A mera presença em um local especial pode deixar uma pessoa feliz, leve e relaxada, e acabar com suas preocupações, ao passo que outro local pode despertar tristeza, depressão e melancolia. As cores, a decoração, a música e outros elementos da atmosfera exercem efeitos inexplicáveis e por vezes subconscientes no estado de espírito das pessoas que frequentam o local. Para algumas pessoas, certos estímulos presentes no ambiente (ruídos, odores), como os normalmente presenciados em um consultório dentário, invocam sentimentos de medo e ansiedade. Em contextos bastante diferentes, o interior em mármore e a grandiosidade da sede da

Quadro 10.3 O apoio social nos "terceiros lares"

As interações e os vínculos sociais entre clientes e entre clientes e funcionários nos "terceiros lares" despertam uma sensação de companhia e apoio emocional que resulta em uma forte ligação e fidelidade ao lugar propriamente dito. Um terceiro lar é um local público ou comercial em que as pessoas se reúnem com regularidade e em caráter voluntário, fora do trabalho (ou escola) e longe de casa, os dois primeiros lares nas vidas das pessoas. Muitas vezes, os terceiros lares são pequenos restaurantes, cafeterias, bares, pubs e clubes, mas academias de ginástica, centros de atividades de bairro ou outros locais públicos de encontro de pessoas também podem ser terceiros lares. O bar Cheers, da famosa série de TV, resume o conceito de terceiro lar. Pense nos tipos de locais que podem ser classificados como terceiro lar para você. Você tem um terceiro lar?

Um estudo conduzido por Mark Rosenbaum e colaboradores mostrou que as pessoas desenvolvem vínculos com um terceiro lar a ponto de dependerem dele acima de qualquer alternativa, de estarem compromissados e preocupados, de identificarem-se com ele e estruturarem seu estilo de vida em torno dele. Este tipo de vínculo ocorre não apenas pelo fato de as pessoas gostarem do serviço ou de sentirem-se confortáveis com o ambiente físico, como também em função do companheirismo e do apoio emocional que elas recebem de outros clientes e funcionários que ali trabalham. Estes vínculos e interações emocionais são especialmente fortes para pessoas solitárias ou que precisam de contato com outras pessoas. Os pesquisadores observaram as pessoas e fizeram entrevistas detalhadas com clientes do Sammy's, um restaurante informal nos subúrbios das principais regiões metropolitanas dos Estados Unidos, e que sem dúvida era um terceiro lar para muitos de seus frequentadores regulares. As entrevistas conduzidas permitiram verificar que clientes que viviam sozinhos ou que haviam perdido uma forma consolidada de apoio social por causa de uma morte, divórcio ou doença, encontraram expressivo apoio emocional e recuperaram a noção de companhia junto ao Sammy's. Os clientes regulares cujos cônjuges haviam falecido ou dos quais haviam se divorciado ou separado tinham 58% de seus relacionamentos sociais com pessoas (clientes e funcionários) encontradas no Sammy's. Estes clientes também eram fortemente vinculados e fiéis ao restaurante.

A pesquisa reforça também a noção de que os cenários de serviços, embora definidos por seus elementos físicos, assumem o papel de terceiro lar quando se tornam a fonte de interações, elos e apoios sociais para seus frequentadores. As vantagens deste tipo de apoio vão além dos benefícios gerados pelo serviço principal. Os clientes regulares do Sammy's recebem muito mais do que uma boa refeição nos agradáveis ambientes do restaurante. Por meio de suas interações com outras pessoas, eles se sentem melhores tanto física quanto emocionalmente. Diante dos problemas relacionados à solidão em nossa sociedade moderna (por exemplo, as populações estão envelhecendo, e cada vez mais pessoas passam tempo cuidando de familiares ou amigos com doenças crônicas, o divórcio fica mais comum, as horas passadas no trabalho aumentam, fatores estes que resultam em menos tempo para a formação de amizades), cresce a importância dos terceiros lares como forma de convívio social. Ao passo que as redes de apoio ao cliente não necessariamente requeiram uma presença física – por exemplo, as comunidades on-line têm capacidade de fornecer apoio social – muitas vezes os locais físicos são mais acessíveis e mais indicados para fomentar o companheirismo e os elos afetivos entre as pessoas.

O bar Cheers resumiu o conceito de terceiro lar em uma conhecida série de TV.

Fontes: M. S. Rosenbaum, "Exploring the Social Supportive Role of Third Places in Consumers' Lives," *Journal of Service Research* 9 (August 2006), pp. 59–72; A. Tombs and J. R. McColl-Kennedy, "Social--Servicescape Conceptual Model," *Marketing Theory* 3, no. 4 (2003), pp 447–475; e M. S. Rosenbaum, J. Ward, B. A. Walker, and A. L. Ostrom, "A Cup of Coffee with a Dash of Love: An Investigation of Commercial Social Support and Third-Place Attachment," *Journal of Service Research* 10 (August 2007), pp. 43–59. 43–59; M. S. Rosenbaum, J. C. Sweeney, and C. Windhorst, "The Restorative Qualities of an Activity-Based, Third Place Cafe for Seniors," *Seniors Housing and Care Journal* 17, no. 1 (2007), pp. 75–90.

Suprema Corte dos Estados Unidos, em Washington D.C., despertam sentimentos de orgulho, assombro e respeito, ao passo que música alegre e decoração colorida em um local frequentado à noite geram sentimentos de felicidade e entusiasmo. Em todos estes exemplos, a reação do consumidor provavelmente não envolve o pensamento racional, mas sim, apenas uma emoção inexplicável.

A REI (Recreational Equipment Inc.) dá outro exemplo de vínculo afetivo facilitado pelo projeto arquitetônico e pelo cenário de serviços. Em sua maior loja, em Seattle, a empresa criou uma experiência para os consumidores que inclui uma montanha para escalar, um caminho para bicicletas e algumas trilhas para os clientes caminharem. Sua loja em Minnesotta é circundada por uma pista de esqui rústica. Com o projeto do cenário de serviços, a REI está estimulando as experiências e emoções que os clientes associam a seus produtos, o que reforça uma forte reação de aproximação com suas lojas.

Os psicólogos do ambiente pesquisaram as reações emocionais de pessoas diante de cenários físicos.[27] A conclusão foi de que qualquer ambiente, quer natural ou construído, desperta emoções que podem ser capturadas em duas dimensões principais: (1) o prazer/desprazer e (2) o grau de interesse (o teor de estímulos ou entusiasmo). Os cenários de serviços agradáveis e interessantes ao mesmo tempo são chamados de *excitantes*, ao passo que aqueles agradáveis e que não despertam emoções intensas são chamados de *relaxantes*. Os cenários desagradáveis e que despertam emoções recebem o nome de *estressantes*, enquanto os cenários desagradáveis e que não geram emoções são os *deprimentes*. Estas reações emocionais básicas a ambientes são utilizadas na previsão de comportamentos esperados de clientes e funcionários que se encontram em um dado tipo de local.

O ambiente e a fisiologia

O cenário de serviços percebido também afeta as pessoas na esfera puramente fisiológica. Ruídos muito intensos geram desconforto físico, a temperatura de uma sala pode fazer as pessoas tremerem de frio ou transpirarem com o calor, a má qualidade do ar dificulta a respiração, e a iluminação deficiente ou excessiva pode diminuir a capacidade de enxergar e gerar dor física. Todas estas reações físicas, por sua vez, têm influência direta sobre a permanência e o grau de divertimento de uma pessoa em um dado ambiente. Sabe-se que o conforto de uma cadeira em um restaurante tem consequências no período de permanência. As cadeiras duras de um restaurante *fast food* fazem os frequentadores deixarem o local dentro de um período previsível de tempo, ao passo que as cadeiras macias e confortáveis em uma cafeteria da Starbucks exercem o efeito oposto, e encorajam os clientes a permanecerem mais tempo. Da mesma forma, o projeto do ambiente e as reações fisiológicas a ele associadas afetam o desempenho dos funcionários.

Inúmeras pesquisas em engenharia e projeto tratam das reações fisiológicas do ser humano a condições ambientais e ao projeto de equipamentos.[28] Estas pesquisas se enquadram na categoria de *projeto de fatores humanos* ou *ergonomia*. A pesquisa com fatores humanos aplica sistematicamente informações relevantes sobre as capacitações e limitações humanas ao projeto de itens e procedimentos utilizados pelas pessoas. Por exemplo, a rede de hotéis Choice almejava aposentados e casais com filhos adultos no novo projeto de muitos de seus quartos nas marcas Rodeway e EconoLodge. Uma expressiva porcentagem dos quartos nestes hotéis foi convertida em suítes adaptadas a idosos, com iluminação adequada e telefones e controles remotos para aparelhos de televisão dotados de botões grandes, além de barras de apoio nos chuveiros.[29] Os interruptores de luz têm luzinhas que auxiliam a localização no escuro. Para ajudar pessoas com artrite, as portas têm maçanetas tipo alavanca, não do tipo esfera, para que sejam abertas utilizando o punho, sem precisar da destreza das mãos e dos pulsos. Estas são apenas algumas das maneiras exclusivas pelas quais a rede Choice adaptou seu projeto para poder acomodar hóspedes idosos.

As variações nas reações individuais

Em geral, as pessoas reagem a um ambiente cognitiva, emocional e fisiologicamente – e estas reações influenciam o modo como se comportam no ambiente em questão. Entretanto, a reação não será a mesma para todas as pessoas, em todos os momentos. As diferenças no âmbito da personalidade, além das condições temporárias, como humor ou a finalidade da presença no ambiente, alteram os modos de reação ao cenário de serviços.[30]

Um traço de personalidade que sabemos ser capaz de afetar a maneira como as pessoas reagem a ambientes é a *busca da emoção*. As pessoas que buscam emoções gostam e procuram níveis altos de estímulo, ao passo que aquelas que as evitam preferem níveis mais modestos de estímulo. Desta forma, uma pessoa que evita emoções e que esteja em uma danceteria "da hora" com música no último volume e com muitos jogos de luz talvez expresse repulsa por este ambiente, enquanto uma pessoa que busca emoções ficaria bastante feliz nele. Na mesma linha de raciocínio, foi sugerido que algumas pessoas são melhores na *avaliação de estímulos* ambientais do que outras.[31] Estas pessoas que avaliam estímulos são capazes de vivenciar um alto nível de estímulos, sem serem afetadas por eles. As pessoas que não se adaptam a estímulos são muito afetadas e talvez demonstrem reações extremas até diante de níveis baixos de estímulo.

A finalidade de estar em um cenário de serviços também afeta a reação de uma pessoa que entra nele. Alguém que esteja em um avião para um voo de uma hora de duração sente-se menos afetada pela atmosfera no interior da aeronave do que alguém que embarca para uma viagem de 14 horas de Los Angeles a Xangai. Por essa mesma razão um paciente que ficará internado em um hospital para uma cirurgia por apenas um dia talvez não se mostre tão sensível ou exigente acerca das condições do hospital do que aquele que passa duas semanas internado. Uma pessoa que se hospeda em um *resort* para uma reunião de negócios reage diferentemente de um casal em lua de mel. Estados de espírito passageiros também fazem as pessoas reagirem de forma distinta diante de estímulos ambientais. Uma pessoa que se sinta fatigada e frustrada após um longo dia de trabalho provavelmente será afetada de modo diferente em um restaurante muito agitado do que uma pessoa que tenha tido um final de semana prolongado de três dias.

As diferenças culturais também influenciam as preferências por características ambientais e as reações ao projeto do cenário de serviços. Por exemplo, há uma forte preferência cultural pela cor vermelha na China, enquanto os ocidentais não compartilham desta atração. Enquanto os norte-americanos e europeus preferem fazer compras em supermercados silenciosos e em ordem, muitos indianos preferem um ambiente mais caótico e confuso.[32] Foi isso que o maior varejista da Índia, a Pantaloon Retail Ltd, aprendeu quando abriu supermercados ao estilo ocidental na Índia. A princípio, os clientes limitavam-se a caminhar pelos corredores amplos e limpíssimos, e a sair da loja sem comprar item algum. Com o estudo do comportamento do consumidor e das preferências dos compradores indianos (na maior parte das vezes compostos por empregadas domésticas, cozinheiras, babás e agricultoras daquele país, não a elite), a Pantaloon reprojetou seus supermercados para torná-los mais bagunçados, barulhentos e cheios a fim de recriar, até certo ponto, a atmosfera de um mercado público. Este projeto era atraente ao mercado-alvo, e as vendas cresceram muito mais do que com o projeto inicial.

As dimensões ambientais do cenário de serviços

As seções anteriores descreveram o comportamento de clientes e funcionários no cenário de serviços e as três reações principais – cognitivas, emocionais e fisiológicas – que levam a estes comportamentos. Nesta seção voltamos nossas atenções para o conjunto mais complexo de características ambientais que influenciam estas respostas e comportamentos (a parte esquerda da Figura 10.1). Mais especificamente, as dimensões ambientais dos ambientes físicos incluem todos os fatores físicos objetivos que podem ser controlados pela empresa de modo a aprimorar (ou limitar) as ações de clientes e funcionários. Estas são compostas por uma lista interminável de possibilidades: iluminação, cor, sinalização, texturas, qualidade de materiais, estilo da mobília, leiaute, decoração das paredes, temperatura, e assim sucessivamente. Na Figura 10.1, e na discussão a seguir, as centenas de elementos em potencial foram classificadas em três dimensões compostas: *condições ambientais, leiaute espacial e funcionalidade*, e *sinais, símbolos e acessórios*. O Quadro 10.4 ilustra como a Clínica Mayo considerou todas estas dimensões no projeto de seu hospital de forma a melhor atender a pacientes, médicos, funcionários e visitantes.

Embora as três dimensões sejam apresentadas em separado, a psicologia ambiental explica que as pessoas reagem aos ambientes em que vivem de modo holístico. Ou seja: apesar de os indivíduos perceberem estímulos discretos (por exemplo, eles percebem níveis de ruído, cores e decorações como elementos distintos), é a configuração total de estímulos que define suas reações a um dado local. Assim, embora nas próximas seções deste capítulo as dimensões do ambiente sejam definidas de forma independente, é importante reconhecer que elas são percebidas por funcionários e clientes como um padrão holístico de estímulos interdependentes. A reação holística é mostrada na Figura 10.1 como o "cenário de serviços percebido".

As condições do ambiente

As *condições do ambiente* incluem as características elementares do ambiente, como temperatura, iluminação, ruído, música, odores e cores. Como regra, as condições do ambiente afetam os cinco sentidos. Por vezes, estas dimensões são imperceptíveis (vapores, produtos químicos, infrassom) e ainda assim exercem efeitos expressivos, sobretudo em funcionários que passam longas horas no ambiente em questão.

Todos estes fatores afetam o modo como as pessoas sentem, pensam e reagem diante de um estabelecimento de prestação de serviços. Por exemplo, diversos estudos documentaram os efeitos da música em suas percepções dos produtos, do tempo que esperaram pelos serviços e da quantia em dinheiro que despenderam.[33] No caso de haver música, os compradores tendem a perceber que o tempo passado nas compras e na fila é menor em comparação com um cenário em que não haja música. Ritmos musicais lentos tendem a motivar as pessoas a fazerem suas compras de modo mais descansado e, em alguns casos, a gastarem mais. No saguão do Mayo Hospital, um piano toca música para diminuir o estresse (veja o Quadro 10.4). Os compradores também passam mais tempo em compras quando a música "se encaixa" ao produto ou atende aos seus gostos musicais. Outros estudos também demonstraram os efeitos de odores nas reações dos consumidores.[34] O perfume que emana de padarias, cafeterias e tabacarias, por exemplo, pode ser usado para atrair pessoas. Além disso, aromas agradáveis aumentam o tempo de permanência do cliente. A presença de um aroma reduz as percepções de tempo e melhora as avaliações das lojas. Os efeitos das condições ambientais são perceptíveis, sobretudo em situações extremas. Por exemplo, os espectadores de uma orquestra sinfônica em um teatro em que o ar-condicionado pifou, deixando o ambiente quente e abafado, sentem desconforto, e este desconforto se reflete na impressão que têm do concerto. Se a temperatura e a qualidade do ar estiverem dentro de uma zona de conforto, estes fatores ambientais provavelmente passarão despercebidos aos espectadores.

O leiaute e a funcionalidade do espaço

Em função de os ambientes de serviço em geral existirem para atender a finalidades ou necessidades específicas dos clientes, o leiaute e a funcionalidade dos ambientes físicos são particularmente importantes. O *leiaute* se refere ao modo como o maquinário, os equipamentos e a mobília estão dispostos, à forma e ao tamanho destes itens e aos relacionamentos espaciais entre eles. A *funcionalidade* se refere à capacidade desses itens de promover a realização dos objetivos de clientes e funcionários. Exemplos anteriores neste capítulo ilustram a importância do leiaute e da funcionalidade do cenário de serviços (por exemplo, a foto do transatlântico reproduzida anteriormente e o projeto da Clínica Mayo Hospital no Quadro 10.4).

O leiaute espacial e a funcionalidade do ambiente são particularmente importantes para os clientes de autoatendimento, situação em que os próprios clientes desempenham o serviço, sem a ajuda de funcionários. Assim, a funcionalidade de um caixa eletrônico, de restaurantes do tipo bufê com autoatendimento e de *sites* de compras pela Internet é essencial ao sucesso da transação e à satisfação do cliente.

A importância do leiaute da instalação fica visível, sobretudo em cenários do varejo e dos setores hoteleiro e de lazer, para os quais as pesquisas mostram que estes cenários influenciam a satisfação do cliente, o desempenho do estabelecimento e o comportamento de pesquisa do cliente.[35]

Quadro 10.4 — O projeto do Mayo Clinic Hospital

A Clínica Mayo é a marca mais conhecida no setor de saúde dos Estados Unidos. Com mais de um século de idade, opera três clínicas em todo o país. A primeira a ser aberta e a mais conhecida fica na cidade de Rochester, Minnesota, e as outras duas ficam em Jacksonville, Flórida, e em Scottsdale, Arizona. Em 1998, a Clínica Mayo abriu o Mayo Clinic Hospital no Arizona, o primeiro hospital planejado, projetado e construído pela companhia. Localizado em um terreno de 210 acres, o hospital tem 178 quartos distribuídos em cinco andares. Mais de 250 médicos, 950 enfermeiros e funcionários de suporte e com atribuições técnicas, além de 300 voluntários, trabalham no hospital. Ele oferece tratamento para pacientes internados com 65 especialidades médicas em clínica e cirurgia, e conta com unidades completas de emergência e cuidado intensivo.

O que é exclusivo a este hospital é o imenso cuidado empregado no seu projeto para atender às necessidades dos pacientes, médicos, funcionários e visitantes. O hospital foi projetado para ser um "ambiente de cura" voltado para as necessidades de seus pacientes. Grupos de foco foram organizados com membros de todos estes grupos para definir o modo como o hospital deveria ser projetado e assim facilitar a concretização deste objetivo principal. Uma declaração de um dos irmãos Mayo (fundadores da clínica) resume a premissa subjacente ao projeto do hospital: "Os principais interesses do paciente são os únicos interesses a serem considerados". Esta frase está nos alicerces de tudo o que a Mayo faz, ainda hoje, mais de 100 anos depois de os irmãos Mayo terem iniciado a prática da medicina. O foco voltado para os principais interesses do paciente requer também o reconhecimento das necessidades dos profissionais envolvidos e um sistema de apoio a familiares e amigos. Todos estes interesses foram cuidadosamente considerados no projeto do hospital.

Um saguão de entrada com pé-direito de cinco andares, e de baixo estresse

Quando os pacientes e visitantes entram no Mayo Hospital, eles deparam-se com um saguão com pé-direito de cinco andares, que lembra o saguão de um hotel de luxo. O saguão tem um piano de cauda, e músicos voluntários tocam música relaxante ao longo do dia. Plantas e vidro conferem ao saguão uma aura de natureza e geram uma atmosfera acolhedora. Na entrada, os visitantes enxergam os elevadores bem em frente, ao final do saguão, o que elimina a preocupação de encontrá-los.

Todos os serviços para pacientes e visitantes estão reunidos no mesmo lugar

Todos os serviços necessários para os pacientes e seus familiares (balcão de informações, cafeteria, capela, internações, loja de presentes) estão localizados neste saguão e são de fácil acesso. Uma sensação de paz e tranquilidade permeia o local – objetivo do cuidadoso planejamento voltado para reduzir o estresse e promover a sensação de dedicação e bem-estar. Não há confusões, e o local não lembra a entrada de um hospital tradicional.

Os quartos foram projetados considerando as necessidades e os sentimentos dos pacientes

Ao saírem do elevador e dirigirem-se aos quartos, as pessoas sentem a paz e a tranquilidade do ambiente. Quando as portas se abrem, pacientes e visitantes encontram uma parede de vidro de cinco andares de altura, com vista para o deserto e para as montanhas que cercam o local em que o hospital foi construído. À medida que as pessoas se deslocam para a direita ou para a esquerda, ao longo de corredores dotados de eficiente sinalização para o acesso aos quartos dos pacientes, a atmosfera fica cada vez mais tranquila; 12 quartos (todos privativos) ficam em torno de um posto de enfermagem, o que deixa as enfermeiras a 20 passos de qualquer um deles. Elas e outros funcionários utilizam telefones celulares – não há sistemas de *pagers* com avisos a toda hora, como em muitos hospitais.

Os quartos propriamente ditos têm características interessantes, algumas das quais sugeridas pelos próprios pacientes. Por exemplo, eles têm uma área com prateleiras, nas quais os pacientes podem dispor cartões, flores e outros objetos pessoais. Sofás-cama estão presentes em todos os quar-

---

Os sinais, símbolos e acessórios

Diversos itens presentes no ambiente físico servem como sinais implícitos ou explícitos que comunicam mensagens sobre o local a seus usuários. Os *sinais* dispostos no exterior e no interior de uma estrutura são exemplos de elementos explícitos de comunicação. Eles podem ser utilizados na forma de placas (nome da companhia, do departamento e assim sucessivamente), para fins de direcionamento (entradas e saídas) e para a indicação de regras de comportamento (proibido fumar, as crianças precisam estar acompanhadas de um adulto). Além disso, está provado que sinais adequados reduzem a percepção de aglomeração de pessoas e o nervosismo.

Outros *símbolos* e *acessórios* têm menor poder de comunicação do que os sinais, com indícios implícitos sobre o significado do local, suas normas e expectativas sobre comportamento, aos frequentadores. Materiais de construção de qualidade, obras de arte, diplomas e fotografias, pisos

tos, o que permite a familiares descansar ou mesmo passar a noite ao lado dos pacientes. Os visitantes nunca ouvem uma ordem para saírem. Os quartos foram projetados de forma a considerar o que os pacientes enxergam da cama, que é onde passam a maior parte de seu tempo de internação. Por exemplo, atenção especial foi dada aos tetos, vistos pelos pacientes quando estão deitados. Todos os quartos têm janelas, e um quadro branco na parede, próximo ao pé da cama, mostra as informações importantes que os pacientes desejam conhecer (como o nome da enfermeira de plantão, a data, o número do telefone do quarto, entre outras).

Os setores que trabalham em conjunto são adjacentes

Outra característica interessante do projeto deste hospital é que os setores que trabalham em conjunto estão instalados muito próximos uns aos outros, para facilitar a comunicação e o tempo de deslocamento entre eles. Isso permite aos cuidadores passar mais tempo com os pacientes e também diminui a fadiga dos funcionários.

O tempo das enfermeiras junto aos pacientes é maximizado

Um elemento essencial na recuperação dos pacientes é a qualidade do cuidado dispensado pelas enfermeiras. Muitas das características do projeto do Mayo Clinic Hospital promovem a qualidade do cuidado em enfermagem. O projeto da disposição dos quartos coloca as enfermeiras em proximidade com os pacientes; os quadros brancos nos quartos favorecem a comunicação; e a localização acessível dos itens necessários ao tratamento e dos setores maximiza o tempo que as enfermeiras passam com os pacientes.

Não resta dúvida de que o projeto do Mayo Clinic Hospital considera a importância indiscutível do cenário de serviços na concretização do principal objetivo da companhia: a cura do paciente. As opiniões de todas as partes envolvidas no processo foram ouvidas, e o local em si oferece um ambiente que promove o bem-estar de pacientes, visitantes, médicos, enfermeiras e outros profissionais.

O saguão do Mayo Hospital.

Fontes: *Teamwork at Mayo: An Experiment in Cooperative Individualism* (Rochester, MN: Mayo Press, 1998); http://www.mayo.edu; visita pessoal de um dos autores ao Mayo Clinic Hospital em Scottsdale; e L. L. Berry and K. D. Seltman, "Building a Strong Services Brand: Lessons from Mayo Clinic," *Business Horizons* 50 (2007), pp. 199–209; e L. L. Berry and K. D. Seltman, *Management Lessons from the Mayo Clinic* (New York: McGraw-Hill, 2008).

e objetos pessoais exibidos no ambiente comunicam um significado simbólico e geram uma impressão estética. Os significados associados aos símbolos e acessórios presentes nos ambientes de serviço têm aspectos culturais, como mostra a seção Tema Global.

Os sinais, símbolos e acessórios são especialmente importantes na formação das primeiras impressões e para a divulgação de conceitos de serviço. Quando os clientes não estão familiarizados com um certo estabelecimento de prestação de serviços, eles passam a procurar características ambientais que os auxiliem a classificar o local e a formar suas próprias expectativas. Um estudo sobre consultórios de odontologia descobriu que os consumidores utilizam o ambiente, em especial o estilo da decoração e o nível de qualidade, como parâmetros para a competência e o modo de trabalho do prestador de serviço.[36] Outro estudo interessante explorou os papéis da etnia e da orientação sexual na interpretação que os consumidores constroem sobre os símbolos nos ambientes de consu-

Tema global — O McDonald's adapta o cenário de serviços à cultura dos países em que opera

As reações das pessoas aos elementos e ao projeto do ambiente físico são definidas, em grande parte, pela cultura e pelas expectativas geradas ao longo das experiências de vida que adquirem, por sua vez modeladas pelo local em que vivem. Consideremos apenas um elemento de projeto – a cor – e a sua variedade de usos em diversas culturas. Outras diferenças culturais – exigências em termos de espaço, critérios de distanciamento social, sensibilidade a multidões – são capazes de afetar o modo como os consumidores vivenciam o cenário de serviços em todo o mundo.

O McDonald's reconhece a importância dessas expectativas de fundo cultural ao permitir que suas franquias em todo o planeta tenham grande liberdade no projeto de seus cenários de serviços. Na maioria destas franquias, uma grande parcela do negócio é de propriedade de pessoas do país em questão, os funcionários são nascidos nele e as estratégias de marketing refletem os padrões e as preferências de consumo dos clientes locais. Em todos os casos, o restaurante é uma "instituição da comunidade", envolvida em causas sociais e em eventos locais. A estratégia do McDonald's consiste em fazer todos os seus restaurantes espalhados pelo mundo refletirem as culturas e as características das comunidades em que operam – como um espelho para elas.

Não são apenas os cenários de serviços que são diferentes. As opções de execução dos serviços também variam em todo o globo. Nos Estados Unidos, prevalecem os guichês de *drive-thru*, que representam a cultura de uso do automóvel do país e a relativa falta de restrição em termos de espaço. Em contrapartida, muitas pessoas em diversas cidades do mundo hoje desfrutam da entrega de sanduíches do McDonald's por automóveis, motoboys ou ciclistas. O modelo de telentrega funciona bem e é rentável em cidades em que há abundância de mão de obra, congestionamentos no tráfego e pouco espaço para restaurantes independentes, como Taipei, em Taiwan. Ao mesmo tempo em que permite que essa energia criativa tome forma no projeto, na telentrega e em estratégias de marketing, o McDonald's é extremamente rígido em seus procedimentos de operação e nos padrões de pratos oferecidos.

Apesar da presença constante dos arcos dourados de seu logo, uma análise revela as diferenças na aparência da marca ao redor do mundo:

- Bolonha, Itália: Em Bolonha, conhecida como "Cidade dos Arcos" há séculos, o McDonald's adotou o visual dos velhos arcos construídos pelas mãos de pedreiros da cidade, marco histórico, e que ficam próximos ao restaurante da rede. Até o piso do restaurante foi construído à mão, utilizando técnicas antigas. O restaurante recorreu ao trabalho de arquitetos e artistas da cidade para trazer o sentimento da arquitetura local aos arcos dourados de sua logomarca.
- Paris, França: Próximo à Sorbonne, o McDonald's reflete a aura intelectual do bairro. O cenário de serviço tem a aparência de uma biblioteca com paredes revestidas em couro cheias de livros, estátuas e robusta mobília de madeira.
- Salen, Suécia: Nas pistas de esqui do *resort* Lindvallen, em Salen, você encontra o primeiro *ski-through* do McDonald's, chamado McSki, localizado próximo ao teleférico principal. A construção é diferente de todos os restaurantes do McDonald's, erigida em um estilo típico da montanha, com lambris de madeira e pedras naturais da região. Os esquiadores simplesmente deslizam até o balcão, sem tirar os esquis, e podem sentar-se do lado de dentro ou de fora do prédio.
- Os McCafés na Europa: Um ponto comum dentro de um restaurante do McDonald's europeu é o "McCafé", em que cafés e sobremesas de qualidade são vendidos em uma área separada do restaurante. As melhorias em diversos McCafés em muitas cidades alemãs incluem pisos de madeira, cadeiras revestidas em couro, uma lareira, além de flores frescas e velas. A atmosfera confortável e o prazer em permanecer no local encorajam os clientes a utilizarem os McCafés como locais de encontro social e de negócios, não apenas como um ponto para uma refeição rápida ou um café.
- Pequim, China: Os restaurantes do McDonald's da cidade tornaram-se o "local para passar o tempo", muito diferentes do verdadeiro caráter de restaurante de *fast food* que têm nos Estados Unidos. Eles fazem parte da comunidade, atendendo a jovens e idosos, famílias e casais. Os clientes são vistos no local por muito tempo, relaxando, conversando, lendo e ouvindo música, ou celebrando aniversários. Os adolescentes e os casais jovens consideram o local como ponto de encontro romântico. A ênfase na atmosfera tipicamente chinesa de encontro em família fica evidente nas paredes internas dos restaurantes, que exibem pôsteres que enfatizam valores de família.
- Tóquio, Japão: Embora alguns dos restaurantes do McDonald's no Japão estejam localizados em bairros de alto padrão, como o de Ginza, em Tóquio, muitos outros

mo. Mais especificamente, o estudo descobriu que pessoas de origem judaica observam símbolos específicos em locais que as encorajam se sentirem em casa e a frequentá-los.[37] O mesmo estudo descobriu que homossexuais também se sentiam atraídos a ambientes que incluíam símbolos ou acessórios com que se identificam. Na presença de outros símbolos, estes grupos não se sentiam bem-vindos; ao contrário, eles até sentiam-se discriminados.

estão situados nas principais estações de trem ou em locais com intensa movimentação de pessoas. A ênfase nestes locais é dada à velocidade e à conveniência, não ao conforto e à socialização. Muitos destes locais têm pouca largura de frente e pouquíssimos assentos. Os clientes frequentemente fazem suas refeições em pé, ou sentam-se junto a estreitos balcões. Até o restaurante no sofisticado bairro de Geiza tem poucas cadeiras. Alguns dos restaurantes têm uma área pequena reservada a pedidos e serviço no andar térreo, com poucos assentos (principalmente banquinhos, em vez de cadeiras e mesas) no segundo andar. É interessante observar que, enquanto a tendência nos Estados Unidos é um cardápio com pratos mais saudáveis, os clientes japoneses demonstram uma preferência marcante por hambúrgueres grandes e mais ricos em calorias.

O McDonald's iniciou uma grande reforma voltada para a modernização do visual de toda a rede. Muitos dos restaurantes existentes investiram em expressivas melhorias que incluem um design mais simples e minimalista, mais acolhedor, com menos acessórios em plástico, cores menos berrantes (terracota em vez de vermelho vivo), acesso para *wi-fi* e diferentes setores com mesas, incluindo banquinhos de bar para clientes que fazem suas refeições sozinhos e áreas destinadas para famílias, com mesas e assentos revestidos em tecido. Claro que os arcos dourados (substituídos por "sobrancelhas" em algumas remodelações atuais) preservaram seu papel no design modernizado.

Fontes: *Golden Arches East: McDonald's in East Asia*, ed. J. L. Watson (Stanford, CA: Stanford University Press, 1997); "A Unique Peak," *Franchise Times* 3, no. 4 (1997), p. 46; P. Gogoi, "Mickey D's McMakeover," *BusinessWeek*, May 15, 2006, pp. 42–43; M. Arndt, "Knock Knock, It's Your Big Mac; From Sao Paulo to Shanghai, McDonald's Is Boosting Growth with Speedy Delivery," *BusinessWeek*, July 23, 2007, p. 36; I. Liu, "McDonald's McCafe Takes Aim at Starbucks in Europe," *BusinessWeek*, September 24, 2009; M. Sanchanta and Y. Koh, "McDonald's in Japan Gives New Meaning to Supersize," *The Wall Street Journal*, January 12, 2011, p. 1.

Um restaurante do McDonald's na China.

AS DIRETRIZES PARA UMA ESTRATÉGIA DE EVIDÊNCIAS FÍSICAS

Até aqui, mostramos ideias, estruturas e modelos psicológicos para a compreensão dos efeitos das evidências físicas e, mais especificamente, dos efeitos da instalação física ou do cenário de serviços. Nesta seção, apresentamos algumas orientações gerais para o desenvolvimento de uma estratégia eficaz de evidências físicas.[38]

Reconheça o impacto estratégico das evidências físicas

As evidências físicas desempenham um papel eminente na determinação das expectativas e percepções sobre a qualidade do serviço. Para algumas organizações, o mero reconhecimento do impacto das evidências físicas é um importante passo. Após este primeiro passo, estas companhias conseguem tirar vantagem do potencial das evidências físicas e realizar um planejamento estratégico.

Para que uma estratégia de evidências físicas seja eficaz, ela precisa estar claramente vinculada aos objetivos e à visão geral da empresa. Por isso, os planejadores devem conhecer estes objetivos e determinar como a estratégia de evidências físicas vai auxiliar na sua concretização. No mínimo, o conceito do serviço básico precisa ser definido, os mercados-alvo (tanto internos quanto externos) têm de ser identificados e o horizonte de longo prazo da empresa deve ser conhecido. Em função de muitas decisões serem relativamente permanentes e caras (sobretudo as decisões relativas ao cenário de serviços), estas precisam ser planejadas e executadas de acordo com os objetivos da companhia.

O mapa e as evidências físicas do serviço

A etapa seguinte consiste em elaborar o mapa do serviço. Todas as pessoas da organização precisam ser capazes de enxergar o processo de serviço e os elementos existentes das evidências físicas. Uma maneira eficaz de representar as evidências do serviço é o mapa do serviço. (O mapa do serviço foi apresentado em detalhes no Capítulo 8.) Embora os mapas do serviço tenham finalidades diversas, eles são especialmente úteis na determinação de oportunidades para as evidências físicas. As pessoas, os processos e as evidências físicas são representados no mapa do serviço. As ações envolvendo a execução do serviço ficam visíveis, assim como a complexidade do processo, os pontos de interação humana que fornecem oportunidades de evidências do serviço e as representações tangíveis presentes em cada etapa. A fim de elaborar um mapa do serviço ainda mais útil, fotografias ou vídeos do processo podem ser acrescidos para desenvolver um mapa do serviço fotográfico que disponibilize uma imagem vívida das evidências físicas, do ponto de vista do cliente.

Esclareça os papéis estratégicos do cenário de serviços

Anteriormente neste capítulo, discutimos os diversos papéis desempenhados pelo cenário de serviços e como as empresas se localizam na tipologia mostrada na Tabela 10.3. Por exemplo, uma creche se situaria na célula "elaborada, interpessoal" da tabela, e rapidamente perceberia que suas decisões relativas ao cenário de serviços seriam relativamente complexas e que a estratégia do cenário de serviços teria de considerar as necessidades tanto das crianças quanto dos prestadores, o que poderia ter um impacto nas metas de marketing, de comportamento corporativo e de satisfação do cliente.

Há vezes em que o cenário de serviços não desempenha qualquer papel na execução do serviço ou no marketing do ponto de vista do cliente, como no caso de serviços de telecomunicação ou serviços públicos (ainda que nestes casos outras formas de evidências físicas continuem sendo importantes). A definição dos papéis desempenhados pelo cenário de serviços em uma dada situação auxilia na identificação de oportunidades e na decisão acerca de quem precisa ser consultado no processo de tomada de decisão sobre o projeto da instalação. A especificação do papel estratégico do cenário de serviços força o reconhecimento de sua importância na geração da experiência do cliente.

Avalie e identifique as oportunidades relativas às evidências físicas

Depois que as formas existentes das evidências físicas e os papéis do cenário de serviços foram compreendidos, as alterações e melhorias possíveis são identificadas. Uma pergunta a ser formulada é: alguma oportunidade para fornecer evidências de serviço foi perdida? O mapa de um serviço de seguro ou de um serviço público mostra que as evidências disponibilizadas ao cliente são poucas, se de fato houver alguma. Nesse caso, uma estratégia pode ser desenvolvida para fornecer mais evidências de serviço, e assim mostrar aos clientes exatamente o que está sendo cobrado deles. Isso ocorreu com uma grande companhia de serviços em tecnologia, que fornecia um "serviço de manutenção remota" para seus clientes. Um serviço de manutenção remota (às vezes denominado "serviço inteligente") significa que a empresa conseguiria prever e reparar certos equipamentos a distância, sem que os clientes de fato soubessem o que havia sido feito. Um mapa do serviço revelou que não havia evidências físicas do serviço em questão. Assim, os clientes não gostaram do serviço que haviam recebido, nem estavam dispostos a pagar por ele. Ao perceber o problema, a companhia desenvolveu maneiras de revelar e fornecer evidências físicas do serviço a seus clientes.

Em contrapartida, é possível descobrir que as evidências oferecidas consistem no envio de mensagens que não aprimoram a imagem nem os objetivos da companhia, ou que não atendem às expectativas dos clientes. Por exemplo, um restaurante descobre que as indicações presentes em seu menu com pratos caros não condiz com o design do estabelecimento, que sugere um "jantar em família" ao segmento de mercado almejado. Ou o design, ou o esquema de preços precisaria ser alterado, dependendo da estratégia global do restaurante.

Outro conjunto de questões trata da possibilidade de as evidências físicas existentes do serviço atenderem às necessidades e preferências do mercado-alvo. A fim de responder a estas dúvidas, é preciso empregar uma estrutura para compreender os relacionamentos ambiente-usuário (Figura 10.1) e as abordagens à pesquisa sugeridas neste capítulo. Por fim, a estratégia para as evidências físicas considera as necessidades (por vezes incompatíveis) de clientes e funcionários ao mesmo tempo? Esta questão é relevante sobretudo na tomada de decisão relativa ao cenário de serviços.

Atualize e modernize as evidências físicas

Alguns aspectos das evidências físicas, sobretudo o cenário de serviços, exigem atualizações e modernizações frequentes – ou no mínimo periódicas.[39] Mesmo que a visão, as metas e os objetivos da companhia permaneçam inalterados, o tempo cobra seu preço junto às evidências físicas, que passam a pedir mudanças e modernização. Sem dúvida, há um componente relativo a tendências envolvido e, com o tempo, diferentes cores, designs e estilos poderão comunicar mensagens diferentes. Para as organizações, este conceito fica obviamente compreensível quando se trata de estratégia publicitária, mas por vezes elas menosprezam muitos elementos das evidências físicas discutidos neste capítulo.

Trabalhe com a funcionalidade cruzada

Ao se apresentar para o consumidor, uma empresa de serviços está preocupada em veicular uma imagem desejada, em transmitir mensagens consistentes e compatíveis em todas as formas de evidências de serviço, e em disponibilizar as evidências físicas que os clientes-alvo desejam e são capazes de compreender. Contudo, muitas vezes as decisões relativas a evidências físicas são tomadas com o tempo e por diversos departamentos dentro da organização. Por exemplo, as decisões quanto aos uniformes dos funcionários são tomadas pelo setor de recursos humanos, as decisões sobre o projeto do cenário de serviços são feitas pelo grupo de gestão das instalações, ao passo que as decisões que envolvem o projeto de processo são, em sua maior parte, tomadas por gerentes de operações. Por sua vez, as decisões relativas à publicidade e à precificação são incumbências do departamento de marketing. Assim, não causa surpresa que as evidências físicas do serviço por vezes não sejam consistentes. Uma abordagem multidisciplinar para uma estratégia de evidências físicas frequentemente é necessária, sobretudo para a tomada de decisões sobre o cenário de serviços.

Resumo

Neste capítulo exploramos os papéis das evidências físicas na formação das percepções de clientes e funcionários, e na conformação das experiências do cliente. Em função de os serviços serem intangíveis e frequentemente produzidos e consumidos ao mesmo tempo, é difícil compreendê-los ou avaliá-los antes da aquisição. As evidências físicas do serviço servem como um indício primário para a definição de expectativas do cliente antes da compra do serviço. Estes indícios tangíveis, sobretudo o cenário de serviços, também influenciam as reações dos clientes à medida que eles recebem o serviço adquirido. Devido à frequente interação entre clientes e funcionários no cenário de serviços, o ambiente físico também influencia os funcionários e a natureza das interações entre funcionários e clientes.

Este capítulo se concentrou principalmente no cenário de serviços – os ambientes físicos ou a instalação física em que o serviço é produzido, executado e consumido. Mostramos uma tipologia de cenários de serviços que ilustrou seu grau de complexidade e de uso. Os papéis estratégicos genéricos do cenário de serviços também foram descritos. Apresentamos uma estrutura geral para a compreensão dos efeitos do cenário de serviços nos comportamentos de funcionários e clientes. O cenário de serviços afeta os comportamentos de aproximação e de evitação de cada um dos clientes e funcionários, além das interações sociais entre si. Estas reações comportamentais ocorrem por conta da influência que o ambiente físico exerce sobre as crenças ou cognições que as pessoas desenvolvem em relação à organização prestadora do serviço, sobre seus sentimentos ou emoções desenvolvidos em resposta ao local, e sobre suas reais reações fisiológicas despertadas durante sua permanência no interior do estabelecimento físico. Três categorias de dimensões ambientais abrangem a complexa natureza do cenário de serviços: as condições ambientais; o leiaute espacial e a funcionalidade; e os sinais, símbolos e acessórios.

Diante da importância das evidências físicas e de sua poderosa influência sobre clientes e funcionários, é essencial que as empresas pensem com um enfoque estratégico acerca da gestão das evidências tangíveis do serviço. O impacto destas evidências e das decisões relativas ao design precisa ser pesquisado e planejado como parte de uma estratégia de marketing. O capítulo encerra com as orientações específicas para uma estratégia de evidências físicas.

Questões para discussão

1. O que são evidências físicas, e por que dedicamos um capítulo inteiro a elas em um livro sobre marketing de serviços?
2. Descreva e dê exemplos de como o cenário de serviços desempenha cada um dos papéis estratégicos listados: embalagem, facilitador, socializador e diferenciador.
3. Imagine que você é o proprietário de uma loja independente de reprografia e impressão (semelhante à Kinko's, da FedEx). Em que célula você colocaria sua empresa, na tipologia dos cenários de serviços mostrada na Tabela 10.3? Quais são as implicações para o projeto de sua instalação física?
4. De que modo uma estratégia eficaz de evidências de serviço consegue fechar a lacuna 2 da empresa? Explique.
5. Por que clientes e funcionários são igualmente incluídos na estrutura para a compreensão dos efeitos do cenário de serviços sobre o comportamento (Figura 10.1)? Quais tipos de comportamento são influenciados pelo cenário de serviços, de acordo com esta estrutura? Pense em alguns exemplos.
6. Recorra à sua própria experiência, e dê exemplos de como você foi afetado cognitiva, emocional e fisiologicamente por elementos do cenário de serviços (em qualquer contexto de serviços).
7. Por que nem todas as pessoas são afetadas de maneiras idênticas por um mesmo cenário de serviços?
8. Descreva o ambiente físico de seu restaurante favorito em termos de três categorias de dimensões de cenário de serviços: condições ambientais; leiaute espacial e funcionalidade; e sinais, símbolos e acessórios.
9. Imagine que você trabalha como consultor em uma academia em sua cidade. Quais conselhos você ofereceria aos proprietários da academia no início de um processo de desenvolvimento de uma estratégia eficaz de evidências físicas?

Exercícios

1. Escolha duas empresas bastante diferentes (diferentes segmentos de mercado ou níveis de serviço) em um mesmo setor. Observe as duas empresas. Descreva a "embalagem" do serviço em ambos os casos. De que modo a embalagem auxilia a distinguir as duas empresas? Você acredita que a embalagem define expectativas adequadas para o serviço que a empresa oferece? Alguma das empresas está apresentando promessas excessivas manifestas na maneira como seu cenário de serviços (ou outros tipos de evidências físicas) se comunica com os clientes?

2. Pense em uma empresa prestadora de serviços (pode ser uma empresa de projetos, a empresa em que você trabalha ou outra organização) para a qual você acredita que as evidências físicas sejam especialmente importantes na comunicação e na satisfação dos clientes. Prepare o texto de uma apresentação que você faria a um gerente daquela empresa, para convencê-lo da importância das evidências físicas na estratégia de marketing da organização.
3. Crie um mapa do serviço em fotografia ou vídeo para um serviço de sua escolha. Analise o mapa da perspectiva do cliente e sugira alterações que viriam a melhorar o projeto do serviço.
4. Escolha uma organização de prestação de serviço e colete todas as formas de evidências físicas que ela emprega para se comunicar com seus clientes. Se os clientes têm como visualizar as instalações da empresa, tire também uma fotografia do cenário de serviços. Analise as evidências físicas em termos de compatibilidade, consistência e da possibilidade de ela estar oferecendo promessas exageradas ou modestas demais acerca do serviço que presta.
5. Visite *sites* de algumas empresas prestadoras de serviços. As evidências físicas do *site* retratam uma imagem consistente com outras formas de evidências fornecidas por estas empresas?

Literatura citada

1. Michael Jannini, "Building a Service Brand," apresentação no *Compete through Service Symposium* de 2006, Arizona State University; C. Yang and D. Brady, "Marriott Hip? Well, It's Trying," *BusinessWeek*, September 26, 2005, pp. 70–72; P. Sanders, "Strange Bedfellows: Marriott, Schrager," *The Wall Street Journal*, June 14, 2007, p. B1; *site* da Marriott International, www.marriott.com, acessado em julho de 2011.
2. O termo *cenário de serviço* utilizado em todo este capítulo e em boa parte deste livro é baseado, com permissão, em M. J. Bitner, "Servicescapes: The Impact of Physical Surroundings on Customers and Employees," *Journal of Marketing* 56 (April 1992), pp. 57–71. Para outras contribuições para este assunto, ver *Servicescapes: The Concept of Place in Contemporary Markets*, ed. J. F. Sherry Jr. (Chicago: NTC/Contemporary, 1998); M. J. Bitner, "The Service-scape," in *Handbook of Services Marketing and Management*, ed. T. A. Swartz and D. Iacobucci (Thousand Oaks, CA: Sage, 2000), pp. 37–50.
3. L. P. Carbone, *Clued In: How to Keep Customers Coming Back Again and Again* (Upper Saddle River, NJ: Prentice Hall, 2004). Ver também L. L. Berry and N. Bendapudi, "Clueing In Customers," *Harvard Business Review*, February 2003, pp. 100–106.
4. J. H. Gilmore and B. J. Pine II, "The Experience Is the Marketing," *Strategic Horizons*, 2002; B. J. Pine II and J. H. Gilmore, *The Experience Economy: Work Is Theater and Every Business Is a Stage* (Boston: Harvard Business School Press, 1999); e B. H. Schmitt, *Experiential Marketing* (New York: The Free Press, 1999).
5. Para revisões sobre a psicologia ambiental, ver D. Stokols and I. Altman, *Handbook of Environmental Psychology* (New York: John Wiley, 1987); S. Saegert and G. H. Winkel, "Environmental Psychology," *Annual Review of Psychology* 41 (1990), pp. 441–477; E. Sundstrom, P. A. Bell, P. L. Busby, and C. Asmus, "Environmental Psychology 1989–1994," *Annual Review of Psychology* 47 (1996), pp. 485–512.
6. http://money.cnn.com/magazines/fortune/bestcompanies/2011/index.html;www.sas.com, acessado em julho de 2011.
7. Ver M. R. Solomon, "Dressing for the Part: The Role of Costume in the Staging of Servicescape," in Sherry, *Servicescapes*; and A. Rafaeli, "Dress and Behavior of Customer Contact Employees: A Framework for Analysis," in *Advances in Services Marketing and Management*, vol. 2, ed. T. A. Swartz, D. E. Bowen, and S. W. Brown (Greenwich, CT: JAI Press, 1993), pp. 175–212; J. Barlow and P. Stewart, *Branded Customer Service*, San Francisco: Barrett-Koehler Publishers, 2004.
8. S. Casey, "Federal Expressive," www.ecompany.com, May 2001, pp. 45–48.
9. B. Stanley, "Qantas Flaunts Super-Jumbo Perks," *The Wall Street Journal*, July 25, 2007, p. D3; e S. McCartney, "A Bubble Bath and a Glass of Bubbly—at the Airport," *The Wall Street Journal*, July 10, 2007, p. D1.
10. Ver R. S. Ulrich, L. L. Berry, X. Quan, and J. T. Parish, "A Conceptual Framework for the Domain of Evidence-Based Design," *Health Environments Research and Design Journal* 4, no. 1 (2010), pp. 95–114; J. T. Parish, L. L. Berry, and S. Y. Lam, "The Effect of the Servicescape on Service Workers," *Journal of Service Research* 10 (February 2008), pp. 220–238.
11. www.petsmart.com, 2011; C. M. Dalton, "A Passion for Pets: An Interview with Philip L. Francis, Chairperson and CEO of PetSmart, Inc.," *Business Horizons*, November–December 2005, pp. 469–475; e D. Brady and C. Palmeri, "The Pet Economy," *BusinessWeek*, August 6, 2007, pp. 45–54.
12. Carbone, *Clued In*; Berry and Bendapudi, "Clueing In Customers"; Gilmore and Pine, "Experience Is the Marketing"; Pine and Gilmore, *The Experience Economy*; Schmitt, *Experiential Marketing*; L. L. Berry, E. A. Wall, and L. P. Carbone, "Service Clues and Customer Assessment of the Service Experience: Lessons from Marketing," *Academy of Management Perspectives*, 20, no. 2 (2006), pp. 43–57.
13. E. C. Brüggen, B. Foubert, and D. D. Gremler, "Extreme Makeover: Short- and Long- Term Effects of a Remodeled Servicescape," *Journal of Marketing*, 75 (September 2011), pp. 71–87.
14. A. Mehrabian and J. A. Russell, *An Approach to Environmental Psychology* (Cambridge, MA: Massachusetts Institute of Technology, 1974).
15. R. Donovan and J. Rossiter, "Store Atmosphere: An Environmental Psychology Approach," *Journal of Retailing* 58 (Spring 1982), pp. 34–57.
16. D. J. Bennett and J. D. Bennett, "Making the Scene," in *Social Psychology through Symbolic Interactionism*, ed. G. Stone and H. Farberman (Waltham, MA: Ginn-Blaisdell, 1970), pp. 190–196.
17. J. P. Forgas, *Social Episodes* (London: Academic Press, 1979).

18. R. G. Barker, *Ecological Psychology* (Stanford, CA: Stanford University Press, 1968).
19. Para outros artigos excelentes sobre este tópico abrangendo uma ampla gama de negócios, de lojas de brinquedos a *spas* para noivas e espaços para *cybermarkets* e ambientes de varejo japoneses, ver Sherry, *Servicescapes: The Concept of Place in Contemporary Markets.*
20. J. F. Sherry Jr., "The Soul of the Company Store: Nike Town Chicago and the Emplace Brandscape," in Sherry, *Servicescapes*, pp. 81–108.
21. E. J. Arnould, L. L. Price, and P. Tierney, "The Wilderness Servicescape: An Ironic Commercial Landscape," in Sherry, *Servicescapes*, pp. 403–438.
22. Rosenbaum, "Exploring the Social Supportive Role of Third Places in Consumers' Lives, *Journal of Service Research* 9 (August 2006), pp. 59–72; A. Tombs and J. R. McColl-Kennedy, "Social-Servicescape Conceptual Model," *Marketing Theory* 3, no. 4 (2003), pp. 447–475; e M. S. Rosenbaum, J. Ward, B. A. Walker, and A. L. Ostrom, "A Cup of Coffee with a Dash of Love: An Investigation of Commercial Social Support and Third-Place Attachment," *Journal of Service Research* 10 (August 2007), pp. 43–59.
23. A. Rapoport, *The Meaning of the Built Environment* (Beverly Hills, CA: Sage, 1982); e R. G. Golledge, "Environmental Cognition," in Stokols and Altman, *Handbook of Environmental Psychology*, vol. 1, pp. 131–174.
24. M. P. Gardner and G. Siomkos, "Toward a Methodology for Assessing Effects of In-Store Atmospherics," in *Advances in Consumer Research*, vol. 13, ed. R. J. Lutz (Ann Arbor, MI: Association for Consumer Research, 1986), pp. 27–31.
25. M. J. Bitner, "Evaluating Service Encounters: The Effects of Physical Surroundings and Employee Responses," *Journal of Marketing* 54 (April 1990), pp. 69–82.
26. J. C. Ward, M. J. Bitner, and J. Barnes, "Measuring the Prototypicality and Meaning of Retail Environments," *Journal of Retailing* 68 (Summer 1992) pp. 194–220.
27. Ver, por exemplo, Mehrabian and Russell, *An Approach to Environmental Psychology*; J. A. Russell and U. F. Lanius, "Adaptation Level and the Affective Appraisal of Environments," *Journal of Environmental Psychology* 4, no. 2 (1984), pp. 199–235; J. A. Russell and G. Pratt, "A Description of the Affective Quality Attributed to Environments," *Journal of Personality and Social Psychology* 38, no. 2 (1980), pp. 311–322; J. A. Russell and J. Snodgrass, "Emotion and the Environment," in Stokols and Altman, *Handbook of Environmental Psychology*, vol. 1, pp. 245–281; J. A. Russell, L. M. Ward, and G. Pratt, "Affective Quality Attributed to Environments," *Environment and Behavior* 13 (May 1981), pp. 259–288; V. Kaltcheva and B. A. Weitz, "When Should a Retailer Create an Exciting Store Environment," *Journal of Marketing* 70 (January 2006), pp. 107–118.
28. Ver, por exemplo, M. S. Sanders and E. J. McCormick, *Human Factors in Engineering and Design*, 7th ed. (New York: McGraw-Hill, 1993); e G. Salvendy (ed), *Handbook of Human Factors and Ergonomics* (Hoboken, NJ: Wiley, 2006).
29. "Empty Nests, Full Pockets," *Brandweek*, September 23, 1996, pp. 36ff; e "Lodging Chain to Give Older Guests a Choice," *The Wall Street Journal*, February 19, 1993, p. B1.
30. Mehrabian and Russell, *An Approach to Environmental Psychology*; Russell and Snodgrass, "Emotion and the Environment."
31. A. Mehrabian, "Individual Differences in Stimulus Screening and Arousability," *Journal of Personality* 45, no. 2 (1977), pp. 237–250.
32. E. Bellman, "In India, a Retailer Finds Key to Success Is Clutter," *The Wall Street Journal*, August 8, 2007, p. A1.
33. Para saber mais sobre as pesquisas que documentam os efeitos da música nos consumidores, ver J. Baker, D. Grewal, and A. Parasuraman, "The Influence of Store Environment on Quality Inferences and Store Image," *Journal of the Academy of Marketing Science* 22 (Fall 1994), pp. 328–339; J. C. Chebat, C. Gelinas-Chebat, and P. Filliatrault, "Interactive Effects of Musical and Visual Cues on Time Perception: An Application to Waiting Lines in Banks," *Perceptual and Motor Skills* 77 (1993), pp. 995–1020; L. Dube, J. C. Chebat, and S. Morin, "The Effects of Background Music on Consumers' Desire to Affiliate in Buyer–Seller Interactions," *Psychology and Marketing* 12, no. 4 (1995), pp. 305–319; J. D. Herrington and L. M. Capella, "Effects of Music in Service Environments: A Field Study," *Journal of Services Marketing* 10, no. 2 (1996), pp. 26–41; J. D. Herrington and L. M. Capella, "Practical Applications of Music in Service Settings," *Journal of Services Marketing* 8, no. 3 (1994), pp. 50–65; M. K. Hui, L. Dube, and J. C. Chebat, "The Impact of Music on Consumers' Reactions to Waiting for Services," *Journal of Retailing* 73 (Spring 1997), pp. 87–104; A. S. Matila and J. Wirtz, "Congruency of Scent and Music as a Driver of In-Store Evaluations and Behavior," *Journal of Retailing* 77 (Summer 2001), pp. 273–289; L. Dube and S. Morin, "Background Music Pleasure and Store Evaluation: Intensity Effects and Psychological Mechanisms," *Journal of Business Research* 54 (November 2001), pp. 107–113; J. Bakec, A. Parasuraman, D. Grewal, and G. B. Voss, "The Influence of Multiple Store Environment Cues as Perceived Merchandise Value and Patronage Intentions," *Journal of Marketing* 66 (April 2002), pp. 120–141; S. Morin, L. Dube, and J. Chebat, "The Role of Pleasant Music in Servicescapes: A Test of the Dual Model of Environmental Perception," *Journal of Retailing* 83, no. 1 (2007), pp. 115–130.
34. Para mais pesquisas sobre os efeitos de aromas nas respostas dos consumidores, ver D. J. Mitchell, B. E. Kahn, and S. C. Knasko, "There's Something in the Air: Effects of Congruent and Incongruent Ambient Odor on Consumer Decision Making," *Journal of Consumer Research* 22 (September 1995), pp. 229–238; e E. R. Spangenberg, A. E. Crowley, and P. W. Henderson, "Improving the Store Environment: Do Olfactory Cues Affect Evaluations and Behaviors?" *Journal of Marketing* 60 (April 1996), pp. 67–80.
35. Ver J. M. Sulek, M. R. Lind, and A. S. Marucheck, "The Impact of a Customer Service Intervention and Facility Design on Firm Performance," *Management Science* 41, no. 11 (1995), pp. 1763–1773; P. A. Titus and P. B. Everett, "Consumer Wayfinding Tasks, Strategies, and Errors: An Exploratory Field Study," *Psychology and Marketing* 13, no. 3 (1996), pp. 265–290; C. Yoo, J. Park, and D. J. MacInnis, "Effects of Store Characteristics and In-Store Emotional Experiences on Store Attitude," *Journal of Business Research* 42 (1998), pp. 253–263; e K. L. Wakefield and J. G. Blodgett, "The Effect of the Servicescape on Customers' Behavioral Intentions in Leisure Service Settings," *Journal of*

Services Marketing 10, no. 6 (1996), pp. 45–61; Brüggen, Foubert, and Gremler, "Extreme Makeover: Short- and Long- Term Effects of a Remodeled Servicescape."

36. J. C. Ward and J. P. Eaton, "Service Environments: The Effect of Quality and Decorative Style on Emotions, Expectations, and Attributions," in *Proceedings of the American Marketing Association Summer Educators' Conference,* eds. R. Achrol and A. Mitchell (Chicago: American Marketing Association 1994), pp. 333–334.

37. M. S. Rosenbaum, "The Symbolic Servicescape: Your Kind Is Welcomed Here," *Journal of Consumer Behaviour* 4, no. 4 (2005), pp. 257–267.

38. Esta seção foi adaptada de M. J. Bitner, "Managing the Evidence of Service," in *The Service Quality Handbook,* ed. E. E. Scheuing and W. F. Christopher (New York: AMACOM, 1993), pp. 358–370.

39. Brüggen, Foubert, and Gremler, "Extreme Makeover: Short- and Long- Term Effects of a Remodeled Servicescape."

Parte V

A prestação e o desempenho do serviço

Capítulo 11 Os papéis dos funcionários na execução do serviço
Capítulo 12 Os papéis dos clientes na execução do serviço
Capítulo 13 A gestão da demanda e da capacidade

No modelo de lacunas da qualidade do serviço, a lacuna 3 da empresa (a lacuna do desempenho do serviço) consiste na discrepância entre o projeto e os padrões de serviço definidos pelo cliente e o serviço executado (veja a figura a seguir). Mesmo quando existem orientações para a execução adequada do serviço e para o tratamento correto aos clientes, o desempenho do serviço em alto nível não está garantido. A Parte 5 deste livro trata de como as empresas garantem que os serviços sejam executados de acordo com os projetos e padrões definidos pelo cliente.

A lacuna 3 da empresa: A lacuna do desempenho do serviço

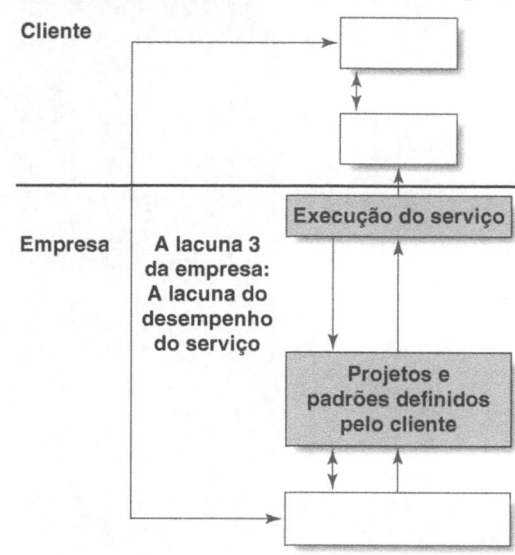

Parte V   A prestação e o desempenho do serviço

No Capítulo 11 concentramos nossas atenções nos principais papéis que os funcionários desempenham no fornecimento do serviço e nas estratégias que garantem a eficiência na atuação destes papéis. Questões de especial importância incluem os funcionários que se encontram em conflito no desempenho de suas funções entre os clientes e os gerentes da companhia, a indisponibilidade de funcionários ou tecnologias adequadas, a ausência de sistemas apropriados de recompensa e reconhecimento, além da falta de poder de decisão e de trabalho em equipe.

No Capítulo 12 discutimos a variação no desempenho do serviço gerada pelos clientes. Se os clientes não desempenham seus papéis de forma adequada — se não seguirem as instruções ou se perturbam outros clientes quando recebem serviços ao mesmo tempo — a qualidade do serviço está em risco. As organizações prestadoras de serviço eficientes reconhecem o papel da variação gerada pelo cliente e desenvolvem estratégias para ensinar a eles o modo mais *apropriado* de desempenharem seus papéis.

O Capítulo 13 destaca a necessidade de sincronizar a demanda e a capacidade nas organizações do setor para que executem serviços consistentes e de alta qualidade. Por carecerem de estoques niveladores, as organizações prestadoras de serviços muitas vezes deparam-se com situações de excesso ou falta de demanda. As estratégias de marketing para a gestão da demanda, como as alterações nos preços, a propaganda, as promoções e as ofertas alternativas de serviço, são fontes de apoio diante desses desafios.

Capítulo 11

Os papéis dos funcionários na execução do serviço

Os objetivos deste capítulo são:

1. Demonstrar a importância de criar uma cultura de serviços em que a execução de serviço de excelente qualidade a clientes internos e externos seja vista como um modo de vida.
2. Ilustrar o papel essencial dos funcionários de serviço na geração da satisfação do cliente e na qualidade dos serviços.
3. Identificar os desafios inerentes aos papéis de atuação ampla.
4. Oferecer exemplos de estratégias para a execução de serviços focados no cliente por meio da contratação das pessoas certas, do desenvolvimento de pessoas para executar serviços de qualidade, e da disponibilização de serviços de apoio, além da retenção dos melhores funcionários.

Os funcionários são o serviço e a marca

Leonard Berry, o conhecido especialista em serviços, relatou que os investimentos em funcionários são os principais condutores do constante sucesso nos negócios em empresas bastante diversas, como a Charles Swab, a Enterprise Rent-A-Car, a USAA Insurance e a Chick-fil-A.[1] Por que isso é verdade? Por que estas empresas decidem investir pesado em seus funcionários?

Para respondermos a estas perguntas, consideremos as seguintes histórias reais:

- Durante um longo voo intercontinental da Singapore Airlines, a toda hora uma criancinha irrequieta deixava cair sua chupeta. Sempre que a criança chorava, alguém (a mãe, outro passageiro ou um dos comissários de bordo) juntava a chupeta. Por fim, um dos comissários pegou a chupeta, amarrou uma fita a ela e costurou-a à roupa da criança. Ela e sua mãe ficaram contentes, e os passageiros em redor agradeceram ao comissário efusivamente.[2]
- Um atendente da Universal Card Services recebeu um telefonema de um cliente cuja esposa, que sofria do mal de Alzheimer, havia desaparecido. O marido esperava encontrar sua esposa rastreando a utilização do cartão. O atendente cancelou o cartão e tomou todas as precauções para que ele fosse avisado no caso de o cartão ser utilizado. Quando isso aconteceu, cerca de uma semana mais tarde, o atendente entrou em contato com o cliente, o médico de sua esposa e a polícia, que com isso foram capazes de ajudar a mulher desaparecida a voltar para casa.[3]

• Há alguns anos, no estacionamento de um restaurante da Panera Bread, uma mulher tentou segurar outra cliente (que sofria de esclerose múltipla) quando esta perdeu o equilíbrio. Com isso, as duas clientes acabaram caindo no chão, e a cliente que tentou dar ajuda quebrou o braço direito. Antes de a ambulância chegar para prestar os primeiros socorros e levar a cliente ferida para a emergência, um funcionário da Panera deu a ela seu cartão e disse que telefonasse para ele, se precisasse de algo. Algumas horas mais tarde, essa cliente telefonou e perguntou se havia alguém para trazê-la de volta ao restaurante, pois ela precisava pegar seu carro. Mas quando a cliente com o braço quebrado chegou ao estacionamento do restaurante, ela se deu conta de que não poderia dirigi-lo, pois ele tinha câmbio manual e ela não conseguiria trocar de marcha na condição em que se encontrava. Durante o tempo em que tentou contato com sua família para virem buscá-la, um funcionário da Panera ofereceu-lhe uma refeição grátis. Como não conseguiu encontrar alguém para levá-la para casa, ela pediu ao funcionário mais um favor: uma carona de volta. Ele atendeu ao pedido, levando a cliente para casa, em uma cidade a cerca de uma hora de viagem. A mulher ficou sem palavras, não podendo acreditar que um "funcionário de restaurante" havia feito tudo isso por ela.[4]

Os funcionários encarregados do serviço têm impacto direto na satisfação do cliente.

Essas histórias ilustram os papéis importantes que os funcionários têm na geração da satisfação do cliente e na construção de relacionamentos com ele. Os funcionários de contato com o cliente em cada um destes exemplos são de enorme importância para o sucesso das organizações que representam. Eles precisam entender as necessidades dos clientes e interpretar suas exigências em tempo real (conforme vemos na foto ao lado). Leonard Berry relata que as empresas que atingem o sucesso na prestação de serviços reconhecem, sem exceção, os papéis essenciais desempenhados por seus funcionários.[5]

Neste capítulo nos concentramos nos funcionários da prestação de serviço e nas práticas de recursos humanos que facilitam a execução de serviços de qualidade. Mesmo no caso de as expectativas do cliente serem compreendidas (lacuna 1) e de os serviços serem projetados e especificados de acordo com estas expectativas (lacuna 2), brechas na qualidade do serviço persistirão no momento em que o serviço não for executado conforme especificado. Essas brechas são chamadas de lacuna 3 da empresa – a *lacuna do desempenho do serviço* – na estrutura da qualidade do serviço. Uma vez que são os funcionários da empresa prestadora as pessoas que frequentemente executam ou prestam o serviço, as questões relativas a recursos humanos são a principal razão por trás desta lacuna. Ao voltarem suas atenções para o papel essencial dos funcionários da prestação do serviço e ao desenvolverem estratégias que levem a serviços eficazes e focados no cliente, as organizações começam a fechar a lacuna do desempenho do serviço.

A CULTURA DE SERVIÇOS

Antes de tratarmos do papel do funcionário na execução do serviço, devemos examinar o panorama. O comportamento dos funcionários em uma organização é profundamente influenciado pela cultura da organização ou por normas e valores adotados e que moldam o comportamento individual e coletivo. A *cultura corporativa* é definida como "o padrão comum de valores e crenças que gera uma noção de finalidade aos integrantes de uma empresa e que lhes fornece as regras de comportamento dentro dela".[6] *Cultura* é definida em termos informais como "o modo como fazemos as coisas por aqui".

Para entendermos, em nível pessoal, o significado de cultura corporativa, pense em diferentes locais em que você desempenhou algum papel, como igrejas, casas de estudantes, escolas ou associações. Seu comportamento e os comportamentos de outras pessoas foram inquestionavelmente influenciados pela cultura e por valores e normas tácitos em vigor na organização. Mesmo quando você tem uma entrevista para uma vaga a um emprego, você talvez desenvolva uma noção da cultura corporativa da empresa ao conversar com alguns de seus funcionários e observar seus comportamentos. Uma vez que você tenha conseguido o emprego, o treinamento formal que você recebeu e a observação informal do comportamento dos funcionários atuarão juntos, como aspectos geradores de uma imagem mais detalhada da cultura da organização.

Os especialistas no assunto sugerem que uma organização focada no cliente e no serviço tem em seu cerne uma *cultura de serviço* definida como "aquela em que o serviço de qualidade é valorizado e em que a prestação deste serviço a clientes tanto internos quanto externos é considerada um modo natural de viver, uma das normas mais importantes da empresa".[7] Esta abrangente definição tem muitas implicações nos comportamentos dos funcionários de uma companhia. Em primeiro lugar, uma cultura de serviços existe se "o serviço de qualidade é valorizado". Esta afirmação não significa que a empresa tem uma campanha publicitária que enfatiza a importância do serviço, mas destaca a ideia de que as pessoas sabem que um serviço de qualidade é valorizado e bem recebido. Um segundo ponto relevante nesta definição é que o serviço de qualidade é prestado a clientes internos e externos igualmente.[8] Não basta prometer um serviço excelente aos clientes finais; todas as pessoas dentro da organização merecem o mesmo tipo de serviço. Por fim, na cultura de serviços, um serviço de qualidade é "um modo de vida" e ocorre com naturalidade, pois é uma norma importante na organização. A cultura de serviços é essencial a uma organização focada no cliente e se caracteriza como fonte de vantagem competitiva.[9]

Como demonstrar a liderança em serviços

Uma cultura de serviços fortemente construída começa com líderes na organização que demonstram uma paixão pela excelência na prestação de serviços. Leonard Berry sugere que líderes de empresas de sucesso no setor tendem a nutrir valores centrais em comum, como integridade, disposição e respeito, e que estas empresas "inserem estes valores no tecido corporativo".[10] Liderança não consiste em despachar uma série de comandos a partir de um volumoso manual, mas sim, implica a demonstração regular e consistente dos valores de um líder. Os funcionários estão mais propensos a abraçar uma cultura de serviços quando percebem que a gerência pratica estes valores. Os valores declarados – os valores que os gerentes *afirmam* ter – tendem a exercer um impacto menor nos funcionários em comparação aos valores manifestos – aqueles que os funcionários acreditam ser os valores de fato a partir da observação das *reais ações dos gerentes*.[11] Isto é, cultura é o que os funcionários percebem ser a *verdadeira crença nutrida pela gerência*, e passam a compreender o que é importante para a organização com base no conhecimento diário que constroem ao lado das pessoas que ocupam os principais postos na empresa.

Como desenvolver uma cultura de serviços

Uma cultura de serviços não pode ser desenvolvida da noite para o dia e não há um caminho fácil para conservá-la. As práticas de recursos humanos e de marketing interno discutidas mais adiante neste capítulo auxiliam a desenvolver uma cultura de serviços ao longo do tempo. Contudo, se uma organização tem uma cultura enraizada em tradições voltadas para produtos, operações ou regulação governamental, nenhuma estratégia transformará esta cultura em uma cultura de serviços. São necessários centenas de fatores de pouco peso (mas importantes), não apenas um ou dois fatores maiores, para construir e conservar uma cultura de serviços.[12] Empresas de sucesso, como a IBM Global Services, a Avnet e a General Electric descobriram que é preciso anos de esforços constan-

Tema global — A eficiência em levar a cultura de serviços de uma empresa a outros locais

Embora os mercados internacionais ofereçam imensas oportunidades de crescimento, muitas empresas encontram expressivos desafios ao tentarem transferir suas culturas de serviços a outros países. Os serviços dependem de pessoas, muitas vezes são executados por pessoas e envolvem a interação entre funcionários e clientes. As diferenças em valores, normas de conduta, linguagem e mesmo na definição do serviço tornam-se evidentes com rapidez e trazem implicações para o treinamento, a contratação e os incentivos que em última análise afetam o sucesso de uma estratégia de expansão internacional. As empresas com culturas de serviços consolidadas deparam-se com o dilema de tentar reproduzir suas culturas e valores em outros países ou de efetuar adaptações via de regra expressivas. Alguns exemplos ilustram as diferentes abordagens adotadas.

A abordagem do McDonald's

O McDonald's teve muito sucesso em sua expansão internacional. De certo modo, a companhia conserva sua identidade expressivamente "norte-americana" em tudo o que faz — as pessoas em todo o mundo desejam uma experiência norte-americana quando vão ao McDonald's. Porém, a companhia não esquece diferenças culturais. Essa sutil combinação do "jeito McDonald's" com adaptações a nuances culturais trouxe grande sucesso para a corporação. Um dos modos de o McDonald's conservar seus padrões é visto na Universidade do Hambúrguer, requisito para *todos* os funcionários da companhia lotados em todo o mundo que desejam tornar-se gerentes. A cada ano, aproximadamente 5 mil funcionários de mais de mil países matriculam-se e frequentam o Curso de Operações Avançadas da Universidade, localizada em Oak Brook, Illinois. O currículo tem 80% de seu conteúdo dedicado ao desenvolvimento de habilidades de comunicação e relações humanas. Em função do escopo internacional do McDonald's, os tradutores e os equipamentos eletrônicos permitem aos professores ensinarem e comunicarem-se com seus alunos em 28 idiomas ao mesmo tempo. O resultado disso é que todos os gerentes em todos os países têm o mesmo "ketchup circulando em suas veias", e as filosofias básicas da empresa para recursos humanos e operações permanecem razoavelmente constantes em todas as operações. Certas adaptações na decoração, no menu e em outras áreas em que as diferenças culturais ficam mais evidentes são permitidas (veja a seção Tema Global do Capítulo 10 para exemplos mais específicos).

A experiência da UPS

A UPS tem uma forte cultura de serviços, baseada na produtividade dos funcionários, nos processos de execução de serviços altamente padronizados e no treinamento planejado. Os caminhões e uniformes da companhia, na cor marrom, são facilmente reconhecidos nos Estados Unidos. Na verdade, em 2002 a UPS lançou a maior e mais agressiva campanha publicitária na televisão e na mídia impressa em todo seu século de existência. A campanha foi baseada no lema, "O que o Brown* pode fazer por você?". À medida que expandia suas atividades a países da Europa, a UPS surpreendeu-se com alguns dos desafios em administrar uma equipe global de mão de obra. A seguir listamos algumas destas surpresas: indignação na França, quando os motoristas foram avisados de que não poderiam beber vinho na

---

* N. de T.: Provável jogo de palavras com um sobrenome comum na língua inglesa, em alusão à cor marrom dos veículos e uniformes da empresa e que também valeu-lhe a alcunha de *Big Brown Machine* (A Grande Máquina Marrom).

---

tes e concentrados para construir uma cultura de serviços e fazer uma organização substituir seus antigos padrões por novas modalidades de fazer negócios. Mesmo para empresas como FedEx, Charles Swab, Disney e a rede de hotéis Ritz-Carlton, que começaram com um intenso foco no cliente e nos serviços, a conservação de suas consolidadas culturas de serviço requer atenção constante e a observância de centenas de detalhes.

Como transferir uma cultura de serviços

A transferência de uma cultura de serviços por meio da expansão de negócios internacionais também é desafiadora. Tentar "exportar" uma cultura corporativa a outro país levanta inúmeras questões. Por exemplo, a cultura de serviços da organização entrará em conflito com uma cultura *nacional* diferente? Se este conflito ocorrer, ele se deve aos *valores reais em jogo* ou ao *modo como serão praticados*? Se a questão se deve aos valores e se estes forem os valores centrais e essenciais em termos de vantagem competitiva, então talvez a empresa não tenha sucesso neste local. Se a questão envolve o modo como os valores serão praticados, algumas das práticas de serviço poderão ser modificadas no novo local de atuação. Por exemplo, conforme discutido no Capítulo 9, a rede de hotéis Four Seasons criou sete padrões uniformes em escala global, chamados "SERVICE", que devem

hora do almoço; protestos na Grã-Bretanha, quando os cães dos motoristas foram proibidos de entrar nos caminhões; desalento na Espanha, quando descobriu-se que os caminhões na cor marrom da UPS lembravam os carros fúnebres utilizados no país.

A Disney na Europa

A expansão da Disney na Europa, com a abertura da Disney Paris, trouxe desafios e surpresas. A abordagem fortemente roteirizada, estruturada e focada no cliente que a companhia adotava nos Estados Unidos não foi facilmente aceita pelos funcionários europeus. Os comportamentos caracteristicamente norte-americanos que preconizam sorrisos e gentilezas, sempre voltados para o cliente, não se encaixaram à experiência e aos valores dos funcionários franceses. Ao tentar transportar sua cultura e suas experiências para a Europa, a Disney enfrentou um conflito de valores e de normas de conduta no local de trabalho, o que dificultou a expansão. Os clientes também precisaram ser "treinados" no jeito Disney – nem todas as culturas apreciam esperas em longas filas, por exemplo. Além disso, diferentes culturas preconizam diferentes maneiras de tratar os filhos. Por exemplo, nos Estados Unidos, as famílias gastam muito dinheiro na Disney em comida, brinquedos e outras coisas que as crianças "precisam" ter. Algumas culturas europeias interpretam este comportamento como excessivamente indulgente, o que faz as famílias visitarem o parque sem comprar muito mais do que os bilhetes de entrada.

Um escritório de advocacia norte-americano inicia operações no Reino Unido

Em diferentes culturas, os profissionais liberais, como advogados e médicos, adotam práticas distintas e bastante enraizadas. Valores, estilos de trabalho e modelos de negócios variam muito. Assim, o que acontece quando um escritório de advocacia expande suas operações em outro país? Diferentemente de muitos escritórios de advocacia que tendem a enviar advogados norte-americanos a suas filiais em outras nações, o escritório Weil, Gotshal and Manges, baseado em Nova York, abriu uma filial em Londres, contratando principalmente advogados nativos que funcionaram como "uma empresa dentro de outra empresa". Um dos maiores desafios enfrentados consistiu em mesclar as diferentes culturas jurídicas dos dois países. Em primeiro lugar, os advogados norte-americanos da Weil, Gotshal and Manges tendem a ser *workaholics* – com uma carga anual de 2.500 horas, ao passo que os advogados britânicos trabalham respeitáveis 1.500 horas. As diferenças em pagamento também eram óbvias – em média $650 mil para os advogados londrinos, e $900 mil para os norte-americanos. O resultado é que as diferenças culturais geravam conflito, não sinergia. Apesar dos desafios, o escritório de Londres tem se saído muito bem. Ele hoje tem mais de 100 advogados, tornou-se o segundo maior entre todas as filiais da companhia em todo o mundo e recebeu o prêmio "Escritório de Advocacia do Ano em Londres" em 2009 e 2010.

Fontes: www.mcdonalds.com, acessado em dezembro de 2010; D. Milbank, "Can Europe Deliver?" *The Wall Street Journal*, September 30, 1994, pp. R15, R23; P. M. Barrett, "Joining the Stampede to Europe, Law Firm Suffers a Few Bruises," *The Wall Street Journal*, April 27, 1999, p. A1; e www.weil.com, acessado em dezembro de 2010.

---

ser seguidos por seus funcionários em todo o mundo. Além disso, a companhia identificou diversos valores centrais que, na sua visão, transcendem a cultura nacional. Um destes valores é a previsão das necessidades dos hóspedes. Nos Estados Unidos, por exemplo, este valor é posto em prática deixando um bule de café na mesa do restaurante do hotel para que os hóspedes sirvam-se sempre que desejarem. Contudo, quando um hotel Four Seasons abriu em Paris, a gerência decidiu nunca deixar esse bule sobre a mesa, pois tal atitude não seria recebida de modo favorável pelos clientes franceses, que via de regra creem que o café deve ser servido por um garçom. O Four Seasons não alterou outras práticas. Por exemplo, a rede conservou seu programa de eleição do funcionário do mês como forma de prestar reconhecimento ao serviço de qualidade excepcional, ainda que tais programas não sejam comumente oferecidos na França.[13] Estes padrões e valores refletem a tentativa do Four Seasons de transferir sua cultura de serviço para além das fronteiras de seu país de origem; porém, as gerências da companhia estão perfeitamente cientes de que precisam adotar cautela quanto à maneira de esses valores serem praticados em cada uma de suas filiais.

Embora as oportunidades no mercado global sejam incríveis, as diversas barreiras legais, culturais e linguísticas ficam evidentes sobretudo para serviços que dependem da interação humana. A seção Tema Global destaca algumas das questões e experiências de diversas companhias à medida que tentam transferir suas culturas de serviço.

O PAPEL ESSENCIAL DOS FUNCIONÁRIOS DA PRESTAÇÃO DE SERVIÇOS

Uma das frases mais citadas envolvendo empresas prestadoras de serviço diz o seguinte: "Em uma empresa prestadora de serviços, se você não está atendendo o cliente, é melhor você atender alguém que esteja".[14] As pessoas – os funcionários da linha de frente e os que oferecem suporte nos bastidores – são essenciais ao sucesso de qualquer empresa do setor. A importância das pessoas no marketing de serviços aparece no elemento *pessoas* do mix de marketing de serviços, descrito no Capítulo 1 como *todos os atores humanos que desempenham um papel na execução do serviço e que, por isso, influenciam as percepções do comprador: o quadro de pessoal da empresa, o cliente e outros clientes no ambiente de serviços.*

O foco principal deste capítulo está sobre os funcionários de contato na prestação de serviços porque:

- Eles *são* o serviço.
- Eles *são* a organização, aos olhos do cliente.
- Eles *são* a marca.
- Eles *são* os profissionais de marketing.

Em muitos casos, os funcionários de contato *são o serviço* – não há outra prova. Por exemplo, em muitos serviços de caráter pessoal e envolvendo profissionais liberais (como estética, *personal training*, creches, serviços de limusines, consultoria e serviços jurídicos), o funcionário de contato executa todo o serviço sozinho. O serviço *é* o funcionário. Assim, o investimento no funcionário para fins de melhoria no serviço equivale a um investimento direto na melhoria de um bem manufaturado.

E ainda que o funcionário de contato não execute todo o serviço, ele *personifica a empresa prestadora, aos olhos do cliente*. Todos os funcionários de um escritório de advocacia ou de uma clínica de saúde – desde os profissionais que prestam o serviço até as recepcionistas e os funcionários dos escritórios – representam a empresa para o cliente, e tudo o que estas pessoas fazem ou dizem pode influenciar as percepções construídas sobre a organização. Mesmo os funcionários que não estejam desempenhando suas funções, como comissários de bordo ou funcionários de restaurantes de folga, têm reflexos nas organizações em que trabalham. Se faltarem com o profissionalismo, ou fizerem comentários indelicados sobre ou dirigidos aos clientes, as percepções destes sobre a organização sofrerão, mesmo fora do horário de trabalho. A Disney Corporation insiste que seus funcionários mantenham atitudes e comportamentos "de cenário de serviços" sempre que estejam diante do público. Os funcionários podem abandonar estes comportamentos apenas quando estão de fato nos bastidores ou em túneis subterrâneos, fora de suas funções, quando os clientes não conseguem vê-los.

Os funcionários da prestação de serviços *são a marca*. Seja um consultor financeiro da Edward Jones, um colaborador do setor de vendas da Nordstrom, um comissário de bordo da Southwest Airlines, ou um atendente da loja de vestuário Abercrombie & Fitch – em cada um destes casos, a primeira imagem que o cliente faz da empresa é formada pelas interações que ele tem com os funcionários. Um cliente vê a Edward Jones como uma excelente prestadora de serviços financeiros se os funcionários com quem ele interage demonstram conhecimento, compreensão e preocupação com sua situação e objetivos financeiros. Da mesma forma, um cliente vê a Nordstrom como uma empresa profissional e empática em função das interações que mantém com os vendedores. A Southwest Airlines prefere funcionários extrovertidos e divertidos, enquanto a Abercrombie & Fitch escolhe pessoas com determinado "visual". A varejista *on-line* Zappos dá prioridade especial a seu processo de contratação em sua estratégia de *branding*, e avalia os candidatos com base em sua capacidade de atuar como embaixadores da marca.[15] Essas companhias entendem que a imagem da marca não é construída e mantida apenas com os produtos que vende e a propaganda: ela é função das pessoas que trabalham para elas. As estratégias que reconhecem o poder dos funcionários na geração de uma marca são chamadas de *branded customer service* (serviço ao cliente baseado na marca).[16] Para as empresas que utilizam essas estratégias, os funcionários são verdadeiramente "a marca", e representam a imagem que a companhia está querendo criar na mente de seus clientes.

Uma vez que os funcionários representam a organização e são capazes de influenciar diretamente a satisfação do cliente, eles *desempenham o papel de profissionais de marketing*. Eles são a manifestação física do produto, verdadeiros *outdoors* com braços e pernas, do ponto de vista publicitário. Alguns funcionários da prestação de serviços muitas vezes desempenham papéis mais tradicionais do departamento de vendas. Por exemplo, os caixas de banco são recrutados para vender outros produtos, o que se distancia do papel tradicional, voltado apenas para funções operacionais. Neste capítulo examinamos estruturas, ferramentas e estratégias para garantir que os funcionários de serviço desempenhem suas funções de marketing a contento.

O triângulo dos serviços

O marketing de serviços trata de promessas – promessas feitas e promessas cumpridas para os clientes. Uma estrutura conhecida como *triângulo dos serviços* (ilustrada na Figura 11.1) reforça visualmente a importância das pessoas na capacidade das empresas de cumprir promessas e ter sucesso nos relacionamentos com seus clientes.[17] O triângulo mostra os três grupos interligados e que trabalham em conjunto para desenvolver, promover e executar serviços. Estes protagonistas principais estão identificados nos vértices do triângulo: a *companhia* (as unidades estratégicas de negócio*, os departamentos ou as "gerências"), os *clientes* e os *prestadores*. Os prestadores podem ser os funcionários as empresas subcontratadas ou terceirizadas pela empresa que prestam serviços por ela. Entre estes três vértices do triângulo, três tipos de marketing precisam ser executados com sucesso para que um serviço tenha êxito: marketing externo, marketing interativo e marketing interno.

O lado direito do triângulo mostra os esforços do *marketing externo* que a empresa adota no desenvolvimento das expectativas dos clientes e na elaboração das promessas em relação ao que deve ser executado. Qualquer fator ou pessoa que se comunique com o cliente antes da prestação do serviço pode ser visto como parte do departamento de marketing externo. Mas o marketing externo é apenas o começo para os profissionais de marketing de serviços: promessas precisam ser cumpridas. No lado inferior do triângulo vemos o que se chama de *marketing interativo* ou *marketing em tempo real*. Aqui as promessas são cumpridas ou não pelos funcionários da companhia, pelas empresas subcontratadas ou pelos agentes. Nesse momento as pessoas que representam a organização

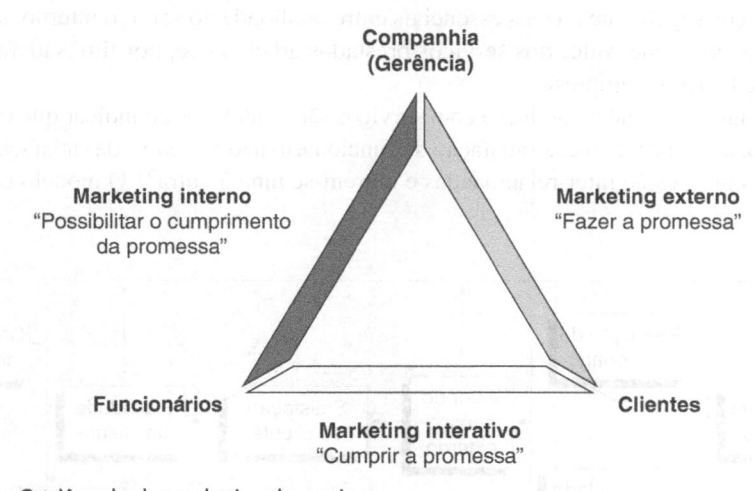

Figura 11.1 O triângulo do marketing de serviços.

Fontes: Adaptado de M. J. Bitner, "Building Service Relationships: It's All about Promises," *Journal of the Academy of Marketing Science* 23 (Fall 1995), pp. 7. C. Grönroos, *Service Management and Marketing: A Customer Relationship Management Approach*, 2nd ed. (West Sussex, England: John Wiley and Sons, Ltd., 2000), p. 55; e P. Kotler and K. L. Keller, *Marketing Management*, 14th ed. (Upper Saddle River, NJ: Pearson Prentice Hall, 2012), p. 365.

---

* N. de T.: Em inglês, *Strategic Business Units* ou SBU.

são essenciais. Se as promessas não forem cumpridas, os clientes sentem-se insatisfeitos e acabam deixando a companhia. O lado esquerdo do triângulo indica o papel crítico desempenhado pelo *marketing interno*. A gerência se engaja nestas atividades a fim de auxiliar os prestadores de serviço na execução da promessa de serviço: recrutando, treinando, motivando, recompensando funcionários e disponibilizando equipamentos e tecnologia. A menos que os funcionários da prestação de serviço sejam capazes e estejam motivados para executar o serviço com base nas promessas feitas, a empresa não terá êxito.

Todos os lados do triângulo são essenciais para completar o todo e precisam estar alinhados. Ou seja, que o que foi prometido pelo marketing externo deve ser idêntico ao que é executado. Além disso, as atividades internas na companhia que permitem a observância das promessas executadas precisam estar alinhadas ao que é esperado dos prestadores de serviço. As estratégias para alinhar o triângulo, sobretudo as associadas ao marketing interno, são o tema deste capítulo.

A satisfação dos funcionários, a satisfação dos clientes e o lucro

Funcionários satisfeitos geram clientes satisfeitos (e clientes satisfeitos podem, por sua vez, reforçar a noção de satisfação que estes funcionários sentem pelo trabalho que fazem). Algumas pesquisas foram mais longe e sugerem que quando os funcionários não se contentam com seu trabalho, a satisfação do cliente será mais difícil de ser alcançada.[18]

Por meio da pesquisa com clientes e funcionários de agências bancárias, Benjamin Schneider e David Bowen demonstraram que tanto *uma atmosfera de serviço* quanto *uma atmosfera de bem-estar do funcionário* estão fortemente correlacionadas com as percepções gerais da qualidade do serviço.[19] Isto é, tanto a atmosfera do serviço quanto a experiência em gestão de recursos humanos que os *funcionários* têm em suas organizações são refletidas no modo como os *clientes* vivenciam o serviço. Pesquisas semelhantes sugerem que os funcionários que se sentem tratados de modo justo por seus empregadores tratam melhor os clientes, o que resulta em maior satisfação para estes.[20]

A lógica por trás da relação entre satisfação do funcionário e satisfação e fidelidade do cliente – e, em última análise, os lucros da companhia – é ilustrada pela *cadeia do lucro com serviços* da Figura 11.2.[21] Nos capítulos anteriores concentramos nossas atenções na satisfação e na retenção do cliente; neste capítulo analisamos as questões envolvendo os funcionários. A cadeia de lucro com serviços sugere que há elos essenciais entre qualidade do serviço interno, satisfação do funcionário/produtividade, valor dos serviços prestados ao cliente e, por fim, satisfação e retenção do cliente e lucros da empresa.

Os pesquisadores da cadeia do lucro com serviços são cautelosos ao indicar que o modelo não sugere uma relação causal. Isto é, a satisfação do funcionário não é a *causa* da satisfação do cliente. Ao contrário, as duas estão inter-relacionadas e nutrem-se uma à outra.[22] O modelo sugere que as

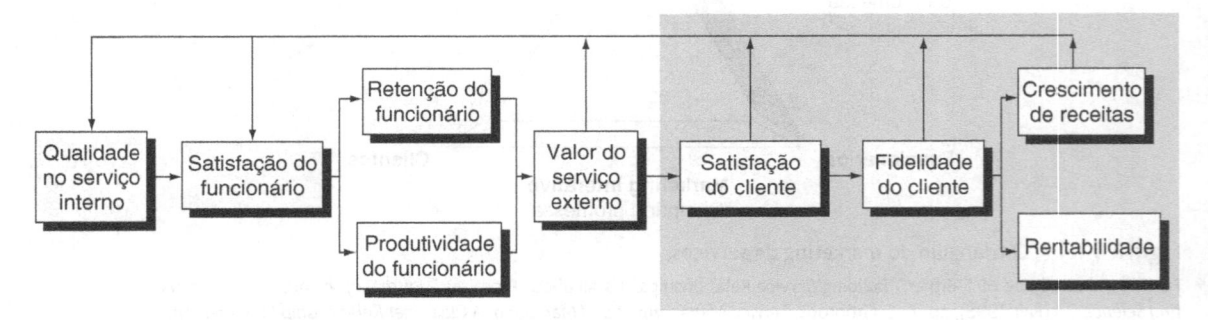

Figura 11.2 A cadeia do lucro com serviços.

Fonte: Adaptado e reimpresso com permissão da *Harvard Business Review*, trecho de J. L. Heskett, T. O. Jones, G. W. Loveman, W. E. Sasser Jr., and L. A. Schlesinger, "Putting the Service-Profit Chain to Work," *Harvard Business Review* 72 (March–April 1994), pp. 164–174. Direitos autorais (1994) da The Harvard Business School Publishing Corporation; todos os direitos reservados.

companhias que exibem altos níveis de sucesso com os seus elementos terão mais sucesso ou lucro do que as que não demonstram esses indicadores. Estudos descobriram que a lista das "100 Melhores Empresas para Trabalhar nos Estados Unidos" da revista *Fortune* fornecem lucros anuais mais altos (que mais que dobraram ao longo da última década!) aos acionistas, em comparação com as empresas que entram na Standard and Poor's 500.[23]

O efeito dos comportamentos dos funcionários nas dimensões da qualidade do serviço

As percepções que os clientes constroem acerca da qualidade do serviço são afetadas pelo comportamento dos funcionários, focado no cliente.[24] Na verdade, todas as dimensões da qualidade do serviço (confiabilidade, responsividade, segurança, empatia e tangíveis) são diretamente influenciadas pelos funcionários do serviço.

A execução do serviço tal como prometido – a *confiabilidade* – muitas vezes é totalmente controlada pelos funcionários da linha de frente. Mesmo no caso de serviços automatizados (como caixas eletrônicos, máquinas de emissão automática de tíquetes ou bombas de gasolina de autoatendimento), os funcionários presentes nos bastidores são essenciais para dar certeza de que todos os sistemas estão funcionando adequadamente. No momento em que os serviços falham ou em que ocorrem erros, os funcionários são essenciais para consertar as coisas. Nessa situação, eles recorrem ao julgamento próprio a fim de determinar o melhor curso de ação para a recuperação do serviço.

O funcionário da linha de frente também influencia diretamente as percepções do cliente quanto à *responsividade*, por meio de sua disposição pessoal de auxiliá-lo e de sua prontidão em atendê-lo. Consideremos as respostas que você recebe de diferentes atendentes de uma loja do setor varejista, em uma situação em que você precisa de ajuda para encontrar um dado item de vestuário. Um funcionário talvez ignore sua presença, ao passo que outro pode se oferecer para ajudar na procura e mesmo telefonar para outras lojas a fim de localizar o item. Um terceiro funcionário o auxilia de forma imediata e eficaz, enquanto uma quarta pessoa talvez seja mais lenta até para atender ao mais simples dos pedidos.

A dimensão da *segurança* da qualidade do serviço depende da capacidade dos funcionários em veicular credibilidade e inspirar a confiança e a fé que o cliente deposita na empresa. A reputação da companhia ajuda, mas no final das contas são os funcionários com quem o cliente interage que confirmam e constroem a confiança na organização, ou detratam esta reputação, arruinando sua credibilidade. No caso de organizações entrantes ou desconhecidas, a credibilidade, a fé e a confiança estão totalmente relacionadas às ações dos funcionários.

É difícil imaginar como uma organização oferece "atenção dedicada e individualizada" aos clientes sem a participação de seus funcionários. A *empatia* implica a necessidade de os funcionários prestarem atenção, de escutarem, efetuarem adaptações e serem flexíveis ao executar o que cada um dos clientes precisa.[25] Por exemplo, as pesquisas mostram que no caso de os funcionários terem suas atenções voltadas para os clientes, de estarem em harmonia com eles e demonstrarem capacidades relativas à atenção e à percepção, esses clientes fornecerão avaliações mais positivas sobre o serviço e estarão mais propensos a retornar a fazer negócios com esta empresa.[26] A aparência e os trajes dos funcionários são aspectos importantes da dimensão *tangíveis* da qualidade, além de outros fatores que não dependem dos funcionários do serviço, como a instalação, a decoração, as brochuras oferecidas e a sinalização.

O PAPEL DE SOLUCIONADOR DE PROBLEMAS

O foco deste capítulo está nos funcionários da linha de frente do serviço que interagem diretamente com os clientes, embora muito do que foi descrito e recomendado possa ser aplicado também a funcionários da prestação de serviços internos. Os funcionários da linha de frente são chamados de *so-*

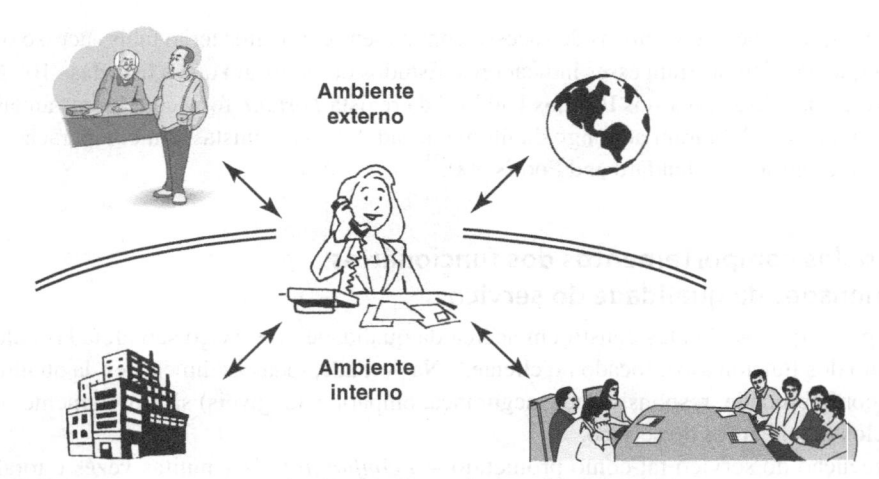

Figura 11.3 Os papéis essenciais dos funcionários solucionadores de problemas.

lucionadores de problemas, pois trabalham nas fronteiras operacionais da organização. Como mostra a Figura 11.3, os solucionadores de problemas formam o elo entre o cliente externo, o ambiente e as operações internas da companhia. Eles atuam em funções críticas relativas à compreensão, triagem e interpretação das informações e dos recursos da e para a organização, além de terceiros.

Quem são estes solucionadores de problemas? Quais são os perfis de pessoas e cargos que formam os principais papéis dessa categoria? Suas habilidades e expectativas cobrem todo o espectro de cargos e carreiras. Em setores como o de *fast food*, hotéis, telecomunicações e varejo, os solucionadores de problemas são em geral os funcionários menos capacitados e que recebem os menores salários na organização. Eles são estafetas, funcionários de balcão, telefonistas, vendedores, motoristas de caminhão e entregadores. Em outros setores, os solucionadores de problemas são bem remunerados e têm alto nível educacional, como médicos, advogados, contadores, consultores, arquitetos e professores.

Independentemente do nível de capacitação ou remuneração, os cargos de solucionadores de problemas são muitas vezes de alto estresse. Além da capacitação mental e física, esses cargos requerem níveis extraordinários de trabalho emocional e com frequência demandam a capacidade de lidar com conflitos interpessoais e interorganizacionais. Além disso, estes papéis exigem que o funcionário estabeleça o melhor equilíbrio entre vantagens e desvantagens para a qualidade e a produtividade no exercício do cargo. O estresse e o esforço para equilibrar esses fatores podem resultar na falha em executar os serviços de acordo com o especificado, o que alarga a lacuna do desempenho do serviço.

O trabalho emocional

O termo *trabalho emocional* foi cunhado por Arlie Hochschild para designar o trabalho que ultrapassa as capacitações mentais ou físicas necessárias à prestação de serviços de qualidade.[27] Em geral, os funcionários solucionadores de problemas devem alinhar as emoções que demonstram com as emoções desejadas pela organização por meio de seu trabalho emocional.[28] Este trabalho inclui sorrir, estabelecer contato visual, demonstrar interesse sincero e iniciar uma conversa amigável com pessoas estranhas e que podem ou não ser vistas novamente. Cordialidade, gentileza, empatia e responsividade voltadas para o cliente são fatores que requerem um imenso volume de trabalho emocional de parte dos funcionários da linha de frente, que arcam com esta responsabilidade em nome da organização. O trabalho emocional baseia-se nos sentimentos das pessoas (muitas vezes exigindo que suprimam seus verdadeiros sentimentos), para que desempenhem suas tarefas com eficácia. Um funcionário da linha de frente que tem um dia ruim ou que não se sente bem continua com a responsabilidade de representar a companhia ao tratar com os clientes. Um dos exemplos mais claros do trabalho emocional é a história (cuja autenticidade provavelmente é duvidosa) da comissária de bordo que foi chamada por um executivo que lhe disse: "Vamos sorrir um pouco", "Ok", respondeu ela, "Vamos fazer assim, primeiro o senhor sorri, depois eu". "Ótimo", respondeu a aeromoça, e acrescentou "Agora, senhor, mantenha esse sorriso no rosto por 15 horas", e dirigiu-se para outro ponto da aeronave.[29]

Muitas destas estratégias serão discutidas posteriormente neste capítulo e poderão auxiliar uma empresa e seus funcionários a lidar com as realidades do trabalho emocional no desempenho de funções. Do ponto de vista da organização, essas estratégias incluem a criteriosa seleção de pessoas capazes de suportar o estresse emocional, o treinamento nas habilidades relacionadas (como escutar e resolver problemas), o ensino e a oferta de capacitação para o enfrentamento destes problemas, além de outras estratégias (rotação de cargos, férias programadas, trabalho em equipe ou outras técnicas semelhantes).[30] A seção Visão Estratégica descreve algumas estratégias de trabalho emocional adotadas por empresas do setor de serviços.

As fontes de conflito

Os funcionários de contato com o cliente enfrentam conflitos de ordem interpessoal e interorganizacional. Se não forem tratadas, a frustração e a confusão que sentem podem causar estresse e insatisfação com o trabalho, diminuir a capacidade de atender a clientes e até gerar uma estafa.[31] Em função de representarem o cliente para a organização e muitas vezes precisarem administrar diversos clientes ao mesmo tempo, estes funcionários inevitavelmente têm de lidar com conflitos, que incluem aqueles entre pessoa e papel desempenhado, entre organização e cliente, e entre os próprios clientes, conforme abordamos nas próximas seções.[32]

O conflito entre a pessoa e o papel desempenhado

Em algumas situações, os funcionários solucionadores de problemas presenciam o conflito entre o que são solicitados a fazer e suas próprias personalidades, orientações e valores. Em uma sociedade como a norte-americana, em que igualdade de oportunidades e individualismo são valores fortemente preconizados, as pessoas que trabalham na prestação de serviços sentem o conflito do papel desempenhado quando são requisitadas a subjugar seus próprios sentimentos ou crenças, como no caso em que têm ordens de atuar de acordo com o lema: "O cliente sempre tem razão, ainda que ele esteja errado". Às vezes, o conflito ocorre entre as exigências do papel e a autoimagem ou a autoestima do funcionário. Um especialista em serviços israelense contribui com um exemplo clássico da cultura em seu país:

> Em Israel, por exemplo, a maioria dos ônibus é conduzida por um homem, que também tem a responsabilidade de vender as passagens. Não há uma bandeja em que o dinheiro da passagem possa ser depositado e muitos motoristas reclamam da sensação de parecerem mendigos ao estenderem a mão para receber o valor diretamente da mão do passageiro. Outro exemplo típico em ônibus israelenses é observado quando uma moeda acidentalmente cai no piso. A questão (de quem é a responsabilidade de se abaixar para juntá-la, do passageiro ou do motorista?) reflete claramente o conflito do papel desempenhado pelo motorista.[33]

Quem quer que se abaixe para recolher a moeda está assumindo um papel subserviente.

O conflito entre pessoa e papel desempenhado ocorre também quando os funcionários são solicitados a usar um determinado tipo de vestimenta ou a alterar algum aspecto de sua aparência. Um jovem advogado recém-formado talvez sinta um conflito interno com seu novo papel no momento em que seu empregador exige que ele corte o cabelo e troque seus trajes informais por terno e gravata.

O conflito entre a organização e o cliente

Um tipo mais comum de conflito para funcionários da linha de frente é aquele visto entre seus dois chefes, a organização e o cliente. Os funcionários de serviço via de regra são recompensados por obedecerem certos padrões, regras e procedimentos. Em uma situação ideal, essas regras e padrões

> ## Visão estratégica   As estratégias para administrar o trabalho emocional
>
> Os funcionários em contato com o cliente na prestação de serviços são muitas vezes solicitados a demonstrar (ou a ocultar) várias emoções. Hoje esses funcionários precisam investir uma identidade e uma expressão pessoal a seu trabalho, em diversas situações. A descrição a seguir mostra como a experiência do funcionário de serviço, até nas tarefas mais rotineiras, tem marcantes diferenças em comparação à experiência acumulada por um trabalhador típico do setor manufatureiro:
>
> > O funcionário de uma linha de montagem não precisa esconder o ódio que sente por seu trabalho, o desprezo que nutre por seus superiores, nem o descontentamento com seus colegas e, embora tal situação não seja agradável, se ele [finaliza] com eficiência as tarefas que lhe são designadas, sua atitude é um problema dele. No caso do funcionário da prestação de serviços, assumir suas tarefas significa, no mínimo, fingir gostar do que faz e, no máximo, entregar-se de corpo e alma ao trabalho, gostar do que faz, e demonstrar genuíno interesse pelas pessoas com quem ele interage.*
>
> O trabalho emocional ocorre quando as tarefas requerem contato frequente e de longa duração ou contato pessoal com os clientes. Estes funcionários muitas vezes necessitam administrar seus sentimentos para lidar com estas situações. Ainda neste capítulo sugerimos diversas estratégias para a geração de um ambiente que auxilie os funcionários a lidar com as realidades do trabalho emocional dentro da empresa. Agora, apresentamos algumas estratégias que as empresas adotam como forma de apoio direto aos esforços do funcionário no sentido de administrar suas emoções diante de clientes exigentes, desagradáveis e difíceis.
>
> **A triagem por habilidades com relação ao trabalho emocional**
>
> Muitas empresas tentam contratar funcionários bem preparados para atender às exigências do trabalho emocional em suas tarefas. A Dungarvin, uma organização que presta uma variedade de serviços a pessoas com deficiências físicas e mentais, apresenta uma descrição realista do cargo em seu *site*. A intenção é deixar claro que a empresa identificará os candidatos que sentem-se confortáveis com as demandas emocionais exigidas dos funcionários que precisam interagir regularmente com clientes portadores de necessidades especiais. Os *call centers* muitas vezes oferecem aos candidatos uma ideia clara das obrigações relativas a cada cargo, a fim de que eles mensurem suas capacitações para exercer o trabalho emocional envolvido na interação com os clientes da companhia – muitas vezes frustrados e infelizes – continuamente. Essas simulações de contatos com clientes também permitem à companhia avaliar o nível de cordialidade e gentileza que os candidatos demonstram de forma espontânea. Práticas como essas ajudam a identificar os funcionários cujos valores, background e personalidades encaixam-se às exigências em termos de trabalho emocional.
>
> **O ensino dos comportamentos adequados e das habilidades de controle das emoções**
>
> A maioria dos funcionários de contato com os clientes são instruídos sobre a necessidade de serem corteses. Porém, os clientes não têm obrigação de retribuir simpatia ou gentilezas aos funcionários. Em situações em que os clientes praticam o privilégio presente no lema "o cliente sempre tem razão", os funcionários deparam-se com desafios quanto à repressão de seus verdadeiros sentimentos. É raro ver empresas oferecerem o treinamento adequado em auxílio aos funcionários que enfrentam estes desafios. Arlie Hochschild identifica duas formas de trabalho emocional. A primeira é a *atuação superficial*, em que os funcionários dissimulam emoções que não estão de fato presentes e, ao fazê-lo, suprimem sentimentos reais ou fingem a existência de sentimentos irreais. A segunda é chamada *atuação profunda*, em que os funcionários tentam vivenciar os sentimentos reais que são solicitados (ou ordenados) a expressar diante de seus clientes. Esses sentimentos incluem a evocação ativa de pensamentos, imagens e lembranças com o intuito de despertar a emoção associada à situação. Atendentes do varejo e comissários de bordo muitas vezes são encorajados a adotarem estratégias de atuação profunda, como se o cliente fosse um amigo ou se o passageiro fosse uma criança amedrontada que voa pela primeira vez.
>
> ---
>
> * Reproduzido de C. L. Macdonald and C. Sirianni, *Working in the Service Society*. (Philadelphia: Temple University Press, 1996), p. 4.

baseiam-se no cliente, conforme descrevemos no Capítulo 9. No caso de não serem, ou quando um cliente impõe demandas improcedentes, o funcionário tem de escolher entre seguir as regras da companhia ou atender as demandas impostas pelo cliente. Por exemplo, a gerência de uma empresa de contabilidade espera que um funcionário prepare as declarações do imposto de renda com rapidez, para maximizar receitas durante a curta temporada de declaração de impostos. Contudo, o outro chefe deste funcionário – o cliente – talvez esteja esperando atenção personalizada e uma expressiva parcela de tempo na preparação da declaração.[34] O conflito entre cliente e organização assume as maiores proporções quando um funcionário acredita que a organização está errada em suas políticas e precisa decidir se agrada o cliente, com o risco de perder seu emprego. Estes confli-

As empresas treinam seus funcionários também para evitar absorver o mau humor, por meio de dramatizações a fim de treinar a supressão de suas reações naturais de pagar as emoções negativas dos clientes na mesma moeda.

O criterioso planejamento da aparência do ambiente de trabalho

Conforme discutimos no Capítulo 10, o ambiente em que o serviço é prestado influencia os comportamentos e as emoções do funcionário. Os funcionários da MedAire, uma empresa que presta serviços de consultoria por telefone a companhias aéreas nos casos de emergência durante voos, regularmente encontram-se em situações com risco de morte. De forma a reduzir o estresse que seus funcionários enfrentam diariamente, a empresa projetou seu escritório em Tempe, Arizona, sem paredes, para que seus funcionários contemplem as árvores, a grama e os automóveis que passam na rua através de janelas de vidro. Com base nessa ideia, a JetBlue Airways permite que seus agentes encarregados de efetuar reservas trabalhem em casa, e não exige que fiquem sentados um dia inteiro em um escritório ou *call center*.

Os funcionários têm permissão de expressar seus sentimentos

Os funcionários que exercem trabalho emocional muitas vezes precisam de uma válvula de escape para desafogar emoções reprimidas. A permissão para expressar sentimentos faz os funcionários livrarem-se de frustrações. Se esta expressão for conduzida em grupo, ela traz apoio emocional e encorajamento, permite que os funcionários entendam que outras pessoas passam pelos mesmos problemas e dá uma mensagem de que a empresa está ciente e reconhece a sua contribuição emocional. A rede de hotéis Ritz-Carlton, a Walmart e outras companhias regularmente reservam tempo para esse tipo de expressão de emoções de seus funcionários. Além do benefício catártico trazido por essa experiência, outros funcionários revelam estratégias de resistência que considerem pessoalmente úteis.

A disponibilização de um intervalo a um funcionário

Em situações em que os funcionários têm contato prolongado em pessoa ou via voz com os clientes de uma empresa, uma estratégia particularmente útil consiste em oferecer-lhes um curto período de descanso para recuperar as energias. Muitas empresas com *call centers* de discagem gratuita efetuam a rotação de funcionários em diferentes cargos ao longo do dia para que não passem todo o seu tempo ao telefone com os clientes. Os funcionários de contato com clientes podem ser reenergizados e recuperados, por assim dizer, ao passarem um curto período de tempo longe de demandas ou situações difíceis, mesmo com alguns minutos de trabalho burocrático ou qualquer outra responsabilidade. Um *call center* da Austrália tem uma mesa de bilhar área de trabalho dos funcionários e exibe filmes enquanto eles trabalham em suas estações, para reduzir o estresse na interação com os clientes.

A transferência de clientes exigentes para os gerentes

Alguns clientes podem ser demais para um funcionário. Nesses casos, para aliviar a pressão sobre o funcionário de contato, as empresas têm a opção de transferir para os gerentes a responsabilidade de lidar com estes clientes. A Wing Zone, uma rede de restaurantes especializada em asinhas de frango, compreende o estresse que clientes zangados geram nos funcionários, muitos dos quais são estudantes universitários. A companhia recebe a maioria de seus pedidos por telefone e os funcionários – sobretudo os com pouca experiência – são treinados para simplesmente repassar os clientes exigentes para o gerente mais próximo. Por sua vez, um gerente que não tenha êxito ao lidar com um cliente desses redireciona-o ao escritório da companhia, por meio de um número de discagem gratuita.

Fontes: A. Hochschild, *The Managed Heart: Commercialization of Human Feeling* (Berkeley: University of California Press, 1983); B. F. Ashforth and R. H. Humphrey, "Emotional Labor in Service Roles: The Influence of Identity," *Academy of Management Review* 18 (1993), pp. 88–115; S. D. Pugh, "Service with a Smile: Emotional Contagion in the Service Encounter," *Academy of Management Journal* 44, no. 5 (2001), pp. 1018–1027; A. A. Grandey, "When 'The Show Must Go On': Surface Acting and Deep Acting as Determinants of Emotional Exhaustion and Peer-Rated Service Delivery," *Academy of Management Journal* 46, no. 1 (2003), pp. 86–96; e T. Hennig-Thurau, M. Groth, M. Paul, and D. D. Gremler, "Are All Smiles Created Equal? How Employee-Customer Emotional Contagion and Emotional Labor Impact Service Relationships," *Journal of Marketing* 70 (July 2006), pp. 58–73.

---

tos são especialmente graves em situações em que o funcionário da prestação de serviços depende de forma direta do cliente em termos de renda própria. Por exemplo, os funcionários que dependem de gorjetas ou comissões estão mais propensos a enfrentar maiores níveis de conflito entre organização e cliente, já que recebem maiores incentivos para se identificarem com o cliente.

Os conflitos entre clientes

Há vezes em que os funcionários solucionadores de problemas presenciam conflitos quando expectativas e exigências incompatíveis são expressas por dois ou mais clientes. Esta situação é vista, na maioria das vezes, no caso em que o prestador de serviços atende a clientes sucessivamente (um caixa de banco, um agente emissor de passagens, um médico) ou a vários clientes ao mesmo tempo (professores, funcionários da indústria do entretenimento).

Nas situações em que o funcionário atende a clientes no regime de turnos, ele satisfaz um cliente passando mais tempo com ele, customizando o serviço e sendo mais flexível quanto a suas necessidades. Ao mesmo tempo, os clientes que esperam para serem atendidos acabam sentindo maior insatisfação, já que suas necessidades não estão sendo tratadas em tempo oportuno. Além da questão do tempo, diferentes clientes talvez prefiram diferentes modos de execução de um mesmo serviço. Um cliente talvez prefira o reconhecimento pessoal e certo grau de familiaridade, enquanto outro pode ter como único objetivo a transação propriamente dita, com poucas interações interpessoais.

Ao atender diversos clientes ao mesmo tempo, os funcionários com frequência descobrem que é difícil ou impossível satisfazer todas as necessidades de um grupo de clientes heterogêneos. Este tipo de conflito fica evidente em todas as salas de aula de uma universidade, em que um professor precisa considerar as diversas expectativas dos alunos e as respectivas diferenças em termos de preferências, formatos e estilos. Esta situação também se verifica em um cenário do setor de entretenimento ou qualquer tipo de serviço de treinamento em grupo.

Os *trade-offs* entre qualidade e produtividade

Os funcionários da linha de frente dos serviços são solicitados a serem eficientes e eficazes: eles precisam executar serviços que satisfaçam aos clientes, com baixos custos e alta produtividade no que fazem. Por exemplo, um médico de um plano de saúde precisa atender seus pacientes de modo individual, com atenção e qualidade, ao mesmo tempo em que atende a certo número de pacientes dentro de um intervalo de tempo especificado. Uma operadora de caixa de supermercado deve conhecer seus clientes e ser polida e cortês sem deixar de processar os itens com precisão e promover o andamento dos clientes na fila com rapidez.[35] Um projetista de um escritório de arquitetura precisa gerar desenhos de qualidade, a um dado número em um determinado período de tempo. Esses *trade-offs* essenciais entre qualidade e quantidade, entre eficácia e eficiência máximas impõem demandas e pressões sobre esses funcionários da prestação de serviços. A tecnologia vem sendo utilizada cada vez mais para equilibrar os *trade-offs* entre qualidade e quantidade, para aumentar a produtividade dos funcionários de serviço e ao mesmo tempo mantê-los livres para prestarem serviços de alta qualidade junto ao cliente (veja a seção Tecnologia em Foco).

Um exemplo contundente do *trade-off* entre qualidade e produtividade foi testemunhado com os funcionários da Verizon, na Flórida. Eles estavam descontentes com a exigência da empresa de que um telefonema de serviço a um cliente ficasse dentro de certo intervalo de tempo, mesmo que a questão não fosse resolvida. Isto é, os funcionários perceberam que as prioridades do atendimento ao cliente estavam focadas na eficiência, não na solução do problema dos clientes da empresa. Os funcionários acabaram iniciando uma greve para sensibilizar a gerência da companhia no sentido de reconsiderar seus processos de serviço. Mais tarde, os clientes deram prova de que apoiavam a iniciativa dos funcionários.[36]

AS ESTRATÉGIAS PARA A EXECUÇÃO DE SERVIÇOS DE QUALIDADE POR INTERMÉDIO DE PESSOAS

Uma complexa combinação de estratégias é necessária para garantir que os funcionários da prestação de serviços conservem-se diligentes e capazes de executar serviços de qualidade – e motivados para desempenhar suas funções focados no cliente, com a mente concentrada no serviço propriamente dito. Essas estratégias que possibilitam as promessas do serviço são muitas vezes chamadas de *marketing interno*, como mostra o lado esquerdo da Figura 11.1.[37] Ao aproximar as decisões e estratégias relativas a recursos humanos, tendo em mente que o objetivo principal é motivar e capacitar os funcionários a concretizar com sucesso as promessas feitas aos clientes, uma organização evolui por meio da execução de serviços de qualidade prestados por seus funcionários. As estratégias apresentadas a seguir estão organizadas em torno de quatro temas básicos. Para montar uma mão de obra focada no cliente e voltada para o serviço, uma organização precisa: (1) contratar as pessoas certas, (2) desenvolver as pessoas de modo que possam prestar serviços de qualidade, (3) disponibilizar os sistemas de suporte necessários e (4) reter os melhores funcionários. Dentro de cada uma destas estratégias estão algumas orientações para a concretização destes objetivos, como mostra a Figura 11.4.

Contrate as pessoas certas

De forma a prestar serviços de qualidade com eficácia, atenção precisa ser dispensada ao recrutamento e à contratação das equipes de serviço. Essa atenção é contrária às noções tradicionais praticadas em muitos setores da prestação de serviços, em que as pessoas estão no degrau mais baixo da hierarquia corporativa e trabalham por salários bastante baixos. Na outra extremidade do espectro, nos serviços de profissionais liberais, os critérios de seleção mais importantes são via de regra o treinamento, o nível educacional e a experiência. Contudo, as organizações de sucesso querem mais que qualificação técnica em seus candidatos, a fim de avaliar também as orientações destas pessoas quanto a clientes e serviços. A Figura 11.4 mostra diversas maneiras de contratar as pessoas certas.

Concorra para ter as melhores pessoas

De forma a contar com as melhores pessoas para a prestação de serviços, uma empresa precisa identificá-las e competir com outras empresas para contratá-las. Leonard Berry e A. Parasuraman chamam esta abordagem de "competição pela fatia do mercado de talentos".[38] Eles sugerem que as empresas atuem como profissionais de marketing em suas empreitadas pelos melhores funcio-

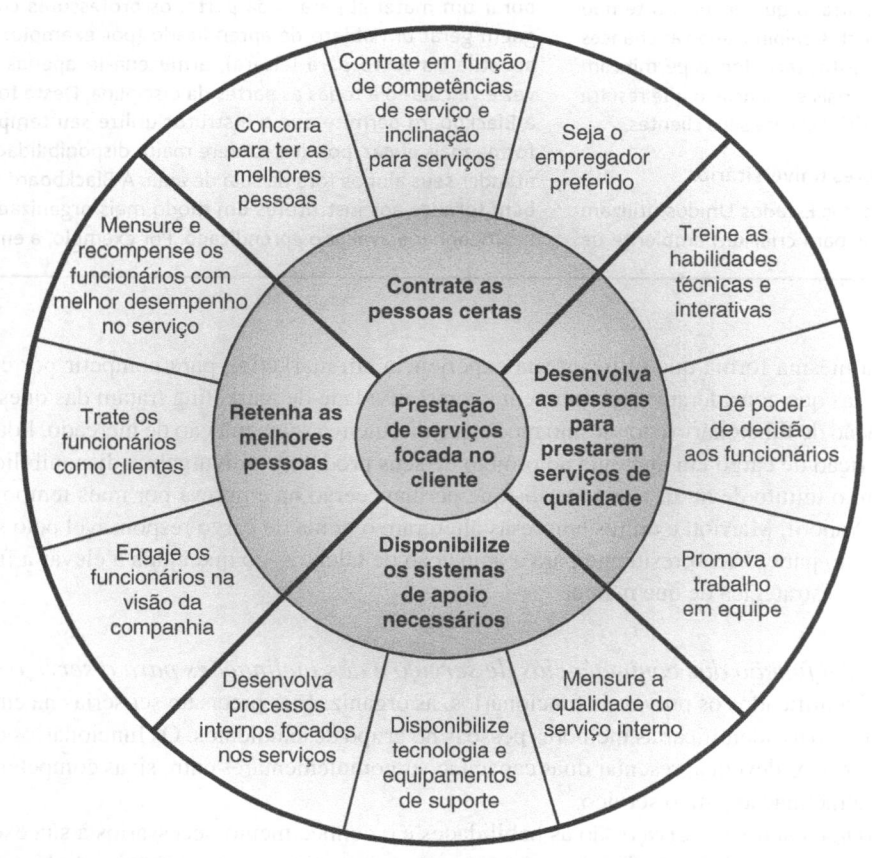

Figura 11.4 As estratégias de recursos humanos para a contratação de pessoas que prestarão serviços de qualidade.

> ### Tecnologia em foco — Como a tecnologia ajuda os funcionários a atender clientes com mais eficácia e eficiência
>
> **A tecnologia da otimização auxilia nos esforços por confiabilidade dos motoristas da UPS**
>
> A UPS entrega mais de 16 milhões de encomendas a cada dia. Ao longo do tempo, os motoristas da UPS adotaram mapas, cartões de anotações e as próprias lembranças para descobrir a melhor maneira de percorrer suas rotas. Contudo, para determinar as melhores rotas com mais eficiência, a UPS implementou um sistema de otimização de rotas de $600 milhões que, a cada noite, mapeia o cronograma para o dia seguinte, para a maioria de seus mais de 88 mil motoristas. Este *software* projeta cada rota de forma a minimizar o número de conversões à esquerda, o que reduz o tempo e os gastos com combustível nos semáforos. Este sistema também reduziu o período passado no trânsito em um dia ou mais em aproximadamente 3 milhões de códigos de endereçamento postal. A tecnologia adotada pela UPS permitiu à empresa controlar o conhecimento institucional acerca de seus clientes. Antes, quando os funcionários se aposentavam ou saíam da empresa, o conhecimento das técnicas de carregamento de encomendas ou de dicas de rotas que haviam acumulado ao longo dos anos iam com eles. Hoje, este conhecimento fica condensado em um sistema centralizado que encurta o tempo de treinamento de novos motoristas, minimizando as chances de lapsos no serviço ao cliente. Estas tecnologias permitiram à UPS percorrer suas rotas com mais eficiência, o que resulta em entregas mais rápidas e confiáveis para seus clientes.
>
> **A Blackboard auxilia professores universitários**
>
> As universidades dentro e fora dos Estados Unidos utilizam a Internet e outras tecnologias para criar um ambiente de ensino em rede em seus campi. Uma das ferramentas empregadas, a Blackboard, disponibiliza uma estrutura que aumenta a eficácia e a eficiência do professor. Por exemplo, a Blackboard ajuda instrutores a organizar quase todo o material didático. Entre as capacitações relativas à gestão de disciplinas estão a armazenagem eletrônica e o acesso controlado a materiais (textos, ementas, tarefas de casa, questões para discussão), a gestão dos grupos de discussão em sala de aula, a coleta dos trabalhos acadêmicos dos estudantes, a aplicação de questionários e testes *on-line*, o controle de trabalhos em grupo, a disponibilização dos conceitos *on-line*, entre outras possibilidades de serviço. Com efeito, a maior parte das tarefas administrativas exigidas dos professores pode ser deixada a cargo da Blackboard. Os alunos também são beneficiados por terem uma única fonte de acesso aos materiais didáticos, por receberem informações atualizadas sobre as disciplinas e por entregarem seus trabalhos acadêmicos sem perturbar os professores com questões administrativas.
>
> A Blackboard oferece aos instrutores a capacidade de administrar muitas partes de uma disciplina. Em vez de elaborar um material para cada parte, os professores conseguem gerar um objeto de aprendizado (por exemplo, uma apostila ou texto para leitura), armazená-lo apenas uma vez e vinculá-lo a todas as partes da disciplina. Desta forma, a Blackboard permite que o instrutor utilize seu tempo de forma mais eficaz, pois lhe confere maior disponibilidade de atender seus alunos fora da sala de aula. A Blackboard também fornece aos instrutores um modo mais organizado de acompanhar e avaliar o aprendizado. Por exemplo, a empre-

nários, da mesma forma que utilizam sua experiência em marketing para competir por clientes. As empresas que consideram o recrutamento como atividade de marketing tratam das questões de segmentação de funcionários do mesmo modo que discutem a segmentação de mercado, lidam com uma descrição de cargo em analogia ao projeto de seus produtos, e divulgam a disponibilidade de vagas com o intuito de atrair funcionários que permanecerão na empresa por mais tempo. Intuit, Harrah's, Yahoo!, Marriott e outras empresas alteraram o nome do cargo responsável pelo setor de recrutamento para "Vice-presidente para a aquisição de talentos", o que ajuda a elevar a função à importância estratégica de que merece.

Contrate em função das competências de serviço e das inclinações para o serviço
Uma vez identificados os prováveis funcionários, as organizações precisam ser sérias na entrevista e na triagem, para identificar as melhores pessoas no grupo de candidatos. Os funcionários da prestação de serviços devem apresentar duas capacitações complementares entre si: as competências de serviço e a inclinação para o serviço.[39]

As *competências de serviço* são as habilidades e o conhecimento necessários à sua execução. Em muitos casos, os funcionários demonstram estas competências ao receberem diplomas e certificados relativos a cursos, como o bacharelado em direito e a aprovação no exame da ordem dos

> sa apresenta uma opção de portfólio eletrônico, um repositório *on-line* para armazenar os trabalhos acadêmicos, o que facilita avaliar o progresso de um aluno em uma disciplina.
>
> **Prontuários eletrônicos auxiliam as equipes médicas da Clínica Mayo**
>
> A Clínica Mayo já foi descrita como uma das marcas da prestação de serviço mais poderosas em todo o mundo, e sem dúvida é a marca-líder em serviços de saúde nos Estados Unidos. Embora haja diversas razões para esta reputação (conforme vimos em outros trechos deste livro), a tecnologia desempenha um papel preponderante na capacidade da empresa de prestar serviços de saúde de qualidade a seus pacientes com sérias necessidades, como tratamento para o câncer, cirurgia cardíaca e neurocirurgia. A companhia investiu $18 milhões em sua sede de Jacksonville, Flórida, ao longo da última década. Os investimentos foram destinados a tecnologias da computação, com foco especial em prontuários eletrônicos. Como na maioria dos hospitais, o sistema de internação da Mayo é bastante complexo e exige que os esforços de tratamento sejam coordenados entre diferentes departamentos e especialistas. Os diversos sistemas necessários para o cuidado, que incluem farmácia, laboratório e monitoramento de pacientes, precisam estar interconectados e em funcionamento nas 24 horas do dia, sete dias por semana, sem interrupções.
>
> O sistema de registro de internações permite aos médicos solicitar exames, tratamentos e medicamentos. No momento da internação, o sistema automaticamente lança uma série de atividades associadas com o cuidado ao paciente. Por exemplo, consideremos uma pessoa sendo internada no departamento de oncologia para tratamento de um câncer. Um médico emite um pedido para que o paciente receba um medicamento contra náusea 30 minutos antes do começo da sessão de quimioterapia e, posteriormente, três medicações em momentos especificados e em ordem predefinida. O médico também prescreve que o tratamento seja repetido a cada 12 horas. O sistema de internação da Mayo automaticamente notifica médicos, farmacêuticos e outros funcionários do hospital quando um tratamento em especial precisa ser executado e controla as dosagens e a via de administração (por exemplo, via oral ou intravenosa).
>
> Além da economia da ordem de $7 milhões em sua unidade de Jacksonville, o sistema aumenta a eficácia das equipes médicas da Clínica Mayo e, portanto, melhora o tratamento aos pacientes. Por exemplo, quando os resultados de novos exames são registrados no prontuário de um paciente, eles são visualmente identificados, para que uma enfermeira ou médico possam vê-los de imediato. Assim, as equipes médicas passam menos tempo esperando ou procurando informações sobre seus pacientes. Com a adoção de prontuários eletrônicos, a Clínica Mayo descobriu que o cronograma dos funcionários poderia ser mais bem coordenado quanto ao cuidado de pacientes que sofrem de doenças crônicas. Estes prontuários eletrônicos permitem que as equipes médicas sejam mais eficientes e eficazes na prestação de serviços de saúde de qualidade.
>
> **Fontes:** D. Foust, "How Technology Delivers for UPS," BusinessWeek (March 5, 2007), p. 60; 2010 UPS Annual Report; L. L. Berry and K. D. Seltman, "Building a Strong Services Brand: Lessons from Mayo Clinic," *Business Horizons* 50 (May–June 2007), pp. 199–209; and A. M. Virzi, "A Complex Operation," *Baseline* (October 2006), pp. 56–59.

advogados da região. Ritos de passagem semelhantes são exigidos de médicos, pilotos da aviação civil, professores universitários e muitas outras pessoas que buscam empregos antes mesmo de uma entrevista no campo de atividade em questão. Em outros casos, as competências de serviços podem não estar relacionadas à educação formal, mas a demandas na esfera da inteligência ou do desempenho físico. Um funcionário de uma loja, por exemplo, deve ter conhecimentos de matemática e a capacidade de operar uma caixa registradora.

Diante da natureza multidimensional da qualidade do serviço, os funcionários do setor precisam passar por uma triagem que considere outros aspectos, além de suas competências de serviço. Eles devem ser avaliados em termos de sua *inclinação para serviços* – ou seja, do seu interesse em executar tarefas de prestação de serviços – algo que se reflete em suas atitudes em relação aos serviços e na orientação no sentido de atender a clientes e outras pessoas no exercício do cargo que conquistaram.[40] A autosseleção sugere que a maior parte das tarefas em serviços seleciona os candidatos com algum grau de inclinação para o trabalho em questão, e que a maioria dos funcionários nas organizações do setor demonstra alguma tendência para a prestação de serviços. Porém, alguns funcionários claramente demonstram maior disposição para a prestação de serviços do que outros. Pesquisas revelam que a eficácia em serviços tem correlação com as características de personalidade voltadas para o serviço, como obsequiosidade, reflexão e sociabilidade,[41] e que as melhores

Quadro 11.1 — O Google rapidamente se torna o empregador preferido no setor em que atua

Em 1996, os fundadores do Google, Larry Page e Sergey Brin, desenvolveram uma nova abordagem para a pesquisa *on-line*. A estratégia nasceu em um quarto de uma das casas de estudantes da Universidade de Stanford, e rapidamente espalhou-se a todas as pessoas que buscavam algum tipo de informação em todo o mundo. Page e Brin prosseguiram com o processo de refinamento de sua abordagem à busca e, em 1998, formaram o Google – o maior *site* de busca do mundo – um serviço grátis, fácil de usar e que exibe seus resultados em uma fração de segundos. Em 2011, o Google já estava disponível em 180 domínios e em mais de 130 idiomas.

Em pouco tempo de vida, o Google alcançou a posição de empregador preferido, e foi classificado em primeiro lugar na lista das 100 melhores empresas para trabalhar da revista *Fortune*, em 2007 (o primeiro ano em que a companhia ganhou elegibilidade para a lista) e 2008. Um estudo relata que um em cada quatro jovens profissionais deseja trabalhar na empresa. O Google empregou várias abordagens para se tornar a empresa de escolha para mais de 20 mil pessoas em todo o mundo, que incluem:

- O *Googleplex* – A matriz mundial do Google, em Mountain View, na Califórnia, atrai e retém os "Googlers" (como são chamados os funcionários da companhia). Algumas das principais características do prédio, mostradas no *site* da companhia, incluem um saguão com um piano, abajures tipo "lava" e projeções em telão ao vivo, mostrando telas de busca de pessoas que acessam o Google em todo o mundo. Nos corredores há bicicletas, grandes bolas de borracha para exercícios, além de recortes de jornal de todo o mundo fixados em quadros de avisos. Uma imagem rotativa tridimensional do mundo gira entre pontos de luz que representam buscas em tempo real e que se elevam da superfície do globo, para lançarem-se no espaço, em cores diferentes para cada idioma e para padrões de tráfego em toda a Internet.

Os funcionários do Google trabalhando juntos no átrio da companhia.

---

companhias do setor de serviços dão grande ênfase à contratação de pessoas com estas atitudes positivas do que àquelas com um conjunto específico de atributos.[42] Um processo ideal de seleção de funcionários para a prestação de serviços avalia tanto as competências quanto as inclinações para o serviço, o que acarreta contratações de pessoas de bom nível em ambas as dimensões.

Além das tradicionais entrevistas de emprego, muitas companhias recorrem a abordagens inovadoras na avaliação da inclinação para serviços e de outras características pessoais indicadas para suas necessidades. A Southwest Airlines busca pessoas que demonstrem paixão e bom senso, senso de humor, uma atitude de "é possível fazer" e uma noção igualitária de si mesmas (elas pensam em termos de "nós", não de "eu"). A empresa avalia estas inclinações para serviços ao entrevistar diversos candidatos ao cargo de comissário de bordo em grupos, para observar o modo como estas pessoas interagem umas com as outras. Os pilotos também são entrevistados em grupos, para averiguar suas habilidades em termos de trabalho em equipe, um fator essencial, além das habilidades técnicas que precisam demonstrar.[43]

Seja o empregador preferido das pessoas
Uma das maneiras de atrair as melhores pessoas consiste em saber qual é o melhor empregador em um dado setor ou em um dado local. A UPS regularmente conduz pesquisas junto a seus funcionários para criar um "Índice de Empregador do Mês" e define objetivos anuais para se manter nessa posição.[44] O Google, *site* de busca que oferece acesso a informações via Internet utilizado

- *Instalações para a recreação* – O Google disponibiliza uma sala de exercícios físicos com pesos e remos secos, além de vestiários, máquinas de lavar e secar roupas, salas de massagens, diferentes vídeo games, mesas de pebolim, um piano de cauda infantil, uma mesa de bilhar e uma de pingue-pongue. Além disso, o estacionamento vira uma quadra de *hockey* duas vezes por semana.
- *Instalações para refeições* – Além de oferecer três refeições a todos os seus funcionários, o Google tem 11 cafeterias de alto padrão e com produtos gratuitos em sua matriz. Os bares no interior da empresa são chamados de "Charlie's Grill," "Back to Albuquerque," "East Meets West" e "Vegheads." Salas para o consumo de lanches disponibilizam diversos tipos de cereais, balas de goma, M&Ms, balas de caramelo, alcaçuz e castanhas de caju, iogurte, cenouras, frutas frescas e outras delícias, bem como bebidas diversas, sucos frescos, refrigerantes e cappuccino "faça você mesmo".
- *Serviços para funcionários* – Inúmeros serviços são oferecidos aos Googlers. Por exemplo, serviços de lavagem de automóveis e troca de óleo estão entre as diversas vantagens que a companhia dá a seus funcionários. Também é possível ir a um salão de beleza para cortar o cabelo. Os funcionários podem frequentar aulas de exercícios físicos subsidiadas pela empresa, receber uma massagem, ter aulas de mandarim, japonês, espanhol ou francês, e solicitar que um funcionário exclusivo faça reservas para jantares. Outros serviços incluem creches, cartórios no local, além de cinco médicos disponíveis para exames de check-up, tudo de graça. Além disso, quando se deslocam de casa para o escritório e *vice-versa*, os funcionários utilizam ônibus grátis, com sistema Wi-Fi, a partir de cinco bairros na região da Baía de São Francisco.
- *Outras vantagens* – Há diversos outros benefícios. Os funcionários que adquirem um automóvel híbrido recebem $5 mil em prêmio. Toda sexta-feira tem festa, sempre com uma banda ao vivo. Além disso, os funcionários frequentemente fazem o "Dia do Pijama", em que vão trabalhar com seus trajes de dormir. Salas de amamentação completas com amamentadores (para que as mães não precisem levar o equipamento de casa) também são oferecidas. Todos os engenheiros do Google devotam 20% de seu tempo para pesquisar projetos próprios – o Gmail, o Google News e o Google Finance são todos resultados destas atividades.

Não causa surpresa que o Google receba mais de 3 mil currículos por dia. Contudo, com todos estes benefícios, o Google quase sempre ganha as batalhas por talentos contra a Microsoft e o Yahoo!. E, se estas vantagens não são o bastante para encorajar os funcionários a falar bem da empresa, o Google oferece um prêmio de $2 mil a seus funcionários, para cada pessoa contratada como resultado de uma indicação deles.

Fontes: A. Lashinsky, "Search and Enjoy," *Fortune*, January 29, 2007, pp. 70–82; J. Light, "Google Is No. 1 on List of Desired Employers," *The Wall Street Journal*, March 21, 2011, p. B8; www.google.com, acessado em janeiro de 2011.

diariamente em todo o mundo, também tem uma reputação de empregador preferido. Em seu *site*, o Google afirma "por o funcionário em primeiro lugar, quando se trata do cotidiano em nossos escritórios".[45] O Quadro 11.1 fornece algumas noções sobre os motivos pelos quais o Google foi escolhido pela revista *Fortune* como a "Melhor Empresa para Trabalhar" nos últimos anos, e por que ele é o empregador preferido no setor.

Outras estratégias que oferecem suporte ao objetivo de ser uma empresa preferida para trabalhar incluem treinamento intensivo, oportunidades para a carreira e crescimento profissional, apoio interno consistente, incentivos atraentes e produtos e serviços de qualidade com os quais os funcionários sintam-se orgulhosos de se vincular. Há muito tempo o SAS Institute, a "Melhor Empresa para Trabalhar" em 2010 e 2011 da revista *Fortune* é uma empresa preferida para trabalhar no setor de softwares estatísticos. Os funcionários que trabalham para o SAS são em sua maior parte de nível superior ou técnico, e bem remunerados. Uma das frases vistas no *site* da companhia representa a filosofia do SAS para sua política de pessoal: "Se você tratar os funcionários como agentes de diferenciação para a empresa, então eles farão a diferença para sua companhia". O SAS investe pesado em seu quadro de pessoal: todo funcionário tem um escritório individual, trabalha a uma carga horária semanal de 35 horas, tem a escolha por flexibilizar a distribuição desta carga ao longo da semana, e tem à disposição em sua sede duas creches de excelente qualidade e com preços atraentes, um posto de saúde, e uma academia de ginástica com mais de 6.000 m^2 grátis. Por estas razões, os funcionários do SAS com melhores desempenhos raramente deixam a companhia para trabalhar em uma de suas concorrentes.[46]

Em um setor muito diferente, dominado por trabalhadores mal pagos, a Marriott International definiu uma das metas da companhia como a de ser a "empresa preferida" no setor hoteleiro. A filosofia da Marriott em relação a seus funcionários, bastante parecida com a do SAS, foi resumida por Bill Marriott: "Se você cuidar bem de seus funcionários, então eles cuidarão bem de seus clientes, e seus clientes retornarão... esse é o valor central para nossa companhia".[47] A Marriott adota opções mais flexíveis para o ambiente de trabalho (que incluem horários flexíveis, trabalho remoto, carga horária semanal reduzida, troca de turnos, trabalho em meio turno e compartilhamento de tarefas), reembolso de valores pagos em aulas, descontos em serviços de creches e casas de repouso para idosos, treinamento em habilidades úteis no trabalho e na vida pessoal dos funcionários, além de programas de bem-estar em toda a companhia, o que a torna a empresa preferida no competitivo setor hoteleiro. A empresa também oferece programas de ensino de idiomas – com a opção de escolher entre 30 línguas. A Marriott International, como o Google e o SAS, sempre está na lista das 100 melhores empresas para trabalhar da revista *Fortune*.

Desenvolva as pessoas para prestarem serviços de qualidade

De forma a crescer e conservar uma equipe de trabalho focada no cliente e na qualidade, uma empresa precisa desenvolver seus funcionários para que prestem serviços de qualidade. Isto é, depois de contratar os funcionários certos, ela precisa treiná-los e trabalhar com eles para garantir o desempenho desejado na prestação de serviços.

Ofereça treinamento em habilidades técnicas e interativas

Para prestar serviços de qualidade, os funcionários precisam receber treinamento constante nas *habilidades técnicas* e interativas necessárias na prestação. Exemplos de *habilidades técnicas* incluem o trabalho com sistemas de contabilidade em hotéis, os procedimentos envolvendo caixas registradoras no varejo, os trâmites da subscrição de apólices no setor de seguros, além de outras regras operacionais que a empresa tem para a execução de seus negócios. A maioria das empresas do setor de serviços tem plena consciência da necessidade e demonstra razoável eficiência no treinamento em habilidades técnicas de seus funcionários. Essas habilidades podem ser ensinadas por meio de educação formal, como no caso da Universidade do Hambúrger do McDonald's, que treina os futuros gerentes da companhia oriundos de todo o mundo. Além disso, as habilidades técnicas são muitas vezes ensinadas via treinamento no local de trabalho, como visto no caso em que *trainees* para serviços telefônicos escutam as conversas de colegas mais experientes nas tarefas. As empresas frequentemente utilizam a tecnologia da informação para treinar os funcionários nas habilidades técnicas e na aquisição do conhecimento necessário para o trabalho.

Os funcionários do setor de serviços precisam de treinamento também em *habilidades interativas*, que lhes permitem oferecer serviços com cortesia, atenção, responsividade e simpatia. As pesquisas sugerem que as empresas podem ensinar seus funcionários a desenvolver uma harmonia com os clientes – um tipo de habilidade interativa – com instruções acerca das maneiras de desenvolver uma conversa agradável, de fazer perguntas, ou de utilizar o senso de humor na interação com o cliente.[48] Os funcionários aprendem a utilizar textos predefinidos como forma de auxílio para identificar aspectos comuns a seus clientes. Muitas empresas, como a Starbucks e o hotel Elysian em Chicago, ensinam técnicas de improvisação a seus funcionários para melhorar a comunicação e a capacidade de escutar, interpretar a linguagem corporal dos clientes e estabelecer uma empatia imediata com eles.[49]

O restaurante Outback Steakhouse ensina seus garçons e garçonetes a agacharem-se junto às mesas dos clientes ou mesmo a sentarem-se ao lado deles, por alguns minutos, para promover a interação. Este tipo de estratégia permite que os funcionários estabeleçam contato visual com os clientes e abre oportunidades para interações envolventes. A Starbucks desenvolveu um jogo de tabuleiro, o Inside Out, utilizado em sessões de treinamento com o objetivo de auxiliar os baristas a se relacionarem com os frequentadores da rede de cafeterias.[50] No jogo, um certo cenário é apresentado ao barista – digamos, um cliente cansado, fazendo as últimas compras de Natal, que entrou em uma cafeteria da Starbucks para tomar uma bebida revigorante – que precisa descobrir como animar este cliente.

As empresas de sucesso investem no treinamento e certificam-se de que esse treinamento atende a seus objetivos e estratégias de negócios. Por exemplo, na rede de hotéis Ritz-Carlton, todos os funcionários passam por um intensivo treinamento inicial e recebem cartões plastificados contendo os lemas do serviço, para serem carregados em suas carteiras. Além dos lemas, os cartões especificam as três etapas do serviço e o já bem conhecido lema do Ritz-Carlton: "Somos damas e cavalheiros que atendem a damas e cavalheiros". Os funcionários de todos os hotéis frequentam reuniões diárias para recapitular os "Padrões-Ouro" do Ritz-Carlton e os valores do serviço ao cliente, o que reforça o treinamento anterior recebido.

Conceda poder de decisão aos funcionários

Muitas empresas já descobriram que, para serem verdadeiramente responsivas às necessidades de seus clientes, os funcionários da linha de frente precisam receber o poder de decidir acerca dos pedidos dos clientes e recuperar o serviço, de imediato, no caso de algo dar errado. O *poder de decisão* implica conceder aos funcionários a autoridade, as habilidades, as ferramentas e a vontade de atender ao cliente. Embora o aspecto principal para o exercício do poder de decisão consista em conferir aos funcionários a autoridade de tomar as melhores decisões para o cliente, esta autoridade por si só não basta. Os funcionários devem ter o conhecimento e as ferramentas para desenvolverem a habilidade de tomar estas decisões, e precisam de incentivos a fim de tomá-las corretamente. As organizações falham ao tentar conceder o poder de decisão a seus funcionários sempre que se limitam a dizer a eles: "Você sabe que tem a autoridade de fazer o que for preciso para satisfazer o cliente". Em primeiro lugar, os funcionários muitas vezes não levam esta afirmação a sério, sobretudo se a organização tem uma história embasada em hierarquias e burocracias operacionais. Em segundo lugar, os funcionários frequentemente desconhecem o significado da expressão "o que for preciso", se não receberam treinamento, orientações e ferramentas adequadas e necessárias a esta tomada de decisão. Em terceiro lugar, nem todos os funcionários desejam ter poder de decisão.[51]

As pesquisas sugerem que algumas das vantagens em dar poder de decisão aos funcionários são redução no estresse relacionado ao trabalho, maior satisfação profissional, maior capacidade de adaptação e melhores resultados para os clientes.[52] Mas esse sucesso não é fácil de ser alcançado. Na verdade, alguns especialistas concluíram que são poucas as organizações que conseguiram tirar real proveito ou mesmo implementar com êxito estratégias de concessão de poder de decisão.[53] Do mesmo modo, o poder de decisão não é a solução para todas as organizações. O Quadro 11.2 lista os custos e os benefícios do poder de decisão do funcionário.

Promova o trabalho em equipe

A natureza de muitas funções da prestação de serviços sugere que a satisfação do cliente é melhorada quando os funcionários trabalham em equipe. Visto que na prestação de serviços as funções frequentemente são frustrantes, pesadas e desafiadoras, um ambiente de trabalho em equipe ajuda a aliviar as tensões e os problemas. Os funcionários que se sentem apoiados e que têm uma equipe de suporte demonstrarão maior capacidade de conservar o próprio entusiasmo e de prestar serviços de qualidade.[54] Esse trabalho em equipe é a força motriz da filosofia de serviço da Clínica Mayo. Uma das premissas básicas da empresa encoraja todas as pessoas que trabalham na organização a "praticar a medicina como uma equipe integrada compassiva e multidisciplinar composta por médicos, cientistas e outros profissionais focados nas necessidades dos pacientes".[55] Além de ser um importante ingrediente para a qualidade do serviço, "uma comunidade interativa de colaboradores que auxiliam um ao outro, que compreendam um ao outro e que obtêm êxito juntos forma um poderoso antídoto para o cansaço na prestação de serviços".[56] A Zappos e o Jyske Bank, duas das

Quadro 11.2 — Os prováveis custos e benefícios de ceder o poder de decisão

Os benefícios

- *Respostas mais rápidas às necessidades dos clientes durante a execução do serviço.* Os funcionários que têm poder decisório para beneficiar o cliente são capazes de tomar decisões com mais rapidez, ao atalhar o que, no passado, era uma longa cadeia de comando, ou pelo menos uma conversa com o supervisor.
- *Respostas mais rápidas a clientes insatisfeitos durante a recuperação do serviço.* No caso de ocorrerem falhas na execução do serviço, os clientes esperam um esforço imediato de recuperação de parte da organização. O poder de decisão do funcionário pode recuperar o serviço de imediato, e um cliente insatisfeito provavelmente passará a ser um cliente satisfeito, e até mesmo fiel.
- *Os funcionários sentem-se bem com o trabalho e consigo próprios.* Ceder aos funcionários o controle e a autoridade para tomar decisões os forma responsáveis e lhes propicia uma noção de propriedade sobre a satisfação do cliente. Décadas de pesquisas com descrições de cargo sugerem que quando os funcionários têm a sensação de estarem no controle e de desempenharem um trabalho importante, eles demonstram maior satisfação. Os resultados são o menor giro de funcionários e menos absenteísmo.
- *Os funcionários interagem com os clientes em um clima mais acolhedor e entusiasmante.* Os funcionários sentem-se bem consigo próprios e com o trabalho que executam, e estas atitudes ganham forma nas emoções que desenvolvem para com os clientes e se refletem nas interações com estes.
- *Os funcionários com poder de decisão são uma excelente fonte de ideias para a prestação de serviços.* Quando os funcionários têm poder decisório, eles sentem-se responsáveis pelo desfecho do serviço e passam a ser excelentes fontes de ideias para novos serviços ou para o aperfeiçoamento de serviços existentes.
- *Os clientes praticam publicidade boca a boca positiva sobre os serviços.* Os funcionários com poder de decisão têm atitudes exclusivas e especiais que o cliente, por sua vez, armazena em sua memória e narra a amigos, familiares e colegas de trabalho.

Os custos

- *Um investimento em dólar potencialmente maior é necessário para a seleção e o treinamento.* Para encontrar os funcionários que trabalharão a contento em um ambiente com poder de decisão, é preciso adotar procedimentos de seleção mais caros. O treinamento também aumentará custos, pois os funcionários precisam ter mais conhecimentos sobre a empresa e seus produtos, além de saber como trabalhar com flexibilidade com os clientes.
- *Os custos trabalhistas são maiores.* A organização talvez não seja capaz de utilizar um número adequado de funcionários de meio turno ou sazonais, o que pode acarretar maiores salários para os funcionários que assumem mais responsabilidades.
- *A execução do serviço pode ficar mais lenta ou inconsistente.* Se os funcionários com poder de decisão passam mais tempo com todos ou no mínimo alguns clientes, então o serviço em geral pode tomar mais tempo, perturbando os clientes que precisam esperar. A entrega de poder de decisão aos funcionários também significa que os clientes receberão o que desejam. Quando as decisões relativas à satisfação do cliente são deixadas a cargo de funcionários, pode haver inconsistência no nível de serviço prestado.
- *O processo talvez viole as percepções que o cliente constrói do tratamento imparcial.* Os clientes podem perceber que a observação de processos para todos os clientes é um tratamento imparcial. Assim, se perceberem que há clientes recebendo níveis de serviço diferentes ou que os funcionários estão apresentando ofertas especiais a outros, eles talvez pressintam que a organização não esteja sendo justa com eles.
- *Os funcionários talvez "entregarão todo o negócio" ou tomarão decisões erradas.* Muitas pessoas temem que os funcionários tomarão decisões dispendiosas demais para a organização. Ainda que esta situação seja perfeitamente possível, treinamento adequado e orientações apropriadas ajudam a evitá-la.

Fonte: Reimpresso de "The Empowerment of Service Workers: What, Why, How, and When," de D. E. Bowen and E. E. Lawler, *Sloan Management Review* 33 (Spring 1992), pp. 31–39, com permissão da editora. Direitos autorais 1992 Massachusetts Institute of Technology. Todos os direitos reservados.

---

companhias apresentadas nos estudos de caso no final deste livro, são conhecidas por desenvolverem uma abordagem de equipe para o serviço ao cliente. Ao promover o trabalho em equipe, uma organização aprimora as *habilidades* de seus funcionários, de forma que prestem serviços excelentes ao mesmo tempo em que o companheirismo e o apoio aprimoram suas *inclinações* para serem formidáveis prestadores de serviços.

Uma das maneiras de promover o trabalho em equipe consiste em encorajar a noção de que "todas as pessoas são clientes". Em outras palavras, mesmo em uma situação em que os funcionários não são diretamente responsáveis, nem têm uma interação direta com o cliente final, eles precisam saber a quem eles atendem de forma direta e de que modo o papel que desempenham no amplo contexto da prestação de serviços é essencial à qualidade do serviço final. Se cada funcionário for capaz de ver sua importância na qualidade do serviço final e se cada um souber a quem deve apoio para tornar o serviço de qualidade uma realidade, então o trabalho em equipe será melhorado. Os mapas do serviço, descritos no Capítulo 8, servem como ferramentas úteis para ilustrar aos funcionários seus papéis essenciais na prestação de serviços de qualidade ao cliente final.

As metas de equipe e as recompensas também promovem o trabalho em grupo. A Harrah's Entertainment é uma das empresas que fornece incentivos e compensações focadas no trabalho em equipe. O programa de incentivo do cassino-hotel é praticado de acordo com os resultados das equipes e uma porcentagem relativamente pequena de compensação (muitas vezes menos de 40%) está baseada em metas individuais. Todos dentro da organização, desde as pessoas que planejam reuniões até os crupiês, são recompensados com base em notas de serviços aos clientes. Quando uma empresa recompensa equipes de indivíduos em vez de basear todas as recompensas nos resultados e desempenhos individuais, os esforços de grupo e o espírito de equipe são encorajados.

Disponibilize os sistemas de apoio necessários

Para ser eficiente e eficaz em seu trabalho, o funcionário da prestação de serviços precisa de sistemas de apoio interno alinhados com suas necessidades em termos de foco no cliente. Este ponto não pode ser negligenciado. Na verdade, sem um apoio interno focado no cliente e sistemas voltados para o cliente fica quase impossível para os funcionários prestar serviços de qualidade, não importa o quanto desejem fazê-lo. Por exemplo, um caixa de banco que é recompensado pela satisfação de seus clientes e pela precisão nas transações bancárias precisa ter acesso fácil a registros atualizados dos clientes, trabalhar em uma agência com um número adequado de funcionários (de forma que não tenha de lidar com clientes insatisfeitos o tempo todo) e de supervisores com foco no cliente, além de funcionários que atuem nos bastidores da prestação do serviço bancário. Ao examinar os resultados para os clientes em *call centers* da Austrália, os pesquisadores descobriram que o apoio interno de supervisores, colegas de trabalho e de outros departamentos, além das avaliações de tecnologias utilizadas no desempenho das funções, eram todos fatores relacionados com a satisfação dos funcionários e com a capacidade de atender aos clientes com eficiência.[57] As sessões a seguir apresentam estratégias para garantir a existência do apoio interno com foco no cliente.

Mensure a qualidade do serviço interno

Uma das maneiras de encorajar os relacionamentos de serviço interno de apoio consiste em mensurar e recompensar o serviço interno. O princípio de tudo está em reconhecer que todos na organização têm um cliente e, depois disso, mensurar as percepções do cliente acerca da qualidade do serviço interno. Com essa atitude, uma organização pode começar a desenvolver uma cultura da qualidade do serviço interno.[58] Em sua tentativa de prestar o melhor serviço de saúde possível a seus pacientes, a Clínica Mayo mensura formalmente a qualidade do serviço interno entre seus departamentos uma vez ao ano. Uma auditoria de serviço ao cliente interno é apenas uma das ferramentas que podem ser empregadas para implementar uma cultura de qualidade do serviço interno. Por meio desta auditoria, os departamentos internos identificam seus clientes, estabelecem as necessidades destes, mensuram o próprio desempenho e fazem melhorias. O processo tem paralelo com as práticas de pesquisa de mercado utilizadas para clientes externos.

Um dos riscos ao mensurar e se concentrar na qualidade do serviço interno e nos clientes internos é que as pessoas talvez se envolvam demais no atendimento às necessidades dos clientes internos, esquecendo-se de que elas estão em um negócio cujo objetivo é atender o cliente externo, o cliente final.[59] Assim, ao mensurar a qualidade do serviço interno, é importante não perder de vista os elos entre o que está sendo executado internamente e o modo como este serviço interno está apoiando a execução do serviço ao cliente final. A preparação de mapas do serviço, apresentada no Capítulo 8, auxilia na definição destes elos essenciais.

Disponibilize tecnologia e equipamento de suporte
Na falta de equipamentos adequados ou na falha destes, os funcionários facilmente sentem-se frustrados em seu desejo de prestar serviços de qualidade. De forma a ter eficiência e eficácia em seu trabalho, os funcionários da prestação de serviços precisam de equipamentos e tecnologia adequados. A seção Tecnologia em Foco deste capítulo discute o papel da tecnologia na disponibilização de apoio aos funcionários da prestação de serviços.

O acesso à tecnologia e ao equipamento adequados traduz-se em estratégias de projeto para a estação e para o ambiente de trabalho como um todo. Por exemplo, a Zappos disponibiliza a seus funcionários de serviço sistemas informatizados que fornecem dados abrangentes sobre os estoques nos depósitos da companhia – o que lhes permite dar informações atualizadas sobre opções aos clientes. Os corredores das sedes da empresa estão sempre cobertos de cartazes e desenhos, as salas estão cheias de apetrechos úteis e os espaços de trabalho vivem repletos de itens personalizados – tudo concebido para criar um ambiente em que os funcionários se sentem parte de uma equipe, confortáveis em atender ao cliente. Na verdade, a atmosfera criada pela Zappos para o ambiente de trabalho ficou famosa, a ponto de a empresa permitir visitas de terceiros às salas em sua matriz quase diariamente.

Desenvolva processos internos focados nos serviços
De forma a conceder o melhor apoio possível ao pessoal da prestação de serviços de qualidade na linha de frente, os processos internos de uma organização devem ser projetados em termos de valor e satisfação para o cliente. Em outras palavras, os procedimentos internos precisam dar suporte à prestação de serviços de qualidade. Em muitas empresas, os processos internos são governados pela burocracia, pelo hábito, pela eficiência em termos de custos ou pelas necessidades dos funcionários. Os processos internos focados no cliente e nos serviços, portanto, implicam uma reformulação abrangente dos sistemas. Esse tipo de remodelação de sistemas e processos é chamado de "reengenharia de processos". Embora pareça sensato desenvolver processos internos focados nos serviços por meio de uma reengenharia, esta provavelmente é uma das estratégias de mais difícil implementação, sobretudo em organizações mergulhadas em hábitos arraigados.

Retenha as melhores pessoas

Uma organização que contrata as pessoas certas, que as treina e desenvolve para que prestem serviços de qualidade, sempre com o apoio necessário, não pode deixar de se esforçar para reter estas pessoas. O giro de funcionários, sobretudo quando aqueles que saem da empresa são os melhores, traz graves prejuízos à satisfação dos clientes, ao moral dos funcionários e à qualidade global dos serviços. Além disso, tal como fazem com os clientes, algumas empresas despendem muito tempo atraindo funcionários para, depois, tratá-los com indiferença (ou coisa pior), o que motiva estes bons colaboradores a procurarem outras possibilidades de trabalho. Ainda que as estratégias descritas anteriormente na Figura 11.4 auxiliem a reter os funcionários mais eficientes, nesta seção apresentamos as perspectivas voltadas para a concretização deste objetivo.

Engaje os funcionários na visão da empresa
Para que os funcionários continuem motivados e interessados em permanecer com a organização e dar apoio à concretização de seus objetivos, eles precisam compreender a visão da organização. As pessoas que prestam serviços diariamente têm de entender como o trabalho que executam se

encaixa no panorama da organização e de suas metas. Até certo ponto, estes funcionários sentem-se motivados com seus salários e outras vantagens, mas os melhores funcionários serão atraídos por outras oportunidades se não estiverem comprometidos com a visão da organização. Além disso, eles não podem assumir compromissos com uma visão se esta não lhes for revelada. Na prática, o significado desta estratégia é que a visão é divulgada aos funcionários frequentemente, e em geral pela alta gerência, por meio do CEO.[60] CEOs respeitados, como Howard Schulz da Starbucks, Fred Smith da FedEx, Bill Marriott da Marriott International, Charles Schwab da Schwab e Tony Hsieh da Zappos são conhecidos por veicularem suas ideias a seus funcionários com frequência e clareza.

Na Sherwin-Williams, a gerência comunica, em toda a organização, sua meta de prestar "serviços com marca registrada". Para incluir todos os seus funcionários de contato com o cliente na visão da empresa de fornecer um serviço com essas características, nos últimos 10 anos ela desenvolveu uma grande campanha interna, a qual defende que "todo o cliente deve ser tratado como um convidado". Os funcionários são instruídos a cumprimentar todos os clientes e tratá-los pelo próprio nome, avaliar e atender às necessidades desses clientes, expressar um sorriso no rosto e na voz e agradecer pela visita, convidando-o a retornar. Estas ações são esperadas de todas as pessoas que trabalham na organização e que interagem com os clientes.[61] Esse tipo de abordagem envia uma mensagem consistente aos funcionários e reforça a visão da empresa. Quando a visão e a direção são claras e motivadoras, os funcionários provavelmente permanecerão com a empresa, mesmo com as inevitáveis dificuldades encontradas no caminho da concretização desta visão.

Trate os funcionários como clientes
Se os funcionários sentirem-se valorizados e se suas necessidades forem atendidas, então provavelmente permanecerão mais tempo com a companhia. Por exemplo, Tom Siebel, fundador da Siebel Systems (que hoje faz parte da Oracle), interpretou a principal tarefa do CEO como a de cultivar uma cultura corporativa que beneficie todos os funcionários e clientes. "Se você construir uma empresa e um produto ou serviço que gere altos níveis de satisfação do cliente, e se você delega responsabilidades e administra seu capital humano com eficiência, então as outras manifestações de sucesso, como a valorização no mercado e o crescimento de receitas, serão os resultados que você colherá no futuro".[62]

Muitas empresas adotaram a ideia de que os funcionários são também seus clientes e que estratégias básicas de marketing podem ser aplicadas a eles.[63] Os produtos que a organização tem a oferecer a seus funcionários são o emprego (com benefícios diversos) e a qualidade no ambiente de trabalho. Para descobrir se as necessidades dos funcionários quanto ao trabalho e ao ambiente estão sendo atendidas, as empresas conduzem pesquisas de marketing interno periódicas, que avaliam a satisfação e as exigências de seus colaboradores. Por exemplo, nos Serviços Relacionados a Viagens da American Express (American Express Travel Related Services), o Grupo de Cheques de Viagem (Travelers Cheque Group, TCG) tem o objetivo de "tornar-se o melhor local de trabalho", o que é alcançado tratando os funcionários como clientes.[64] Com base em pesquisas de marketing, o TCG lançou diversas iniciativas para beneficiar os funcionários: um programa expandido de assistência aos funcionários, um serviço de recursos e encaminhamento a creches, assistência à adoção, planos de reembolso para tratamento de saúde e de dependentes, licença-maternidade, dias de ausência no trabalho para cuidar de um familiar enfermo, retornos flexíveis, feriados religiosos, melhores benefícios para o trabalho em meio turno, benefícios flexíveis, além de iniciativas de flexibilização relativas ao ambiente de trabalho, como divisão de tarefas, e flexibilização de locais e de horários de trabalho. O que a American Express e muitas outras companhias descobriram é que para garantir a satisfação, a produtividade e a retenção do funcionário, as empresas precisam envolver-se nas vidas particulares e no apoio às famílias de seus colaboradores.[65] Os funcionários apreciam estes esforços e, por isso, a American Express regularmente é incluída na lista das 100 Melhores Empresas para Trabalhar da revista *Fortune* – o que, exceto por uma edição da lista, vem ocorrendo desde o ano 2000 até 2011!

Mensure e recompense os funcionários com melhor desempenho no serviço
Se uma empresa deseja que os melhores funcionários da prestação de serviços permaneçam com ela, então ela precisa recompensá-los e promovê-los. Esta estratégia parece óbvia, mas muitas vezes os sistemas de recompensa nas organizações não estão preparados para premiar a excelência em serviços. Os sistemas de recompensa preconizam a produtividade, as vendas ou outra dimensão que potencialmente trabalha *contra* a prestação de serviços de qualidade. Mesmo os funcionários da prestação de serviços que estejam internamente motivados a executar serviços de alto padrão sentem-se desencorajados em algum ponto do processo, e passam a procurar outra empresa para trabalhar se seus esforços não forem reconhecidos nem premiados.

Os sistemas de recompensa precisam ser vinculados à visão da organização e aos resultados realmente importantes. Por exemplo, se a satisfação e a retenção do cliente são vistas como resultados essenciais, então os comportamentos relativos aos serviços que elevam estes resultados não podem deixar de ser reconhecidos e premiados. Na rede de cassinos e hotéis Harrah's, uma parcela da compensação aos funcionários é vinculada aos escores de satisfação do cliente na forma de "Recompensa pelo Desempenho" (Performance Payout), de forma que os funcionários tenham um interesse em atingir níveis excelentes de serviço. Os funcionários também têm um interesse oculto no desempenho de toda a equipe que atenda aos clientes de modo excepcional. Além dos incentivos financeiros, os melhores funcionários são recompensados com Prêmios da Diretoria, e seus nomes são publicados no relatório anual da Harrah's. A gerência também recebe incentivos com base nas melhorias no serviço ao cliente, uma vez que 25% dos bônus anuais de um gerente estão relacionados à concretização das metas de atendimento ao cliente.[66] Da mesma maneira, os gerentes de filiais da Enterprise Rent-a-Car que desejam ascender na organização alcançam esse objetivo pessoal somente se os números da satisfação do cliente em sua loja estiverem acima da média para todas as filiais da companhia. Estas medidas, junto com todas as análises e iniciativas para a melhoria em serviços, têm o objetivo de alinhar o comportamento dos funcionários em termos das metas de satisfação e retenção de clientes.

Ao desenvolverem novos sistemas e estruturas para reorganizar o foco e a satisfação do cliente, as organizações recorrem a vários sistemas de recompensa. As abordagens típicas, como melhor remuneração, promoções e prêmios ou recompensas financeiras de ocasião, podem ser vinculadas ao desempenho com serviços. Em muitas empresas os funcionários são encorajados a reconhecer o trabalho um do outro por meio de prêmios de parceria que um funcionário entrega a um colega que ele julgue estar prestando um bom serviço ao cliente. Outros tipos de recompensa incluem diversas celebrações especiais dentro de toda a empresa ou com equipes específicas de trabalho pela obtenção de maior satisfação ou pela concretização dos objetivos de retenção do cliente. Em muitos casos da prestação de serviços, não são apenas as vitórias principais, mas a perseverança vista no dia a dia e a atenção ao detalhe que movem as empresas prestadoras para a frente, e por isso o reconhecimento destes pequenos êxitos também é importante.

Em diversas situações, o relacionamento do cliente se dá com um *funcionário* específico e pode ser mais forte com este do que com a própria empresa. Se esse funcionário deixar a companhia e não estiver mais disponível para este cliente, o relacionamento com ele pode ser prejudicado.[67] Sem dúvida, uma empresa precisa despender grandes esforços para reter funcionários como este. Apesar desses esforços, alguns bons funcionários sempre poderão buscar trabalho em outras organizações. Se esta empresa falhar em reter o principal funcionário de contato com o cliente, então o que ela pode fazer para reduzir o impacto desta saída sobre o cliente? Uma das estratégias consiste em adotar o rodízio de funcionários, pois ele garante que o cliente seja exposto a outros funcionários e tenha a chance de desenvolver maior afinidade com eles, não com um único funcionário. Além disso, é possível formar equipes de funcionários que sejam responsáveis pela interação com o cliente. Em ambos os casos, o objetivo é fazer o cliente ter diversos encontros com muitos funcionários na organização, o que reduz a vulnerabilidade da empresa para a perda de clientes se um funcionário pedir demissão. Também é preciso enfatizar a geração de uma imagem positiva da empresa na mente dos clientes, o que indica que *todos* os seus funcionários são capacitados.[68]

A PRESTAÇÃO DE SERVIÇOS FOCADA NO CLIENTE

Conforme indicam os exemplos apresentados neste capítulo, as abordagens específicas para a contratação e a potencialização de funcionários da linha de frente da prestação de serviços assumem diferentes formas e despertam diversas impressões em diferentes empresas. Estas variações têm base nos valores, na cultura, na história e na visão da organização.[69] Por exemplo, na Southwest Airlines, "o desenvolvimento de pessoas para prestarem serviços de qualidade" é alcançado de modo distinto daquele visto na Disney. Na Disney, o processo de treinamento e orientação é altamente roteirizado, estruturado e padronizado. Na Southwest, a ênfase está no desenvolvimento de habilidades e na entrega de poder de decisão aos funcionários, para que estes sejam espontâneos e naturais no modo como abordam os clientes da companhia. Embora o estilo e a cultura das duas organizações sejam diferentes, ambas dão atenção especial aos quatro temas apresentados na Figura 11.4 e investem significativamente nas pessoas que trabalham para elas, reconhecendo os papéis essenciais que estas desempenham.

Ao longo de todo este livro defendemos um foco mais expressivo no cliente. Empresas com uma forte cultura de serviços priorizam o cliente e a sua experiência. Para isso, estas empresas também precisam criar um ambiente que ofereça um forte apoio ao funcionário de contato com o cliente, pois é esta pessoa dentro da organização que frequentemente detém a maior responsabilidade pela garantia de que a experiência do cliente seja concretizada conforme o esperado. Ao longo do tempo, muitas empresas entendiam que os gerentes seniores eram as peças mais importantes da companhia, e, de fato, os organogramas de cargo tendem a refletir esta visão. Esta abordagem coloca a gerência no topo da estrutura organizacional e (de forma implícita) dispõe os clientes na base desta pirâmide, e os funcionários de contato imediatamente acima destes. Se as pessoas mais importantes dentro de uma organização são os clientes, eles é que devem estar no topo do organograma, sendo seguidos por aqueles com quem têm contato. Esta visão, ilustrada na Figura 11.5, é mais consistente com o foco no cliente. Logo, o papel da alta gerência se altera, do comando para a facilitação e o apoio aos funcionários mais próximos do cliente.

As estratégias de recursos humanos apresentadas neste capítulo são indicadas para as gerências darem apoio ao funcionário de contato com o cliente. De fato, uma equipe verdadeiramente focada no cliente vai "inverter" o triângulo do marketing de serviços apresentado anteriormente neste capítulo, de forma que o vértice ocupado pela gerência fique na parte inferior, com os clientes e os funcionários na parte superior, no mesmo nível – como mostra a Figura 11.6. A Nordstrom, empresa muito conhecida por sua forte cultura de serviços, adota essa "pirâmide invertida" em

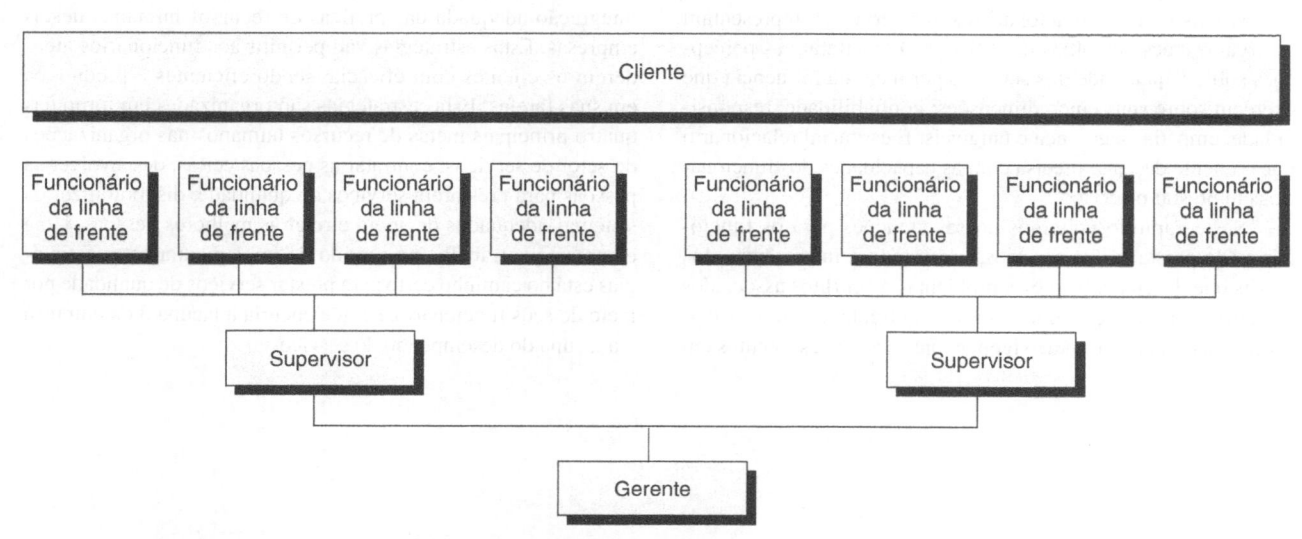

Figura 11.5 O fluxograma organizacional com foco no cliente.

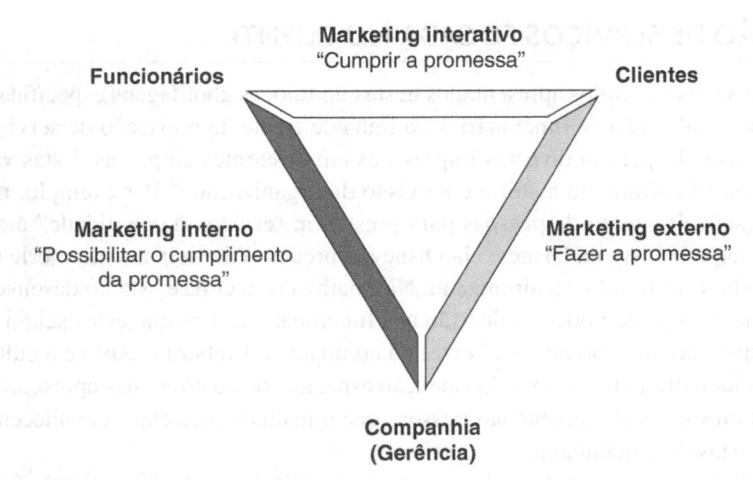

Figura 11.6 O triângulo invertido do marketing de serviços.

```
                Marketing interativo
                 "Cumprir a promessa"
  Funcionários ─────────────────── Clientes

  Marketing interno          Marketing externo
 "Possibilitar o cumprimento   "Fazer a promessa"
      da promessa"

                    Companhia
                    (Gerência)
```

seus materiais de treinamento de funcionários. Uma frase dita por Michel Bon, ex-CEO da France Telecom, resume a filosofia por trás desta abordagem:

> Se você acreditar piamente que "o cliente é rei", a segunda pessoa mais importante neste reino precisa ser aquele que tem interação direta e diária com sua majestade.[70]

Com a inversão do triângulo do marketing de serviços, os dois grupos formados pelas pessoas mais importantes para a organização – os clientes e aqueles que interagem com estes – são colocados em posição de destaque.

Resumo

Uma vez que os serviços são prestados por pessoas em tempo real, o fechamento da lacuna do desempenho do serviço depende das estratégias de recursos humanos. O sucesso na execução destas estratégias começa com o desenvolvimento e o fomento de uma verdadeira cultura de serviços em toda a organização.

Muitas vezes os funcionários *são* o serviço, e representam as organizações aos olhos dos clientes. Eles afetam as percepções sobre a qualidade dos serviços por meio da influência que exercem sobre suas cinco dimensões: confiabilidade, responsividade, empatia, segurança e tangíveis. É essencial relacionar o que o cliente deseja e precisa com as capacidades dos funcionários em prestar o serviço.

Neste capítulo voltamos nossas atenções para os funcionários da prestação de serviços, mostrando a importância dos papéis que desempenham e os problemas e conflitos associados à prestação do serviço e que todos eles enfrentam. Vimos que as funções da linha de frente exigem expressivos investimentos em trabalho emocional e que os funcionários deparam-se com uma variedade de conflitos relacionados ao trabalho.

Com base na importância dos funcionários da prestação de serviços e das características dos papéis que desempenham em uma empresa do setor, apresentamos as estratégias para a integração adequada das práticas de recursos humanos nestas empresas. Estas estratégias vão permitir aos funcionários atenderem os clientes com eficácia, sendo eficientes e produtivos em suas tarefas. Estas estratégias são organizadas em torno das quatro principais metas de recursos humanos nas organizações do setor de serviços: contratar as pessoas certas, desenvolver as pessoas para prestarem serviços de qualidade, disponibilizar os sistemas adequados de apoio e reter as melhores pessoas. Uma empresa que trabalha no sentido de implementar estas estratégias está no caminho certo para prestar serviços de qualidade por meio de seus funcionários, o que encurta a lacuna 3 da empresa – a lacuna do desempenho do serviço.

Questões para discussão

1. Defina *cultura de serviços*. Por que a cultura de serviços é tão importante? Uma empresa do setor manufatureiro pode ter uma cultura de serviços? Por quê?
2. Por que os funcionários da prestação de serviços são essenciais ao sucesso de qualquer empresa do setor? Por que reservamos um capítulo sobre os funcionários da prestação de serviços em um livro sobre marketing?
3. O que é *trabalho emocional*? De que forma ele é diferente do trabalho físico ou mental?
4. Reflita sobre seu próprio papel como funcionário da linha de frente na prestação de um serviço em seu emprego atual ou em algum outro do passado. Você vivenciou os tipos de conflito descritos na seção dos papéis solucionadores de problemas deste capítulo? Apresente alguns exemplos concretos.
5. Escolha um prestador de serviços (seu dentista, médico, advogado, cabeleireiro) com quem você tem familiaridade. Discuta com seus colegas como este prestador influencia positivamente as cinco dimensões da qualidade do serviço, no contexto dos serviços que presta. Faça o mesmo para você (se você hoje tem alguma função de prestação de serviços).
6. Descreva os quatro temas básicos para as estratégias de recursos humanos e os motivos pelos quais elas desempenham papéis importantes em uma organização focada no cliente.
7. Qual é a diferença entre habilidades de serviço técnicas e interativas? Dê exemplos (preferencialmente de seu próprio contexto ou de algum contexto com que você esteja familiarizado). Por que os funcionários da prestação de serviços precisam de treinamento em ambas as habilidades?
8. O poder de decisão sempre é a melhor abordagem para a prestação eficaz de serviços? Por que o poder de decisão é tão controverso?

Exercícios

1. Visite os *sites* de empresas que têm culturas de serviços de alto padrão (como a rede de hotéis Ritz-Carlton, a FedEx, a Starbucks ou a Zappos). De que modo as informações veiculadas nos *sites* reforçam a cultura de serviços da companhia?
2. Reveja a seção deste capítulo acerca dos papéis dos solucionadores de problemas. Entreviste no mínimo dois funcionários da linha de frente quanto ao estresse vivenciado na execução de suas funções. De que modo os exemplos que estas pessoas oferecem se relacionam com as fontes de conflito e com os *trade-offs* descritos neste capítulo?
3. Suponha que você seja o gerente de uma equipe de funcionários de linha de frente em uma operadora de cartões de crédito. Suponha também que estes funcionários trabalhem ao telefone e que eles lidem com pedidos, perguntas e reclamações dos clientes. Neste contexto:
   a. Defina o papel de solucionador de problemas e discuta as propostas ou funções básicas desempenhadas pelos participantes nestes papéis;
   b. Discuta dois dos prováveis conflitos que seus funcionários enfrentarão com relação a seus papéis de solucionadores de problemas;
   c. Discuta como você, no papel de supervisor, pode lidar com estes conflitos, com base no que você aprendeu.
4. Escolha um ou mais temas para as estratégias de recursos humanos (contratar as pessoas certas, desenvolver as pessoas para prestarem serviços de qualidade, disponibilizar os sistemas adequados de apoio e reter as melhores pessoas). Entreviste um gerente de uma empresa do setor de serviços com perguntas sobre as práticas adotadas dentro do tema que você escolheu. Descreva estas práticas e recomende alguma possível alteração para melhorá-las.

Literatura citada

1. L. L. Berry, *Discovering the Soul of Service* (New York: The Free Press, 1999).
2. Entrevista com o vice-presidente sênior de serviços de marketing da Singapore Airlines incluída em "How May I Help You?" *Fast Company* (March 2000), pp. 93–126.
3. P. Gallagher, "Getting It Right from the Start," *Journal of Retail Banking* 15 (Spring 1993), pp. 39–41.
4. Chris Shelley, gerente da Panera Bread, entrevista pessoal em 30/12/2010.
5. Berry, *Discovering the Soul of Service*.
6. S. M. Davis, *Managing Corporate Culture* (Cambridge, MA: Ballinger, 1985).
7. C. Grönroos, *Service Management and Marketing: Customer Management in Service Competition*, 3rd ed. (West Sussex, UK: John Wiley and Sons, 2007), p. 418.
8. Ver K. N. Kennedy, F. G. Lassk, and J. R. Goolsby, "Customer Mind-Set of Employees throughout the Organization," *Journal of the Academy of Marketing Science* 30 (Spring 2002), pp. 159–171.

9. R. Hallowell, D. Bowen, and C. Knoop, "Four Seasons Goes to Paris," *Academy of Management Executive* 16, no. 4 (2002), pp. 7–24; J. L. Heskett, L. A. Schlesinger, and E. W. Sasser Jr., *The Service Profit Chain* (New York: The Free Press, 1997); B. Schneider and D. E. Bowen, *Winning the Service Game* (Boston: Harvard Business School Press, 1995); D. E. Bowen and S. D. Pugh, "Linking Human Resource Management Practices and Customer Outcomes" in *The Routledge Companion to Strategic Human Resource Management,* ed. J. Storey, P. Wright and D. Ulrich (Abingdon, Oxon, UK: Routledge 2008), pp. 509–518.

10. Berry, *Discovering the Soul of Service,* p. 40.

11. Hallowell, Bowen, and Knoop, "Four Seasons Goes to Paris."

12. Para uma excelente discussão sobre as complexidades envolvidas na criação e sustentação de uma cultura de serviços, ver Schneider and Bowen, *Winning the Service Game,* chap. 9. Ver também Michael D. Hartline, James G. Maxham III, and Daryl O. McKee, "Corridors of Influence in the Dissemination of Customer-Oriented Strategy to Customer-Contact Service Employees," *Journal of Marketing* 64 (April 2000), pp. 35–50.

13. Esta discussão é baseada em Hallowell, Bowen, and Knoop, "Four Seasons Goes to Paris."

14. Esta citação é frequentemente atribuída a J. Carlzon, ex-CEO da Scandinavian Airline Systems.

15. P. Andruss, "Your Employees Are Your Brand," *Marketing News,* October 30, 2010, pp. 22-23.

16. J. Barlow and P. Stewart, *Branded Customer Service* (San Francisco: Barett-Koehler, 2004).

17. A conceitualização do triângulo de serviços dada na Figura 11.1 e a discussão correspondente são baseadas em M. J. Bitner, "Building Service Relationships: It's All about Promises," *Journal of the Academy of Marketing Science* 23 (Fall 1995), pp. 246–251; P. Kotler and K. L. Keller, *Marketing Management,* 14th ed. (Upper Saddle River, NJ: Pearson Prentice Hall, 2012); e Grönroos, *Service Management and Marketing.*

18. Ver H. Rosenbluth, "Tales from a Nonconformist Company," *Harvard Business Review* 69 (July–August 1991), pp. 26–36; L. A. Schlesinger and J. L. Heskett, "The Service-Driven Service Company," *Harvard Business Review* 69 (September– October 1991), pp. 71–81; e B. Schneider, M. Ehrhart, D. Mayer, J. Saltz, and K. Niles-Jolley, "Understanding Organization-Customer Links in Service Settings," *Academy of Management Journal* 48 (December 2005), pp. 1017–1032.

19. B. Schneider and D. E. Bowen, "The Service Organization: Human Resources Management Is Crucial," *Organizational Dynamics* 21 (Spring 1993), pp. 39–52.

20. D. E. Bowen, S. W. Gilliland, and R. Folger, "How Being Fair with Employees Spills Over to Customers," *Organizational Dynamics* 27 (Winter 1999), pp. 7–23; S. Masterson, "The Trickle-Down Model of Organizational Justice: Relating Employees' and Customers' Perceptions of and Reactions to Fairness," *Journal of Applied Psychology* 86 (August 2001), pp. 594–604; J. G. Maxham III and R. G. Netemeyer, "Firms Reap What They Sow: The Effects of Shared Values and Perceived Organizational Justice on Customers' Evaluations of Complaint Handling," *Journal of Marketing* 67 (January 2003), pp. 46–62.

21. Ver J. L. Heskett, T. O. Jones, G. W. Loveman, W. E. Sasser Jr., and L. A. Schlesinger, "Putting the Service–Profit Chain to Work," *Harvard Business Review* 72 (March–April 1994), pp. 164–174; G. W. Loveman, "Employee Satisfaction, Customer Loyalty, and Financial Performance," *Journal of Service Research* 1 (August 1998), pp. 18–31; A. Rucci, S. P. Kirn, and R. T. Quinn, "The Employee–Customer Profit Chain at Sears," *Harvard Business Review* 76 (January–February 1998), pp. 82–97; e R. Hallowell and L. L. Schlesinger, "The Service–Profit Chain," in *The Handbook for Services Marketing and Management,* ed. T. A. Swartz and D. Iacobucci (Thousand Oaks, CA: Sage, 2000), pp. 203–222.

22. Para mais pesquisas sobre a cadeia do lucro com serviços, ver J. L. Heskett, W. E. Sasser Jr., and L. A. Schlesinger, *The Value Profit Chain: Treat Employees Like Customers and Customers Like Employees* (New York: The Free Press, 2003); G. A. Geladel and S. Young, "Test of a Service Profit Chain Model in the Retail Banking Sector," *Journal of Occupational and Organizational Psychology* 78 (March 2005), pp. 1–22; R. D. Anderson, R. D. Mackoy, V. B. Thompson, and G. Harrell, "A Bayesian Network Estimation of the Service-Profit Chain for Transport Service Satisfaction," *Decision Sciences* 35 (Fall 2004), pp. 665–689; W. A. Kamakura, V. Mittal, F. de Rosa, and J. A. Mazzon, "Assessing the Service-Profit Chain," *Marketing Science* 21 (Summer 2002), pp. 294–317; R. Silvestro and S. Cross, "Applying the Service Profit Chain in a Retail Environment: Challenging the "Satisfaction Mirror,' " *International Journal of Service Industry Management* 11, no. 3 (2000), pp. 244–268; Schneider et al., "Understanding Organization-Customer Links in Service Firms."

23. J. Dickler, "Best Employers, Great Returns," *CNNMoney.com,* January 18, 2007, http://money.cnn.com/2007/01/17/magazines/fortune/bestcompanies_ performance/, acessado em janeiro de 2011.

24. M. K. Brady and J. J. Cronin Jr., "Customer Orientation: Effects on Customer Service Perceptions and Outcome Behaviors," *Journal of Service Research* 3 (February 2001), pp. 241–251.

25. L. A. Bettencourt and K. Gwinner, "Customization of the Service Experience: The Role of the Frontline Employee," *International Journal of Service Industry Management* 7, no. 2 (1996), pp. 3–20.

26. Para pesquisas sobre a influência dos comportamentos dos funcionários da linha de frente sobre os clientes, ver D. D. Gremler and K. P. Gwinner, "Customer–Employee Rapport in Service Relationships," *Journal of Service Research* 3 (August 2000), pp. 82–104; e T. J. Brown, J. C. Mowen, D. T. Donavan, and J. W. Licata, "The Customer Orientation of Service Workers: Personality Trait Effects of Self- and Supervisor Performance Ratings," *Journal of Marketing Research* 39 (February 2002), pp. 110–119.

27. A. Hochschild, *The Managed Heart: Commercialization of Human Feeling* (Berkeley: University of California Press, 1983).

28. T. Hennig-Thurau, M. Groth, M. Paul, and D. D. Gremler, "Are All Smiles Created Equal? How Employee-Customer Emotional Contagion and Emotional Labor Impact Service Relationships," *Journal of Marketing* 70 (July 2006), pp. 58–73.

29. A. Hochschild, "Emotional Labor in the Friendly Skies," *Psychology Today* 16 (June 1982), pp. 13–15.

30. Para uma discussão adicional sobre estratégias para lidar com o trabalho emocional, ver R. Leidner, "Emotional Labor in Service Work," *Annals of the American Academy of Political and Social Science* 561, no. 1 (1999), pp. 81–95. Para discussões sobre regras de demonstração de emoções, ver A. Grandey, A. Rafaeli, S. Ravid, J. Wirtz, and D. D. Steiner, "Emotional Display Rules at Work: The Special Case of the Customer," *Journal of Service Management* 21,

no. 3 (2010), pp. 388–412; J. M. Diefendorff and G. J. Greguras, "Contextualizing Emotional Display Rules: Taking a Closer Look at Targets, Discrete Emotions, and Behavior Responses," *Journal of Management* 35 (August 2009), pp. 880–98.

31. M. D. Hartline and O. C. Ferrell, "The Management of Customer-Contact Service Employees: An Empirical Investigation," *Journal of Marketing* 60 (October 1996), pp. 52–70; J. Singh, J. R. Goolsby, and G. K. Rhoads, "Burnout and Customer Service Representatives," *Journal of Marketing Research* 31 (November 1994), pp. 558–569; L. A. Bettencourt and S. W. Brown, "Role Stressors and Customer-Oriented Boundary-Spanning Behaviors in Service Organizations," *Journal of the Academy of Marketing Science* 31 (Fall 2003), pp. 394–408.

32. B. Shamir, "Between Service and Servility: Role Conflict in Subordinate Service Roles," *Human Relations* 33, no. 10 (1980), pp. 741–756.

33. Ibid., pp. 744–745.

34. J. Bowen and R. C. Ford, "Managing Service Organizations: Does Having a 'Thing' Make a Difference?" *Journal of Management* 28 (June 2002), pp. 447–469.

35. V. O'Connell, "Stores Count Seconds to Trim Costs," *The Wall Street Journal*, November 13, 2008, p. A1.

36. http://consumerist.com/2008/04/union-hits-picket-line-to-protest-verizons-poor-customer-service.html, acessado em janeiro de 2011.

37. Para discussões sobre marketing interno, ver L. L. Berry and A. Parasuraman, "Marketing to Employees," chap. 9 in *Marketing Services* (New York: The Free Press, 1991); C. Grönroos, "Managing Internal Marketing: A Prerequisite for Successful Customer Management," chap. 14 in *Service Management and Marketing: Customer Management in Service Competition,* 3rd ed. (West Sussex, UK: John Wiley and Sons, 2007).

38. Berry and Parasuraman, "Marketing to Employees," p. 153.

39. Esta seção sobre contratar pessoas considerando as competências e a inclinação para o serviço foi baseada no trabalho de B. Schneider e colaboradores, especificamente B. Schneider and D. Schechter, "Development of a Personnel Selection System for Service Jobs," in *Service Quality: Multidisciplinary and Multinational Perspectives,* ed. S. W. Brown, E. Gummesson, B. Edvardsson, and B. Gustavsson (Lexington, MA: Lexington Books, 1991), pp. 217–236.

40. Para um exame sobre as interpretações que os funcionários têm sobre o significado de "serviço bom", ver R. Di Mascio, "The Service Models of Frontline Employees," *Journal of Marketing* 74 (July 2010), pp. 63-80.

41. J. Hogan, R. Hogan, and C. M. Busch, "How to Measure Service Orientation," *Journal of Applied Psychology* 69, no. 1 (1984), pp. 167–173. Ver também Brown et al., "The Customer Orientation of Service Workers"; e D. T. Donavan, T. J. Brown, and J. C. Mowen, "Internal Benefits of Service-Worker Customer Orientation: Job Satisfaction, Commitment, and Organizational Citizenship Behaviors," *Journal of Marketing* 68 (January 2004), pp. 128–146.

42. Bowen and Pugh, "Linking Human Resource Management Practices and Customer Outcomes"; e N. Bendapudi and V. Bendapudi, "Creating the Living Brand," *Harvard Business Review* 83 (May 2005), pp. 124–134.

43. Para mais informações sobre as práticas de contratação da Southwest Airlines, ver C. Mitchell, "Selling the Brand Inside," *Harvard Business Review* 80 (January 2002), pp. 99–105.

44. *Site* da UPS, www.responsibility.ups.com/community/Static Files/sustainability/Workplace.pdf, acessado em janeiro de 2012.

45. *Site* do Google, www.google.com, acessado em janeiro de 2011.

46. http://money.cnn.com/video/fortune/2010/01/20/f_bctwf_sas.fortune/, acessado em janeiro de 2011.

47. M. Gunther, "Marriott Family Values," *CNNMoney.com,* May 25, 2007, http://money.cnn.com/2007/05/24/news/companies/pluggedin_gunther_marriott.fortune/index.htm, acessado em janeiro de 2011.

48. D. Gremler and K. Gwinner, "Rapport-Building Behaviors Used by Retail Employees," *Journal of Retailing* 84 (September 2008), pp. 308–324.

49. J. L. Levere, "Hotel Chains Try Training with Improv and iPods," *The New York Times,* September 7, 2010, p. B4; J. J. Salopek, "Improvisation: Not Just Funny Business," *Training and Development* 58 (May 2004), pp. 116–118.

50. J. Hempel, "Therapy with Your Latte? It's My Job," *BusinessWeek,* October 24, 2005, p. 16.

51. S. A. Bone and J. C. Mowen, "'By-the-Book' Decision Making: How Service Employee Desire for Decision Latitude Influences Customer Selection Decisions," *Journal of Service Research* 13 (May 2010), pp. 184–197.

52. J. C. Chebat and P. Kollias, "The Impact of Empowerment on Customer Contact Employees' Roles in Service Organizations," *Journal of Service Research* 3 (August 2000), pp. 66–81.

53. C. Argyris, "Empowerment: The Emperor's New Clothes," *Harvard Business Review* 76 (May–June 1998), pp. 98–105.

54. J. H. Gittell, "Relationships between Service Providers and Their Impact on Customers," *Journal of Service Research* 4 (May 2002), pp. 299–311.

55. *Site* da Clínica Mayo, http://www.mayoclinic.org/tradition-heritage/group-practice.html, acessado em janeiro de 2011.

56. Berry and Parasuraman, "Marketing to Employees," p. 162.

57. A. Sergeant and S. Frenkel, "When Do Customer-Contact Employees Satisfy Customers?" *Journal of Service Research* 3 (August 2000), pp. 18–34.

58. J. Reynoso and B. Moores, "Operationalising the Quality on Internal Support Operations in Service Organisations," in *Advances in Services Marketing and Management,* Vol. 6, ed. T. A. Swartz, D. E. Bowen, and S. W. Brown (Greenwich, CT: JAI Press, 1997), pp. 147–170.

59. Schneider and Bowen, *Winning the Service Game,* pp. 230–234.

60. O. Gadiesh and J. L. Gilbert, "Transforming Corner-Office Strategy into Frontline Action," *Harvard Business Review* 79 (May 2001), pp. 73–79.

61. Entrevista ao telefone com Guy Papa, gerente de treinamento, The Sherwin-Williams Company, 6/1/2011.

62. B. Fryer, "High Tech the Old Fashioned Way," *Harvard Business Review* 79 (March 2001), pp. 119–125.

63. L. L. Berry, "The Employee as Customer," *Journal of Retail Banking* 3 (March 1981), pp. 33–40; R. L. Cardy, "Employees as Customers?" *Marketing Management* 10, no. 3 (2001), pp. 12–13;

M. R. Bowers and C. L. Martin, "Trading Places Redux: Employees as Customers, Customers as Employees," *Journal of Services Marketing* 21, no. 2 (2007), pp. 88–98.

64. C. Hegge-Kleiser, "American Express Travel-Related Services: A Human Resources Approach to Managing Quality," in *Managing Quality in America's Most Admired Companies*, ed. J. W. Spechler (San Francisco: Berrett-Koehler, 1993), pp. 205–212.

65. K. Hammonds, "Balancing Work and Family," *BusinessWeek*, September 16, 1996, pp. 74–84.

66. J. Mackey, "Putting the Service Profit Chain to Work: How to Earn Your Customer's Loyalty," http://www.mufranchisee.com/article/32/, acessado em janeiro de 2011.

67. N. Bendapudi and R. P. Leone, "Managing Business-to-Business Customer Relationships Following Key Contact Employee Turnover in a Vendor Firm," *Journal of Marketing* 66 (April 2002), pp. 83–101; S. Wang and L. Davis, "Stemming the Tide: Dealing with the Imbalance of Customer Relationship Quality with the Key Contact Employee versus with the Firm," *Journal of Services Marketing* 22, no. 7 (2008), pp. 533–549.

68. Bendapudi and Leone, "Managing Business-to-Business Customer Relationships"; T. Jones, S. F. Taylor, and H. S. Bansal, "Commitment to a Friend, a Service Provider, and a Service Company—Are They Distinctions Worth Making?" *Journal of the Academy of Marketing Science* 36 (Winter 2008), pp. 473–487.

69. J. R. Katzenbach and J. A. Santamaria, "Firing Up the Front Line," *Harvard Business Review* 77 (May–June 1999), pp. 107–117.

70. Citado em D. Stauffer, "The Art of Delivering Great Customer Service," *Harvard Management Update* 4, no. 9 (September 1999), pp. 1–3.

Capítulo 12

Os papéis dos clientes na execução do serviço

Os objetivos deste capítulo são:

1. Ilustrar a importância dos clientes no sucesso da execução de serviços e na cocriação de experiências de serviço.
2. Discutir a variedade de papéis que os clientes desempenham na prestação de serviços, isto é, como recursos produtivos para a organização, colaboradores com a qualidade e a satisfação, e concorrentes.
3. Explicar as estratégias para envolver os clientes de serviços efetivamente, a fim de aumentar a satisfação, a qualidade e a produtividade.

iPrint = serviço *on-line* de autoatendimento para impressão

No mundo dos serviços para a Internet, os clientes desempenham papéis ativos na geração de serviços para si próprios, com pouca ou nenhuma interação com a empresa prestadora de serviços. Por exemplo, a iPrint foi uma das pioneiras ao alterar o modo como os clientes individuais e as pequenas empresas interagem com as empresas de impressão comerciais. Esta mudança fez o serviço antes prestado por empresas físicas ser executado pelo próprio cliente. A iPrint.com é uma empresa privada de serviços de impressão, atuante na Internet, que descreve a si mesma como um "ambiente de impressão comercial completo, totalmente automatizado, de autoatendimento, com criação e pedidos *on-line*".[1]

Fundada em 1996, a iPrint tornou-se uma das primeiras empresas a oferecer serviços de impressão *on-line*. Desde então, ela recebeu diversos prêmios quase anualmente por inovação no comércio eletrônico, design de *site* e serviço ao cliente, além de uma série de menções no Stevie Awards for Women in Business. Os clientes sempre dão notas boas para os produtos, os serviços, a facilidade de uso, a qualidade e a entrega rápida oferecidos pela empresa.

A maior parte do sucesso da companhia é atribuída a seu modelo de negócio, que disponibiliza ao cliente um caminho sempre acessível e fácil para o projeto, a criação e o pedido de serviços de impressão customizados, por vezes pela metade do custo cobrado por outras empresas tradicionais que atuam no setor. O depoimento dado por um cliente satisfeito é revelador: "A experiência de fazer negócios com a iPrint é sempre excelente. O trabalho é de máxima qualidade, a um preço razoável e entregue em tempo recorde – e não tenho de ir a lugar algum para buscá-lo!". Os clientes da iPrint geram valor por si próprios, por meio da participação na produção de serviços customizados. Os clientes com pouco ou nenhum conhecimento de design gráfico têm a chance de gerar seus próprios designs para uma variedade de produtos com facilidade e rapidez, da comodidade de seus lares ou escritórios. A iPrint oferece cartões de visita, blocos de notas, material de escritório, diversos itens para presente, carimbos, calendários, avisos e produtos promocionais.

Embora o processo de criação de designs gráficos seja complexo e envolva centenas de variáveis que precisam ser consideradas, a iPrint desenvolveu uma rotina simples, passo a passo, para a geração de produtos personalizados. Os clientes adaptam os designs existentes de forma a atender as suas especificações. Em seguida, eles visualizam os produtos acabados e fazem suas escolhas em termos de tipo de papel, fontes, tamanho e cores, além de detalhes relativos a logotipos e arte final. Os designs finalizados são adquiridos na Internet e na maioria das vezes são entregues em poucos dias. Os designs também são salvos automaticamente, o que permite a emissão de novos pedidos com facilidade. Apesar de a iPrint avisar aos clientes por e-mail sobre o recebimento do pedido e o momento em que ficou pronto, eles também podem ter papel ativo após o pedido ter sido recebido pela empresa, e rastreá-lo em todo o processo de impressão e transporte.

Além da orientação do cliente por meio de instruções detalhadas passo a passo, a iPrint disponibiliza acesso simplificado aos funcionários da prestação de serviço por telefone, bate-papo ao vivo ou e-mail. Os clientes que participam do design de seus próprios produtos são recompensados com preços expressivamente menores do que aqueles que pagariam em situações normais. A iPrint também oferece uma garantia de satisfação total, o que minimiza o risco que os clientes pressentem ao emitir pedidos *on-line* por impressos customizados. Os serviços oferecidos pela iPrint transformaram uma empresa de serviços de muita mão de obra e de operação eminentemente manual em uma companhia de serviços automatizada, de autoatendimento, em que os clientes corporativos de pequeno porte têm o poder de gerar valor e satisfação por si próprios. Uma vez que executam uma razoável parcela do trabalho, os clientes tornam-se "coprodutores" do serviço, aperfeiçoando a produtividade da iPrint, o que em síntese reduz os custos da companhia. Ao coproduzirem os serviços de forma eficaz, os clientes são recompensados com qualidade, resultados personalizados e preços reduzidos.

Neste capítulo examinamos os papéis diversos e exclusivos desempenhados pelos clientes na prestação e cocriação de serviços. Em alguns casos, os clientes de serviços estão presentes na "fábrica" (o local em que o serviço é gerado e/ou consumido), ao interagirem com os funcionários e com os outros clientes. Por exemplo, em uma situação de treinamento em sala de aula, os estudantes (os clientes) estão sentados na fábrica (a sala de aula) e interagem com o professor e seus colegas, enquanto consomem e cocriam serviços educacionais. Em função de estarem presentes na produção do serviço, os clientes têm a chance de contribuir ou não com a execução bem-sucedida do serviço e de auxiliar na concretização da própria satisfação. No contexto do setor manufatureiro, a unidade de produção raramente aceita a presença do cliente no chão de fábrica e tampouco depende do retorno imediato e em tempo real dado pelo cliente para fabricar os produtos que comercializa. Como mostra o texto de abertura deste capítulo, os clientes de serviço têm na verdade a chance de produzir os serviços eles mesmos e de se responsabilizarem pela própria satisfação até certo ponto. Ao recorrerem aos serviços *on-line* da iPrint, os clientes cocriam valor para si próprios e, neste processo, reduzem os preços que pagam pelos serviços de impressão.

Visto que os clientes participam da geração e prestação de serviços, eles podem contribuir com o aumento da lacuna 3 da empresa, a lacuna do desempenho do serviço. Isso significa que eles têm a oportunidade de influenciar as chances de o serviço atender às especificações definidas por eles mesmos. Há vezes em que os clientes ajudam a alargar a lacuna 3 por carecerem do conhecimento de seus papéis e por não saberem exatamente o que podem ou devem fazer em uma dada situação, sobretudo no caso de estarem diante de um conceito de serviço pela primeira vez.

Em outras situações, os clientes entendem seus papéis, mas por alguma razão não estão dispostos ou não são capazes de desempenhá-los. No contexto de academias de ginástica, os frequentadores entendem que, para entrarem em forma física, eles precisam obedecer às orientações dadas pelos instrutores. Se a rotina de trabalho ou se uma doença impedir que os frequentadores desempenhem seus papéis de acordo com as orientações, então o serviço não terá sucesso, exatamente em função da falta de participação do aluno. Em uma situação diferente na prestação de serviços, os clientes têm a escolha de não desempenhar os papéis definidos para eles, pois não são recompensados por contribuírem com algum esforço. Por exemplo, muitos clientes de supermercados decidem não utilizar o caixa com autoatendimento porque não veem benefícios em termos de velocidade ou conveniência. Quando os clientes da prestação de serviços são estimulados por descontos no preço, mais conveniência ou algum outro benefício tangível, eles provavelmente desempenharão seus papéis com mais disposição.

Por fim, a lacuna do desempenho do serviço pode se alargar não por conta das ações ou da falta delas de parte do cliente, mas por causa do que fazem *outros* clientes. Estes outros clientes, que estão no local do serviço recebendo o serviço ao mesmo tempo (os passageiros em um voo ou os estudantes em uma sala de aula) ou esperando sua vez para serem atendidos em sequência (os clientes de um banco esperando na fila do caixa, ou os clientes da Disney que aguardam sua vez para um passeio em um brinquedo) têm o poder de influenciar a eficiência e a eficácia do serviço.

A IMPORTÂNCIA DOS CLIENTES NA COGERAÇÃO E PRESTAÇÃO DE SERVIÇOS

A participação do cliente, em certo grau, é inevitável em todas as situações da prestação de serviços. Os serviços são ações ou desempenhos em geral produzidos e consumidos simultaneamente. Em muitas situações, os funcionários, os clientes e mesmo outros participantes no ambiente de serviços interagem com o objetivo de produzir o resultado final do serviço. Em função dessa participação, os clientes são indispensáveis ao processo de produção das organizações do setor de serviços e, em alguns casos, eles na verdade controlam ou contribuem de forma expressiva para a própria satisfação ou insatisfação.[2] Essa visão de clientes protagonistas condiz com a lógica do marketing que prevalece na prestação de serviços, que promove a ideia de que os clientes sempre são cogeradores de valor.[3] A seção Visão Estratégica deste capítulo ilustra esta visão ampla e como ela pode abrir caminho para estratégias inovadoras. O reconhecimento do papel dos clientes reflete-se também na definição do elemento *pessoas* do mix de marketing de serviços, apresentado no Capítulo 1: *todos os atores humanos que desempenham um papel na execução do serviço e que, por isso, influenciam as percepções do comprador: o quadro de pessoal da empresa, o cliente e outros clientes no ambiente de serviços*. O Capítulo 11 examinou o papel dos funcionários da empresa de serviços na prestação de serviços de qualidade. Neste capítulo, voltamos nossas atenções para o cliente que recebe ou cogera o serviço, e para os outros clientes presentes no ambiente da prestação.

O cliente que recebe o serviço

Visto que o cliente participa do processo de prestação dos serviços, ele pode contribuir para aumentar ou estreitar a lacuna 3. Isso ocorre devido a comportamentos apropriados ou inapropriados, eficazes ou ineficazes, produtivos ou improdutivos. O nível de participação do cliente – baixo, médio ou alto – varia de acordo com o serviço, como mostra a Tabela 12.1. Há casos em que é necessária tão somente a presença física do cliente (*nível baixo de participação*) e dos funcionários da empresa, que executarão todo o trabalho de prestação do serviço, como em um concerto sinfônico. Os frequentadores de concertos precisam estar presentes para receber o serviço de entretenimento, mas nada mais é necessário tão logo eles tenham se sentado em seus lugares. Em outras situações, as informações do consumidor são necessárias para auxiliar na geração e organização do serviço (*nível médio de participação*). Estas informações incluem *dados*, *esforço* ou *elementos físicos*. Estes três fatores são exigidos para um contador preparar a declaração do imposto de renda de um cliente com eficácia. Estes dados incluem informações de declarações anteriores, estado civil e número de dependentes; o esforço para reunir estas informações de forma a serem úteis; e elementos físicos, como recibos e restituições de impostos passados. Em alguns casos, os clientes são verdadeiros

Visão estratégica — A cogeração de valor para o cliente: a nova fronteira estratégica

Consultores, pesquisadores e estrategistas estão estimulando as companhias a refletirem acerca de seus clientes sob novos prismas. Em vez de enxergar os clientes como alvos passivos e compradores de bens e serviços pré-projetados, eles encorajam uma visão do cliente como *protagonista* da cogeração de valor. Esta perspectiva ultrapassa o foco no envolvimento do cliente na geração de ideias para novos produtos, e é mais do que sua mera participação na prestação do serviço. Ao contrário, esta visão sugere que o valor que os clientes recebem é uma *experiência cogerada*, que constroem para si mesmos por meio de interações com os prestadores do serviço e outros clientes, e com a escolha e combinação de elementos das ofertas disponibilizadas pela companhia para gerar suas próprias "experiências totais". Dois exemplos em dois contextos diferentes ajudam a ilustrar a ideia de cogeração e as possibilidades estratégicas.

Os serviços oferecidos pela John Deere unem equipamentos, proprietários, operadores e consultores no setor agrícola

John Deere

A John Deere é uma empresa de operações globais com 175 anos que atende à agricultura de alto investimento e tecnologia, oferecendo equipamentos, serviços e informações sofisticados, além de diálogos *on-line* com grupos de clientes do setor. Hoje, a empresa está voltada para facilitar e tornar a vida do fazendeiro mais produtiva. O "ambiente da experiência" para suas inovações deve incluir tudo o que auxilie na concretização dos objetivos do fazendeiro. Por exemplo, as novas tecnologias disponibilizadas pela John Deere, chamadas "FarmSight", permitem que o fazendeiro monitore equipamentos a distância, para assim avaliar a sua localização e as condições dos motores, maximizando a eficiência das operações e fornecendo o suporte necessário à tomada de decisão em processos agrícolas. Este monitoramento remoto e as competências relativas ao suporte são configurados para cada fazendeiro com exclusividade, e requerem seu envolvimento ativo com o equipamento para obter o máximo de vantagens em termos de valor. Outro serviço que a Deere oferece é a tecnologia de sensores nos equipamentos que permitem o mapeamento preciso das condições do solo e, com isso, a prescrição da aplicação de sementes e

---

cogeradores do serviço (*nível alto de participação*). Para estes serviços, os clientes desempenham papéis importantes que afetam o resultado do serviço. Por exemplo, em um programa de redução de peso, o cliente, que trabalha com um consultor, pode ativamente cogerar um programa de exercícios e nutrição personalizado. Portanto, a execução e o aprimoramento do plano dependem, em grande parte, do cliente, o que resulta em um valor que é exclusivo a ele. Por essa mesma razão, em um contrato de consultoria complexo e de longo prazo do tipo *business-to-business*, o cliente envolve-se em atividades como a identificação de problemas, a solução em conjunto destes problemas, a constância na comunicação, a disponibilização de equipamentos e espaço de trabalho, além da implementação de soluções.[4] A facilitação deste tipo de participação positiva do cliente auxilia na garantia de sucesso dos resultados, como mostra o Quadro 12.1. A Tabela 12.1 apresenta diversos exemplos de cada nível de participação para serviços a clientes individuais e corporativos. A efetividade do envolvimento do cliente em todos os níveis afeta a produtividade organizacional e, em última análise, a qualidade do serviço e a satisfação do cliente.

Os outros clientes

Em muitos contextos de serviço, os clientes recebem e/ou cogeram o serviço simultaneamente com outros clientes, ou precisam esperar sua vez enquanto os primeiros estão sendo atendidos. Nos dois casos, os "outros clientes" estão presentes no ambiente da prestação de serviços e são capazes de

fertilizantes com base nestas condições. Dependendo destas informações e das culturas que adota, os dados disponibilizados pelos sensores são customizados para a situação específica do fazendeiro e utilizados para melhor controlar a produção de cada cultura. A John Deere também abre oportunidades para os fazendeiros por meio da Universidade John Deere e seus cursos *on-line* e presenciais, além de livros e outras publicações. Cada fazendeiro decide quanto tempo participará de cada um dos diversos serviços, como utilizará as informações prestadas, e se tirará proveito de outras oportunidades de aprendizado. A estratégia e o conjunto de serviços da Deere estão focados no cliente, e a experiência resultante é única a cada fazendeiro. A Deere alterou seu paradigma de inovação estratégica e adotou um sistema em que o valor é cogerado por meio de serviços, soluções e experiências, não de inovação no produto ou na tecnologia.

A Kodak Gallery

A Kodak Gallery oferece um conjunto de serviços para os clientes – todos relacionados à fotografia e a experiências associadas com a arte. Anteriormente chamada "Ofoto", a Kodak Gallery é considerada um dos melhores serviços de compartilhamento *on-line* de imagens. Ela é fácil de usar e permite aos clientes carregar, organizar, armazenar, enviar por e-mail e retocar fotografias digitais. Contudo, a Kodak foi além da mera oferta de um serviço para organizar e compartilhar fotos: a empresa identificou um "espaço para a experiência com fotografia", oferecendo opções, mercadorias e serviços associados. Por exemplo, ao acessarem o *site* do serviço, os clientes podem solicitar a impressão de fotos e em seguida buscá-las em um dos milhares pontos de coleta. Como alternativa, os clientes criam álbuns de fotografias ou utilizam a opção de molduras customizadas para suas fotos mais especiais. Há também a opção de elaboração de cartões, calendários, brochuras e outros presentes com suas fotos, e a de encomendar mercadorias com suas fotos estampadas (de porta-copos a *mouse pads*, de roupas a cobertores para animais de estimação). Os amigos e familiares podem visualizar, adquirir e comentar as fotos dos clientes, formando uma comunidade. A tecnologia que permite que cidadãos comuns tirem fotografias com facilidade e economia foi uma inovação essencial. Contudo, os serviços e as experiências que a Kodak e outras empresas prestam *on-line* possibilitam que os clientes cogerem uma experiência com fotografia realmente única e que pode ser relembrada e revivida por eles e pessoas próximas. Com estas experiências, os próprios clientes aprimoram de modo expressivo o valor de suas câmeras e fotografias.

Fontes: S. L. Vargo and R. F. Lusch, "Evolving to a New Dominant Logic for Marketing," *Journal of Marketing* 68 (January 2004), pp. 1–17; C. K. Prahalad and V. Ramaswamy, *The Future of Competition: Co-Creating Unique Value with Customers* (Boston, MA: Harvard Business School Press, 2004); M. Sawhney, S. Balasubramanian, and V. V. Krishnan, "Creating Growth with Services," *Sloan Management Review* 45 (Winter 2004), pp. 34–43; www.kodakgallery.com, agosto de 2011; www.deere.com, agosto de 2011.

---

afetar a natureza do processo ou do resultado do serviço. Os outros clientes podem *aperfeiçoar* ou *prejudicar* a satisfação do cliente e suas percepções da qualidade.[5]

Algumas das maneiras de os outros clientes exercerem influência negativa sobre a experiência do serviço incluem a demonstração de comportamentos intransigentes, a imposição de atrasos, o excesso de comparecimentos e a manifestação de necessidades incompatíveis com o serviço. Em restaurantes, hotéis, aeronaves e outros ambientes em que os clientes estão muito próximos uns aos outros durante a prestação do serviço, algum bebê que esteja chorando, clientes que fumam e fazem barulho ou grupos de pessoas que comportam-se mal podem gerar problemas e prejudicar as experiências dos outros clientes. Nas salas de aula de uma universidade ou em outros tipos de ambientes educacionais ou de treinamento, os clientes muitas vezes queixam-se de colegas que interrompem ou causam algum prejuízo à experiência dos outros ao usarem seus laptops ou enviarem mensagens de texto em seus telefones celulares. Em outras situações, clientes excessivamente exigentes (mesmo aqueles que tenham problemas genuínos) são capazes de causar atrasos para outros clientes enquanto suas próprias necessidades são atendidas. Estes problemas são comuns em bancos, agências de correio e balcões de atendimento ao cliente no varejo. O excesso de pessoas ou o mau uso de um serviço possivelmente afetarão a natureza da experiência do cliente. Uma visita ao parque Sea World em San Diego em um feriado nacional, como o 4 de julho, dia da independência dos Estados Unidos, constitui uma experiência diferente de uma visita ao local em um dia útil no mês de fevereiro.

Tabela 12.1 Os níveis, as características e os exemplos de participação do cliente em diferentes serviços

Baixo: a presença do cliente é necessária durante a prestação do serviço	Médio: as informações do cliente são necessárias para a geração do serviço	Alto: o cliente cogera o serviço
O serviço é padronizado.	As informações do cliente (dados, materiais) customizam um serviço padrão.	A participação ativa do cliente orienta o serviço customizado.
O serviço é prestado independentemente de outra compra.	A prestação do serviço exige a compra pelo cliente.	O serviço não pode ser criado sem relação com a compra e a participação ativa do cliente.
O pagamento pode ser a única tarefa que o cliente precise executar.	As informações sobre o cliente são necessárias para um resultado adequado, mas a empresa da prestação de serviços é quem o executa.	As informações, escolhas e ações do cliente cogeram o resultado.
Exemplos de clientes		
Viagens aéreas	Cortes de cabelo	Aconselhamento para casais
Estadas em hotéis	Exame físico anual	*Personal training*
Restaurantes de *fast food*	Restaurantes normais	Programa de redução de peso
Exemplos de clientes *business-to-business*		
Serviço de lavagem de uniformes	Campanhas publicitárias criadas em agências	Consultoria em gestão
Controle de infestações	Serviço de folha de pagamento	Seminários de gestão executiva
Serviço de manutenção de plantas interiores	Transporte de fretes	Instalação de redes

Fonte: Adaptado de A. R. Hubbert, "Customer Co-Creation of Service Outcomes: Effects of Locus of Causality Attributions," tese de doutorado, Universidade do Estado do Arizona, Tempe, Arizona, 1995.

Por fim, é possível que os clientes atendidos simultaneamente mas com necessidades incompatíveis prejudiquem uns aos outros. Esta situação ocorre em restaurantes, salas de aula de uma universidade, hospitais e qualquer estabelecimento do setor de serviços em que diversos segmentos sejam atendidos ao mesmo tempo. Em um estudo sobre encontros de serviço críticos em atrações turísticas no centro do Estado da Flórida, os pesquisadores descobriram que os clientes afetavam uns aos outros de modo negativo quando não obedeciam a "regras de conduta" implícitas ou explícitas. Os clientes que participaram deste estudo relataram atitudes negativas como empurrões, cotoveladas, fumo, bebida, linguagem malcriada e desrespeito a filas. Em outras situações, a insatisfação foi causada por clientes rudes, frios, antipáticos ou despeitados.[6]

Há muitos casos de clientes que melhoram a satisfação e a qualidade da experiência do serviço. Há vezes em que a mera presença de outros clientes aperfeiçoa a experiência, como em eventos esportivos, cinemas e outros locais de entretenimento. Em outras situações, os outros clientes trazem uma dimensão social positiva para a experiência do serviço, conforme sugere a fotografia mostrada mais adiante. Há também circunstâncias em que os clientes auxiliam uns aos outros a concretizar os objetivos e resultados dos serviços. O sucesso da organização Vigilantes do Peso, por exemplo, depende do espírito de equipe e do apoio mútuo de seus integrantes. Além disso, faz tempo que os planos de saúde reconheceram a importância dos familiares (muitas vezes vistos como clientes neste contexto), que auxiliam os pacientes internados com cuidados e promovem sua recuperação. Alguns hospitais hoje encorajam os familiares a permanecer ao lado do paciente e prestar assistência a ele quando internado em unidades de tratamento intensivo, o que os torna membros ativos da equipe de saúde.[7]

As pesquisas acadêmicas também corroboram o poder que os outros clientes têm de influenciar os resultados dos serviços. Em um estudo conduzido com uma franquia da Gold's Gym, descobriu-se que os clientes que recebiam apoio de outros frequentadores da academia tinham maior inclinação a contribuir de modo positivo com aspectos como limpeza da academia, auxílio aos funcionários, demonstração de simpatia com outros frequentadores, além do encorajamento para que outras pessoas se matriculassem no estabelecimento.[8] O estudo sobre as atrações turísticas na Flórida, mencionado anteriormente, constatou que os clientes aumentavam a satisfação de seus iguais quando mantinham conversas amigáveis enquanto esperavam na fila, tiravam fotografias, ajudavam a cuidar dos filhos destes, e devolviam objetos perdidos ou que haviam caído no chão.[9] Além disso, um estudo de âmbito etnográfico que observou centenas de horas de interações entre passageiros da rede ferroviária do Reino Unido revelou que os clientes muitas vezes ajudavam-se ao (1) fornecerem informações importantes relacionadas ao serviço (por exemplo, horários, características interessantes das rotas) que reduziam a ansiedade despertada pela viagem, (2) manterem conversas agradáveis que tornavam a viagem mais prazerosa e (3) servirem como alguém para ouvir alguma reclamação diante de algum imprevisto ou falha no serviço.[10]

A influência dos outros clientes na ajuda a seus semelhantes fica ainda mais evidente em alguns contextos de serviços *on-line* como Facebook, LinkedIn, eBay, Amazon.com e Craigslist, em que os clientes literalmente cogeram serviços juntos. A ajuda mútua entre clientes não se limita a serviços ao consumidor, conforme ilustra a gigante do setor de redes, a Cisco. Ao oferecer a seus clientes corporativos todo o acesso a suas informações e sistemas por meio de seu serviço de autoatendimento, a Cisco os habilita a dialogarem e a auxiliarem uns aos outros além de outros clientes que estejam diante dos mesmos desafios. A seção Tecnologia em Foco do Capítulo 7 discute como a Cisco utiliza estes serviços *on-line* no contexto da recuperação do autosserviço.

OS PAPÉIS DOS CLIENTES

As seções a seguir analisam os três principais papéis desempenhados pelos clientes na cogeração e prestação de serviços: os clientes como recursos produtivos para a organização, como colaboradores com a qualidade e a satisfação e como concorrentes.

Os clientes como recursos produtivos

Há tempos que os clientes de serviços são chamados de "funcionários parciais" da organização – os recursos humanos que contribuem com a capacidade produtiva da organização.[11] Alguns especialistas em gestão sugerem que as fronteiras da organização devem ser expandidas para incluir o cliente no sistema de serviços. Em outras palavras, se os clientes contribuem com esforço, tempo ou outros recursos para o processo de produção do serviço, eles precisam ser considerados parte da organização.

As informações dos clientes afetam a produtividade da organização por meio da qualidade da contribuição e da qualidade e quantidade do resultado gerado. Em um contexto de serviços *business-to-business* (veja Quadro 12.1), as contribuições do cliente aperfeiçoam a produtividade geral da empresa tanto na qualidade quanto na quantidade do serviço prestado.[12]

As interações sociais com outros clientes podem influenciar a satisfação dos frequentadores com o serviço de uma academia de ginástica.

No exemplo anterior da unidade de tratamento intensivo, os familiares participam do cuidado ao paciente no local, o que aumenta a qualidade dos resultados do tratamento de saúde como um todo. Além disso, há um aumento na produtividade do serviço, já que os familiares participam como "funcionários parciais" do hospital.[13]

Quadro 12.1 A cogeração do cliente nos serviços *business-to-business*

O que empresas como IBM, McKinsey, Accenture e neoIT têm em comum? Todas podem ser descritas como empresas de serviços intensivos em conhecimento (SIC), cujas atividades com valor agregado oferecem aos clientes serviços altamente customizados (por exemplo, engenharia técnica, consultoria, desenvolvimento de *software*, terceirização de processos de negócio). Para desenvolver e prestar soluções ótimas de serviço, as SICs dependem das informações e da cooperação de seus clientes como cogeradores essenciais dos serviços. As SICs necessitam de informações detalhadas e precisas sobre o cliente, acesso a pessoas e recursos, e cooperação quanto a prazos e contingências inevitáveis do processo.

Entrevistas e pesquisas detalhadas conduzidas junto a clientes e funcionários de uma prestadora de serviços em tecnologia da informação (a TechCo) identificaram diversas características dos *clientes* que podem aprimorar a qualidade da participação destes e o resultado final do serviço nestes tipos de relacionamentos com SICs. As características são listadas a seguir, com uma citação ilustrativa de ou sobre um dos clientes da TechCo, sob pseudônimos. Os pesquisadores utilizaram nomes fictícios para proteger as identidades das empresas. Os clientes que demonstram estes tipos de comportamento de cogeração contribuem com o sucesso de seus próprios projetos, estão inclinados a obter melhores resultados e sentem-se mais satisfeitos.

- **A abertura para a comunicação.** O cliente é direto e honesto ao compartilhar informações necessárias ao sucesso do projeto. *A PharmCo na verdade fez todo o trabalho inicial para entender o que temos de fazer e quando e como estas atividades se encaixam em nosso esquema mais amplo de objetivos... Passamos os primeiros dias fazendo absolutamente nada além de pregar o que estamos tentando conseguir. – TechCo, sobre o cliente PharmCo.*

- **Solução compartilhada de problemas.** O cliente assume as iniciativas individuais e divide a responsabilidade por desenvolver soluções a problemas que aparecem no relacionamento. *Como cliente, penso que tenho a responsabilidade de contribuir com um pensamento crítico acerca do que eles põem na mesa... Não basta simplesmente aceitar as sugestões... Você precisa ser capaz de dizer, "Não sei se isso vai funcionar para nosso ambiente" ou, da perspectiva técnica, "Por que você faz isso?". Assim, a maior parte do processo consiste em fazer perguntas e dizer, "Por que estamos fazendo isso desse jeito? Essa é a melhor maneira de fazer isso?" – cliente GovCo.*

- **Tolerância.** O cliente reage de modo compreensivo e paciente diante de problemas com o projeto. *Sem dúvida era esse nosso objetivo – não ter barreiras nem problemas... E mesmo assim, demorou mais do que pensávamos... Mais uma vez, não foi culpa de alguém, é mais uma dessas coisas que acontecem. É um processo, e por vezes esses processos levam mais tempo do que foi planejado no começo. – cliente EduCo.*

- **Adequação.** O cliente demonstra uma disposição de acomodar os desejos, as abordagens e os julgamentos especializados do prestador de serviços. *Quando víamos algo que não se encaixava a nossos objetivos, telefonávamos e perguntávamos se eles poderiam resolver o problema... A resposta era simples, "Ah, claro, com certeza"... Mas se fosse algo que tinha de ser levado a sério mesmo, a resposta era, "Não, você não deve mudar isso por essa*

A participação do cliente na produção de serviços levanta diversas questões para uma organização. Como os clientes podem influenciar tanto a qualidade quanto a quantidade do volume produzido, alguns especialistas acreditam que a execução do serviço deveria ser o mais isolada possível da participação do cliente a fim de minimizar a incerteza que ele pode trazer ao processo de produção. Esta interpretação vê os clientes como principal fonte de incertezas – em termos de suas exigências e da natureza incontrolável de suas atitudes e ações. A conclusão lógica é que as atividades da prestação de serviços que não exigem contato ou envolvimento com o cliente devem ser executadas a distância: quanto menor o número de contatos diretos entre o cliente e o sistema de geração do serviço, maior o potencial para este operar em pico de eficiência.[14] Outros especialistas acreditam que os serviços podem ser executados com máxima eficiência na situação em que os clientes são verdadeiramente vistos como funcionários e nos casos em que seus papéis de coprodutores são projetados para maximizar suas contribuições ao processo de criação do serviço. A lógica por trás deste posicionamento diz que a produtividade corporativa pode ser aumentada se os clientes aprenderem a desempenhar as atividades relacionadas aos serviços que não estejam desempenhando no momento ou se forem educados a desempenhar com mais eficácia as tarefas que já executam.[15]

Por exemplo, quando apareceram os postos de gasolina de autoatendimento, os clientes tinham de bombear a gasolina para os tanques de seus automóveis por conta própria. Visto que os clientes

ou aquela razão"... Com isso, nossa resposta era: "Certo, está bem assim", e partíamos para o próximo assunto. – cliente EduCo.

- **Defesa.** A empresa cliente da TechCo faz uma defesa e funciona como vendedora do projeto. *O escopo do projeto era problemático. Se não tivéssemos nos envolvido e não dispuséssemos de um grupo de pessoas com conhecimento de causa, que realmente desejavam ter sucesso, talvez teríamos de ter dito: "Não me preocupo com o final que isso vai ter porque o chefe disse que tem de ser feito e pronto... Não vou me estressar se der errado porque nunca vou usar essa coisa". Assim, acho que foi uma combinação de fatores. Um deles foi ter pessoas que têm interesses em ver a coisa funcionar e que sabiam por que estavam fazendo isso. O outro foi o envolvimento contínuo. – cliente AgCo.*
- **Envolvimento na governança de projeto.** O cliente aceita um papel ativo no monitoramento do progresso do projeto na direção das metas estabelecidas. *Fazíamos nossas reuniões e definíamos esses pontos de ação. Dizíamos quando gostaríamos de ver estes pontos finalizados e marcaríamos a próxima reunião de imediato, para que todos soubessem quais eram as expectativas. – cliente DonorCo.*
- **Dedicação pessoal.** O cliente demonstra uma noção de obrigação pessoal com o sucesso do projeto, e assume responsabilidades de modo consciente. *Acho que foi uma das coisas que provavelmente fiz certo – envolver-me bastante. Mas foi difícil, em minha opinião, porque tomou tempo de outras coisas que eu tinha de fazer. Mas acho que acrescentei algumas coisas ao projeto e que, se eu não estivesse tão envolvido, talvez não teríamos tido o sucesso que tivemos na implementação dos três sistemas, ao menos do modo que acho que tivemos. – cliente GovCo.*

O desafio para as empresas SIC consiste em desenvolver processos, sistemas e práticas que garantam esta forma de participação dos clientes. As pesquisas sugerem que estes comportamentos positivos de coprodução são mais comuns quando este tipo de prestadora de serviço se envolve: (1) *na seletividade de clientes* (a cuidadosa triagem antecipada de clientes para garantir uma boa relação entre o cliente e a prestadora), (2) *no treinamento, na educação e na socialização* de clientes (fazer o cliente se sentir parte de uma equipe, desencadeando um relacionamento com espírito de cooperação, com a provável inclusão de eventos e oficinas para a definição de expectativas), e (3) *na liderança no projeto e na avaliação do desempenho do cliente* (a seleção dos líderes corretos para o projeto de ambos os lados e a avaliação destes quanto às habilidades na gestão do relacionamento e à capacitação técnica).

Esta pesquisa ilustra a importância dos clientes corporativos como cogeradores do serviço e o valor para a empresa prestadora e para o cliente que pode resultar de comportamentos de coprodução de qualidade e de práticas de negócio associadas.

Fonte: L. A. Bettencourt, A. L. Ostrom, S. W. Brown, and R. I. Roundtree, "Client Co-Production in Knowledge-Intensive Business Services," *California Management Review* 44 (Summer 2002), 100–128; Copyright © 2002, by The Regents of the University of California. Reimpresso com permissão da American Marketing Association, Vol. 44, No. 4.

---

aceitaram a tarefa, o número de funcionários necessários diminuiu e a produtividade geral aumentou no setor. Hoje, a maior parte dos postos de gasolina norte-americanos oferece aos clientes a opção de pagar pela gasolina na própria bomba inserindo seus cartões de crédito ou utilizando um dispositivo com tecnologia sem fio, sem contato humano. Pela mesma razão, a automação de diversos serviços de companhias aéreas, como o *check-in* de bagagens e a emissão automática de passagens, tem como meta agilizar o processo para o cliente ao mesmo tempo que libera os funcionários da companhia para outras tarefas.[16] A produtividade de uma organização aumenta com a utilização de seus clientes como recurso para a execução de tarefas anteriormente desempenhadas por funcionários.

São muitos os exemplos de organizações que procuram aumentar a produtividade com a transferência de tarefas aos clientes. Embora as organizações obtenham vantagens indiscutíveis em termos de custos ao recrutar o cliente como coprodutor, ele nem sempre aprecia ou aceita esse seu novo papel, sobretudo nos casos em que percebe que a finalidade da companhia é reduzir custos básicos. Se o cliente não perceber benefícios no envolvimento com a coprodução de serviços (por exemplo, preços menores, acesso mais veloz, melhor qualidade de resultado), ele terá a impressão de que a produtividade ou a eficiência que gera é uma penalidade que, em síntese, serve apenas para beneficiar a empresa.[17] Da mesma forma, os funcionários às vezes se sentem frustrados com a participação do cliente, como revelou uma pesquisa conduzida em um contexto bancário que explorou os efeitos da participação do cliente nos funcionários e na própria clientela. Embora a pesquisa tenha descoberto que, de modo geral, a participação do cliente melhorou a experiência e o valor para o cliente, ela foi fonte de estresse para os funcionários, talvez por conta das interrupções nos procedimentos-padrão de trabalho.[18]

Os clientes como colaboradores para a qualidade e a satisfação com o serviço

Outro papel que o cliente pode desempenhar na cogeração e execução do serviço é o de colaborador com a própria satisfação e com a qualidade final dos serviços que recebe. Os clientes nem sempre se preocupam muito com o fato de terem participado do aumento na produtividade da organização. Porém, eles preocupam-se bastante com o atendimento das suas necessidades. A participação efetiva do cliente aumenta a possibilidade de que as necessidades e as vantagens que o cliente procura sejam de fato atendidas, especialmente em serviços como cuidado à saúde, educação, atividade física e perda de peso, nos quais os resultados do serviço dependem expressivamente da participação do cliente.

As pesquisas mostram que no setor de educação, a participação ativa dos alunos – em comparação com a atenção passiva – aumenta o aprendizado (um dos desfechos desejados para o serviço) de maneira significativa.[19] O mesmo vale para o setor de saúde: a complacência do paciente, em termos de tomar a medicação prescrita ou alterar a dieta e outros hábitos, é fundamental à recuperação da saúde (o resultado desejado para o serviço).[20] Pesquisas nos setores financeiro e médico demonstraram que a coprodução eficaz de parte dos clientes leva à maior fidelidade para com uma empresa de serviços.[21] Em um contexto *business-to-business*, as empresas do setor de transporte rodoviário descobriram que são muitas as situações em que os clientes causam a própria *insatisfação* com o serviço. Isso ocorre quando eles não embalam a encomenda de modo adequado, o que causa danos ou atrasos, pois as encomendas têm de ser reembaladas. Por essa razão a coprodução ineficiente acarreta resultados negativos e insatisfação.

As pesquisas sugerem que os clientes que acreditam ter desempenhado seus papéis com eficácia nas interações do serviço ficam mais satisfeitos. Em um estudo sobre o setor bancário, os clientes deviam se classificar com base em perguntas relacionadas a suas contribuições com a execução do serviço, em termos do que faziam (por exemplo, cooperar com o funcionário do banco e fornecer as informações adequadas) e como se sentiam (ser amigável e cortês com o funcionário do banco). Os resultados indicaram que os clientes que responderam de modo mais positivo às questões sobre sua própria participação eram aqueles que estavam mais satisfeitos com o banco.[22] Pesquisas conduzidas em outros contextos mostram que as percepções dos clientes com a qualidade do serviço aumentavam proporcionalmente à participação. Por exemplo, os sócios da ACM* que utilizavam a associação mais intensamente conferiram a ela notas mais altas para aspectos da qualidade do serviço, em comparação com pessoas cuja participação era menor.[23]

Os clientes contribuem com a qualidade da execução do serviço quando respondem a perguntas, assumem responsabilidades por sua própria satisfação e queixam-se no caso de falhas nos serviços. Consideremos os cenários mostrados no Quadro 12.2.[24] Os quatro cenários ilustram as amplas variações na participação do cliente que podem resultar em diferenças igualmente grandes na qualidade do serviço e na satisfação do cliente. Os clientes que assumem responsabilidades e as empresas que encorajam seus clientes a tornarem-se parceiros na identificação e satisfação de suas próprias necessidades produzirão, em conjunto, os níveis mais altos de qualidade do serviço. A seção Tema Global mostra como a IKEA, a maior varejista de mobília do mundo, usou a criatividade para envolver seus clientes no desempenho de um novo papel: "A IKEA deseja que seus clientes entendam que seus papéis não são o de *consumir* valor, mas de *gerar* valor."[25]

---

* N. de T.: Associação Cristã de Moços.

> **Quadro 12.2** Qual é o cliente que se sente mais satisfeito: o cliente A ou o cliente B?
>
> Para cada cenário, pergunte: "Qual é o cliente que se sente mais satisfeito e receberá maior qualidade e valor: o cliente A ou o cliente B? Por quê?"
>
> **Cenário 1: um importante hotel de classe internacional**
>
> Logo após o registro, o cliente A telefonou à recepção para avisar que o aparelho de televisão em seu quarto não estava funcionando e que a lâmpada da mesa de cabeceira estava queimada. Os dois problemas foram resolvidos de imediato. Os funcionários do hotel substituíram o aparelho de TV estragado por um que funcionava, e também a lâmpada. Mais tarde, eles trouxeram ao cliente um prato de frutas frescas como compensação pelo transtorno. O cliente B informou à gerência somente no momento de deixar o hotel que sua televisão não funcionou e que não pôde ler na cama. Suas reclamações foram ouvidas por hóspedes que estavam registrando-se na recepção, que se perguntaram se haviam escolhido um bom hotel para se hospedarem.
>
> **Cenário 2: escritório de um contador especialista em declaração de imposto de renda**
>
> O cliente A organizou as informações necessárias à sua declaração do imposto de renda em categorias, e disponibilizou todos os documentos requisitados pelo contador. O cliente B tem uma caixa repleta de papéis e recibos, muitos dos quais não são relevantes para fins de impostos, mas que foram trazidos "no caso de serem necessários".
>
> **Cenário 3: um voo entre Londres e Nova York**
>
> O passageiro A chega para embarcar com um aparelho de DVD, material para leitura e usa muitas roupas quentes. Ele também solicitou uma refeição especial com antecedência. O passageiro B, que chega de mãos vazias, irrita-se quando a tripulação não tem mais cobertores para distribuir aos passageiros, queixa-se sobre a seleção de revistas e as refeições, e não gosta do filme exibido a bordo.
>
> **Cenário 4: consultoria de arquitetura para uma reforma em um prédio de escritórios**
>
> O cliente A convidou os arquitetos para encontrarem-se com o comitê de reforma e projeto, composto por gerentes, funcionários e clientes, a fim de lançar as bases de uma grande reforma que afetará todas as pessoas que trabalham ou frequentam o prédio como clientes. Para obter informações, o comitê formulou as ideias iniciais e entrevistou os funcionários e clientes. O cliente B convidou os arquitetos após a decisão, tomada na semana anterior, de reformar o prédio. O comitê de projeto é formado por dois gerentes, que estão preocupados com outras tarefas mais prementes e têm poucas noções sobre o que precisam ou sobre as preferências dos funcionários e clientes acerca de uma reforma no espaço dos escritórios.

Além de contribuir com a própria satisfação, ajudando a melhorar a qualidade dos serviços que recebem, alguns clientes gostam de participar da prestação do serviço. Estes clientes acham que o ato de participar constitui um atrativo por si só.[26] Eles gostam de utilizar a Internet para obter suas passagens aéreas, executar operações bancárias em caixas automáticos e *on-line*, encher os tanques de seus automóveis em postos de autoatendimento ou mesmo adquirir móveis na IKEA. Muitas vezes os clientes que adotam o autoatendimento em um tipo de serviço demonstram a mesma disposição para outros setores.

É interessante observar que, em função de os clientes do setor de serviços precisarem participar da execução do serviço, eles muitas vezes culpam a si mesmos (no mínimo em parte) sempre que algo dá errado. Por que tanta demora para chegar a um diagnóstico preciso sobre meu estado de saúde? Por que o contrato de serviços de alimentos para nossa cafeteria tinha tantos erros? Por que o quarto que reservamos para nossa reunião não estava disponível no momento de nossa chegada? Se os clientes acreditarem que são parcial ou totalmente responsáveis pela falha, então eles talvez ficarão menos insatisfeitos com a empresa prestadora do que quando acreditam que a prestadora é a responsável pelo problema.[27] Uma série de estudos sugere a existência deste "viés do autosserviço". Isto é, sempre que os serviços vão além do esperado, os clientes participantes tendem a levar os créditos pelos resultados e sentem-se menos satisfeitos com a empresa do que aqueles que não protagonizaram seus papéis. Contudo, no caso de o resultado ser pior do que o esperado, os clientes que decidiram participar da geração do serviço sentem-se menos insatisfeitos com o serviço do que aqueles que decidiram não participar – possivelmente porque os clientes participantes assumiram parte do ônus.[28]

Os clientes como concorrentes

O terceiro papel desempenhado por clientes de serviços é o de provável concorrente. Se os clientes do autoatendimento são vistos como uma forma de recursos para a empresa, ou "funcionários parciais", eles poderiam, em alguns casos, desempenhar parcialmente o serviço ou protagonizar toda sua execução por conta própria, sem a presença da empresa prestadora. Assim, em certo sentido, os clientes são concorrentes das companhias que fornecem o serviço. A escolha entre gerar o serviço por conta própria (*substituição interna*) – por exemplo, creches, manutenção predial, conserto de veículos – ou ter outra pessoa para prestar o serviço (*substituição externa*) é um dilema comumente enfrentado pelos clientes.[29] Decisões semelhantes envolvendo substituições internas e externas de serviços também são tomadas pelas organizações. É frequente vermos empresas deciderem terceirizar atividades relativas a serviços, como folha de pagamento, processamento de dados, pesquisas, contabilidade, manutenção e gestão de instalações. Para elas, é vantajoso concentrar esforços em seus negócios principais e delegar estes serviços de apoio a empresas que têm mais experiência nesta área. Uma alternativa consiste em interromper a aquisição de serviços externos e trazer a geração do serviço para a sede da empresa.

A escolha feita por um domicílio familiar ou uma empresa entre produzir um serviço por conta própria ou contratar uma prestadora externa depende de uma série de fatores. Um modelo proposto para substituição interna ou externa indica que esta decisão depende dos seguintes fatores:[30]

- *A capacidade da experiência*. A probabilidade de produzir o serviço internamente aumenta se o domicílio ou a empresa possuir as habilidades e os conhecimentos específicos necessários para sua execução. Ter experiência não necessariamente resulta na produção de serviços internos, pois outros fatores (recursos e tempo disponível) também influenciam a decisão. (Para as empresas, a decisão de terceirizar muitas vezes é baseada no reconhecimento de que, embora elas tenham o conhecimento especializado, outra empresa poderá ser mais eficiente nesta função.)
- *A capacidade de recursos*. Para decidir produzir um serviço internamente, o domicílio ou a empresa precisa ter os recursos necessários, incluindo pessoas, espaço, dinheiro, equipamentos e materiais. No caso de não haver recursos disponíveis na própria empresa, uma substituição externa é a melhor alternativa.
- *A capacidade de tempo*. O tempo é um fator crítico às decisões sobre substituições internas e externas. Domicílios e empresas com capacidades de tempo adequadas estão mais predispostos a produzir serviços internamente do que grupos que sofrem limitações neste fator.
- *As recompensas econômicas*. As vantagens ou desvantagens econômicas de uma dada decisão de substituição exercerão influência sobre a escolha entre substituições internas ou externas. Os verdadeiros custos financeiros das duas opções afetarão a decisão.
- *As recompensas de cunho psicológico*. As recompensas de natureza não monetária exercem forte influência nas decisões relativas à substituição da origem de um serviço. As recompensas de cunho psicológico incluem o grau de satisfação, alegria, gratificação ou felicidade associado às substituições internas ou externas.
- *A confiança*. Neste contexto, confiança implica o grau de fé ou certeza que o domicílio ou a empresa deposita nas opções de substituição. A decisão dependerá, até certo ponto, do nível de autoconfiança na geração do serviço em comparação com a confiança despertada pelas outras opções.
- *O controle*. O desejo do domicílio ou da empresa pelo controle do processo e do resultado da substituição também influencia a escolha entre substituição interna e externa. As entidades que querem e podem implementar um alto nível de controle sobre uma tarefa estão mais inclinadas a adotarem substituições internas.

Nesta seção, o que deve ser lembrado é que, em muitos cenários de serviços, os clientes podem e de fato escolhem gerar serviços parcial ou totalmente por conta própria. Assim, além do reconhecimento de que os clientes são recursos produtivos e cogeradores de qualidade e valor, as organizações precisam admitir que eles desempenham o papel de potencial concorrente.

Tema global — Na IKEA, da Suécia, os clientes globais cogeram valor customizado

A IKEA, empresa sueca fundada na década de 1950, conseguiu se transformar de uma companhia de pequeno porte de pedidos pelo correio na maior varejista mundial de mobília. Em 2011, mais de 300 lojas em mais de 40 países geraram mais de 23 bilhões de euros em vendas. A empresa vende móveis simples, funcionais e bem projetados a preços expressivamente menores do que seus concorrentes.

O conceito "faça você mesmo"

Uma das principais razões para o sucesso da IKEA é o relacionamento que ela mantém com seus clientes. A empresa chamou o cliente a participar de seu sistema de produção: "Se os clientes concordam em assumir certas tarefas via de regra executadas por fabricantes e varejistas – a montagem de produtos e a entrega ao cliente –, então a IKEA promete entregar produtos com ótimos projetos a preços expressivamente menores". Com efeito, os clientes da IKEA tornam-se colaboradores essenciais para a geração de valor – eles geram valor para si próprios por meio da participação nos processos de seleção, transporte e montagem.

A IKEA fez da participação no processo de geração de valor uma experiência fácil e divertida para os clientes. É muito agradável fazer compras nas lojas da companhia, concebidas como "vitrines inspiradoras" com os móveis contextualizados em cômodos de lares vistos no cotidiano, permitindo aos clientes sentirem-se confortáveis com a mobília ao experimentá-la enquanto visualizam possibilidades para seus próprios lares. A fim de facilitar a compra, carrinhos para crianças, além de áreas de recreação infantil e cadeiras de rodas são disponibilizados para os clientes que precisem.

Quando o cliente entra na loja, ele recebe catálogos, trenas, canetas e papel para anotações, utilizados durante a compra, o que lhe permite desempenhar as funções comumente executadas pelo pessoal de vendas e serviços. Após o pagamento, o cliente leva suas compras até seu automóvel. Se for necessário, pode alugar ou adquirir um bagageiro para seu carro a fim de transportar itens mais volumosos. Dessa forma, os clientes também assumem os serviços de carregamento e transporte por conta própria. Uma vez em casa, os clientes da IKEA assumem a função de fabricante e montam a nova mobília seguindo instruções simples e diretas.

As adaptações para atuar em outros países

A IKEA imprime catálogos e disponibiliza *sites* detalhados em muitas línguas, o que torna seus produtos e respectivas instruções de montagem acessíveis em todo o mundo. Além da customização de catálogos e *sites*, outro fator importante para o sucesso da expansão global da IKEA está na política de permitir que cada loja adapte seu mix de produtos de acordo com as necessidades e os recursos de um dado mercado. Por exemplo, os clientes chineses poupam uma alta porcentagem de suas rendas e são muito sensíveis ao preço. Por essa razão, os preços da IKEA naquele país foram inicialmente os mais baixos que a empresa praticou em todos os locais em que opera, a fim de atrair os clientes chineses para suas lojas. Por exemplo, um jogo americano de mesa saía por $1 e um sorvete custava 12 centavos. Além disso, alguns itens de mobília custavam entre 50 e 60% menos do que itens semelhantes vendidos nos Estados Unidos. A resposta foi extremamente positiva, com nove lojas da IKEA hoje em operação na China e planos de abrir outras 12. Exceto pelas lojas principais baseadas na Suécia, a loja de Pequim, aberta em 2006, é a maior da companhia em todo o mundo.

Além das variações em preço, o leiaute das lojas chinesas também foi adaptado para refletir o projeto da maioria dos apartamentos no país. Já que muitos destes imóveis têm sacadas, as lojas oferecem uma variedade de móveis e composições para este local. Além disso, em função de as cozinhas serem pequenas na China, os itens relativos oferecidos são poucos. Até o conceito de "faça você mesmo" da IKEA foi adaptado. Como poucas pessoas são proprietárias de automóveis e, portanto, precisam utilizar o transporte público, a IKEA tem um sistema de entrega mais abrangente na China do que em qualquer outro país. Outra diferença é que como a mão de obra é mais barata, muitos clientes escolhem ter seus móveis montados por funcionários da IKEA. Uma adaptação interessante à cultura chinesa foi que a IKEA aceitou o hábito que as pessoas daquele país têm de examinar produtos por muito tempo. Em alguns casos, a empresa deixa os clientes e seus filhos tirarem uma soneca nas camas em exposição nas lojas.

O sucesso da IKEA

O sucesso da IKEA é atribuído em parte ao reconhecimento de que os clientes podem fazer parte de um sistema de negócios como protagonistas de papéis que antes não desempenhavam. A flexibilidade na implementação desta ideia por meio da definição clara dos novos papéis dos clientes e da revelação de que estes papéis podem ser divertidos é o espírito da estratégia. Por meio deste processo, os clientes em todo o mundo cogeram suas experiências e contribuem com a própria satisfação. A empresa continua tendo sucesso nos negócios e desfrutando da aceitação de sua estratégia em todo o mundo. Em 2010, as vendas aumentaram 7,7%, atingindo 23,1 bilhões de euros, e os lucros subiram 6,1%, chegando a 2,7 bilhões de euros.

Fontes: http://www.ikea.com, agosto de 2011; B. Edvardsson and B. Enquist, "The IKEA Saga: How Service Culture Drives Service Strategy," *The Service Industries Journal* 22 (October 2002), pp. 153–186; P. M. Miller, "IKEA with Chinese Characteristics," *The China Business Review* (July/August 2004), pp. 36–38; M. Fong, "IKEA Hits Home in China," *The Wall Street Journal*, March 3, 2006, pp. B1; M. Wei, "In IKEA's China Stores, Loitering is Encouraged," *Bloomberg Businessweek*, October 28, 2010; Anonymous, "Business: The Secret of IKEA's Success," *The Economist*, February 26, 2011, pp. 67–68.

AS TECNOLOGIAS DE AUTOATENDIMENTO – O NÍVEL MÁXIMO DA PARTICIPAÇÃO DO CLIENTE

As *tecnologias de autoatendimento* (TAA) são serviços gerados integralmente pelo cliente, sem o envolvimento ou a interação com os funcionários da empresa prestadora do serviço. Com base nesta definição, as TAAs representam o grau máximo da participação do cliente no *continuum* que vai dos serviços inteiramente gerados por uma companhia até aqueles produzidos apenas pelo cliente. Este *continuum* é ilustrado na Figura 12.1, com o exemplo do posto de gasolina, para mostrar como o mesmo serviço pode ser executado de diversas maneiras ao longo de todos os pontos do *continuum*. Na extremidade direita, o frentista do posto de gasolina faz tudo, desde bombear a gasolina até receber o pagamento; na outra ponta do espectro, é o cliente quem faz tudo. Entre estes dois pontos estão várias formas e níveis de participação do cliente. Muitas opções de execução do serviço para diferentes setores poderiam ser representadas por meio deste tipo de *continuum* (da participação total do cliente até a total geração do serviço pela empresa).

A proliferação de uma nova geração de TAAs

Os progressos tecnológicos, sobretudo a Internet, permitiram o lançamento de uma ampla gama de tecnologias de autoatendimento que ocupam a extremidade esquerda do *continuum* da participação do cliente mostrado na Figura 12.1. Essas tecnologias vêm se proliferando à medida que as empresas percebem as economias de custo e a eficiência que podem ser obtidas com elas, além das oportunidades de crescimento em vendas, da maior satisfação do cliente e de melhores vantagens competitivas. A seguinte relação parcial de algumas das tecnologias de autoatendimento disponíveis aos consumidores inclui:

- Caixas eletrônicos
- *Check-in* de companhias aéreas
- Registros de entrada e de saída em hotéis
- Locação automática de veículos
- Pedido automático de abertura de processos jurídicos
- Máquinas automáticas para apostas
- Equipamentos eletrônicos para a medição da pressão arterial
- Diversos serviços de representação e vendas

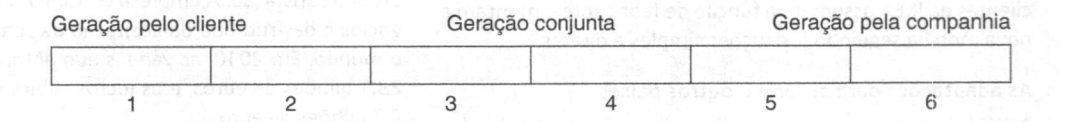

Geração pelo cliente		Geração conjunta		Geração pela companhia	
1	2	3	4	5	6

Exemplo do posto de gasolina nos Estados Unidos
1. O cliente bombeia a gasolina e paga na bomba, via sistema automático.
2. O cliente bombeia a gasolina e entra no posto para pagar.
3. O cliente bombeia a gasolina e o frentista recolhe o pagamento junto à bomba.
4. O frentista bombeia a gasolina e o cliente paga na bomba, via sistema automático.
5. O frentista bombeia a gasolina e o cliente entra no posto para pagar.
6. O frentista bombeia a gasolina e recolhe o pagamento do cliente junto à bomba.

Figura 12.1 O *continuum* da geração do serviço.

Fonte: Adaptado de M. L. Meuter and M. J. Bitner, "Self-Service Technologies: Extending Service Frameworks and Identifying Issues for Research," in *Marketing Theory and Applications*, ed. D. Grewal and C. Pechmann (American Marketing Association Winter Educators' Conference, 1998), pp. 12–19. 12–19. Reimpresso com permissão da American Marketing Association.

- Software de preparação da declaração de imposto de renda
- Leitura de código de barras no varejo pelo próprio cliente
- Operações bancárias *on-line*
- Registro de veículos *on-line*
- Leilões *on-line*
- Aquisição de propriedades e veículos *on-line*
- Transações automatizadas de investimentos
- Seguros *on-line*
- Rastreamento de encomendas
- Compras pela Internet
- Sistemas telefônicos interativos de resposta por voz
- Treinamento e educação *on-line*

A proliferação das TAAs ocorre por diversas razões.[31] Com frequência, as empresas sentem-se tentadas pela economia de custos que preveem ao deslocar os clientes para sistemas automáticos baseados em tecnologia, longe do dispendioso serviço personalizado. Se a economia de custos for a única razão para a adoção de uma TAA e se os clientes não perceberem vantagens nisso, então a TAA provavelmente fracassará. Os clientes não tardam a perceber o funcionamento desta estratégia e provavelmente não adotarão a TAA se tiverem alternativas para o serviço. Há vezes em que as empresas lançam uma TAA com base na demanda consumidora. Por exemplo, os clientes esperam encontrar informações, serviços e opções de entrega *on-line*. No caso de não encontrarem o que desejam junto a uma empresa na Internet, é possível que eles passem para a concorrência. Assim, a demanda do cliente em alguns setores está compelindo as empresas a desenvolver e oferecer serviços pela via tecnológica. Outras empresas estão desenvolvendo a TAA como porta de entrada para novos mercados geográficos, socioeconômicos e de estilo de vida indisponíveis em outros canais tradicionais.

A utilização das TAAs pelo cliente

Algumas das TAAs listadas anteriormente – os caixas eletrônicos, os pedidos *on-line*, o *check-in* de companhias aéreas – vêm tendo muito sucesso e foram adotadas pelos clientes por conta dos benefícios relativos à conveniência, à acessibilidade e à facilidade de uso que demonstram.[32] As vantagens para as empresas, incluindo economia de custos e crescimento de receitas, são alguns dos resultados trazidos por TAAs que tiveram sucesso. Em contrapartida, outras tecnologias – quiosques de companhias aéreas, leitura de código de barras pelo próprio cliente – não tiveram pronta aceitação. Neste último caso (conforme mostra a fotografia ao lado), a relutância inicial do cliente em adotá-la reflete diversos fatores, como o temor da tecnologia, a impressão de incompetência diante de outros clientes, o desejo por interação com seres humanos e uma noção de que "ler o código de barras e embalar as compras é um trabalho da loja, não meu".

As TAAs fracassam quando os clientes não enxergam suas vantagens, quando carecem da capacidade de utilizá-las ou não sabem o que devem fazer. É comum ver a adoção de uma nova TAA requerer dos usuários uma significativa alteração em seus comportamentos típicos, e muitos destes usuários não estão dispostos a fazê-lo. Por exemplo, quando uma casa de leilões de

Os clientes auxiliam a gerar o serviço por conta própria por meio da leitura do código de barras de suas compras.

alto padrão como a Christie's International entrou no mercado de leilões *on-line* ao vivo, a resposta dos participantes foi tímida.[33] A empresa credita esta resposta lenta ao tempo que os clientes precisavam para familiarizarem-se e sentirem-se confortáveis com a tecnologia e a nova modalidade de apresentar lances. Além disso, eles desejavam saber com mais clareza quais seriam os benefícios pessoais dos lances *on-line*. Estes resultados iniciais da Christie's condisseram com pesquisas sobre TAAs realizadas em outros contextos. Os estudos que examinaram a adoção por clientes de TAAs descobriram que a "prontidão do cliente" é um dos principais fatores na definição das probabilidades de o cliente experimentar uma nova opção de autoatendimento.[34] A prontidão do cliente surge da combinação de motivação pessoal (O que há de bom para mim nisso?), capacidade (Preciso saber muitas coisas para usar esta TAA?) e clareza do papel a desempenhar (Estou entendendo o que tenho de fazer?). Em outros casos, os clientes não percebem um valor na utilização da tecnologia em comparação com a execução de serviços em contato direto com os funcionários da execução, ou a TAA talvez tenha sido projetada com tantos defeitos que os clientes preferem não utilizá-la.[35] As pesquisas mostram que os clientes também reagem negativamente quando forçados a utilizar uma TAA devido à falta de canais de serviço alternativos. Qualquer escolha melhora as percepções do cliente, e a disponibilidade de um funcionário para ajudar ou fornecer algum tipo de suporte pode ser útil.[36]

O sucesso com as TAAs

Ao longo deste livro enfatizamos algumas das tecnologias de autoatendimento de sucesso no mercado atual: a Cisco Systems (Capítulo 7), a Amazon.com (Capítulo 4) e a iPrint (no texto de abertura deste capítulo). Estas empresas obtiveram êxito por oferecerem vantagens claras a seus clientes. Outros aspectos deste sucesso mostram que estas vantagens são bem compreendidas e apreciadas em comparação com outros modelos de prestação de serviços, e que a tecnologia é confiável e de fácil utilização. Além disso, os clientes compreendem seus papéis e têm capacitação para empregar a TAA.

No âmbito estratégico, as pesquisas indicam que à medida que as empresas adotam as TAAs como modo de execução do serviço, algumas questões passam a merecer consideração:[37]

- Qual é nossa estratégia? O que esperamos atingir por meio da TAA (economia de custos, expansão de receitas, vantagens competitivas)?
- Quais são as vantagens para os clientes em gerar o serviço por conta própria por meio da TAA? Eles entendem e conhecem estas vantagens?
- De que modo é possível motivar os clientes para que experimentem a TAA? Eles compreendem seus papéis? Eles têm a capacitação necessária para desempenhá-los?
- Em que grau os clientes estão "prontos para a tecnologia"?[38] Alguns dos segmentos de clientes estão mais prontos do que outros?
- De que modo os clientes podem ser envolvidos no projeto do sistema e no processo da tecnologia do serviço de forma a aumentar as chances de adotarem a TAA?
- Quais são as formas de educação do cliente necessárias para encorajar esta adoção? Além destas, outros incentivos serão necessários?
- Como lidar com as inevitáveis falhas e reconquistar a confiança do cliente?

AS ESTRATÉGIAS PARA INTENSIFICAR A PARTICIPAÇÃO DO CLIENTE

O nível e a natureza da participação do cliente no processo de serviço são definidos por decisões estratégicas que podem influenciar a produtividade da organização, seu posicionamento em relação à concorrência, a qualidade dos serviços que oferece e a satisfação de seus clientes. Nas seções a seguir examinamos as estratégias mostradas na Figura 12.2 para envolver os clientes com eficiência na execução do serviço e no processo de cogeração. Na maioria das vezes, os objetivos gerais de uma estratégia de participação do cliente consistem em elevar a produtividade da

Defina os papéis dos clientes
- Esclareça o nível de participação
- Identifique as tarefas e operações específicas
- Entenda as implicações para a produtividade, a qualidade e a satisfação

Recrute, eduque e recompense os clientes
- Identifique e recrute o(s) segmento(s) adequado(s)
- Eduque os clientes para seus papéis
- Informe as razões para participar
- Recompense o desempenho do cliente

Administre o mix do cliente
- Avalie a compatibilidade dos segmentos
- Isole os segmentos incompatíveis
- Aprimore a compatibilidade entre segmentos

Participação efetiva do cliente

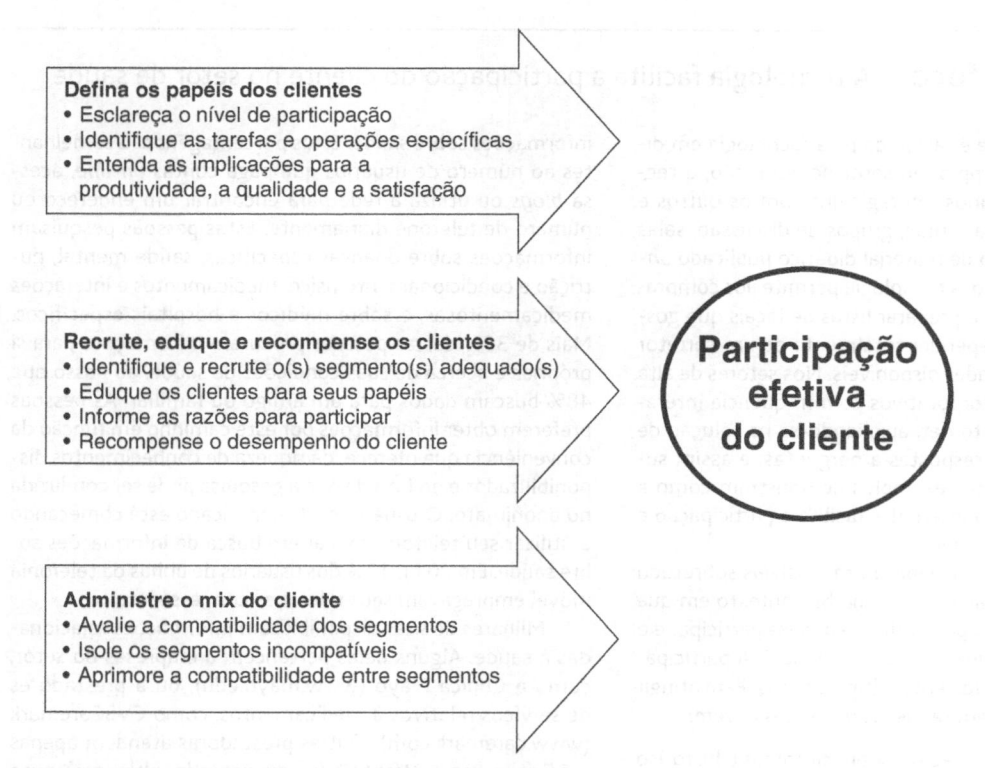

Figura 12.2 As estratégias para aumentar a participação do cliente.
Fonte: Adaptado de M. L. Meuter and M. J. Bitner, "Self Service Technologies: Extending Service Frameworks and Identifying Issues for Research," in *Marketing Theory and Applications*, ed. D. Grewal and C. Pechmann (American Marketing Association Winter Educators' Conference, 1998), pp. 12–19. Reimpresso com permissão da American Marketing Association.

organização e a satisfação do cliente e, concomitantemente, diminuir a incerteza devido às ações imprevisíveis dos clientes.

Defina os papéis dos clientes

Ao desenvolver estratégias para tratar do envolvimento do cliente na cogeração e execução de serviços, o primeiro passo dado pela organização consiste em determinar o tipo de participação que deseja do cliente e o modo como o cliente quer participar. A identificação do nível presente de participação pode servir como ponto de partida. Os papéis dos clientes são parcialmente predefinidos pela natureza do serviço, como mostra a Tabela 12.1. É possível que o serviço requeira apenas a presença do cliente (como em concertos e viagens aéreas) ou níveis intermediários de participação do cliente na forma de esforços ou informações (corte de cabelo, declaração do imposto de renda). É possível também que o serviço exija que o cliente de fato cocrie o resultado do serviço (exercício físico, consultoria, autoatendimento). Em alguns casos, o serviço depende de o cliente cogerar o serviço com e para outro cliente, como ocorre com o eBay, o Facebook e muitos outros serviços de redes sociais disponíveis *on-line*.

A organização avalia se está satisfeita com o nível existente de participação que requer de seus clientes e se deseja tornar esta participação mais efetiva. Por exemplo, a Charles Schwab sempre se posiciona como uma empresa cujos clientes envolvem-se expressivamente em suas decisões de investimento, e comunica este papel a eles com clareza. A companhia não alterou seu posicionamento com relação aos graus elevados de autoatendimento e envolvimento do cliente, embora o papel dele tenha mudado. Por exemplo, os avanços tecnológicos recentes facilitaram o papel do cliente no autoatendimento de modo muito visível.

> **Tecnologia em foco** A tecnologia facilita a participação do cliente no setor de saúde
>
> A participação do cliente é facilitada pela tecnologia em diversos setores. Por exemplo, no setor de educação, a tecnologia permite aos alunos interagir uns com os outros e com seus professores via e-mail, grupos de discussão, salas de bate-papo e por meio de material didático publicado *on-line*. No setor imobiliário, a tecnologia permite aos compradores examinar imóveis e preparar listas de locais que gostariam de visitar sem depender totalmente de um corretor para encontrar propriedades disponíveis. Nos setores de alta tecnologia, os clientes corporativos com frequência interagem mutuamente via Internet, auxiliando-se na solução de problemas, oferecendo respostas a perguntas, e assim sucessivamente. Todos estes exemplos demonstram como a tecnologia – sobretudo a Internet – facilita a participação e aumenta a satisfação do cliente.
>
> Níveis elevados de participação são visíveis sobretudo no setor de saúde (provavelmente não há contexto em que a participação seja maior, pois o cliente precisa participar e o prestador e ele sem dúvida cogeram o serviço). A participação do paciente é requerida em múltiplos níveis. Para atingir os melhores resultados em saúde, os pacientes devem:
>
> - Prestar informações precisas sobre sintomas e histórico de saúde.
> - Responder às perguntas detalhadamente.
> - Ajudar a decidir acerca de um tratamento.
> - Executar o tratamento prescrito, o que leva à recuperação e/ou prevenção.
>
> A tecnologia sem dúvida influencia o modo como os clientes desempenham estes papéis e, em certo sentido, desloca o poder da informação para as mãos dos clientes. Estudos anuais executados pelo Pew Internet and American Life Project, financiado pela Pew Charitable Trusts, revelam as tendências no tratamento de saúde *on-line*. A pesquisa mostra que, desde 2011, 80% dos usuários da Internet nos Estados Unidos, o equivalente a mais de 59% da população norte-americana adulta, conectavam-se à rede em busca de informações sobre saúde. Estas porcentagens são semelhantes ao número de usuários que paga contas *on-line*, acessa *blogs* ou utiliza a rede para encontrar um endereço ou número de telefone diariamente. Estas pessoas pesquisam informações sobre doenças específicas, saúde mental, nutrição e condicionamento físico, medicamentos e interações medicamentosas, e sobre médicos e hospitais específicos. Mais de 36% destas pessoas procuram informações para si próprias e acerca de suas condições de saúde, ao passo que 48% buscam dados para um amigo ou familiar. As pessoas preferem obter informações por este caminho em função da conveniência que oferece, da riqueza de conhecimentos disponibilizados e do fato de que a pesquisa pode ser conduzida no anonimato. O usuário norte-americano está começando a utilizar seu telefone celular em busca de informações sobre saúde. Em 2011, 17% dos usuários de linhas da telefonia móvel empregavam seus telefones com esse intuito.
>
> Milhares de *sites* disponibilizam informações relacionadas à saúde. Alguns deles pertencem a empresas do setor, como a Clínica Mayo (www.mayo.edu), ou a prestadores de serviços relativos a medicamentos, como CVSCaremark (www.caremark.com). Outras prestadoras atendem apenas *on-line*, como a WebMD (www.webmdhealth.com) ou a Drugstore.com (www.drugstore.com), sem afiliação a uma prestadora de serviços de saúde específica. *Sites* respeitados são patrocinados por entidades governamentais, como o *site* do Departamento Norte-americano de Serviços Humanos e de Saúde (www.healthfinder.gov) e o *site* desenvolvido pela Biblioteca Nacional de Medicina e pelos Institutos Nacionais de Saúde (www.medlineplus.gov). Há ainda *sites* que prestam informações para condições específicas de saúde, como AIDS, depressão, diabetes e câncer de mama. O Hospital Compare (www.hospital-compare.hhs.gov) auxilia pacientes a escolher os melhores hospitais com base em uma seleção de critérios de qualidade e desfechos de tratamento.
>
> Esse grande volume de informações de ordem médica prontamente disponíveis está mudando o papel do consu-

Como alternativa, a empresa pode aumentar o nível de participação do cliente, o que reposiciona o serviço da perspectiva do cliente. Os especialistas sugerem que níveis elevados de participação do cliente são a melhor alternativa estratégica nos casos em que a geração e a execução do serviço são inseparáveis. As vantagens no âmbito do marketing (vendas cruzadas, construção de fidelidade) são aperfeiçoadas por meio do contato com o cliente no local. Além disso, ele mesmo pode contribuir com mão de obra e informações antes disponibilizadas pelos funcionários.[39] Níveis mais altos de participação do cliente são também aconselháveis nas situações em que a maior participação é desejada pelo próprio cliente e quando ela aperfeiçoa a satisfação e os desfechos dos serviços. Por exemplo, no setor de saúde, os pesquisadores e prestadores de serviço trabalham objetivando uma maior participação ativa do cliente nas decisões relativas a tratamentos. A Internet e outros avanços

midor de serviços de saúde, que agora assume participação ativa no diagnóstico de doenças, na avaliação das opções de tratamento e na qualificação ampla de seu próprio bem-estar. Munidos destas informações, os pacientes ganham confiança ao apresentar questões e buscar os diagnósticos apropriados. Em alguns casos eles podem enviar *e-mails* com perguntas a seus médicos ou empresas prestadoras de serviços no setor, ou buscar apoio em salas de bate-papo, boletins informativos e listas de e-mails *on-line*. Além disso, essas pessoas sentem-se confortadas pelo que encontram na rede e muitas vezes tomam decisões ou alteram toda uma abordagem, assim mantendo a própria saúde com base no que encontram na Internet. Contudo, é importante frisar que, ainda que desempenhem um papel cada vez maior, essas fontes *on-line* apenas complementam o trabalho dos profissionais de saúde, da família e dos amigos como fontes de informação.

Fontes: S. Fox, "The Social Life of Health Information, 2011," The Pew Internet and American Life Project, May 2011, www.pewinternet.org.

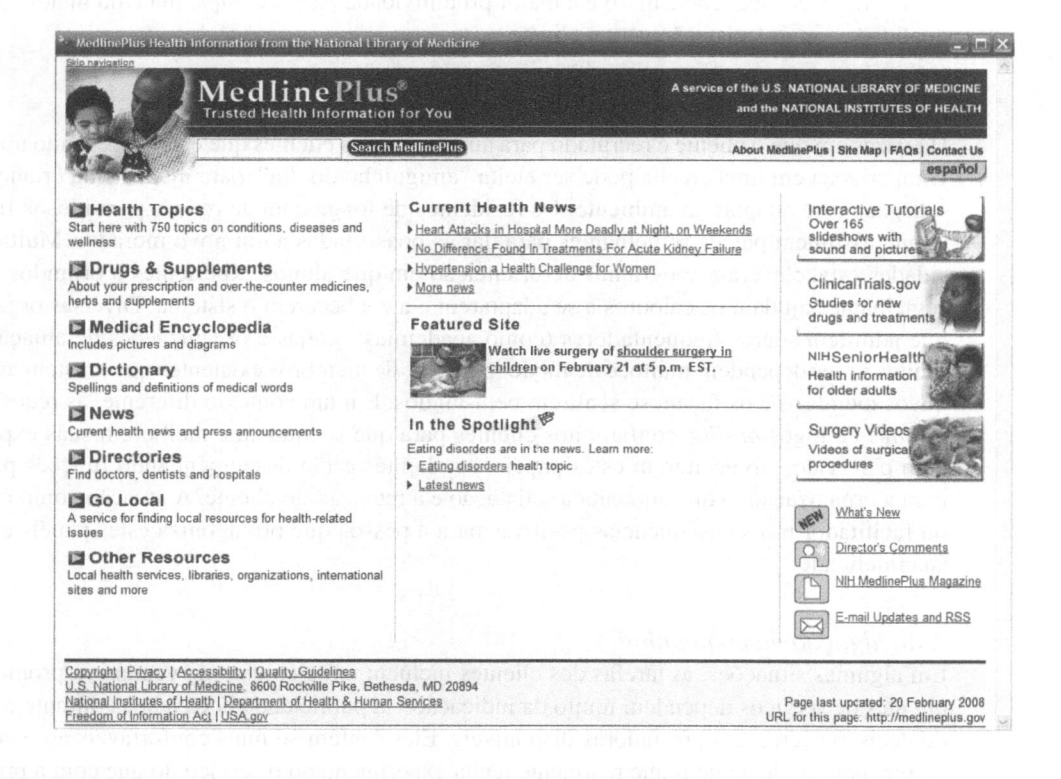

tecnológicos auxiliaram os clientes a aceitar o papel de assumir a responsabilidade pela própria saúde e bem-estar, como mostra a seção Tecnologia em Foco.

Por fim, a organização pode tomar a decisão de reduzir a participação do cliente devido às incertezas que ele traz. Por exemplo, em 2011, as lojas da rede de supermercados Albertsons, uma importantes dos Estados Unidos, removeram todos os seus equipamentos de pagamento automático devido às incertezas sentidas pelos clientes e pela própria companhia, às falhas nas máquinas e a outros problemas. Em situações extremas, a estratégia consiste em isolar todas as tarefas, exceto as essenciais, e manter os clientes a distância da instalação da prestação de serviço e dos funcionários o máximo possível.[40] O serviço de pedidos pelo correio é um exemplo extremo desta forma de serviço. Os clientes entram em contato com a organização via telefone ou Internet, sem ver as instalações da empresa e com interações limitadas com os funcionários. Isso limita o papel do cliente e pouco interfere no processo de execução do serviço.

Uma vez definido o nível desejado de participação (das perspectivas do cliente e da companhia), a organização pode estabelecer em maior detalhe o papel do cliente – em síntese, a "descrição de cargo" do cliente. A gama de possíveis papéis e tarefas é descrita a seguir.

O auxílio a si próprio

Algumas vezes, a organização decide aumentar o nível de envolvimento do cliente na execução do serviço por intermédio de sua participação ativa. Nesses casos, o cliente torna-se um recurso produtivo ao desempenhar aspectos do serviço anteriormente executados por funcionários ou terceiros. Muitos dos exemplos apresentados neste capítulo são oriundos de clientes "que ajudam a si próprios" (como os da IKEA, da Suécia, da Charles Schwab e os citados na seção Tecnologia em Foco). A consequência disso é a maior produtividade para a companhia e/ou maior valor, mais qualidade e mais satisfação para o cliente.

O auxílio mútuo

Há vezes em que o cliente é recrutado para auxiliar outros clientes que estão recebendo um serviço. Uma criança em uma creche pode ser eleita "amiguinho do dia", para ajudar uma criança recém-chegada a se adaptar ao ambiente. Os residentes de longa data de retiros para idosos frequentemente assumem papéis semelhantes para dar as boas-vindas a um novo morador. Muitas universidades estabeleceram programas de orientação em que alunos experientes e oriundos de locais semelhantes ajudam os calouros a se adaptarem e a conhecerem o sistema. Diversas organizações que admitem sócios frequentadores (como academias, igrejas e organizações de atuação social) muitas vezes dependem muito, e de modo informal, de membros existentes que prestem auxílio aos novos membros e os façam se sentirem bem-vindos. Em um contexto diferente, as redes sociais e os *sites* de jogos *on-line* confiam nos clientes para que se ajudem e melhorem suas experiências com o serviço. Ao aceitarem estes papéis, os clientes estão desempenhando funções produtivas para a organização, o que aumenta a satisfação e a retenção do cliente. A atuação como orientador ou facilitador traz consequências positivas para a pessoa que protagoniza estes papéis e aumenta sua fidelidade.

A *divulgação da companhia*

Em algumas situações, as tarefas dos clientes incluem um elemento de vendas ou promoções. Os clientes de serviços dependem muito da indicação via publicidade boca a boca durante o processo de decisão acerca das prestadoras disponíveis. Eles sentem-se mais confortáveis ao receber uma recomendação de alguém que realmente tenha experimentado o serviço do que com a propaganda apenas. Uma recomendação favorável de parte de um amigo, parente ou colega, ou mesmo de um conhecido, pode abrir caminho para uma experiência positiva com o serviço. Muitas organizações do setor de serviços recorrem à originalidade ao compelirem seus clientes a trabalhar com elas como promotores ou vendedores. Por exemplo, um dentista motiva indicações enviando flores, chocolates ou entradas para um evento esportivo local a seus pacientes cujos nomes aparecem com frequência nas bases de dados sobre a origem de seus clientes. Outro exemplo é dado por casas noturnas, que promovem rifas regularmente utilizando os cartões de visita deixados por seus frequentadores em um recipiente. Os nomes sorteados ganham uma festa, com entrada grátis, e podem convidar quantos amigos quiserem.

As diferenças individuais: nem todos desejam participar

Ao definir os papéis dos clientes, é importante lembrar que nem todos desejam participar.[41] Alguns clientes apreciam os autosserviços, ao passo que outros preferem ver o serviço ser executado por outra pessoa. As empresas que prestam serviços de educação e treinamento para organizações sabem que alguns clientes querem ser envolvidos no projeto do treinamento e talvez na sua execução a seus funcionários. Outras empresas preferem delegar todo o planejamento do treinamento a uma empresa de consultoria e permanecerem afastadas, sem despender tempo ou energia no serviço. Está claro que no setor de saúde alguns pacientes desejam muitas informações e querem participar das decisões relativas a diagnósticos e tratamentos. Em contrapartida, outros preferem que o médico lhes diga o que fazer. Apesar de todas as opções de compra e de serviços hoje disponíveis via Internet, muitos clientes ainda preferem a execução de serviços em nível pessoal, com contato humano, em vez do autoatendimento.[42] As pesquisas demonstram que os clientes com "grandes necessidades por interações humanas" estão menos propensos a experimentar novas opções de autoatendimento oferecidas na Internet e em sistemas telefônicos automatizados.[43] Em função destas diferenças na preferência, a maior parte das companhias descobriu que devem disponibilizar escolhas de execução de serviços para diferentes segmentos de mercado. Por exemplo, os bancos muitas vezes customizam seus serviços ao oferecer opções de autoatendimento automático e ao mesmo tempo opções que envolvem serviços prestados por seres humanos.

Recrute, eduque e recompense seus clientes

Uma vez definido com clareza o papel do cliente, a organização poderá pensar em termos de facilitar a execução deste papel. De alguma forma, o cliente torna-se um "funcionário parcial" da empresa e as estratégias para a gestão do comportamento do cliente na geração e execução do serviço se assemelham, até certo ponto, aos esforços direcionados aos funcionários do serviço e discutidos no Capítulo 11. Assim como ocorre com os funcionários, a participação do cliente na geração e execução do serviço é facilitada quando (1) o cliente entende seu papel e como deve ser desempenhado, (2) é capaz de protagonizar este papel do modo esperado e (3) recebe recompensas valorizadas pelo desempenho conforme o esperado.[44] Com isso, a organização também reduz a incerteza inerente ao caráter imprevisível da participação do cliente. O Quadro 12.3 ilustra como o setor de serviços públicos inova com ofertas que engajam os clientes como funcionários parciais ao mesmo tempo em que os recompensa por seus esforços. Essas iniciativas também servem ao propósito amplo de proteger o ambiente e preservar recursos naturais.

Recrute os clientes certos
Antes de a empresa iniciar o processo de educar e socializar os clientes para seus papéis, ela precisa atrair os clientes certos para protagonizar estes papéis. Os papéis e as responsabilidades esperados dos clientes devem ser informados com clareza na propaganda, na venda direta e em outras mensagens da companhia. Ao receberem uma noção inicial do papel e do que ele requer durante o processo do serviço, os clientes podem aceitar ou não participar do relacionamento. A aceitação do papel resulta em uma percepção aguçada da qualidade do serviço do ponto de vista do cliente e em menor incerteza para a organização.

Por exemplo, uma creche que exija a participação dos pais no local em pelo menos meio dia por semana precisa comunicar esta expectativa antes de aceitar a matrícula de uma criança. Para algumas famílias, este nível de participação não será possível nem desejável, e constitui um empecilho para a matrícula de seus filhos na creche. O nível esperado de participação precisa ser informado com clareza para atrair os clientes que estejam prontos e dispostos a desempenhar os papéis esperados. Em certo sentido, esta situação é semelhante à vista em uma empresa do setor produtivo, que controla a qualidade dos insumos no processo de produção.[45]

Eduque e treine seus clientes para desempenharem seus papéis com eficácia
É preciso educar os clientes ou, em síntese, "socializá-los", para que desempenhem seus papéis com eficácia. Por meio dos processos de socialização, os clientes de serviços compreendem os

> **Quadro 12.3** Ao trabalharem em conjunto, as empresas norte-americanas de serviços públicos essenciais e seus clientes estão poupando energia
>
> As novas tecnologias estão permitindo que as empresas norte-americanas de serviços públicos se comuniquem com seus clientes e ofereçam ferramentas inovadoras e informações que estão moldando o comportamento do consumo de energia. O resultado deverá beneficiar todas as partes, ao diminuir as emissões de gases do efeito estufa de usinas de energia, desacelerar os crescentes custos da eletricidade e poupar o dinheiro do cliente. As pesquisas indicam que os consumidores norte-americanos estão cada vez mais conscientes e dispostos a fazer os ajustes necessários para reduzir o consumo de energia e passar a enfrentar as previsões e os temores relativos às mudanças climáticas. As novas ferramentas de economia de energia incluem calculadoras *on-line*, novos medidores domésticos de alta tecnologia, indicadores instalados dentro das casas para mostrar o consumo de energia em diferentes períodos do dia, dispositivos de controle remoto, energia elétrica pré-paga e estratégias inovadoras de precificação.
>
> O setor de serviços públicos nos Estados Unidos está experimentando diferentes abordagens. Por exemplo, no norte do Estado da Califórnia, a companhia Pacific Gas & Electric lançou uma ferramenta *on-line* que mostra aos clientes como seu consumo pessoal de energia está vinculado à emissão de gases do efeito estufa. Esta ferramenta auxilia o cliente individual a entender como as mudanças de comportamento podem trazer expressivos resultados em termos de redução do consumo de energia e de emissão de poluentes. A Progress Energy, que atua nos Estados da Carolina do Norte e da Carolina do Sul, lançou diversos programas para duplicar a economia de energia em poucos anos. Um exemplo é a utilização de um dispositivo com tecnologia sem fio que mede o gasto de energia de equipamentos e permite que os clientes vejam esta redução de imediato, expressa em dólar e quilowatt-hora quando desligam o aparelho. No sul do Estado da Califórnia, os clientes estão se apresentando como voluntários para um plano que permite que a empresa de energia elétrica desligue seus condicionadores de ar em períodos predefinidos, a fim de economizar energia para os horários de pico. A Southern California Edison tem um programa chamado "Save Power Days", no qual os usuários são notificados antecipadamente quando há um "dia da economia de energia". Se os clientes inscritos no programa reduzem seu consumo de energia nesses dias, de 12 a 15 ao ano, a economia em suas contas pode chegar a $100. A Florida Power & Light tem um programa para proprietários de pequenas empresas que calcula o consumo de energia para diferentes equipamentos e o momento em que os custos são mais elevados.
>
> Outra tecnologia nova é o "monitor doméstico de eletricidade", o qual auxilia os clientes a determinar o consumo energético e o quanto esta energia custa para eles em tempo real. O dispositivo é conectado ao painel de disjuntores na casa do cliente e transmite informações a um visor, o qual informa o cliente acerca do quanto cada dispositivo movido à eletricidade custa para ele. Uma das primeiras pessoas a adotar essa tecnologia descobriu que seu consumo de energia crescia significativamente quando o forno elétrico era ligado para aquecer uma pizza. Com a compra de um forno elétrico menor e o uso mais frequente do forno de micro-ondas, essa cliente conseguiu reduzir seu consumo de energia – e sua conta de eletricidade.
>
> Todos estes programas inovadores dependem da aceitação, da participação e de mudanças expressivas no comportamento do cliente. Para ter sucesso, estes programas requerem investimentos na educação do consumidor e incentivos para que ele altere o próprio comportamento. Com este processo, os clientes de empresas de serviços públicos tornam-se "funcionários parciais" ao monitorarem a energia que consomem e ao agirem para reduzir este consumo. O resultado é o menor custo para a empresa de energia, preços reduzidos para os clientes, menos consumo total de energia e maior qualidade do ar a curto e médio prazo.
>
> **Fontes:** R. Smith, "Letting the Power Company Control Your AC," *The Wall Street Journal*, July 10, 2007, p. D11; R. Smith, "New Ways to Monitor Your Energy Use," *The Wall Street Journal*, July 19, 2007, p. D11; R. Gold, "The Power of Knowledge: With New Monitors, Homeowners Can Keep Track of Their Electricity Use In Real Time," *The Wall Street Journal*, February 28, 2011, p. R7; www.sce.com, 2011.

valores corporativos específicos, desenvolvem a capacidade necessária para desempenhar papéis em um dado contexto, entendem o que é esperado deles e adquirem a habilidade e o conhecimento para interagir com os funcionários e os outros clientes.[46] Os programas de educação assumem a forma de instrução formal, artigos publicados e oferecidos aos clientes, indicações e sinalização no ambiente de serviço, e informações obtidas de funcionários e outros clientes.

Muitos serviços oferecem "orientações aos clientes" para auxiliá-los a compreender seus papéis e as expectativas relativas ao processo antes de passarem por ele. Quando os clientes iniciam o programa dos Vigilantes do Peso, o *site* da companhia e a primeira reunião em grupo incluem orientações completas ao programa e suas responsabilidades, conforme descrevemos no Quadro 12.4.

Quadro 12.4 Os Vigilantes do Peso educam e orientam novos membros

Quando novos membros juntam-se aos Vigilantes do Peso, uma das maiores e mais bem-sucedidas organizações voltada para a perda de peso em todo o mundo, eles são educados de modo abrangente quanto ao programa e suas próprias responsabilidades. Por exemplo, no momento em que um novo membro chega para sua primeira reunião em uma das filiais da organização, ele recebe orientação sobre o programa e instruções passo a passo, que incluem um pacote "Começando com os Vigilantes do Peso", boletins sobre educação alimentar, tabelas de atividades e guias semanais sobre culinária, refeições fora de casa e muito mais. Antes de entrar na reunião, o novo integrante pode acessar várias informações de orientação *on-line*, que descrevem as reuniões semanais, os assuntos tratados e o papel que espera-se que ele cumpra. Com as orientações, os folhetos e os formulários de nutrição e atividade, a organização define as responsabilidades do integrante e facilita o acompanhamento do plano.

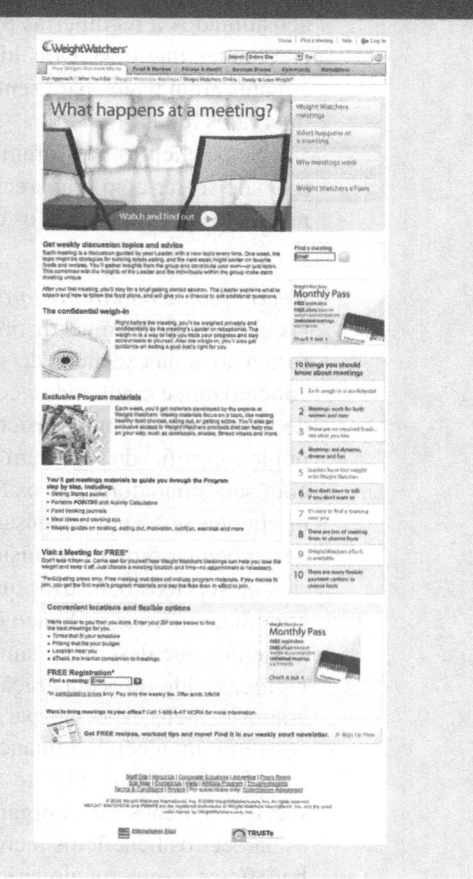

A educação do cliente também é alcançada parcialmente por meio de literatura, recursos *on-line* e "manuais" do cliente. Muitos hospitais desenvolveram materiais específicos para seus pacientes, semelhantes a manuais de funcionários, que descrevem o que o paciente deve fazer em preparação para a internação, o que acontece no momento em que ele chega ao hospital e as políticas relativas a horários de visita e procedimentos de cobrança. As informações também descrevem os papéis e as responsabilidades de familiares. Em situações particularmente complexas no setor de saúde (como no diagnóstico, no tratamento e na recuperação em casos de câncer), os pacientes talvez precisem do chamado "instrutor da enfermagem", o qual disponibiliza educação *on-line* para orientá-lo no sistema e ajudá-lo a tomar as decisões pertinentes.[47]

Embora o treinamento formal e as informações por escrito sejam em geral disponibilizados com antecedência à prestação do serviço, outras estratégias são utilizadas para dar prosseguimento à socialização do cliente durante a experiência propriamente dita. No local da execução do serviço, os clientes precisam de dois tipos de orientação: a *orientação de localização* (Onde estou? Como faço para ir daqui até ali?) e a *orientação de função* (Como funciona a organização? O que tenho de fazer?).[48] A sinalização, o leiaute da instalação de execução do serviço e outros itens de orientação auxiliam os clientes nas respostas a estas perguntas, permitindo-lhes desempenhar seus papéis com mais eficiência. Os acessórios de orientação também assumem a forma de regras que definem o comportamento do cliente em termos de segurança (companhias aéreas, academias), roupas adequadas (restaurantes, locais de entretenimento) e níveis de ruído (hotéis, salas de aula e teatros). Além disso, os clientes são familiarizados em relação a seus papéis por meio de informações oferecidas pelos funcionários e da observação dos comportamentos de outros clientes. Por exemplo, quando o McDonald's iniciou suas operações na Inglaterra, os clientes britânicos não estavam acostumados a recolher as próprias bandejas. Porém, eles não tardaram a aprender, observando os clientes que o McDonald's contratara para "demonstrar" o comportamento adequado. Estes clientes eram pagos para sentarem-se nos restaurantes e levar uma bandeja usada até a lixeira, em intervalos regulares.

Se os clientes não forem adequadamente familiarizados com o serviço, a organização corre o risco de sofrer com o aparecimento de comportamentos inadequados dos clientes, o que acarreta resultados negativos para os clientes, os funcionários e a própria empresa.[49]

Recompense os clientes por suas contribuições
Os clientes ficam mais dispostos a desempenhar os seus papéis com eficiência ou a participar de forma ativa na execução do serviço se forem recompensados por isso. As recompensas costumam concretizar-se como maior controle no processo de execução, economia de tempo e dinheiro, além de vantagens de cunho psicológico ou físico. Por exemplo, algumas empresas de contabilidade pública certificada requerem que seus clientes preencham longos formulários antes de reunirem-se com seus contadores. Se os formulários forem preenchidos, os contadores terão menos trabalho e os clientes serão recompensados, pois menos horas serão cobradas. Os clientes que escolherem não desempenhar o papel requisitado terão de desembolsar valores maiores por este serviço. Os usuários de serviços bancários que desempenham serviços por conta própria também são bonificados com maior acesso ao banco em termos de locais e horários. No contexto de serviços de saúde, os pacientes que desempenham seus papéis com eficácia provavelmente serão recompensados com melhor saúde ou recuperação mais rápida. Há tempos que as companhias aéreas oferecem descontos e "itens especiais para o cliente web" a passageiros que solicitam passagens *on-line*, o que constitui um incentivo financeiro para a participação do cliente.

Nem sempre os clientes identificam as vantagens ou recompensas da participação efetiva no serviço, a menos que a organização as explicite a eles. Em outras palavras, a organização precisa esclarecer os benefícios inerentes ao desempenho do cliente da mesma forma que ela define estes benefícios a seus funcionários. Outro aspecto importante é que a empresa precisa reconhecer que nem todos os clientes são motivados pelos mesmos tipos de recompensas. Alguns talvez valorizem o maior acesso e a economia de tempo que ganham ao cumprirem seus papéis com eficácia, enquanto outros valorizam a economia no âmbito financeiro. Outros ainda podem querer um maior controle pessoal sobre o resultado do serviço.

Gerencie o mix de clientes

Uma vez que no processo de execução e consumo do serviço os clientes interagem uns com os outros com frequência, outro importante objetivo estratégico é a gestão eficaz do mix de clientes que recebem o serviço ao mesmo tempo. Se durante a hora do jantar um restaurante decide atender a dois segmentos incompatíveis de clientes – por exemplo, estudantes universitários solteiros que desejam jantar em grupo e famílias com filhos pequenos que preferem um ambiente silencioso – o estabelecimento descobrirá que os dois grupos não combinam. Claro que é possível administrar esses dois segmentos de forma a não interagirem, sentando-os em locais distantes ou atraindo-os para o estabelecimento a diferentes horas do dia. Atender segmentos incompatíveis de clientes é um problema também em eventos esportivos profissionais, em que as famílias com filhos pequenos sentam-se ao lado de fãs ruidosos (e por vezes embriagados e inconvenientes). Cada um desses grupos tem objetivos diferentes e incompatíveis para a experiência. Da mesma forma, diversos campos de golfe presentes em universidades precisam acolher tanto os alunos (que não conhecem por completo as regras do esporte, não possuem os trajes adequados e podem ser barulhentos e desrespeitosos), quanto os clientes idosos que conhecem muito bem as regras, em geral têm os equipamentos e trajes corretos, e demonstram respeito e seriedade durante uma partida. Mais uma vez, os dois grupos têm objetivos opostos e níveis diferentes de compreensão das regras que muitas vezes são tácitas.

O processo de administrar muitos segmentos às vezes conflitantes é chamado de *gestão da compatibilidade*, definido em termos gerais como "o processo de primeiramente atrair [sempre que possível] uma clientela homogênea ao ambiente de serviço, e então administrar de modo ativo o ambiente físico e os encontros entre clientes, de forma a aprimorar a satisfação dos clientes e minimizar a ocorrência de encontros insatisfatórios."[50] A gestão da compatibilidade é muito importante para alguns setores (como o de saúde, transporte público e hospitais) e menos para outros. A Tabela 12.2 lista sete características do setor de serviços inter-relacionadas e que aumentam a relevância da gestão da compatibilidade.

Para administrar muitos segmentos (por vezes incompatíveis), as organizações recorrem a diversas estratégias. A atração de grupos bastante homogêneos de clientes por meio de um posicionamento e de estratégias de segmentação criteriosas é uma das abordagens adotadas. Esta estratégia é utilizada pela rede de hotéis Ritz-Carlton, que almeja primeiramente viajantes que exigem alto padrão. O Ritz-Carlton se posiciona de forma a comunicar sua mensagem ao mercado, e seus clientes decidem por si próprios hospedarem-se nos hotéis da rede. Contudo, até neste contexto há conflitos em potencial – por exemplo, em situações em que o hotel hospeda executivos em uma convenção de negócios, um time de basquete e viajantes a passeio, ao mesmo tempo. Muitas vezes, nesses casos outra estratégia é adotada. Os grupos de clientes compatíveis são dispostos em proximidade física para diminuir a probabilidade de interação entre segmentos

Tabela 12.2 As características do serviço que aumentam a importância dos segmentos compatíveis

Características	Explicação	Exemplos
Os clientes estão em grande proximidade física uns com os outros.	Os clientes percebem uns aos outros com mais frequência e são influenciados por seus comportamentos ao estarem em maior proximidade física.	Voos Eventos de entretenimento Eventos esportivos
Ocorre interação verbal entre os clientes.	Conversas (ou falta delas) podem fazer parte de encontros tanto satisfatórios quanto insatisfatórios com outros clientes.	Restaurantes comuns Bares especializados em coquetéis Cenários educacionais
Os clientes envolvem-se em inúmeras e variadas atividades.	Quando uma instalação de serviços tem diversas atividades ocorrendo ao mesmo tempo, estas talvez não sejam compatíveis.	Universidades Academias Hotéis do tipo *resort*
O ambiente de serviço atrai um mix heterogêneo de clientes.	Muitos ambientes de serviço, particularmente aqueles abertos ao público, atrairão uma variedade de segmentos de clientes.	Parques municipais Transporte público Universidades abertas
O serviço principal é a compatibilidade.	O serviço principal consiste em preparar e sustentar relacionamentos compatíveis entre os clientes.	Organizações de apoio à criança Programas de perda de peso Grupos de apoio à saúde mental
Os clientes ocasionalmente precisam esperar pelo serviço.	A espera em uma fila pode ser monótona ou gerar ansiedade. O aborrecimento e o nervosismo são intensificados ou reduzidos por outros clientes, dependendo da compatibilidade.	Clínicas médicas Atrações turísticas Restaurantes
Espera-se que os clientes compartilhem tempo, espaço ou utensílios de serviço.	A necessidade de dividir espaço, tempo e outros fatores de serviço é comum a muitos serviços e pode tornar-se um problema se os segmentos não se sentirem confortáveis com este compartilhamento ou se a necessidade de compartilhar é intensificada devido a limitações de capacidade.	Campos de golfe Hospitais Comunidades para aposentados Aeronaves

Fonte: Adaptado de C. I. Martin and C. A. Pranter, "Compatibility Management: Customer-to-Customer Relationships in Service Environments," *Journal of Services Marketing* 3, no. 3 (Summer 1989), pp. 5–15. Reimpresso com permissão da MCB University Press.

pouco compatíveis. O Ritz-Carlton mantém eventos e reuniões de grupos numerosos de pessoas longe das áreas do hotel utilizadas por pessoas de negócios. Muitos parques de diversão (como o CedarPoint e o Kings Island), que enfrentam problemas semelhantes, oferecem taxas especiais aos frequentadores que chegarem após as seis horas da tarde. O público-alvo deste valor diferenciado para a entrada é formado por adolescentes sensíveis a preços e estudantes universitários. Famílias com filhos pequenos tendem a visitar o parque no início do dia e provavelmente o deixam ao final da tarde. Assim, a estratégia de precificação mantém estes segmentos incompatíveis separados no tempo.

Outras estratégias para aprimorar a compatibilidade entre clientes incluem os "códigos de conduta" do cliente, como a regulamentação do fumo e de trajes. Sem dúvida, esses códigos variam segundo o estabelecimento. Por fim, o treinamento de funcionários para observar as interações entre clientes e perceber possíveis conflitos é outra estratégia que aumenta a compatibilidade entre segmentos. Os funcionários podem ser treinados também para reconhecer as oportunidades de fomentar encontros positivos entre clientes em certos ambientes da execução de serviços.

Resumo

Este capítulo tratou do papel do cliente na cogeração e execução de serviços. O cliente que recebe o serviço e os outros clientes presentes no ambiente podem alargar a lacuna 3 da empresa se fracassarem ao desempenhar seus papéis. Foram apresentadas diversas razões pelas quais os clientes aumentam esta lacuna: os clientes não compreendem seus papéis, não estão dispostos ou são incapazes de desempenhar estes papéis, não são recompensados pelo bom desempenho, sofrem a influência de outros clientes ou são vítimas da incompatibilidade entre segmentos.

A gestão de clientes no processo de execução do serviço é um desafio importante para as empresas do setor. Ao passo que no setor de manufatura não existe preocupação com a participação do cliente no processo de produção, os gerentes de serviços constantemente deparam-se com este problema, pois seus clientes muitas vezes estão presentes e são parceiros ativos na produção e cogeração do serviço. Como parceiros na criação, produção e execução do serviço, os clientes desempenham seus papéis principais: os clientes como *recursos produtivos* para a organização, como *colaboradores* com a qualidade e a satisfação, e como *concorrentes* na execução do serviço por conta própria.

Com a compreensão da importância dos clientes para o desempenho do serviço e a identificação dos papéis por eles desempenhados em um determinado contexto, os gerentes têm as ferramentas para desenvolver estratégias de aprimoramento da participação do cliente. As estratégias discutidas neste capítulo incluem a definição dos papéis e das tarefas dos clientes, o recrutamento de clientes que atendam ao perfil em termos de nível de participação desejado, a educação dos clientes para que desempenhem seus papéis com eficácia, a oferta de recompensas aos clientes por sua contribuição, e a gestão do mix de clientes para aprimorar as experiências de todos os segmentos. Com a implementação destas estratégias, as organizações sentirão o estreitamento da lacuna do desempenho do serviço devido às contribuições eficientes dos clientes para a sua execução.

Questões para discussão

1. Com exemplos próprios, discuta a importância geral dos clientes para o sucesso da criação e execução de experiências de serviços.

2. Por que as ações e atitudes dos clientes geram a lacuna do desempenho do serviço? Use exemplos próprios para ilustrar sua opinião.

3. Com base na Tabela 12.1, pense em serviços específicos que você recebeu e que são classificados em cada um dos três níveis de participação do cliente: baixo, médio e alto. Descreva em detalhes o que você fez, como cliente, em cada caso. De que modo seu envolvimento variou entre os três tipos de situação de serviços?

4. Descreva uma ocasião em que sua satisfação em uma dada situação *aumentou* por causa de algo que outro cliente executou. A organização fez (ou poderia ter feito) algo para garantir que a experiência ocorresse rotineiramente? Em caso afirmativo, o quê? Ela deveria tentar tornar esta experiência algo rotineiro?

5. Descreva uma ocasião em que sua satisfação em uma dada situação *diminuiu* por causa de algo que outro cliente executou. A organização poderia ter feito algo para administrar esta situação com mais eficácia? O quê?

6. Discuta o papel do cliente como *recurso produtivo* para a empresa. Descreva uma situação em que você desempe-

nhou este papel. O que você fez e como você se sentiu? A empresa o auxiliou a desempenhar seu papel com eficácia? Em caso afirmativo, como?

7. Discuta o papel do cliente como *colaborador com a qualidade e a satisfação com o serviço*. Descreva uma situação em que você desempenhou este papel. O que você fez e como você se sentiu? A empresa o auxiliou a desempenhar seu papel com eficácia? Em caso afirmativo, como?

8. Discuta o papel do cliente como *concorrente* em potencial. Descreva uma situação em que você optou por executar o serviço por conta própria em vez de recorrer a alguém para executá-lo por você. Por que você decidiu desempenhar o serviço sozinho? O que poderia ter feito você mudar de ideia e contratar alguém para executar o serviço?

Exercícios

1. Visite um estabelecimento de prestação de serviços em que os clientes podem influenciar uns aos outros (como um parque temático, um estabelecimento da indústria do entretenimento, um *resort*, um *shopping center*, um restaurante, uma companhia aérea, uma escola ou um hospital). Observe (ou entreviste) clientes presentes no local e registre casos de influência positiva e negativa de outros clientes. Discuta como você administraria a situação para aumentar a satisfação global do cliente.

2. Entreviste uma pessoa em relação a sua decisão de terceirizar um serviço – por exemplo, serviço de advocacia, de folha de pagamento ou manutenção para uma empresa, ou de limpeza, creche ou cuidados a animais de estimação para um domicílio. Utilize os critérios de substituição interna ou externa descritos no texto para analisar a decisão de terceirização.

3. Considere um serviço em que um nível alto de participação do cliente é necessário para seu sucesso (academia, programa de perda de peso, educação, atenção à saúde, lições de golfe, redes sociais *on-line* ou semelhantes). Entreviste um prestador de serviços em uma destas organizações para descobrir quais são as estratégias que ele emprega para encorajar a participação efetiva do cliente.

4. Visite um cenário de serviços em que diversos segmentos de clientes utilizam o serviço ao mesmo tempo (como um teatro, um campo de golfe, um *resort* ou parque temático). Observe (ou entreviste o gerente sobre) as estratégias da organização para administrar estes segmentos com eficácia. O que você faria de diferente, se fosse o gerente?

5. Visite o *site* da iPrint (www.iPrint.com). Compare o processo do serviço de impressão a serviços semelhantes oferecidos pelo Kinko's, da FedEx. Estabeleça as semelhanças e diferenças em termos do papel do cliente.

Literatura citada

1. P. B. Seybold, *Customers.com: How to Create a Profitable Business Strategy for the Internet and Beyond* (New York: Random House, 1998), pp. 235–244; www.iPrint.com, 2011.

2. Ver B. Schneider and D. E. Bowen, *Winning the Service Game* (Boston: Harvard Business School Press, 1995), chap. 4; L. A. Bettencourt, "Customer Voluntary Performance: Customers as Partners in Service Delivery, *Journal of Retailing* 73 (Fall 1997), pp. 383–406; P. K. Mills and J. H. Morris, "Clients as 'Partial' Employees: Role Development in Client Participation," *Academy of Management Review* 11, no. 4 (1986), pp. 726–735; C. H. Lovelock and R. F. Young, "Look to Customers to Increase Productivity," *Harvard Business Review* 57 (Summer 1979), pp. 9–20; A. R. Rodie and S. S. Kleine, "Customer Participation in Services Production and Delivery," in *Handbook of Services Marketing and Management,* ed. T. A. Swartz and D. Iacobucci (Thousand Oaks, CA: Sage, 2000), pp. 111–126; C. K. Prahalad and V. Ramaswamy, "Co-opting Customer Competence," *Harvard Business Review* 78 (January–February 2000), p. 7; N. Bendapudi and R. P. Leone, "Psychological Implications of Customer Participation in Co-Production," *Journal of Marketing* 67 (January 2003), pp. 14–28.

3. S. L. Vargo, and R. F. Lusch, "Evolving to a New Dominant Logic for Marketing," *Journal of Marketing* 68 (January 2004), pp. 1–17; R. F. Lusch, S. L. Vargo, and M O'Brien, "Competing through Service: Insights from Service-Dominant Logic," *Journal of Retailing* 83, no. 1 (2007), pp. 5–18.

4. L. A. Bettencourt, S. W. Brown, A. L. Ostrom, and R. I. Roundtree, "Client Co-Production in Knowledge-Intensive Business Services," *California Management Review* 44 (Summer 2002), pp. 100–128.

5. Ver S. J. Grove and R. P. Fisk, "The Impact of Other Customers on Service Experiences: A Critical Incident Examination of 'Getting Along,' " *Journal of Retailing* 73 (Spring 1997), pp. 63–85; C. I. Martin and C. A. Pranter, "Compatibility Management: Customer-to-Customer Relationships in Service Environments," *Journal of Services Marketing* 3 (Summer 1989), pp. 5–15; R. Nicholls, "New Directions for Customer-to-Customer Interaction Research," *Journal of Services Marketing* 24, no. 1 (2010), pp. 87–97.

6. Grove and Fisk, "The Impact of Other Customers on Service Experiences."

7. L. Landro, "ICUs' New Message: Welcome, Families," *The Wall Street Journal,* July 12, 2007, pp. A11.

8. M. S. Rosenbaum and C. A. Massiah, "When Customers Receive Support from Other Customers," *Journal of Service Research* 9 (February 2007), pp. 257–270.

9. Grove and Fisk, "The Impact of Other Customers on Service Experiences."

10. K. Harris and S. Baron, "Consumer-to-Consumer Conversations in Service Settings," *Journal of Service Research* 6 (February 2004), pp. 287–303.

11. Ver P. K. Mills, R. B. Chase, and N. Margulies, "Motivating the Client/Employee System as a Service Production Strategy," *Academy of Management Review* 8, no. 2 (1983), pp. 301–310; D. E. Bowen, "Managing Customers as Human Resources in Service Organizations," *Human Resource Management* 25, no. 3 (1986), pp. 371–383; Mills and Morris, "Clients as 'Partial' Employees."

12. Bettencourt et al., "Client Co-Production in Knowledge-Intensive Business Services."

13. Landro, "ICUs' New Message."

14. R. B. Chase, "Where Does the Customer Fit in a Service Operation?" *Harvard Business Review* 56 (November–December 1978), pp. 137–142.

15. Mills et al., "Motivating the Client/Employee System."

16. Marilyn Adams, "Tech Takes Bigger Role in Air Services," *USA Today*, July 18, 2001, p. 1.

17. Ver M. Xue and P. T. Harker, "Customer Efficiency: Concept and Its Impact on E-Business Management," *Journal of Service Research* 4 (May 2002), pp. 253–267; B. Kiviat, "The End of Customer Service," in "What's Next 2008," *Time Magazine*, March 13, 2008.

18. K. W. Chan, C. K. Yim, and S. S. K. Lam, "Is Customer Participation in Value Creation a Double-Edged Sword? Evidence from Professional Financial Services across Cultures," *Journal of Marketing* 74 (May 2010), pp. 48–64.

19. Ver D. W. Johnson, R. T. Johnson, and K. A. Smith, *Active Learning: Cooperation in the College Classroom* (Edina, MN: Interaction Book Company, 1991).

20. S. Dellande, M. C. Gilly, and J. L. Graham, "Gaining Compliance and Losing Weight: The Role of the Service Provider in Health Care Services," *Journal of Marketing* 68 (July 2004), pp. 78–91.

21. S. Auh, S. J. Bell, C. S. McLeod, and E. Shih, "Co-Production and Customer Loyalty in Financial Services," *Journal of Retailing* 83, no. 3 (2007), pp. 359–370.

22. S. W. Kelley, S. J. Skinner, and J. H. Donnelly Jr., "Organizational Socialization of Service Customers," *Journal of Business Research* 25 (1992), pp. 197–214.

23. C. Claycomb, C. A. Lengnick-Hall, and L. W. Inks, "The Customer as a Productive Resource: A Pilot Study and Strategic Implications," *Journal of Business Strategies* 18 (Spring 2001), pp. 47–69.

24. Vários cenários foram adaptados com base em C. Goodwin, "'I Can Do It Myself': Training the Service Consumer to Contribute to Service Productivity," *Journal of Services Marketing* 2 (Fall 1988), pp. 71–78.

25. R. Normann and R. Ramirez, "From Value Chain to Value Constellation: Designing Interactive Strategy," *Harvard Business Review* 71 (July–August 1993), pp. 65–77; www.ikea.com, 2011.

26. J. E. G. Bateson, "The Self-Service Customer—Empirical Findings," in *Emerging Perspectives in Services Marketing*, ed. L. L. Berry, G. L. Shostack, and G. D. Upah (Chicago: American Marketing Association, 1983), pp. 50–53.

27. V. S. Folkes, "Recent Attribution Research in Consumer Behavior: A Review and New Directions," *Journal of Consumer Research* 14 (March 1988), pp. 548–565; M. J. Bitner, "Evaluating Service Encounters: The Effects of Physical Surroundings and Employee Responses," *Journal of Marketing* 54 (April 1990), pp. 69–82.

28. Bendapudi and Leone, "Psychological Implications of Customer Participation in Co-Production."

29. R. F. Lusch, S. W. Brown, and G. J. Brunswick, "A General Framework for Explaining Internal vs. External Exchange," *Journal of the Academy of Marketing Science* 10 (Spring 1992), pp. 119–134.

30. Ibid.

31. Ver M. J. Bitner, A. L. Ostrom, and M. L. Meuter, "Implementing Successful Self-Service Technologies," *Academy of Management Executive* 16 (November 2002), pp. 96–109.

32. Ver P. Dabholkar, "Consumer Evaluations of New Technology-Based Self-Service Options: An Investigation of Alternative Models of Service Quality," *International Journal of Research in Marketing* 13, no. 1 (1996), pp. 29–51; F. Davis, "User Acceptance of Information Technology: System Characteristics, User Perceptions and Behavioral Impact," *International Journal of Man-Machine Studies* 38 (1993), pp. 475–487; L. M. Bobbitt and P. A. Dabholkar, "Integrating Attitudinal Theories to Understand and Predict Use of Technology-Based Self-Service," *International Journal of Service Industry Management* 12, no. 5 (2001), pp. 423–450; J. M. Curran, M. L. Meuter, and C. F. Surprenant, "Intentions to Use Self-Service Technologies: A Confluence of Multiple Attitudes," *Journal of Service Research* 5 (February 2003), pp. 209–224; S. Al-Natour and I. Benbasat, "The Adoption and Use of IT Artifacts: A New Interaction-Centric Model for the Study of User-Artifact Relationships," *Journal of the Association for Information Systems* 10, no. 9 (2009), pp. 661–685.

33. K. Crow, "Online Bids, Christie's Fine-Arts Patrons Are Slow to Click," *The Wall Street Journal,* July 12, 2007, pp. B1+.

34. M. L. Meuter, M. J. Bitner, A. L. Ostrom, and S. W. Brown, "Choosing among Alternative Service Delivery Modes: An Investigation of Customer Trial of Self-Service Technologies," *Journal of Marketing* 69 (April 2005), pp. 61–83.

35. M. L. Meuter, A. L. Ostrom, R. I. Roundtree, and M. J. Bitner, "Self-Service Technologies: Understanding Customer Satisfaction with Technology-Based Service Encounters," *Journal of Marketing* 64 (July 2000), pp. 50–64.

36. M. J. Reinders, P. A. Dabholkar, and R. T. Frambach, "Consequences of Forcing Consumers to Use Technology-Based Self-Service," *Journal of Service Research* 11 (November 2008), pp. 107–123.

37. Meuter, Bitner, et al., "Choosing among Alternative Service Delivery Modes"; ver também Y. Moon and F. X. Frei, "Exploding the Self-Service Myth," *Harvard Business Review* 78 (May–June 2000), pp. 26–27; e M. J. Bitner et al., "Implementing Successful Self-Service Technologies."

38. A. Parasuraman and C. L. Colby, *Techno-Ready Marketing: How and Why Your Customers Adopt Technology* (New York: The Free Press, 2001).

39. Bowen, "Managing Customers as Human Resources."

40. Chase, "Where Does the Customer Fit in a Service Operation?"

41. Bateson, "The Self-Service Customer."

42. J. Light, "With Customer Service, Real Person Trumps Text," *The Wall Street Journal*, April 25, 2011, p. B7.

43. Meuter, Bitner, et al., "Choosing among Alternative Service Delivery Modes."

44. Bowen, "Managing Customers as Human Resources"; Schneider and Bowen, *Winning the Service Game,* chap. 4; Meuter, Bitner, et al., "Choosing among Alternative Service Delivery Modes"; Dellande et al., "Gaining Compliance and Losing Weight."

45. C. Goodwin and R. Radford, "Models of Service Delivery: An Integrative Perspective," in *Advances in Services Marketing and Management,* ed. T. A. Swartz, D. E. Bowen, and S. W. Brown, (Stamford, CT: JAI Press), pp. 231–252.

46. S. W. Kelley, J. H. Donnelly Jr., and S. J. Skinner, "Customer Participation in Service Production and Delivery," *Journal of Retailing* 66 (Fall 1990), pp. 315–335; Schneider and Bowen, *Winning the Service Game,* chap. 4.

47. L. Landro, "When a Doctor Isn't Enough," *The Wall Street Journal*, August 16, 2011, p. D1.

48. Bowen, "Managing Customers as Human Resources."

49. Ibid; ver também L. C. Harris and K. L. Reynolds, "The Consequences of Dysfunctional Customer Behavior," *Journal of Service Research* 6 (November 2003), pp. 144–161.

50. Martin and Pranter, "Compatibility Management."

Capítulo 13

A gestão da demanda e da capacidade

Os objetivos deste capítulo são:

1. Explicar a questão básica dos serviços limitados pela capacidade: a inexistência da possibilidade de estoques.
2. Apresentar as implicações das restrições em termos de tempo, mão de obra, equipamento e instalações em combinação com as variações nos padrões de demanda.
3. Estabelecer estratégias para equiparar oferta e demanda por meio de (a) alteração da demanda para equiparar com a capacidade ou (b) ajuste da capacidade para atender à demanda.
4. Demonstrar as vantagens e os riscos da gestão do rendimento na configuração de um equilíbrio entre utilização da capacidade, precificação, segmentação de mercado e retorno financeiro.
5. Oferecer estratégias para administrar as filas de espera em momentos em que a capacidade e a demanda não podem ser alinhadas.

Como ocupar 281 quartos nos 365 dias do ano

O hotel Ritz-Calton, em Fênix, Arizona, é um hotel de alto padrão localizado no centro de uma região metropolitana que hoje conta com aproximadamente 4 milhões de habitantes e é a quinta em tamanho nos Estados Unidos. Frequentemente citado por conta de seus serviços, foi nomeado o principal hotel voltado para o público de negócios no Estado do Arizona pela revista *Travel and Leisure*.[1] Ele tem 281 suítes de luxo, dois restaurantes, lindas piscinas e amplas instalações para reuniões e conferências. Os restaurantes e as instalações para reuniões estão disponíveis aos hóspedes nos 365 dias do ano. Mas a demanda esperada por estas instalações varia expressivamente. Durante a temporada turística, que vai de novembro até meados de abril, a demanda por suítes é alta e muitas vezes excede o espaço disponível. Contudo, de meados de maio até setembro, período em que é comum as temperaturas passarem dos 37 °C, a demanda por quartos cai consideravelmente. Visto que o hotel atende a pessoas em viagens de negócios e ao setor de reuniões de negócios, a demanda tem um ciclo semanal além das flutuações sazonais. Os viajantes em negócios não se hospedam por semanas a fio. Assim, a demanda por quartos trazida pelo principal segmento de mercado do hotel cai às sextas-feiras e aos sábados.

A fim de uniformizar os picos e os vales na curva de demanda por suas instalações, o Ritz-Carlton de Fênix adotou diversas estratégias. Os negócios envolvendo grupos de pessoas (sobretudo conferências de negócios) são a meta constante ao longo do ano para compensar os períodos de baixa demanda. Uma variedade de pacotes para eventos especiais e esportivos, casamentos e feriados prolongados é oferecida durante todo o ano para aumentar a demanda aos finais de semana. Nos meses quentes do verão, o hotel encoraja os residentes de Fênix e de Tucson, uma cidade próxima, a desfrutarem das luxuosas instalações do hotel. Um pacote criativo oferecido no passado consistia em uma estada com preços atraentes acompanhada de uma "sequência de jantares" em restaurantes locais. Essa sequência iniciava com uma recepção no hotel, uma caminhada até um restaurante para provar aperitivos e um jantar em outro restaurante; a noite terminava com champanhe e sobremesa nos quartos dos hóspedes. Ao encorajar os habitantes locais a utilizar os serviços do hotel, ele aumentou suas taxas de ocupação durante as épocas de baixa demanda ao mesmo tempo em que estas pessoas ganhavam uma oportunidade de desfrutar de uma experiência pela qual não poderiam pagar durante a alta temporada.

A maior parte dos hotéis localizados nos centros das cidades em regiões muito urbanizadas enfrenta a mesma flutuação semanal na demanda vista pelo Ritz-Carlton em Fênix, e muitos deles encontraram uma solução parcial: atender a famílias e seus filhos aos finais de semana. Para muitos casais formados por pessoas com carreiras profissionais independentes, um final de semana prolongado é a melhor forma de relaxar e tirar um intervalo do trabalho. Os hotéis dos centros das cidades atendem a estes casais e famílias oferecendo descontos nas diárias, atividades e facilidades voltadas para o público infantil e um ambiente em que estas famílias sentem-se confortáveis. Por exemplo, o New York Palace Hotel – o mais próximo ao American Girl Place – faz esforços para aumentar o número de estadias de final de semana oferecendo um "Pacote American Girl Place" a famílias com filhas pequenas. O pacote, cujo público-alvo é o cliente que não está em viagem de negócios, inclui um serviço de camareira para uma boneca e uma cama dobrável (também para bonecas), que as meninas podem levar consigo.

Para o hotel Ritz-Carlton de Fênix e os outros hotéis, a gestão da demanda e a utilização da capacidade fixa de quartos, restaurantes e instalações de reuniões pode tornar-se um desafio sazonal, semanal ou mesmo diário. Embora o setor hoteleiro represente os desafios da gestão da demanda e da capacidade, muitas empresas prestadoras enfrentam problemas semelhantes. Por exemplo, contadores especializados em serviços tributários e serviços de manutenção de condicionadores de ar deparam-se com flutuações sazonais na demanda, ao passo que serviços como restaurantes e transporte ferroviário têm variações semanais e mesmo horárias na demanda do cliente. Para alguns negócios, a demanda é previsível, como no caso de um contador fiscal. Para outros, como para os negócios de consultoria ou tecnologia, ela talvez seja menos previsível e flutue com base nas necessidades e nos ciclos dos negócios. Há vezes em que a empresa presencia um excesso de demanda para a capacidade instalada, e outras em que esta encontra-se ociosa.

O uso excessivo ou insuficiente de um serviço influencia diretamente a lacuna 3 da empresa: a falha em executar o que foi projetado e especificado. Por exemplo, nos casos em que a demanda por serviços excede a capacidade máxima, a qualidade do serviço pode cair em função de a mão de obra e as instalações estarem sobrecarregadas. Além disso, alguns clientes se afastam por não receber o serviço. Em períodos de baixa demanda, talvez seja preciso reduzir preços ou cortar incentivos aos serviços; contudo, em épocas em que a empresa altera a natureza dos serviços e, por vezes, a composição de sua clientela, ela corre o risco de não atender às expectativas de seus clientes. Por exemplo, viajantes idosos ou grupos de executivos que estejam em um hotel durante um fim de semana talvez ressintam-se da invasão de famílias com seus filhos pequenos, pois isso altera a natureza do serviço que esperam. Por exemplo, junto à piscina é possível ocorrer colisões entre adultos tentando nadar como forma de exercício e crianças envolvidas em brincadeiras aquáticas.

Este capítulo está voltado para os desafios de equilibrar oferta e demanda em serviços com restrições de capacidade. A lacuna do desempenho do serviço ocorre em situações em que as organizações fracassam na tentativa de uniformizar os altos e baixos da demanda, utilizam suas capacidades excessivamente, atraem um mix de clientes inapropriado em seus esforços de construção de demanda, ou dependem demais do preço no nivelamento da demanda. Este capítulo aborda estas questões e algumas estratégias para lidar com elas. O uso eficaz da capacidade muitas vezes é um fator de sucesso para as organizações do setor de serviços.

A QUESTÃO BÁSICA: A IMPOSSIBILIDADE DE FORMAR ESTOQUES

A questão fundamental subjacente à gestão da oferta e da demanda em serviços é a impossibilidade de formar estoques. Diferentemente das companhias do setor produtivo, as empresas da indústria de serviços não conseguem compor estoques em períodos de baixa demanda e utilizá-los mais tarde, quando esta se elevar. A impossibilidade de compor estoques deve-se ao caráter perecível dos serviços e à sua simultaneidade de produção e consumo. Uma poltrona em uma aeronave que não foi vendida para um dado voo não pode ser armazenada em estoque para ser oferecida no dia seguinte. A capacidade produtiva dessa poltrona naquele voo pereceu. Pela mesma razão, uma consulta com um advogado não pode ser marcada de um dia para o outro. Além disso, é impossível transportar serviços de um local para outro ou de pessoa para pessoa. Assim, os serviços do hotel Ritz-Carlton em Fênix não podem ser deslocados a um local diferente nos meses de verão – digamos, a costa do Oceano Pacífico, em que os verões são ideais para turistas e a demanda por serviços de hotelaria é alta.

A impossibilidade de formar estoques, combinada com a flutuação da demanda, traz várias consequências, conforme mostra a Figura 13.1.[2] As linhas horizontais na figura indicam a capacidade do serviço e a curva representa a demanda consumidora. Em muitos serviços, a capacidade é fixa e, por isso, ela pode ser designada por uma linha reta horizontal para um dado período de tempo. No entanto, a demanda por serviços flutua com frequência, conforme mostra a curva. A linha horizontal mais alta na Figura 13.1 representa a capacidade máxima. Por exemplo, no texto de abertura deste capítulo, a linha horizontal representaria as 281 suítes do Ritz-Carlton de Fênix, ou os 70 mil assentos em um grande estádio de futebol. O número de quartos ou de poltronas permanece constante, mas a demanda flutua. A faixa entre a segunda e a terceira linhas horizontais representa a capacidade ótima – a melhor utilização da capacidade das perspectivas do cliente e da

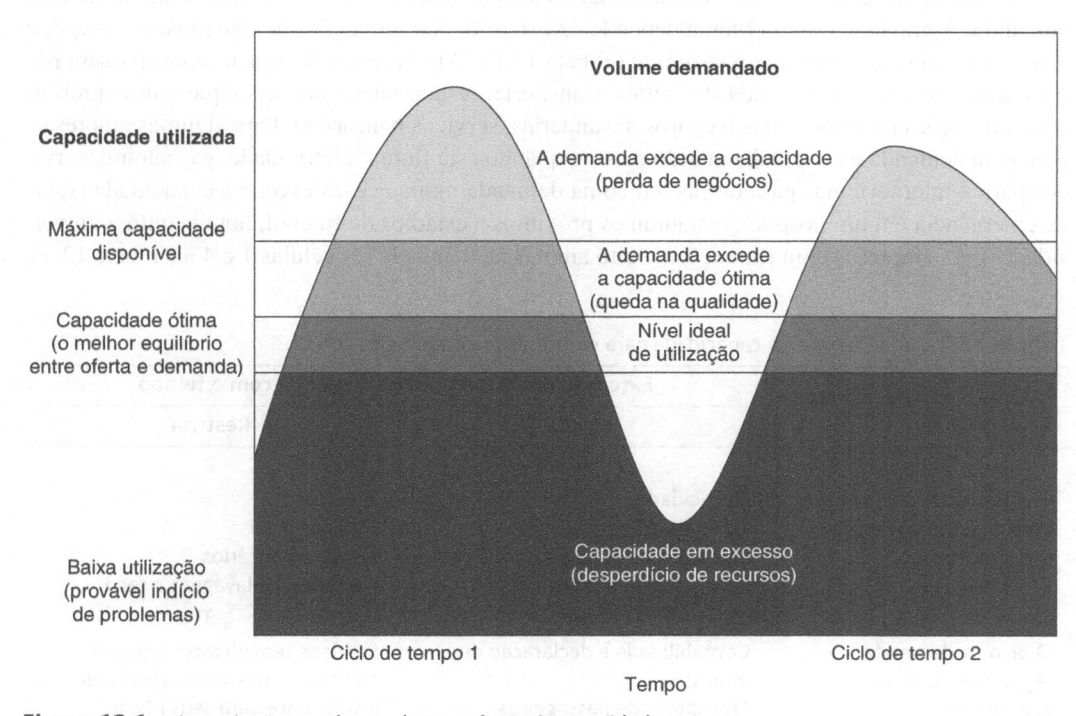

Figura 13.1 As variações na demanda em relação à capacidade.

Fonte: Lovelock, Christopher H.; Wirtz, Jochen, *Services Marketing*, 7th Edition, (c) 2011, chap. 9, p. 230. Reimpresso com permissão de Pearson Education Inc., Upper Saddle River, NJ.

empresa (a diferença entre a capacidade ótima e a capacidade máxima é discutida mais adiante neste capítulo). As áreas no centro da Figura 13.1 representam os quatro cenários possíveis advindos das diferentes combinações entre capacidade e demanda:

1. *Excesso de demanda.* O nível da demanda excede a capacidade máxima. Nesta situação, alguns clientes se afastarão, o que resulta na perda de oportunidades de negócios. Para os clientes que recebem o serviço, a qualidade talvez não alcance o que foi prometido devido ao excesso de clientes ou à sobrecarga de equipes e instalações.
2. *A demanda excede a capacidade ótima.* Nenhum cliente é afugentado, mas a qualidade do serviço talvez sofra com o excesso de utilização, com a presença de muitos clientes ou com as equipes de serviço sendo forçadas além dos seus limites com o intuito de gerar consistência na qualidade.
3. *A demanda e a oferta são equilibradas no nível da capacidade ótima.* As equipes e instalações são ocupadas em nível ideal. Ninguém está sobrecarregado, as instalações podem passar por manutenção e os clientes estão recebendo serviços de qualidade sem atrasos significativos.
4. *Excesso de capacidade.* A demanda está abaixo da capacidade ótima. Os recursos produtivos na forma de mão de obra, equipamentos e instalações são subutilizados, o que resulta em queda na produtividade e em menores lucros. Os clientes talvez recebam excelente qualidade em nível individual, pois podem utilizar as instalações por completo, sem esperas e com a total atenção das equipes de serviços. Contudo, se a qualidade do serviço depende da presença de outros clientes, os clientes presentes nas instalações talvez se sintam decepcionados ou preocupados com a possibilidade de terem escolhido uma empresa prestadora de serviços de qualidade duvidosa.

Nem todas as empresas são desafiadas da mesma maneira em termos da gestão da oferta e da demanda. A gravidade do problema depende da *extensão das flutuações na demanda no tempo*, e da *extensão em que a oferta é restringida* (Tabela 13.1).[3] Alguns tipos de organizações passam por flutuações maiores na demanda (hospitais, transporte, restaurantes), ao passo que outros presenciam alterações mais modestas (seguros, lavanderias, serviços bancários). Para algumas empresas, o pico na demanda é em geral atendido mesmo quando esta flutua (eletricidade, gás natural, serviços para a Internet), mas para outras o pico na demanda muitas vezes excede a capacidade (salas de emergência em um hospital, restaurantes próximos a estádios de futebol, hotéis junto a universidades). As empresas com flutuações muito amplas na demanda (as células 1 e 4 na Tabela 13.1),

Tabela 13.1 A demanda e a capacidade para empresas prestadoras de serviços.

Extensão em que a oferta é restringida	Extensão das flutuações na demanda com o tempo	
	Ampla	Restrita
	1	2
O pico na demanda em geral é atendido sem grandes atrasos.	Eletricidade Gás natural Emergências policiais e médicas Serviços para a Internet	Seguros Serviços legais Serviços bancários Lavanderia e lavagem a seco
	4	3
O pico na demanda regularmente excede a capacidade.	Contabilidade e declaração de impostos Transporte de passageiros Hotéis Restaurantes Salas de emergência nos hospitais	Serviços semelhantes àqueles na célula 2 que têm capacidade insuficiente para seus níveis básicos de serviços

Fonte: Adaptado de C. H. Lovelock, "Classifying Services to Gain Strategic Marketing Insights," *Journal of Marketing* 47 (Summer 1983), p. 17. Reimpresso com permissão da American Marketing Association.

sobretudo aquelas com flutuações muito marcantes em uma demanda que excede a capacidade com regularidade (célula 4), vão ver que as questões e estratégias apresentadas neste capítulo são especialmente importantes para seu sucesso. Em contrapartida, as empresas que se encontram na célula 3 precisam de "soluções simples" (conforme discutimos no Capítulo 9) para expandirem suas capacidades de forma a atender a padrões regulares de excesso na demanda. Os setores exibidos na Tabela 13.1 ilustram onde a *maioria* das empresas destes setores provavelmente seria classificada. Na verdade, uma empresa de qualquer setor poderia encontrar-se em qualquer uma das quatro células, dependendo das circunstâncias do momento.

Para identificar as estratégias eficazes para a gestão das flutuações na oferta e na demanda, uma organização precisa ter uma compreensão clara das restrições impostas à sua capacidade e dos padrões básicos de demanda.

AS RESTRIÇÕES À CAPACIDADE

Para muitas empresas, a capacidade de serviços é fixa. Conforme indica a Tabela 13.2, os fatores definidores da capacidade fixa podem ser – dependendo do tipo de serviço – o tempo, a mão de obra, os equipamentos, as instalações ou (em muitos casos) uma combinação destes.

O tempo, a mão de obra, os equipamentos e as instalações

Para algumas empresas do setor de serviços, uma das principais restrições à geração do serviço é o fator *tempo*. Por exemplo, um advogado, um consultor, um cabeleireiro, um encanador e um psicólogo comercializam seus horários. Em contextos como este, se o funcionário da execução do serviço não está disponível ou se o seu tempo não é utilizado de modo produtivo, os lucros

Tabela 13.2 As restrições à capacidade

Natureza da restrição	Tipo de serviço*
Tempo	Jurídico Consultoria Contabilidade Médico
Mão de obra	Escritório de advocacia Escritório de contabilidade Empresa de consultoria Clínica de saúde
Equipamento	Serviços de entrega Telecomunicações Serviços de rede Serviços públicos Academias
Instalações	Hotéis Restaurantes Hospitais Companhias aéreas Escolas Teatros Igrejas

*Os exemplos ilustram a restrição à capacidade mais comum para cada classe de serviços. Na verdade, qualquer organização listada na tabela pode operar sob mais de uma restrição. Por exemplo, um escritório de advocacia pode operar sob restrições de mão de obra (número insuficiente de advogados) e de instalações (falta de espaço) ao mesmo tempo.

são perdidos. Se há excesso de demanda em um dado momento, não será possível gerar tempo extra para atendê-la. Da perspectiva do prestador de serviço (profissional liberal), o tempo é a restrição.

Do ponto de vista de uma companhia que emprega muitos funcionários para a prestação de serviços, os níveis de *mão de obra* ou de ocupação de cargos podem ser a principal limitação em termos de capacidade. Uma empresa de advocacia, um departamento de uma universidade, uma empresa de consultoria, uma empresa de serviços tributários e uma empreiteira fornecedora de serviços de manutenção e consertos enfrentam a realidade de que, em certos períodos, a demanda pelos serviços de suas organizações não pode ser atendida por conta de os funcionários estarem trabalhando no pico de suas capacidades. No entanto, nem sempre faz sentido (nem é possível no competitivo mercado de mão de obra) contratar mais funcionários se a baixa demanda é uma realidade na maior parte do tempo.

Em outras situações, os *equipamentos* constituem a principal limitação. No caso de serviços de transporte de cargas por via terrestre ou aérea, os caminhões ou aviões necessários para atender à demanda em serviços representam as restrições à capacidade. Durante as festas de fim de ano, a UPS, a FedEx e outras prestadoras de serviços de entrega enfrentam este tipo de desafio. As academias também lidam com esta limitação, sobretudo em certas horas do dia (antes do horário comercial, no horário do almoço e após o trabalho) e em certos meses do ano. Quando consideramos as prestadoras de serviços de rede, os elementos que representam as restrições à capacidade são a banda larga, os servidores e os *switches**.

Por fim, diversas empresas enfrentam restrições causadas por limitações em suas *instalações*. Os hotéis têm um número limitado de quartos a oferecer, as companhias aéreas têm números fixos de poltronas em suas aeronaves, as instituições de ensino são limitadas em termos do número de salas e do número de vagas em cada uma, e a capacidade de um restaurante fica restrita ao número de mesas e cadeiras disponíveis.

Compreender a principal limitação à capacidade, ou a combinação de fatores que a restringe, é o primeiro passo para elaborar estratégias que lidem com os problemas relativos à demanda e à capacidade.

A utilização ótima *versus* a utilização máxima da capacidade

Para entender as questões relativas à capacidade, é importante conhecer as diferenças entre a utilização da capacidade *ótima* e a da capacidade *máxima*. Conforme sugere a Figura 13.1, a capacidade ótima e a capacidade máxima podem não ser idênticas. A utilização da capacidade em nível ótimo significa que os recursos são empregados por completo, mas não em excesso, e que os clientes estão recebendo serviços de qualidade no momento adequado. Por outro lado, a capacidade máxima representa o limite de disponibilidade do serviço. No caso de um evento esportivo, a capacidade ótima e a capacidade máxima podem ser uma só. O valor em termos de entretenimento do jogo é aumentado para os clientes sempre que todos os assentos forem ocupados, e é claro que a rentabilidade para o time da casa é a maior possível nestas circunstâncias (veja a fotografia a seguir). Em contrapartida, em uma sala de aula em uma universidade, normalmente nem os alunos nem a instituição desejam a total ocupação das vagas. Neste caso, a utilização ótima da capacidade é menor do que a máxima. Em alguns casos, a utilização máxima da capacidade pode resultar em uma espera excessiva para os clientes, conforme vemos em restaurantes populares. Da perspectiva da satisfação do cliente, a utilização ótima da capacidade do restaurante é menor do que a sua utilização máxima.

Na ocorrência de restrições em equipamentos e instalações, a capacidade máxima a um dado momento é indiscutível. O número de halteres em uma academia é limitado, assim como o número

---

* N. de T.: Equipamento que permite a conexão de computadores em redes.

Para esportes e outros locais de entretenimento, a capacidade máxima e a capacidade ótima podem ser quase idênticas.

de poltronas em uma aeronave e o espaço disponível em um caminhão de transporte. No caso de uma unidade de engarrafamento de líquidos, no momento em que a capacidade máxima for excedida na linha de montagem, as garrafas começam a quebrar e o sistema sofre uma pane. Assim, é relativamente fácil observar os efeitos de exceder a capacidade máxima de um equipamento em muitas situações do setor de produção de bens de consumo.

Quando as limitações ocorrem nos fatores tempo e mão de obra, é mais difícil especificar a capacidade máxima, pois em certo sentido as pessoas são mais flexíveis do que as instalações e os equipamentos. Se a capacidade máxima de um funcionário da prestação de serviços for excedida, é provável que ocorram diminuição da qualidade do serviço, insatisfação do cliente, estafa e giro de mão de obra. Porém, talvez estas consequências não sejam constatadas de imediato, nem mesmo pelo próprio funcionário. Embora uma empresa consiga identificar a capacidade máxima em termos de limitações físicas, como espaço disponível, aferir a capacidade máxima de um ser humano é uma tarefa árdua. Assim, as empresas talvez forcem seus funcionários além de suas capacidades máximas por certo período, mas não conhecerão este limite antes de este funcionário apresentar problemas de saúde. De fato, muitas vezes é mais fácil para uma empresa de consultoria assumir um ou mais contratos e sobrecarregar seus funcionários além de suas capacidades máximas, ou uma clínica de um plano de saúde agendar um número um pouco maior de consultas em um dia, utilizando funcionários e médicos além de seus limites. Diante da provável elevação de custos em termos de redução na qualidade e insatisfação do cliente e do funcionário, é essencial que a empresa compreenda os limites máximos e ótimos da capacidade humana.

OS PADRÕES DE DEMANDA

Para administrar a demanda flutuante em uma empresa de serviços, é preciso ter uma noção clara dos padrões de demanda, do porquê de eles variarem e dos segmentos de mercado que compõem a demanda em diferentes pontos no tempo.[4]

O mapeamento dos padrões de demanda

Para começar a entender os padrões de demanda, uma organização precisa mapear o nível de demanda em diferentes períodos de tempo. Organizações com sistemas eficientes de informações sobre o cliente conseguem rastrear estas informações com precisão. Outras talvez necessitem mapear a demanda com um enfoque mais informal. Níveis de demanda diários, semanais e mensais precisam ser acompanhados, e se a sazonalidade é um provável problema, os dados de um período no mínimo igual a 12 meses devem ser expressos na forma de gráficos. Para alguns tipos de serviços, como restaurantes e clínicas de saúde, oscilações horárias em um mesmo dia podem ter relevância. Por vezes os padrões de demanda são óbvios; em outras situações, eles conservam-se ocultos até os dados terem sido analisados.

Os ciclos previsíveis

Quando as empresas do setor de serviços consideram os níveis de demanda do cliente, é possível detectar os ciclos previsíveis, que incluem variações diárias (vistas no intervalo de poucas horas), semanais (detectadas no espaço de dias), mensais (observadas em base diária ou semanal) e anuais (vistas ao longo dos meses ou das estações do ano). Há casos em que os padrões previsíveis ocorrem em todos os períodos. Por exemplo, na indústria de restaurantes, sobretudo em locais turísticos marcados pela sazonalidade, a demanda varia de modo previsível com base mensal, semanal, diária e horária. Da mesma forma, a demanda pelos serviços de um banco varia por hora (com o horário do almoço e o final do expediente sendo os períodos de maior solicitação), de acordo com o dia da semana (o último e o primeiro dias úteis da semana são os mais populares) e com o dia do mês (o dia de pagamento dos benefícios previdenciários é o de maior demanda mensal).

Se um ciclo previsível for detectado, as causas básicas precisam ser identificadas. O hotel Ritz-Carlton de Fênix sabe que os ciclos de demanda ocorrem em função de padrões sazonais de clima e que as variações semanais são baseadas na semana útil de trabalho (os executivos em viagem de negócios não permanecem no hotel no fim de semana). Os contadores fiscais são capazes de prever a demanda com base na data de vencimento dos impostos trimestrais ou anuais. Os serviços direcionados a crianças e famílias são afetados por variações em períodos e horários letivos. Os serviços de varejo e de telecomunicações têm períodos de pico em certos feriados e em horas em uma semana ou em um dia. Quando padrões previsíveis existem, via de regra é possível identificar uma ou mais causas.

As flutuações aleatórias na demanda

Há situações em que os padrões de demanda parecem aleatórios – em que não há um ciclo previsível aparente. Porém, mesmo nesses casos é possível identificar razões. Por exemplo, alterações diárias no tempo afetam a utilização de serviços de recreação, compras ou entretenimento. Condições climáticas favoráveis normalmente aumentam a demanda por serviços prestados por parques de diversão, mas o efeito é oposto em relação a cinemas – as pessoas não gostam de permanecer em ambientes fechados em dias de tempo bom. Os centros de serviços para automóveis sabem que o mau tempo (excesso de frio ou de calor) eleva a demanda por seus serviços, ao passo que o tempo bom aparentemente não exerce este efeito. Embora o clima não possa ser previsto com grande antecedência, é possível antecipar a demanda para um dia ou dois. Eventos relacionados à saúde também não podem ser previstos. Acidentes, infartos e nascimentos elevam a demanda por serviços hospitalares, mas o nível de demanda não pode ser antevisto. Desastres naturais, como enchentes, incêndios e furacões, aumentam de forma expressiva a necessidade por serviços como seguros, telecomunicações e saúde. Ações de guerra ou terrorismo, como vistas nos Estados Unidos em 11 de setembro de 2001, geram uma necessidade imediata por serviços impossíveis de prever.

A Cox Communications enfrentou um súbito aumento na demanda por seus serviços em Baton Rouge, Estado da Louisiana, logo após a passagem do furacão Katrina, no final de agosto de 2005. O furacão, classificado na categoria 5, cujo olho passou pela cidade de Nova Orleans, deixou mais de 1.800 mortos e $80 bilhões em prejuízos. Uma catástrofe desta magnitude elevou a demanda pelos serviços da Cox. Os clientes da empresa precisavam acessar a rede da companhia, os serviços telefônicos, a Internet e o correio eletrônico para se comunicarem com familiares e amigos. Os preparativos para a reconstrução da cidade também eram uma necessidade. Depois do furacão Katrina, a população da cidade de Baton Rouge dobrou, já que muitas pessoas haviam sido forçadas a deixar Nova Orleans. Muitas das pessoas que buscaram refúgio em Baton Rouge permaneceram, o que manteve alta a demanda pelos serviços da Cox, de uma maneira que ninguém fora capaz de prever.[5]

A seção Tema Global ilustra como uma empresa com demanda aparentemente aleatória e caótica por seus serviços foi capaz de mudar suas operações para atender a seus clientes. Ele também traz um bom exemplo do aprendizado organizacional em diferentes culturas.

As organizações como a Disney, as quais preveem os padrões dos clientes, conseguem utilizar estas informações para antecipar as demandas por serviços.

Os padrões de demanda por segmento de mercado

Uma organização que tenha registros detalhados sobre transações com clientes é capaz de desagregar a demanda por segmento de mercado, o que revela padrões dentro de padrões. Além disso, a análise informa que a demanda para um segmento é previsível, ao passo que a demanda para outro é relativamente aleatória. Por exemplo, para um banco, as visitas de correntistas comerciais acontecem diariamente em horários previsíveis, ao passo que correntistas com contas de pessoa física visitam o banco a intervalos aparentemente irregulares. As clínicas de saúde muitas vezes percebem que consultas de pacientes inesperados ou que precisam de cuidados na hora tendem a se concentrar às segundas-feiras, e que este número cai nos outros dias da semana. Muitos centros de manutenção automotiva presenciam um padrão semelhante, pois o número de clientes inesperados em busca de consertos e manutenção é maior às segundas-feiras do que em qualquer outro dia da semana. Cientes da existência deste padrão, diversas clínicas de saúde e centros de manutenção de veículos tendem a agendar serviços (que conseguem controlar) em dias mais próximos ao final da semana, o que libera a segunda-feira para os clientes de última hora e sem hora marcada.

AS ESTRATÉGIAS PARA EQUIPARAR CAPACIDADE E DEMANDA

Quando uma organização compreende suas limitações em capacidade e os padrões de demanda, ela está em excelente posição para desenvolver estratégias de equiparação entre capacidade e demanda. Existem duas abordagens gerais para concretizar este equilíbrio. A primeira consiste em nivelar as oscilações na demanda e equipará-la à capacidade instalada. Esta abordagem implica que os vales e picos na curva de demanda (Figura 13.1) serão nivelados para aproximá-los, o máximo possível, à linha horizontal da capacidade ótima. A segunda estratégia ajusta a capacidade às flutuações na demanda. Esta abordagem pede que as linhas horizontais representantes da capacidade mostradas na Figura 13.1 sejam aproximadas aos picos e aos vales na curva de demanda. Estas duas abordagens básicas são descritas a seguir.

Como alterar a demanda para equipará-la à capacidade

Com esta estratégia, uma organização tenta deslocar os clientes de períodos em que a demanda excede a capacidade, possivelmente ao convencê-los a utilizar o serviço em períodos de demanda

Tema global — A Cemex utiliza a criatividade para gerir a demanda caótica por seus serviços

Imagine um negócio em que os pedidos dos clientes são imprevisíveis, em que mais da metade de todos os pedidos sofrem alterações (muitas vezes repetidas e de última hora) e em que o produto está quase sempre a 90 minutos de perder a validade. Bem-vindo ao mundo da entrega de concreto. A Cemex, fundada em 1906 e baseada em Monterrey, México, é uma empresa de grande sucesso no setor. A companhia tem operações em 50 países nos cinco continentes, conta com mais de 47 mil funcionários e tem receitas anuais acima de $15 bilhões.

Contudo, quando dois consultores internos examinaram a empresa, há muitos anos, eles se surpreenderam com o caos que governava o setor. Tempo inclemente, trânsito imprevisível, interrupções espontâneas na mão de obra e inspeções esporádicas por órgãos do governo nos locais de construção, além dos pedidos inconstantes dos clientes geravam uma sensação de desordem e incontrolabilidade no negócio. Some-se a isso os 8 mil tipos de cimento disponíveis em poucas unidades misturadoras regionais e tem-se um sistema extremamente complexo para administrar.

Historicamente, a Cemex tentou administrar seus negócios com o controle dos clientes (ao exigir que observassem seus pedidos) e com a imposição de multas em casos de alteração. A eficiência – não os clientes – era quem governava os esforços da companhia para vencer a aleatoriedade intrínseca da demanda e a necessidade de os clientes alterarem pedidos no último minuto.

A empresa começou a traçar novos caminhos para fazer negócios. Ela recorreu à FedEx e ao centro de triagem de emergências do número 911 em Houston, Texas, em busca de ideias. O que ela encontrou foram organizações que, em vez de tentar controlar a demanda por seus serviços, desenvolveram pessoas e tecnologias flexíveis diante dos padrões aparentemente aleatórios de demanda do cliente. Em vez de penalizar os clientes por mudarem os pedidos, a FedEx não restringe esta liberdade e, na verdade, garante a entrega em intervalos predefinidos em qualquer localidade. Esta capacidade de atender aos clientes é possibilitada por sofisticados sistemas de informação que rastreiam a demanda e agendam coletas e entregas, pelo trabalho de funcionários da linha de frente com foco no cliente e por uma cultura corporativa voltada para o cliente e que dá suporte às outras características. O centro de emergências de Houston ensinou à Cemex que mesmo as ocorrências supostamente aleatórias, como vistas em emergências médicas e acidentes, acontecem em número suficiente para permitir o discernimento de padrões de demanda e o consequente planejamento para atendê-los. Em relação à Figura 13.1, o que a FedEx e o departamento de emergências fizeram foi ajustar as respectivas capacidades para atender aos picos e aos vales na curva de demanda do cliente, em vez de insistir que os clientes adaptassem a própria demanda às restrições de capacidade das organizações.

As observações feitas sobre a maneira como a FedEx e o departamento de emergências lidam com as flutuações na demanda foram reveladoras para a equipe da Cemex. A companhia voltou para o México determinada a lidar com as complexidades de seu mercado e fazer negócios nos termos do cliente. Ela lançou um projeto chamado "Sincronizacion Dinamica de Operaciones" (Sincronização dinâmica de operações), o qual despachava caminhões a partir de zonas predefinidas e os orientava a circular pela cidade. Os caminhões foram equipados com transmissores e receptores conectados a um sistema de posicionamento global (GPS) de forma que locais, direções e velocidade de cada veículo fossem monitorados. A empresa matriculou seus motoristas em cursos especiais de 2 anos de duração para que desenvolvessem habilidades de foco no serviço e trato com o cliente.

Impressionada com as garantias de serviço oferecidas pela FedEx, a Cemex passou a trabalhar para oferecer um "serviço com entrega no mesmo dia e total liberdade de alteração de pedidos, sem custo adicional". Ela instituiu uma política para a garantia da entrega: se uma carga não chegasse dentro de 20 minutos da hora marcada, o comprador receberia 20 pesos por metro cúbico de cimento que não fosse entregue – a "garantia 20 x 20" – que representava cerca de 5% do custo total.

A Cemex enfrentou o caos de seu setor em vez de tentar ajustá-lo e alterá-lo. A tecnologia, os funcionários e os sistemas permitiram que ela ajustasse as limitações em sua capacidade às demandas de forte flutuação de seus clientes. Com isso, a Cemex saiu vencedora. Ela foi capaz de oferecer a garantia 20 x 20 porque a confiabilidade de seus serviços regularmente excedia a casa dos 98%!

Hoje, o foco no cliente está claro no *site* da empresa, na página "The Cemex Difference": "Adaptamos nossos produtos e serviços de acordo com as necessidades do cliente".

Fontes: T. Petzinger Jr., "This Promise Is Set in Concrete," *Fast Company*, April 1999, pp. 216–218; ver também T. Petzinger Jr., *The New Pioneers* (New York: Simon & Schuster, 1999), pp. 91–93. Reimpresso com permissão de Simon & Schuster, Inc. Copyright © 1999 de Thomas Petzinger Jr.; atualizado com informações dadas pela companhia a partir do *site* da Cemex, www.cemex.com, 2010.

menor. Mas esta mudança não é possível para todos os clientes. Por exemplo, muitos executivos em viagem de negócios não têm a escolha de alterar suas necessidades em termos de companhia aérea, locação de veículos ou serviços de hotel. Por outro lado, as pessoas que viajam a lazer muitas vezes conseguem alterar o momento da viagem. Os clientes que não podem alterar suas necessidades nem se adaptar devido à capacidade insuficiente representam uma perda de negócios para a companhia.

Em períodos de baixa demanda, a organização tenta atrair mais clientes, aumentando a demanda e utilizando sua capacidade produtiva com mais eficiência. Diversas abordagens podem ser empregadas para alterar ou deslocar a demanda a fim de alcançar o equilíbrio com a capacidade. Muitas vezes a empresa adota uma combinação de abordagens. A Figura 13.2 mostra ideias para alterar a demanda em períodos de alta ou de baixa.

Reduza a demanda nos horários de pico

Uma das estratégias adotadas para obter o equilíbrio entre oferta e demanda baseia-se na *redução da demanda* em períodos de pico da demanda do cliente.

Comunique-se com os clientes Uma das abordagens utilizadas para alterar a demanda consiste em estabelecer uma comunicação com o cliente, informando-o acerca dos horários de pico de demanda para que ele utilize o serviço em horários alternativos, evitando o movimento gerado por outros clientes ou atrasos. Por exemplo, a sinalização em bancos e agências dos correios informando aos clientes os momentos de maior demanda e os dias de maior movimentação funciona como um alerta para que eles alterem sua própria demanda para outro horário, se possível. O aviso aos clientes acerca de horários de maior movimento e de possíveis esperas traz vantagens. Muitos *call centers* têm estes alertas que informam o tempo aproximado de espera para ser atendido. O cliente que não desejar esperar pode telefonar novamente mais tarde, quando o departamento de atendimento ao cliente estiver menos ocupado, deixar uma mensagem para retorno da chamada, ou então visitar o *site* da companhia a fim de obter serviços com mais rapidez.

Modifique horários e locais de prestação de serviços Algumas empresas ajustam seus horários e dias de atendimento para suprir a demanda do cliente de modo mais direto. Os bancos norte-americanos costumavam abrir nos horários "dos banqueiros", isto é, das 10 horas da manhã até as 3 horas da tarde nos dias úteis, o que gerava uma intensa demanda por serviços nestes horários. Contudo, este horário de atendimento não necessariamente era o preferido pela maioria das pessoas que precisavam de serviços bancários. Hoje, os bancos dos Estados Unidos abrem cedo e fecham as portas às 6 horas da tarde vários dias, e abrem também aos sábados. Esses horários refletem as preferências dos clientes e uniformizam os padrões de demanda. Diversos bancos têm agências em hipermercados, como o Walmart e o Meijer, e em supermercados, como o Albertson's e o Kroger,

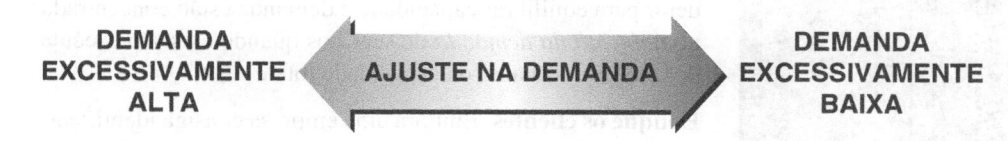

DEMANDA EXCESSIVAMENTE ALTA ⟵ AJUSTE NA DEMANDA ⟶ **DEMANDA EXCESSIVAMENTE BAIXA**

(*Reduza a demanda durante horários de pico*)
- Informe os dias de maior movimentação ao cliente.
- Modifique horários e locais de prestação do serviço.
- Ofereça incentivos para a utilização da capacidade fora dos horários de pico.
- Defina prioridades, dando mais atenção a clientes leais e com necessidades importantes.
- Cobre preços integrais pelo serviço – nada de descontos.

(*Aumente a demanda para equivaler à capacidade*)
- Eduque o cliente sobre horários de pico e as vantagens da utilização do serviço em outros horários.
- Diversifique a maneira de utilizar as instalações.
- Diversifique os serviços oferecidos.
- Diferencie preços.

Figura 13.2 As estratégias para alterar a demanda e obter o equilíbrio com a capacidade.

o que oferece aos clientes diversas escolhas de locais e horários para buscar serviços bancários. A oferta de serviços bancários na Internet também transferiu a demanda das agências físicas para as agências virtuais abertas em "qualquer horário e qualquer local". Frequentemente os cinemas aumentam o número de horários de filmes em estreia com a oferta de matinês aos finais de semana e feriados como alternativas de entretenimento durante o dia.

Ofereça incentivos para a utilização da capacidade em horários fora do pico No esforço de afastar a demanda dos horários de pico, algumas empresas oferecem incentivos para que seus clientes alterem os horários em que buscam atendimento. Nos estados do centro-oeste dos Estados Unidos, os administradores de piscinas oferecem vantagens adicionais (por exemplo, uso grátis do trampolim, aquecedor grátis e piscina maior) aos clientes dispostos a postergar a aquisição dos serviços para o final da temporada (digamos, em setembro ou outubro). As academias que oferecem aulas do método Pilates em períodos de baixa demanda muitas vezes aproveitam as vantagens de turmas menores, aumentam a interação dos alunos com os instrutores e estendem a duração das aulas em 25% ou mais.

Defina as prioridades Nas situações em que a demanda pelo serviço é alta e em que há restrições sobre a capacidade, as prestadoras de serviço podem definir prioridades e decidir quem será atendido primeiro, dando atenção especial ao cliente fiel ou que tenha necessidades mais importantes. Por exemplo, uma empresa de serviços tributários decide atender a seus clientes mais fiéis em vez de dedicar tempo a clientes de ocasião e sem importância para ela com a aproximação do fim do prazo de entrega da declaração do imposto de renda, ao passo que os centros de emergência colocam os casos mais graves no topo da lista de prioridades.

Cobre preço integral pelo serviço As empresas normalmente cobram um preço integral pelo serviço em períodos que sempre apresentam alta demanda. Nestas horas, não se pode oferecer descontos. Para as companhias aéreas, um dos períodos mais tumultuados do ano é o que antecede o feriado de Ação de Graças. Por esta razão, a maior parte das companhias aéreas dá prioridade aos clientes que pagam tarifas cheias e proíbe a utilização de milhas grátis para a aquisição de passagens. Como a demanda é muito alta, os clientes que procuram algum desconto ou passagens grátis descobrem que os dias próximos a este feriado foram "apagados". Para viajar, estas pessoas precisam adquirir passagens a tarifas regulares.

Aumente a demanda para equilibrá-la com a capacidade Outras abordagens que as prestadoras de serviço podem considerar para equilibrar capacidade e demanda estão concentradas no *aumento da demanda* de serviços quando eles são executados em níveis abaixo da capacidade total.

Eduque os clientes Embora uma empresa consiga identificar e prever picos na demanda, os clientes nem sempre se dão conta desses períodos. A propaganda e as mensagens de venda servem para informar os clientes dos momentos em que a demanda está baixa. As concessionárias de energia elétrica muitas vezes divulgam os períodos do dia em que a demanda por eletricidade é menor e tentam conscientizar os clientes a utilizarem suas lavadoras de roupa ou outros equipamentos que consomem muita energia elétrica nesses horários. Campanhas promocionais também enfatizam as vantagens nos serviços para clientes em

Nos meses de verão, muitas estações de esqui mudam o alvo de seus negócios dos esquiadores para os ciclistas.

períodos de alta e baixa demanda. Por exemplo, as empresas de ar condicionados muitas vezes promovem os serviços de manutenção preventiva no começo da primavera, antes de as temperaturas subirem demais, motivando os clientes a utilizarem esse serviço antes de a demanda subir e sinalizando que suas equipes de manutenção estão disponíveis, o que reduz a ansiedade por não ter de esperar "até tarde demais".

Varie o modo de utilização das instalações Outra maneira de enfrentar o aumento na demanda consiste em alterar o modo como as instalações da empresa prestadora são utilizadas em função da estação do ano, do dia da semana ou da hora do dia. Por exemplo, a Whistler Mountain, uma estação de esqui em Vancouver, no Canadá, disponibiliza suas pistas para ciclistas e suas instalações para programas de desenvolvimento e de treinamento de executivos durante todo o verão, quando a prática do esporte é impossível. Um hospital na área de Los Angeles aluga suas instalações para filmagens de filmes ou séries de TV que precisam de realismo. Muitas vezes, cinemas são alugados durante a semana por grupos de executivos e aos domingos pela manhã por congregações religiosas que não têm espaço próprio. Todas estas situações são exemplos de como a variação na utilização das instalações de serviço torna-se uma alternativa em períodos de baixa demanda.

Diversifique os serviços oferecidos Uma abordagem semelhante à anterior inclui alterar a natureza do serviço. Por exemplo, os escritórios de contabilidade concentram suas atividades na preparação da declaração de impostos em um período que vai do final do ano até o dia 15 de abril do ano seguinte, o vencimento dos impostos federais nos Estados Unidos. Nos outros períodos do ano, elas atuam em auditorias e atividades de consultoria tributária de cunho geral. Durante os jogos de basquete da liga profissional, a demanda por alimentos nos estandes autorizados aumenta nos intervalos entre os tempos – e aumenta tanto, que muitos clientes decidem não adquirir refeições por receio de perder alguma parte do jogo devido às longas filas que se formam. Em resposta a esta situação, hoje em muitas arenas esportivas os pedidos são feitos junto a funcionários que caminham entre as cadeiras, e assim um lanche é entregue direto ao cliente enquanto a partida prossegue. Nas maiores cidades em todo o mundo, o McDonald's oferece o serviço de tele-entrega como meio de aumentar a demanda por seus itens.[6] Nestes exemplos, o serviço e as vantagens associadas são alterados para uniformizar a demanda do cliente em termos de recursos da organização.

Contudo, é preciso adotar cautela na implementação de estratégias para alterar serviços, pois elas talvez impliquem e requeiram mudanças também em outras variáveis do mix de marketing – como promoção, precificação e pessoas – para atender às especificações do novo serviço. A menos que estas variáveis do mix sejam alteradas com eficácia para dar suporte ao serviço, a estratégia pode não vingar. Ainda que sejam bem implementadas, o lado negativo destas alterações pode se manifestar com o surgimento de confusão em torno da imagem da organização, do ponto de vista do cliente, ou a perda de foco estratégico para a organização e seus funcionários.

Ofereça um diferencial no preço Uma das reações mais comuns em períodos de baixa demanda é o desconto nos preços dos serviços. Esta estratégia depende de aspectos econômicos básicos de oferta e demanda. Porém, para ser eficaz, uma estratégia de diferenciação de preços se constrói sobre uma sólida compreensão da sensibilidade do cliente ao preço e das curvas de demanda. Por exemplo, executivos em viagem de negócios são menos sensíveis a preços do que famílias em viagem de lazer. Para o hotel Ritz-Carlton de Fênix, Arizona (apresentado no texto de abertura), a diminuição de preços durante os meses de verão provavelmente não aumentará o número de reservas de executivos de modo expressivo. Contudo, os preços menores praticados no verão atraem muitas famílias e hóspedes locais que desejam uma oportunidade de conhecer um hotel de luxo e que não dispõem dos recursos necessários para pagar as diárias na alta estação.

O uso desenfreado da diferenciação nos preços para homogeneizar a demanda pode ser uma estratégia de risco. É possível que os clientes se acostumem a preços mais baixos e esperem receber a mesma oferta na próxima vez que utilizarem o serviço. Se as comunicações com os clientes não forem claras, talvez eles não entendam as razões para os descontos e esperarem pagar o mesmo valor em períodos de pico. O uso demasiado ou exclusivo do preço como estratégia de uniformização de demanda é arriscado também devido ao potencial impacto sobre a imagem da organização, à possibilidade de atrair segmentos de mercado indesejados e às chances de que os clientes que pagam preços mais altos sintam-se tratados de forma injusta.

Como ajustar a capacidade para equipará-la à demanda

Uma segunda postura estratégica para equilibrar oferta e demanda concentra-se no *ajuste da capacidade*. A ideia básica por trás desta estratégia é a de ajustar, adaptar e alinhar a capacidade para atender a demanda do cliente (em vez de trabalhar com a alteração na demanda para aproximá-la da capacidade, conforme descrito anteriormente). Em períodos de pico na demanda, a organização procura dilatar ou expandir sua capacidade o máximo possível. Em tempos de demanda baixa, ela tenta encolher sua capacidade para não desperdiçar recursos. As estratégias gerais para o ajuste dos quatro recursos principais de serviços (tempo, pessoas, equipamento e instalações) são discutidas no restante desta seção. A Figura 13.3 resume as ideias para o ajuste na capacidade em períodos de alta ou baixa demanda. Muitas vezes, inúmeras estratégias são empregadas ao mesmo tempo.

Aumente a capacidade temporariamente
Muitas vezes a capacidade instalada pode ser expandida temporariamente para atender a demanda. Nesses casos, não há o acréscimo de novos recursos. Ao contrário, as pessoas, as instalações e os equipamentos devem operar em ritmo mais acelerado e por tempos mais longos.

Intensifique o trabalho das pessoas e a disponibilização das instalações e dos equipamentos temporariamente Talvez seja possível estender o período de serviço temporariamente para atender a demanda. Uma clínica de saúde pode permanecer aberta por mais tempo durante a estação em que os resfriados são mais comuns, o varejo operar por mais horas no período de compras para as festas de fim de ano, e os contadores prorrogam as horas de atendimento (à noite e aos domingos) nas semanas que antecedem os vencimentos dos impostos. Na verdade, em muitas organizações de serviço, os funcionários são solicitados a trabalhar mais tempo e com mais intensidade durante os períodos de alta demanda. Por exemplo, as empresas de consultoria enfrentam picos e vales de demanda relativos a seus serviços. Nos períodos de pico, as empresas pedem aos colaboradores que assumam novos projetos e trabalhem por mais horas. Além disso, os funcionários da linha de frente de bancos, atrações turísticas, restaurantes e empresas de telecomunicação são chamados a atender mais clientes por hora trabalhada nos períodos de maior movimento do que em dias "normais".

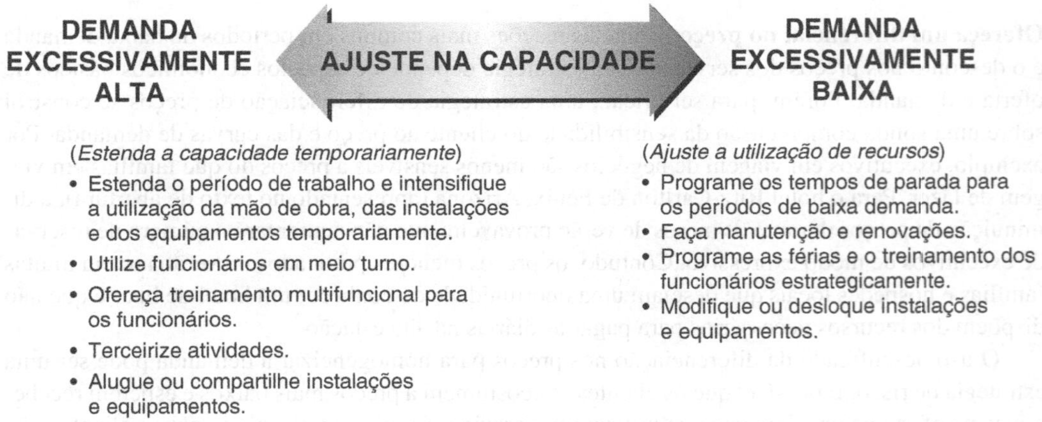

DEMANDA EXCESSIVAMENTE ALTA — AJUSTE NA CAPACIDADE → DEMANDA EXCESSIVAMENTE BAIXA	
(*Estenda a capacidade temporariamente*)	(*Ajuste a utilização de recursos*)
• Estenda o período de trabalho e intensifique a utilização da mão de obra, das instalações e dos equipamentos temporariamente.	• Programe os tempos de parada para os períodos de baixa demanda.
• Utilize funcionários em meio turno.	• Faça manutenção e renovações.
• Ofereça treinamento multifuncional para os funcionários.	• Programe as férias e o treinamento dos funcionários estrategicamente.
• Terceirize atividades.	• Modifique ou desloque instalações e equipamentos.
• Alugue ou compartilhe instalações e equipamentos.	

Figura 13.3 As estratégias para alterar a capacidade e obter o equilíbrio com a demanda.

Teatros, restaurantes, centros de eventos e salas de aula por vezes têm sua utilização intensificada temporariamente com o acréscimo de mesas, cadeiras ou equipamentos necessários aos clientes. Ou, como ocorre com trens de passageiros, um vagão com um número fixo de pessoas sentadas confortavelmente consegue "expandir" sua capacidade ao aceitar passageiros viajando em pé. Da mesma forma, computadores, linhas de energia, ônibus de excursão e equipamentos de manutenção podem ser utilizados além do que seria considerada a capacidade máxima para atender a demanda.

Ao utilizar estes tipos de estratégias de intensificação de uso, a empresa precisa reconhecer o desgaste de recursos e a probabilidade de a qualidade dos serviços cair em decorrência da adoção temporária ou permanente dessas estratégias. Portanto, elas devem ser empregadas por períodos relativamente curtos, para permitir que as pessoas solicitadas a excederem sua capacidade normal renovem suas energias e para que as instalações e os equipamentos passem por manutenção. Há vezes em que é difícil saber de antemão, sobretudo no caso de recursos humanos, o momento em que a capacidade foi utilizada em demasia.

Recorra a funcionários de meio turno Nesta situação, os recursos relativos à mão de obra da empresa são alinhados com a demanda. Os varejistas contratam funcionários de meio turno no pico das compras de final de ano; os contadores pedem ajuda temporária na época de preparação de declarações. Os *resorts* turísticos também chamam funcionários extras durante a alta temporada. Para enfrentar o aumento na demanda pela entrega de encomendas no final do ano, a UPS contratou mais de 37 mil funcionários temporários para trabalhar entre os feriados de Ação de Graças e Natal.[7] Os restaurantes muitas vezes pedem a seus funcionários que trabalhem em turnos divididos (no turno do almoço, com intervalo de algumas horas, e retorno para o turno do jantar) em períodos de grande movimento.

Ofereça treinamento multifuncional para os funcionários Se os funcionários receberem treinamento multifuncional, eles poderão ser lotados em diferentes tarefas e preencher ocupações nos pontos em que são mais necessários. O treinamento multifuncional aumenta a eficiência do sistema como um todo e evita a subutilização de funcionários em algumas áreas enquanto outros trabalham além da própria capacidade. Diversas companhias aéreas adotam o treinamento multifuncional de seus funcionários para transferi-los de tarefas como emissão de passagens e atendimento no balcão para a lida com bagagens, se preciso. Em alguns restaurantes de *fast food*, os funcionários se especializam em uma tarefa (como a fritura de batatas) nos períodos de maior movimento, e juntos formam uma equipe de 10 pessoas. Nos momentos mais tranquilos, esta equipe é reduzida a três pessoas e os demais integrantes desempenham outras funções. Os supermercados também adotam esta estratégia, e a maioria dos funcionários pode se deslocar conforme a necessidade, da operação de caixas ao abastecimento de prateleiras ou ao empacotamento das compras dos clientes.

Terceirize As empresas que descobrem que têm um pico temporário na demanda por serviços internos podem terceirizá-lo. Por exemplo, recentemente diversas empresas constataram que não têm a capacidade instalada para atender às próprias necessidades por suporte tecnológico, web design e serviços relacionados a *software*. No Estado do Arizona, Estados Unidos, os hospitais muitas vezes utilizam agências de empregos especializadas em mão de obra para o setor hospitalar para contratar enfermeiras temporariamente (por três meses durante o inverno) para lidar com o fluxo de pacientes com doenças da estação e surtos de gripe. Em vez de contratar e treinar mais funcionários, essas organizações buscaram outras empresas especializadas na terceirização destes tipos de funções como uma solução temporária (ou, por vezes, de longo prazo).

Alugue ou compartilhe instalações e equipamentos Para algumas organizações é melhor alugar equipamentos e instalações adicionais em períodos de pico na demanda. Por exemplo, os serviços de entrega expressa de encomendas alugam ou contratam o *leasing* de caminhões durante a alta temporada de entregas no final do ano. Não faria sentido adquirir caminhões que permaneceriam ociosos no restante do tempo. Há situações em que organizações com padrões

Visão estratégica — A combinação de estratégias de demanda (marketing) e capacidade (operações) para aumentar lucros

Em diversas situações, as empresas recorrem a estratégias de gestão de demanda e capacidade ao mesmo tempo para otimizar a utilização e maximizar lucros. Visto que cada estratégia envolve custos, bem como a qualidade do serviço em potencial, a fidelidade do cliente e os resultados em termos de receita, definir a melhor combinação é uma decisão complexa.

Uma pesquisa encomendada por uma estação de esqui ilustra como os dados de operação e de marketing podem ser coordenados em um modelo sofisticado para prever a melhor combinação de estratégias. O setor de esqui apresenta desafios especialmente interessantes para a gestão da capacidade, pois presencia flutuações amplas na demanda com base em padrões sazonais, semanais e mesmo diários, condições de imprevisibilidade do clima e de volumes de neve, diversos segmentos de praticantes quanto à habilidade com o esporte, e alterações de ordem demográfica. Além disso, a maior parte dos *resorts* especializados depara-se com limitações em capacidade devido a regulações ambientais que restringem a utilização de áreas para a prática do esqui e para estacionamentos, além do grande capital de investimento exigido para expansões e melhorias nas instalações. Uma vez que os preços das entradas em estações de esqui sobem continuamente, as expectativas dos clientes também se elevam.

A Powder Valley (ou PV, nome fictício), estação de esqui localizada no norte do Estado de Utah, vinha perdendo fatia de mercado há cinco anos seguidos. A falta de melhorias nas instalações aliada aos maiores esforços de marketing de seus concorrentes foram as prováveis causas apontadas para esta redução na fatia de mercado. Para melhorar a situação, os gerentes da PV propuseram a adoção de diversas estratégias de marketing voltadas para a elevação da demanda em dias de pouco movimento e para o aumento de receitas por cliente. Fizeram parte da proposta algumas estratégias operacionais que dependiam da aquisição de novas áreas e de teleféricos mais rápidos para aprimorar a experiência do esqui e reduzir a espera em períodos de pico de demanda. Cada uma dessas estratégias tinha seus custos associados e resultados pouco previsíveis. Ao lado da complexidade das vantagens e desvantagens inerentes às várias estratégias está o fato de que a estação oferecia diversas atividades (por exemplo, restaurantes, esqui, compras) aos clientes.

Os pesquisadores que trabalharam com a PV sugeriram que a melhor estratégia para aumentar os lucros exigiria a integração de um conjunto de abordagens que representasse as perspectivas de capacidade e de demanda. Utilizando dados fornecidos pela estação, eles construíram um sofisticado modelo de simulação para avaliar o impacto sobre a utilização dos recursos pelo cliente, os tempos de espera e os lucros para diversas estratégias que estavam sob consideração, incluindo:

- *Variações no preço.* Estas estratégias almejavam nivelar a demanda com a cobrança de preços menores em períodos de baixa.
- *As promoções de serviço que não são utilizados.* Estas promoções objetivavam atrair novos segmentos de clientes ou deslocar clientes existentes para serviços que não estavam sendo utilizados.
- *Oferta de informações sobre tempos de espera.* Estas estratégias disponibilizavam informações sobre os horários de menos movimento ou menores tempos de espera a fim de deslocar os clientes, temporariamente, para serviços de menor utilização.
- *Expansão da capacidade.* Eram os investimentos em capacidade fixa adicional para a prática do esqui, como novas áreas ou o aumento do número de teleféricos.
- *Melhorias na capacidade.* Incluía a melhoria ou a substituição de teleféricos existentes para transportarem mais clientes e moverem-se com mais rapidez.

Os pesquisadores utilizaram dados históricos sobre a demanda diária e os inseriram no modelo, além de informações sobre opções para uniformização de demanda e expansão de capacidade, tempos de operação para cada teleférico, padrões de fluxo entre os muitos teleféricos da estação de esqui, percepções do cliente e dados sobre suas escolhas. Foi

---

de demanda que se complementam compartilham as instalações. Este é o caso de uma igreja que divide suas instalações com uma pré-escola. A escola precisa das instalações de segunda a sexta-feira, no período diurno, enquanto a igreja as utiliza à noite e aos finais de semana. Algumas empresas são criadas para atender à demanda flutuante de outras companhias, como no caso em que uma empresa oferece escritórios e suporte de funcionários a pessoas que não precisam do serviço continuamente.

combinando estes dados de marketing e de operações que os pesquisadores demonstraram que reter o mix de clientes atuais, instalar cadeiras novas (e com mais lugares) e disponibilizar informações sobre esperas maximizaria os lucros da estação de esqui. O acréscimo de novas cadeiras aos teleféricos e o aumento da velocidade destes era uma abordagem mais rentável do que a expansão das áreas destinadas ao esqui. O modelo de simulação mostrou que, ao contrário do que diziam as previsões dos gerentes, a uniformização da demanda em um dia de operação com a precificação diferenciada de serviços na verdade reduziria os lucros de forma significativa. Os resultados do modelo também permitiram sugerir uma ordem de prioridade para os investimentos. O investimento em sinalização informando o tempo de espera foi o menor e trouxe a maior melhoria na perspectiva dos clientes, além do maior impacto em termos de lucro. A melhoria de pelo menos uma cadeira nos teleféricos era a próxima prioridade.

O equilíbrio entre demanda e capacidade envolve um complexo leque de decisões, e por vezes os resultados não são óbvios, sobretudo nos casos em que as estratégias parecem ter objetivos conflitantes. Por exemplo, na simulação da PV, o objetivo de aumentar receitas atraindo novos clientes opôs-se ao objetivo operacional de otimizar os tempos de espera em filas para os teleféricos. Conforme ilustra a pesquisa para a estação de esqui, as empresas podem coordenar dados de marketing e de operações em um modelo global e executar simulações para definir a melhor combinação de estratégias. Uma empresa, a ProModel, desenvolveu simulações semelhantes à descrita aqui e que vêm sendo empregadas com sucesso por prestadoras de serviço, como a American Express, a Cruz Vermelha dos Estados Unidos, a Disneylândia, o banco Chase, a Delta Air Lines, a JetBlue, a Clínica Mayo e a UPS. O Comitê Organizador dos Jogos Olímpicos de Inverno de 2002, em Salt Lake City, também adotou uma simulação parecida para avaliar e otimizar com sucesso o fluxo de espectadores, o planejamento de emergências e os sistemas de transporte. Claro que a qualidade das decisões baseadas em simuladores depende da precisão das hipóteses presentes no modelo e da qualidade dos dados inseridos.

A gestão da demanda e da capacidade em estações de esqui traz grandes desafios.

Fontes: M. E. Pullman and G. Thompson, "Strategies for Integrating Capacity with Demand in Service Networks," *Journal of Service Research* 5 (February 2003), pp. 169–183; ProModel Corporation (www.promodel.com).

Adapte a utilização desses recursos
Muitas vezes, esta estratégia básica é chamada de "caça à demanda". Ao utilizarem a criatividade para adaptar recursos de serviços, as empresas com efeito vão ao encalço da curva de demanda com o propósito de equiparar padrões de capacidade e demanda do cliente. As pessoas, as instalações e os equipamentos são mais uma vez o foco da estratégia, porém agora com vistas a adaptar o mix básico e a utilização destes recursos. A seguir, apresentamos as ações específicas a serem tomadas:[8]

Programe os tempos de parada para os períodos de baixa demanda Se as pessoas, os equipamentos ou as instalações estão sendo utilizados em capacidade máxima nos picos de demanda, então é essencial agendar as interrupções na prestação durante os períodos de baixa demanda. Por exemplo, os serviços bancários *on-line* frequentemente agendam atualizações de *software* para as madrugadas de domingo (entre 4 e 6 da manhã). O objetivo é manter em nível mínimo o número de pessoas afetadas pela interrupção.

Faça manutenção e renovação Em quase todos os serviços, instalações e equipamentos precisam passar por reparos e manutenção periodicamente. O agendamento desses procedimentos deve ocorrer em períodos de baixa demanda, assim como as renovações. Por exemplo, as universidades muitas vezes contratam serviços de pintura das salas de aula ou de sinalização das faixas em seus estacionamentos durante as férias.

Programe as férias e o treinamento dos funcionários estrategicamente Para garantir que os funcionários estejam disponíveis quando forem mais necessários, férias e treinamentos devem ocorrer nos períodos em que a demanda está baixa. Algumas empresas ajustam a capacidade ao demitirem funcionários quando descobrem que a demanda cairá. Os hotéis em destinos turísticos populares adotam essa prática durante a baixa temporada. Na verdade, alguns funcionários conhecem essa realidade muito bem e se preparam para trabalhar em estações de esqui no inverno e em hotéis no litoral durante o verão. Essas estratégias de agendamento objetivam garantir que os recursos da empresa prestadora estejam nas melhores condições possíveis nos momentos de maior necessidade.

Modifique ou desloque instalações e equipamentos Por vezes é possível ajustar, mover ou modificar com criatividade a capacidade instalada para atender as flutuações na demanda. Os hotéis utilizam esta estratégia por meio da reconfiguração de quartos – dois quartos com uma porta de comunicação, que fica trancada, podem ser alugados a dois hóspedes em períodos de alta demanda ou convertidos em uma única suíte em períodos de baixa demanda. O setor de companhias aéreas traz outro exemplo desta estratégia. Ao utilizarem uma abordagem conhecida como "despacho conforme a demanda", as companhias aéreas designam aeronaves a voos com base nas necessidades flutuantes do mercado.[9] O método depende do conhecimento preciso da demanda e da possibilidade de transferir rapidamente aviões com diferentes capacidades de passageiros para voos que utilizem esta capacidade com eficiência. O Boeing 777 é tão flexível que pode ser reconfigurado em poucas horas para ter um número diferente de poltronas lotadas em uma, duas ou três classes.[10] Assim, a aeronave é modificada com rapidez para atender as demandas de diferentes segmentos de mercado, essencialmente adaptando a capacidade à demanda. Outra estratégia envolve o deslocamento do serviço para uma nova localização para atender a demanda do cliente ou mesmo levar o serviço até ele. Instalações móveis de treinamento, vans para tosa de animais domésticos e unidades móveis de vacinas contra a gripe e de doação de sangue são exemplos de serviços que vão atrás dos clientes.

A combinação de estratégias de demanda e capacidade

Muitas empresas utilizam diversas estratégias, combinando abordagens à demanda originadas do marketing com estratégias de gestão de capacidade relacionadas às operações. Descobrir o melhor conjunto de estratégias para maximizar a utilização da capacidade, a satisfação do cliente e a rentabilidade é um grande desafio, sobretudo nos casos em que o serviço representa inúmeras ofertas em um único cenário de serviços. Exemplos destes tipos de serviços incluem parques temáticos com brinquedos, restaurantes e locais para compras; pequenas localidades escolhidas para férias que contenham hotéis, locais para compras, *spas*, piscinas e restaurantes; e estações de esqui com suas pistas, *spas*, restaurantes e locais para entretenimento. As empresas enfrentam problemas complexos ao tentar equilibrar a demanda entre todas as ofertas de serviços com vistas à qualidade e à rentabilidade. A seção Visão Estratégica deste capítulo discute uma simulação feita em uma estação de esqui e concebida para utilizar variáveis de operações e de marketing na determinação da melhor combinação das estratégias para a gestão da demanda e da capacidade nos serviços e nas atividades disponíveis na estação.

GESTÃO DO RENDIMENTO: O EQUILÍBRIO ENTRE UTILIZAÇÃO DA CAPACIDADE, PRECIFICAÇÃO, SEGMENTAÇÃO DE MERCADO E RETORNO FINANCEIRO

Gestão do rendimento é um termo que se vinculou a vários métodos, alguns dos quais bastante sofisticados, empregados para equilibrar oferta e demanda em serviços com restrições na capacidade. Ao utilizarem modelos de gestão do rendimento, as organizações encontram o melhor equilíbrio em um determinado ponto no tempo entre os preços cobrados, os segmentos para os quais o serviço é vendido e a capacidade utilizada. O objetivo da gestão do rendimento é gerar o maior retorno financeiro possível a partir de uma capacidade disponível que sofra restrições. Mais especificamente, a gestão do rendimento – também chamada *gestão de receita* – tenta dispor da capacidade fixa de uma empresa prestadora de serviços (por exemplo, o número de poltronas em uma aeronave, de quartos em um hotel e de veículos locados) para atingir uma equiparação com a demanda em potencial de diversos segmentos de mercado (por exemplo, o mercado de executivos em viagem ou de turistas) a fim de maximizar receitas ou rendimentos.[11]

Embora a implementação da gestão do rendimento envolva modelos matemáticos e programas de computador complexos, a medida básica da eficiência é a razão da receita real para a receita em potencial em um dado período de mensuração:

$$\text{Rendimento} = \frac{\text{Receita real}}{\text{Receita em potencial}}$$

onde

Receita real = Capacidade real utilizada × Preço real médio

Receita potencial = Capacidade total × Preço máximo

As equações indicam que o rendimento é função do preço e da capacidade utilizada. Lembre-se de que as restrições à capacidade podem se manifestar nos fatores tempo, mão de obra, equipamento ou instalações. Em síntese, o rendimento é uma medida pela qual os recursos de uma organização (ou as capacidades) atingem a total potencialidade de gerar receita. Supondo que a capacidade total e o preço máximo não podem ser alterados, então o rendimento aproxima-se da unidade quando a utilização da capacidade diminui ou quando um preço real mais alto pode ser cobrado por uma dada capacidade utilizada. Por exemplo, no contexto das companhias aéreas, um gerente se concentrará no aumento do rendimento ao descobrir maneiras de atrair mais passageiros para preencher a capacidade ou encontrar passageiros de maior poder aquisitivo e dispostos a pagar mais pelo serviço a fim de preencher uma capacidade mais limitada. Na verdade, os gerentes de rendimento mais experientes trabalham com questões envolvendo capacidade e precificação ao mesmo tempo, para maximizar receitas em diferentes segmentos de clientes. O Quadro 13.1 mostra cálculos simples de rendimento e as vantagens e desvantagens inerentes a dois tipos de serviços: hotéis e escritórios de advocacia.

A implementação de um sistema de gestão de rendimentos

A seção Tecnologia em Foco traz diversos exemplos de como a tecnologia da informação dá suporte a aplicações eficazes da gestão de rendimentos. A fim de implementar um sistema de gestão de

Quadro 13.1 Cálculos simples de rendimento: exemplos de serviços de hotéis e escritórios de advocacia

Cálculos de rendimento básicos podem ser efetuados para qualquer serviço com restrições em capacidade, na hipótese de conhecermos a capacidade real, o preço médio cobrado para diferentes segmentos de mercado e o preço máximo que pode ser cobrado. Na situação ideal, o rendimento se aproximará da unidade, ou 100%, quando:

Rendimento = Receita real / Receita em potencial

Aqui descrevemos cálculos de rendimento para dois cenários simples – um hotel de 200 quartos e um advogado com uma semana de 40 horas de trabalho – sob diferentes hipóteses de precificação e situações de utilização. Embora as empresas utilizem modelos matemáticos muito mais complexos para o cálculo do rendimento, as ideias básicas são as mesmas para estes modelos. O objetivo é maximizar o potencial de geração de receita da capacidade da organização.

Hotel com 200 quartos e diária máxima de $100 por quarto

Receita em potencial = $200 × 200 quartos
= $40.000 por noite

1. Hipótese: o hotel aluga todos os seus quartos a uma diária reduzida igual a $100.

   Rendimento = ($100 × 200 quartos) / $40.000 = 50%

   Com esta diária, o hotel maximiza sua capacidade de utilização, mas sem obter um bom preço.

2. Hipótese: o hotel cobra diária integral, mas pode alugar apenas 40% de seus quartos a este valor devido à sensibilidade ao preço.

   Rendimento = ($200 × 80 quartos) / $40.000 = 40%

   Neste caso o hotel maximizou a diária por quarto, mas o rendimento é ainda menor do que na primeira situação, pois o número de quartos alugados a esta diária relativamente alta é muito pequeno.

3. Hipótese: o hotel altera sua diária cheia para $200 para 40% de seus quartos e então oferece um desconto de $100 para os outros 120 quartos.

   Rendimento = [($200 × 80) + ($100 × 120)] / $40.000 =
   $28.000 / $40.000 = 70%

Sem dúvida esta última alternativa, que considera a sensibilidade ao preço e cobra diferentes preços para quartos ou segmentos de mercado distintos, resulta no maior rendimento.

Quarenta horas de trabalho semanal de um advogado em uma semana de trabalho típica a $200 por hora (valor máximo para cliente pessoa física)

Receita em potencial = 40 horas × $200 por hora
= $8.000 por semana

1. Hipótese: o advogado consegue cobrar o valor cheio de $200 para 30% de seu tempo.

   Rendimento = $200 × 12 horas / $8.000 = 30%

   Neste caso o advogado maximizou os valores horários, mas tem trabalho para ocupar apenas 12 horas faturáveis.

2. Hipótese: o advogado decide cobrar $100 de clientes sem fins lucrativos ou do governo e consegue cobrar todas as 40 horas semanais a este valor para estes tipos de clientes.

   Rendimento = $100 × 40 horas / $8.000 = 50%

   Neste caso, ainda que ele tenha trabalhado a semana toda, o rendimento não é tão favorável, dada a taxa por hora relativamente baixa.

3. Hipótese: o advogado utiliza uma estratégia combinada em que ele trabalha 12 horas para clientes pessoa física e dedica o restante do tempo a clientes sem fins lucrativos a $100 por hora.

   Rendimento = [($200 × 12) + ($100 × 28)] / $8.000
   = $5.200 / $8.000 = 65%

Mais uma vez, atender a dois segmentos de mercado com sensibilidades distintas a preço é a melhor estratégia global em termos de maximização de capacidade geradora de receita para o tempo do advogado.

---

rendimentos, uma organização precisa dispor de dados sobre padrões de demandas passadas para um segmento de mercado e de métodos de projeção da demanda existente. Estes dados podem ser combinados por meio de modelos de programação matemática, análises de ponto crítico, ou sistemas especialistas para projetar a melhor alocação da capacidade limitada em um dado período de tempo.[12] As alocações de capacidade para segmentos de mercado específicos são então comunicadas aos representantes de vendas ou equipes encarregadas de reservas e adotadas como metas para a venda de quartos, poltronas, tempo ou outros recursos limitados. Há ocasiões em que as alocações, uma vez definidas, permanecem inalteradas; porém, há outras em que as alocações são alteradas a cada semana ou mesmo a cada dia ou hora, dependendo das novas informações que chegam.

As pesquisas indicam que as abordagens tradicionais para a gestão de rendimentos são mais indicadas para empresas de serviços quando:

1. Elas têm capacidade relativamente fixa.
2. Elas têm estoques perecíveis.
3. Elas têm diferentes segmentos de mercado ou consumidores, que chegam ou fazem suas reservas em momentos diferentes.
4. Elas têm baixos custos marginais de vendas e altos custos marginais de alteração da capacidade.
5. Elas vendem o produto antecipadamente.
6. Elas presenciam flutuações na demanda.
7. Os clientes que comparecem cedo ou fazem reservas são mais sensíveis a preços do que os que chegam ou fazem suas reservas tardiamente.[13]

Quando estas condições são verificadas, as abordagens da gestão de rendimentos servem para identificar o melhor mix de serviços a ser produzido e vendido no período, e os preços para gerar a receita esperada mais alta. Estes critérios encaixam-se perfeitamente no caso de companhias aéreas, locadoras de veículos e diversos hotéis – setores que vêm utilizando de forma extensa e eficaz as técnicas da gestão de receitas para alocar a capacidade. Em outros serviços (entretenimento, esportes, moda), os clientes dispostos a pagar preços mais altos são aqueles que adquirem com antecedência, não com atraso. As pessoas que de fato desejam um desempenho especial reservam suas poltronas o mais cedo possível. O desconto em compras antecipadas reduziria os lucros. Nessas situações, o preço normalmente começa alto e é reduzido para preencher a capacidade, se necessário.

É interessante observar que algumas companhias aéreas utilizam as duas estratégias com eficácia. Elas começam oferecendo descontos para clientes que estão dispostos a comprar com antecedência, em geral passageiros em viagem de lazer ou porque desejam. As companhias cobram tarifas mais altas para os que desejam uma poltrona de última hora, via de regra executivos menos sensíveis ao preço e cujos destinos e cronogramas são inflexíveis. Contudo, em alguns casos uma tarifa especial é encontrada de última hora, em geral na Internet, para vender as poltronas que de outro modo não seriam ocupadas. Leilões e serviços on-line oferecidos por companhias como a Priceline.com ou a Expedia.com atendem a finalidade de preencher a capacidade no último minuto ao oferecer tarifas muito menores. (Veja a seção Tecnologia em Foco no Capítulo 15 para exemplos de precificação dinâmica via Internet.)

Os desafios e riscos da utilização da gestão de rendimentos

Os programas de gestão de rendimentos podem elevar as receitas de modo expressivo. Ainda que a gestão de rendimentos pareça uma solução ideal para o problema de equiparar oferta e demanda, ela traz riscos. Quando uma empresa se concentra na maximização de retornos financeiros por meio da alocação diferencial de capacidade, ela pode deparar-se com os seguintes problemas:[14]

- *Perda de foco competitivo*. A gestão de rendimentos pode fazer uma empresa concentrar-se demais na maximização de lucros e inadvertidamente negligenciar os aspectos do serviço que trazem sucesso competitivo de longo prazo.
- *O afastamento do cliente*. Se um cliente descobrir que está pagando um preço mais alto por um serviço do que os outros clientes, ele talvez entenda que a precificação não é justa, sobretudo se desconhecer as razões. Contudo, um estudo realizado no setor de restaurantes descobriu que quando os clientes eram informados de que preços diferentes eram cobrados de acordo com os períodos do dia ou da semana ou a localização da mesa, eles em geral julgaram a prática justa, sobretudo se a diferença de preço era configurada como um desconto para as horas menos

> ### Tecnologia em foco — A informação e a tecnologia impulsionam os sistemas de gestão de rendimento
>
> A gestão de rendimento não é um conceito novo. Na verdade, a ideia básica por trás da gestão de rendimento – a concretização de lucros máximos por meio do uso mais eficaz da capacidade – existe desde sempre. É fácil encontrar exemplos de empresas com restrições de capacidade utilizando o preço para alterar a demanda: os teatros que cobram preços diferentes para matinês em comparação com apresentações noturnas, os trens intermunicipais com preços diferentes em dias úteis e finais de semana, as estações de esqui com preços menores para a prática noturna do esporte, e restaurantes com ofertas especiais para jantares "ao entardecer". Todas estas estratégias ilustram as tentativas de amenizar os picos e os vales na demanda tendo o preço como principal elemento.
>
> A diferença nessas estratégias básicas de precificação e nas abordagens mais sofisticadas para a gestão de rendimento utilizadas hoje por companhias aéreas, locadoras de automóveis, hotéis, transportadoras e outras é a possibilidade de contar com bases de dados imensas, algoritmos matemáticos elaborados e análises complexas. Estas formas de gestão de rendimento consideram não somente o preço, como também os segmentos de mercado, a sensibilidade a preços entre estes segmentos, o comportamento da demanda no tempo e a provável rentabilidade destes – tudo simultaneamente. O que torna possíveis as novas formas de gestão de rendimento é a tecnologia e os sistemas que as utilizam. Nesta seção trazemos alguns exemplos do que empresas e setores estão fazendo.
>
> **A American Airlines**
>
> A American Airlines é a pioneira e continua líder na gestão de rendimentos. A empresa iniciou com o programa "Super Saver Fares" (Tarifas para o superpoupador) em meados da década de 1970. A companhia depende de sistemas desenvolvidos pela Sabre (a empresa líder e mais antiga prestadora de tecnologia para o setor de viagens) para ter suporte a um sistema cada vez mais complexo de tarifas. Com modelos contendo algoritmos que otimizam preços, administram filas de espera e lidam com a gestão do tráfego, a American Airlines utiliza os serviços da Sabre para alocar poltronas em todos os seus voos. O número de poltronas vendidas em cada voo da companhia é comparado continuamente às previsões de vendas para ele. As fileiras de poltronas têm descontos nas tarifas se as vendas ficam abaixo desta projeção. Se as vendas são iguais ou ficam acima do número previsto, nenhuma alteração no preço é efetuada. O objetivo da companhia sempre foi: "Vender as poltronas certas para as pessoas certas com o preço certo".
>
> **A Air Berlin**
>
> A Air Berlin, a segunda maior companhia aérea da Alemanha, oferece serviços a custos relativamente baixos em voos para destinos de férias populares na Europa a partir de mais de 20 aeroportos alemães. A companhia utiliza a gestão de rendimentos, e esse processo começa no período entre seis e nove meses que antecedem a data de parti-

procuradas, não como um preço mais alto para horários de pico de demanda ou localização especial de mesas.[15] Por isso, a educação do cliente é essencial para a eficácia de um programa de gestão de rendimentos.

- *O overbooking.* É provável que os clientes se afastem caso sejam vítimas (sem compensações adequadas) das práticas de *overbooking*, muitas vezes necessárias para fazer os sistemas de gestão de rendimentos funcionarem com eficácia. As pesquisas sugerem que os clientes que sofrem as consequências negativas da gestão de rendimentos (por exemplo, a piora ou a impossibilidade de executar o serviço), especialmente clientes de alto valor, acabam reduzindo o número de transações com a empresa.[16]
- *Os sistemas incompatíveis de incentivo e recompensa.* Os funcionários talvez objetem os sistemas de gestão de rendimento que não se encaixam nas estruturas de recompensa. Por exemplo, muitos gerentes são recompensados com base na utilização da capacidade *ou* na tarifa média cobrada, enquanto a gestão de rendimentos equilibra os dois fatores.
- *A organização inapropriada da função da gestão de rendimentos.* Para obter o máximo de eficácia na gestão de rendimentos, uma organização precisa centralizar as reservas de seus serviços. Ainda que as companhias aéreas e algumas grandes redes de hotéis e empresas de transporte tenham esta centralização, organizações de menor porte talvez possuam sistemas de reserva descentralizados e, assim, descobrem que é difícil operar o sistema de gestão de rendimentos de forma eficaz.

da de um voo. A Air Berlin muitas vezes vende fileiras de poltronas com tarifas que chama de "preços de partida" a clientes sensíveis ao preço e a operadoras de turismo. As poltronas que não são vendidas desta maneira são oferecidas de acordo com a tecnologia de gestão de rendimento da Air Berlin. Esse sistema de gestão de rendimento exige imensas quantidades de dados que consideram a estação em que o voo está agendado, a popularidade geral da rota, a programação local de férias e eventos, e a hora exata da partida. Assim como outras companhias aéreas, a Air Berlin ajusta suas tarifas com frequência, às vezes em várias oportunidades em um mesmo dia, à medida que se aproxima a hora da partida de um voo, dependendo da demanda do cliente e do tempo restante para a partida. Entretanto, uma vez que o foco da Air Berlin está em rotas relativamente curtas, ela oferece uma única classe de serviços em todos os seus voos, que são disponibilizados com passagens só de ida. Esta prática significa que cada voo tem sua própria gestão de preço, o que permite à companhia cobrar tarifas diferentes para voos de longo percurso e de ida e volta. Com o desenvolvimento de perfis para cada voo, a tecnologia de gestão de rendimento da Air Berlin auxilia a maximizar a receita por passageiro por voo e regiões, conservando os fatores de alta taxa de ocupação.

A rede de hotéis Marriott

O setor hoteleiro também adotou os conceitos da gestão de rendimento, e a rede de hotéis Marriott tornou-se líder na iniciativa. Os sistemas da Marriott maximizam os lucros para um hotel em toda uma semana, não apenas em um dia. Em seus hotéis que têm como público-alvo executivos em viagem de negócios, a Marriott tem dias de pico no meio da semana. Em vez de simplesmente vender todos os quartos para estes dias com base na estratégia "o primeiro a chegar é o primeiro a ser atendido", o sistema de gestão de rendimento (examinado e revisto todos os dias) projeta a demanda dos hóspedes com base no preço e na duração da hospedagem e oferece descontos, em alguns casos, até para clientes que ficarão hospedados por mais tempo, mesmo em um dia de pico na demanda. Um teste inicial do sistema foi realizado no Munich Marriott durante a Oktoberfest. Geralmente, descontos não eram oferecidos durante este período de pico. Contudo, o sistema de gestão de rendimento recomendava ao hotel oferecer alguns quartos com desconto, mas apenas para os hóspedes que permaneciam por mais tempo antes ou depois dos dias de pico. Ainda que a diária média tenha caído 11,7% no período, a taxa de ocupação subiu mais de 20%, e as receitas totais, 12,3%. A adoção de um método de gestão de rendimento permitiu à rede Marriott estimar a geração de um aumento de $400 milhões em receitas.

Fontes: A principal fonte de informações para este quadro é R. G. Cross, *Revenue Management* (New York: Broadway Books, 1997). Outras fontes incluem "Dynamic Pricing at American Airlines," *Business Quarterly* 61 (Autumn 1996), p. 45; *site* e folhetos da Air Berlin de 2006 (www.airberlin.com); e N. Templin, "Your Room Costs $250... No! $200... No," *The Wall Street Journal*, May 5, 1999, p. B1.

AS ESTRATÉGIAS DE FILA DE ESPERA: QUANDO NÃO É POSSÍVEL EQUILIBRAR DEMANDA E CAPACIDADE

Há vezes em que não é possível administrar a capacidade para equilibrá-la com a demanda, ou vice-versa. Talvez seja caro demais; por exemplo, é provável que muitas clínicas de saúde julguem economicamente inexequível acrescentar instalações ou contratar novos médicos para lidar com os picos na demanda durante a maior incidência de resfriados no inverno; os pacientes podem aguardar pelo atendimento. Ou então a demanda talvez seja imprevisível e a capacidade do serviço pouco flexível (não pode ser expandida para atender os picos imprevisíveis da demanda). Há situações em que as esperas ocorrem quando a demanda recua devido à variação no período de execução do serviço. Por exemplo, mesmo quando os pacientes são agendados para exames no consultório de um médico, é frequente haver uma fila, porque para alguns pacientes o tempo de consulta ultrapassa o intervalo que lhes fora reservado. O descompasso entre capacidade e demanda atinge proporções especialmente problemáticas em contextos de emergências médicas, conforme mostra o Quadro 13.2.

Para a maioria das organizações do setor de serviços, é impossível evitar a ocorrência de clientes em espera em algum ponto do processo. A espera pode ocorrer ao telefone (os clientes esperam ao telefonar para pedir informações, fazer pedidos ou apresentar uma reclamação) e em pessoa (a espera em uma fila de banco, por exemplo, ou na agência dos correios, na Disneylândia ou ainda em um consultório médico). Até com transações via correio é possível verificar uma espera – em

Quadro 13.2 — O excesso de pacientes nos setores de emergência: como administrar restrições na capacidade e o excesso na demanda nos setores de emergências de hospitais

Em nenhum lugar há tantos exemplos de problemas de demanda e capacidade quanto nos setores de emergências médicas nos hospitais em todo o território norte-americano. Em um setor de emergência típico, os leitos estão sempre ocupados, os corredores apinhados de pacientes em espera (que podem variar de 15 minutos a 8 ou 10 horas), e as ambulâncias frequentemente são mandadas adiante para procurar hospitais com vagas, naquilo que é chamado de "redirecionamento" ou "repassagem". Muitos especialistas defendem a noção de que esses problemas revelam a crise dos sistemas de serviço à saúde. As emergências são a porta de entrada dos hospitais e também o último recurso de tratamento para muitos. Porém, por que esta questão de superlotação atingiu proporções nacionais? Muitos fatores entram nesta equação, inclusive a maior demanda e as graves restrições na capacidade.

Maior demanda por serviços

Os departamentos de emergência são em parte vítimas do próprio sucesso. Décadas de campanhas de saúde pública que estimulavam as pessoas a discarem o número de emergência 911 tiveram sucesso ao educarem-nas a fazerem só isso — e elas acabam nos departamentos de emergência. É verdade que muitas pessoas são acometidas de males que representam risco de morte e que precisam ser tratadas no setor. Há também aquelas que não têm planos de saúde. Em 2010, mais de 50 milhões de pessoas nos Estados Unidos não tinham convênio de saúde. As emergências, como única opção para estas pessoas, são obrigadas por lei a atender a todas elas. Mas não são apenas aquelas sem plano de saúde e as com problemas graves que se aglomeram em um setor de emergência: ele também atende a pacientes que não conseguem marcar consulta com seus médicos em horário apropriado ou que descobrem que talvez ele seja o caminho mais rápido para uma internação hospitalar. Os pacientes e seus médicos estão se conscientizando de que podem obter tratamento sofisticado em setores de emergências em um tempo relativamente curto. Assim, a demanda pelos serviços de emergência vem aumentando de maneira contínua.

As restrições à capacidade

Não é apenas o aumento na demanda que vem causando a superlotação dos setores de emergência. Ocorre também um encolhimento ou a falta de disponibilidade de capacidade crítica ao mesmo tempo. Os médicos de consultórios particulares têm agendas cheias e, por isso, os pacientes que não desejam esperar procuram os departamentos de emergência nos hospitais. Além disso, uma escassez de especialistas dispostos a assumir os pacientes dos departamentos de emergência em regime de plantão aumenta o tempo de espera, pois estes pacientes esperando por tratamento especializado ocupam leitos no setor por mais tempo do que o necessário. Outra grande limitação à capacidade é o número de leitos nos hospitais. Ao longo dos anos, diversos hospitais em todo o território norte-americano fecharam suas portas devido a problemas financeiros, o que trouxe a redução no número de leitos. Assim, os pacientes dos departamentos de emergência muitas vezes não conseguem leitos de imediato, ainda que precisem de um, o que também aumenta o tempo de espera para eles próprios e outros pacientes. Há também uma expressiva escassez de enfermeiras, necessárias a todo leito hospitalar antes de ele ser disponibilizado a um paciente. Na década de 1990, as pessoas passaram a procurar carreiras mais promissoras e, por isso, as matrículas nos cursos de enfermagem despencaram. Em 2008, a idade média de uma enfermeira-padrão era 47 anos. Muitos hospitais têm em aberto 20% de suas vagas destinadas a enfermeiras. A falta de mão de obra nas atividades diretamente relacionadas à manutenção também tem efeitos negativos. Um leito pode estar desocupado, mas ele não será destinado a outro paciente até ser limpo e preparado. Em algumas comunidades, os pacientes descobrem que as instalações do setor de emergência simplesmente não estão disponíveis. Alguns hospitais fecharam seus departamentos de emergência após decidirem que não eram lucrativos, considerando as taxas de reembolso praticadas. Em outras áreas, o crescimento popu-

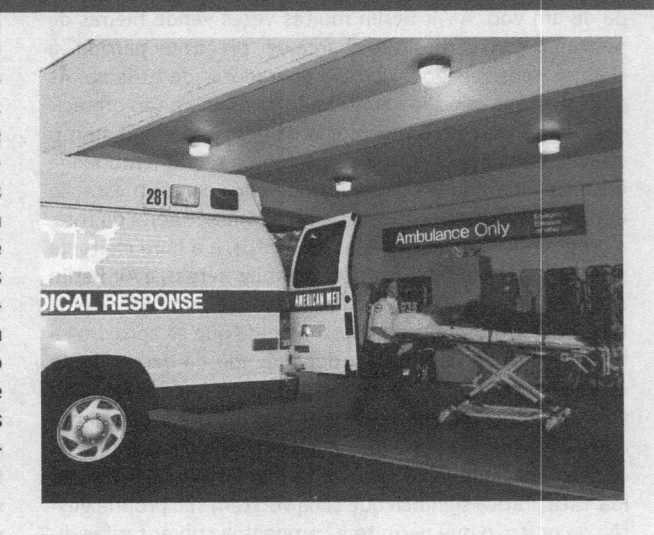

---

função de atrasos na entrega de um pedido ou do acúmulo de correspondências na escrivaninha de um gerente.

Na sociedade de hoje, que preconiza a velocidade, esperar não é algo que a maioria das pessoas tolere em silêncio. Conforme passam a trabalhar mais horas ao dia, têm menos tempo para o lazer e

lacional está ultrapassando o crescimento na construção de hospitais e departamentos de emergências.

As reações dos hospitais
Para tratar deste complexo leque de problemas, algumas mudanças foram implementadas.

A tecnologia
Uma solução parcial consiste em recorrer à tecnologia para organizar o processo de internação de pacientes em um setor de emergência e rastrear a disponibilidade de leitos. Alguns sistemas baseados na Internet são empregados para redirecionar ambulâncias a hospitais com capacidade disponível. Outros sistemas auxiliam os departamentos de emergência a acompanhar a disponibilidade de leitos em seus próprios hospitais no intuito de saber com exatidão o momento em que um leito vagou e foi limpo e disponibilizado – semelhante ao que os hotéis vêm fazendo há décadas. Sistemas com tecnologia sem fio para registrar pacientes no leito e "telas de radar" que acompanham tudo o que acontece em um setor de emergências são também algumas das soluções adotadas. Estas telas rastreiam pacientes, equipes, macas e equipamentos, o que torna o processo de execução do serviço mais eficiente e rápido.

As melhorias no sistema
Outros hospitais segmentam os pacientes e desenvolvem processos paralelos de "serviço ágil" para lidar com pacientes de emergência que têm problemas menos graves e que respondem por cerca de 30 a 50% das ocorrências. Este processo pode ser separado dos casos graves de emergência que talvez requeiram mais tempo e equipamentos especiais. Além disso, a agilização da baixa hospitalar também é adotada. Processos de internação mais rápidos também são implementados, com quiosques instalados por alguns hospitais que permitem que os pacientes de emergências verifiquem o próprio estado de saúde e descrevam seus sintomas por conta própria para acelerar o processo de internação. Os pacientes que não representam um verdadeiro caso de emergência (como ferimentos a bala ou traumas de acidentes de trânsito) utilizam telas sensíveis ao toque para inserir nome, idade e outras informações relevantes. Estes quiosques exibem uma lista de problemas de saúde, como "dor" ou "febre e/ou calafrios", e uma relação de partes do corpo que o paciente utiliza para indicar o ponto em que o desconforto ocorre. Uma vez que o problema do paciente tenha sido inserido no sistema, ele aparece em uma tela acessível a todas as enfermeiras. Os pacientes com dor torácica, sintomas de acidente vascular cerebral ou outras condições potencialmente sérias tornam-se a prioridade de atendimento.

Há também uma inovação que consiste em requisitar aos funcionários a execução de exames de rotina enquanto o paciente aguarda, para que o médico que examinará o paciente tenha disponíveis as informações de que precisa. Esta solução também atende a necessidade do paciente de "ver algo acontecer" enquanto espera. Disponibilizar *pagers* a pacientes na espera por atendimento para que possam envolver-se em outras atividades nesse intervalo é uma das maneiras encontradas por departamentos de emergência para ajudá-los a lidar com as longas esperas.

O aumento da capacidade
Um conjunto alternativo de soluções parciais relaciona-se diretamente às questões pertinentes à capacidade do hospital e de suas equipes. Alguns hospitais acrescentaram quartos e outras instalações. Centros para tratamentos de maior urgência estão em construção para aliviar parte da pressão sentida pelos departamentos de emergência. Para pacientes que precisam ser internados, contudo, o aumento da capacidade não é a solução final. A escassez de enfermeiras, um dos problemas mais sérios, é muito difícil de resolver. Os sistemas de alguns hospitais vêm usando a criatividade em seus esforços para atrair enfermeiras de outras instituições, e chegam até a contratar enfermeiras de outros países. No entanto, no longo prazo, a solução é tornar a profissão mais atraente em termos de salários e condições de trabalho, o que aumentaria o número de pessoas matriculadas nos cursos de enfermagem.

Está claro que este dilema clássico de equiparar oferta à demanda em um contexto de serviços tem causas diversas e profundas, especialmente no contexto dos serviços de saúde. Por essa razão, as soluções para estas questões são também multifacetadas – algumas são resolvidas pelos hospitais, ao passo que outras precisam ser tratadas pelo setor de saúde como um todo.

Fontes: L. Landro, "ERs Now Turn to Technology to Help Deal with Overcapacity," *The Wall Street Journal*, July 13, 2001, p. B1; J. Snyder, "Curing the ER," *The Arizona Republic*, December 9, 2001, pp. D11; N. Shute and M. B. Marcus, CODE BLUE "Crisis in the ER," *US News & World Report*, September 10, 2001 pp. 54–61; U.S. Census Bureau; 2008 Nursing Shortage Fact Sheet, http://www.aacn.nche.edu/media/pdf/NrsgShortageFS.pdf, acessado em 27/12/2010; J. Stengle, "ER Kiosks Let Patients Avoid Long Lines," *Associated Press*, September 13, 2007; R. Wolf, "Number of Uninsured Americans Rises to 50.7 Million," *USA Today*, September 17, 2010.

as famílias gozam de menos horas para se reunirem, aumenta a pressão sobre as pessoas em relação ao tempo que têm disponível. Nesse ambiente, os clientes procuram serviços eficientes e rápidos, sem a necessidade de espera. As organizações que fazem o cliente esperar podem perder negócios ou, na melhor das hipóteses, deixar seus clientes insatisfeitos.[17] As pesquisas indicam que a satis-

A satisfação do cliente sofre forte dependência do tempo de espera por um serviço.

A espera é um fato comum em diversos setores de serviços.

fação com o tempo de espera é quase tão importante quanto a satisfação com a execução do serviço no que diz respeito à fidelidade do cliente.[18] Para lidar com a inevitabilidade das esperas com eficácia, as empresas utilizam diversas estratégias. Quatro delas são descritas a seguir.

Utilize a lógica operacional

Se a espera do cliente é um fato comum, então a primeira coisa a fazer é analisar os processos operacionais para eliminar pontos de ineficiência. Para isso, é possível reprojetar o sistema para fazer os clientes moverem-se mais rapidamente. Ao lançar o seu sistema de registro expresso de hóspedes, a rede de hotéis Marriott utilizou uma alteração baseada em operações para eliminar a espera que seus clientes vivenciavam. Os hóspedes portadores de cartões de crédito e que têm reserva estão liberados de esperar na fila junto ao balcão da recepção. Eles conseguem registrar a entrada no hotel da calçada em frente em apenas 3 minutos, quando auxiliados por um "colaborador do serviço ao cliente", que faz o registro do hóspede no hotel, apanha chaves e formulários em uma estante no saguão e o acompanha até o quarto.[19] O Departamento Nacional de Segurança no Transporte (TSA) oferece um tratamento preferencial semelhante a alguns viajantes frequentes por meio de seu "Programa do Viajante Registrado" (Registered Traveler Program).[20] Apenas os cidadãos norte-americanos ou residentes permanentes que atendem a certos critérios de voo podem candidatar-se. Após registrarem-se no sistema e terem uma rigorosa verificação de histórico, os viajantes qualificados têm permissão para passar ao lado do ponto de inspeção de segurança no aeroporto designado e são identificados por meio de um sistema de segurança que lê suas impressões digitais ou a íris. Eles são obrigados a passar por um detector de metais e suas bagagens são analisadas por um aparelho de raio X, mas o fazem em uma fila especial, sendo dispensados da seleção aleatória para inspeções adicionais.

Nos casos em que as filas são inevitáveis, a organização enfrenta a decisão operacional de escolher o tipo de sistema de fila a ser adotado ou o modo de configurá-la. A *configuração da fila* faz referência ao número de filas, suas localizações, exigências em termos de espaço e efeito no comportamento do cliente.[21] Existem diversas possibilidades, conforme mostra a Figura 13.4. No sistema de filas múltiplas, o cliente chega à instalação da prestação do serviço e precisa decidir acerca da fila em que entrará e se trocará de fila mais tarde, caso a espera pareça menor em outra fila. Na alternativa de fila única, a igualdade nos tempos de espera é garantida, uma vez que é aplicada a todos a regra de que "o primeiro a chegar é o primeiro a ser atendido". O sistema também reduz o tempo médio que o cliente passa esperando. No entanto, os clientes podem deixar a fila se perceberem que ela está muito longa ou se não tiverem oportunidade de selecionar um dado prestador. Na última opção mostrada na Figura 13.4, o cliente pega uma senha ao chegar que informa sua posição na fila. As vantagens dessa opção são semelhan-

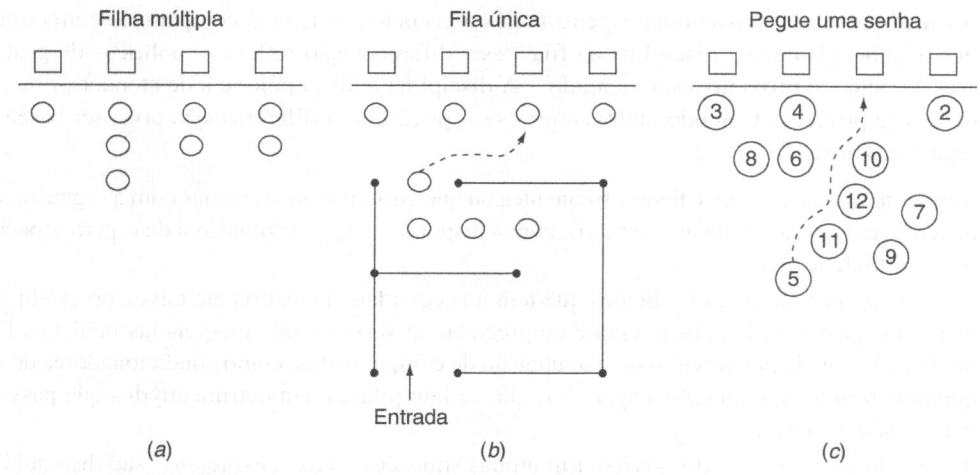

Figura 13.4 As configurações da fila de espera.
Fonte: J. A. Fitzsimmons and M. J. Fitzsimmons, *Service Management*, 7th ed. (New York: Irwin/McGraw-Hill, 2011), chap. 12, p. 311. © 2011 by The McGraw-Hill Companies, Inc. Reimpresso com permissão da The McGraw-Hill Companies.

tes à alternativa da fila única, com o benefício adicional de que os clientes conseguem se movimentar sem direção definida, relaxar e conversar uns com os outros. A desvantagem é que o cliente precisa ficar alerta para ouvir sua senha sendo chamada. As pesquisas sugerem que o tempo de fila e a percepção do custo de esperar não são os únicos fatores que influenciam a probabilidade de o cliente permanecer nela. Em uma série de experimentos e testes de campo, um grupo de pesquisa descobriu que quanto maior o número de clientes esperando na fila *atrás* de um dado cliente, maior a probabilidade de que este permaneça na fila esperando pelo serviço.[22]

Defina um processo de marcação de reservas

Nos casos em que é impossível evitar a espera, um sistema de marcação de reservas ajuda a uniformizar a demanda. Restaurantes, empresas de transporte, teatros, médicos e diversas outras empresas do setor de serviços utilizam sistemas de marcação de reservas para aliviar as longas esperas em filas. O Departamento de Veículos Automotivos da Califórnia permite que os clientes marquem hora via Internet para diminuir o tempo que passam esperando em seus escritórios. A ideia por trás de um sistema de marcação de reservas é a de garantir que o serviço esteja disponível na chegada do cliente. Além de reduzir o tempo de espera, um sistema de reservas oferece a potencial vantagem extra de transferir a demanda para períodos menos cobiçados. Porém, um dos desafios inerentes aos sistemas de marcação de reservas está em descobrir como resolver o absenteísmo dos clientes. É inevitável haver clientes que marcam uma hora mas que não aparecem. Algumas organizações lidam com este problema ao adotar o *overbooking* de sua capacidade de serviço com base nos registros passados de percentuais de clientes ausentes. Se as previsões forem precisas, o *overbooking* é uma boa solução. Contudo, se elas falharem, os clientes talvez terão de esperar e por vezes não serão atendidos, como ocorre quando as companhias aéreas reservam um número de poltronas maior do que o disponível em uma aeronave. Nesses casos, é possível recompensar as vítimas do *overbooking*. Para minimizar o problema do absenteísmo, algumas organizações (como hotéis, companhias aéreas, centros de conferências e de treinamento, além de teatros) cobram uma taxa dos clientes que não comparecem ou que cancelam suas reservas em intervalos de tempo muito curtos.

Diferencie os clientes que esperam

Nem todos os clientes precisam esperar pelo mesmo período de tempo por um serviço. Com base na necessidade ou na escala de prioridades, algumas organizações diferenciam os clientes, o que permite que alguns passem por esperas mais curtas pelo serviço em comparação com outros clientes. Conhecida como "disciplina da fila", esta diferenciação reflete as políticas de gestão relativas a quem é o próximo a ser atendido.[23] A disciplina mais popular é a de atender primeiro a quem chega primeiro. Contudo, outras regras são aplicáveis. A diferenciação pode ser baseada nos seguintes fatores:[24]

- *A importância do cliente*. Clientes frequentes ou que gastam grandes somas com a organização podem receber prioridade nos serviços, com a disponibilização de uma área de espera especial ou filas diferenciadas.
- *A urgência do trabalho*. Os clientes que têm a necessidade mais urgente talvez precisem ser atendidos primeiro. Esta estratégia é empregada em serviços de emergências médicas. Ela também é adotada por serviços de manutenção de equipamentos, como condicionadores de ar, que priorizam o atendimento a aparelhos que de fato pifaram em detrimento dos que passam por revisão de rotina.
- *A duração da transação do serviço*. Em muitas situações, "faixas expressas" são disponibilizadas para os clientes que precisam de serviços rápidos. Em outras, quando a prestadora do serviço entende que uma transação requererá mais tempo, o cliente é enviado a uma prestadora qualificada que lida apenas com estes clientes com necessidades especiais.
- *O pagamento de preços mais altos*. Os clientes que pagam a mais (por exemplo, a primeira classe em uma aeronave) muitas vezes ganham prioridade por meio de filas separadas para o *check-in* ou sistemas expressos. Na rede de parques de diversão Six Flags, grupos de até seis clientes podem adquirir um passe especial chamado "Flashpass" por cerca de $45 por pessoa (além da entrada para o parque). Com isso, o cliente recebe um dispositivo especial, o qual é passado em leitores próximos aos brinquedos em todo o parque a fim de reservar um lugar virtual na fila. O dispositivo envia um sinal para o cliente 10 minutos antes de ele ter de retornar à fila para entrar na atração (por uma entrada em separado). Isso permite ao cliente conhecer outras atrações no parque sem passar muito tempo em filas. Outras modalidades de passe também são disponibilizadas. Por $35 adicionais, o Flashpass "Gold" dá ao usuário o direito de avançar por uma fila, reduzindo ou eliminando a espera, enquanto o Flashpass "Platinum" permite usar uma atração uma segunda vez consecutiva, sem espera.[25] Recentemente, uma variação desse serviço, o Text-Q, desenvolvido pela empresa Lo-Q, permite a reserva de um lugar na fila por meio de mensagens de texto via telefone celular. Para utilizar este serviço, os clientes adquirem créditos que servem para evitar as filas em parques de diversão.[26]

Torne a espera mais agradável

Mesmo quando precisam esperar, os clientes podem ficar satisfeitos, dependendo de como a espera é administrada pela organização. Claro que a verdadeira duração da espera afetará o modo como os clientes sentem-se acerca da experiência do serviço. Mas não é apenas o tempo real na fila que tem impacto na satisfação do cliente – é como os clientes se sentem acerca da espera e as percepções que surgem durante esse período. O tipo de espera (por exemplo, uma fila padrão *versus* uma espera devido a um atraso no serviço) também influencia o modo como os clientes reagem.[27] Em um clássico artigo chamado *The Psychology of Waiting Lines* (A Psicologia das Filas de Espera), David Meister propõe diversos princípios de espera, cada um com sugestões de como uma empresa pode torná-la agradável.[28]

O tempo ocioso demora mais a passar do que o tempo ocupado com alguma atividade
Quando os clientes não estão ocupados, eles provavelmente se sentirão entediados e perceberão mais intensamente a passagem do tempo em comparação com os casos em que eles têm algo a fazer. Oferecer algo para os clientes fazerem enquanto esperam pode melhorar a experiência do

cliente e trazer benefícios para a companhia.[29] Exemplos incluem oferecer menus aos clientes para que os examinem enquanto esperam em um restaurante, disponibilizar leituras interessantes em um consultório odontológico, ou transmitir programação divertida no telefone, enquanto o cliente espera para ser atendido.

As esperas anteriores ao processo parecem mais longas do que as esperas durante o processo

Se o tempo de espera for preenchido com atividades relacionadas ao serviço que está prestes a ser executado, os clientes talvez percebam que o serviço já começou e que não precisarão mais esperar. Esta atividade que ocorre durante o processo de serviços faz o tempo de espera parecer menor e traz vantagens à empresa prestadora, pois o cliente sente-se mais bem preparado no momento em que o serviço principiar de fato. O preenchimento de informações médicas enquanto espera para ver o médico, a leitura do cardápio enquanto espera por uma mesa em um restaurante, e um vídeo do serviço prestes a ser executado são atividades que educam o cliente e reduzem a percepção da espera.

As pesquisas no contexto de restaurantes descobriram que a reação dos clientes é mais negativa para esperas anteriores ao processo de execução do serviço do que para as esperas durante ou após a sua execução. Isso significa que as esperas pré-processo são relativamente mais importantes na definição da satisfação geral do cliente.[30] Outras pesquisas descobriram que se uma espera é devido à lentidão rotineira do processo, as esperas pré-processo geram um impacto ainda mais negativo. Contudo, se a espera deve-se a uma falha no serviço, então a espera durante o processo é vista de forma mais negativa do que a espera anterior ao processo.[31] Assim, o modo como os clientes percebem as esperas pré, durante e após o processo depende, até certo ponto, dos motivos por trás da espera.

A ansiedade faz a espera parecer mais longa

Nos casos em que os clientes temem ter sido esquecidos ou não sabem o quanto terão de esperar, eles tornam-se ansiosos, e esta ansiedade pode aumentar o impacto negativo da espera. Outro motivo para a ansiedade ocorre quando o cliente é forçado a escolher entre diversas situações de fila e descobre que optou pela "fila errada". Para combater a ansiedade na fila, as organizações devem oferecer informações sobre a duração da espera. Em seus parques temáticos, a Disney utiliza sinalizações ao longo da fila para informar aos clientes por quanto tempo terão de esperar. A adoção de uma fila única também diminui a ansiedade do cliente quanto à suspeita de ter escolhido a fila errada. Explicações e afirmações de que os clientes não foram esquecidos aliviam o nervosismo, pois eliminam a causa da preocupação.

As esperas sem tempo para acabar são mais longas do que as com hora para terminar

A ansiedade aumenta em situações em que o cliente não sabe quanto tempo terá de esperar. As empresas do setor de saúde enfrentam este problema ao informar sobre o atraso do médico aos pacientes quando eles chegam ao consultório. Alguns pacientes enfrentam a incerteza por conta própria e indagam acerca do tempo de espera restante. Maister traz um exemplo interessante do papel da incerteza, que ele chama de "síndrome da consulta".[32] Os clientes que chegam cedo para uma consulta esperam pacientemente até a hora marcada, mesmo nos casos em que chegaram cedo demais. Contudo, passada a hora da consulta, a ansiedade destes clientes cresce. Antes de a consulta iniciar, o tempo de espera pode ser calculado. Depois, este tempo de espera é uma incógnita.

As pesquisas feitas com companhias aéreas sugerem que à medida que a incerteza acerca da espera aumenta, os clientes sentem mais raiva e este sentimento se transforma em maior insatisfação.[33] As pesquisas também mostram que dar informações aos pacientes acerca da duração da espera e da posição do cliente dentro da fila desperta sentimentos positivos, além de uma maior aceitação da espera e de uma avaliação positiva do serviço.[34]

As esperas sem explicação são mais longas do que as esperas explicadas
Quando entendem as razões para a espera, as pessoas frequentemente demonstram mais paciência e ficam menos ansiosas, sobretudo quando a espera é justificada. Uma explicação reduz a incerteza do cliente e o ajuda a estimar atrasos. Certa vez um de nós aguardava com os filhos para entrar em um consultório de um pediatra, e recebeu a informação de que o médico estava atrasado porque uma criança havia chegado ao consultório com suspeita de ferimentos que a punham em risco de morte. Por isso, o médico decidira dar toda sua atenção àquela criança. Para um pai ou uma mãe que não deseja ver o próprio filho em uma situação tão grave, um atraso de parte do médico foi aceitável – muito mais do que se nenhuma explicação tivesse sido prestada ou se surgisse a suspeita de que o pediatra ainda não chegara de seu jogo de golfe. Os clientes que desconhecem as razões para uma espera sentem-se impotentes e irritados.

As esperas injustas são mais longas do que as esperas justificadas
Quando um cliente percebe que está esperando enquanto outros que chegaram depois dele já estão sendo atendidos, a impressão de tratamento parcial alonga a espera. Esta situação ocorre com frequência nos casos em que não há uma ordem de atendimento na área de espera e diversos clientes tentam ser atendidos. Os sistemas de fila que funcionam com a premissa de que o primeiro a chegar é o primeiro a ser atendido são os mais eficientes para combater a percepção de injustiça. No entanto, outras abordagens podem ser necessárias para definir quem será o próximo a receber atendimento. Por exemplo, em uma situação de emergência médica, os pacientes em estado mais grave são os primeiros a serem atendidos. Nos casos em que os clientes percebem as prioridades e em que as regras são comunicadas e postas em prática com clareza, eles tendem a interpretar a espera como justa e os efeitos negativos correspondentes serão amenizados de forma expressiva.[35]

Quanto mais valioso o serviço, maior a disposição do cliente em esperar
Os clientes que efetuam compras significativas ou que estão esperando por serviços de alto valor demonstram maior tolerância por esperas mais longas e até estão preparados para esperar mais tempo pelo serviço. Por exemplo, os clientes que esperam para consultar com um advogado talvez considerem 15 minutos uma espera aceitável, ao passo que o mesmo período em uma loja de conveniência provavelmente será visto como inaceitável. Em um supermercado, os clientes que têm um carrinho cheio de mercadorias normalmente esperam mais do que aqueles que estão adquirindo apenas alguns produtos. Em outro exemplo, as pessoas que saem para jantar sabem que vão esperar mais em um restaurante sofisticado do que em um estabelecimento barato.

As esperas solitárias parecem mais longas do que as esperas em grupo
As pessoas aceitam mais as longas esperas por um serviço quando estão em grupos, do que nos casos em que estão sozinhas, em função das distrações trazidas pela presença de outras pessoas. As pessoas sentem-se mais confortáveis também quando esperam em grupos, em comparação com casos em que esperam sozinhas.[36] Em algumas situações de espera em grupo, como na Disneylândia ou quando os clientes aguardam em longas filas para adquirir entradas para um concerto, pessoas totalmente estranhas umas para as outras começam a conversar, o que pode tornar a espera uma parte divertida da experiência total do serviço.

Resumo

Uma vez que as organizações do setor de serviços não têm a possibilidade de montar estoques para seus produtos, o uso eficaz da capacidade é um aspecto fundamental para o sucesso. A capacidade ociosa expressa na forma de tempo, mão de obra, instalações ou equipamentos que não são utilizados representa uma drenagem da rentabilidade do negócio. Nas situações em que a capacidade representa um grande investimento (por exemplo, aeronaves, equipamentos dispendiosos para diagnóstico por imagem, advogados e médicos pagos por mês), as perdas associadas à subutilização da capacidade são ainda mais acentuadas. Mas a sobrecarga da capacidade também é um problema. As pessoas, as instalações e os equipamentos podem se desgastar com o tempo se usados além da capacidade ótima individual. As pessoas deixam o emprego, as instalações decaem e os equipamentos sofrem panes. Da perspectiva do cliente, a qualidade do serviço também se deteriora. As organizações com foco na prestação de serviços de qualidade, portanto, têm uma inclinação natural para equilibrar a utilização da capacidade e a demanda em níveis ótimos, a fim de atender às expectativas de seus clientes.

Com base nessas questões, este capítulo apresentou várias estratégias para equilibrar oferta e demanda. As estratégias elementares são classificadas em duas categorias: as *estratégias de demanda* (que alteram a demanda para equipará-la à capacidade) e as *estratégias de capacidade* (que ajustam a capacidade à demanda). As estratégias de demanda tentam reduzir os picos e os vales na curva de demanda a fim de alcançar a restrição na capacidade. Já as estratégias de capacidade buscam alinhar, flexibilizar ou estender a capacidade com vistas a atender aos altos e baixos na demanda. As organizações muitas vezes adotam diversas estratégias simultaneamente para resolver o complexo problema de equilibrar oferta e demanda.

A gestão de rendimentos é uma modalidade sofisticada de gestão da oferta e da demanda que equilibra a utilização da capacidade, a precificação, a segmentação de mercado e o retorno financeiro. Esta estratégia é utilizada nos setores aéreo, hoteleiro, de transporte, de locação de veículos e em outras áreas de negócios que sofrem restrições à capacidade e em que reservas são feitas com antecedência. Em essência, a gestão de rendimentos permite a uma organização decidir, em base mensal, semanal, diária ou horária, quem receberá sua capacidade de serviços e o preço a ser cobrado por ela.

Na última seção deste capítulo discutimos situações em que não é possível alinhar oferta e demanda. O resultado inevitável quando a utilização da capacidade permanece uma pendência é a espera. Descrevemos estratégias para lidar de forma eficaz com filas, como a adoção de uma lógica operacional, a definição do processo de marcação de reservas, a diferenciação entre clientes e a transformação da espera em algo agradável, ou ao menos tolerável.

Questões para discussão

1. Por que as organizações do setor de serviços não têm a possibilidade de montar estoques para seus produtos? Compare um serviço de reparos e manutenção de automóveis com uma montadora ou concessionária de veículos em termos de capacidade de estoques.
2. Discuta os quatro cenários ilustrados na Figura 13.1 e apresentados no texto (excesso de demanda, a demanda excede a capacidade ótima, a demanda e a oferta estão equilibradas, e o excesso de capacidade) no contexto de um time profissional de basquete que vende cadeiras para suas partidas. Quais são os desafios para a gestão em cada um destes cenários?
3. Discuta os quatro tipos comuns de restrições (tempo, mão de obra, equipamento e instalações) enfrentados por empresas do setor de serviços, e dê um exemplo de cada um (real ou hipotético).
4. De que modo a utilização da capacidade ótima difere da utilização da capacidade máxima? Dê um exemplo de uma situação em que as duas podem ser uma só, e um exemplo em que elas são diferentes.
5. Escolha um restaurante local ou algum outro tipo de serviço com flutuações na demanda. Qual é o provável padrão básico da demanda? Quais são as causas por trás deste padrão? Ele é previsível ou aleatório?
6. Descreva as duas estratégias básicas para equilibrar oferta e demanda, e dê ao menos dois exemplos de cada uma.
7. O que é gestão de rendimentos? Discuta os riscos na adoção de uma estratégia de gestão de rendimentos.
8. De que modo a gestão de rendimentos se aplica à gestão dos seguintes negócios: uma empresa de consultoria e um trem de passageiros?
9. Descreva as quatro estratégias básicas para a gestão de filas. Dê um exemplo de cada uma, preferencialmente com base em suas próprias experiências como consumidor.

Exercícios

1. Escolha uma organização local de prestação de serviços que sinta os desafios trazidos pela capacidade fixa e pela demanda flutuante. Entreviste o gerente de marketing (ou outra pessoa com conhecimentos sobre o assunto) para descobrir (a) de que maneiras a capacidade está restrita, (b) os padrões básicos da demanda e (c) as estratégias que a organização utiliza para alinhar oferta e demanda. Anote as respostas a estas perguntas e prepare suas próprias recomendações relativas a outras estratégias que a organização poderia adotar.

2. Suponha que você administre uma estação de esqui no Colorado ou em Banff, no Canadá. (a) Explique o padrão básico da flutuação da demanda que pode ocorrer em sua estação e os desafios que ele apresenta a você como gerente. O padrão de demanda é previsível ou aleatório? (b) Explique e dê exemplos de como você pode utilizar estratégias focadas na demanda ou estratégias focadas na capacidade para nivelar os picos e os vales na curva de demanda em períodos de baixo e de alto movimento.

3. Escolha uma organização local em que as pessoas têm de esperar em uma fila para receber o serviço. Conceba uma estratégia de fila de espera para a organização.

4. Visite o *site* do Wells Fargo Bank (www.wellsfargo.com), banco líder no setor de operações bancárias *on-line*. Quais são os serviços que o banco oferece? De que modo estes serviços *on-line* auxiliam o Wells Fargo a administrar os altos e baixos na demanda do cliente? Como as estratégias para incentivar o uso de caixas eletrônicos, agências em lojas e alternativas para a prestação de serviços complementam as operações *on-line*?

Literatura citada

1. www.ritzcarlton.com, acessado em janeiro de 2011.
2. C. Lovelock, "Getting the Most Out of Your Productive Capacity," in *Product Plus* (New York: McGraw-Hill, 1994), chap. 16.
3. C. H. Lovelock, "Classifying Services to Gain Strategic Marketing Insights," *Journal of Marketing* 47 (Summer 1983), pp. 9–20.
4. Partes desta seção foram baseadas em C. H. Lovelock, "Strategies for Managing Capacity-Constrained Service Organizations," in *Managing Services: Marketing, Operations, and Human Resources,* 2nd ed. (Englewood Cliffs, NJ: Prentice Hall, 1992), pp. 154–168.
5. "Cable Company Provides Emergency Services Following Hurricane Katrina" estudo de caso no *site* da Cisco, http://www.cisco.com/en/US/netsol/ns522/networking_ solutions_customer_ profile0900aecd8049247c.html, acessado em outubro de 2007.
6. M. Arndt, "Knock Knock, It's Your Big Mac," *BusinessWeek,* July 23, 2007, p. 36.
7. G. Bounds, "A Production with 37,500 Extras," *The Wall Street Journal,* December 22, 2010, pp. B1-B2
8. Lovelock, "Getting the Most Out of Your Productive Capacity."
9. J. M. Feldman, "Matching Planes to Demand," *Air Transport World* 39 (December 2002), pp. 31–33; J. M. Feldman, "IT Systems Start to Converge," *Air Transport World* 37 (September 2000), pp. 78–81.
10. http://www.boeing.com, acessado em 27/9/2007.
11. Ver J. A. Fitzsimmons and M. J. Fitzsimmons, *Service Management: Operations, Strategy, and Information Technology,* 7th ed. (New York: McGraw-Hill, 2011), pp. 278–284; S. E. Kimes, "Yield Management: A Tool for Capacity-Constrained Service Firms," *Journal of Operations Management* 8 (October 1989), pp. 348–363; S. E. Kimes and R. B. Chase, "The Strategic Levers of Yield Management," *Journal of Service Research* 1 (November 1998), pp. 156–166; S. E. Kimes, "Revenue Management: A Retrospective," *Cornell Hotel and Restaurant Administration Quarterly* 44, no. 5/6 (2003), pp. 131–138.
12. Kimes, "Yield Management."
13. R. Desiraji and S. M. Shugan, "Strategic Service Pricing and Yield Management," *Journal of Marketing* 63 (January 1999), pp. 44–56; Fitzsimmons and Fitzsimmons, *Service Management,* chap. 12, p. 311.
14. Kimes, "Yield Management."
15. S. E. Kimes and J. Wirtz, "Has Revenue Management Become Acceptable? Findings from an International Study on the Perceived Fairness of Rate Fences," *Journal of Service Research* 6 (November 2003), pp. 125–135.
16. F. v. Wangenheim and T. Bayón, "Behavioral Consequences of Overbooking Service Capacity," *Journal of Marketing* 71 (October 2007), pp. 36–47.
17. Para pesquisas em suporte à relação entre esperas prolongadas e queda na satisfação, avaliações da qualidade e intenções de fidelidade, ver A. Pruyn and A. Smidts, "Customer Evaluation of Queues: Three Exploratory Studies," *European Advances in Consumer Research* 1 (1993), pp. 371–382; S. Taylor, "Waiting for Service: The Relationship between Delays and Evaluations of Service," *Journal of Marketing* 58 (April 1994), pp. 56–69; K. L. Katz, B. M. Larson, and R. C. Larson, "Prescription for the Waiting-in-Line Blues: Entertain, Enlighten, and Engage," *Sloan Management Review* 33 (Winter 1991), pp. 44–53; S. Taylor and J. D. Claxton, "Delays and the Dynamics of Service Evaluations," *Journal of the Academy of Marketing Science* 22 (Summer 1994), pp. 254–264; D. Grewal, J. Baker, M. Levy, and G. B. Voss, "The Effects of Wait Expectations and Store Atmosphere on Patronage Intentions in Service-Intensive Retail Stores," *Journal of Retailing* 79 (Winter 2003), pp. 259–268.
18. F. Bielen and N. Demoulin, "Waiting Time Influence on the Satisfaction-Loyalty Relationship in Services," *Managing Service Quality* 17, no. 2 (2007), pp. 174–193.
19. R. Henkoff, "Finding, Training, and Keeping the Best Service Workers," *Fortune,* October 3, 1994, pp. 110–122.

20. E. Anderson, "Registered Traveler Land Opens Tomorrow at Airport," *Albany Times Union,* August 1, 2007, acessado via http://blog.timesunion.com/business/registered-traveler-lane-opens-tomorrow-at-airport/1870/ em 27/12/2010.
21. Fitzsimmons and Fitzsimmons, *Service Management,* chap. 12.
22. R. Zhou and D. Soman, "Looking Back: Exploring the Psychology of Queuing and the Effect of the Number of People Behind," *Journal of Consumer Research* 29 (March 2003), pp. 517–530.
23. Fitzsimmons and Fitzsimmons, *Service Management,* chap. 12.
24. Lovelock, "Getting the Most Out of Your Productive Capacity."
25. Por exemplo, o *site* do Six Flags, http://www.sixflags.com/greatadventure/tickets/flashpass.aspx, acessado em 27/12/2010.
26. http://www.lo-q.com, acessado em 27/12/2010.
27. Para uma excelente revisão de literatura sobre as percepções do cliente e as reações a vários aspectos relativos ao tempo de espera, ver S. Taylor and G. Fullerton, "Waiting for Services: Perceptions Management of the Wait Experience," in *Handbook of Services Marketing and Management,* ed. T. A. Swartz and D. Iacobucci (Thousand Oaks, CA: Sage, 2000), pp. 171–189.
28. D. A. Maister, "The Psychology of Waiting Lines," in *The Service Encounter,* ed. J. A. Czepiel, M. R. Solomon, and C. F. Surprenant (Lexington, MA: Lexington Books, 1985), pp. 113–123. Para um estudo recente sobre a psicologia da espera aos olhos do cliente, ver K. A. McGuire, S. E. Kimes, M. Lynn, M. Pullman, and R. C. Lloyd, "A Framework for Evaluating the Customer Wait Experience," *Journal of Service Management* 21, no. 3 (2010), pp. 269–290.
29. S. Taylor, "The Effects of Filled Waiting Time and Service Provider Control over the Delay on Evaluations of Service," *Journal of the Academy of Marketing Science* 23 (Summer 1995), pp. 38–48.
30. R. L. Hensley and J. Sulek, "Customer Satisfaction with Waits in Multi-stage Services," *Managing Service Quality* 17, no. 2 (2007), pp. 152–173.
31. M. K. Hui, M. V. Thakor, and R. Gill, "The Effect of Delay Type and Service Stage on Consumers' Reactions to Waiting," *Journal of Consumer Research* 24 (March 1998), pp. 469–479.
32. Maister, "The Psychology of Waiting Lines."
33. Taylor and Fullerton, "Waiting for Services."
34. M. K. Hui and D. K. Tse, "What to Tell Consumers in Waits of Different Lengths: An Integrative Model of Service Evaluation," *Journal of Marketing* 60 (April 1996), pp. 81–90.
35. C. M. Voorhees, J. Baker, B. L. Bourdeau, E. D. Brocato, and J. J. Cronin Jr., "It Depends: Moderating the Relationships among Perceived Waiting Time, Anger, and Regret," *Journal of Service Research* 12 (November 2009), pp. 138-155.
36. J. Baker and M. Cameron, "The Effects of the Service Environment on Affect and Consumer Perception of Waiting Time: An Integrative Review and Research Propositions," *Journal of the Academy of Marketing Science* 24 (Fall 1996), pp. 338–349.

Parte VI

A gestão das promessas de serviço

Capítulo 14 A comunicação integrada no marketing de serviços
Capítulo 15 A precificação de serviços

A lacuna 4 da empresa, mostrada na figura a seguir, ilustra a diferença entre a execução do serviço e as comunicações externas da empresa prestadora. As promessas feitas por uma empresa do setor de serviços por meio da propaganda na mídia, de suas equipes de vendas e de outros canais de comunicação são capazes de aumentar as expectativas dos clientes que servem como padrão de comparação na avaliação da qualidade do serviço. Promessas não cumpridas ocorrem por diversas razões: ineficácia na comunicação do marketing, excesso de promessas na propaganda ou na venda pessoal, coordenação inadequada entre operações e marketing, e diferenças nas políticas e nos procedimentos entre os pontos da prestação do serviço.

Nas empresas do setor, a perfeita relação entre a comunicação do serviço e a sua execução é um aspecto fundamental. O Capítulo 14 é dedicado à comunicação integrada no marketing de serviços – a integração e organização cuidadosas de todos os canais de comunicação externos e interativos do marketing de serviços da empresa. O capítulo descreve as razões por trás da necessidade desta comunicação e como as empresas a realizam com eficiência. O sucesso da comuni-

A lacuna 4 da empresa: A lacuna da comunicação

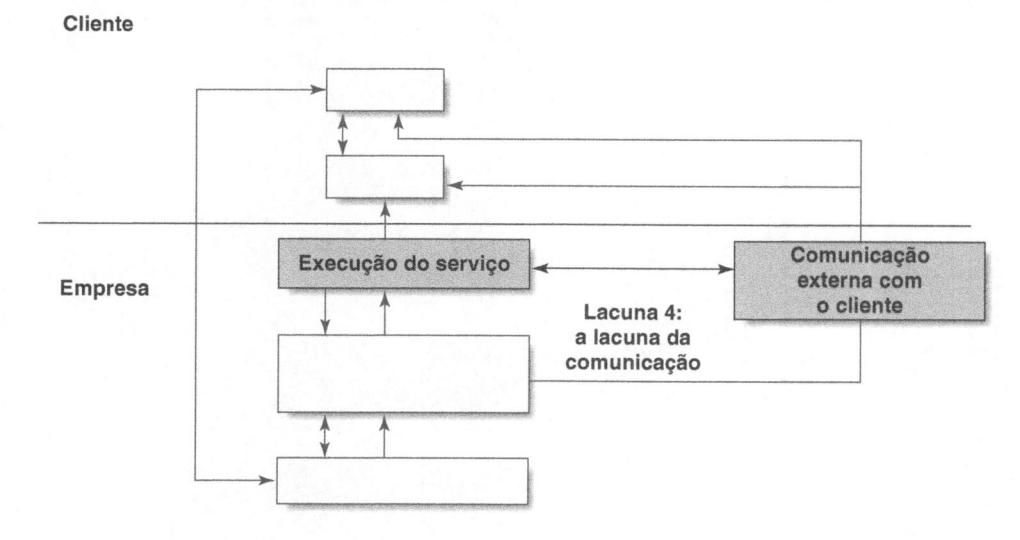

cação de uma companhia é responsabilidade dos departamentos de marketing e de operações: o marketing precisa refletir o que acontece nos encontros de serviço de forma precisa e agradável, ao passo que as operações devem executar o que foi prometido pela comunicação de marketing. Se as comunicações gerarem expectativas irreais nos clientes, então o encontro de serviço será decepcionante para eles.

O Capítulo 15 lida com outra questão relacionada à gestão de promessas: a precificação de serviços. No setor de bens de consumo (inclusive de bens duráveis), muitos clientes adquirem expressivo conhecimento sobre preços antes de fazer uma compra, o que lhes possibilita saber se o preço cobrado é justo e se está alinhado ao da concorrência. No caso dos serviços, os clientes muitas vezes não têm referência interna para preços antes da aquisição e do consumo. As técnicas para o desenvolvimento de preços no setor de serviços são mais complexas do que aquelas adotadas na precificação de bens tangíveis, e todas as abordagens para a definição de preços precisam ser adaptadas às características especiais dos serviços.

Em síntese, as comunicações externas – quer as comunicações de marketing, quer de precificação – alargam a lacuna do cliente, pois elevam as expectativas que cercam a execução do serviço. Além da melhoria nos serviços, as empresas precisam gerir toda a comunicação com seus clientes para que promessas excessivas não levem a expectativas muito altas. Uma companhia deve administrar as mensagens veiculadas pela precificação, pois as expectativas do cliente têm de se alinhar à percepção do que irão receber com o serviço.

Capítulo 14

A comunicação integrada no marketing de serviços

Os objetivos deste capítulo são:

1. Discutir os principais desafios da comunicação em serviços.
2. Apresentar o conceito de comunicação integrada no marketing de serviços.
3. Discutir as maneiras de integrar as comunicações em serviços nas organizações do setor.
4. Apresentar estratégias para tratar da intangibilidade dos serviços, da gestão de promessas, das expectativas do cliente, da educação do cliente e das comunicações internas.

A coordenação de canais de comunicação *on-line* e *off-line* na hotels.com

Talvez você já tenha visto anúncios na televisão e mídia impressa, *banners* ou *outdoors* da hotels.com, um *site* de viagens baseado em Dallas, Texas, Estados Unidos. Esses canais de marketing de massa são utilizados para convencer os clientes a considerar a hotels.com quando estão planejando viagem. Se você é um cliente da hotels.com, regularmente recebe e-mails e *newsletters* sobre as ofertas da empresa. Todos esses veículos de comunicação são adotados por empresas que desejam atrair novos clientes e aumentar os negócios com clientes existentes. Contudo, talvez você desconheça a abordagem digital inteligente da empresa, chamada Virtual Vacation, a qual se baseia em comunicações *off-line* para atrair clientes em uma experiência única, muito eficiente, por conta da integração com o que vende.

A campanha Virtual Vacation utiliza tecnologia de realidade aumentada em 3D para dar aos usuários, em seus computadores, uma visão completa dos ambientes do mundo real de 10 grandes cidades, com sons e imagens geradas por computador. Os *tours* incluem informações detalhadas sobre a hotels.com, o que permite aos usuários reservar quartos de hotéis no *site* principal a qualquer momento. Com isso, além de divertidos, esses *tours* trazem muitas informações. Segundo Vic Walla, diretor sênior do marketing de marca,

> Nossa meta é utilizar o ambiente digital para construir uma experiência mais profunda para os clientes. Com as ferramentas de realidade aumentada, nossos clientes são capazes de conhecer cidades no ambiente 3D e obter mais informações sobre a hotels.com. Utilizamos esse veículo como meio de venda de nossa marca.

Ao acessar www.virtualvacay.com, você tem uma noção do que mostramos no texto de abertura deste capítulo, que inclui a hotels.com. O porta-voz da Claymation, chamado "Smart", explica aos clientes por que devem utilizar a hotels.com. Uma vez que a Virtual Vacation tem um forte elo com a categoria e os serviços da companhia, as vendas procedem com tranquilidade, naturalmente. A companhia utilizou seu banco de dados de clientes para alcançar novos clientes por e-mail e newsletters, além de banners *on-line* focados em viajantes frequentes. Uma das maiores dificuldades da comunicação sobre qualquer oferta é a necessidade de se certificar de que todas as fontes de informação enviem a mesma mensagem.

A hotels.com utilizou uma combinação de mídias para informar seus clientes sobre o seu *site*. Primeiro, ela adotou abordagens virais e sociais, além de relações públicas e mídias tradicionais. Ela também recorreu à mídia impressa, à televisão e a *outdoors*. Na parte inferior de todos os seus anúncios, a companhia inseriu os ícones do Facebook e do Twitter para fazer as pessoas curtirem ou seguirem sua página nas redes sociais. Um dos atributos interessantes desse programa é que a empresa reconheceu que ela deveria utilizar canais *on-line* e *off-line* de modos diferentes. Com relação ao marketing direto, seus alvos eram definidos com base no grupo – para viajantes a negócios, o foco era seu programa de fidelidade; para famílias, o foco era destinos mais bem preparados para este segmento. O marketing digital tinha posição de destaque nessa abordagem, porque a companhia é um *player* de peso no marketing de busca.

Os resultados dessa campanha integrada foram impressionantes. A companhia obteve mais de 270 milhões de impressões em relações públicas, e 236 artigos foram publicados sobre ela por jornalistas e blogueiros. Além disso, as pessoas passavam cinco minutos em média navegando em seu *site*. A hotels.com capturou os endereços de e-mail das pessoas que visitavam seu *site* e os endereços de e-mail daqueles para quem elas enviavam o endereço do mesmo. Essa abordagem aumentou o tráfego em seu *site*, o número de afiliados em seu programa de fidelidade e as buscas no Google – além de sua fatia de mercado –, gerando *buzz* nos segmentos de seu público-alvo, como os aficionados e os agentes de viagem.

Fontes: C. Birkner, "10 Minutes with Vic Walla, Senior Director of Brand Marketing at Hotels.com," *Marketing News*, March 15, 2011, pp. 22–23; "Augmented Reality Travel Strikes Again, Thanks to hotels.com"; Jaunted/Concierge.com, May 14, 2010.

O *site* da hotels.com mostrando seu personagem da marca, o "Smart".

Uma das principais causas da percepção desfavorável sobre um serviço está na diferença entre o que uma empresa promete e o que ela na verdade executa. As expectativas do cliente são formadas por fatores sociais incontroláveis e por variáveis que estão sob o comando da empresa. A propaganda boca a boca, os meios sociais, a publicidade, as mídias geradas pelo cliente, suas experiências com outras prestadoras de serviço e as necessidades de cada um são fatores básicos que influenciam as expectativas do cliente e raramente estão sob o controle da companhia. Fatores controláveis, como a propaganda, a venda pessoal e as promessas feitas pelas equipes de serviços, também influenciam as expectativas do cliente. Neste capítulo discutimos os dois tipos de comunicação, porém com maior enfoque nos fatores controláveis, pois podem ser influenciados pela companhia. A comunicação precisa, coordenada e apropriada – a propaganda, a venda pessoal, além de mensagens *on-line* e de outras categorias que não apresentam promessas excessivas nem representam equivocadamente a oferta da empresa – é primordial à execução de serviços que gerem uma percepção de qualidade no cliente.

Uma vez que as comunicações da companhia sobre serviços prometem o que as *pessoas* fazem e dado que o comportamento não pode ser padronizado do mesmo modo que um produto gerado por máquinas, é alta a probabilidade de ocorrer um desequilíbrio entre o que é comunicado e as percepções formadas pela execução do serviço real (a lacuna 4 da empresa, a lacuna da comunicação). Ao coordenar a comunicação dentro e fora da organização, as empresas conseguem diminuir o tamanho da lacuna.

A NECESSIDADE DE COORDENAÇÃO NA COMUNICAÇÃO EM MARKETING

A comunicação em marketing é mais complexa hoje do que no passado. Foi-se o tempo em que o cliente recebia informações de marketing sobre bens e serviços de um número limitado de fontes, em geral de meios de comunicação de massa, como televisão e jornal. Com a limitação no número de canais, os profissionais de marketing não tinham muita dificuldade de veicular uma imagem de marca uniforme, nem de coordenar as promessas feitas. Contudo, o consumidor de hoje, tanto de bens de consumo quanto de serviços, recebe mensagens a partir de um leque muito mais amplo de veículos de marketing – *sites*, redes sociais, anúncios em dispositivos móveis, blogs, comunidades virtuais, correio, propaganda em cinemas, e-mails, revistas direcionadas a um público-alvo específico, além de inúmeras promoções de vendas. Os consumidores de serviços recebem mensagens também dos cenários de serviços, dos departamentos de atendimento ao cliente e nos encontros diários com os funcionários de empresas do setor. Estas interações de serviço somam-se à variedade, ao volume e à complexidade das informações que o cliente recebe. Ao mesmo tempo que uma empresa é incapaz de controlar fontes externas, garantir que as mensagens de todas as fontes da companhia sejam consistentes é um dos maiores desafios para os profissionais de marketing de serviços.

Qualquer companhia que distribua informações por meio de múltiplos canais precisa certificar-se de que o cliente receba mensagens e promessas unificadas. Estes canais incluem não apenas as mensagens de comunicação em marketing que fluem diretamente a partir da companhia, como também mensagens pessoais enviadas pelos funcionários aos clientes. A Figura 14.1 mostra uma versão detalhada do triângulo do marketing de serviços apresentada no Capítulo 11, destacando que o cliente de serviços é alvo de dois tipos de mensagens. Primeiro, a comunicação do marketing externo envolve os canais tradicionais, como promoção de vendas, propaganda e relações públicas. Segundo, a comunicação do marketing interativo envolve as mensagens dadas pelos funcionários aos clientes por meio de canais como a venda pessoal, as interações com o centro de serviço ao cliente, as interações no encontro de serviço, as mídias sociais e o cenário de serviços (aspectos discutidos no Capítulo 10). Uma empresa de serviços precisa ter certeza de que estas mensagens interativas sejam consistentes entre si e com aquelas enviadas por meio das comunicações externas. Para isso, o terceiro lado do triângulo, o lado das comunicações do marketing interno, deve ser administrado de forma que as informações enviadas da companhia para seus funcionários sejam claras, completas e consistentes com o que os clientes veem ou ouvem.

Triângulo do marketing de serviços

Empresa (topo)

Marketing interno (lado esquerdo)
- Comunicações horizontais
- Comunicações verticais

Marketing externo (lado direito)
- Publicidade
- Promoção de vendas
- Relações públicas
- Marketing direto

Funcionários (canto inferior esquerdo) — **Clientes** (canto inferior direito)

Marketing interativo (base)
- Vendas pessoais
- Centro de serviço ao cliente
- Encontros de serviço
- Mídias sociais
- Cenários de serviço

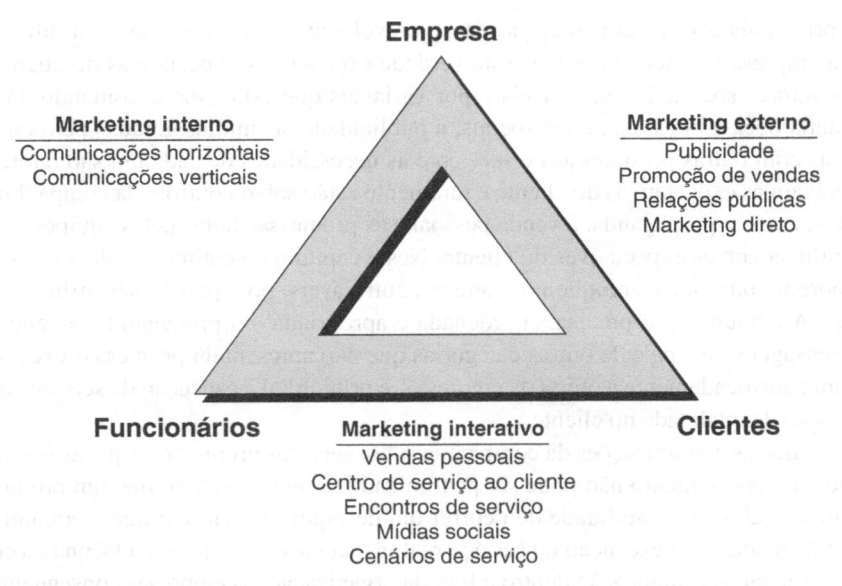

Figura 14.1 As comunicações e o triângulo do marketing de serviços.

Fonte: Adaptado de M. J. Bitner, "Building Service Relationships: It's All about Promises," *Journal of the Academy of Marketing Science* 23, no. 4 (1995); e C. Gronroos, *Services Management and Marketing* (Lexington, MA: Lexington Books, 1990).

A necessidade de campanhas de marketing integrado é evidente tanto em situações de *business-to-business* quanto de negócios com o consumidor. Nas primeiras, o problema ocorre porque as diversas partes de uma organização do setor de serviços lidam com um cliente mas não têm uma comunicação interna eficiente. Por exemplo, consideremos um grande cliente corporativo da IBM que adquire *hardware*, *software* e serviços. Se o cliente lida com funcionários diferentes em cada um dos setores da organização envolvidos no processo, a empresa precisa – mas talvez não consiga – adotar um sistema de coordenação interna que garanta que todos esses funcionários estejam enviando ao cliente as mesmas mensagens. Mas isso não basta. Cada um destes setores talvez tenha uma campanha promocional independente, com diferentes mensagens e promessas. Um exemplo comum ilustra o que acontece quando não há integração entre as mensagens de marketing. Você já viu um anúncio de um serviço, como um sanduíche especial da rede de restaurantes Subway, foi a uma das filiais locais e descobriu que ele não estava disponível? O funcionário do balcão prestou alguma explicação para esta falta? Ele percebeu que o sanduíche estava sendo anunciado em outros locais? Um de nós prestou consultoria para um banco na Costa Oeste dos Estados Unidos em que tanto clientes quanto funcionários deparavam-se com uma situação semelhante. A comunicação de marketing do banco era alterada com frequência e rapidez para acompanhar as ofertas da concorrência, mas o treinamento recebido pelos caixas do banco não alcançava as mudanças na propaganda. Com isso os clientes entravam nas agências dos bancos esperando poder abrir novos tipos de contas e aproveitar novas taxas, mas os funcionários constrangiam-se por não terem sido informados das novidades.

Este exemplo demonstra uma das principais razões pelas quais as comunicações integradas do marketing não são a norma em diversas companhias. É muito comum vermos diversos setores de uma empresa responsáveis por diferentes aspectos da comunicação. O departamento de vendas desenvolve e executa a comunicação de vendas. O departamento de marketing e a agência de publicidade da companhia preparam e veiculam a propaganda. Uma empresa de relações públicas é responsável pela publicidade. Especialistas funcionais encarregam-se da promoção de vendas, do marketing direto e dos *sites* da companhia. O departamento de recursos humanos treina os funcionários da linha de frente para as interações de serviço, enquanto outra área fica incumbida do departamento de serviço ao cliente. É raro vermos uma única pessoa responsável por toda a estratégia de comunicação em uma companhia, e é muito frequente vermos as pessoas responsáveis por diferentes componentes da comunicação trabalharem sem coordenação de esforços.

No entanto, hoje cada vez mais empresas adotam o conceito de *comunicação integrada de marketing* (IMC, *Integrated marketing communications*), na qual a empresa integra e organiza com cuidado todos os canais de comunicação externa. Um executivo de marketing explica a IMC:

> As comunicações integradas de marketing constroem uma sólida identidade de marca no mercado por meio da união e da ênfase de todas suas imagens e mensagens. A IMC significa que todas as mensagens, o posicionamento, as imagens e a identidade da companhia são coordenados em todos os seus pontos. Ela implica a uniformidade das mensagens do departamento de relações públicas em relação às campanhas pelo correio e a garantia de que a propaganda "tenha a mesma cara" de seu *site*.[1]

Neste capítulo propomos que um tipo mais complexo de comunicação integrada de marketing é necessário para serviços em comparação a produtos. Os canais de comunicação externa precisam ser coordenados, exatamente como ocorre com bens físicos, mas tanto os canais de comunicação externa quanto interna têm de ser integrados para gerar consistência nas promessas do serviço. Para alcançar isso, os canais de comunicação do marketing interno precisam ser administrados de forma que os funcionários e a empresa estejam de acordo sobre o que é comunicado ao cliente. Chamamos esta versão mais complexa da IMC de *comunicação integrada do marketing de serviços* (ISMC, *Integrated services marketing communications*). A ISMC exige que todas as pessoas envolvidas com a comunicação entendam com clareza a estratégia de marketing da empresa e as promessas que ela apresenta ao cliente.

OS PRINCIPAIS DESAFIOS À COMUNICAÇÃO EM SERVIÇOS

As discrepâncias entre o que é veiculado acerca de um serviço e o que o cliente de fato recebe – ou percebe que recebe – afetam a avaliação que o cliente faz da qualidade do serviço. Os fatores que contribuem com estes desafios à comunicação incluem (1) a intangibilidade do serviço, (2) a gestão das promessas do serviço, (3) a gestão das expectativas do cliente, (4) a educação do cliente e (5) a comunicação do marketing interno. A intangibilidade torna a comunicação no marketing de serviços mais desafiadora tanto para os clientes quanto para os profissionais de marketing. Neste capítulo, primeiro descreveremos os desafios que surgem desses fatores e, em seguida, detalhamos estratégias úteis adotadas pelas empresas para lidar com esses desafios.

A intangibilidade do serviço

Uma vez que os serviços são desempenhos, e não objetos, sua essência e seus benefícios são difíceis de comunicar aos clientes. A intangibilidade representa um desafio na comunicação do marketing de serviços, tanto para os profissionais de marketing quanto para os clientes. A natureza intangível dos serviços cria problemas para os clientes, antes e depois da compra. Antes de adquirir um serviço, os clientes têm dificuldade em compreender o que estão comprando e em lembrar nomes e tipos de serviços a considerar.[2] Durante a compra, os clientes muitas vezes não distinguem as diferenças entre os serviços. Depois, a dificuldade está na avaliação de suas experiências com o serviço.

Banwari Mittal descreveu as dificuldades associadas à intangibilidade com a apresentação de cinco propriedades, cada qual com suas implicações para a comunicação do marketing de serviços. Na opinião do autor, a intangibilidade envolve a existência incorpórea, a abstração, a generalidade, a dificuldade de pesquisa e a impalpabilidade mental.[3]

- A *existência incorpórea*. Um serviço não é composto de matéria física, nem ocupa lugar no espaço físico. Ainda que o mecanismo de execução (como em um ponto de prestação de serviços da Jiffy Lube) ocupe espaço, o serviço propriamente dito (a manutenção de veículos e a troca de óleo) não tem existência física. Esta constatação implica a dificuldade, senão a impossibilidade, de demonstrar o serviço.

- A *abstração*. As vantagens do serviço, como segurança financeira, diversão ou saúde, não têm correspondência direta com os objetos, o que dificulta sua visualização e seu entendimento.

Por exemplo, quando as empresas precisam de consultoria, elas muitas vezes não sabem por onde começar, pois o conceito é tão vago que não compreendem os objetivos específicos, os processos ou os resultados que procuram.

- A *generalidade*. A generalidade refere-se a uma classe de objetos, pessoas, eventos ou propriedades, ao passo que a *especificidade* tem relação com determinados objetos, pessoas ou eventos. Muitos serviços e promessas de serviço são descritos como generalidades (experiência incrível, educação de qualidade, clientes totalmente satisfeitos), o que dificulta a diferenciação entre os competidores.
- A *dificuldade de pesquisa*. Como um serviço é um desempenho, frequentemente ele não pode ser examinado, nem inspecionado antes da compra. Quando precisamos encontrar um médico, uma empresa de conserto de ar condicionados, um *personal trainer* ou qualquer outro serviço, não conseguimos pesquisar as opções disponíveis com a mesma facilidade com que inspecionamos as prateleiras de um supermercado. É preciso despender muito mais esforço, e nem sempre o que encontramos será útil. Por exemplo, se um cliente precisa de um encanador, as informações contidas em uma fonte como a Internet não discriminam as escolhas de modo adequado.
- A *impalpabilidade mental*. Os serviços são muitas vezes complexos, multidimensionais e difíceis de entender do ponto de vista mental. Quando um cliente não teve exposição ou conhecimentos prévios, nem está familiarizado com o serviço, a dificuldade de interpretá-lo aumenta. Você talvez já passou por esta situação na primeira vez que adquiriu um seguro de automóveis.

Estes cinco aspectos da intangibilidade dos serviços deixam o cliente mais incerto acerca de suas compras. Há indícios de que, quanto maior o risco que os clientes percebem na compra de um serviço, mais ativamente eles procurarão e dependerão da propaganda boca a boca na condução de suas escolhas.[4] A propaganda boca a boca se torna uma fonte bastante convincente de informações sobre serviços, mas ela não está sob o controle da empresa prestadora.

A gestão das promessas do serviço

Um problema grave é observado quando as empresas não conseguem administrar as comunicações do marketing de serviços – as promessas feitas por equipes de vendas, de propaganda e de serviço ao cliente – e o serviço fica aquém do prometido. Há vezes em que isso ocorre porque o setor da empresa que apresenta a promessa carece das informações necessárias para produzir mensagens precisas. Por exemplo, as equipes de vendas do setor de *business-to-business* frequentemente vendem serviços (sobretudo novos serviços corporativos) antes de eles estarem disponíveis e sem ter uma noção precisa da data em que estarão no mercado. As variações na oferta e na demanda tornam a prestação do serviço possível algumas vezes, improvável em outras, e difícil de prever. A estrutura funcional tradicional de inúmeras companhias (muitas vezes chamada silo) também dificulta a comunicação interna sobre as promessas e a execução dos serviços.

A gestão das expectativas dos clientes

A comunicação apropriada e precisa sobre serviços é responsabilidade dos departamentos de marketing e de operações. O marketing precisa refletir, de forma correta e convincente, o que ocorre nos encontros de serviço; o departamento de operações deve executar o que foi prometido nas comunicações. Por exemplo, quando uma empresa de consultoria em gestão lança um novo serviço, o trabalho dos departamentos de marketing e de operações consiste em torná-lo atraente o bastante para que o cliente o veja como de qualidade superior, em comparação com os serviços oferecidos pela concorrência. Porém, ao promover e diferenciar o serviço, a empresa não pode elevar as expectativas acima do ponto de qualidade para o qual seus consultores estão preparados. Se as mensagens da propaganda, da venda pessoal ou de qualquer outra comunicação externa gerarem expectativas irreais, então o encontro de serviço decepcionará os clientes.

Diversas empresas do setor de produtos e de serviços têm de lidar com a necessidade de diminuir as expectativas do cliente de forma ativa – de dizer a ele que o serviço oferecido será cancelado ou que estará disponível a preços mais altos. As companhias aéreas cancelam voos que não têm todas as poltronas vendidas e cobram pelas refeições servidas. As operadoras de cartão de crédito que oferecem diversos serviços de valor agregado quando as taxas de juros estão altas retiram estes serviços de suas ofertas no momento em que as taxas caem. As empresas de planos de saúde reduzem o leque de serviços ao mesmo tempo que elevam os preços, e os pacientes internados têm cobertura menor para dias de internação e procedimentos de diagnóstico. Nestas situações – talvez mais do que em outras – a necessidade de administrar as expectativas do cliente é um aspecto essencial na prestação de serviços.

A educação do cliente

As empresas do setor de serviços precisam educar seus clientes. Se eles não tiverem certeza de como o serviço será executado, do papel que desempenham nessa execução, e de como avaliar serviços que nunca utilizaram, na maioria dos casos os clientes se decepcionarão e culparão a empresa, não a si próprios. Esses erros ou problemas nos serviços – mesmo quando "causados" pelo cliente – fazem ele abandonar a companhia. Por essa razão, a empresa precisa assumir a responsabilidade de educar seus clientes.

No caso de serviços com muitas características de credibilidade – serviços especializados que são difíceis de avaliar, mesmo após o recebimento –, os clientes desconhecem os critérios para julgá-lo. Para serviços com altos níveis de envolvimento, como tratamentos médicos de longo prazo ou a compra da primeira casa própria, os clientes igualmente estão propensos a desconhecer e prever o processo de execução do serviço. É raro ver pessoas que estão adquirindo uma casa pela primeira vez compreenderem o complexo conjunto de serviços (inspeção, serviços relativos ao direito à propriedade, seguro) e processos (financiamentos, propostas e contrapropostas, escrituras) envolvidos na compra. Os profissionais liberais e outras partes atuantes em serviços de alto teor de envolvimento frequentemente esquecem-se de que os clientes novatos precisam ser educados acerca de todas as etapas do processo. Eles pressupõem que uma visão geral no início do serviço ou um manual de instruções são o bastante para prepará-los. Infelizmente, estas medidas quase nunca são suficientes, e os clientes abandonam a companhia porque não entendem o processo ou não compreendem o valor recebido com o serviço.

Uma última condição sob a qual a educação do cliente pode ser vantajosa envolve os serviços em que a demanda e a oferta não estão sincronizadas, conforme discutimos no Capítulo 13. Se o cliente não for informado dos picos e dos vales na demanda, então é provável que ocorram sobrecargas e falhas no serviço, ou que parte da capacidade permaneça ociosa.

A comunicação do marketing interno

Os diversos setores da organização, como o de marketing e o de operações, precisam trabalhar em coordenação para atingir a meta da prestação de serviços. Em função de a propaganda e a venda pessoal prometerem o que *pessoas* fazem, a comunicação contínua e efetiva entre esses setores – a comunicação horizontal – é essencial. Se as comunicações internas forem deficientes, a percepção da qualidade do serviço corre riscos. Se a comunicação de marketing da companhia e outras promessas forem desenvolvidas sem a contribuição do departamento de operações, os funcionários de contato com o cliente talvez não sejam capazes de executar serviços que correspondam à imagem construída pelos esforços de marketing.

Nem todas as companhias do setor de serviços anunciam, mas todas devem ter coordenação ou integração entre os departamentos e funções para prestar serviços de qualidade. Todas as empresas precisam estabelecer uma comunicação interna entre as equipes de vendas e os funcionários da prestação. A comunicação horizontal é necessária também entre o departamento de recursos humanos e o de marketing. Para oferecer serviços de qualidade excelente ao cliente, as companhias não podem deixar de dar informações e motivar seus funcionários a prestarem serviços que seus clientes esperam receber. Se as equipes de marketing e de vendas, que entendem as expectativas do cliente, não transmitirem estes conhecimentos aos funcionários de contato, a falta de informações afetará a qualidade do serviço executado.

Uma última forma de comunicação interna essencial à prestação de serviços excelentes é a consistência nas políticas e nos procedimentos entre departamentos e filiais. Se uma empresa do setor de serviços opera diversos pontos de prestação sob o mesmo nome, quer franqueados ou próprios, os clientes esperarão receber desempenhos semelhantes em todos eles. No caso de os gerentes de filiais ou pontos desfrutarem de muita autonomia quanto a procedimentos e políticas, os clientes talvez não receberão o mesmo nível de qualidade em todas as filiais.

AS CINCO CATEGORIAS DE ESTRATÉGIAS PARA COMPATIBILIZAR AS PROMESSAS E A EXECUÇÃO DO SERVIÇO

A Figura 14.2 mostra as principais abordagens para vencer os desafios da comunicação em serviços descritos anteriormente. O objetivo é prestar serviços melhores ou no mínimo iguais às promessas apresentadas e, para isso, os três lados do triângulo precisam ser considerados.

Administre a intangibilidade dos serviços

As abordagens para administrar a intangibilidade dos serviços são (1) a propaganda e outras estratégias de comunicação que veiculem os atributos do serviço e as vantagens ao cliente com clareza e (2) as estratégias concebidas para encorajar a publicidade boca a boca.

Se as empresas do setor de serviços reconhecerem os desafios que encontram em relação à intangibilidade, elas poderão adotar algumas estratégias especiais para vencê-los. De um modo ou de outro, cada uma das estratégias discutidas aqui está focada nos meios de tornar a mensagem mais marcante e memorável.

Figura 14.2 As cinco principais abordagens para lidar com os canais da comunicação em serviços.

Use a narrativa para demonstrar a experiência com o serviço Muitos serviços são baseados na experiência, e uma maneira extremamente eficaz de comunicá-los consiste em adotar um apelo baseado em histórias. Em geral, mostrar que os clientes têm experiências reais e positivas com o serviço é mais eficaz do que descrever os atributos do serviço, sobretudo se estes são intangíveis. Pesquisas conduzidas sobre o assunto concluíram que os consumidores relativamente pouco familiarizados com uma classe de serviços preferem os apelos baseados em narrativas àqueles que descrevem as características dos serviços. Um exemplo dessa abordagem é a campanha da State Farm, na qual uma pessoa que se encontra em uma situação que exige um agente da State Farm diz: "como um bom vizinho, a State Farm sempre está por perto", e um representante da companhia aparece instantaneamente para lidar com a situação.

Apresente informações vívidas A comunicação eficaz em marketing de serviços gera uma impressão forte e clara acerca dos sentidos e produz uma imagem mental diferenciada. Uma das maneiras de utilizar informações vívidas consiste em invocar emoções fortes, como o medo. A utilização de informações vívidas é desejável particularmente nos casos em que os serviços são muito intangíveis e complexos. Um exemplo de vividez na mídia impressa é um anúncio do United Negro College Fund[*]. Os temas abstratos de "potencial ilimitado" e "chance de concretizar" são destacados por uma fotografia de um cérebro cheio de livros.

Utilize a imagética interativa Um tipo de vividez envolve o que é chamado **imagética interativa**.[5] A imagética (definida como um evento mental que envolve a visualização de um conceito ou relacionamento) aprimora a lembrança de nomes e fatos sobre os serviços. A imagética interativa integra dois ou mais itens em um tipo de ação mútua que resulta na melhoria da lembrança. Algumas empresas do setor de serviços integram com eficácia suas logomarcas ou símbolos a uma expressão do que fazem, como a Prudential Rock – a rocha simboliza força e estabilidade. A foto ao lado mostra um anúncio da The Travelers Companies Inc., empresa de seguros de imóveis, o qual exemplifica a imagética interativa. O guarda-chuva simboliza proteção e garantia, um símbolo adequado para uma seguradora. A primeira representação de um guarda-chuva em um anúncio da Travelers ocorreu em 1870, e o guarda-chuva vermelho passou a ser a marca registrada da companhia em 1959. O anúncio refere-se à aquisição da logomarca do Citigroup em 2007, que também adotava o guarda-chuva como parte de sua marca.

Concentre-se nos tangíveis Os anunciantes também aumentam a eficácia das comunicações em serviços por meio da representação de tangíveis associados aos serviços, como as colunas de mármore de um banco ou o cartão de crédito gold que oferece a seus clientes.[6] Revelar tangíveis também dá indícios sobre a natureza e a qualidade do serviço. A fotografia na página 420, que reproduz um anúncio do Sierra Club, mostra as vantagens tangíveis do clube ao proteger os clientes, sobretudo os bebês, dos perigos da poluição causada pelo mercúrio.

Quick, name an insurance company.

The 33,000 people of Travelers proudly welcome back their classic icon. Complete with a brand-new stock symbol (TRV) and a new official name: The Travelers Companies, Inc.

TRAVELERS

©2008 The Travelers Companies, Inc. All rights reserved.

A imagética interativa é demonstrada no guarda-chuva da Travelers.

---

[*] N. de T.: Instituição filantrópica norte-americana que arrecada fundos para pagar pela educação superior de jovens negros em universidades particulares que historicamente atendem ao público afro-americano.

Utilize símbolos da marca para tornar o serviço tangível Como um anunciante de serviços ganha em termos de diferenciação competitiva e de uma forte consciência de marca em um mercado altamente competitivo? Nos setores de *fast food* e de seguros, a resposta envolve a criação de um símbolo de marca reconhecível que represente a empresa e gere visibilidade para a marca. Um dos símbolos de marca do setor de serviços mais duradouro é o Ronald McDonald, o palhaço com roupa vermelha e amarela que representa o McDonald's e sua instituição de caridade que atende crianças, a Ronald McDonald House. Uma das concorrentes do McDonald's, a Jack in the Box, tem seu próprio mascote, chamado Jack, representado por uma cabeça em forma de bola com um chapéu pontudo. Na propaganda na televisão, ele aparece como o "fundador" da rede – parte palhaço, parte executivo que veste um terno e cuja cabeça é igual à do mascote. Ele é sempre parte engraçado e parte sério. Os símbolos nos anúncios têm importância ainda maior nos setores em que o serviço é complexo e difícil de compreender, como o de seguros. A American Family Life Insurance Company (ou AFLAC), empresa que vende seguros complementares de caráter opcional em empresas norte-americanas e japonesas, enfrentava um desafio: fazer os clientes em potencial solicitarem o serviço pelo nome. A Aflac adotou um pato, um personagem insistente e barulhento que grita "Aflac!" nos anúncios da companhia, que mostra pessoas tentando resolver problemas relativos a seguros. O pato foi apresentado em 2000 e trouxe tanta visibilidade que já apareceu na CNBC, no *talk show* de Jay Leno e no programa *Saturday Night Live*. A GEICO tem anúncios na televisão mostrando uma lagartixa (conforme a imagem a seguir), que fala inglês com sotaque do leste de Londres. A lagartixa da GEICO sublinha a imagem da marca da companhia com uma tenacidade natural, um bom humor constante e uma insaciável necessidade de ajudar as pessoas a poupar dinheiro nas apólices de seguro de seus automóveis. A lagartixa da GEICO se tornou um ponto forte no mundo da propaganda, e foi eleita o ícone favorito no setor nos Estados Unidos em 2005.[7]

Utilize a associação, a representação física, a documentação e a visualização Leonard Berry e Terry Clark propõem quatro estratégias de tangibilização: associação, representação física, documentação e visualização.[8] *Associação* representa o elo entre o serviço e uma pessoa, um local ou um objeto tangível, como "estar em boas mãos com a Allstate". *Representação física* implica revelar os tangíveis que fazem parte, direta ou indiretamente, do serviço, como funcionários, prédios ou equipamentos. *Documentação* significa apresentar dados objetivos e informações factuais. A *visualização* é uma imagem mental vívida das vantagens ou qualidades do serviço, como a imagem de pessoas divertindo-se durante as férias. A seção Visão Estratégica mostra como os símbolos são utilizados como tangíveis na comunicação de marketing.

Inclua os funcionários de serviço na comunicação Os funcionários de contato com o cliente são representações tangíveis do serviço e representam um segundo público-alvo para a propaganda.[9] Incluir os funcionários executando suas tarefas ou explicando seus serviços em uma propaganda é eficaz tanto para o público principal (os clientes) quanto para o secundário (os próprios funcionários), pois isso comunica a estes a mensagem de que são importantes. Além disso, quando os funcionários que desempenham bem um

A lagartixa da GEICO é um ícone da publicidade.

Visão estratégica — A estratégia do Google domina a propaganda e a comunicação via Internet

O *site* de busca Google é uma das histórias de marketing de serviços de maior sucesso em todo o mundo vistas nas duas últimas décadas. A visão estratégica do Google é "organizar as informações presentes no mundo e torná-las disponíveis e úteis a todos". A companhia conseguiu concretizar esta visão, como você já deve saber, ao tornar-se um *site* de busca acessível e útil a qualquer pessoa e que atrai cerca de 60% de todas as buscas feitas pelo público consumidor. Porém, talvez você não saiba como o Google montou um conjunto de ferramentas de propaganda e, nesse processo, conseguiu tornar-se a mídia mais importante para anunciantes em todo o mundo. Os anunciantes gastaram mais de 40% da receita em anúncios *on-line* em propagandas de busca, links patrocinados e em redes de conteúdo do Google.

Hoje, a propaganda baseada em busca, ou busca paga, é uma das formas mais populares de anunciar na Internet. Nessa forma de propaganda, as empresas podem escolher pagar por pequenos anúncios colocados à direita das listagens ou pagar para aparecer nas listagens. Os anúncios, mensagens curtas exibidas à direita dos principais resultados de uma pesquisa relevantes a um cliente, são chamados "Google AdWords". Quando um consumidor efetua uma busca no Google utilizando uma palavra-chave, a URL do anunciante, acompanhada de seu nome e descrição, aparece em um retângulo colorido ao lado dos resultados da busca. Na próxima vez que você fizer uma busca no Google, clique sobre um ou dois destes retângulos e você perceberá que eles são anúncios. As empresas também podem pagar por colocação, isto é, elas adquirem locais específicos em que aparecerão nos resultados da busca. Quando você fizer uma busca no Google, alguns dos links apresentados foram na verdade adquiridos pelos anunciantes. O Google sombreia estes links patrocinados para mostrar ao cliente que estas colocações na listagem são pagas.

O Google também oferece serviços *business-to-business* ao atuar como intermediário para anunciantes e *sites* por meio de duas outras formas de propaganda. Na primeira, que envolve anúncios voltados para *sites* específicos, os anunciantes pedem ao Google que encontre *sites* ou conteúdos específicos (como hóquei no gelo ou patinação artística) que sejam relevantes a seus públicos-alvo, tanto em termos de tamanho quanto de interesses, e informam uma lista de palavras-chave que descrevem o seu *site*. O Google AdWords compara palavras e gera uma lista de *sites* disponíveis e condizentes com o conteúdo requisitado em que a empresa pode anunciar. O Google AdSense é um serviço direcionado aos editores de *sites*. O serviço automaticamente avalia os conteúdos das páginas de uma companhia e produz anúncios em texto ou imagem relevantes e de alto desempenho. Depois, o Google envia estes anúncios aos *sites* das companhias. Na verdade, esses dois serviços trabalham juntos — um é a fonte de anúncios, o outro é o local em que os anúncios são expostos.

A DoubleClick é uma empresa que desenvolve e oferece tecnologias e serviços que publicam anúncios em *sites*, em uma abordagem chamada *ad-serving*. Empresas como a DoubleClick oferecem *software* a *sites* e anunciantes para a publicação, contagem e seleção dos anúncios que trarão mais receitas ao anunciante, além de possibilitar o acompanhamento do progresso de diferentes campanhas publicitárias. Para os anunciantes, a DoubleClick escolhe *sites* com o melhor potencial para a venda de produtos e serviços. Para os *sites* propriamente ditos, a empresa escolhe os anunciantes que oferecem produtos e serviços que melhor se adaptam a eles e trazem as maiores receitas em propaganda. Para as agências, a empresa administra estoques *on-line* e relata e administra a atividade *on-line*. Com a compra da DoubleClick, o Google ganhou uma poderosa ferramenta de propaganda e adquiriu a capacidade de oferecer aos anunciantes a possibilidade de gerar campanhas integradas de busca e resultados.

Ao adquirir o YouTube, o Google imediatamente passou a postar imagens de vídeos nas listagens de buscas do Google Video, o que leva os usuários ao YouTube e permite que eles assistam aos vídeos de imediato. O Google afirma que, com o tempo, o Google Video expandirá sua abrangência, à medida que evolui para um serviço em que os usuários conseguem buscar conteúdos relativos a vídeos *on-line* em qualquer lugar em que estejam hospedados. Um representante do Google afirmou: "Temos a noção de que a maior parte dos conteúdos em vídeo gerados pelos usuários ou mesmo conteúdos pagos serão hospedados pelo YouTube, o que vai aprimorar a experiência com o serviço. Acreditamos também que o YouTube se beneficiará das inovações futuras planejadas para o Google Video — sobretudo as que envolvem busca, monetização e distribuição".

Fontes: G. Stricker, "A Look Ahead at Google Video and YouTube," www.google.com, January 25, 2007; A. Klaassen, "Sorry Yahoo, MSN. Google Just Got Bigger," *Advertising Age*, April 16, 2007, pp. 31; R. D. Hof, "Is Google Too Powerful?" *BusinessWeek*, April 9, 2007, pp. 46–55; R. Farzad and B. Elgin, "Googling for Gold," *BusinessWeek*, December 5, 2005, pp. 60–70; www.google.com 2007; J. Graham, "Google Plans Ad 'Overlays' for Some YouTube Videos," *USA Today*, August 22, 2007, p. 2A; M. Helft, "Google Aims to Make YouTube Profitable with Ads," *New York Times*, August 22, 2007, p. C1.

Quadro 14.1 As estratégias de propaganda em serviços e as propriedades da intangibilidade

Propriedade da intangibilidade	Estratégia da propaganda	Descrição
Existência incorpórea	Representação física	Mostra os componentes físicos exclusivos, indica alta qualidade e gera a correta associação.
Generalidade	Documentação do sistema	Documenta a capacidade física do sistema de modo objetivo mostrando fatos e números.
	Documentação do desempenho	Documenta e cita estatísticas passadas de desempenhos positivos.
	Episódio de desempenho do serviço	Apresenta uma história vívida de um incidente real da prestação de um serviço que se relaciona a um importante atributo do serviço.
Abstração	Episódio do consumo do serviço	Captura e mostra clientes típicos beneficiando-se do serviço, lembrando incidentes específicos.
Dificuldade de pesquisa	Documentação do desempenho	Cita desempenhos auditados de forma independente.
	Documentação do consumo	Obtém e apresenta testemunhos de clientes atuais.
Impalpabilidade mental	Episódio do processo de serviço	Apresenta um documentário vívido sobre o processo do serviço, passo a passo.
	Episódio de relato de caso	Apresenta um relato real de caso sobre o que a empresa proporcionou a um dado cliente.

Fonte: Adaptado de B. Mittal, "The Adversing of Services: Meeting the Challenge of Intangibility", *Journal of Service Research* 2, no. 1 (August 1999), pp. 98-116.

serviço são incluídos na comunicação de marketing, eles tornam-se o padrão de comportamento para os outros funcionários.

Anteriormente neste capítulo discutimos cinco aspectos da intangibilidade e que fazem da comunicação de marketing um desafio. No Quadro 14.1, Mittal descreve as estratégias a serem adotadas na propaganda de serviços para vencer estes desafios. Com o planejamento e a execução efetuados com cuidado, o abstrato pode se transformar em concreto; o geral, em algo específico; a dificuldade de pesquisa, em facilidade de busca; e o mentalmente impalpável, em algo palpável.

As recomendações e opiniões de outros clientes são quase sempre mais confiáveis do que as mensagens da companhia. Nas situações em que os clientes têm poucas informações antes de efetuarem uma compra – algo que ocorre com frequência muito maior com serviços do que com produtos, pois os primeiros têm mais propriedades relativas à credibilidade e à confiança – eles voltam-se para outras pessoas em busca de informações, não para os canais de marketing tradicionais. A propaganda de serviços e os diferentes tipos de promoção podem gerar um tipo de publicidade boca a boca que ultrapassa os investimentos feitos em propaganda e que melhora a credibilidade das mensagens.

Utilize o *buzz* ou o marketing viral O *buzz marketing*, também chamado marketing viral, envolve a utilização de clientes reais para divulgar produtos sem serem pagos (ou sem parecer que estejam sendo pagos) pela companhia. Há vezes em que o marketing viral ocorre simplesmente porque os clientes são ávidos fãs do serviço. Em outras, a companhia semeia a noção dos produtos e serviços no consumidor. A Chipotle Mexican Grill, empresa baseada em Denver e que conta com aproximadamente 600 pontos de venda, evita a propaganda, preferindo depender quase que inteiramente da publicidade boca a boca gerada por seus clientes sobre a comida exclusiva e saborosa que produz. O fundador da Chipotle, M. Steven Ells, adotou como base para sua estratégia a oferta de amostras grátis de seus pratos (além da satisfação de seus clientes). Por exemplo, quando a rede abriu um restaurante no centro de Manhattan em 2006, ela distribuiu *burritos* a 6 mil pessoas. Embora a estratégia tenha custado $35 mil à companhia, ela gerou 6 mil porta-vozes satisfeitos.[10]

Alavanque as mídias sociais As mídias sociais – a comunicação interativa entre clientes na Internet por meio de *sites* como o Twitter, o YouTube e o Facebook – hoje são um caminho para a troca de informações. O crescimento das redes sociais está afetando muitos aspectos do comportamento de compra do cliente. Em uma pesquisa feita pela comScore, aproximadamente 28% dos consumidores relataram que as redes sociais influenciaram suas decisões sobre a aquisição de pacotes de férias em 2009.[11] Outro estudo revelou que 61% dos consumidores confiam em notas e avaliações *on-line* antes de efetuarem uma compra.[12] Além disso, 26% dos consumidores postam notas e avaliações *on-line*.[13] Segundo um estudo feito pela Nielsen, 90% dos consumidores confiam em recomendações de outros clientes, contra 56% dos que confiam nos anúncios da marca.[14] As mídias sociais não são controláveis por uma empresa, mas ela pode monitorar estas mídias e entender o que os clientes estão dizendo e recomendando. Métodos formais e tecnologias sofisticadas estão em desenvolvimento para rastrear, monitorar e analisar as comunicações *on-line* para as marcas. A Nielsen BuzzMetrics, empresa inovadora nesta área, coleta informações de marcas *on-line* acompanhando milhões de linhas de comunicação pela Internet para descobrir como um cliente se sente com relação a uma marca, quantos estão em conversa *on-line*, quais são os assuntos sendo discutidos, como o marketing está sendo interpretado, e como os esforços para afetar a publicidade boca a boca estão sendo recebidos. O serviço disponibiliza padrões e normas de setores a empresas que desejam adquirir seus produtos e alertas em tempo real sobre problemas.[15]

Direcione as mensagens aos agentes influenciadores Os avanços tecnológicos hoje permitem às empresas identificar os agentes influenciadores de clientes – os indivíduos com mais conexões sociais e que, portanto, desfrutam de maior capacidade de influenciar outras pessoas acerca de serviços. Tanto pesquisadores quanto empresas de pesquisa desenvolvem tecnologias semelhantes às da BuzzMetrics descritas anteriormente para identificar estas pessoas em uma comunidade viral e que são críticas em relação ao recebimento de mensagens de marca. Quando identificadas, estas pessoas são "infectadas", isto é, recebem serviços ou informações sobre serviços, são convidadas a participar de eventos especiais e encorajadas a conhecer e pronunciarem-se sobre um dado serviço.

Crie propaganda que gere conversa por ser engraçada, atraente ou inédita Um comercial engraçado que gerou discussões e que ganhou muita popularidade foi ao ar na temporada de 2011 do Super Bowl. O anúncio era da CareerBuilder.com, no qual, macacos dirigiam carros sem atenção, esmagando outro motorista. Outro comercial engraçado – e surpreendente – foi o anúncio da GoDaddy, estrelando a comediante Joan Rivers como nova garota-propaganda da empresa. Os anúncios da E-trade, sempre engraçados, estrelavam um bebê falante provando um novo terno feito por um alfaiate chamado Enzo.

Mostre clientes satisfeitos nas mensagens Os testemunhos com clientes reais de serviços simulam comunicações com outras pessoas e por isso são uma forma confiável de veicular as vantagens de um serviço. Uma campanha publicitária de sucesso lançada para a empresa Blue Cross/Blue Shield do Estado norte-americano da Carolina do Norte mostrava clientes reais cujos familiares sofreram crises de saúde tratadas com sucesso pela empresa de planos de saúde. Estes testemunhos são poderosos e críveis. A campanha ajudou a restaurar a fé no plano de saúde e gerou uma publicidade boca a boca positiva.

Em 2010, a Xerox criou uma série de comerciais mostrando depoimentos de seus clientes corporativos, os quais eram muito verossímeis e exitosos. O comercial pode ser visto no YouTube ao inserir o termo de busca "Xerox commercials 2010."

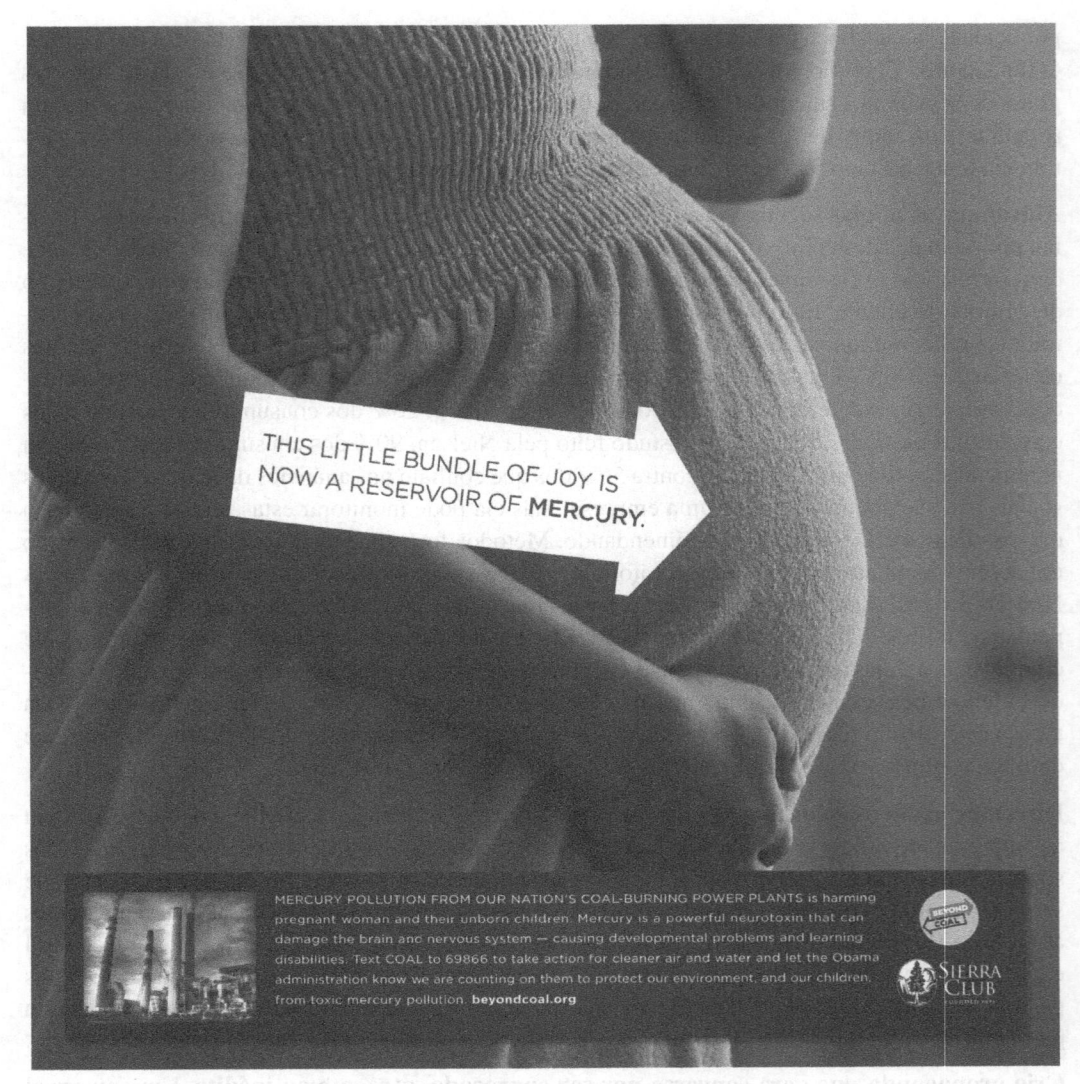

Este anúncio do Sierra Club mostra, de modo tangível, os perigos da poluição causada pelo mercúrio usado em fábricas que queimam carvão. Com o foco em um bebê ainda não nascido, o Sierra Club comunica sua mensagem com clareza.

Gere publicidade boca a boca por meio dos relacionamentos com os funcionários Uma pesquisa mostra que a satisfação do cliente com a experiência do serviço não basta para estimular a publicidade boca a boca positiva. Contudo, quando os clientes depositam confiança em um dado funcionário, o resultado é a comunicação boca a boca positiva. Nesse estudo, foi mostrado que a confiança é consequência de três aspectos do relacionamento funcionário-cliente: uma relação pessoal entre funcionários e clientes, o cuidado demonstrado pelos funcionários, e a familiaridade destes com os clientes.[16] As empresas conseguem fortalecer os elos interpessoais que levam à confiança por meio de estratégias focadas no projeto do serviço, nos sistemas de suporte, nos funcionários e nos clientes.[17] Exemplos destas estratégias incluem o projeto de um ambiente de serviço para aumentar o número de oportunidades de interação entre funcionários e clientes, a adoção de sistemas de suporte adequado (como *software* de gestão de relacionamento com o cliente) a fim de auxiliar os funcionários a lembrar as características do cliente, e a delegação de poder de decisão aos funcionários no sentido de permitir a solução de problemas com rapidez e eficiência.

Administre as promessas do serviço

Na fabricação de bens de consumo, os departamentos que fazem promessas e aqueles que as cumprem operam de forma independente. Os bens de consumo são projetados e produzidos integralmente e então entregues ao marketing para a promoção e vendas. Contudo, no setor de serviços, os departamentos de vendas e de marketing fazem promessas sobre o que os outros funcionários da organização executarão. Como o trabalho dos funcionários não pode ser padronizado, é preciso melhorar a coordenação e a gestão de promessas de serviço. Esta coordenação é concretizada por meio da geração de uma marca forte de serviços e da organização de todas as comunicações de marketing da empresa.

Gere uma marca forte de serviços

Leonard Berry, especialista em *branding* de serviços, destaca que a formação de uma marca desempenha um papel especial nas empresas do setor de serviços:

> Marcas fortes permitem aos clientes visualizar e entender melhor os produtos intangíveis. Elas reduzem a percepção de riscos monetários, sociais ou relativos à segurança do cliente no momento da aquisição, que são difíceis de avaliar antes da compra. As marcas fortes entram em cena quando a empresa não oferece tecido para ser tocado, calças para serem experimentadas, melancias e maçãs para serem degustadas, ou automóveis para fazer um *test-drive*.[18]

Em comparação com o *branding* de bens de consumo, em que cada produto tem sua própria marca, a principal marca nos serviços é a companhia propriamente dita. O foco da geração de uma marca está na consciência, na importância e no patrimônio da companhia. Por exemplo, empresas como FedEx, Disney World, Starbucks e Facebook se concentram na comunicação e na informação em suas empresas, não nos serviços que cada uma delas oferece. Portanto, a marca torna-se o caminho da integração das mensagens de marketing destas companhias.

A Figura 14.3 reproduz um modelo de *branding* de serviços desenvolvido por Berry e que ilustra os relacionamentos entre os principais elementos da criação de uma marca de serviços forte.[19] A *marca apresentada* é a parte da imagem da marca que a companhia controla e divulga por meio de todos os canais pessoais e interpessoais. A propaganda, o nome da marca propriamente dito, os *sites*, os funcionários, as instalações e todos os outros tipos de veículos de informações precisam ser coordenados e controlados. Essas mensagens geram a *consciência de marca*, a lembrança e o reconhecimento da marca pelo consumidor. Quanto maior e mais positiva a consciência de marca, mais forte sua imagem e diferenciação da companhia – o chamado *brand equity**. A *experiência do cliente com a companhia* – a interação real com seus funcionários e outras manifestações corporativas – é outro elemento que molda a marca e é mais poderoso do que qualquer outra mensagem de marketing. Não importa o quão eficaz e unificada seja a propaganda para o serviço: são as experiências reais que – embora de modo desproporcional – geram significado para os clientes.

A Clínica Mayo, uma das marcas mais fortes do mundo no setor de serviços, conserva sua marca pela experiência do cliente, e não pela promoção na mídia, estratégia que a companhia evita. Valores centrais fortes, trabalho em equipe, responsabilidade dos médicos, atenção ao paciente, equipes de alta qualidade e instalações cooperam para o modelo de atenção à saúde da companhia, que garante que a experiência do cliente seja forte o bastante para perpetuar a força da marca. É notável que a consciência de marca da Clínica Mayo seja forte, ainda que não utilize a propaganda na mídia. Em um estudo em que os principais tomadores de decisão nos Estados Unidos foram indagados acerca de quais instituições do setor de saúde eles escolheriam no caso de um problema grave, entre todas as companhias disponíveis, aproximadamente 27% dos entrevistados citaram a Clínica Mayo, número muito maior do que os que ficaram com a segunda escolha, citada por cerca de 9% dos entrevistados.[20] Outras pesquisas indicam que 95% dos pacientes da Clínica Mayo pro-

---

* N. de T.: Valor agregador resultado da transformação de um produto em uma marca. O conceito atribui a determinadas marcas um valor superior ao que os consumidores lhe atribuem.

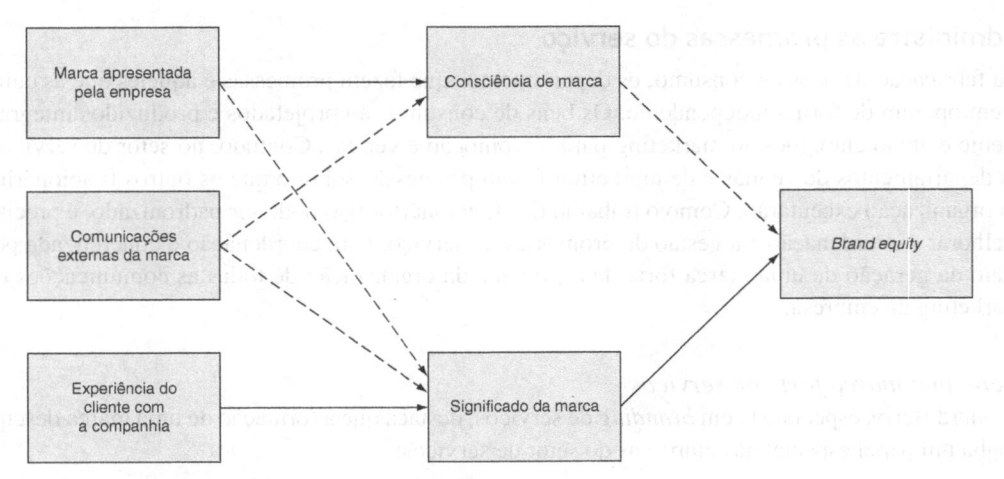

Figura 14.3 Um modelo para o *branding* de serviços.
Fonte: Leonard L. Berry, "Cultivating Service Brand Equity," *Journal of the Academy of Marketing Science* 28 (Winter 2000), pp. 128–137.

duzem afirmações positivas sobre a companhia voluntariamente, o que atesta a marca Mayo e as experiências positivas que os clientes tiveram com ela.[21]

A Figura 14.3 mostra dois outros fatores que moldam a marca de um serviço. As *comunicações de marca externas e fora do controle* envolvem as informações – como comunicação e publicidade boca a boca – que a companhia não tem em seu poder. Estas fontes de informação são potentes, pois são percebidas como confiáveis e neutras pelos clientes, mas também exercem efeitos positivos ou negativos na marca. Em outra seção deste capítulo descrevemos as maneiras de influenciar a comunicação boca a boca de modo positivo. O *significado da marca* são as associações que o cliente faz com ela; ele emana, em grande parte, da experiência do cliente, mas também é moldado pela marca apresentada da companhia e pelas comunicações externas.

Um exemplo de uma marca de serviços de sucesso consolidada sobre o significado da marca é dado pelo time de beisebol Boston Red Sox. Em 2004, o time, que não havia vencido um campeonato mundial desde 1918, construiu uma base de fãs que demonstram uma fidelidade religiosa por meio de estratégias de gestão e de marketing que tiveram muito sucesso.[22] A maioria dos elementos da estratégia envolve oferecer aos fãs uma experiência pessoal e social significativa. Em primeiro lugar, os proprietários do time criaram uma comunidade de fãs ao construírem o estádio em um local equidistante a diversos bairros e pontos de diversão. Eles sabiam que a localização do campo no centro da cidade encorajaria os fãs a assistirem a diversos jogos. Em segundo lugar, em vez de se concentrar em jogadores famosos, os proprietários do time deram mais ênfase ao estádio de Fenway Park, o que evitaria a geração de um vínculo com efeitos negativos quando uma estrela deixasse o clube. Além disso, os construtores criaram o "Monstro Verde" (Green Monster), a exclusiva *leftfield wall*[*] que se tornou parte do folclore da região de Boston. Em terceiro lugar, os proprietários e gerentes prometeram formar uma equipe competitiva, mas não garantiram vitórias, o que administrou as expectativas dos fãs com um enfoque na credibilidade ao mesmo tempo que gerou equipes fortes. Em quarto lugar, eles comprometeram-se em construir o parque "Friendly Fenway", apresentando eventos de diversão e entretenimento durante os jogos e incutindo em todos os vendedores presentes uma forte cultura focada no fã. Por fim, a equipe demonstra grande respeito pelos desejos dos fãs por tradição: uniformes, logomarca e o foco no esporte propriamente dito são os mesmos há mais de meio século. O sucesso dessas estratégias fica evidente a cada jogo.

---

[*] N. de T.: Parede elevada no limite esquerdo do campo de beisebol, em que fica um jogador da defesa, em relação ao jogador que arremessa a bola da base.

Desde 22/5/2011, os ingressos se esgotaram em 657 partidas consecutivas disputadas pelo Red Sox, 200 jogos a mais do que o segundo colocado nessa contagem, um recorde absoluto entre os times de beisebol da primeira divisão.

Coordene as comunicações externas

Para qualquer organização, um dos aspectos mais importantes, porém desafiadores, da gestão da imagem da marca envolve a coordenação de todos os veículos de comunicação externa que enviam mensagens aos clientes. Esta tarefa tornou-se um desafio maior nos últimos anos, já que a proliferação de novas mídias é uma forte tendência. Mas não são apenas os veículos tradicionais de comunicação como *sites* de empresas, promoção de vendas, relações públicas, marketing direto e vendas pessoais que proliferam. Diversas novas formas de mídia hoje estão disponíveis aos profissionais de marketing: redes sociais, sinalização digital, *blogs*, propaganda em dispositivos móveis, vários tipos de propaganda via Internet e a crescente utilização de anúncios de produtos em filmes e em programas de televisão são fatores que complicam a coordenação de mensagens. A seção Tema Global mostra uma campanha internacional para a companhia aérea Virgin Atlantic Airways que utiliza inúmeros elementos do *mix do marketing de comunicação*.

A *propaganda* é qualquer forma paga de apresentação e promoção impessoais dos produtos de uma companhia por meio de um representante reconhecível. Os principais veículos da propaganda incluem televisão, rádio, jornais, revistas, painéis e placas externas e a Internet. Em função de a propaganda ser paga, os profissionais de marketing controlam os apelos criativos, os programas e os horários em que os anúncios são veiculados. A propaganda via Internet conquistou uma grande parcela dos orçamentos de publicidade das empresas (veja a seção Tecnologia em Foco) e precisa estar sincronizada com os veículos tradicionais. A campanha de grande sucesso da MasterCard, com o slogan "Não tem preço", apresenta três ou quatro itens genéricos e seus respectivos preços, seguidos de um benefício essencial ao cliente, que é impagável. Esta campanha é um exemplo de uma sólida sincronização, pois é "extraordinariamente flexível e carrega consigo uma mensagem de marca que é relevante não apenas em termos globais, como também adapta-se bem a diferentes mídias, diferentes canais de pagamento, diferentes mercados". A campanha, hoje vista em 96 países e 47 línguas, gerou uma forte lembrança de marca e recebeu os prestigiados prêmios Gold Effie, Addy e Cresta.[23]

A *promoção de vendas* inclui incentivos de curto prazo, como cupons, recompensas, descontos e outras atividades que estimulam as compras e aumentam os gastos com publicidade. O setor de *fast food*, incluindo McDonald's, Burger King e Wendy's, oferece prêmios como personagens de filmes de ação que vinculam as redes a filmes em cartaz e programas de televisão. Uma versão especialmente bem-sucedida de promoções conjuntas entre anunciantes do setor de serviços e a indústria do entretenimento foi criada pela rede Carl Jr., pertencente à rede CKE Restaurants. O restaurante incorporou cenas de estreias de séries de televisão, de últimos episódios e de outros programas na propaganda da empresa, o que "gerou um aumento de mais de 30% no impacto dos gastos com mídia".[24]

As *relações públicas* incluem atividades que constroem uma imagem corporativa favorável junto aos públicos de uma companhia utilizando publicidade, relações com os meios de notícia e eventos comunitários. Richard Branson, fundador da companhia aérea Virgin Atlantic Airways (veja a seção Tema Global) é mestre em obter publicidade para sua empresa. Quando fundou a companhia, ele afirmou: "Sei que o único modo de competir com a British Airways e outras companhias aéreas é ir para a rua e fazer a promoção eu mesmo".[25] Desde sua fundação, as peripécias de Branson, que sempre geraram muita publicidade, incluíram quebrar o recorde da travessia do Oceano Atlântico em uma lancha, voar em um balão pelo Oceano Atlântico do Japão ao Canadá, vestir-se com trajes excêntricos durante voos da Virgin (por exemplo, o uniforme de uma comissária de bordo ou um biquíni) e ser fotografado tomando banho em uma banheira.

Tema global — A Virgin Atlantic Airways

Um nome de marca que seja conhecido internacionalmente pela inovação, pela qualidade e pelo senso de diversão – é isso o que sempre aspiramos oferecer com a Virgin. — Richard Branson

Richard Branson, que iniciou sua vida de executivo com a Virgin Records, a lendária gravadora que assinou contrato com Janet Jackson, os Rolling Stones, e The Human League, surpreendeu o mundo em 1984 ao fundar uma companhia aérea entrante chamada Virgin Atlantic Airways. Sua visão contemplava a criação de uma companhia aérea de alta qualidade e de valor para o dinheiro do cliente e que desafiasse a British Airways, a líder de mercado no Reino Unido. Ao longo de 25 anos, a Virgin Atlantic é a terceira maior companhia aérea da Europa a operar no Atlântico Norte, com destinos que incluem Estados Unidos, Caribe, Extremo Oriente, Índia, China, Hong Kong e África.

A companhia-mãe, a Virgin Group, que tem vendas totais que ultrapassam os $20 bilhões, é conhecida em todo o mundo como marca global inovadora, atuando no varejo de CDs, publicação de livros e *software*, edição de filmes e vídeo, além de clubes, telecomunicações móveis, trens e consultoria financeira para mais de 200 marcas em 29 países. A campanha de marca e de marketing da Virgin Atlantic Airways é um exemplo de comunicação global de sucesso, com componentes universais de marketing que são integrados em termos de tema e projeto em todo o mundo, além de anúncios individuais que se adaptam aos diferentes países em que atua.

A Virgin está focada no serviço ao cliente e nos baixos custos, ao mesmo tempo que oferece serviços exclusivos. Por exemplo, a companhia aérea foi a primeira a instalar sistemas de entretenimento nos voos e a oferecer massagem e serviços de salão de beleza aos passageiros da primeira classe. A logomarca em branco e vermelho, na forma de um leme de avião, aparece em todas as comunicações de marketing da companhia, no mundo inteiro, incluindo televisão, jornais, revistas, promoções de preço e outdoors. Outra imagem comumente adotada pela companhia é a da "Dama em Voo" (Flying Lady), uma imagem de autoria do artista plástico Alberto Vargas, que mostra uma mulher ruiva, parcamente vestida com uma echarpe; mas a atenção se volta para a bandeira do Reino Unido que ela segura. Algumas aeronaves reproduzem a Dama em Voo na fuselagem e a bandeira do Reino Unido nas asas (as quais passaram por uma remodelagem: hoje as abas das asas das aeronaves exibem o nome da marca "Virgin" em letra cursiva). Quando os raios do sol incidem sobre a parte pintada em prata e nas cores vibrantes da companhia, o lampejo de luz iridescente desperta a lembrança das imagens de aviões da década de 1930, época em que voar tinha ares de glamour e romance.

Conforme mostra o anúncio de divulgação internacional reproduzido a seguir, a Virgin Atlantic Airways consegue traduzir seus temas de marca com enfoques específicos a diferentes culturas enquanto conserva sua imagem global. As bananas presentes no anúncio de voos para o Caribe atraem a atenção dos leitores. Ainda que o texto e o apelo sejam alterados para se adaptar a uma cultura, todos os anúncios internacionais contêm a mesma logomarca da Virgin Atlantic Airways e as cores da companhia.

Fonte: www.virgin-atlantic.com

O *marketing direto* envolve correio, telefone, fax, e-mail e outras ferramentas para comunicar-se diretamente com clientes específicos a fim de obter uma resposta direta. A operadora de cartões de crédito American Express é uma empresa do setor de serviços que utiliza o marketing direto de modo extensivo e garante que ele seja bem integrado com todas as outras mensagens, inclusive as mensagens interativas dos funcionários. Conforme diz o vice-presidente global de propaganda da companhia:

> As marcas do setor de serviços não são geradas apenas por meio de propaganda. Na verdade, uma parcela razoável do *brand equity* se origina das experiências diretas do consumidor com a marca. Formamos uma parceria com [uma empresa de marketing de relacionamento] para nos auxiliar a administrar as experiências do cliente com nossa marca em todos os produtos e serviços – Cartões, Viagens, Serviços Financeiros e Serviços de Relacionamentos – por meio de canais diretos, como telefone, Internet e e-mail.[26]

A *venda pessoal* é a apresentação de um serviço diretamente ao cliente por meio de um representante da empresa para efetuar vendas e construir relacionamentos com o cliente. Uma das maneiras de integrar as vendas pessoais e a propaganda no setor de *business-to-business* consiste em desenvolver materiais de propaganda que as equipes de venda distribuem aos clientes. Esta abordagem não apenas gera uma mensagem integrada aos clientes, como também mantém as equipes de vendas plenamente informadas das promessas que a companhia apresenta.

Gerencie as expectativas dos clientes

Prometer com precisão quando e como um serviço será prestado é uma das principais maneiras de fechar a lacuna da comunicação. Entre as estratégias mais eficazes para gerir as expectativas do cliente estão a apresentação de promessas realistas, a oferta de garantias de serviço, de opções e de produtos com valor diferenciado, além da comunicação dos critérios que os clientes podem utilizar para avaliar os serviços.

Faça promessas realistas

As expectativas que os clientes têm do serviço afetam as avaliações que eles fazem de sua qualidade: quanto maiores as expectativas, mais eficiente tem de ser o serviço para ser interpretado como de alta qualidade. Portanto, fazer promessas acerca de algum aspecto da execução do serviço é indicado apenas nos casos em que elas são cumpridas de fato. É essencial que os departamentos de vendas e de marketing de uma companhia compreendam os níveis reais da execução do serviço (a porcentagem de vezes que ele é prestado corretamente, ou a porcentagem e o número de problemas que surgem no processo) antes de apresentar promessas. Para serem apropriadas e eficientes, as comunicações sobre a qualidade do serviço devem refletir com precisão o que os clientes de fato receberão no encontro de serviço.

É provável que o aspecto mais simples e ao mesmo tempo mais importante a lembrar seja: prometa apenas o que for possível.[27] Muitas companhias esperam despertar a percepção de que oferecem serviços de alta qualidade ao formularem essa afirmação na comunicação de marketing, mas esta estratégia pode ter o efeito inverso nas situações em que o serviço executado não condiz com as promessas feitas na propaganda. Em consonância com as estratégias que descrevemos na próxima seção, todas as comunicações do serviço devem prometer apenas o que for possível, sem tentar tornar o serviço mais atraente do que na verdade é.

Ofereça garantias de serviço

Conforme discutimos no Capítulo 7, as garantias do serviço são promessas formais feitas aos clientes acerca dos aspectos do serviço que receberão. Embora muitos serviços tenham garantias implícitas, os reais benefícios das garantias explícitas, como a maior probabilidade de o cliente escolher ou continuar com a companhia, materializam-se apenas quando o cliente sabe que elas existem e acredita que a companhia as cumprirá.

Tecnologia em foco — Agrupando os clientes com base em suas atividades *on-line*

Como você utiliza as redes sociais? Você cria conteúdo em blogs ou outras redes? Contribui com resenhas de livros em *sites* como o Amazon? Organiza suas fontes *on-line* em um *site* de favoritos? Tem conta no Facebook, no Twitter, no Foursquare e em outras redes sociais? Você se descreveria como alguém que lê o que outras pessoas produzem, mas sem interagir mais ativamente? Esses diferentes modos de os consumidores interagirem com as redes sociais são a base para a Ferramenta de Perfil Tecnográfico Social, que permite que as empresas entendam as tendências sociais de seus públicos-alvo. Com base na premissa de que os consumidores diferem no modo como usam as redes sociais, a Forrester Research Inc., uma das maiores autoridades mundiais em atividades *on-line*, desenvolveu essa ferramenta para auxiliar as companhias a comparar quaisquer dois grupos de pessoas em termos de seus padrões de uso de redes sociais. Esses comportamentos tecnológicos são mais úteis que as estatísticas demográficas ou psicográficas comumente adotadas para compreender e almejar os principais nichos de clientes.

Para entender melhor o Perfil Tecnográfico Social, examine a escada mostrada a seguir. Ela demonstra que os clientes podem ser classificados em um ou mais grupos, com base no modo como utilizam as redes sociais. Quanto mais alta a posição na escada, maior a influência do cliente. Os seis grupos são:

- Os *criadores* (aproximadamente 18% dos adultos *on-line* nos Estados Unidos, 10% na Europa, e 38% na Coreia) são clientes *on-line* que publicam regularmente em *blogs* ou *sites* como o YouTube.
- Os *críticos* (25% dos norte-americanos, 20% dos europeus e 36% dos japoneses) respondem aos conteúdos postados por outras pessoas *on-line*, mas não criam conteúdos próprios.
- Os *colecionadores* (10% dos norte-americanos e dos europeus) salvam *tags* e URLs em *sites* de favoritos, utilizam *feeds* de RSS e agregam informações para organizarem individualmente.
- Os *participantes* (25% nos Estados Unidos, 40% na Coreia) contribuem com *sites* de redes sociais como o Facebook, o YouTube e o Twitter.
- Os *espectadores* (48% dos norte-americanos, 37% dos europeus e 67% dos japoneses) não colaboram com postagens, mas leem o que as outras pessoas publicam, como vídeos, *blogs*, resenhas e *podcasts*.
- Os *inativos* são aqueles que têm computadores, mas não participam de redes sociais.

Mas como uma companhia utiliza a Escada da Tecnografia Social? A escada permite que as empresas estudem e comparem diferentes grupos de consumidores e então concebam sua estratégia *on-line* com base na composição que mais satisfaz esses clientes. Por exemplo, como mostram as porcentagens listadas, os consumidores em diferentes países têm diferentes perfis. A Coreia e o Japão tendem a ter um número maior de criadores. Portanto, espera-se que as empresas que almejam o público jovem nesses locais desejem envolver essas pessoas em atividades e fornecer informações que lhes permitam gerar mais conteúdo nas redes sociais. A identificação de indivíduos no grupo dos criadores e a atenção especial dada a eles provavelmente aumentarão a influência positiva deles sobre os consumidores em outras categorias. Se uma empresa almejasse um

Ofereça escolhas
Uma das maneiras de zerar as expectativas consiste em oferecer aos clientes opções para os aspectos importantes do serviço, como tempo e custo. Por exemplo, um psicólogo que cobra $100 por hora pode oferecer a seus clientes a escolha entre um aumento de preço de $10 por hora ou uma redução no número de minutos que compõem a consulta (definindo-a em 50 minutos de duração). Com esta escolha, os clientes podem selecionar o aspecto do *trade-off* (tempo ou dinheiro) que é mais importante para eles. A escolha solidifica as expectativas que os clientes têm do serviço.

Esta estratégia é eficaz em situações de *business-to-business*, sobretudo em termos da relação entre velocidade e qualidade. Os clientes que têm maior consciência do tempo muitas vezes desejam relatórios, propostas ou outra forma de documento por escrito com rapidez. Quando solicitado a apresentar uma proposta de 10 páginas para um projeto em um intervalo de três dias, um escritório de arquitetura respondeu dizendo que poderia apresentar uma proposta de duas páginas em três dias ou uma proposta de 10 páginas em uma semana. Os clientes ficaram com a segunda opção, pois perceberam que conseguiriam aceitar uma dilatação do prazo. Na maioria dos serviços de *business-to-business*, a velocidade é quase sempre essencial, mas também é uma ameaça ao desempenho. Se os clientes entenderem o *trade-off* e tiverem escolhas à disposição, eles provavelmente ficarão mais satisfeitos, porque suas expectativas quanto ao serviço para cada opção tornam-se mais realistas.

grupo do qual façam parte criadores, sua estratégia poderia envolver o desenvolvimento de formas reativas de conteúdo, como fóruns, resenhas e avaliações.

Fontes: C. Li and J. Bernoff, "The Social Technographics Profile: Grouping Customers Based on Online Activities," *Harvard Business Review*, 2008; C. Li and J. Bernoff, Groundswell: Winning in a world Transformed by Social Technologies Harvard Business Press, Boston, Massachusetts 2008; P. Levy, "Setting Social Strategy," *Marketing News*, March 15, 2011.

A escada da tecnografia social

Cada degrau da escada representa um grupo de consumidores mais envolvidos nas atividades *on-line* que o grupo precedente. Para se unir a um grupo em um degrau, o consumidor precisa apenas participar ao menos uma vez ao mês de uma das atividades listadas.

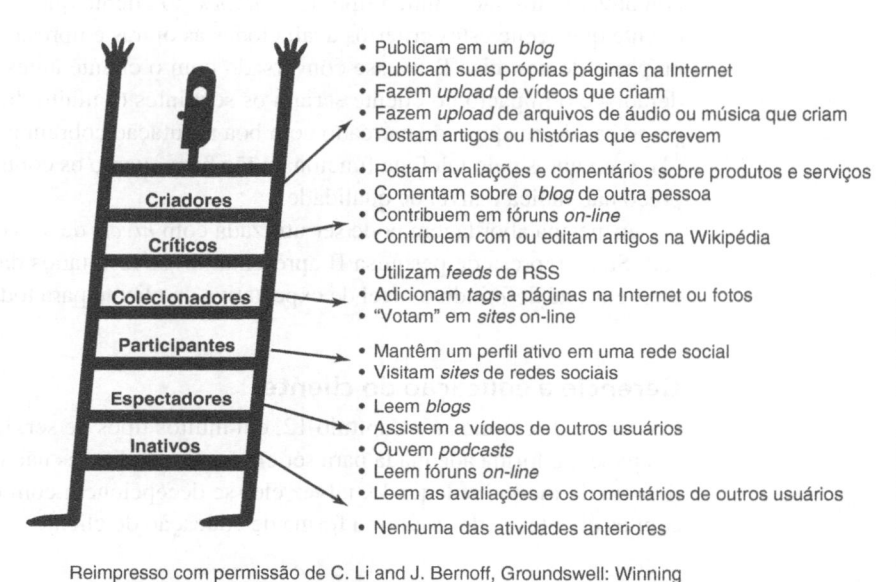

Criadores
- Publicam em um *blog*
- Publicam suas próprias páginas na Internet
- Fazem *upload* de vídeos que criam
- Fazem *upload* de arquivos de áudio ou música que criam
- Postam artigos ou histórias que escrevem

Críticos
- Postam avaliações e comentários sobre produtos e serviços
- Comentam sobre o *blog* de outra pessoa
- Contribuem em fóruns *on-line*
- Contribuem com ou editam artigos na Wikipédia

Colecionadores
- Utilizam *feeds* de RSS
- Adicionam *tags* a páginas na Internet ou fotos
- "Votam" em *sites* on-line

Participantes
- Mantêm um perfil ativo em uma rede social
- Visitam *sites* de redes sociais

Espectadores
- Leem *blogs*
- Assistem a vídeos de outros usuários
- Ouvem *podcasts*
- Leem fóruns *on-line*
- Leem as avaliações e os comentários de outros usuários

Inativos
- Nenhuma das atividades anteriores

Reimpresso com permissão de C. Li and J. Bernoff, Groundswell: Winning in a World Transformed by Social Technologies, Harvard Business Press, 2008.

Crie serviços com diferentes níveis de valor

As empresas do setor de bens de consumo estão acostumadas a oferecer diferentes versões de seus produtos a preços proporcionais ao valor percebido pelo cliente. Automóveis com diferentes configurações de características têm preços equivalentes ao valor que o cliente lhes atribui, não aos seus custos. Este mesmo tipo de oferta formal de pacotes e de métodos de precificação é uma opção para o setor de serviços, pois traz algumas vantagens adicionais para a gestão de expectativas.

As operadoras de cartões de crédito oferecem serviços com diferentes níveis de valor. A American Express tem diversos serviços de cartão baseados no tipo de oferta, desde as características básicas do cartão verde tradicional até as crescentes vantagens dos cartões *gold* e *platinum*. Duas das vantagens dos serviços com diferentes níveis de valor são:

1. A prática deixa o fardo de escolher o nível de serviço para o cliente, o que o familiariza com as expectativas do serviço.
2. A empresa identifica os clientes que estão dispostos a pagar preços mais elevados por maiores níveis de serviço.

A oportunidade de definir expectativas com clareza é vista quando o cliente toma a decisão no momento da compra, em que ele pode ser lembrado dos termos do contrato de compra no caso de desejar um suporte que esteja acima do nível especificado no acordo.

Comunique os critérios e os níveis de eficácia no serviço
Há ocasiões em que as companhias definem os critérios pelos quais o cliente avalia o serviço. Consideremos um cliente corporativo que esteja adquirindo serviços de pesquisa de mercado pela primeira vez. Como as pesquisas de mercado são um serviço especializado, elas têm alto teor de credibilidade e são de difícil julgamento pelo consumidor. Além disso, a eficácia deste tipo de serviço depende dos objetivos que o cliente atrela a ele. Nesta situação, uma empresa prestadora de serviços pode ensinar a seus clientes os critérios de avaliação do serviço. A empresa que ensinar o cliente de modo a gerar confiança sai com vantagens na definição do processo de avaliação.

Por exemplo, consideremos uma empresa de pesquisa A, que comunica os seguintes critérios ao cliente: (1) preço baixo indica baixa qualidade, (2) a reputação da empresa é essencial e (3) os contatos diretos são o único tipo de *feedback* do cliente que oferecerá informações precisas. Um cliente que aceite estes critérios avalia todas as outras empresas prestadoras a partir deles. Se uma empresa de pesquisa B tivesse conversado com o cliente antes, então os critérios a serem considerados e o impacto no cliente seriam os seguintes (e muito diferentes dos da empresa A): (1) as empresas de pesquisa de mercado com boa reputação cobram por isso, e não pela sua capacidade, (2) os contatos pelo telefone funcionam tão bem quanto os contatos diretos com os clientes e (3) o preço não indica o nível de qualidade.

A mesma abordagem pode ser utilizada com *níveis* de serviço, em vez dos critérios de avaliação. Se a empresa de pesquisa B apresenta novos resultados das análises de dados a cada quatro dias, ela está definindo o nível de expectativa do cliente para todas as suas concorrentes.

Gerencie a educação do cliente

Conforme discutimos no Capítulo 12, em muitos tipos de serviços o cliente precisa desempenhar seu papel de forma adequada para ser eficaz. Se os clientes não desempenharem suas funções ou o fizerem de modo inadequado, talvez eles se decepcionem com os serviços. Logo, a comunicação com os clientes pode assumir a forma de educação do cliente.

Prepare os clientes para o processo de serviço
Um de nós, ao retornar de uma viagem à Cingapura pela Singapore Airlines, esqueceu-se da regra da empresa que pede aos passageiros de todos os voos aos Estados Unidos que confirmem a viagem com 24 horas de antecedência. Ao chegar ao aeroporto para o voo de volta para casa, a poltrona havia sido repassada a um passageiro que havia seguido a orientação da empresa e confirmado sua viagem dentro do prazo. Dependendo da perspectiva, você pode tentar argumentar com a companhia ou entender que o cliente que fez a confirmação é quem está certo. De quem é a responsabilidade para garantir que os clientes desempenhem seus papéis corretamente?

As empresas evitam estas situações ao preparar os clientes para o processo do serviço, o que pode ocorrer com frequência, mesmo para cada ação que eles precisarão tomar. Um exemplo do setor *business-to-business* ilustra a estratégia.

Os clientes de serviços de consultoria em gestão adquirem vantagens intangíveis: eficácia de marketing, equipes motivadas, mudança de cultura. O próprio fato de que as companhias adquirem esses serviços indica que elas não sabem como executá-los sozinhas. Muitos clientes igualmente desconhecem os elementos que devem procurar a fim de avaliar o processo. Na consultoria em gestão e em outras situações complexas do setor de serviços, a empresa eficaz prepara o cliente para o processo do serviço e gera uma estrutura para ele. No princípio do relacionamento, a empresa de gestão em consultoria define os pontos de verificação em todo o processo, os intervalos de tempo em que ele será avaliado e leva o cliente a estabelecer os objetivos para a sua finalização. Uma vez que os clientes desconhecem a evolução do serviço, a empresa de consultoria controla a situação e define metas ou critérios a serem examinados nestes intervalos.

Confirme a execução do serviço de acordo com padrões e expectativas
As empresas do setor de serviços muitas vezes prestam serviços, ainda que requisitados de forma explícita, mas fracassam em comunicar ao cliente o que foi executado. Estas companhias não têm benefícios com suas ações quando não as reforçam com a comunicação sobre a concretização do que foi solicitado. Esta situação ocorre sob uma ou mais das seguintes condições:

- O cliente não consegue avaliar a eficácia do serviço.
- O tomador de decisão na compra do serviço não é a pessoa que utilizará o serviço.
- O serviço é executado longe da presença do cliente.

Quando os clientes não dispõem de elementos para avaliar a eficácia do serviço, ou por falta de experiência ou devido ao caráter técnico da atividade, a empresa prestadora talvez não tenha êxito em divulgar as ações que tratem das preocupações do cliente, pois tais ações são complexas demais para ele compreender. Nessa situação, a empresa pode tentar melhorar as percepções, traduzindo suas ações em termos mais compreensíveis ao cliente. Um advogado que trabalha com casos de lesão corporal e que aconselha um cliente quanto às implicações médicas e financeiras de um acidente precisa se comunicar por meio de uma linguagem que facilite ao cliente a compreensão de que o advogado desempenhou as ações necessárias.

Quando o tomador de decisão nas aquisições de serviços e os usuários são pessoas diferentes, talvez ocorra uma grande discrepância entre estas partes. Por exemplo, esta situação é vista na compra de produtos e serviços de tecnologia da informação. O tomador de decisão – o gerente de tecnologia da informação ou alguém em cargo semelhante – efetua as escolhas de compra e entende as promessas do serviço. Se os usuários não estão envolvidos no processo de compra, eles talvez não saibam o que está sendo prometido e sintam-se insatisfeitos.

Nem sempre os clientes estão informados de tudo o que é feito nos bastidores para atendê-los com eficiência. A maior parte dos serviços conta com processos ocultos de suporte. Por exemplo, os médicos frequentemente requisitam exames de diagnóstico para eliminar as causas de um problema de saúde. Nos casos em que estes testes são negativos, os médicos deixam de informar os resultados aos pacientes. Muitos salões de beleza oferecem garantias para a satisfação do cliente com cortes de cabelo, permanentes e tinturas. Porém, apenas uma pequena parcela destes salões divulga estas garantias em suas comunicações de marketing, pois pressupõem que os clientes já as conheçam. A empresa que divulga garantias de forma explícita pode se tornar a preferida do cliente que não esteja certo da qualidade do serviço. Dar ciência aos clientes sobre padrões ou esforços para melhorias em serviços que via de regra não estão prontamente visíveis é uma estratégia que aperfeiçoa as percepções sobre os serviços.

Esclareça as expectativas após a venda
Sempre que o serviço envolver repasses entre equipes de vendas e de operações, esclarecer as expectativas dos clientes ajuda a equipe de operações a alinhar a execução do serviço e as expectativas. As equipes de vendas são motivadas e recompensadas para elevar as expectativas – ao menos no momento de concluir a venda – em vez de criar uma comunicação realista acerca do que a companhia pode oferecer. Nestas situações, as empresas prestadoras evitarão decepções futuras se esclarecerem aos clientes o que foi prometido assim que a transação for repassada do departamento de vendas para o departamento de operações.

Administre a comunicação do marketing interno

A quinta categoria principal de estratégias necessárias para equilibrar a oferta com as promessas envolve a gestão das comunicações do marketing interno. Estas comunicações são de ordem vertical ou horizontal. As *comunicações verticais* são descendentes (da gerência para os funcionários) ou ascendentes (dos funcionários para a gerência). As *comunicações horizontais* são aquelas que acontecem entre as fronteiras funcionais de uma empresa. Uma terceira categoria é o *branding interno*, que consiste em diversas estratégias para vender a marca dentro da própria empresa. Outras estratégias, discutidas nos próximos parágrafos, incluem a *criação de comunicação ascendente*, o *alinhamento das equipes internas e de apoio com os clientes externos* e a *criação de equipes multifuncionais*.

Crie comunicações verticais eficazes

As empresas que disponibilizam a seus funcionários de contato com o cliente as informações, ferramentas e habilidades adequadas estão gerando oportunidades para eles desempenharem o marketing interativo com sucesso. Algumas destas habilidades são concretizadas por meio de treinamento e outros esforços de recursos humanos discutidos no Capítulo 11, mas outras são possibilitadas pela *comunicação descendente*. Entre as formas mais importantes de comunicação descendente estão boletins e revistas das companhias, redes de televisão internas, *e-mail*, *briefings*, vídeos e campanhas promocionais internas, além de programas de reconhecimento. Uma das chaves do sucesso da comunicação descendente é manter os funcionários informados de tudo o que é levado aos clientes por meio do marketing externo. Os funcionários precisam entender a comunicação de marketing da companhia antes de ela ser veiculada ou publicada e devem conhecer o *site*, as correspondências e as abordagens de venda direta adotadas. Se esta comunicação vertical não ocorre, tanto os clientes quanto os funcionários sofrem. Os clientes não recebem dos funcionários as mesmas mensagens ouvidas do marketing externo da empresa; os funcionários sentem que não estão bem informados, nem cientes do que a empresa está oferecendo. Os clientes procuram os funcionários para lhes indagar acerca de serviços que foram comercializados externamente e não internamente, o que faz estes se sentirem despreparados, abandonados e sem apoio da empresa.[28]

Crie comunicações horizontais eficazes

A *comunicação horizontal* – entre as fronteiras funcionais de uma organização – facilita a coordenação de esforços para a execução do serviço. Esta tarefa é difícil, pois as funções muitas vezes diferem em termos de objetivos, filosofias, perspectivas e visões do cliente – mas a compensação é alta. A coordenação entre os departamentos de marketing e de operações resulta em comunicações que refletem com precisão a execução do serviço, o que reduz a lacuna entre as expectativas do cliente e a real execução do serviço. A integração de esforços entre os departamentos de marketing e de recursos humanos oferece chances de melhorar a capacidade de cada funcionário para que ele se torne um profissional de marketing mais eficiente. A coordenação entre as finanças e o marketing da empresa gera uma estrutura de preços que reflete melhor a avaliação que o cliente faz de um serviço. Nas empresas do setor de serviços, todas estas funções precisam ser integradas para produzir mensagens consistentes e estreitar as lacunas do serviço.

Uma das estratégias importantes para as comunicações horizontais eficazes é a abertura de canais de comunicação entre o departamento de marketing e o pessoal de operações. Por exemplo, quando uma companhia cria uma propaganda que mostra o encontro de serviço, é essencial que essa comunicação reflita o que os clientes receberão nos encontros de serviço que ocorrerão. Bravatas ou exageros colocam em risco as percepções sobre os serviços, sobretudo quando a empresa é totalmente incapaz de executar o nível de serviço retratado na comunicação de marketing. A coordenação e a comunicação são essenciais na prestação de serviços que satisfaçam as expectativas dos clientes.

A representação de funcionários no desempenho de suas funções ou explicando os serviços que oferecem, estratégia já descrita neste capítulo, é uma das maneiras de coordenar as mensagens da propaganda e a realidade do encontro de serviço. Para gerar este tipo de propaganda, o departamento de propaganda da companhia ou a agência contratada interage diretamente com os funcionários do serviço, o que facilita as comunicações horizontais. Vantagens semelhantes são concretizadas se os funcionários forem incluídos no processo publicitário por outros caminhos, por exemplo, mostrando a eles a campanha em sua versão preliminar.

Outra importante estratégia para a comunicação horizontal envolve a abertura de canais de comunicação entre os departamentos de venda e de operações. Os mecanismos para alcançar este objetivo podem ser formais ou informais, como reuniões anuais de planejamento, viagens para encontros entre equipes ou *workshops* em que os departamentos envolvidos esclarecem as questões relativas aos serviços. Nessas reuniões, os departamentos interagem para compreender as metas, capacitações e restrições de cada um. Algumas companhias organizam "*workshops* para lacunas", em que os funcionários dos departamentos têm reuniões ao longo de um ou dois dias e cujo objetivo é tentar compreender as dificuldades em cumprir as promessas feitas pelo departamento de vendas por meio da execução do serviço pelo pessoal de operações.[29]

O envolvimento das equipes de operações em encontros pessoais com clientes externos é uma das estratégias que permite ao pessoal de operações compreender mais prontamente o papel do vendedor e as necessidades e os desejos dos clientes. Em vez de filtrar as necessidades do cliente por meio da equipe de vendas, os funcionários de operações podem testemunhar, em primeira mão, as pressões e demandas dos clientes. Muitas vezes, o resultado desta abordagem é o serviço de maior qualidade para o cliente interno – o vendedor – gerado pela equipe de operações, pois ela se conscientiza de seu próprio papel na satisfação de clientes internos e externos.

Venda a marca no interior da companhia

Ter conhecimento acerca do que a empresa está fazendo em relação à comunicação de marketing é um dos aspectos da comunicação do marketing interno, mas isso não é suficiente. O consultor Colin Mitchell enfatiza a importância de vender a marca da empresa e a mensagem da marca aos funcionários de forma que eles efetuem conexões sólidas com os clientes.[30] Ele recomenda três princípios básicos para dar vida a uma marca: (1) escolha o momento certo para ensinar e inspirar seus funcionários, (2) vincule o marketing interno e o externo, e (3) dê vida à marca para os funcionários. A escolha do momento certo é essencial porque os funcionários não são capazes ou não estão dispostos a aceitar muitas iniciativas de mudança. Portanto, a empresa precisa ser seletiva ao identificar oportunidades para despertar o entusiasmo pela marca.

A vinculação dos marketings interno e externo significa que os funcionários precisam receber da gerência as mesmas informações recebidas pelos clientes. Se os clientes são informados de que atendê-los é a coisa mais importante para a companhia, mas os funcionários receberem instruções de que a economia de custos é o aspecto de maior peso para ela, então estes se sentirão confusos e incapazes de incorporar a mensagem. Uma das melhores maneiras de relacionar os dois tipos de comunicação consiste em criar uma publicidade que almeje clientes e funcionários ao mesmo tempo. Quando a IBM lançou sua bem-sucedida campanha de *e-business*, a companhia publicou um grande anúncio no *The Wall Street Journal* para mostrar sua intenção com seus dois públicos-alvo, e em seguida passou a oferecer suporte a ambos por intermédio da campanha.[31]

Dar vida à marca diante dos funcionários envolve a geração de um forte elo emocional entre os funcionários e a empresa. Os funcionários da Southwestern Airlines são encorajados a incorporar a marca Southwest com a adoção de um estilo informal de vestir (ainda que usando o uniforme da empresa), com falas de improviso ao dar instruções tanto em solo quanto a bordo, e com a decoração dos balcões de *check-in* nas festas de fim de ano. A Singapore Airlines, por outro lado, relaciona-se com seus funcionários de acordo com a ênfase que a companhia dá à polidez, à formalidade de trajes, ao tom de voz baixo e à comida asiática.

Crie uma comunicação ascendente eficaz

A *comunicação ascendente* também é necessária para fechar a lacuna entre as promessas do serviço e a sua execução. Os funcionários estão na linha de frente do serviço, e sabem – mais do que qualquer pessoa dentro da organização – o que é ou não possível de ser executado. Eles sabem quando ocorre uma interrupção nos serviços e muitas vezes conhecem os motivos. A existência de canais de comunicação abertos entre funcionários e gerência consegue evitar os problemas com o serviço e minimizá-los quando ocorrem.

*Alinhe as equipes de retaguarda e suporte com as expectativas
do cliente por meio da interação ou mensuração*
À medida que as companhias voltam o foco para o cliente, as equipes da linha de frente desenvolvem habilidades para discernir o que ele deseja. Enquanto adquirem mais conhecimento e se tornam mais atraentes para o cliente externo, as empresas recebem recompensas implícitas pela satisfação que propiciam a ele. As equipes de retaguarda e de suporte, que normalmente não têm interação direta com o cliente, não desfrutam deste vínculo e, por conta disso, não conseguem desenvolver habilidades e receber as recompensas relacionadas.

As companhias estão desenvolvendo maneiras de facilitar a interação entre as equipes de retaguarda e de suporte e seus clientes. A Weyerhaeuser, por exemplo, envia os funcionários horistas às unidades dos clientes para melhor compreender as necessidades destes. Quando as interações são difíceis ou impossíveis, algumas empresas gravam vídeos mostrando seus clientes em suas instalações de serviço durante o processo de compra e consumo para retratar com maior vividez as necessidades e exigências desses clientes e mostrar às equipes o apoio de que os funcionários da linha de frente precisam para atender a essas expectativas.

Quando os sistemas de mensuração da companhia estão definidos, muitas vezes os funcionários são julgados com base no desempenho com o próximo cliente interno na cadeia. Embora essa abordagem ofereça um *feedback* em termos da eficiência com que os funcionários estão atendendo ao cliente interno, ela não gera a motivação, nem a recompensa por seus esforços de influenciar positivamente o cliente final. A FedEx alinhou as equipes internas ao cliente externo por meio da mensuração. Conforme discutimos no Capítulo 9, o indicador da qualidade do serviço da FedEx (SQI) calcula diariamente o número de falhas nos serviços em toda a companhia. Para comunicar aos funcionários internos os pontos de falhas junto ao cliente com clareza, a companhia criou mensurações vinculantes que rastreiam as causas a cada departamento interno. Por exemplo, o departamento de tecnologia da informação da companhia afeta os indicadores SQI e, portanto, tem subindicadores que trazem um *feedback* acerca de como o trabalho do departamento está afetando o SQI.

Desenvolva equipes multifuncionais
Outra abordagem para a melhoria das comunicações horizontais com vistas a atender aos clientes com mais eficiência consiste em criar equipes multifuncionais de funcionários para alinhar suas tarefas às exigências dos clientes. Por exemplo, se uma equipe de representantes de serviços de telecomunicações está trabalhando para melhorar a interação com o cliente, as equipes de retaguarda, como os técnicos em informática ou o pessoal de treinamento, podem fazer parte do grupo. Em seguida, o grupo identifica as exigências e define metas para atendê-las. Esta abordagem gera comunicações diretas entre os departamentos.

Um exemplo de uma equipe multifuncional é visto em uma agência de propaganda. O indivíduo que trabalha em uma agência e que via de regra interage diretamente com o cliente é o gerente de conta (o *suit*[*], na linguagem das equipes de criação). Em uma agência tradicional, o gerente de conta visita o cliente, identifica as expectativas dele e interage com os diversos departamentos na agência (arte, redação, produção, tráfego e aquisição de mídia) que desempenharão as tarefas. Todas as funções são especializadas e, em casos extremos, recebem informações para suas parcelas de trabalho direto do gerente de conta. Nesta abordagem, os representantes de todas as áreas se reúnem com o gerente de conta, e mesmo com o cliente, a fim de discutir a conta e os enfoques para lidar com as necessidades dos clientes. Cada integrante da equipe aborda as perspectivas de sua função e abre a comunicação. Com isso, todos os integrantes têm a chance de compreender as restrições e os cronogramas dos outros grupos.

---

[*] N. de T.: Em inglês *terno*, em referência ao traje formal do gerente não somente de agências de propaganda, como também de qualquer empresa ou órgão público.

Resumo

As discrepâncias entre a execução do serviço e as comunicações externas exercem forte impacto sobre as percepções do cliente acerca da qualidade do serviço. Neste capítulo discutimos o papel e a necessidade de uma integração das comunicações do marketing de serviços no sentido de minimizar estas diferenças. Descrevemos as comunicações externas e interativas utilizando o triângulo do serviço e destacamos a necessidade de coordenar todas as comunicações para executar o serviço que atenda às expectativas do cliente. Enfatizamos também as dificuldades e possibilidades associadas às novas mídias. Além disso, discutimos os fatores que trazem desafios às comunicações do marketing de serviços, incluindo a intangibilidade, a gestão das promessas de serviço, a gestão das expectativas e a educação do cliente, e a comunicação do marketing interno. Em seguida, examinamos estratégias para lidar com cada um destes problemas da comunicação em serviços. Para tratar da intangibilidade do serviço, descrevemos estratégias específicas, como a utilização de imagética vívida e símbolos tangíveis nas comunicações, e mostramos maneiras de maximizar a comunicação boca a boca. Como forma de auxílio na gestão das promessas de serviço, delineamos a necessidade de uma marca de serviço forte, da coordenação das promessas do serviço, da apresentação de promessas realistas e de garantias de serviço. Em relação à gestão das expectativas do cliente, sugerimos que disponibilizar alternativas (o que gera opções de diferentes valores), comunicar os critérios de eficácia no serviço e negociar expectativas irreais são formas de atingir maior eficiência. A educação do cliente pode ser melhorada com a sua preparação para o processo do serviço, a confirmação do desempenho de acordo com padrões e expectativas, o esclarecimento das expectativas após a venda, e o ensino de como escolher os melhores períodos para solicitar um serviço. Por fim, para administrar a comunicação interna, abordamos a eficácia da comunicação vertical e horizontal e do *branding* interno.

Questões para discussão

1. Pense em uma companhia do setor de serviços que forneça comunicações integradas no marketing de serviços. Visite o *site* da empresa e descubra a seção em que ela publica sua propaganda e comunicação. A campanha é abrangente e integrada, como a da hotels.com, conforme descrevemos no texto de abertura? Por quê? O que pode ser acrescentado, alterado ou eliminado para melhorar a campanha?
2. Entre as principais razões para a existência da lacuna da comunicação (lacuna 4 da empresa) discutidas no começo deste capítulo, quais são as mais fáceis de solucionar? Quais são as mais difíceis? Por quê?
3. Examine as cinco estratégias gerais para concretizar a integração das comunicações no marketing de serviços. Estas estratégias seriam relevantes para uma empresa de bens de consumo? Quais seriam as mais críticas para esse tipo de empresa? Quais seriam as mais importantes para uma empresa do setor de serviços? Existem diferenças entre as mais importantes para o caso de bens de consumo e aquelas para os serviços?
4. Quais são os anúncios pela Internet mais eficazes que você já viu? Por que eles são eficazes?
5. Utilizando a seção sobre gestão das expectativas do cliente, coloque-se no lugar de seu professor, que precisa reduzir a quantidade de "serviço" prestado aos alunos em sua classe. Dê um exemplo para cada estratégia que pode ser adotada neste contexto. Quais destas funcionam melhor com você (o aluno) na gestão de suas expectativas? Por quê?
6. Por que as redes sociais de marketing, como o Facebook e o YouTube, são tão importantes para as empresas de serviço? Elas são importantes para as empresas de bens de consumo?
7. Que outras estratégias você sugere para alavancar as mídias geradas pelo cliente?
8. Que outras estratégias você pode acrescentar às quatro apresentadas na seção sobre educação do cliente? Quais são os tipos de educação que você espera destas empresas de serviço? Dê um exemplo de uma empresa junto à qual você recebeu educação adequada quanto aos serviços que ela oferece. Que empresa não lhe ofereceu educação adequada?

Exercícios

1. Visite o *site* do Google e selecione a guia chamada "Soluções de negócios". Esta é a seção do *site* que descreve os tipos de propaganda que o Google oferece. Faça o mesmo para o *site* YouTube (selecione "Informações para empresas" e "Anuncie"). Analise estes tipos de anúncios e descreva as vantagens e desvantagens de cada um. Se você fosse um anunciante, quais destes tipos de anúncios você desejaria utilizar? Por quê?

2. Encontre cinco anúncios de serviço eficazes em jornais e revistas. De acordo com os critérios dados neste capítulo, identifique por que estes anúncios são eficazes. Avalie-os utilizando os critérios e discuta como eles podem ser melhorados.

Literatura citada

1. P. G. Lindell, "You Need Integrated Attitude to Develop IMC," *Marketing News*, May 26, 1997, p. 5.
2. D. Legg and J. Baker, "Advertising Strategies for Service Firms," in *Add Value to Your Service*, ed. C. Suprenant (Chicago: American Marketing Association, 1987), pp. 163–168.
3. B. Mittal, "The Advertising of Services: Meeting the Challenge of Intangibility," *Journal of Service Research* 2 (August 1999), pp. 98–116.
4. H. S. Bansal and P. A. Voyer, "Word-of-Mouth Processes within a Services Purchase Decision Context," *Journal of Service Research* 3 (November 2000), pp. 166–177.
5. K. L. Alesandri, "Strategies That Influence Memory for Advertising Communications," in *Information Processing Research in Advertising*, ed. R. J. Harris (Hillsdale, NJ: Erlbaum, 1983).
6. L. L. Berry and T. Clark, "Four Ways to Make Services More Tangible," *Business*, October–December 1986, pp. 53–54.
7. www.geico.com; www.Aflac.com; "Who's Your Favorite Advertising Icon?" detalhe do anúncio, *New York Times*, September 20, 2004, p. 6.
8. Berry and Clark, "Four Ways to Make Services More Tangible."
9. W. R. George and L. L. Berry, "Guidelines for the Advertising of Services," *Business Horizons*, May–June 1981, pp. 52–56.
10. M. Arndt, "Burrito Buzz—and So Few Ads," *BusinessWeek*, March 12, 2007, pp. 84–85.
11. G. Fulgoni, "No Time to Lose for Online Retailers," comScore Inc. blog, December 7, 2009.
12. M. Douglas, "Q&A," WOM Stats, www.womma.org, 28/5/2011.
13. "The 90/10 Split," www.emarketer.com, 28/5/2011.
14. Citado em S. Gupta, K. Armstrong and Z. Clayton, "Social Media," Harvard Business School, February 15, 2011, de um estudo da The Nielsen Company, "Trust, Value, and Engagement in Advertising," July 2009, http://blog.nielsen. com/nielsenwire/wp-content/uploads/2009/07/trustin advertising0709.pdf, acessado em janeiro de 2010.
15. "VNU Brings Together BuzzMetrics, Intelliseek to Create Nielsen BuzzMetrics Service," www.prnewswire.com, 25/9/2006.
16. D. D. Gremler, K. P. Gwinner, and S. W. Brown, "Generating Positive Word-of-Mouth Communications through Customer-Employee Relationships," *International Journal of Service Industry Management* (January 2001), pp. 44–59.
17. Ibid, pp. 54–56.
18. Leonard L. Berry, "Cultivating Service Brand Equity," *Journal of the Academy of Marketing Science* 28 (Winter 2000), pp. 128–137.
19. A figura e as definições contidas nesta seção são de Berry, "Cultivating Service Brand Equity."
20. L. L. Berry and K. D. Seltman, "Building a Strong Brand: Lessons from Mayo Clinic," *Business Horizons* 50 (2007), pp.199–209.
21. Ibid., p. 201.
22. G. Rifkin, "How the Red Sox Touch All the Branding Bases," strategy + business.com, acessado em abril de 2007.
23. www.mastercardinternational.com 2011.
24. Alice Z. Cuneo, "Sue Johenning," *Advertising Age*, September 27, 2004.
25. P. Denoyelle and J. Larreche, "Virgin Atlantic Airways—Ten Years Later," INSEAD Case, 1995.
26. D. E. Bell and D. M. Leavitt, "Bronner Slosberg Humphrey," *Harvard Business School Case 9-598-136*, 1998, p. 5.
27. Ibid.
28. L. L. Berry, V. A. Zeithaml, and A. Parasuraman, "Quality Counts in Services, Too," *Business Horizons*, May–June 1985, pp. 44–52.
29. V. A. Zeithaml, A. Parasuraman, and L. L. Berry, *Delivering Quality Service: Balancing Customer Perceptions and Expectations* (New York: The Free Press, 1990), p. 120.
30. C. Mitchell, "Selling the Brand Inside," *Harvard Business Review* 80 (January 2002), pp. 5–11.
31. Ibid., p. 9.

Capítulo 15

A precificação de serviços

Os objetivos deste capítulo são:
1. Discutir as três principais maneiras de os preços de serviços diferirem dos preços de bens de consumo.
2. Expressar as principais maneiras de a precificação de serviços diferir da precificação de bens de consumo, da perspectiva da empresa.
3. Demonstrar o que o valor significa para os clientes e o papel que o preço desempenha no valor.
4. Descrever as estratégias que as companhias adotam para precificar serviços.
5. Dar exemplos de estratégias de precificação em ação.

As tarifas das companhias aéreas deixam os clientes perplexos

Nos bons dias da bilhetagem tradicional do transporte aéreo, os clientes conseguiam avaliar o custo de uma passagem com facilidade, comparando preços de voos de companhias concorrentes. Um voo tinha um custo básico mais taxas, o que facilitava o cálculo do preço final. Mas as coisas mudaram. Com taxas diferentes e separadas para serviços, como alteração de passagem, método de reserva (via telefone, Internet ou mesmo no balcão de operações), menores de idade desacompanhados, animais de estimação, escolha de poltronas, poltronas especiais, refeições e bebidas a bordo, cobertores e travesseiros, sacolas, bagagem verificada, excesso de bagagem, ordem de embarque e bagagens tamanho grande, um passageiro simplesmente não consegue saber de antemão o valor que terá de pagar para viajar.

Para piorar, algumas companhias aéreas cobram tarifas adicionais para serviços que são gratuitos em outras, ou cobram uma quantia idêntica para serviços que não variam, o que dificulta a comparação entre companhias. Por exemplo, a American Airlines e a U.S. Airways oferecem e cobram valores adicionais por poltronas regulares na parte da frente da cabine das poltronas leito. Por outro lado, a United, a JetBlue e a Virgin America disponibilizam a escolha da poltrona gratuitamente, mas tarifam poltronas com mais espaço para as pernas. A American, a U.S. Airways, a JetBlue e a Virgin America vendem travesseiros e cobertores; elas não cedem esses itens como cortesia. A Allegiant vende cobertores por $15, sem direito a travesseiros. Se você deseja embarcar no avião antes dos outros passageiros, a United, a American, a Southwest e a AirTran cobram $10 ou mais para você embarcar após os passageiros da primeira classe e da classe executiva.

A única companhia aérea que se diferencia por não cobrar por malas é a Southwest Airlines, cujo slogan é "Malas voam de graça". Esse diferenciador de preço dá suporte à posição da companhia como empresa de baixo custo e aumenta a disposição dos passageiros. Em contrapartida, a Spirit Airlines, a qual também é uma companhia aérea de baixo custo, se distingue negativamente por ser a primeira e única companhia do setor operando nos Estados Unidos a cobrar uma tarifa dos passageiros que carregam alguma bagagem de mão. A Spirit não cobra valor algum dos passageiros que imprimem seus próprios cartões em casa via Internet, mas cobra $5 por cartões de embarque impressos por um funcionário do *check-in* da empresa. A mais nova tarifa cobrada pela companhia é $1 pelo cartão de embarque impresso no quiosque da companhia nos aeroportos.

Cobrar por serviços individuais é uma estratégia relativamente nova adotada pelas companhias aéreas norte-americanas, mas é praticada há tempo pela Ryanair, a empresa de baixo custo baseada em Dublin, Irlanda. As tarifas médias da Ryanair ($53), são quase metade do valor cobrado pela Southwest Airlines ($93), e incluem cobranças adicionais por serviços "extras", como bagagem e *check-in on-line*. Dependendo do ponto de vista do passageiro, a empresa pode ser vista como muquirana (a água tem quase o mesmo preço da cerveja em um voo doméstico nos Estados Unidos), ou do tipo "pague pelo que consumir" (até as reservas *on-line* têm de ser pagas). As tarifas são baixas, mas todo o resto tem um preço. Na verdade, houve um caso em que a companhia cobrou $34 pela utilização de uma cadeira de rodas! Além disso, os clientes não são os únicos a pagar por algo: os funcionários adquirem seus próprios uniformes e canetas. Michael O'Leary, CEO da *holding*, revela com clareza sua filosofia: "Você quer luxo? Então procure outra companhia aérea".

Inspirado na Southwest Airlines, O'Leary revolucionou a estratégia de gestão de uma companhia aérea de baixo custo. Ele adotou a abordagem básica da Southwest e a explorou. Em primeiro lugar, ele cortou despesas em todos os aspectos possíveis – as vendas de passagens são quase todas efetuadas *on-line*, os bolsos para revistas presentes na parte de trás dos assentos e os anteparos das janelas foram removidos para poupar trabalho de manutenção entre os voos, e as poltronas não são reclináveis, o que possibilita aumentar o número de passageiros transportados. Em segundo lugar, O'Leary baseou sua estratégia de precificação nas taxas para serviços individuais, as quais não são diretamente comparáveis às de outras companhias, o que isolou a Ryanair da concorrência direta no preço. Quando as grandes empresas do setor aéreo baixavam suas tarifas, o que as deixava mais competitivas com a Southwest e a JetBlue, elas tinham de oferecer extras ou eliminar os cortes nos custos para competir. O'Leary manteve as tarifas baixas, mas continuou cobrando por tudo o mais, para manter os lucros. Kerry Capell, da revista *BusinessWeek*, compara esta estratégia àquela adotada pelas empresas de telefonia celular:

> Ele pensa como um varejista e cobra por absolutamente tudo, exceto pela poltrona em si. Imagine que a poltrona seja um telefone celular: ele sai de graça, ou quase, mas o dono acaba se estressando por ter de pagar por todos os serviços. Ano passado a Ryanair entregou de graça 25% de suas poltronas, um número que O'Leary acredita poder duplicar nos próximos cinco anos. Em um futuro não tão distante, ele planeja não cobrar pelas poltronas.

Entre as outras abordagens lucrativas envolvendo serviços de bordo que O'Leary adota estão a propaganda e a venda de produtos (como câmeras) e de serviços (como bilhetes de ônibus e de trem). Estes bilhetes são especialmente úteis aos passageiros, pois a companhia opera em pequenos aeroportos nas imediações de grandes centros urbanos, como faz a Southwest. No canal *on-line*, a companhia promove e vende serviços como hospedagem em hotéis, locação de veículos, seguro de viagem e apostas, pelas quais ela recebe comissões. Serviços de telefonia celular planejados para os voos em breve permitirão a prática de jogos no interior das aeronaves.

A estratégia de precificação da companhia é muito eficaz, e fez da Ryanair a companhia aérea mais lucrativa da Europa. É interessante observar que a Southwest, a companhia aérea mais lucrativa dos Estados Unidos, adota uma estratégia exatamente oposta!

Fontes: K. Capell, "Wal-Mart with Wings," *BusinessWeek*, November 16, 2006; www.ryanair.com, 2007; "Ultimate Guide to Airline Fees," compilado pela Smarter Travel, www.smartertravel.com/blog/ today-in-travel/airline-fees-the-ultimate-guide.html?id=2623262, julho de 2011; "Airlines Go Back to Boarding School to Move Fliers onto Planes Faster," *The Wall Street Journal*, July 21, 2011, p. D1.

Capítulo 15 A precificação de serviços 437

De acordo com um dos principais especialistas em precificação, a maioria das empresas do setor de serviços utiliza "uma abordagem de precificação ingênua e rudimentar, que ignora as oscilações ocultas na demanda, a taxa na qual é possível expandir a oferta, os preços de substitutos disponíveis, a importância da relação preço-volume, ou a disponibilidade de substitutos futuros".[1] O que torna a precificação de serviços mais difícil do que a de bens de consumo? Quais são as abordagens eficientes no contexto de serviços?

Este capítulo se baseia em três diferenças básicas entre as avaliações que o cliente faz da precificação de serviços e da precificação de bens de consumo:

1. Os clientes muitas vezes têm referências de preço imprecisas ou limitadas para serviços.
2. O valor monetário não é o único preço relevante aos clientes de serviços.
3. O preço é um importante indicador da qualidade dos serviços.

Estas três diferenças têm efeitos profundos nas estratégias que as empresas adotam para definir e administrar preços para serviços.

Este capítulo também discute estruturas de precificação mais comuns, como as (1) baseadas em custos, (2) baseadas na competição e (3) baseadas na demanda. Um dos aspectos mais importantes da precificação baseada na demanda é o valor percebido, que precisa ser entendido pela prestadora de serviço para que ela consiga precificá-lo de acordo com as ofertas e as expectativas do cliente. Por essa razão também descrevemos como o cliente define valor e discutimos estratégias de precificação no contexto do valor.

OS TRÊS PRINCIPAIS MOTIVOS PELOS QUAIS OS PREÇOS DE SERVIÇOS SÃO DIFERENTES PARA O CONSUMIDOR

Qual é o papel do preço nas decisões que o cliente toma sobre serviços? Qual é a importância do preço para os potenciais compradores em comparação com outros fatores das características dos serviços? As empresas do setor devem entender o funcionamento da precificação, mas antes de tudo precisam compreender o modo como o cliente percebe os preços e as respectivas alterações. As três próximas seções descrevem as maneiras como os clientes percebem os serviços. Nesse cenário, cada uma dessas maneiras é essencial à eficácia da precificação.

O conhecimento do cliente sobre os preços de serviços

Até que ponto os clientes utilizam o preço como critério para a seleção de serviços? Quanto os clientes sabem sobre o custo de um serviço? Antes de responder a estas perguntas, preencha o questionário sobre precificação de serviços apresentado no Quadro 15.1. Você conseguiu inserir um preço para cada um dos serviços listados? Se você foi capaz de responder às perguntas de memória, você tem *preços de referência* internos para serviços. Um preço de referência é um *ponto de preço existente na memória para um bem ou um serviço*. Ele pode ser o último preço pago, o preço pago mais frequentemente ou a média de todos os preços que o cliente pagou por serviços semelhantes.[2]

Para ver o quão precisos são seus preços de referência, compare-os ao preço real destes serviços tal como oferecidos por outras empresas em sua cidade. Se você for como a maioria dos consumidores, você tem muitas dúvidas sobre seu conhecimento real dos preços de serviços, e os preços de referência para serviços que você detém na memória normalmente não são tão precisos quanto os preços de produtos. Há muitas razões para esta diferença.

A variabilidade do serviço limita o conhecimento
Em função de os serviços não serem gerados em uma linha de montagem, as empresas do setor têm muita flexibilidade nas configurações dos serviços que oferecem. Estas empresas disponibilizam uma variedade de combinações e permutações, o que gera estruturas de precificação complexas

Quadro 15.1 — O que você conhece sobre os preços de serviços?

1. Qual é o preço dos seguintes serviços em sua cidade?

   Check-up odontológico _____

   Check-up médico geral _____

   Assistência jurídica para uma acusação de embriaguez ao volante _____

   Aparelho ortodôntico _____

   Diária de locação de vídeo ou DVD _____

   Limpeza doméstica, por hora _____

   Uma suíte no hotel Marriott _____

   Corte de cabelo _____

   Troca de óleo e lubrificação _____

2. Qual das alternativas a seguir você escolheria se precisasse trocar uma restauração em um dente?

   a. Dentista A – o custo é $75, fica a 24 km de sua casa, a espera é de 3 semanas por uma consulta e de uma hora e meia no consultório.

   b. Dentista B – o custo é $100, fica a 24 km de sua casa, a espera é de 1 semana por uma consulta e meia hora no consultório.

   c. Dentista C – o custo é $150, fica a 5 km de sua casa, a espera é de uma semana para a consulta mas não há espera no consultório.

   d. Dentista D – o custo é $225, fica a 5 km de sua casa, a espera é de uma semana para a consulta mas não há espera no consultório, e óxido nitroso é utilizado como anestésico, por isso o paciente não sente dor.

e difíceis. Por exemplo, consideremos a dificuldade de obter cotações de preço comparáveis no processo de compra de um seguro de vida. Com os diversos tipos de seguro (como a modalidade para toda a vida e a modalidade para um período fixo), as características (diferentes franquias) e as variações associadas aos clientes (idade, risco à saúde, tabagismo), são poucas as seguradoras que oferecem exatamente as mesmas características e os mesmos preços. Somente um cliente instruído, que conheça o bastante sobre seguros para especificar por completo as opções de cada seguradora, é que conseguirá comparar preços.

De que forma você respondeu às questões sobre preços de um *check-up* médico? Se você é como a maioria dos consumidores, então você provavelmente precisaria de mais informações antes de informar um preço de referência. Você talvez quisesse conhecer o tipo de *check-up* que um médico oferece. Ele inclui raios X e outros exames? Quais? Qual é a duração de um *check-up*? Qual é sua finalidade? Se o *check-up* é executado simplesmente para obter um atestado médico ou uma certidão de casamento, o médico pode optar por fazer algumas poucas perguntas sobre a história médica do paciente, auscultar seus batimentos cardíacos e medir a pressão arterial. Porém, se o *check-up* planeja monitorar uma doença crônica, como diabetes ou hipertensão arterial, o médico talvez seja mais detalhista. O que queremos deixar claro é que existe uma grande variabilidade entre prestadoras de serviços. Nem todo médico define um *check-up* com os mesmos critérios de seus colegas.

As prestadoras não demonstram disposição para estimar preços

Outra razão pela qual os clientes não têm preços de referência precisos para serviços é que muitas prestadoras não são capazes ou não estão dispostas a estimar preços com antecedência, como vemos com empresas de serviços médicos e jurídicos. O principal motivo é que elas não conhecem tudo o que está envolvido nos serviços até terem examinado o paciente ou verificado a situação do cliente por completo, ou até o processo da execução do serviço iniciar (como uma cirurgia ou um julgamento, respectivamente). Os hospitais defendem que seus modos de cobrança, chamados "bases de diárias", não devem ser disponibilizados aos pacientes de antemão, e lutam para que estes dados permaneçam confidenciais.[3] Em um contexto *business-to-business*, as empresas recebem ofertas ou estimativas de serviços complexos, como consultoria ou construção, mas este tipo de estimativa de preço via de regra não é adotado para os consumidores finais. Portanto, estes adquirem o serviço sem saber antes qual será seu preço final.

O cliente individual precisa de variação

Outro fator que resulta na imprecisão que cerca o preço de referência é a necessidade de variação sentida pelo cliente individual. Os preços de alguns serviços de cabeleireiro variam de acordo com o cliente, com base no comprimento do cabelo, no estilo de corte e na inclusão de um tratamento de hidratação ou de um penteado especial. Assim, se você perguntar a um amigo quanto custa o corte de cabelo em um dado salão, é muito provável que o seu corte, feito com o mesmo profissional, tenha um preço diferente do corte de seu amigo. Da mesma forma, um serviço simples, como o aluguel de um quarto de hotel, tem preços que variam de acordo com o tamanho do quarto, a época do ano, a disponibilidade e taxas individuais ou em grupo de hóspedes. Estes dois exemplos valem para serviços muito simples. Agora, consideremos a compra de um serviço individualizado, como a colocação de um aparelho ortodôntico ou uma consultoria jurídica junto a um advogado. Nestes e em muitos outros tipos de serviços, as diferenças entre clientes desempenham um papel muito forte na definição do preço.

A coleta de informações sobre preços é esmagadora no setor de serviços

O fato de os clientes sentirem-se esmorecidos pelo volume de informações que precisam coletar é outra razão que prejudica a formação de um preço de referência preciso. Para a maioria dos bens de consumo, as lojas do varejo mostram os produtos por categoria, pois assim os clientes podem comparar preços para diferentes marcas e tamanhos. Porém, no caso de serviços, é raro vermos serviços semelhantes sendo oferecidos. Se os clientes desejam comparar preços (como para lavagem a seco), eles precisam telefonar ou visitar as lavanderias. Essa tarefa é muito trabalhosa para o cliente, mesmo em se tratando de serviços básicos, conforme ilustrado no Quadro 15.1.

Nas situações em que os serviços são mais especializados, descobrir o quanto custam é ainda mais difícil. Vejamos se você tem preços de referência para estes tipos de serviço: organização de casamentos, tratamento quiroprático para animais de estimação, impermeabilização de objetos utilizados por bebês e treinamento de executivos. Seus preços de referência – se de fato tiver – provavelmente são menos precisos do que aqueles apresentados no questionário no Quadro 15.1. Aqui vão algumas estimativas reais para estes serviços: $5.500 para um organizador de cerimônias de casamento que cuide de todos os detalhes, $70 a 140 para uma consulta para tratamento quiroprático de animais de estimação, $300 a 450 para a proteção de uma casa para o bebê e $1.300 para quatro horas de treinamento de executivos.[4]

O fato de os consumidores muitas vezes terem preços de referência inadequados para serviços traz importantes implicações relativas à gestão. A precificação promocional (como na oferta de cupons ou descontos especiais) pode ter menos impacto nos serviços para os quais uma âncora de preço não existe. Talvez seja por isso que o preço não é incluído na propaganda do serviço da mesma forma que na publicidade para bens de consumo. A precificação promocional vai gerar problemas se o preço especial (como $50 para um permanente em um salão de beleza) for o único mostrado no anúncio: ele poderá se tornar o preço âncora do cliente, o que torna alto o valor normal de $75 quando de futuras aquisições do serviço.

A ausência de preços de referência adequados também sugere que o anúncio de preços reais para serviços que o cliente não está acostumado a adquirir pode reduzir a incerteza e neutralizar as expectativas inflacionadas sobre preços para alguns serviços. Por exemplo, os anúncios de uma empresa de pesquisa de marketing que citam o preço de um estudo simples (como $10 mil) oferecem informações a seus clientes corporativos que não estão familiarizados com os custos de pesquisas e que de outra forma teriam de adivinhar. A inclusão de preços na propaganda permite à companhia vencer o medo do alto custo sentido pelo cliente, pois oferece um preço de âncora.

Os preços não são visíveis

Uma das exigências para a existência dos preços de referência é a *visibilidade do preço* – o preço não pode ser oculto nem implícito. Em muitos serviços, sobretudo serviços financeiros, a maior parte dos clientes conhece apenas a taxa de retorno, não os custos pagos na forma de fundos ou seguros. No caso de valores mobiliários e seguros de vida temporários, os clientes são informados das taxas cobradas. Contudo, o preço não aparece em certificados, seguros de vida vitalícios e anuidades (que têm cobrança retroativa), e os clientes raramente sabem como estão sendo cobrados ou pelo que estão pagando. As anuidades dos cartões de crédito são avaliadas com base no quanto os clientes gastam; ainda que conheçam as taxas de juros, eles muitas vezes sentem-se chocados com o que têm de pagar como taxas a instituições financeiras. A capitalização e outras práticas financeiras – como a observância de períodos muito curtos para pagamento e aumentos abusivos nas taxas de juros devido a atrasos – não afetam os custos até as compras terem sido efetuadas.

Por todas essas razões, para alguns serviços muitos clientes não têm noção do preço *até o momento de ter de pagar por eles*. Claro que em situações de urgência, como acidentes ou doenças, os clientes precisam tomar a decisão de adquirir o serviço sem pensar em despesas. Nesse caso, em que o custo é desconhecido antes da compra, ele não pode ser utilizado como critério de compra, tal como ocorre com os bens de consumo.

O papel dos custos não monetários

Há tempo que os economistas reconheceram que o preço em dinheiro não é o único sacrifício que o consumidor faz para obter produtos ou serviços. Portanto, a demanda não é função apenas do preço em dinheiro, mas sofre influência de outros custos. Os custos não monetários representam outras fontes de sacrifício percebidas pelos consumidores ao adquirirem e utilizarem um serviço. Os custos traduzidos em tempo ou pesquisa e os de ordem psicológica frequentemente entram na decisão de comprar ou recomprar um serviço e, algumas vezes, têm mais importância do que o preço em dinheiro. Os consumidores pagam por estes outros custos.

Os clientes pagam para não perder tempo. Aqueles que adquirem serviços de corte de grama, limpeza da casa e similares muitas vezes o fazem porque seu tempo é mais valioso do que o dinheiro necessário para adquirir o serviço.

Os custos de tempo

A maior parte dos serviços requer participação direta do cliente e, por isso, consome tempo real: o tempo de espera e o tempo de interação do cliente com a prestadora do serviço. Consideremos o investimento que você faz para praticar uma atividade física, consultar um médico ou ficar no meio de uma multidão para assistir a um show ou a um jogo de beisebol. Você não está apenas pagando em dinheiro para receber estes serviços, você também está gastando tempo. O tempo se torna um sacrifício feito no sentido de receber o serviço de diversos modos. Em primeiro lugar, uma vez que as empresas prestadoras de serviço não conseguem controlar o número de clientes, nem o tempo necessário para atender a cada um deles, esses clientes provavelmente passarão tempo esperando para receber o serviço. O tempo médio de espera em consultórios médicos é 24 minutos, de acordo com a Associação Médica Norte-americana.[5] O tempo de espera por um serviço é muitas vezes mais longo e menos previsível do que o tempo de espera para a compra de um produto físico. Em segundo lugar, os clientes muitas vezes esperam uma consulta com um prestador de serviço (no questionário sobre preços, o dentista A requeria uma espera de três semanas, enquanto o dentista D apenas uma). A vasta maioria de nós já perdeu tempo esperando para receber um serviço.

Os custos com pesquisa

Os custos com pesquisa – o esforço investido a fim de identificar e selecionar os serviços que você deseja – muitas vezes são mais altos para serviços do que para produtos. Os preços de serviços raramente são mostrados nas prateleiras dos estabelecimentos do setor para os clientes examiná-los enquanto estão comprando e, portanto, estes preços são frequentemente conhecidos apenas quando o cliente já tomou a decisão de receber o serviço. Por exemplo, você conseguiu estimar o valor por hora de serviço de limpeza no questionário sobre preços? Como estudante, é improvável que você adquira este serviço regularmente e é possível que você não tenha noção do preço por hora praticado no mercado. Outro fator que aumenta os custos de pesquisa é que cada estabelecimento de serviços via de regra oferece apenas uma "marca" de um serviço (com exceção dos corretores de seguro ou de serviços financeiros). Por isso, um cliente precisa estabelecer contato com diversas companhias para obter informações. Hoje a Internet facilita as comparações de preço de vários serviços (viagens e hotéis, por exemplo), o que reduz os custos de pesquisa. A Orbitz e a Travelocity oferecem a seus clientes uma busca pela maioria das companhias aéreas (a notável exceção é a Southwest, que não participa de sistemas de reservas) e por diversos hotéis e locadoras de veículos. Contudo, como mostra o texto de abertura deste capítulo, as taxas adicionais cobradas pelas companhias aéreas acabam dificultando a pesquisa sobre os custos finais de um voo.

Os custos de conveniência

Há também os custos de conveniência dos serviços (ou talvez seja mais apropriado referir-se a eles como custos de inconveniência). Se os clientes têm de se deslocar para receber um serviço, eles sofrem custos que se elevam à medida que este deslocamento se dificulta, como ocorre com idosos. Além disso, se o horário de atendimento de uma empresa prestadora não coincidir com o tempo disponível do cliente, ele terá de adaptar seus horários ao da companhia. Se os clientes têm de fazer algum esforço e despender tempo de preparação para receberem os serviços (como a remoção de todos os alimentos de uma cozinha antes da execução de um serviço de dedetização), eles terão sacrifícios adicionais.

Os custos psicológicos

Muitas vezes os custos não monetários mais dolorosos sofridos na prestação de algum serviço são os de ordem psicológica. O medo de não entender aspectos do serviço (seguros), de sofrer rejeição (empréstimos bancários) ou de receber resultados (tratamentos médicos ou cirurgias) constituem custos psicológicos vistos como sacrifícios na aquisição de serviços. Serviços novos, e mesmo os que geram uma mudança positiva, acarretam custos psicológicos que os clientes somam ao valor pago na sua compra. Enquanto muitos supermercados hoje oferecem caixas registradores de autoatendimento, as quais permitem que os clientes evitem as filas, o número de pessoas que de fato as utiliza está aquém das expectativas iniciais. Muitos clientes acham que essas caixas registradoras de autoatendimento são confusas e frustrantes; há também aqueles que se sentem constrangidos por não conseguirem passar por elas com rapidez.

A redução dos custos não monetários
Do ponto de vista da gestão, as implicações destas e de outras fontes de sacrifícios são grandes. Em primeiro lugar, uma empresa talvez seja capaz de aumentar os preços monetários com a redução de outros custos, como o de tempo. Por exemplo, um profissional de marketing de serviços pode reduzir as percepções de tempo e os custos de conveniência quando a utilização do serviço está inserida em outras atividades (como no caso em que uma loja de conveniência desconta um cheque, vende selos e serve café, além dos produtos que normalmente comercializa). Em segundo lugar, os clientes talvez estejam dispostos a pagar para evitar outros custos. Muitos clientes espontaneamente pagam valores extras para terem entregues em suas casas os itens que adquirem – inclusive refeições ou mobília –, em vez de transportarem os serviços e produtos por conta própria. Alguns clientes também pagam a mais por *check-in* e *check-out* rápidos (como no clube Hertz #1), por tempos de espera reduzidos no escritório de um profissional liberal (como vemos nas chamadas "consultas executivas", que permitem a um executivo ocupado ser atendido no começo da manhã, sem precisar esperar pelo serviço) e por não ter de fazer o trabalho por conta própria (é o caso de pagar 50% a mais por litro de gasolina para não precisar abastecer um veículo locado antes de devolvê-lo). Se os custos de tempo ou de outra natureza são essenciais a um serviço, a propaganda da companhia pode enfatizar a economia nestes custos, não no custo monetário.

Outros tipos de serviço poupam tempo, o que permite ao cliente "ganhar" tempo. Serviços como o de limpeza doméstica, jardinagem, babá, serviços de compras para a casa, operações bancárias *on-line*, entrega domiciliar de compras, pintura predial e limpeza de tapetes – todos estes serviços representam ganhos líquidos, dependendo do tempo de cada cliente, e podem ser comercializados desta maneira. Os serviços que permitem poupar tempo provavelmente terão valor monetário para clientes ocupados.

O preço é um indicador da qualidade dos serviços

Um dos aspectos mais intrigantes da precificação é que os compradores utilizam o preço como indicador dos custos do serviço e também de sua qualidade – o preço é ao mesmo tempo uma variável que repele e atrai clientes.[6] O modo como um cliente utiliza o preço como indicador de qualidade depende de diversos fatores, um dos quais é o conjunto de outras informações que lhe são disponibilizadas. Nos casos em que há indícios prontamente acessíveis da qualidade do serviço, em que nomes de marca trazem evidências da reputação de uma companhia ou em que o nível de propaganda transmite a crença da empresa na própria marca, os clientes talvez prefiram utilizar estes indícios, não o preço. Contudo, em situações em que é difícil detectar a qualidade ou em que esta e o preço variam muito para uma dada classe de serviços, os consumidores podem passar a acreditar que o preço é o melhor indicador da qualidade. Muitas destas condições são enfrentadas pelo consumidor ao adquirir serviços.[7] Outro fator que aumenta a relevância do preço como indicador da qualidade é o risco associado à aquisição do serviço. Em situações de alto risco, muitas das quais envolvem serviços baseados em credibilidade, como tratamentos médicos ou consultoria em gestão, o cliente interpreta o preço como sinônimo de qualidade.

Já que o cliente depende do preço como sinal da qualidade e visto que o preço define as expectativas de qualidade, é preciso adotar cautela na definição de preços de serviços. Além de cobrir custos ou favorecer a competição com a concorrência, os preços precisam ser firmados para enviar a mensagem mais correta sobre a qualidade. Colocar preços muito baixos para serviços pode levar a conjeturas imprecisas acerca de sua qualidade. Em contrapartida, a definição de preços muito altos gerará expectativas difíceis de atender durante a execução dos serviços.

AS ABORDAGENS PARA A PRECIFICAÇÃO DE SERVIÇOS

Em vez de repetir o que você aprendeu sobre precificação em suas primeiras aulas de marketing de serviços, neste capítulo queremos enfatizar as diferenças entre preços de serviços e precificação, do ponto de vista da companhia e também do cliente. Discutimos estas diferenças no contexto de três estruturas de precificação normalmente adotadas: (1) baseada em custos, (2) baseada na competição e (3) baseada na demanda. Estas categorias, conforme mostra a Figura 15.1, são as mesmas bases sobre as quais são definidos os preços de bens de consumo, com as devidas adaptações para o setor de serviços. A figura mostra as três estruturas inter-relacionadas, pois até certo ponto as companhias precisam considerar todas elas em seus processos de precificação. Nas seções a seguir, apresentamos uma descrição geral para cada base de precificação e discutimos os desafios que ocorrem nos casos em que cada uma é adotada na precificação de serviços. A Figura 15.1 resume estes desafios.

A precificação baseada em custos

Na precificação baseada em custos, uma empresa calcula as despesas a partir dos gastos com mão de obra e matérias-primas, acrescenta valores ou percentuais relativos a custos indiretos e lucros, e com isso chega ao preço final. Este método tem ampla utilização em setores como serviços públicos, licitações, atacado e publicidade. A fórmula básica da precificação baseada em custos é:

Preço = Custos diretos + Custos indiretos + Margem de lucro

Os custos diretos envolvem os materiais e a mão de obra associados à execução do serviço, os custos indiretos correspondem a uma parte dos custos fixos, e a margem de lucro é uma porcentagem dos custos totais (Diretos + Indiretos).

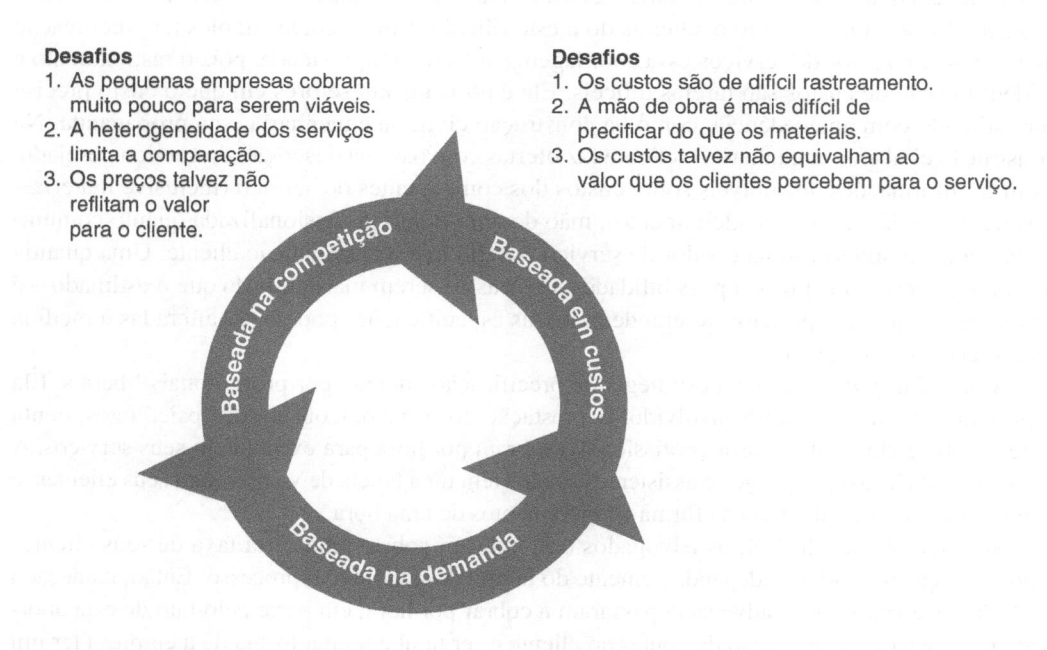

Desafios (Baseada na competição)
1. As pequenas empresas cobram muito pouco para serem viáveis.
2. A heterogeneidade dos serviços limita a comparação.
3. Os preços talvez não reflitam o valor para o cliente.

Desafios (Baseada em custos)
1. Os custos são de difícil rastreamento.
2. A mão de obra é mais difícil de precificar do que os materiais.
3. Os custos talvez não equivalham ao valor que os clientes percebem para o serviço.

Desafios (Baseada na demanda)
1. O preço monetário precisa ser ajustado para refletir o valor dos custos não monetários.
2. O cliente não tem acesso total às informações sobre os custos do serviço e, portanto, o preço talvez não seja um fator central.

Figura 15.1 As três principais estruturas de precificação no marketing e os desafios associados ao uso em serviços.

Os desafios específicos à precificação de serviços baseada em custos
O que há de exclusivo quanto a serviços, ao utilizarmos as abordagens para precificação baseadas em custos? Em primeiro lugar, os custos nas empresas do setor de serviços são difíceis de calcular ou acompanhar, sobretudo nos casos em que a empresa oferece muitos serviços.[8] Consideremos o grau de dificuldade enfrentado por um banco que quer calcular com precisão o tempo de trabalho dos caixas para a execução de tarefas relativas a contas-correntes, poupança e investimentos a fim de chegar a uma decisão sobre o quanto cobrar. Em segundo lugar, um dos principais componentes do custo é o tempo de trabalho do funcionário, não os materiais. Nesse sentido, o valor do tempo das pessoas, sobretudo o tempo de pessoas que não sejam profissionais liberais, não é fácil de calcular. Uma das maiores dificuldades na precificação baseada em custos envolve a definição das unidades em que o serviço é vendido. Assim, o *preço por unidade* – um conceito na precificação de bens manufaturados – é uma grandeza muito vaga no setor de serviços. Por essa razão, diversos serviços são vendidos em termos de unidades do serviço solicitado, não de uma medida do que é de fato executado. Por exemplo, a maior parte dos serviços de profissionais liberais, como consultoria, engenharia, arquitetura, psicoterapia e aulas particulares, é remunerada por hora.

Uma dificuldade adicional na precificação baseada em custos é que os custos reais do serviço talvez não representem a totalidade do valor do serviço para o cliente. Por exemplo, um alfaiate local cobra $10 para fazer a bainha em um blazer feminino de $350. Ele cobra o mesmo valor para o mesmo serviço em um short de $14. A explicação é que as duas tarefas requerem o mesmo tempo de execução. O que ele não percebe é que o cliente pagará um preço maior – e talvez até fique feliz com as alterações – no casaco caro, mas que $10 por uma bainha em um short é muito dinheiro.

Exemplos de estratégias de precificação baseadas em custos utilizadas no setor de serviços
A abordagem mais comumente adotada é a *custo e margem,* em que os custos de um componente são calculados e um aumento é adicionado a este cálculo. Considerada simples na precificação de produtos, no setor de serviços essa abordagem sobe em complexidade, pois o rastreamento e a identificação de custos são tarefas difíceis. Ela é utilizada em setores em que o custo precisa ser estimado com antecedência, como na construção civil, na engenharia e na propaganda. Na construção civil e na engenharia, o cliente faz ofertas com base na descrição do serviço desejado. Com as informações disponíveis sobre custos dos componentes do serviço (inclusive matérias-primas como alvenaria e madeiramento), mão de obra (tanto profissionalizada quanto comum) e margem, a empresa estima o valor do serviço concluído e o apresenta ao cliente. Uma quantia de contingência – que prevê a possibilidade de os custos serem mais altos do que o estimado – é acrescida porque, em projetos de grande porte, as especificações podem ser alteradas à medida que o serviço é executado.

A *taxa fixa por serviço* é a estratégia de precificação adotada por profissionais liberais. Ela representa o custo do tempo envolvido na prestação do serviço. Consultores, psicólogos, contadores e advogados, entre outros profissionais, cobram por hora para executarem seus serviços. A quase totalidade dos psicólogos e assistentes sociais tem uma tabela de valores para seus clientes, e a maioria estrutura seu tempo na forma de incrementos de uma hora.

No início do século XX, os advogados costumavam cobrar uma certa taxa de seus clientes pelos serviços prestados, independentemente do tempo despendido no processo. Então, na década de 1970, os escritórios de advocacia passaram a cobrar por hora, em parte pelo fato de esta abordagem oferecer uma prestação de contas ao cliente e ser também uma forma de a empresa ter um orçamento interno. Um dos aspectos mais difíceis desta prática é que a manutenção de registros é uma atividade tediosa para os profissionais liberais. Advogados e contadores precisam registrar o tempo gasto com um cliente, muitas vezes a intervalos de 10 minutos. Por essa razão, este método vem recebendo críticas, pois não promove a eficiência e frequentemente deixa de levar em conta a experiência do advogado (aqueles que têm vivência na profissão conseguem concretizar resultados com muito mais rapidez, em comparação com advogados iniciantes, em um mesmo período de tempo, mas as taxas cobradas nem sempre retratam esta realidade). Além disso, os clientes temiam o superfaturamento de suas contas e passaram a solicitar auditorias. Apesar destas preocupações, a cobrança por hora é uma prática dominante no setor.[9]

Precificação baseada na concorrência

A abordagem de precificação baseada na concorrência concentra-se nos preços cobrados pelas empresas de um mesmo setor ou mercado. Ela nem sempre implica a cobrança de taxas idênticas às da concorrência. Ao contrário, uma empresa adota os preços das empresas concorrentes como âncoras para o preço que deseja cobrar de seus clientes. Esta abordagem é utilizada predominantemente em duas situações: (1) em que os serviços são padronizados entre prestadoras, como no caso de lavagem a seco, e (2) em oligopólios, em que há poucas prestadoras, como no setor de locação de veículos. Às vezes, as dificuldades envolvidas na prestação de serviços tornam a precificação baseada na competição menos simples do que no setor de bens de consumo.

Os desafios específicos à precificação de serviços baseada na concorrência

A precificação baseada na concorrência, comumente adotada em empresas de bens de consumo, pode ser complexa de implementar em uma empresa do setor de serviços. As pequenas empresas acham difícil cobrar preços idênticos aos praticados por empresas de grande porte e que fazem margens altas o bastante para permanecerem no negócio. Muitas empresas de família atuantes no setor de serviços – lavagem a seco, lojas, contabilidade fiscal, entre outras – não conseguem prestar seus serviços cobrando os mesmos preços baixos praticados pelas grandes companhias de um setor.

Além disso, a heterogeneidade dos serviços entre diferentes prestadoras complica a adoção desta abordagem. Por exemplo, os bancos oferecem muitos tipos de contas e serviços. Tentar definir o modo como um banco competitivo precifica contas de pessoa física e as respectivas diferenças em características e custos – e se os preços praticados trazem margens e lucros suficientes – é uma tarefa difícil. É apenas em serviços altamente padronizados que um banco oferece, como as taxas cobradas pela utilização de caixas eletrônicos, que ele consegue tirar algum proveito em termos de competição com preços. Em 2007, o Bank of America fez manchete ao aumentar as taxas cobradas por saques em caixas eletrônicos para não clientes a $3 por operação. Outros bancos, como Citi, Chase, Wachovia e Wells Fargo, não subiram suas taxas de imediato, mas comentaram que examinam as atitudes de seus concorrentes quanto à definição de preços.[10]

Exemplos de estratégias de precificação baseadas na concorrência utilizadas no setor de serviços

A *sinalização do preço* ocorre em mercados com grande concentração de vendedores. Neste tipo de mercado, qualquer preço oferecido por uma companhia será igualado pela concorrência, para evitar conferir uma vantagem diferenciadora a uma empresa que pratica preços baixos. O setor aéreo ilustra a utilização da sinalização do preço no setor de serviços. Quando uma empresa baixa suas tarifas para uma rota, as concorrentes seguem o exemplo e baixam suas tarifas quase que de imediato.

A *precificação pelo índice corrente* envolve a cobrança do preço mais prevalente no mercado. A precificação da locação de veículos oferece um exemplo da aplicação desta técnica (e da sinalização do preço, pois o mercado de locação de veículos é dominado por poucas empresas de grande porte). Durante anos, os preços definidos por uma empresa (a Hertz) foram seguidos de perto por outras companhias. Quando a Hertz instituiu um novo plano de precificação que envolvia "nenhuma cobrança por quilômetro rodado, nunca", outras companhias do setor imitaram esta política de preços. Em vista disso, para continuarem tendo lucros, elas precisaram alterar outros fatores, como as taxas básicas, o tamanho e o tipo do carro alugado, a prática de taxas diárias ou semanais, além das taxas de entrega do veículo. Os preços em diferentes mercados geográficos, mesmo em cidades, dependem da taxa praticada no local, e os clientes muitas vezes pagam taxas diferentes em

> **Visão estratégica** "A tarifação por congestionamento" como estratégia para alterar o comportamento do condutor de veículos nas grandes cidades
>
> A tarifação por congestionamento é uma abordagem concebida para reduzir o tráfego, com base no aumento do custo de dirigir um veículo nas áreas mais visitadas e populares em grandes cidades. Londres, Cingapura, Estocolmo e Oslo, com bairros comerciais com grande volume de atividade, adotam estratégias de precificação no sentido de induzir os motoristas a evitarem conduzir seus veículos nestas zonas em horários de pico ou utilizarem meios de transporte alternativos. A finalidade desta cobrança por congestionamento é mostrar ao condutor quando e onde ele deve utilizar o transporte público, redefinir datas de viagem, ou arcar com o pagamento de uma taxa mais alta para dirigir na cidade.
>
> **O sucesso de Londres**
>
> O programa de Londres iniciou em 2003, ano em que a cidade passou a cobrar taxas dos motoristas para entrarem no centro comercial e financeiro da cidade, que sofria com constantes congestionamentos. Ainda que os gestores soubessem que a estratégia melhoraria a competitividade econômica e a qualidade de vida, eles não tinham tanta certeza da reação dos motoristas. Contudo, os resultados foram incríveis: uma queda média de 30% nos congestionamentos, um aumento médio de 37% na velocidade do tráfego que agilizou a mobilidade urbana, uma redução de 12% na emissão de sólidos particulados e óxidos de nitrogênio, de 20% no consumo de combustíveis sólidos e nas emissões de dióxido de carbono, além de uma elevação de 20% na utilização do transporte público. Ao lado da redução nos congestionamentos, Londres passou a coletar centenas de milhões de dólares em novas receitas que foram investidas em melhorias no trânsito. Talvez ainda mais encorajador é o fato de 78% dos motoristas que pagam para entrar na zona demarcada estarem satisfeitos com o sistema.
>
> **A experiência em Estocolmo foi aceita pelo cliente**
>
> No primeiro semestre de 2006, a capital sueca fez uma experiência com uma abordagem de tarifação chamada "precificação por zoneamento". O impacto na opinião pública foi impressionante. Antes de a experiência começar, apenas 31% dos moradores da cidade eram a favor da estratégia. Após uma queda de 15% no volume de tráfego e de 10 a 14% nas emissões de dióxido de carbono, a aprovação aumentou. A cidade organizou um plebiscito para implementar a taxação, e o resultado foi afirmativo. Além disso, uma pesquisa recente diz que 67% dos entrevistados hoje concordam que a introdução do sistema foi benéfica.
>
> **O plano fracassado de Nova York**
>
> Em 2006 o prefeito da cidade, Michael Bloomberg, propôs um plano de tarifação por congestionamento segundo o qual as tarifas seriam $8 para um automóvel e $21 para um caminhão para cada dia de viagem na "zona" (abaixo da Rua 86), em Manhattan. Estas tarifas não seriam impostas apenas para arrecadar fundos, como a maioria dos pedágios em pontes e rodovias. Ao contrário, ela limitaria o número de automóveis que entram na cidade e, com isso, reduziria os congestionamentos. Não haveria cobrança aos fins de semana, nem para veículos trafegando em partes da cidade que

cidades vizinhas em um mesmo estado. A seção Tema Global neste capítulo mostra algumas das práticas de precificação em diferentes países.

A precificação baseada na demanda

As duas abordagens de precificação apresentadas anteriormente são baseadas na empresa e em suas concorrentes, não no cliente. Nenhuma das duas abordagens considera a possibilidade de o cliente não ter preços de referência, de ele ser sensível a custos não monetários e de julgar a qualidade com base no preço do serviço. Todos estes fatores podem ser considerados nas decisões de precificação tomadas por uma companhia. A terceira abordagem para a precificação, a *precificação baseada na demanda*, envolve a definição de preços de modo consistente com as percepções de valor do cliente: os preços são baseados no que os clientes pagam pelos serviços prestados.

Os desafios específicos à precificação de serviços baseada na demanda

Nessa estratégia de precificação, uma das principais diferenças da precificação de serviços em relação à precificação de bens de consumo é que os custos não monetários e as vantagens precisam ser considerados no cálculo do valor percebido pelo cliente. Nos casos em que os serviços têm custos

não estão incluídas na zona. Táxis, veículos de portadores de dificuldades locomotoras, ônibus e veículos dos serviços de emergência estariam isentos. Os pedágios de túneis e pontes seriam abatidos do total diário. O governo federal norte-americano, que recentemente destinou $350 milhões para ajudar a cidade a resolver os problemas de tráfego, colocou a adoção de um sistema de cobrança como condição para Nova York receber a quantia. As vantagens do plano incluem os mesmos benefícios concretizados em outras grandes cidades do mundo — a melhoria da saúde dos nova-iorquinos devido à queda na emissão de poluentes, a redução do ruído nas ruas, o aumento da ocupação do transporte público e a melhoria na produtividade destas pessoas.

O plano enfrentou forte oposição de políticos dos bairros de Queens, Brooklyn e subúrbios da cidade, para os quais as taxas eram vantajosas sobretudo para os abastados moradores de Manhattan.

O plano de San Francisco

A cidade de San Francisco, Califórnia, fez uma experiência para eliminar congestionamentos com base em uma mudança na dinâmica de seus estacionamentos. Primeiro, o plano alterou o preço de uma vaga em um estacionamento segundo a demanda, o que abriu vagas em todos os quarteirões. Segundo, ele utiliza sensores para orientar os motoristas até os locais onde há vagas, eliminando o congestionamento causado por motoristas que ficam circulando em busca de um lugar para estacionar. O plano de cobrança por congestionamento de San Francisco inclui uma diversidade de abordagens. Uma das opções inclui o aumento da tarifa do pedágio da Bay Bridge, de $4 para 6 durante os horários de pico; outra estratégia consiste na abertura de uma praça de pedágio em que o valor sobe quando o tráfego aumenta, como ocorre na autoestrada Interstate 680, tradicionalmente congestionada. Outras ideias estão sendo avaliadas: uma praça de pedágio na Autoestrada 237 na South Bay e na estrada interestadual 580 na East Bay, valores mais altos em horários de pico nas outras pontes, e cobrança para os motoristas que entram na área central de San Francisco.

Os resultados da experiência foram controversos. O tráfego na Bay Bridge caiu 3,25% no pico da manhã e 3,45% no pico da tarde, desde o aumento do valor em julho de 2010. Isso significa que o tempo necessário para dirigir 8 km da University Avenue em Berkeley até o portão de pedágio na Bay Bridge foi reduzido em 3 minutos, para, em média, 24 minutos durante o pico da manhã. Até hoje, a praça de pedágio não teve efeitos consideráveis, sobretudo porque o congestionamento do tráfego que ela deveria resolver foi atenuado pela crise econômica, segundo um porta-voz do projeto.

Fontes: "Congestion Pricing: A Smart Solution for Reducing Traffic in Urban Centers and Busy Corridors," www.environmentaldefense.org, 2007; Drum Major Institute for Public Policy, "Congestion Pricing: Good Policy for New York's Middle Class," DMI Report 2007, www.drummajorinstitute.org; "A Bonus for Congestion Pricing," New York Times Digest, August 15, 2007, p. 7; E. Thornton and M. Arndt, "Fees! Fees! Fees!" *BusinessWeek*, September 29, 2003; "Congestion Pricing, *The New York Times*, July 28, 2011; Zusha Elinson, "Want to Add to Congestion? Then It's Going to Cost You," *The New York Times*, May 5, 2011, p. A11.

de tempo, de inconveniência, psicológicos ou de pesquisa, o preço monetário deve ser ajustado como forma de compensação. Quando os serviços não têm custos de tempo nem de pesquisa, os clientes estão mais propensos a pagar um preço monetário mais alto por eles. O desafio está em definir o valor de cada aspecto não monetário envolvido.

Os serviços e os bens de consumo também diferem nesta forma de precificação porque as informações sobre os custos dos serviços talvez não estejam totalmente disponíveis para o cliente, o que diminui a importância do preço monetário como variável de seleção inicial do serviço, em comparação com a escolha de um bem de consumo.

Os quatro significados do valor percebido

Uma das maneiras mais apropriadas de as companhias precificarem seus serviços consiste em basear o preço no valor percebido pelo cliente. Algumas perguntas que o profissional de marketing precisa formular são: O que os clientes entendem por *valor*? Como quantificar em unidades monetárias o valor percebido e, assim, definir os preços adequados para um serviço? O significado de valor é semelhante para diferentes clientes e serviços? Como as percepções de valor podem ser influenciadas? Para compreendermos abordagens de precificação baseada na demanda, é preciso primeiro entender o que significa valor para o cliente.

Tema global — O preço único em todo o mundo

Gorjetas

Um estudo conduzido na Universidade de Cornell revelou um fato interessante sobre o hábito de dar gorjetas: o costume prevalece em países em que as pessoas valorizam o prestígio e o *status* social, em comparação a países em que estes aspectos não são importantes. Michael Lynn descobriu que o número de profissionais da prestação de serviços que recebem gorjetas era relativamente pequeno em países em que reconhecimento e estima não são muito valorizados. "As gorjetas na verdade são uma forma de consumo conspícuo. Damos mais gorjetas a pessoas nos Estados Unidos porque valorizamos a condição social. Os norte-americanos prezam o reconhecimento e a estima, e recebemos estes valores de volta sempre que damos uma gorjeta a um profissional do setor de serviços."

Um dos indicadores das diferenças na prática da gorjeta é o número de profissionais da prestação de serviços que recebem a gratificação em diversos países. Os Estados Unidos lideram a lista, com cerca de 35 profissões. Outros países que valorizam o reconhecimento e a estima incluem Espanha (29 profissões), Canadá (25), Índia (25) e Itália (24). Em comparação com estas nações, na Dinamarca e na Suécia o número de profissões que recebem gorjetas está abaixo de 10, o que reflete a pouca importância do reconhecimento e da estima nestes países. A gorjeta não é praticada em Brunei, na Malásia, no Japão, em Omã, na Nova Zelândia, em Samoa, em Cingapura, na Coreia do Sul, na Tailândia, nos Emirados Árabes e no Vietnã.

Em um de seus guias, a Magellan's, empresa que comercializa suprimentos de viagem a partir de duas lojas e de um *site*, oferece as seguintes dicas sobre gorjeta:

- Na Ásia e no Pacífico, algumas pessoas podem considerar a gorjeta como uma forma de insulto.
- Na Europa, diversos hotéis e restaurantes acrescentam uma taxa de serviço à conta do cliente, o que torna a gorjeta desnecessária.
- No Oriente Médio e na África, as gorjetas não são vistas como ofensa, mesmo assim não é necessário oferecê-las.
- Nas Américas Central e do Sul, diversos restaurantes acrescentam uma taxa de serviço à conta, o que torna a gorjeta desnecessária.

A publicação da Magellan's detalha os padrões de gorjetas para 70 países. A seguir reproduzimos alguns destes padrões:

País	Garçom/Garçonete	Porteiro	Motorista de táxi
Austrália	10% em restaurantes de luxo, apenas	$1 a $2 por mala	Arredonde o valor da corrida para fechar com uma unidade extra da moeda local
Costa Rica	Nenhuma	$1 por mala	10%
Dinamarca	Nenhuma	$1 por mala	Arredonde o valor
Grécia	5 a 10% mais a taxa de serviço	$1 por mala	Arredonde o valor
Japão	Nenhuma	Nenhuma	Nenhuma
Romênia	Arredonde a conta	$1 por mala	Arredonde o valor
Venezuela		75 centavos por mala	10%
Espanha	7 a 10% mais a taxa de serviço	$1 por mala	10%

Essa tarefa não é simples. Quando discutem valor, os clientes utilizam o termo com diferentes acepções e falam sobre vários atributos ou componentes. O que constitui o valor, ainda que em uma única categoria de serviços, parece ter caráter fortemente pessoal e idiossincrático. Conforme mostra a Figura 15.2, os clientes definem valor segundo quatro maneiras:

1. Valor é preço baixo.
2. Valor é tudo o que quero em um produto ou serviço.
3. Valor é a qualidade que obtenho pelo preço que pago.
4. Valor é tudo o que obtenho pelo que dou em troca.[11]

Examinemos então cada uma destas definições em mais detalhes.

Não tem preço

Diversos restaurantes em diferentes partes do mundo adotam uma abordagem extraordinária para precificar seus serviços, que pode ser chamada de preço espontâneo. Estes restaurantes permitem aos clientes pagar o valor que julguem justo para as refeições. Um restaurante londrino chamado "Just Around the Corner" (Logo ali na esquina) descobriu que esta política é extremamente útil desde que a adotou, em 1986, e tem clientes que pagam mais do que o estabelecimento cobraria se adotasse preços fixos. Na média, os clientes pagam £25 ($41) por uma refeição de três pratos, mas alguns são cuidadosos e pagam o suficiente. "Certa noite, quatro funcionários públicos do governo norte-americano pagaram aproximadamente $1.000 por uma refeição que valia menos de $200. Eles perguntaram se a quantia era o bastante." Michael Vasos, proprietário do restaurante, afirma: "Ganho mais dinheiro com este restaurante do que com qualquer um dos outros [quatro] que tenho". Ele credita a generosidade de seus clientes ao sucesso do estabelecimento e à sua política de preços, embora algumas pessoas digam que o temor de passar por um constrangimento, comum nos ingleses, impede que os clientes paguem um valor insuficiente.

"Coma à vontade, pague o quanto quiser" era o conceito adotado pela rede de restaurantes Annalaksmi com filiais em Cingapura, Kuala Lumpur, Penang, Chennair, Coimbatore e Perth. "Acreditamos em você, confiamos em você." O restaurante defende a noção de que sua principal motivação é o serviço, não o lucro, e o estabelecimento é administrado por voluntários que decidem se vão cozinhar, limpar, atender ou lavar os pratos, pois "sentem-se felizes com a filosofia de atender, amar e dar inerente à proposta". O restaurante pede aos clientes que se alimentem antes e paguem após, de acordo com sua opinião sobre a comida. Conforme dizem os administradores: "Não há conta adequada ou inadequada para uma refeição no Annalaksmi. Aceitamos com gratidão o valor que você julgar adequado, qualquer que seja".

Em Tóquio, pague por minuto

Alguns restaurantes japoneses adotaram a estratégia de cobrar pelo jantar de acordo com a rapidez com que os clientes o ingerem. No hotel Dai-ichi Tokyo Seafort, os clientes marcam a entrada em um relógio de ponto quando começam suas refeições e pagam 35 centavos por minuto até terminarem de jantar. As pessoas que ingerem suas refeições com rapidez – como duas adolescentes que devoraram diversas fatias de bolo em 10 minutos e pagaram apenas $3 pelo serviço – têm a chance de alimentarem-se a custos baixíssimos. Talvez seja por isso que o restaurante é tão popular entre estudantes universitários! Outros restaurantes franqueados em todo o território japonês impõem limites de tempo de atendimento em seus serviços de bufê livre. Os preços variam de $10 por hora a $100 para 90 minutos. Neste período, as pessoas consumiam quantidades ilimitadas de comida de alta qualidade, como o sushi ou o *shabu shabu*, uma especialidade japonesa preparada com finas fatias de carne vermelha cozidas em caldo quente. Em um desses restaurantes, o Mo Mo Paradise de Tóquio, as pessoas pagam $13,50 para comer por 90 minutos ou $30 para comer o quanto quiserem, pelo tempo que desejarem.

Fontes: Andrea Sachs, "Eat All You Want; Pay by the Minute," *Washington Post*, September 26, 1999, p. H3; © 1999, *The Washington Post*, reimpresso com permissão dos editores. "Study Examines Tipping," *Hotel and Motel Management*, March 17, 1997, p. 14; B. Ortega, "Priceless," *People*, February 15, 1999, p. 114; I. Wall, "It May Be a Dog-Eat-Dog World, but This Restaurant Won't Prove It," *The Wall Street Journal*, December 11, 1998, p. B1; www.londonrestaurantreview.com, 23/7/2007; G. Stoller, "Tipping Can Trip Up Any Globe Trotter," *USA Today*, September 11, 2007; www.Magellan.com., acessado em setembro de 2007; "Foreign Tipping Guide by Country and Region," *Flyer Talk*, www.flyertalk.com/forum/travelbuzz/ 738653-foreign-tipping-guide-country, acessado em 28/7/2011.

Valor é preço baixo Alguns clientes igualam valor a preço baixo, indicando que o que eles precisam abdicar em termos monetários é o aspecto mais relevante em suas percepções de valor, como mostram estes comentários de clientes:

Para lavagem a seco: "Valor é o menor preço."

Para limpeza a vapor de tapetes: "Valor é o preço – o que está em liquidação."

Para um restaurante de fast food: "Quando posso usar cupons, sinto que o serviço tem valor."

Para viagens aéreas: "Valor é quando as passagens aéreas têm descontos."[12]

Valor é tudo o que quero em um produto ou serviço Em vez de voltar sua atenção ao dinheiro pago, alguns clientes consideram as vantagens que recebem de um serviço ou produto como o

Parte VI   A gestão das promessas de serviço

```
┌─────────────────────┐   ┌─────────────────────┐
│  Valor é preço      │   │ Valor é tudo o que  │
│      baixo          │   │ quero em um produto │
│                     │   │     ou serviço      │
└─────────────────────┘   └─────────────────────┘

┌─────────────────────┐   ┌─────────────────────┐
│  Valor é a qualidade│   │   Valor é tudo o    │
│   que obtenho pelo  │   │   que obtenho pelo  │
│    preço que pago   │   │   que dou em troca  │
└─────────────────────┘   └─────────────────────┘
```

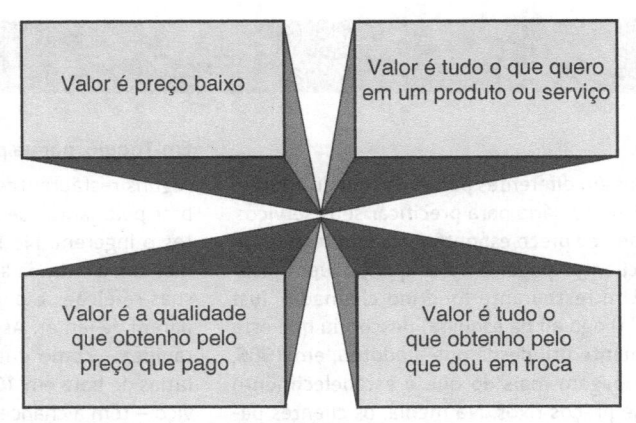

Figura 15.2   As quatro definições de valor manifestadas por clientes.

componente mais importante do valor. Nesta definição de valor, o preço é menos importante do que a qualidade ou as características que atendem às necessidades do cliente. Por exemplo, no setor de telecomunicações, os clientes corporativos valorizam a confiabilidade dos sistemas e estão dispostos a pagar pela segurança e confidencialidade das conexões. Os clientes de serviços descrevem esta definição de valor com as seguintes afirmações:

Para um curso de MBA: "Valor é o ensino de melhor qualidade que consigo obter."

Para serviços médicos: "Valor é alta qualidade."

Para um clube: "Valor é o que me permite me apresentar bem diante de meus amigos e minha família."

Para um show de rock ou música country: "Valor é a melhor apresentação possível."

Para um quarto de hotel para uma lua de mel: "Valor é um quarto de luxo com uma banheira com água quente."

Valor é a qualidade que obtenho pelo preço que pago   Outros consumidores interpretam o valor como uma troca, um equilíbrio de vantagens e desvantagens entre o dinheiro que pagam e a qualidade do serviço que recebem.

Para um quarto de hotel: "Valor é o preço em primeiro lugar, qualidade em segundo."

Para um hotel para viagens de negócios: "Valor é o menor preço por uma marca de qualidade."

Para um contrato de serviços de informática: "Valor é o mesmo que qualidade. Não, valor é a qualidade que você consegue pagar."

Valor é tudo o que obtenho pelo que dou em troca   Por fim, alguns clientes consideram todos os benefícios que recebem, além dos componentes relativos a sacrifícios (dinheiro, tempo, esforço), ao descreverem o valor:

Para um serviço de limpeza doméstica: "Valor é o número de quartos que consigo que sejam limpos pelo preço da empresa."

Para um serviço de salão de beleza: "Valor é o que pago em termos de custo e tempo pelo serviço que recebo."

Para ensino de executivos: "Valor é obter uma boa experiência educacional no menor tempo possível."

As quatro expressões de valor que o cliente tem podem ser representadas por uma definição semelhante ao conceito de utilidade, estudado pela economia: *O valor percebido é a avaliação global que o cliente faz da utilidade de um serviço com base nas percepções do que é recebido e do que é dado.* Embora o que é recebido varie de acordo com o cliente (alguns talvez desejem volume, outros a alta qualidade ou mesmo a conveniência), tal como ocorre com o que é oferecido no serviço (alguns se preocupam apenas com o dinheiro gasto, outros com o tempo e o esforço despendidos), o valor representa um equilíbrio entre as vantagens e desvantagens dos componentes entregues e recebidos pelo cliente. Os clientes tomam suas decisões de compra com base no valor percebido, não apenas para minimizar o preço pago. Essas definições são o primeiro passo na identificação de elementos que precisam ser quantificados na precificação de serviços.

Como incorporar o valor percebido na precificação dos serviços

A percepção que o comprador tem acerca do valor total desperta a disposição de pagar um preço em especial por um serviço. Para traduzir as percepções de valor do cliente em um preço apropriado para um dado serviço, o profissional de marketing precisa responder a algumas perguntas: Quais são as vantagens trazidas pelo serviço? Qual é a importância de cada uma destas vantagens? Qual é o valor em receber uma vantagem específica de um serviço? A que preço o serviço será economicamente aceitável aos compradores em potencial? Em que contexto o cliente está adquirindo o serviço?

Para a empresa, o importante a fazer – o que muitas vezes é a tarefa mais difícil – é estimar o valor que os clientes atribuem aos serviços desta empresa.[13] Os consumidores têm diferentes percepções do valor por conta de suas preferências individuais, dos conhecimentos que têm sobre os serviços, de seu poder aquisitivo e de sua capacidade de pagar por eles. A base deste tipo de precificação é o que os clientes valorizam – não o serviço pelo qual pagam. É por essa razão que sua eficácia reside tão somente na determinação precisa do valor do serviço tal como percebido pelo mercado.

Quando os serviços são dirigidos aos consumidores do setor varejista, as empresas prestadoras de serviço raramente são capazes de oferecer a cada pessoa o exato conjunto de atributos que valorizam. No entanto, elas farão esforços no sentido de encontrar um ou mais destes conjuntos que se encaixem aos segmentos de mercado. Quando os clientes são de grande porte (como clientes *business-to-business* ou grandes e rentáveis clientes varejistas), a empresa talvez descubra que vale à pena oferecer conjuntos de atributos individuais a cada cliente. Uma manifestação interessante da precificação baseada na demanda é mostrada na seção Tecnologia em Foco.

Uma das tarefas mais difíceis e complexas dos profissionais de marketing de serviços é a definição de preços no mercado internacional. Se os profissionais do setor precificarem com base no valor percebido pelo cliente e se este valor e a disposição de pagar mais diferirem de acordo com o país (o que muitas vezes acontece), então as empresas do setor de serviços poderão fornecer essencialmente os mesmos serviços e cobrar preços diferentes em cada local.

AS ESTRATÉGIAS DE PRECIFICAÇÃO QUE VINCULAM AS QUATRO DEFINIÇÕES DE VALOR

Nesta seção descrevemos as práticas de precificação de serviços mais apropriadas para cada uma das quatro definições de valor. O Quadro 15.2 apresenta algumas abordagens das pesquisas conduzidas sobre a precificação de serviços.

As estratégias de precificação nos casos em que o cliente julga que "Valor é preço baixo"

Quando o preço monetário é o fator determinante mais importante para um cliente, a empresa se foca sobretudo no preço. Este enfoque não significa que o nível de qualidade e os atributos intrínsecos sejam sempre irrelevantes – ele indica simplesmente que o preço monetário é que tem a maior importância. Para estabelecer um preço de serviços nesta definição de valor, o profissional de marketing precisa compreender até que ponto os clientes conhecem os preços objetivos dos servi-

Tecnologia em foco A precificação dinâmica na Internet permite ajustes em preços com base na oferta e na demanda

Considere uma ocasião em que você procurava uma passagem aérea na Internet. Você já encontrou uma passagem em promoção que não comprou de imediato e, em outra visita ao mesmo *site* horas depois, descobriu que o preço da mesma passagem havia subido $100? Esta é a *precificação dinâmica* em ação – a compra e venda de produtos em mercados em que os preços movem-se rapidamente em resposta a flutuações na oferta e na demanda. No caso de sua passagem aérea, as probabilidades de que outros clientes adquiriram passagens ao preço promocional inicial são altas, o que reduziu a disponibilidade de poltronas da companhia e permitiu que ela tentasse fazer os clientes comprarem passagens a um preço maior.

As estimativas dizem que a precificação dinâmica responde por mais de 45% do número total de transações *on-line*. A abordagem – que muitas vezes inclui leilões e outras formas de oferta – na maioria das vezes é adotada no final da cadeia de suprimentos para eliminar o excesso de estoque ou a capacidade de serviços perecíveis, como no caso da venda de passagens aéreas. A precificação dinâmica permite às empresas gerar expressivas receitas com o excesso de estoque ou de produtos que estão fora de catálogo, anteriormente deixados sob a responsabilidade de intermediários. No passado, os liquidantes recebiam serviços não vendidos, obtendo cinco centavos de dólar nas taxas de liquidação, além de tudo o que conseguissem obter da revenda dos produtos. A empresa deixava de obter receita pela venda dos serviços, além de ter de pagar pelos serviços de liquidação.

Os leilões: a Ebay e suas 1.500 rivais

Os leilões *on-line* representam a precificação dinâmica, pois os clientes pagam o que querem e competem uns com os outros pelos itens que desejam adquirir. A eBay tornou-se a empresa pioneira no ramo de leilões pela Internet. Hoje, mais de 3 mil *sites* oferecem negócios de pessoa para pessoa. A empresa hoje é líder neste mercado e disponibiliza milhares de novos itens em leilão a cada dia. Enquanto a eBay se concentra nas transações entre consumidores, a uBid.com atua como local de consignação para fabricantes que desejam vender seus produtos diretamente aos clientes. A uBid oferece mercadorias das líderes do setor manufatureiro a clientes e empresas, tudo por um preço abaixo do de atacado. A maior parte dos leilões da uBid têm lances iniciais de $1 e deixa a definição do preço a cargo da dinâmica do mercado.

Os leilões holandeses: klik-klok.com, wrhambrecht.com

Os leilões holandeses, criados nos Países Baixos para vender serviços como seguros ou produtos perecíveis, como as tulipas, invertem o modelo tradicional de leilão, pois os preços decrescem à medida que o leilão evolui. Outra diferença em relação aos leilões típicos, em que um dado item é vendido a uma unidade por vez, é que nos leilões holandeses diversas quantidades, embora limitadas, de um mesmo serviço são vendidas ao mesmo tempo. A duração do leilão é curta e os preços caem rapidamente ao longo desse tempo. A qualquer momento (ou preço lançado), um participante pode parar o relógio ao dar um lance de preço instantâneo. O lance com o momento em que foi feito, o preço oferecido e a quantidade são registrados. Este processo prossegue até todos os lances terem sido recebidos. Nesse instante, todos os participantes que compraram algo pagam o mesmo preço, que é o menor lance "bem-sucedido". A vantagem nesse tipo de leilão é que o estoque de cada produto é limitado. À medida que o relógio avança e o estoque disponível diminui, as pessoas que não apresentam lances (aquelas que esperam pelo menor preço de venda) correm o risco de não conseguir adquirir os itens que desejam.

Leilões reversos: hotwire.com e priceline.com

Os leilões reversos são utilizados no lado da compra, o que permite aos compradores conhecer o lance mais baixo, mas sem identificar o comprador ou o vendedor. A marca ou a identidade do vendedor é revelada apenas se ele decide aceitar o lance oferecido pelo comprador. Uma das vantagens para os compradores é que eles não precisam fazer palpites sobre o preço e podem receber os mesmos produtos e serviços oferecidos por outras empresas a preços fixos e descontos expressivos. Uma desvantagem é que embora os compradores vejam uma classificação do vendedor, eles não têm certeza de quem ele é ou de qual será o resultado do serviço. A marca não aparece como sinal de qualidade. Além disso, o comprador tem de sacrificar o controle sobre outros aspectos do serviço sendo consumido. Por exemplo, no Priceline.com o comprador não tem total controle do tempo dos voos.

A compra em grupo: onlinechoice.com

Os *sites* de compras coletivas, como o OnlineChoice.com, agregam a demanda para as empresas vendedoras. Esses *sites* oferecem taxas de grupo para serviços de telefonia celular e de longa distância, seguros de vida temporários e para automóveis, além de hipotecas. O conceito por trás desta precificação dinâmica é que quanto maior o número de pessoas que desejam comprar um produto, menor o preço que cada uma delas terá de pagar. As empresas vendedoras normalmente reúnem os preços do produto em venda com base no número de compradores. Por exemplo, para entre 0 e 10 compradores, o preço por comprador é $100, para 10 a 20, o preço é $95, e assim sucessivamente. A propaganda boca a boca é essencial, pois os compradores interessados são encorajados a indicar seus amigos e parentes a fim de obter um preço menor para todo o grupo. Os vendedores promovem esta estratégia inserindo um ícone chamado "Convide um Amigo" perto das informações sobre o serviço ou preço. As vantagens deste tipo de precificação dinâmica são vistas na redução do preço que ocorre à medida que mais pessoas apresentam seus lances, além do fato de o serviço exato e suas especificações serem conhecidos aos compradores quando da apresentação de seus lances.

Como encontrar o menor preço nos *sites* na Internet: Buy.com

O *slogan* do Buy.com é "os menores preços na Terra". A Internet permite que os consumidores efetuem comparações rápidas de preços, e o Buy.com deseja garantir que seus serviços e produtos sejam os de menores preços nas buscas dos internautas. Para cumprir suas promessas, o Buy.com utiliza um *software* que monitora as mudanças de preço de produtos em *sites* concorrentes. Quando estas alterações de preço ocorrem, o *software* recomenda ajustes nos preços ao Buy.com. O processo é automático, mas na maioria das vezes a decisão de mudar preços é tomada por um gerente uma vez ao dia, não a cada instante. O Buy.com adota esta estratégia em categorias *on-line* altamente competitivas, como *software* para computadores. O *software* faz recomendações ao longo de todo o dia, e as decisões são tomadas na manhã seguinte. Os preços normalmente tendem a cair, não a subir.

Saia para jantar e pague de acordo com a precificação dinâmica

A precificação dinâmica – ou flexível – no setor de restaurantes envolve a mudança dos preços nos menus a cada hora ou momento do dia, para atrair clientes nos horários de menor movimento, como no período entre 2 e 6 horas da tarde ou tarde da noite. Os restaurantes adotam descontos de 15 a 30% no valor da conta para atrair clientes em períodos mais calmos. Na maioria das vezes, os restaurantes utilizam um "agregador de jantares", um *site* que coleta e coordena informações sobre todos os restaurantes em uma área que desejam oferecer precificação dinâmica. Por exemplo, o www.DinnerBroker.com, um novo *site* de precificação dinâmica, representa mil restaurantes em mais de 50 regiões metropolitanas e que adotam programas de descontos para horários de menor procura para aumentar o volume de negócios e conquistar novos clientes. O DinnerBroker.com tem uma matriz gráfica de fácil utilização que permite que os usuários vejam em uma página quais os restaurantes participantes e os descontos que oferecem. Outras vantagens são que o *site* possibilita aos clientes fazer reservas *on-line* e oferece acesso a mesas especiais. Para participar desses serviços, os restaurantes precisam pagar uma taxa de $49 ao mês e $1 para cada reserva fora do horário de pico marcada pelo *site* e confirmada.

Fontes: M. Bazeley, "eBay has Strong Earnings in Quarter," *Knight Ridder Tribune Business News*, October 21, 2004, p. 1; G. Perakis, "Third Informs Revenue Management and Pricing Conference," *Journal of Revenue and Pricing Management*, January 2004, p. 388; V. Jayaraman and T. Baker, "The Internet as an Enabler for Dynamic Pricing of Goods," *IEEE Transactions on Engineering Management*, November 2003, p. 470; A. J. Liddle, "Using Web for Discounting Clicks with Digital Diners," *Nation's Restaurant News*, May 19, 2003, p. 172; C. T. Heun, "Dynamic Pricing Boosts Bottom Line," *Informationweek*, October 29, 2001; M. Vizard, "With So Very Few Internet Players, Is Dynamic Pricing Good for Our Economy?" *InfoWorld*, March 26, 2001; M. Vizard, E. Scannel, and D. Neel, "Suppliers Toy with Dynamic Pricing," *InfoWorld*, May 14, 2001; www.idine.com, 2007; www.klik-klok.com, 2011; www.wrhambrecht.com, 2011.

Quadro 15.2 — A precificação de acordo com o valor percebido pelo cliente efetuada pela precificação modulada de serviços e pela precificação por pacote de serviços

Uma das razões por trás da dificuldade de precificação de serviços em comparação à de produtos é que as unidades de um serviço são mais variáveis e de identificação mais complexa do que as unidades de bens de consumo. As unidades de produtos físicos – automóveis, calças jeans, litros de leite e fornos de micro-ondas – são simples de definir. Mas a definição de unidades de serviço é mais difícil, em parte porque são vendidas com base em uma variedade de componentes. Por exemplo, os serviços via Internet são vendidos por minuto, página da Internet, arquivo digital (como na compra de música *on-line*) ou na busca (como na pesquisa e compra de artigos em revistas). Os serviços de seu médico são oferecidos em termos de duração e tipo de consulta, do exame efetuado, da injeção aplicada ou dos raios X feitos. Os serviços de televisão a cabo são vendidos ao mês (planos básicos, planos especiais para ter direito a canais como HBO e Showtime), pelo tipo de equipamento oferecido em comodato (gravadores digitais de vídeo, controles remotos e decodificadores de sinal) e pela unidade (filmes no sistema *pay-per-view*). Uma das abordagens adotadas para lidar com a complexidade da precificação de serviços consiste em desenvolver pacotes modulados de serviços.

Conforme descrevemos neste capítulo, na maioria das vezes a precificação de um serviço alinhada ao que os clientes percebem como valor é difícil. Duas abordagens que ganharam popularidade recentemente são a precificação modulada de serviços e a precificação por pacote de serviços.

A precificação modulada de serviços

A *precificação modulada de serviços* envolve primeiro a identificação de serviços básicos e de valor agregado de uma empresa prestadora como os componentes utilizados na precificação. Para gerar módulos, a empresa define todo o escopo de serviços que podem atender as necessidades dos clientes e pelos quais eles estejam dispostos a pagar. Para criar a precificação modulada, as empresas precisam ter:

1. Preços definidos para cada serviço.
2. A capacidade de combinar preços e serviços utilizando regras simples.
3. Um conteúdo comum mínimo a todos os elementos do serviço, para que os clientes não paguem duas vezes por um mesmo serviço.

Um dos contextos em que a precificação modulada está sendo desenvolvida é o de publicações (por exemplo, *Wall Street Journal*, *Sports Illustrated* e *USA Today*), os quais reúnem assinaturas de versões digitais, impressas e móveis. Como mostra a figura a seguir, as publicações estão tentando determinar o valor percebido pelo cliente dos formatos digital, *on-line*, *tablet* e móvel. Os modelos de precificação representam uma mudança significativa em comparação com as práticas adotadas nos últimos anos, quando as publicações eram cobradas com base no preço da modalidade impressa e entregues na modalidade digital. Hoje, as editoras reconhecem que o consumidor dá mais valor ao conteúdo digital do que ao impresso, e estão precificando segundo essa percepção modificada de valor. Essa mudança ilustra um esforço mais amplo das editoras no sentido de migrar das publicações exclusivamente impressas para uma combinação de versões impressas e digitais. Contudo, as empresas de mídia não abandonaram os assinantes de publicações impressas, porque os anunciantes pagam mais por anúncios impressos do que por anúncios digitais.

Em uma situação ideal, cada componente em uma estrutura de precificação modular tem um preço alinhado com as percepções dos clientes acerca do valor do serviço, e estes componentes podem ser selecionados individualmente e combinados em pacotes pelo cliente. Uma das dificuldades na evolução observada na precificação modular atual é que cada editora tem sua própria abordagem, o que dificulta a escolha do cliente. Algumas dessas abordagens são mais simples, como fica claro ao escolhermos uma publicação dada como exemplo neste quadro.

Os pacotes de serviços

Há vezes em que mesmo a precificação modulada adequada torna-se muito complexa e, por isso, são necessárias maneiras simplificadas de apresentar os preços dos serviços de uma empresa. Um *pacote de serviços*, em geral chamado *versioning* quando utilizado na precificação de bens físicos, envolve a criação de preços que correspondam aos pontos de preço e conjuntos de valores de diferentes segmentos de clientes. Por exemplo, a empresa de televisão a cabo Time Warner oferece pacotes de serviços que correspondem aos componentes de serviços normalmente desejados ao mesmo tempo. Sempre que os clientes adquirem estes pacotes, eles recebem descontos nos preços que cada serviço teria em separado.

Em geral, os pacotes de serviços permitem que os clientes comparem o que desejam em termos de serviços e os preços que estão dispostos a pagar com as ofertas apresentadas pela companhia. O cliente percebe as vantagens em um pacote porque ele traz descontos sobre os valores dos serviços, se contratados individualmente. A empresa desfruta de vantagens porque os clientes normalmente adquirem mais serviços nos casos em que são comercializados na forma de pacotes do que quando são oferecidos em separado. No contexto de ofertas de TV a cabo, a assinatura básica é um exemplo de um conjunto de serviços reduzido com um preço baixo, ao passo que uma assinatura especial inclui canais adicionais com programação especial, como HBO, Showtime e Golf Channel, por preços maiores. O pacote mais avançado, vendido pelo preço maior, inclui todos os canais e a possibilidade de gravar programas no equipamento de gravação de DVD.

A precificação modulada e os pacotes de serviços permitem que uma empresa maximize as vendas de todos os itens de um serviço que os clientes desejam, sem precisar criar conjuntos de serviços exclusivos para cada cliente.

Fontes: R. Docters, M. Reopel, J. Sun, and S. Tanny, "Capturing the Unique Value of Services: Why Pricing of Services Is Different," *The Journal of Business Strategy* 25, no. 2 (2004), pp. 23–28; R. Adams, "Many Formats, One Price: More Publications Begin Bundling Their Digital, Print, and Mobile Subscriptions," *The Wall Street Journal*, May 16, 2011, p. B4.

PACOTES NA PRECIFICAÇÃO MODULADA DE PUBLICAÇÕES
Contrato de pacote

Impresso | On-line | Tablet | Móvel

The New Yorker — Condé Cast	
On-line + Tablet	$59/99/anuais (disponível no iTunes)
Impresso + On-line + Tablet	$69,99 (disponível em newyorker.com)
Sports Illustrated — Time Inc.	
On-line + Tablet + Móvel	$3,99/mensais
Impresso + On-line + Tablet + Móvel	$48,00/anuais
Glamour — Condé Cast	
Tablet	$19,99/anuais (disponível no iTunes)
Impresso + Tablet	$19,99/anuais (disponível em glamour.com)
The New York Times — The New York Times Company	
On-line + Móvel	$195,00/anuais
On-line + Tablet	$260,00
On-line + Tablet + Móvel	$455,00
Impresso + On-line + Tablet + Móvel	$254,80–$608,40
The Wall Street Journal — Dow Jones & Company	
On-line + Móvel	$155,00/anuais
On-line + Tablet + Móvel	$207,00
Impresso + On-line + Tablet + Móvel	$455,00
The Economist (Edição norte-americana) — The New York Times Company	
On-line + Tablet + Móvel	$110,00/anuais
Impresso + On-line + Tablet + Móvel	$126,99

Observação: Os dados sobre circulação de revistas excluem as vendas de cópias avulsas e a circulação registrada. Fontes: *The Wall Street Journal*, May 16, 2011, p. B4 ços nesta categoria, a maneira como interpretam os diversos preços e o que é visto como sacrifício excessivo. Esses fatores são mais bem entendidos quando a empresa prestadora conhece também a dimensão relativa em dinheiro da compra, a frequência das alterações em preços anteriores e o leque de preços aceitáveis para o serviço. Algumas das estratégias de precificação apropriadas nos casos em que os clientes definem valor como preço baixo incluem o desconto, a precificação psicológica, a precificação sincronizada e a precificação de penetração (Figura 15.3).

Os descontos

As empresas do setor de serviços oferecem descontos para comunicar aos compradores sensíveis a preços que eles estão recebendo valor. Entre as estratégias de desconto mais comuns estão as adotadas por companhias *on-line*, como Groupon, Living Social, Angie's List e um número crescente de concorrentes. Essas empresas atuantes na Internet, entre as quais o Groupon continua sendo a maior, oferecem descontos a seus clientes diariamente por *e-mail* e postagens no Facebook e no Twitter. Todos os descontos são válidos para empresas locais, como restaurantes, serviços de limpeza, massagens, encanamento, inspeções de propriedade e hotéis. Os consumidores solicitam os negócios e conseguem participar até estes se esgotarem. As empresas atuantes *on-line* às vezes chegam a receber 50% da receita dos cupons adquiridos.

A *precificação psicológica*

A precificação psicológica consiste na prática de precificar serviços com valores um pouco abaixo de um valor arredondado da moeda corrente. Por exemplo, as lavanderias de lavagem a seco cobram $2,98 para lavar uma camisa, não $3,00; as academias de ginástica cobram mensalidades de $33,90, não $34,00; e os cortes de cabelo saem por $9,50 em vez de $10,00. A precificação psicológica lembra um desconto, uma barganha, e é atraente aos clientes para os quais o valor está no menor preço.

A *precificação sincronizada*

A precificação sincronizada consiste na utilização do preço para administrar a demanda por um serviço, por conta da capitalização da sensibilidade do cliente ao preço. Serviços como preparação de declarações de impostos, transporte de passageiros, hotéis e teatros têm demandas flutuantes no tempo e restrições à demanda em épocas e horários de pico. Para as empresas atuantes nestes e em outros setores, a definição de um preço que forneça lucros ao longo do tempo é uma tarefa difícil. Contudo, a precificação desempenha um papel importante na uniformização da demanda e na sincronização entre oferta e demanda. Diferenciais de tempo, localização, quantidade e incentivos são utilizados com eficácia por empresas do setor de serviços, conforme discutimos no Capítulo 13.

Os *diferenciais de localização* são utilizados para serviços em que os clientes apresentam sensibilidade ao local de sua execução. A primeira fila em concertos, a linha de 50 jardas no futebol

Valor é preço baixo.
- Descontos
- Precificação psicológica
- Precificação sincronizada
- Precificação de penetração

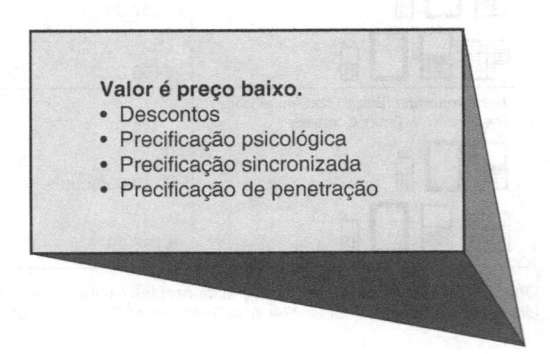

Figura 15.3 As estratégias de precificação quando o cliente define o valor como preço baixo.

americano*, as cadeiras centrais em partidas de tênis ou basquete, os quartos com vista para o mar em hotéis são itens que representam diferenciais de localização importantes para os clientes e que, portanto, têm preços mais altos.

Os *diferenciais de tempo* envolvem variações no preço que dependem do momento em que o serviço é consumido. O serviço telefônico após as 11 horas da noite, os quartos de hospitais aos finais de semana e os *spas* durante a baixa temporada representam diferenciais de tempo que refletem os períodos de menor procura do serviço. Ao oferecer preços mais baixos em períodos de menor utilização, uma empresa do setor de serviços tem a chance de uniformizar a demanda e aumentar receitas.

Os *diferenciais de quantidade* em geral são descontos oferecidos em função do volume de compra. Essa estrutura de precificação permite a uma empresa prever a demanda futura por seus serviços. Os clientes que adquirem uma cartela de cupons de um salão de beleza com serviços de bronzeamento artificial, uma dada quantidade de tíquetes de pedágio em uma ponte ou os pacotes de inserções no rádio ou na televisão estão reagindo a incentivos de preço oferecidos em troca de um compromisso com serviços futuros. Descontos para clientes corporativos dados por companhias aéreas, hotéis e locadoras de veículos são exemplos de desconto por quantidade no contexto *business-to-business*.

Os *diferenciais como incentivos* são preços mais baixos para clientes novos ou existentes, oferecidos com a intenção de encorajá-los a tornarem-se usuários regulares ou mais frequentes de um serviço. Alguns profissionais liberais, como advogados, dentistas, massagistas e mesmo médicos, oferecem consultas grátis no começo do tratamento, normalmente para o paciente superar o medo e a incerteza sobre preços altos de consultas. Outras empresas estimulam a utilização de seus serviços oferecendo descontos ou ofertas especiais a clientes regulares em períodos de pouca demanda. Equipes esportivas hoje recorrem a preços diferenciados como incentivos para atrair novos clientes que de outra forma não seriam capazes de pagar pelo alto custo de frequentar eventos esportivos. O time de basquete Phoenix Suns afirmou que "você precisa ter preços que caibam em todos os bolsos" e reformulou sua estratégia de precificação de entradas aumentando o número de cadeiras especiais em 26%, diminuindo o número de cadeiras comuns em 31% e oferecendo 500 entradas extras a $10. O resultado foi um aumento de 6% no preço médio das entradas (pago pelos compradores de cadeiras especiais), e maior frequência de torcedores nas partidas, pois mais pessoas de diferentes segmentos conseguiram pagar para assistir aos jogos.[14]

A precificação de penetração

A precificação de penetração é uma estratégia em que novos serviços são lançados a preços menores com o propósito de estimular novos clientes e propagar o serviço. Esta estratégia é importante quando (1) o volume de vendas do serviço é sensível ao preço, mesmo nos primeiros estágios do processo de lançamento, (2) é possível concretizar economias em custos unitários com a operação de grandes volumes, (3) um serviço enfrenta ameaças de concorrentes potencialmente fortes logo após o lançamento, e (4) não existe uma categoria de compradores dispostos a pagar um preço mais alto pelo serviço.[15] A precificação de penetração pode trazer problemas nos casos em que as companhias selecionam um preço "corrente" maior. É preciso tomar cuidado para não penetrar em um mercado com um preço baixo demais e assim fazer os clientes sentirem que o preço normal está fora da faixa de preços aceitáveis.

As estratégias de precificação nos casos em que o cliente julga que "valor é tudo o que quero em um serviço"

Quando um cliente está preocupado sobretudo com os componentes que receberá em um serviço, o preço monetário não é seu principal interesse. Quanto mais desejáveis os atributos intrínsecos de um serviço, maior a probabilidade de ele ser mais valorizado e maior o preço que o profissional de marketing pode estipular. A Figura 15.4 mostra as estratégias de precificação adequadas a esta situação.

---

* N. de T.: Linha que divide o campo de futebol americano ao meio.

> *Valor é tudo o que quero em um serviço.*
> - Precificação por prestígio
> - Precificação por desnatamento

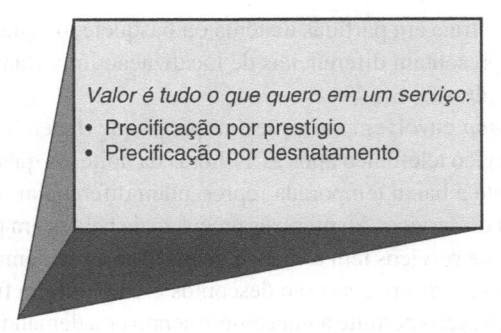

Figura 15.4 As estratégias de precificação nos casos em que o cliente diz que valor é tudo o que é desejado em um serviço.

A precificação por prestígio
A precificação por prestígio é uma forma especial de precificação por demanda adotada pelos profissionais de marketing para serviços de alta qualidade ou que gerem *status* social. Para serviços, sejam oferecidos por restaurantes, academias, companhias aéreas ou hotéis, um preço maior é cobrado pelo fator luxo. Por exemplo, para hóspedes que exigem um tratamento diferenciado, as redes de hotéis oferecem *club floors* (sala privativa a um grupo seleto e que conta com atrações de alto luxo, a preços muito mais altos). Alguns hotéis da rede Ritz-Carlton oferecem almoços grátis, como sanduíches e saladas nesses quartos mais caros.[16] Alguns clientes de empresas do setor de serviços que utilizam esta abordagem na verdade valorizam o alto preço, pois ele representa prestígio ou gera uma imagem de qualidade. Outros clientes gostam de comprar serviços a preços altos pois têm preferência na escolha de mesas em restaurantes ou quartos de hotel, além do direito a outras vantagens especiais. Na precificação por prestígio, é possível que a demanda aumente à medida que o preço suba, porque quanto mais caro o serviço, maior o valor em termos de qualidade e importância.

A precificação por desnatamento
A precificação por desnatamento*, estratégia em que novos serviços são lançados a preços altos, é uma abordagem eficaz nos casos em que os serviços representam grandes melhorias em comparação ao passado. Nessa situação, os clientes estão interessados em obter o serviço sem se preocupar com o custo, o que permite que as empresas prestadoras promovam uma seleção dos clientes mais dispostos a pagar preços mais altos. Serviços relacionados a rejuvenescimento, como injeções de Botox e lipoaspiração a laser, muitas vezes são lançados com preços elevados, o que atrai clientes dispostos a pagar mais para receberem o serviço no curto prazo, sem precisar esperar pela redução dos preços.

As estratégias de precificação nos casos em que o cliente julga que "valor é a qualidade que obtenho pelo preço que pago"

Alguns clientes consideram principalmente a qualidade e o preço monetário. A tarefa do profissional de marketing consiste em compreender o que significa *qualidade* para o cliente (ou segmentos de clientes) e então equiparar o nível de qualidade oferecido ao preço cobrado. Estratégias específicas para esta abordagem são mostradas na Figura 15.5.

A precificação por valor
O termo *precificação por valor*, muito utilizado, passou a significar "pagar mais para receber menos". Na utilização atual, o termo envolve a composição de conjuntos de serviços desejados por um

---

* N. de T.: Em inglês, *skimming*.

> Valor é a qualidade que obtenho pelo preço que pago.
> - Precificação por valor
> - Precificação por segmentação de mercado

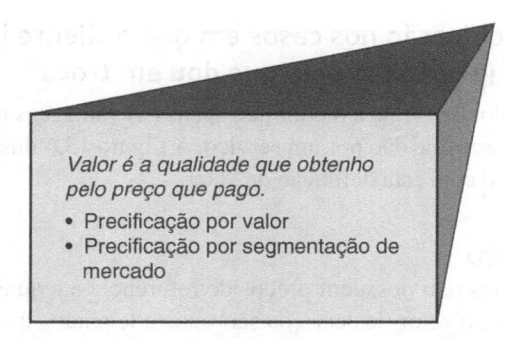

Figura 15.5 As estratégias de precificação nos casos em que o cliente define valor como a qualidade que obtém pelo preço pago.

grande grupo de clientes e sua precificação a um preço menor do que custariam individualmente. A Taco Bell foi a pioneira na precificação por valor, ao lançar seu cardápio "Value Menu" por $0,59. Após as vendas da rede de restaurantes terem subido 50% em dois anos, atingindo $2,4 bilhões, o McDonald's e o Burger King também adotaram a estratégia de precificação. Desde então o cardápio na Taco Bell passou por uma reconfiguração e hoje inclui tacos e burritos (pratos estes que são de preparação simplificada) por menos de um dólar. Conforme mostramos no texto de abertura deste capítulo, a Southwest Airlines também oferece a precificação por valor em seus serviços aéreos: um custo baixo por um pacote de atributos desejáveis no serviço, como partidas mais frequentes, funcionários amigáveis e divertidos e chegadas na hora definida. A companhia aérea oferece tarifas com preços sempre baixos e serviços modestos.

A precificação por segmentação de mercado

Com a *precificação por segmentação de mercado*, um profissional de marketing de serviços define preços diferentes para grupos de clientes em função das percepções de cada um acerca dos níveis de qualidade, ainda que não haja diferenças correspondentes nos custos da prestação do serviço em cada um destes grupos. Esta forma de precificação é baseada na premissa de que os segmentos demonstram graus distintos de elasticidade em relação à demanda e desejam diferentes níveis de qualidade.

Os profissionais de marketing de serviços muitas vezes precificam em termos de *categoria do cliente*, com base no reconhecimento de que alguns grupos acham difícil pagar um preço recomendado. As academias de ginástica localizadas em comunidades de estudantes universitários normalmente oferecem títulos de membros ou sócios aos alunos, reconhecendo que este segmento de clientes sofre limitações na capacidade de pagamento de um preço cheio. Além da redução no preço, estes programas para membros impõem também um número reduzido de horas, sobretudo em horários de grande demanda. A mesma linha de raciocínio está por trás da participação de aposentados, que têm menor poder para pagar o preço integral e que contudo estão dispostos a ir às academias nos horários em que a maior parte dos frequentadores pagantes de preço cheio estão trabalhando.

Outra forma de as empresas utilizarem a segmentação de mercado é por meio da *versão do serviço*. Nesse caso elas reconhecem que nem todos os segmentos desejam o nível básico de serviço ao menor preço. Quando elas conseguem identificar um conjunto de atributos desejados o bastante por outro segmento de clientes, elas cobram um preço mais alto para este conjunto. As empresas configuram conjuntos de serviços que refletem os aspectos relativos a preço e serviço e que são atraentes a diversos grupos no mercado. Por exemplo, redes de hotéis oferecem quartos *standard* a diárias básicas, mas acrescentam itens e tangíveis a eles para atrair clientes dispostos a pagar mais pelo nível de serviço de recepção, por banheiras de hidromassagem, camas extras e áreas para descanso.

As estratégias de precificação nos casos em que o cliente julga que "valor é tudo o que obtenho pelo que dou em troca"

Alguns clientes definem valor de forma a incluir não apenas as vantagens recebidas, como também o tempo, o dinheiro e o esforço que dão por um serviço. A Figura 15.6 ilustra as estratégias de precificação adotadas de acordo com esta definição de valor.

O enquadramento do preço

Uma vez que muitos clientes não possuem preços de referência adequados para os serviços, os profissionais de marketing do setor de serviços são mais adequados do que os profissionais de marketing do setor de bens de consumo para organizar informações sobre preços a fim de que os clientes consigam analisá-las melhor. Os clientes naturalmente procuram âncoras de preço, bem como serviços com que estão familiarizados, para comparar os serviços sendo oferecidos. Se aceitarem essas âncoras, então passarão a ver os pacotes de preços e serviços de forma positiva. O Groupon, o Living Social e outros *sites* de compras coletivas *on-line* permitem que os clientes conheçam os valores reais das ofertas e os descontos em cada uma. Conforme mencionamos, os clientes muitas vezes não têm um preço de referência para serviços, sobretudo aqueles relativos ao lar, como encanamento, limpeza de calhas e lavagem a pressão. O enquadramento das ofertas com a revelação dos preços reais permite que os clientes reconheçam o valor que receberão se comprarem via Groupon.

O preço amarrado

Alguns serviços são consumidos com mais eficácia em conjunto com outros serviços. Há também os serviços que acompanham os produtos a que dão suporte (como garantias prolongadas do serviço, treinamento e entrega expressa). Quando os clientes encontram valor em um pacote de serviços inter-relacionados, o preço amarrado é uma estratégia apropriada. Os pacotes, que consistem em precificar e vender serviços na forma de um grupo, e não individualmente, trazem benefícios tanto ao cliente quanto à empresa prestadora. Os clientes descobrem que o pacote simplifica o processo de compra e pagamento, e a empresa percebe que a abordagem estimula a demanda pela linha de serviços da empresa, o que traz economias de custo para as operações como um todo, ao mesmo tempo que aumenta as contribuições líquidas.[17] O preço amarrado também permite ao cliente pagar menos do que nos casos em que adquire os serviços em separado, o que contribui para as percepções de valor.

A eficácia do preço amarrado depende do quão bem a empresa de serviços compreende os conjuntos de valor percebidos pelos clientes ou segmentos de clientes e o caráter complementar da demanda por estes serviços. Ela também depende da escolha correta dos serviços do ponto de vista da empresa. Uma vez que o objetivo da companhia é aumentar as vendas totais, os serviços selecionados para formar um pacote precisam ser aqueles que têm um volume de vendas relativa-

Valor é tudo o que obtenho pelo que dou em troca.
- O enquadramento do preço
- O preço amarrado
- A precificação complementar
- A precificação baseada em resultados

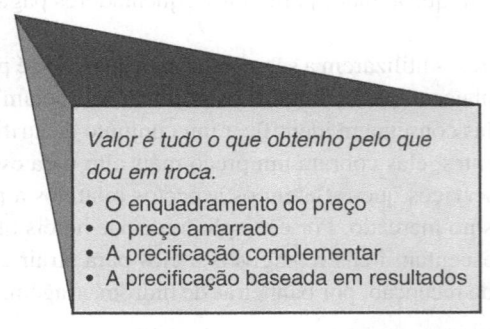

Figura 15.6 As estratégias de precificação nos casos em que o cliente define valor como tudo o que é recebido por tudo o que dá em troca.

mente menor, quando não vendidos em pacote, a fim de minimizar as perdas de receita advindas dos descontos dados em serviços que já contam com um grande volume de vendas.

A precificação complementar

Os serviços altamente inter-relacionados podem ser motivados com a utilização da *precificação complementar*. Esta abordagem à precificação inclui três estratégias – a precificação cativa, a precificação bipartite e a precificação de perda de liderança.[18] Na *precificação cativa*, a companhia oferece um serviço ou produto básico e então fornece os extras ou serviços secundários necessários ao prosseguimento da utilização do serviço. Nessa situação, a companhia pode redirecionar parte do preço do serviço básico aos serviços secundários. Por exemplo, os serviços de televisão a cabo muitas vezes reduzem a taxa de instalação a um nível muito baixo e compensam as perdas de receita geradas por este abatimento ao cobrar mais por serviços secundários. Nas empresas de serviço, esta estratégia normalmente é chamada *precificação bipartite*, pois o preço do serviço é dividido em uma taxa fixa e em taxas variáveis de utilização (esta estratégia também é vista em serviços telefônicos, academias de ginástica e serviços comerciais, como locações). A *perda de liderança* é o termo normalmente empregado em lojas do varejo nos casos em que as prestadoras colocam um serviço em promoção especial sobretudo para atrair o cliente à loja e revelar outros níveis de serviço disponíveis a preços maiores. Por exemplo, as lavanderias oferecem um preço baixo especial para lavar camisas masculinas de forma a atrair clientes e oferecer outros serviços pagos a preços regulares.

A precificação baseada em resultados

Nos setores de serviço, em que o resultado é muito importante mas a incerteza é alta, o aspecto mais relevante do valor é o *resultado* do serviço. Por exemplo, em ações judiciais relativas a danos morais, os clientes valorizam o acordo que recebem na conclusão do serviço. No caso de contadores especializados em serviços tributários, os clientes valorizam a economia de custos. Em relação às escolas de administração, os alunos valorizam o emprego que podem obter logo após a formatura. A indústria cinematográfica de Hollywood, por sua vez, valoriza a geração de receitas brutas por seus astros e estrelas. Nessas e em outras situações, uma estratégia de precificação apropriada baseada no valor consiste em precificar de acordo com os resultados ou o desfecho do serviço.

A forma mais conhecida de precificação baseada em resultados é a prática chamada *precificação por contingência*, utilizada por advogados. A precificação por contingência é o principal modo como os processos relativos a danos morais e alguns tipos de processos do direito do consumidor são cobrados. Nessa abordagem, o advogado não recebe o pagamento até o caso ser encerrado, momento em que recebem uma porcentagem do dinheiro a que o cliente tem direito. Portanto, somente um resultado favorável ao cliente é que será recompensado. Do ponto de vista do cliente, esta precificação faz sentido em parte porque a maioria dos clientes nesses casos não está familiarizada com as operações de um escritório de advocacia e pode até sentir-se intimidada pela situação. Os maiores temores dos clientes são os altos honorários cobrados por um processo que talvez leve anos para ser concluído. A precificação por contingência oferece aos clientes a garantia de que eles não pagarão taxas até receberem o veredicto final. Nesses e em outros exemplos de precificação por contingência, o valor econômico do serviço é de difícil definição antes de o serviço ser concluído e, por isso, as empresas prestadoras desenvolvem um preço que permite-lhes compartilhar riscos e recompensas da geração de valor para o comprador.

A precificação baseada em resultados é ilustrada com clareza pela indústria da publicidade com o sistema "pague por clique do mouse". Em vez de adquirir mídias com previsão de público, as empresas que compram anúncios no Google e no Yahoo! pagam apenas pelos usuários que de fato respondem a eles. Algumas empresas de relações públicas também estão deixando de cobrar taxas fixas para obter exposição na mídia para seus clientes e passam a adotar uma abordagem baseada em resultados. Por exemplo, a PayPerClip, divisão de uma tradicional empresa de relações públicas, baseia suas taxas em resultados específicos – $750 para uma menção em um jornal de pequena circulação.

Valor é preço baixo
- Descontos
- Precificação psicológica
- Precificação sincronizada
- Precificação de penetração

Valor é tudo o que quero em um serviço
- Precificação por prestígio
- Precificação por desnatamento

Valor é a qualidade que obtenho pelo preço que pago
- Precificação por valor
- Precificação por segmentação de mercado

Valor é tudo o que obtenho pelo que dou em troca
- O enquadramento do preço
- O preço amarrado
- A precificação complementar
- A precificação baseada em resultados

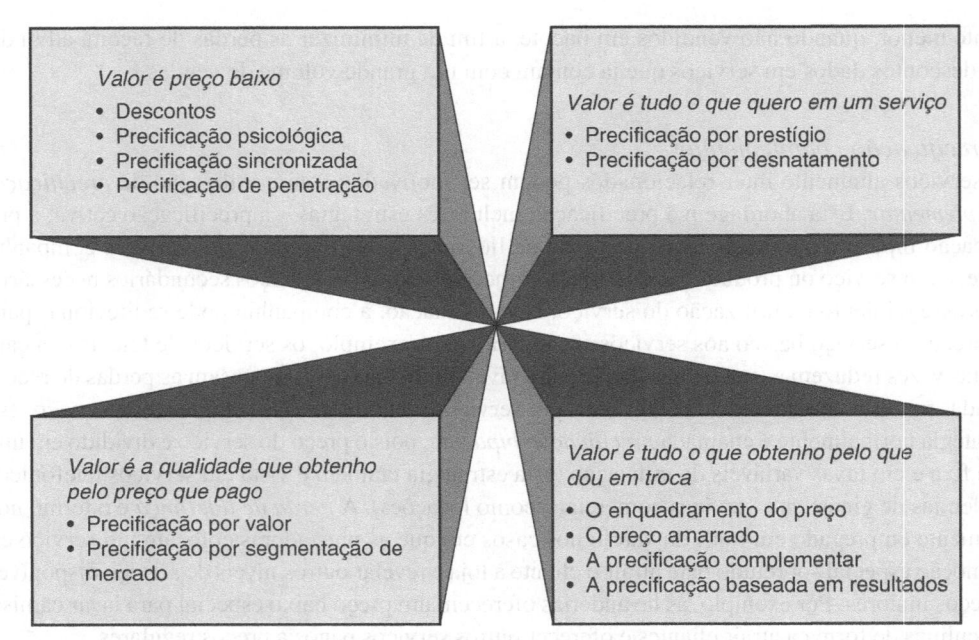

Figura 15.7 Resumo das estratégias de precificação de serviços para as quatro definições de valor do cliente.

A abordagem à precificação de serviços baseada em comissões é atraente, pois os agentes são compensados em maior escala nos casos em que encontram as maiores taxas e tarifas. É possível imaginar que esses agentes tenham motivos ocultos para evitar as menores taxas para seus clientes.

Resumo

Este capítulo começou com uma discussão das três principais diferenças no modo como o cliente avalia a precificação de produtos e a precificação de serviços: (1) Os clientes muitas vezes têm referências de preço imprecisas ou limitadas para serviços, (2) o preço é um importante indicador da qualidade dos serviços, e (3) o valor monetário não é o único preço relevante aos clientes de serviços. Estas três diferenças têm efeitos profundos nas estratégias que as empresas adotam para definir e administrar preços para serviços. Em seguida, tratamos das estruturas de precificação mais comuns, como a precificação (1) baseada em custos, (2) baseada na competição e (3) baseada na demanda. Os desafios específicos a cada uma destas estruturas e as técnicas de precificação de serviços vistas na prática foram aspectos essenciais desta discussão.

Por fim, definimos as percepções do cliente sobre valor e sugerimos estratégias de precificação que se encaixam a cada uma destas percepções. A Figura 15.7 resume estas definições e estratégias. As quatro definições de valor incluem (1) valor é preço baixo, (2) valor é tudo o que quero em um serviço, (3) valor é a qualidade que obtenho pelo preço que pago, e (4) valor é tudo o que obtenho pelo que dou em troca.

Questões para discussão

1. Qual é a abordagem à precificação (baseada em custos, na competição ou na demanda) mais justa com os clientes? Por quê?
2. É possível utilizar as três abordagens simultaneamente na precificação de serviços? Se sua resposta for afirmativa, descreva um serviço precificado desta maneira.
3. Para quais serviços de consumo você tem preços de referência? O que diferencia estes serviços de outros, para os quais você não tem preços de referência?
4. Liste três serviços que você adquire em que o preço é um sinal da qualidade. Você acredita que haja diferenças verdadeiras entre serviços precificados a valores altos e aqueles que têm preços baixos? Por quê?

5. Descreva os custos não monetários envolvidos nos seguintes serviços: obtenção de um empréstimo para a compra de um automóvel, inscrição em uma academia de ginástica, diagnóstico e tratamento de alergias, curso para executivos e colocação de aparelho ortodôntico.

6. Considere as estratégias de precificação específicas para cada uma das quatro definições de valor. Quais destas estratégias poderiam ser adaptadas e utilizadas com outra definição de valor?

Exercícios

1. Liste cinco serviços para os quais você não tem preços de referência. Agora, assuma o papel da empresa prestadora de dois destes serviços e desenvolva estratégias de precificação. Certifique-se de incluir em sua descrição as definições de valor que você acredita que os clientes tenham e os tipos de estratégias mais apropriados frente a estas definições.

2. Na próxima semana, encontre três listas de preços para serviços (de um restaurante, lavanderia ou cabeleireiro). Identifique a base da precificação e a estratégia empregada em cada uma. Qual é a eficácia de cada estratégia?

3. Imagine que você seja o proprietário de uma nova faculdade particular e que está preparando um pacote de preço/valor atraente para os alunos. Descreva sua abordagem. De que modo ela difere dos serviços existentes?

4. Visite o *site* da Priceline.com na Internet e familiarize-se com seu funcionamento. A seguir, visite o Orbitz e o Travelocity e compare os modos de operação. Quais são os benefícios e as relações entre vantagens e desvantagens na utilização do Priceline em comparação com o Orbitz e o Travelocity.

Literatura citada

1. K. Monroe, "The Pricing of Services," *Handbook of Services Marketing*, ed. C. A. Congram and M. L. Friedman (New York: AMACOM, 1989), pp. 20–31.
2. Ibid.
3. W. Woellert, "How Much Is That Brain Scan?" *BusinessWeek*, November 8, 2004, p. 94.
4. V. M. Mallozzi and J. Gettleman, "Taming the Runaway Wedding Planner," *New York Times*, June 24, 2007; Pet Body Builders, www.petbodybuilders.com/services.html, acessado em 30/8/2007; Child Safety Specialists, www.safe4mychild.com/about-us.html, acessado em 28/8/2007.
5. E. Cohen, "Would Your Doctor Pay for Wasted Time?" www.cnn.com, acessado em 13/8/2011.
6. Monroe, "The Pricing of Services."
7. V. A. Zeithaml, "The Acquisition, Meaning, and Use of Price Information by Consumers of Professional Services," in *Marketing Theory: Philosophy of Science Perspectives*, ed. R. Bush and S. Hunt (Chicago: American Marketing Association, 1982), pp. 237–241.
8. C. H. Lovelock, "Understanding Costs and Developing Pricing Strategies," *Services Marketing* (New York: Prentice Hall, 1991), pp. 236–246.
9. A. Stevens, "Firms Try More Lucrative Ways of Charging for Legal Services," *The Wall Street Journal*, November 25, 1994, pp. B1ff.
10. K. Chu, "Bank of America Raises ATM Surcharge," *USA Today* September 13, 2007, p. 2A.
11. V. A. Zeithaml, "Consumer Perceptions of Price, Quality, and Value: A Means-End Model and Synthesis of Evidence," *Journal of Marketing* 52 (July 1988), pp. 2–22.
12. Todos os comentários dessas quarto seções são baseados em Zeithaml, "Consumer Perceptions," pp. 13–14.
13. B. Donan, "Set Price Metrics Parallel to Value Proposition," *Marketing News*, April 1, 2007, p. 6.
14. G. Boeck, "Teams Woo Fans with Cheaper Seats," *USA Today*, August 31, 2004, p. 3C.
15. Monroe, "The Pricing of Services."
16. B. DeLollis, "Hotels Take Pampering to Next Level on Club Floors," *USA Today*, June 19, 2007, p. 3B.
17. Monroe, "The Pricing of Services."
18. G. J. Tellis, "Beyond the Many Faces of Price: An Integration of Pricing Strategies," *Journal of Marketing* 50 (October 1986), pp. 146–160.

Parte VII
O serviço e o lucro da empresa

Capítulo 16 O impacto financeiro e econômico dos serviços

Na última parte deste livro, discutimos uma das principais questões relacionadas aos serviços e que os gestores do setor vêm debatendo ao longo dos últimos 25 anos: o serviço de qualidade excelente é lucrativo para uma organização? Reunimos pesquisas e experiências de empresas para responder a esta pergunta. Apresentamos nosso próprio modelo de como o relacionamento funciona e oferecemos alguns exemplos deste relacionamento nas companhias. Nosso modelo mostra como a qualidade do serviço tem efeitos agressivos (a conquista de novos clientes) e defensivos (a retenção de clientes).

Também abordamos diversos modelos de desempenho. O retorno sobre a qualidade do serviço (ROSQ, *Return on service quality*) é uma abordagem de simulação que permite a uma companhia mensurar o retorno sobre investimentos em diferentes atividades do serviço. O *customer equity* é uma extensão da abordagem ROSQ que compara os investimentos em serviços com os gastos em outras atividades de marketing. O *balanced performance scorecard* é um enfoque que inclui diversos fatores da empresa, como indicadores financeiros, do cliente, operacionais e inovadores. Ele permite a uma empresa mensurar o desempenho da perspectiva do cliente (Capítulos 4 e 9), da perspectiva do funcionário (Capítulo 11) e da perspectiva da inovação e dos novos serviços (Capítulo 8). Assim, no Capítulo 16 sintetizamos as questões relativas às mensurações envolvidas na prestação do serviço e apresentamos uma maneira de as companhias demonstrarem que o serviço tem justificativa do ponto de vista financeiro. Estes modelos auxiliam as companhias a entender melhor os benefícios que obtêm com os investimentos na excelência no serviço.

Capítulo 16

O impacto financeiro e econômico dos serviços

Os objetivos deste capítulo são:

1. Examinar os efeitos diretos do serviço nos lucros.
2. Considerar os efeitos do serviço na obtenção de novos clientes.
3. Avaliar o papel do serviço na conservação de clientes.
4. Discutir o conhecimento sobre os principais motivadores da qualidade total do serviço, da retenção do cliente e da rentabilidade.
5. Discutir o *balanced performance scorecard*, que permite o foco estratégico nas mensurações de natureza diferente da financeira.

"Que retorno posso esperar com as melhorias na qualidade do serviço?"
— *Um CEO típico*

Os autores deste livro trabalham com companhias a fim de melhorar a qualidade dos serviços que oferecem e atender melhor as expectativas do cliente. As duas perguntas mais frequentes formuladas pelos executivos destas companhias são:

Como saberei que as melhorias na qualidade do serviço são um bom investimento?
Em que ponto da companhia devo investir dinheiro para concretizar o maior retorno?

Por exemplo, após conduzir uma pesquisa com os consumidores, uma rede de restaurantes descobriu que as percepções da qualidade do serviço ficaram em 85%, na média, para toda a rede. Os itens que receberam as menores notas na pesquisa foram a cordialidade dos garçons (70%), o tempo de espera pelo serviço (78%) e o cardápio limitado (76%). O CEO da companhia queria saber, em primeiro lugar, se melhorias na qualidade total ou em qualquer área resultariam em receitas que excedessem os custos de implementação. Além disso, ele desejava orientação sobre os aspectos do serviço que deveriam ser abordados. Ele poderia determinar o quanto custaria cada uma das iniciativas, mas isso seria o máximo que as estimativas financeiras lhe permitiriam vislumbrar. Sem dúvida, a cordialidade dos garçons era o aspecto mais urgente a ser alterado, pois recebera os menores escores. Mas, esta mudança não seria também a mais cara de implementar? O que ele poderia esperar como retorno para as melhorias em cada área do serviço? Será que as adaptações nos outros dois fatores seriam investimentos melhores? Qual das três iniciativas relacionadas ao serviço geraria melhorias mais perceptíveis para aumentar as percepções gerais do cliente sobre o restaurante?

Há 10 anos essas perguntas tinham de ser respondidas com base na intuição do executivo. Hoje existem abordagens mais analíticas e rigorosas para auxiliar os gestores a tomar estas decisões acerca dos investimentos na qualidade dos serviços. A abordagem mais conhecida e respeitada é o retorno sobre a qualidade do serviço (ROSQ, *Return on service quality*), desenvolvida por Roland

Rust, Anthony Zahorik e Tim Keiningham, uma equipe de pesquisadores e consultores. A abordagem ROSQ baseia-se nas seguintes hipóteses:

1. A qualidade do serviço é um investimento.
2. A qualidade do serviço precisa ser justificável do ponto de vista financeiro.
3. É possível gastar o necessário em qualidade do serviço.
4. Nem todos os gastos com qualidade do serviço são igualmente válidos.

Esta abordagem interpreta os investimentos em serviços como uma cadeia de efeitos da seguinte forma:

1. Um esforço por melhorias no serviço aumentará a satisfação do cliente em nível de processo ou atributo. Por exemplo, o gasto em dinheiro em treinamento dos garçons provavelmente elevará a satisfação do cliente a partir do nível atual de 70%.
2. A maior satisfação do cliente em nível de processo ou atributo gera maior satisfação total. Se a satisfação com a maior cordialidade dos garçons subir de 70 para 80%, as notas para a qualidade global talvez aumentem de 85 a 90%. (Essas duas alterações nas porcentagens serão mensuradas com precisão na próxima vez que as pesquisas forem conduzidas, e poderiam mesmo ser previstas utilizando o modelo ROSQ.)
3. A maior qualidade global do serviço ou a maior satisfação geral do cliente aumentam as intenções comportamentais, como a maior intenção de recompra ou utilização. Os clientes que ainda não fizeram uma refeição no restaurante se sentirão atraídos a fazê-lo, e muitos que hoje o frequentam uma vez ao mês considerarão aumentar esta frequência.
4. O aumento nas intenções comportamentais gera um impacto comportamental, incluindo a ocorrência de recompra ou a retenção do cliente, a propaganda boca a boca positiva e a maior utilização do serviço. As intenções de ser um cliente do restaurante tornam-se uma realidade, o que resulta em maiores receitas e maior publicidade informal positiva.
5. Os efeitos comportamentais então aumentarão a rentabilidade e melhorarão outros resultados financeiros. Receitas maiores trazem consigo lucros maiores para o restaurante, na hipótese de que o investimento original na reforma da fachada gere retorno.

A metodologia ROSQ auxilia a distinguir as estratégias, os processos, os enfoques e as táticas da companhia passíveis de alteração. A abordagem ROSQ é informativa, pois as empresas podem adotá-la para direcionar suas estratégias individuais. Alguns *softwares* foram desenvolvidos para acompanhar a ROSQ, e as empresas de consultoria trabalham com as organizações na utilização destes programas. As empresas como o restaurante discutido neste texto não precisam mais depender apenas da intuição para escolher os investimentos a serem feitos na qualidade do serviço.

Fontes: R. T. Rust, A. J. Zahorik, and T. L. Keiningham, *Return on Quality* (Chicago: Probus, 1994); e R. T. Rust, C. Moorman and P. R. Dickson, "Getting a Return on Quality: Revenue Expansion, Cost Reduction, or Both," *Journal of Marketing*, October 2002, pp. 7–24; R. T. Rust and T. S. Chung, "Marketing Models of Service and Relationships," *Marketing Science* 25 (November–December 2006), pp. 560–580.

A maioria das empresas necessita desesperadamente de provas e ferramentas para averiguar e monitorar a compensação e a recuperação dos investimentos em serviços. Muitos gestores ainda veem a qualidade do serviço como custo, e não como um fator promotor de lucros, em parte por causa da dificuldade envolvida em rastrear o vínculo entre serviço e retornos financeiros. A determinação do impacto financeiro dos serviços tem paralelo na constante busca pela relação entre publicidade e vendas. Os resultados da qualidade do serviço – como os resultados da propaganda – são cumulativos e, portanto, as provas desta relação talvez não se manifestem de imediato ou mesmo logo após a execução de investimentos. Como na propaganda, a qualidade do serviço é uma entre diversas variáveis – entre as quais a precificação, a propaganda, a eficiência e a imagem – que influenciam os lucros simultaneamente. Além disso, os gastos com serviços por si só não garantem resultados, já que a estratégia e a execução precisam ser consideradas.

Porém, recentemente os pesquisadores e os executivos de companhias procuram entender a relação entre serviço e lucro, e descobriram fortes evidências que dão suporte a este vínculo. Por exemplo, um estudo examinou as vantagens comparativas da expansão de receitas e da redução de custos no retorno sobre a qualidade. A pesquisa tratou de um dilema estratégico comumente enfrentado pelos executivos: reduzir custos por meio de programas de qualidade, como o Seis Sigma, cujo enfoque está nas eficiências e no corte de custos, ou gerar receitas por meio da melhoria no serviço, na satisfação e na retenção do cliente.[1] Utilizando os relatórios dos gerentes, bem como dados secundários sobre a rentabilidade da companhia e retornos sobre estoques de ações, o estudo investigou se o maior retorno sobre a qualidade era gerado com a redução de despesas, a expansão da receita ou uma combinação dessas duas abordagens. Os resultados sugerem que as empresas que inicialmente adotam a ênfase na expansão de receitas têm melhor desempenho e maior retorno sobre a qualidade em comparação àquelas que preconizam ou a redução de custos ou a expansão de receitas e o corte de despesas concomitantemente.[2]

Os executivos estão percebendo que a relação entre serviços e lucro não é linear nem simples. A qualidade do serviço afeta diversos fatores econômicos em uma empresa, alguns dos quais geram lucros por meio de variáveis que tradicionalmente não estão no escopo do marketing. Por exemplo, a abordagem tradicional da gestão da qualidade total expressa o impacto financeiro da qualidade do serviço na redução dos custos ou no aumento da produção. Estas relações envolvem questões operacionais que dizem respeito ao marketing apenas no sentido de que a pesquisa em marketing é utilizada para identificar as melhorias nos serviços valorizadas e percebidas pelos clientes.

Mais recentemente outros tipos de evidências apareceram, com as quais é possível examinar a relação entre serviço e rentabilidade. O objetivo deste capítulo é sintetizar estas evidências e identificar as relações entre serviços e lucros. Em cada seção avaliamos indícios e identificamos o conhecimento corrente acerca dos tópicos em questão. O capítulo é organizado de acordo com uma referência conceitual que vincula todas as variáveis nestes tópicos.

O SERVIÇO E A RENTABILIDADE: A RELAÇÃO DIRETA

A Figura 16.1 mostra a questão central deste capítulo: Como o serviço afeta os lucros? A primeira demonstração do interesse dos gerentes nesta questão foi observada no final da década de 1980, quando a qualidade de serviço emergiu como uma estratégia competitiva essencial. Os executivos das principais companhias do setor de serviços, como FedEx e Disney, começaram a demonstrar maior disposição de confiar na própria intuição, que lhes dizia que serviços melhores levariam a uma maior sucesso financeiro. Sem uma documentação formal das vantagens financeiras, eles passaram a comprometer recursos com o intuito de melhorar os serviços e foram fartamente recompensados pela iniciativa. Na década de 1990, a estratégia de utilizar serviços para obter vantagens competitivas e lucros foi adotada por empresas arrojadas do setor de produção e tecnologia da informação, como General Electric e IBM. Contudo, os executivos de outras companhias deixaram de pensar em investir em serviços, preferindo esperar evidências incontestáveis da solidez financeira da estratégia.

Serviço → **?** → **Lucros**

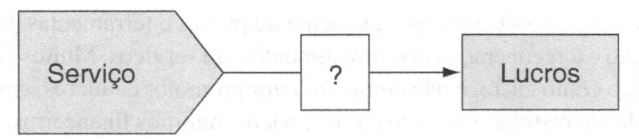

Figura 16.1 A relação direta entre serviços e lucros.

As primeiras evidências vieram do General Accounting Office* (GAO) dos Estados Unidos, que buscou as bases para a crença no impacto financeiro da qualidade em empresas que haviam sido classificadas como finalistas ou que haviam recebido o Prêmio Nacional de Qualidade Malcolm Baldrige. O GAO descobriu que estas empresas da elite em qualidade haviam se beneficiado em termos de fatia de mercado, vendas por funcionário, retorno sobre as vendas e retorno sobre ativos. Com base nas respostas de 22 companhias que venceram o prêmio ou que ficaram entra as finalistas, o GAO descobriu que 34 das 40 variáveis financeiras mostravam melhorias em desempenho para essas empresas, ao passo que apenas seis indicadores tiveram resultados negativos ou neutros.[3] Nos anos que se seguiram, as evidências geradas por pesquisas mais rigorosas demonstraram o impacto positivo do serviço. Um estudo revelou o impacto financeiro favorável dos sistemas de recuperação baseados em reclamações.[4] Outra pesquisa encontrou uma relação positiva e expressiva entre a satisfação do paciente e a rentabilidade dos hospitais.[5] Ao estender a definição de desempenho financeiro de forma a incluir retornos sobre o estoque acionário, outro estudo encontrou um elo positivo expressivo entre as alterações na percepção que o cliente tem da qualidade e o retorno sobre o estoque acionário em um caso em que os efeitos dos gastos com propaganda e o retorno sobre investimento foram mantidos constantes. Diversos estudos demonstraram o forte elo entre a satisfação do cliente e a rentabilidade de uma empresa. O Quadro 16.1 comenta os estudos que examinaram as relações entre satisfação do cliente, qualidade do serviço e desempenho financeiro. Estas informações são esclarecedoras, pois confirmam a tese de que a satisfação do cliente e a qualidade do serviço geram retornos financeiros.

Embora as questões envolvendo as relações mais amplas entre qualidade do serviço, satisfação do cliente e desempenho da companhia sejam relevantes em nível geral, as companhias e os pesquisadores também têm outros questionamentos sobre elementos mais específicos destas relações. Por exemplo, qual é o papel da qualidade do serviço na obtenção de clientes? De que modo a qualidade do serviço contribui para conservar os clientes de uma empresa?

OS EFEITOS DO MARKETING AGRESSIVO NOS SERVIÇOS: COMO ATRAIR MAIS E MELHORES CLIENTES

A qualidade do serviço auxilia as companhias a atrair mais e melhores clientes para seus negócios por meio do *marketing agressivo*.[6] Os efeitos gerados pelo marketing agressivo (Figura 16.2) envolvem a fatia de mercado, a reputação da empresa e os preços diferenciados. Quando um serviço é bom, a empresa ganha uma reputação positiva. Por sua vez, esta reputação permite à empresa conquistar uma maior fatia de mercado e explorar a possibilidade de cobrar mais do que a concorrência. Estas vantagens foram documentadas em um estudo feito com diversas companhias ao longo de alguns anos, hoje referência na literatura especializada, chamado PIMS – *Profit Impact of Marketing Strategy* (Impacto da Estratégia de Marketing nos Lucros). A pesquisa PIMS revela que as empresas que oferecem serviços de qualidade superior atingem uma fatia de mercado maior do que a média, e que a qualidade do serviço influencia os lucros por meio deste aumento na fatia de mercado, dos preços diferenciados, e da redução nos custos e na necessidade de retrabalho.[7] O

---

* N. de T.: Departamento do Congresso dos Estados Unidos que tem funções investigatórias e que conduz auditorias e avaliações na atuação e no desempenho do governo federal do país. Em 2004, o nome do departamento foi substituído por *Government Accountability Office* (Departamento de Responsabilidade Governamental) a fim de refletir melhor sua missão.

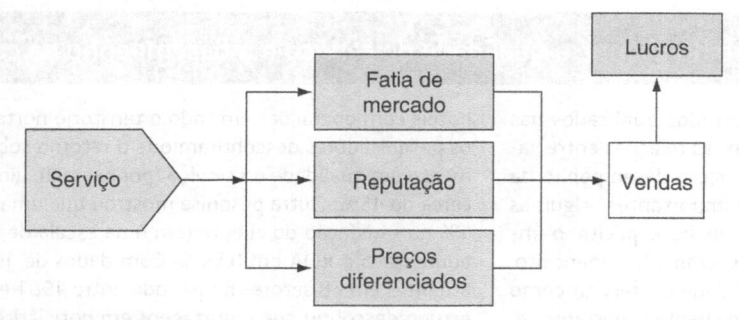

Figura 16.2 Os efeitos do marketing agressivo nos lucros com serviços.

estudo descobriu que as empresas que ficavam entre as cinco principais em termos de qualidade do serviço podiam cobrar preços em média 8% maiores do que a concorrência.[8]

Para documentar o impacto do serviço na fatia de mercado, um grupo de pesquisadores descreveu sua própria versão do caminho entre a qualidade e a fatia de mercado e afirmou que os clientes satisfeitos promovem publicidade boca a boca positiva. Isso atrai novos clientes e, portanto, aumenta a fatia de mercado. Os autores defendem a ideia de que anunciar a excelência na qualidade dos serviços sem contar com a estrutura necessária para garantir o nível prometido nas comunicações não aumenta a fatia de mercado.[9]

OS EFEITOS DO MARKETING DEFENSIVO NOS SERVIÇOS: A RETENÇÃO DO CLIENTE

Quando se trata da retenção dos clientes atuais de uma companhia – uma abordagem chamada *marketing defensivo*[10] –, os pesquisadores e as empresas de consultoria documentaram e quantificaram o impacto financeiro dos clientes existentes nos últimos 20 anos. A deserção do cliente é dispendiosa para a empresa, pois é preciso substituir os clientes antigos por clientes novos, e esta substituição tem altos custos. A obtenção de novos clientes é cara, pois envolve propaganda, promoção e custos de vendas, além das despesas de início das operações. Os novos clientes normalmente não são rentáveis por algum tempo após a aquisição. Por exemplo, no setor de seguros, a empresa seguradora não amortiza os custos de vendas antes do terceiro ou quarto ano do relacionamento com o cliente. A conquista de clientes de outras empresas também é uma tarefa cara.

Em geral, quanto mais tempo um cliente permanece com a empresa, mais rentável o relacionamento se torna para a companhia:

> Se forem atendidos corretamente, os clientes gerarão lucros cada vez maiores a cada ano que permanecerem com a empresa. O padrão é o mesmo em um amplo leque de setores de atividade: quanto mais tempo uma empresa retém o cliente, maior a receita que terá com ele.[11]

A receita que uma empresa tem com a retenção de clientes se origina de quatro fontes (mostradas na Figura 16.3): custos, volume de compras, preços diferenciados e publicidade boca a boca. Esta seção apresenta as evidências de pesquisa para estas fontes.

Menores custos

Atrair novos clientes é cinco vezes mais caro do que reter um cliente existente. Os consultores que concentram suas atividades nestes relacionamentos afirmam que a deserção de clientes tem um efeito mais forte nos lucros de uma companhia em comparação com a fatia de mercado, a escala, os custos unitários e diversos outros fatores em geral associados à vantagem competitiva.[12] Estes profissionais também argumentam que, dependendo do setor, as empresas podem aumentar seus lucros em 25 a 85% com a retenção de um número equivalente a apenas 5% de seus clientes exis-

Quadro 16.1   A satisfação do cliente, a qualidade do serviço e o desempenho da companhia

Uma revisão bibliográfica sobre os estudos publicados nas duas últimas décadas que examinaram as relações entre satisfação do cliente, qualidade do serviço e desempenho da empresa revelou diversos resultados importantes. Algumas destas pesquisas consideraram, de maneira explícita, o impacto da qualidade do serviço no desempenho financeiro, enquanto outras classificaram a qualidade do serviço como um agente motivador da satisfação do cliente e, portanto, se concentraram no impacto da satisfação global do cliente no desempenho financeiro da companhia. Conforme discutimos no Capítulo 4, o conceito de satisfação do cliente, além de ter uma envergadura maior do que o conceito de qualidade do serviço, quase sempre é um dos condutores da satisfação do cliente em todos os setores de atuação das empresas. Portanto, os resultados do exame destes dois conceitos serão relevantes na evolução deste capítulo. Uma vez que o número de estudos examinados nesta revisão bibliográfica é muito grande, apenas alguns deles serão mencionados neste quadro, mas a lista completa de fontes está disponível no estudo de revisão.

Os estudos revisados empregaram diversas métricas para o desempenho financeiro: lucro, preço do estoque de ações, o q de Tobin (a razão entre o valor de mercado de uma empresa e os custos de substituição de seus ativos tangíveis), o retorno sobre ativos (ROA) e o retorno sobre investimento (ROI), receitas extraordinárias e fluxos de caixa. A seguir, apresentamos as conclusões dos autores.

Generalização 1: As melhorias na satisfação do cliente têm um impacto positivo e expressivo no desempenho financeiro de uma empresa.

Diversos estudos demonstraram o forte elo entre a satisfação do cliente e a rentabilidade de uma empresa. Por exemplo, um abrangente estudo feito por Anderson, Fornell e Mazvancheryl sobre 200 das empresas listadas na *Fortune* 500 em 40 setores de atuação revelou que uma mudança de 1% no Índice de Satisfação do Cliente Norte-americano (American Customer Satisfaction Index, ACSI), que varia em uma escala de 0 a 100, está associada a uma mudança de 1,016% no valor para o acionista, de acordo com o q de Tobin. Ou seja, uma melhoria de 1% na satisfação dos clientes de uma destas empresas leva a um aumento de $275 milhões no valor da empresa. Em apoio a esta descoberta, outro estudo feito por Gruca e Rego descobriu que um crescimento de 1% no ACSI resulta em um aumento de $55 milhões no fluxo de caixa operacional líquido e em uma queda de 4% na variabilidade do fluxo de caixa.

Em um estudo sobre o setor de serviços que utilizou dados da quase totalidade dos 8 mil clientes de uma rede de hotéis com operações em todo o território norte-americano, os pesquisadores descobriram que o retorno sobre o investimento em qualidade do serviço (por exemplo, limpeza) foi de cerca de 45%. Outra pesquisa mostrou que uma melhoria de 1% na satisfação do cliente (em uma escala de sete pontos) aumentava o ROA em 0,59%. Com dados de 106 empresas atuantes em 68 setores no período entre 1981 e 1991, outro estudo descobriu que reportagens em noticiários narrando o aumento do serviço ao cliente geraram um acréscimo em receitas extraordinárias de cerca de 0,46%, ou $17 milhões em valor de mercado.

Vistos em conjunto, estes estudos revelaram o impacto forte e positivo da satisfação do cliente sobre o desempenho da companhia. Estes estudos também oferecem uma referência aproximada acerca da dimensão do impacto: uma alteração de 1% no ACSI leva a uma melhoria de $240 a $275 milhões no valor da empresa. Em síntese, os resultados fornecem uma sólida orientação para as empresas em relação às quantias que devem gastar na melhoria da satisfação do cliente.

Generalização 2: A relação entre satisfação e desempenho é assimétrica.

Uma *relação assimétrica* significa que o desempenho da empresa não sobe (com um aumento da satisfação do cliente) na mesma intensidade em que desce, no caso de se constatar uma diminuição na satisfação. Por exemplo, um estudo conduzido por Anderson e Mittal descobriu que um aumento de 1% na satisfação levava a um aumento de 2,37% no ROI, enquanto uma queda de mesma intensidade na satisfação reduzia o ROI em 5,08% (veja a figura a seguir). Outro estudo feito por Nayyar demonstrou que notícias positivas sobre o serviço ao cliente geravam um aumento na taxa anual composta (*compounded annualized rate*, CAR) de cerca de 0,46%, enquanto os relatórios sobre diminuições no serviço ao cliente acarretavam reduções na CAR de aproximadamente 0,22%. Uma pesquisa conduzida por Anderson e Mittal descobriu que uma queda na satisfação gerava um impacto negativo sobre o ROI que tinha o dobro da intensidade de um impacto positivo causado por um aumento na satisfação. Em contrapartida, o estudo de Nayyar revelou que informações negativas sobre o serviço ao cliente tinham um impacto que equivalia apenas à metade do resultado positivo sobre a CAR gerado por informações otimistas.

Generalização 3: A força da relação entre satisfação e rentabilidade varia entre setores e entre empresas de um mesmo setor.

A força da relação entre satisfação do cliente, qualidade do serviço e rentabilidade não é a mesma em diferentes setores. Em um estudo conduzido por Ittner e Larcker, verificou-se

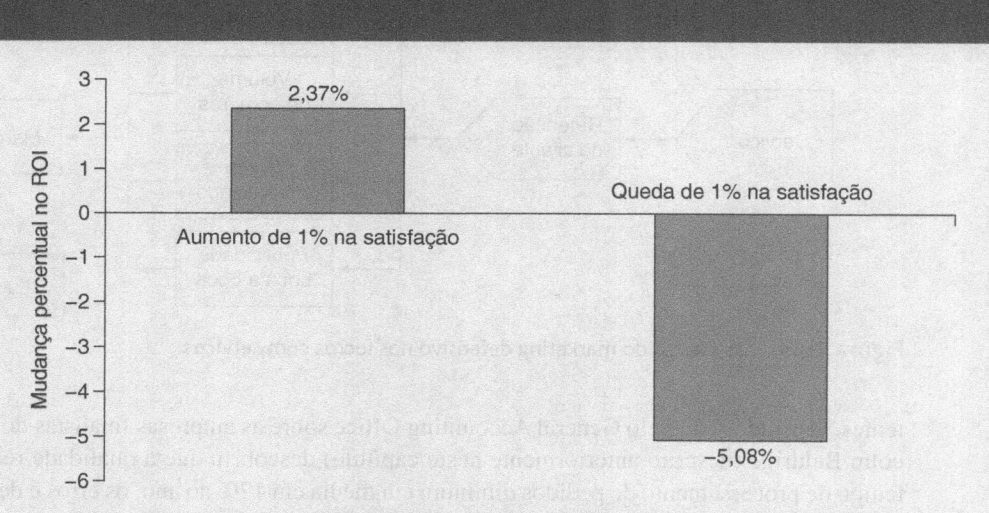

A relação assimétrica entre satisfação e ROI (com base em 125 empresas suecas)

Fonte: E. Anderson and V. Mittal, "Strengthening the Satisfaction-Profit Chain," *Journal of Service Research* 3 (2000), pp. 107–20.

que o impacto é mais forte nos setores de serviços do que nos setores de bens duráveis e não duráveis. Nesse estudo, o ACSI exerceu um impacto positivo, mas insignificante, sobre o valor de mercado de empresas de bens duráveis e não duráveis, e um impacto positivo, mas expressivo, no valor de mercado de empresas de transporte, serviços públicos e comunicações. O efeito foi fortemente negativo no varejo. Outro estudo conduzido por Anderson descobriu que os *trade-offs* entre a satisfação do cliente e a produtividade (por exemplo, a produtividade da mão de obra) eram mais prováveis no setor de serviços do que no setor de bens de consumo. Mais especificamente, um aumento de 1% na satisfação do cliente e na produtividade pode elevar o ROI em 0,365% para bens de consumo e em apenas 0,22% para serviços.

Além das diferenças encontradas nas pesquisas mencionadas, o estudo de Anderson e colaboradores descobriu que enquanto uma alteração de 1% na satisfação tinha um impacto médio de 1,016% no valor para o acionista (o q de Tobin), o impacto variava de 2,8% para lojas de departamentos a -0,3% para lojas de descontos. Uma pesquisa feita por Anderson e Mittal demonstrou que as características do setor explicam 35% da variância no crescimento do fluxo de caixa e 54% da variância na variabilidade do fluxo de caixa. Os autores descobriram também que a influência da satisfação do cliente no crescimento do fluxo de caixa é maior no caso de produtos de pouco envolvimento, produzidos em série e adquiridos frequentemente (por exemplo, cerveja e *fast food*).

Embora este resumo revele a considerável melhoria em comparação com o que sabíamos no passado, as empresas querem aprender mais. Essas informações gerais sobre a relação entre satisfação do cliente, qualidade do serviço e desempenho financeiro as auxiliará a entender que o investimento em satisfação do cliente e em qualidade do serviço é vantajoso. Assim, os indícios dizem que investir é útil e que não investir pode trazer prejuízos às companhias. Ainda neste capítulo descrevemos outros aspectos que as companhias desejam entender melhor a respeito destas relações.

Fontes: S. Gupta and V. Zeithaml, "Customer Metrics and Their Impact on Financial Performance," *Marketing Science* 25 (November–December 2006), pp. 718–739; E. Anderson, C. Fornell, and S. Mazvancheryl, "Customer Satisfaction and Shareholder Value," *Journal of Marketing* 68 (2004), pp. 172–185; C. Ittner and D. Larcker, "Are Non-Financial Measures Leading Indicators of Financial Performance? An Analysis of Customer Satisfaction," *Journal of Accounting Research*, 36, no. 3, (1998), pp. 1–35; R. Rust, A. Zahorik, and T. Keiningham, "Return on Quality (ROQ): Making Service Quality Financially Accountable," *Journal of Marketing* 59 (1995) pp. 58–70; T. S. Gruca and L. L. Rego, "Customer Satisfaction, Cash Flow and Shareholder Value," *Journal of Marketing* 69 (2005), pp. 115–130; E. Anderson and V. Mittal, "Strengthening the Satisfaction-Profit Chain," *Journal of Service Research* 3 (2000), pp. 107–120; P. Nayyar, "Stock Market Reactions to Customer Service Changes," *Strategic Management Journal* 16, no. 1 (1995), pp. 39–53.

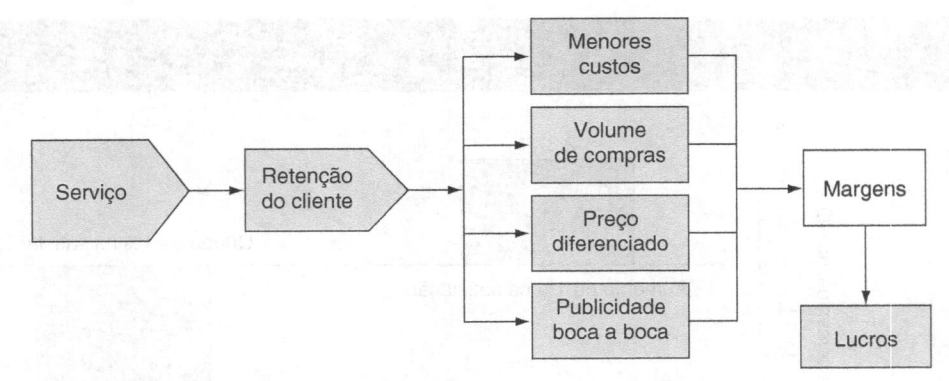

Figura 16.3 Os efeitos do marketing defensivo nos lucros com serviços.

tentes. O estudo feito pelo General Accounting Office sobre as empresas finalistas do Prêmio Malcolm Baldrige (descrito anteriormente neste capítulo) descobriu que a qualidade reduz custos: o tempo de processamento de pedidos diminuiu em média em 12% ao ano, os erros e defeitos caíram em 10% no mesmo período, e o custo da qualidade foi reduzido em 9% ao ano.

Consideremos os seguintes fatos sobre o papel da qualidade do serviço na redução dos custos:

- "O dia em que obtivemos o maior nível de qualidade foi também o dia em que tivemos os menores custos" (Fred Smith, fundador e presidente da FedEx).
- "Nossos custos por não fazer as coisas corretamente da primeira vez eram de 25 a 30% de nossa receita" (David F. Colicchio, Hewlett-Packard Company).[13]
- A Bain and Company, organização de consultoria especializada em pesquisas de retenção, estima que, no setor de seguro de vida, um aumento anual de 5% na retenção do cliente diminui os custos de uma empresa em 18% por apólice.

O volume de compras

Os clientes satisfeitos com os serviços de uma companhia estão mais propensos a aumentar o volume de dinheiro que gastam com ela ou com os tipos de serviços oferecidos. Um cliente satisfeito com os serviços de um corretor, por exemplo, provavelmente investirá mais dinheiro no momento em que ele tiver quantias disponíveis. Da mesma forma, um cliente satisfeito com os serviços relativos a cheques oferecidos por um banco está mais inclinado a abrir uma conta poupança no mesmo banco e utilizar os serviços de empréstimo da instituição.

Os preços diferenciados

A maioria das empresas líderes na qualidade em serviços pratica preços mais altos em comparação com suas concorrentes. Por exemplo, a FedEx cobra mais por encomendas para entrega no dia seguinte do que o correio norte-americano; a locadora de veículos Hertz tem automóveis mais caros do que os da Avis; e hospedar-se no Ritz-Carlton custa mais do que hospedar-se no Hyatt. Portanto, a oferta de serviços de alta qualidade muitas vezes se paga na forma de preços mais altos.

A publicidade boca a boca

Uma vez que este tipo de propaganda é considerado mais confiável do que outras fontes de informação, o melhor tipo de promoção para um serviço se origina junto a outros clientes, que indicam os serviços disponibilizados por uma empresa. A publicidade boca a boca traz novos clientes para uma companhia, e o valor financeiro deste tipo de indicação pode ser mensurado pela companhia em termos dos custos promocionais que ela poupa, além dos fluxos de receitas gerados por estes novos clientes. Na verdade, os pesquisadores vêm desenvolvendo modelos de valor para todo o ciclo de vida do cliente que possibilitam quantificar o valor monetário da publicidade boca a boca, chamados *valores de referência*, para diferentes segmentos de consumidores.[14] Conforme discutimos no Quadro 16.2, muitas empresas estão utilizando o poder da publicidade boca a boca como principal indicador da fidelidade do cliente.

A publicidade boca a boca é especialmente importante para serviços com alto teor de características de experiência (em que o cliente precisa presenciar o serviço para determinar sua qualidade) e de confiabilidade (em que o cliente talvez não consiga determinar a qualidade do serviço mesmo depois de ele ter sido executado).[15]

Muitas questões sobre o marketing defensivo permanecem sem resposta, entre as quais aquelas mostradas no Quadro 16.3. Embora os estudos tenham avançado consideravelmente, os pesquisadores e as companhias precisam continuar trabalhando com estas questões para obterem uma compreensão mais completa do impacto do serviço no marketing defensivo.

AS PERCEPÇÕES DO CLIENTE SOBRE A QUALIDADE DO SERVIÇO E AS INTENÇÕES DE COMPRA

No Capítulo 4 discutimos as relações entre a satisfação do cliente, a qualidade do serviço e o aumento nas compras. Neste capítulo, apresentamos mais pesquisas e evidências empíricas que suportam estas relações. Por exemplo, os pesquisadores da Xerox ofereceram noções convincentes acerca da relação entre satisfação e intenção de compra durante os primeiros anos das pesquisas que a companhia fez sobre satisfação do cliente. Inicialmente, a empresa concentrou suas atenções nos clientes satisfeitos, que identificara como aqueles que marcavam a nota 4 ou 5 em uma escala de satisfação de cinco pontos. As análises criteriosas dos dados provaram que os clientes que davam nota cinco à Xerox tinham uma probabilidade seis vezes maior de indicar que recomprariam equipamentos da Xerox do que os que davam nota quatro. Esta relação encorajou a empresa a concentrar esforços em aumentar o número de notas cinco, não de notas quatro *e* cinco, em função das grandes implicações em termos de vendas e rentabilidade.[16] Uma constatação recente e mais abrangente da importância de obter notas altas na satisfação do cliente é mostrada na Figura 16.4.

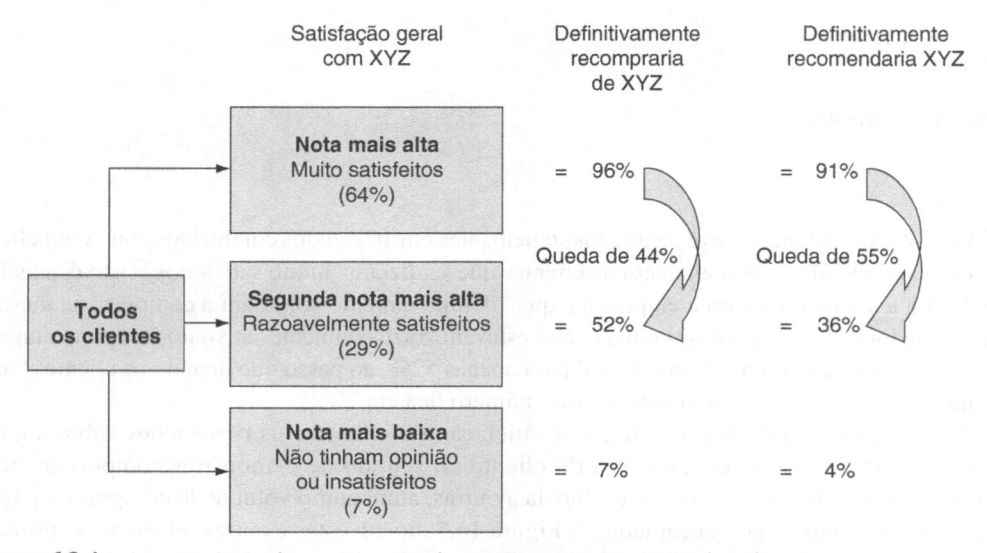

Figura 16.4 As notas mais altas, a intenção de recompra e as intenções de indicação.
Fonte: Cortesia da TARP Worldwide, 2007.

Quadro 16.2 A publicidade boca a boca e os indicadores do cliente: o *Net Promoter Score*

Muitos métodos de mensuração relativa ao cliente – satisfação do cliente, qualidade do serviço, fidelidade e retenção – vêm sendo utilizados para prever o desempenho financeiro de uma empresa. Uma das métricas que recentemente ganharam popularidade, ainda que com controvérsia, é o *Net Promoter Score* (NPS). O índice, desenvolvido pelo especialista em fidelidade do cliente Frederick Reichheld, é baseado na ideia de que a publicidade boca a boca, e não outra métrica, é o melhor indicador de crescimento e, portanto, do desempenho financeiro.

O escore é baseado em apenas uma pergunta de pesquisa: você nos recomendaria a um amigo ou colega? Para calcular o NPS, uma empresa pergunta aos clientes qual é a probabilidade (de 1 a 10) de eles recomendarem a empresa e subtrai a proporção de "desertores" (que classificam a empresa abaixo de 6) da proporção de "promotores" (que a classificam com nota 9 ou 10).

Os executivos de diversas das mais prestigiadas empresas em todo o mundo parecem concordar com Reichheld no sentido de que o NPS é o "único indicador confiável da capacidade de uma empresa crescer". General Electric, American Express, Microsoft, Intuit e Progressive Corporation são apenas algumas das companhias que adotaram espontaneamente a abordagem do NPS. Sua popularidade resulta, em parte, da simplicidade da estratégia. As altas gerências, que por muito tempo sofreram com a complexidade dos indicadores relativos a clientes e com a dificuldade de aplicá-los, hoje vê com bons olhos a ideia de poder utilizar apenas um indicador. Além disso, o NPS tem caráter intuitivo – se os clientes gostam da empresa e do serviço o bastante para mencioná-los a outras pessoas, é sinal de que existe um vínculo mais forte do que o da mera satisfação. O Net Promoter Score tornou-se, em essência, um "número mágico" para as empresas do setor de serviços.

Escores no NPS por setor
Fontes: Estudo com consumidores norte-americanos sobre o Net Promoter Score Benchmark da Satmetrix, 2010

Setor	Empresa	NPS
Companhias aéreas	Jet Blue	64%
Seguro de automóveis	USAA	78%
Bancos	USAA	81%
Corretagem de valores e investimentos	Charles Schwab	46%
TV a cabo e satélite	DIRECTV	27%
Telefonia celular	Verizon	41%
Hardware de computadores	Apple	78%
Software para clientes	Adobe Systems	37%
Cartões de crédito	American Express	27%
Lojas de departamento, atacado e especialidades	Costco	66%
Mercados e supermercados	Trader Joe's	69%
Planos de saúde	BlueCross BlueShield of Illinois	5%
Seguro de imóveis	USA	69%
Provedores de Internet	Road Runner / Time Warner	21%
Seguro de vida	State Farm	34%
Buscas e informações *on-line*	Facebook	65%
Compras *on-line*	Amazon.com	71%

---

* N. de T.: Em português, *Índice líquido de promotores*.

A TARP Worldwide Inc. obteve resultados semelhantes em 10 estudos conduzidos com 8 mil clientes em todo o mundo. A porcentagem de clientes que se diziam "muito satisfeitos" (isto é, aqueles que davam a *maior nota* para a empresa) e que "definitivamente voltariam a comprar" na mesma companhia foi de 96%. Nos casos em que eles estavam "razoavelmente satisfeitos", a porcentagem dos clientes que fariam uma recompra cai para apenas 52%, ao passo que quando os clientes "não tinham opinião ou estavam insatisfeitos" esse número fica em 7%.[17]

As evidências também provam que a satisfação do cliente e as percepções sobre a qualidade do serviço afetam as intenções do cliente no sentido de demonstrar comportamentos positivos – fazer elogios à empresa, preferi-la a outras, aumentar o volume de compras ou pagar preços diferenciados espontaneamente. A Figura 16.5 mostra estas e outras relações. As primeiras evidências contemplavam apenas os benefícios gerais em termos de intenção de recompra, sem considerar a relação, nem examinar os tipos específicos de intenções comportamentais. Um estudo utilizou informações sobre um índice de satisfação do cliente adotado na Suécia e

Como as empresas utilizam o Net Promoter Score como indicador?

Em muitas companhias, o número de promotores mal ultrapassa o de desertores, e confere a elas escores de apenas 5 a 10%. Pior do que isso, muitas empresas e setores têm NPSs negativos, o que significa que estão gerando clientes desertores constantemente. Porém, algumas empresas têm sucesso, e a tabela ilustra algumas delas.

A controvérsia: o Net Promoter Score é o melhor, o mais apropriado ou o mais completo?

Enquanto os executivos estão adotando o Net Promoter Score, há pesquisadores e especialistas em fidelidade que questionam a superioridade, a relevância e a abrangência do índice. Por exemplo, um pesquisador questionou a possibilidade de a comunicação boca a boca ser um condutor melhor para o crescimento do que outros fatores, como a redução do número de clientes perdidos ou o aumento do número de clientes existentes por meio de vendas cruzadas e fatia da compra por categoria. Além disso, seria possível imaginar que as ações implementadas para aumentar a publicidade boca a boca geram crescimento mais sólido do que aquelas voltadas para a aquisição de novos clientes rentáveis?

Outra grande preocupação é até que ponto a publicidade boca a boca é um objetivo relevante para todos os serviços, em todos os contextos. Os consumidores têm opiniões intensas acerca de alguns serviços, e estas opiniões é que geram a propaganda boca a boca. Os serviços (como os de restaurantes, férias e entretenimento) têm alto valor de referência. Porém, a maioria dos produtos e serviços provavelmente não é interessante o bastante para fazer os clientes falarem sobre eles. Do ponto de vista prático, ao mesmo tempo que um número em si indica um sinal de saúde, tal como faz um termômetro que mostra a temperatura corporal do ser humano, o NPS não diagnostica os problemas da companhia, nem descreve os meios para tratá-los. Para ser executável, as empresas precisam acompanhá-lo com métricas que também contém outras questões (como as descritas no Capítulo 5) que identifiquem o que os clientes esperam e percebem sobre a companhia. No intuito de simplificar as mensurações por meio do NPS, algumas companhias não utilizam outras métricas, pesquisas ou programas para complementar as informações trazidas pelo indicador.

As descobertas de Reichheld foram postas à prova por outros pesquisadores. Uma equipe de especialistas sobre fidelidade do cliente comparou o modo como o NPS era calculado utilizando dados de dois a três anos obtidos junto a 21 companhias e 15.500 entrevistas. Embora esperava-se que os resultados reproduzissem o que Reichheld havia descoberto, isso não aconteceu. Além disso, quando os dados foram comparados aos do Índice de Satisfação do Cliente Norte-americano, a equipe constatou que o NPS não apresentava vantagens em relação a outros indicadores. Outro estudo sobre o assunto confirma uma forte correlação entre a publicidade boca a boca e o crescimento da empresa, mas ele não foi capaz de estipular as razões dessa correlação.

O problema básico

O especialista em fidelidade do cliente, Timothy Keiningham, descarta a importância de números mágicos para mensurar a fidelidade do cliente, mesmo do NPS:

> Mesmo as melhores ideias não são universais. Se fossem, seriam adotadas por todas as pessoas e todos as conheceriam. Você precisa saber qual é a principal demonstração de fidelidade de seus clientes e construir um modelo a partir disso – o que gera essa demonstração e o que a interrompe? Ao começar a pensar sobre isso desta maneira, você perceberá que não há um número mágico pois a fidelidade é movida por coisas diferentes, dependendo do setor em que sua empresa opera.

Fontes: F. Reichheld and R. Markey, *The Ultimate Question 2.0: How Net Promoter Companies Thrive in a Customer Driven World* Boston, Massachusetts, Harvard Business School Press, 2011; D. Grisaffe, "Guru Misses the Mark with 'One Number' Fallacy"; www.netpromter.com, July 15, acessado em 2011; www.creatingloyalty.com/story.cfm?article_id=656, acessado em setembro de 2007; T. Keiningham, B. Cooil, T. Andreassen, and L. Aksoy, "A Longitudinal Examination of Net Promoter and Firm Revenue Growth," *Journal of Marketing* (July 2007), pp. 39–51.

---

descobriu que a intenção de recompra tem forte dependência da satisfação com a maioria das categorias de produtos.[18]

Alguns estudos mostraram as relações entre qualidade do serviço e intenções comportamentais mais específicas. Um deles, conduzido com estudantes universitários, encontrou fortes vínculos entre a qualidade do serviço e outras intenções comportamentais de importância estratégica para uma universidade, como proferir opiniões positivas sobre ela, planejar contribuir com dinheiro após a formatura e recomendar a instituição a empregadores como uma fonte de bons profissionais.[19] Outro estudo examinou um conjunto de 13 intenções comportamentais específicas (como afirmar opiniões positivas sobre a empresa, permanecer fiel a ela, gastar mais dinheiro com ela) que provavelmente resultariam da percepção da qualidade do serviço. O indicador global teve correlação significativa com as percepções que o cliente tinha da qualidade.[20] As companhias também monitoraram o impacto da qualidade do serviço em intenções comportamentais selecionadas. A Toyota descobriu que a intenção de recompra de um automóvel que produz aumentava

Quadro 16.3 — As questões sobre o marketing defensivo que os gerentes querem ver respondidas

Os gerentes estão apenas começando a compreender os tópicos discutidos neste capítulo. Para cada seção sobre a relação entre qualidade e rentabilidade do serviço apresentada neste capítulo, o Quadro 16.4 lista algumas das perguntas que os gerentes e pesquisadores desejam ver respondidas. Para ter uma ideia das questões levantadas, discutimos a seguir o tópico marketing defensivo.

1. *O que é um cliente fiel?* A fidelidade do cliente é vista como o modo como ele se sente ou atua. É possível obter uma definição simples de fidelidade para alguns produtos ou serviços. Os clientes são fiéis enquanto puderem utilizar um serviço ou um bem. No caso de lavadoras de roupa ou de serviços telefônicos de longa distância, os clientes são vistos como fiéis se continuam a utilizar a lavadora ou o serviço telefônico. A definição de fidelidade do cliente para outros produtos e serviços é mais problemática. Qual é a definição de fidelidade em um restaurante: fazer refeições sempre ali, frequentá-lo mais vezes do que outro restaurante, ou fazer uma refeição ali ao menos uma vez em um dado período? Estas questões destacam a crescente popularidade do conceito de "fatia da carteira", na qual os gerentes de empresas estão muito interessados. A *fatia da carteira* refere-se à porcentagem de gastos em uma dada categoria destinada a uma determinada prestadora de serviços. A outra maneira de definir fidelidade é em termos da noção que o cliente tem de pertencer ou de assumir um compromisso com o produto. Algumas companhias viram notícia por conta de seus "apóstolos", clientes que preocupam-se tanto com ela a ponto de fazerem contato para dar sugestões de melhorias, além de conversarem com outras pessoas sobre as vantagens que ela oferece. Seria esta a melhor maneira de definir fidelidade?

2. *Qual é o papel do serviço no marketing defensivo?* Os produtos de qualidade comercializados a preços especiais são elementos importantes na equação da retenção, mas estas variáveis do marketing podem ser imitadas. O serviço desempenha um papel essencial – senão crítico – na retenção de clientes. A prestação de serviços de qualidade o tempo todo não é uma tarefa fácil e, portanto, pode ser vista como a força de união nos relacionamentos com o cliente. Assim, qual é a exata importância do serviço no marketing defensivo? De que modo o serviço se compara em eficácia às outras estratégias de retenção, como o preço? Até hoje, nenhum estudo incorporou todos ou a maior parte dos fatores para avaliar a relevância relativa de cada um deles na retenção do cliente.

3. *Quais são os níveis de prestação de serviço necessários para reter clientes?* Qual é o nível de gastos em qualidade do serviço necessário para reter os clientes? As primeiras pesquisas sobre o assunto foram questionadas, mas não confirmadas. Por exemplo, um consultor propôs que sempre que a satisfação fica acima de certo nível, a fidelidade na recompra cresce vertiginosamente. Quando a satisfação fica abaixo de determinado ponto, a fidelidade cai com rapidez. O consultor acreditava que, entre estes patamares, a fidelidade era relativamente constante. O material discutido no Capítulo 3 oferece uma previsão diferente. A zona de tolerância apresentada naquele capítulo captura a faixa na qual uma companhia está concretizando suas expectativas. Esta estrutura sugere que as empresas que operam dentro da zona de tolerância devem continuar a melhorar os serviços, até o ponto de atingir o nível de serviço desejado. Esta hipótese implica uma curva ascendente (não horizontal) para o relacionamento entre a zona de tolerância e a retenção de clientes.

4. *Quais são os aspectos específicos do serviço mais importantes para a retenção do cliente?* A maior parte das companhias entende que o serviço tem inúmeras características e deseja identificar os aspectos específicos da sua execução que promovem a retenção do cliente.

5. *Como identificar os clientes mais inclinados à deserção?* As companhias acham difícil criar e executar estratégias que gerem alguma reação forte o bastante para possibilitar a detecção de clientes desertores. É preciso desenvolver sistemas para identificar este tipo de cliente e avaliá-lo e retê-lo nos interesses da companhia. Um autor e consultor aconselha as empresas a se concentrarem em três grupos de clientes candidatos a desertores: (a) os clientes que encerram suas contas e trocam de prestadora, (b) os clientes que passam parte de seus negócios para outras companhias, e (c) os clientes que de fato compram mais, mas cujas compras representam uma parcela menor de seus gastos totais. O primeiro destes grupos é o mais fácil de identificar, e o terceiro grupo é o mais difícil. Entre os outros clientes vulneráveis estão os clientes com uma experiência negativa do serviço, os novos clientes e os clientes de empresas atuantes em mercados extremamente competitivos. O desenvolvimento de sistemas que identifiquem estes clientes a tempo é um requisito essencial em todas as companhias.

Fonte: V. A. Zeithaml, "Service Quality, Profitability and the Economic Worth of Customers," *Journal of the Academy of Marketing Science*, January 2000, direitos autorais da Academy of Marketing Science (2000).

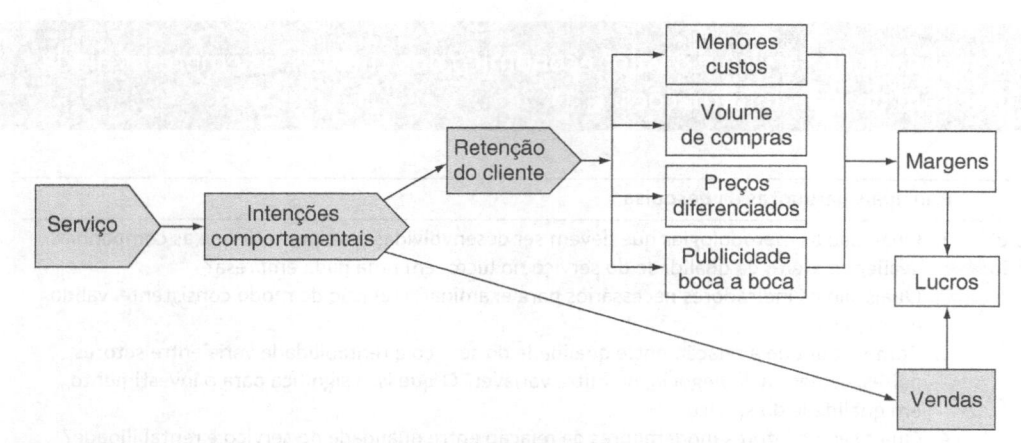

Figura 16.5 Os efeitos do serviço nas intenções comportamentais e no comportamento.

de 37 para 45% com uma experiência de compra positiva; de 37 para 79% com uma experiência de serviço positiva; e de 37 para 91% com uma experiência positiva tanto com o serviço quanto com a compra.[21]

OS PRINCIPAIS CONDUTORES DA QUALIDADE DO SERVIÇO, DA RETENÇÃO DO CLIENTE E DOS LUCROS

Entender a relação entre qualidade global do serviço e rentabilidade é importante, mas, para os gestores, talvez seja mais útil identificar os condutores da qualidade do serviço que mais se relacionam com a rentabilidade (como mostra a Figura 16.6). Esta abordagem auxilia as companhias a entender os aspectos da qualidade do serviço que precisam ser alterados para influenciar a relação e, com isso, determinar os pontos que merecem receber recursos.

A maior parte das evidências para esta questão é oriunda da análise dos efeitos de aspectos específicos do serviço (por exemplo, responsividade, confiabilidade, segurança e tangíveis) sobre a qualidade global do serviço, a satisfação do cliente e as intenções de compra, e não sobre os resultados financeiros, como retenção e rentabilidade. Conforme vimos neste livro, o serviço é multifacetado e consiste em uma ampla gama de dimensões da percepção do cliente. Ele é o resultado de inúmeras estratégias da companhia, como aquelas adotadas para a melhoria na tecnologia e no processo. Nas pesquisas que investigam a importância relativa das dimensões do serviço em sua qualidade global ou na satisfação do cliente, a maior parte do corpo de provas confirma que a confiabilidade é o fator mais crítico. Contudo, outras pesquisas demonstraram a importância da customização e de outros fatores. Como as dimensões e os atributos são executados, em muitas situações, por meio de estratégias internas totalmente diferentes, os recursos precisam ser alocados nos pontos em que são mais necessários.[22]

Algumas companhias e pesquisadores investigaram o efeito dos encontros de serviço na qualidade global ou na satisfação do cliente e o efeito de comportamentos específicos durante os encontros de serviço. A rede de hotéis Marriott fez abrangentes pesquisas com o cliente para determinar os elementos do serviço que mais contribuem com a fidelidade do cliente. A companhia descobriu que quatro dos cinco principais fatores entravam em ação nos primeiros 10 minutos da chegada do hóspede – momento em que ocorriam os primeiros encontros relativos à chegada, ao registro e à entrada nos quartos dos hotéis. Outras companhias constataram que erros ou problemas que acontecem nos primeiros encontros de serviço são especialmente críticos, porque uma falha nesses

> **Quadro 16.4** A qualidade do serviço e o valor econômico dos clientes: as empresas ainda precisam de mais informações

Tópico	Principais perguntas da pesquisa
A qualidade do serviço e a rentabilidade: a relação direta	1. Quais são as metodologias que devem ser desenvolvidas para permitir que as companhias avaliem o efeito da qualidade do serviço no lucro, em uma dada empresa? 2. Quais são os indicadores necessários para examinar a relação de modo consistente, válido e confiável? 3. Como e por que a relação entre qualidade do serviço e rentabilidade varia entre setores, países, categoria de negócio, ou outra variável? O que isso significa para o investimento em qualidade do serviço? 4. Quais são os fatores moderadores da relação entre qualidade do serviço e rentabilidade? 5. Qual é o nível ótimo de gastos com serviços para afetar a rentabilidade?
Os efeitos agressivos da qualidade do serviço	1. Qual é o nível ótimo de gastos com a qualidade do serviço para gerar efeitos agressivos? 2. Para obter efeitos agressivos, são mais eficazes os gastos com propaganda ou com a qualidade do serviço propriamente dita? 3. De que maneiras as empresas conseguem sinalizar a alta qualidade do serviço para o cliente de forma a obter efeitos agressivos?
Os efeitos defensivos da qualidade do serviço	1. O que é um cliente fiel? 2. Qual é o papel do serviço no marketing defensivo? 3. De que modo é possível comparar serviços em termos de eficácia a outras estratégias de retenção, como o preço? 4. Quais são os níveis de prestação do serviço necessários para reter clientes? 5. Como quantificar os efeitos da publicidade boca a boca gerada por clientes retidos? 6. Quais são os aspectos do serviço mais importantes para a retenção do cliente? 7. De que modo os clientes inclinados à deserção podem ser identificados e retidos?
As percepções sobre a qualidade do serviço	1. Qual é a relação entre as intenções de compra do cliente e o comportamento inicial de compra no setor de serviços? 2. Qual é a relação entre as intenções comportamentais e a recompra no setor de serviços? 3. O grau de associação entre a qualidade do serviço e o comportamento muda para diferentes níveis de qualidade?
A identificação dos principais condutores da qualidade do serviço, da retenção do cliente e dos lucros	1. Quais são os encontros de serviço que têm maior responsabilidade na geração de percepções sobre a qualidade do serviço? 2. Quais são os principais condutores da qualidade do serviço, da retenção do cliente e dos lucros em cada encontro de serviço? 3. Quais são os pontos que devem receber investimentos para afetar a qualidade do serviço, a compra, a retenção e os lucros? 4. Os principais condutores da qualidade do serviço são os mesmos das intenções comportamentais, da retenção do cliente e dos lucros?

primeiros contatos traz consigo um grande risco de insatisfação para cada encontro subsequente. A IBM descobriu que o encontro de venda era o mais crítico, em parte porque as equipes de venda geram expectativas nos clientes relativas a encontros futuros.

Outra maneira de examinar o problema, baseada na literatura técnica sobre operações e gestão, envolve a investigação dos efeitos dos programas de serviços e das abordagens à gestão dentro de uma organização sobre os indicadores financeiros, como a rentabilidade. A seção Visão Estratégica descreve uma abordagem às métricas focada no cliente.

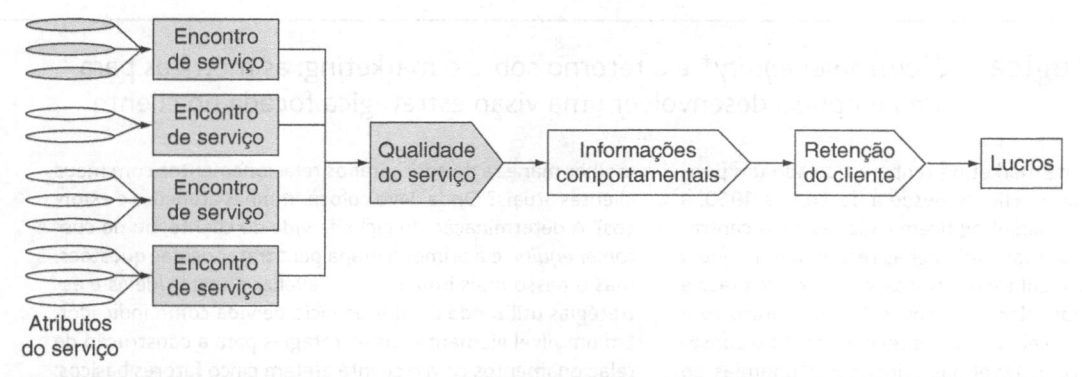

Figura 16.6 Os principais condutores da qualidade do serviço, da retenção do cliente e dos lucros.

A MENSURAÇÃO DO DESEMPENHO DA COMPANHIA: O BALANCED PERFORMANCE SCORECARD

Normalmente as empresas mensuram seus desempenhos quase que por completo com base em indicadores financeiros como lucros, vendas e retornos sobre investimentos. Esta abordagem de curto prazo faz as empresas se concentrarem em aspectos financeiros, em detrimento de outros indicadores de atuação. Os estrategistas corporativos da atualidade reconhecem as limitações da avaliação do desempenho corporativo baseada apenas nas finanças, e defendem a tese de que números baseados no faturamento medem as decisões de ontem e não indicam o desempenho futuro. Este reconhecimento tomou forma no momento em que os sólidos dados financeiros de diversas empresas começaram a perder sua validade em função de quedas nos processos operacionais, na qualidade ou na satisfação do cliente que não foram percebidas.[23] Nas palavras de um estudioso das estratégias corporativas:

> Os indicadores financeiros enfatizam a rentabilidade de ativos inertes em detrimento de qualquer outra missão de uma companhia. Eles não reconhecem a influência incipiente de indicadores indefinidos – as pessoas capacitadas e o emprego da informação – como novas soluções para o alto desempenho e a satisfação do cliente que chegue perto do nível de perfeição... Se a única missão que um sistema de mensuração de uma companhia consegue conceber é a disciplina financeira, então essa empresa está navegando à deriva.[24]

Por esta razão, as empresas passaram a ver a necessidade de adotar o *balanced performance scorecard*: um sistema de mensuração que registra outras áreas de desempenho. Os desenvolvedores deste sistema o definem como:

> Um conjunto de mensurações que fornece às altas gerências uma visão sucinta, mas abrangente, da empresa... [que] complementa as mensurações financeiras com mensurações operacionais da satisfação do cliente, dos processos internos e das atividades relativas à motivação e à melhoria – mensurações operacionais que são os condutores do desempenho financeiro futuro.[25]

O tratamento destes indicadores "indefinidos" é hoje uma maneira de auxiliar as companhias a identificar os problemas dos clientes, melhorar processos e alcançar objetivos.

Conforme mostra a Figura 16.7, o *balanced performance scorecard* captura três perspectivas, além da financeira: o cliente, as operações e o aprendizado. Ele reúne, em um único relatório de gestão, diversos elementos da agenda competitiva de uma companhia que anteriormente eram tratados em separado, e obriga os gerentes seniores a considerar todas as medidas importantes ao mesmo tempo. A utilização do *balanced performance scorecard* é facilitada pelos avanços em tecnologia para toda a empresa que permitem que as companhias criem, automatizem e integrem as medidas de todos os seus setores.

Os métodos para mensurar o desempenho financeiro foram criados há mais de 400 anos, e hoje são os mais desenvolvidos e enraizados em uma companhia. Em contrapartida, os esforços para mensurar o mercado, a qualidade, a inovação, os recursos humanos e a satisfação do cliente são

Visão estratégica
O *customer equity** e o retorno sobre o marketing: as métricas para uma empresa desenvolver uma visão estratégica focada no cliente

Embora o conceito de marketing tenha articulado um ponto de vista centrado no cliente desde a década de 1960, a teoria e a prática do marketing ficam cada vez mais centradas no cliente. Por exemplo, foi apenas recentemente que o marketing diminuiu a ênfase nas transações de curto prazo e aumentou o foco nos relacionamentos de longo prazo com o cliente. A maior parcela deste redirecionamento é consequência da natureza instável das principais economias do mundo, que há um século vêm transferindo atividades do setor de bens de consumo para o de serviços.

Como o serviço tende a ser baseado mais em relacionamentos, esse deslocamento estrutural na economia resulta em mais atenção a estes relacionamentos e, portanto, aos clientes. Este ponto de vista focado no cliente hoje se reflete nos conceitos e nas métricas que impulsionam a gestão do marketing, como valor do cliente e voz do cliente. Por exemplo, o conceito de *brand equity*, essencialmente centrado no produto, hoje vem perdendo terreno para o conceito, centrado no cliente, de *customer equity*, definido como o total dos valores descontados do ciclo de vida e somados para todos os clientes da empresa.

Em outras palavras, o *customer equity* é obtido pela soma dos valores do ciclo de vida dos clientes da companhia. Em setores de alto ritmo e que envolvem relacionamentos com o cliente, os produtos vêm e vão, mas o cliente permanece. Os clientes e o *customer equity* podem ser mais importantes para muitas empresas do que suas marcas e o *brand equity*, ainda que as métricas e práticas de gestão adotadas na atualidade não reflitam por completo esta tendência. A troca de enfoque filosófico, do produto para o serviço, implica a necessidade de uma substituição de métricas baseadas no produto por métricas baseadas no cliente.

Como utilizar o *customer equity* em uma estrutura estratégica

Consideremos os problemas enfrentados por um gerente ou CEO de marketing típico: Como administro minha marca? Como meus clientes reagirão às alterações no serviço e na qualidade do serviço? Devo aumentar os preços? Qual é a melhor maneira de aprimorar os relacionamentos com meus clientes atuais? Onde devo colocar minhas atenções e esforços? A determinação do ciclo de vida do cliente, ou do *customer equity*, é a primeira etapa para tratar destas questões, mas o passo mais importante é avaliar e testar ideias e estratégias utilizando o valor do ciclo de vida como indicador. Em um nível elementar, as estratégias para a construção de relacionamentos com o cliente afetam cinco fatores básicos: taxa de retenção, indicações, vendas, custos diretos e custos de marketing.

Os pesquisadores Roland Rust, Valarie Zeithaml e Kay Lemon desenvolveram uma abordagem baseada no *customer equity* que auxilia os executivos a encontrar respostas a estas perguntas. O modelo que representa esta abordagem é mostrado na figura ao lado. Neste contexto, o *customer equity* é uma abordagem ao marketing e uma estratégia corporativa que chegou para colocar o cliente – e, principalmente, as estratégias que elevam o valor do cliente – no centro das atenções da empresa. Os pesquisadores identificam os condutores do *customer equity* – o *value equity*, o *brand equity* e o *relationship equity*** – e explicam como estes fatores funcionam, de forma independente ou conjunta, a fim de elevar o *customer equity*. As estratégias para serviços são relevantes tanto no *value equity* quanto no *relationship equity*. Em cada um destes condutores, há ações específicas ("alavancas") que a empresa pode adotar para aprimorar seu *customer equity* geral.

Por que o *customer equity* é importante?

Para a maior parte das empresas, o *customer equity* – o total dos valores dos ciclos de vida descontados somados de todos os clientes da companhia – certamente será o determinante mais importante do valor de longo prazo da companhia. Ainda que o *customer equity* não seja responsável por todo o valor de uma empresa (por exemplo, os ativos físicos, a propriedade intelectual e as competências em pes-

---

* N. de T.: Por vezes o termo é traduzido para a língua portuguesa como *valor do cliente*.

** N. de T.: Embora ocorram traduções destes termos para a língua portuguesa (*value equity* como *valor*, *brand equity* como *valor da marca* e *relationship equity* como *valor do relacionamento*), as expressões parecem ser igualmente empregadas no idioma original inglês por muitos estudiosos.

---

invenções recentes. As empresas melhoram o desempenho com o desenvolvimento desta disciplina na mensuração de todas as categorias.

As mudanças nas mensurações financeiras

As empresas líderes no setor de serviços estão mudando as mensurações financeiras por meio da calibração do efeito defensivo da retenção e da perda de clientes. O valor monetário da retenção de

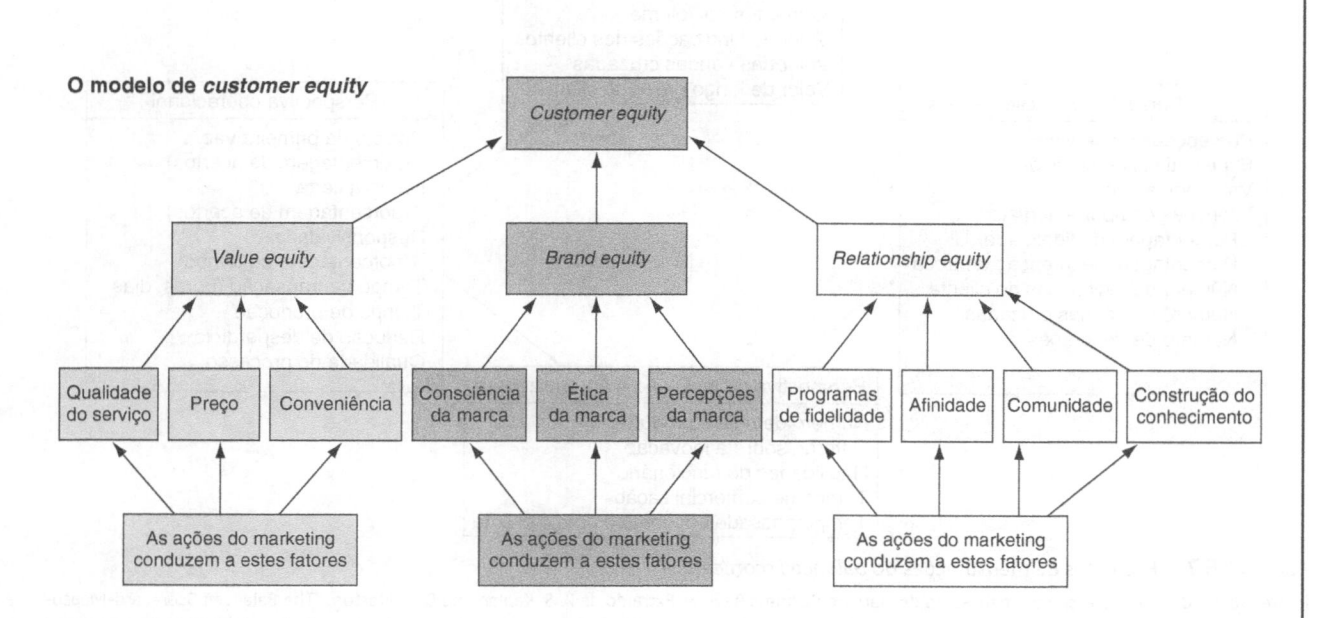

O modelo de *customer equity*

```
                          Customer equity
                    ↗           ↑           ↖
          Value equity     Brand equity     Relationship equity
           ↗  ↑  ↖          ↗  ↑  ↖          ↗  ↑  ↑  ↖
    Qualidade Preço Conveniência  Consciência Ética Percepções  Programas Afinidade Comunidade Construção do
    do serviço                    da marca   da marca da marca  de fidelidade                   conhecimento
         ↑                              ↑                              ↑
    As ações do marketing         As ações do marketing         As ações do marketing
    conduzem a estes fatores      conduzem a estes fatores      conduzem a estes fatores
```

quisa e desenvolvimento), os clientes atuais da companhia são a fonte mais confiável de receitas e lucros futuros – e constituem o foco das estratégias de marketing.

Mesmo parecendo óbvio que o *customer equity* é um aspecto-chave do sucesso no longo prazo, compreender as maneiras de administrá-lo e fazê-lo crescer é uma tarefa muito mais complexa. O crescimento do *customer equity* é de suma importância e a concretização deste crescimento pode trazer grandes vantagens competitivas.

Como calcular o retorno sobre o marketing utilizando o *customer equity*

No começo deste capítulo, mencionamos uma abordagem chamada retorno sobre a qualidade desenvolvida como ferramenta de auxílio à compreensão dos pontos nos quais uma empresa poderia obter o maior impacto com investimentos em qualidade. Uma forma mais generalizada desta abordagem é chamada *retorno sobre o marketing*, que possibilita que as companhias examinem todas as opções de estratégias de marketing concorrentes e comparem-nas em termos de retornos financeiros estimados. Esta abordagem permite às empresas não só examinar o impacto do serviço no retorno financeiro, como também comparar o impacto do serviço com o impacto do *branding*, das mudanças de preço e de todas as outras estratégias de marketing normalmente utilizadas. Com o modelo do *customer equity*, as empresas conseguem analisar os condutores que exercem o maior impacto, cotejar o desempenho de seus próprios condutores com a eficiência dos condutores de suas concorrentes, e projetar o retorno sobre investimento a partir das melhorias em seus condutores. Essa estrutura viabiliza a avaliação de cenários possíveis do retorno do investimento em marketing, o que inclui critérios como o retorno sobre a qualidade, o retorno sobre a propaganda, o retorno sobre os programas de fidelidade e até o retorno sobre a cidadania corporativa frente a uma dada mudança na percepção do cliente. Essa abordagem permite às empresas direcionar o foco de seus esforços de marketing nas iniciativas estratégicas que geram o maior retorno.

Fontes: R. Rust, K. Lemon, and V. Zeithaml, "Return on Marketing: Using Customer Equity to Focus Marketing Strategy," *Journal of Marketing* 68 (January 2004), pp. 109; R. Rust, V. Zeithaml, and K. Lemon, *Driving Customer Equity* (New York: The Free Press, 2000).

clientes é projetado com o uso de receitas médias ao longo do ciclo de vida dos clientes. Assim, o número de deserções dos clientes pode ser traduzido em receita perdida e utilizado como um padrão de desempenho de extrema importância da companhia:

> Em última análise, as deserções devem ser vistas pelos gerentes seniores como uma mensuração essencial do desempenho. Ela também é um componente fundamental em sistemas de incentivo. Os gerentes precisam conhecer a taxa de deserções de suas empresas, as consequências sobre os lucros no momento em que esta taxa sobe ou desce, e os motivos pelos quais estas deserções ocorrem.[26]

Mensurações financeiras
- Preço diferenciado
- Aumentos no volume
- Valor das indicações dos clientes
- Valor das vendas cruzadas
- Valor de longo prazo do cliente

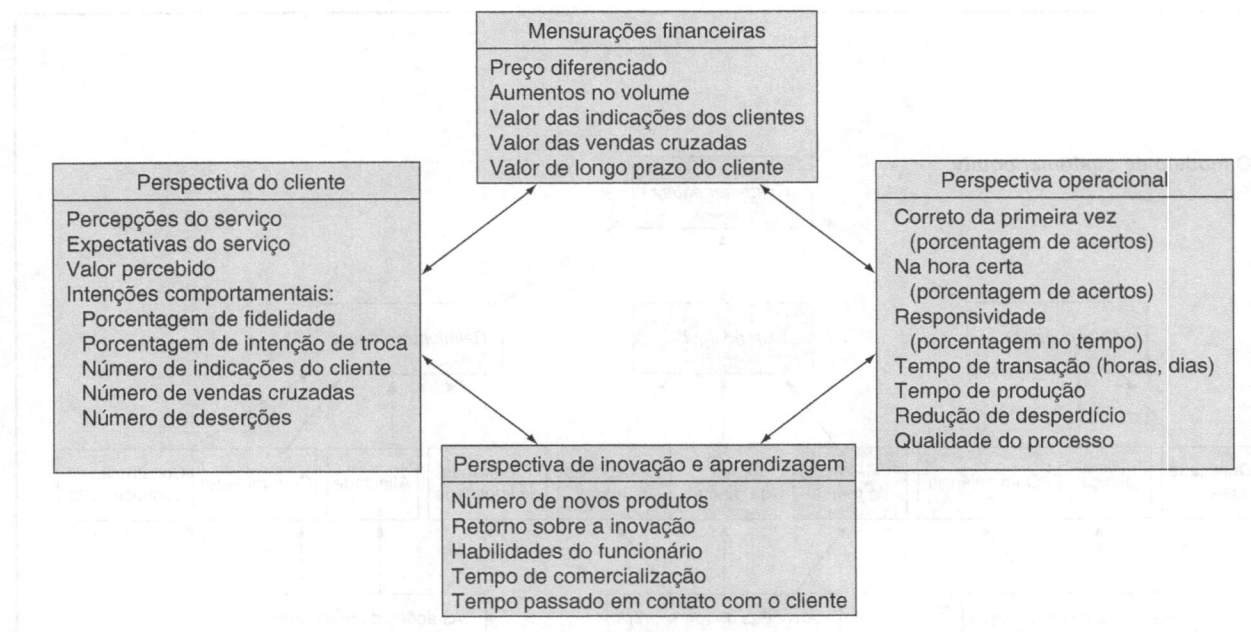

Perspectiva do cliente
- Percepções do serviço
- Expectativas do serviço
- Valor percebido
- Intenções comportamentais:
  - Porcentagem de fidelidade
  - Porcentagem de intenção de troca
  - Número de indicações do cliente
  - Número de vendas cruzadas
  - Número de deserções

Perspectiva operacional
- Correto da primeira vez (porcentagem de acertos)
- Na hora certa (porcentagem de acertos)
- Responsividade (porcentagem no tempo)
- Tempo de transação (horas, dias)
- Tempo de produção
- Redução de desperdício
- Qualidade do processo

Perspectiva de inovação e aprendizagem
- Número de novos produtos
- Retorno sobre a inovação
- Habilidades do funcionário
- Tempo de comercialização
- Tempo passado em contato com o cliente

Figura 16.7 Exemplos de mensurações do *balanced scorecard*.

Fonte: Adaptado e reimpresso com permissão da Harvard Business Review. Extraído de R. S. Kaplan and D. P. Norton, "The Balanced Scorecard-Measures That Drive Performance," *Harvard Business Review* 70 (January–February 1992). Direitos autorais Harvard Business School Publishing Corporation (1992). Todos os direitos reservados.

As companhias conseguem mensurar os aumentos ou as reduções na receita a partir da retenção ou da deserção de clientes. Isso é feito capturando o valor do cliente fiel, incluindo os fluxos de caixa esperados ao longo do ciclo de vida de um cliente ou o valor deste ciclo (conforme descrito no Capítulo 6). Outras mensurações possíveis (conforme mostra a Figura 16.7) incluem o valor dos preços diferenciados, os aumentos em volumes, as indicações dadas por clientes e as vendas cruzadas.

As mensurações da percepção do cliente

As mensurações relativas à percepção do cliente são os principais indicadores do desempenho financeiro. Conforme discutimos neste capítulo, os clientes que não estão contentes com a empresa desertam e mencionam suas insatisfações a outras pessoas. Também comentamos que as mensurações de percepção refletem as crenças e os sentimentos sobre a companhia e seus produtos e serviços, e servem como fatores de previsão do comportamento do cliente no futuro. Os instrumentos gerais de mensuração discutidos nos Capítulos 4 e 5 (mostrados no retângulo relativo à percepção do cliente da Figura 16.7) são indicadores que podem ser incluídos nesta categoria. Entre os indicadores importantes estão as percepções e expectativas gerais sobre serviços, as mensurações de ordem perceptiva do valor e os indicadores de intenção comportamental, como fidelidade e propensão à troca. Uma empresa que percebe uma queda nestes números precisa preocupar-se com a possibilidade de esta redução se traduzir em perdas financeiras.

As mensurações de ordem operacional

As mensurações de ordem operacional envolvem a tradução de indicadores relativos à percepção do cliente em termos de padrões ou ações que precisam ser definidos internamente para atender às suas expectativas. Embora a maioria das companhias compute ou calcule os indicadores operacionais de alguma forma predefinida, o *balanced performance scorecard* requer que as empresas

Tecnologia em foco — A excelência no serviço com eficiência de custos por meio da tecnologia

Além de afetar o faturamento com o aumento de receitas, as empresas em todo o mundo buscam ativamente maneiras de melhorar o lucro líquido, aumentando a produtividade e a eficiência de seus processos e inovando em sistemas. As abordagens eficazes na melhoria dos lucros consistem na redução de desperdícios no sistema de serviços, na padronização de comportamentos e ações, na mudança dos limites do serviço (para que os clientes desempenhem uma proporção maior dos serviços) e na substituição da tecnologia pelo contato pessoal e pelo esforço humano. A tecnologia foi assunto em todo este livro, e aqui discutimos como ela serve para aumentar a eficiência e a rentabilidade do serviço.

A Redbox

Com a popularização do *streaming* de vídeo e a rápida obsolescência das videolocadoras, a Redbox – locadora de filmes presente com muitos pontos de venda – tornou-se uma abordagem rentável no setor de aluguel de vídeos. As pesquisas conduzidas pela companhia mostraram que dois terços de todos os filmes são locados entre as 4 da tarde e as 9 da noite, o que fez a empresa colocar grandes caixas vermelhas em locais como supermercados e postos de gasolina, onde os clientes normalmente fazem compras nesses horários. A empresa tem aproximadamente 28 mil quiosques de locação e alugou 1,5 bilhão de filmes e 4 milhões de videogames; 68% da população norte-americana vive a 5 minutos de distância de carro de um quiosque da Redbox. Apesar da cobrança de apenas $1 por DVD, os quiosques são muito rentáveis: eles passam a dar lucro em quatro meses. A Blockbuster entrou no mercado de quiosques com sua versão azul, chamada Blockbuster Express, mas seus 10 mil pontos de coleta não se igualam em desempenho aos da Redbox.

Louise, a enfermeira tecnológica

Um dos maiores custos em um hospital está na segunda internação de um paciente dentro de 30 dias, cujos números chegam a 4,4 milhões ao ano nos Estados Unidos. Essas reinternações se devem sobretudo à incomplacência dos pacientes com as instruções hospitalares sobre medicações e cuidados com a saúde no lar. As maiores taxas são relativas a infartos (19,9%), insuficiência cardíaca (24,7%), pneumonia (18,3%) e doenças circulatórias (10,4%). Uma das estratégias mais recentes para garantir que os pacientes entendam as instruções a serem seguidas após a alta hospitalar inclui uma enfermeira virtual, a "defensora dos pacientes", chamada Louise. Desenvolvida pelo hospital universitário da Universidade de Boston, Louise é um recurso de animação que explica as instruções médicas de forma cuidadosa e abrangente para os pacientes em um monitor de computador. Em um laptop, Louise é transportada até o leito em que o paciente se encontra e apresenta as instruções sobre a alta hospitalar em uma folha de papel. A tecnologia de toque na tela permite que os pacientes façam perguntas. Esse recurso ajudou a diminuir as reinternações em 30%, como mostrou um estudo realizado em 2008. Além disso, o sistema de alta virtual permitiu automatizar 30 minutos de tempo de trabalho, poupando o tempo das enfermeiras.

Fontes: www.redbox.com, acessado em agosto de 2011; www.blockbusterexpress.com, acessado em agosto de 2011; L. Landro, "Don't Come Back, Hospitals Say," *The Wall Street Journal*, June 7, 2011; Agency for Healthcare Research and Quality 2011, hospitalcompare.gov, acessado em agosto de 2011.

---

adotem como ponto de partida os processos de negócio que têm o maior efeito sobre a satisfação do cliente. Em outras palavras, estas mensurações estão intimamente relacionadas à percepção do cliente. No Capítulo 9 chamamos estas mensurações operacionais relativas ao cliente de *padrões definidos pelo cliente* – os padrões operacionais determinados pelas expectativas do cliente e calibrados de acordo com o modo como ele as interpreta e as expressa.

Tema global — A mensuração da satisfação do cliente no mundo

O Índice de Satisfação do Cliente Norte-Americano (ACSI, *American Customer Satisfaction Index*) foi criado em 1994 por pesquisadores da Universidade de Michigan em parceria com a Sociedade Norte-americana para a Qualidade, em Milwaukee, Wisconsin, e o CFI Group em Ann Arbor, Michigan. O modelo do ACSI se originou de um modelo implementado originalmente em 1989 na Suécia, chamado Barômetro de Satisfação do Cliente Sueco (SCSB, *Swedish Customer Satisfaction Barometer*). Claes Fornell, presidente do ACSI LLC and CFI Group, desenvolveu o modelo e a metodologia para as versões sueca e norte-americana do índice.

A metodologia do ACSI está sendo adotada rapidamente em todo o mundo. Os desenvolvedores incluem grupos de pesquisa, associações em defesa da qualidade e universidades participantes do programa internacional de licenciamento para o ACSI, chamado Global CSI^{SM}; 13 países europeus (que utilizam o chamado Índice Estendido de Satisfação com o Desempenho, *Extended Performance Satisfaction Index*), além da Ásia, da América do Sul e do Oriente Médio criaram índices de desempenho para suas economias locais com base no Global CSI^{SM}.

Segundo o *site* do ACSI, a Indonésia é o mais recente país a adotar o índice na Ásia, e divulgou seu primeiro conjunto de medidas no outono de 2011. Em 2010, a República Dominicana lançou o INSAC, seu primeiro índice nacional de satisfação do cliente, e planeja incluir muitos setores neste sistema de avaliação nos próximos anos. O NCSI-UK, o índice de satisfação do cliente adotado no Reino Unido em 2007, mensura 16 setores, representando um amplo espectro da economia do setor de serviços nos lares do país.

Outros países que também adotaram o ACSI incluem Turquia, México, Coreia do Sul, Suécia, Colômbia, Barbados e Cingapura. O Índice de Satisfação do Cliente de Cingapura (CSISG, *Customer Satisfaction Index of Singapore*) foi adotado em 2008. Segundo Caroline Lim, diretora do Instituto de Excelência no Setor de Serviços da Universidade de Administração de Cingapura, assim como "o ACSI é o indicador padronizado da satisfação do cliente nos Estados Unidos desde 1994", o CSISG foi desenvolvido com base na mesma metodologia respeitada e consagrada para "complementar as outras formas tradicionais de mensuração da produção econômica, a exemplo do PIB, e gerar uma imagem mais abrangente da economia de Cingapura".

Hoje, outros países avaliam a implementação de modelos baseados no ACSI. Se essa tendência persistir, será possível criar um sistema internacional de mensuração da satisfação do cliente com base em uma metodologia em comum, a qual permita elaborar comparações entre índices de satisfação entre países. Embora seja muito cedo para tirar conclusões representativas, já que a maioria das economias ainda não mede a satisfação do cliente utilizando essa abordagem genérica, um estudo recente revelou que alguns determinantes interessantes da satisfação transcendem fronteiras:

- Os clientes em sociedades em que a expressão de opiniões é um hábito consolidado exibem níveis mais altos de satisfação em comparação com aqueles em sociedades com valores de sobrevivência mais arraigados.
- O nível de alfabetização e a liberdade de negociar têm um efeito positivo na satisfação do cliente.
- A renda per capita tem um efeito negativo na satisfação do cliente.

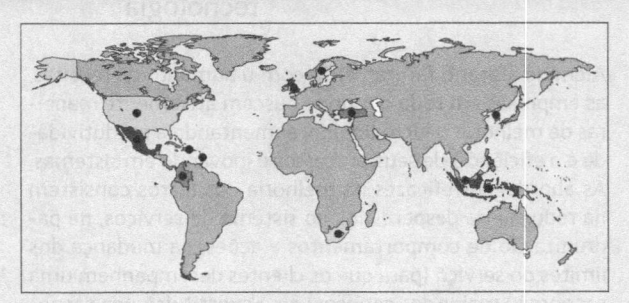

Reimpresso com permissão do site do Índice de Satisfação do Cliente Norte-Americano.

Fonte: www.theacsi.org/index.php?option=com_content&view=article&id=219&Item=278; F. V. Morgeson III, S. Mithas, T. L. Keiningham, and L. Aksoy, "An Investigation of the Cross-National Determinants of Customer Satisfaction," *Journal of the Academy of Marketing Science* 39 (April 2011), pp. 198–215.

A inovação e o aprendizado

A última área de mensuração envolve a capacidade que uma empresa tem de inovar, melhorar e aprender – por meio do lançamento de novos produtos, da geração de mais valor para o cliente e da melhoria nas eficiências operacionais. Esta área de mensuração é a mais difícil de capturar do ponto de vista quantitativo, mas pode ser realizada com a utilização de porcentagens de desempenho em termos de metas. Por exemplo, uma empresa define a meta de lançar 10 novos produtos ao ano, e então mensura a porcentagem relativa a este objetivo nesse período. Se quatro novos produtos forem lançados, então a porcentagem para o ano é 40%, e pode ser comparada à porcentagem concretizada em anos futuros.

As mensurações eficazes do desempenho não financeiro

De acordo com pesquisas de campo conduzidas em 60 companhias e com respostas a entrevistas de 297 executivos seniores, diversas companhias não identificam nem atuam nas mensurações não financeiras corretas.[27] Um exemplo desta situação envolve um banco que pesquisa apenas a satisfação dos clientes que adentram suas agências (em vez de entrevistar todos os clientes, inclusive os que solicitam serviços pelo telefone ou via caixas automáticos), uma iniciativa que motivou alguns gerentes de agências a oferecer comida e bebidas grátis a seus clientes para melhorar as avaliações. Nas palavras dos autores deste estudo, as companhias cometem quatro grandes equívocos:

1. *Não vincular mensurações a estratégias.* As empresas identificam facilmente centenas de mensurações não financeiras que devem ser acompanhadas, mas também precisam utilizar a análise que identifica os condutores mais importantes de suas estratégias. As empresas bem-sucedidas empregam mapas de condutores de valor, ferramentas que mostram as relações de causa e efeito entre os condutores e o sucesso da estratégia. A Figura 16.8 ilustra o modelo causal desenvolvido por uma rede de restaurantes de *fast food* de sucesso para compreender os principais condutores do valor para o acionista. Os fatores à direita foram identificados como os mais importantes para a geração dos conceitos à esquerda, e a sequência descendente de conceitos mostra as relações entre estratégias corporativas (como a seleção de pessoal e a ocupação de vagas) e os resultados intermediários (como satisfação do funcionário e do cliente) que trazem resultados financeiros (como a rentabilidade sustentada e o valor para o acionista). O estudo descobriu que menos de 30% das empresas pesquisadas utilizavam este modelo causal.

2. *Não avaliar os vínculos.* Apenas 21% das companhias averiguadas no estudo verificam que as mensurações não financeiras acarretam desempenho financeiro. Em vez disso, diversas empresas decidem o que vão mensurar em cada categoria e nunca relacionam as categorias. Muitos gerentes acreditavam que as relações ficavam evidentes por conta própria, e por isso não efetuavam análises para confirmar estas relações. A seção Visão Estratégica deste capítulo mostra como as empresas podem criar este tipo de relação. Em geral, é vital que as companhias reúnam todos os seus dados e examinem as relações entre as categorias.

3. *Não definir as metas corretas de desempenho.* Por vezes as companhias têm metas muito altas para melhorias. Tentar fazer 100% dos clientes sentirem-se satisfeitos parece uma meta excelente, mas diversas companhias gastam muitos de seus recursos e ganham poucas melhorias em termos de satisfação. Os autores do estudo descobriram que uma empresa de telecomunicações que almejava os clientes completamente satisfeitos na verdade estava desperdiçando recursos, pois estes clientes não gastariam mais dinheiro do que os que estavam 80% satisfeitos com os serviços.[28]

4. *Mensurar de modo incorreto.* As companhias necessitam utilizar métricas que tenham validade e confiabilidade estatísticas. As organizações não são capazes de mensurar fenômenos complexos com um ou dois indicadores simples, nem conseguem utilizar metodologias inconsistentes para aferir o mesmo conceito, como a satisfação do cliente. Outro problema que as empresas encontram está na tentativa de adotar métricas quantitativas para capturar resultados qualitativos relativos a fatores importantes, como liderança e inovação.

A criação de um *balanced scorecard* por si só não melhora o desempenho. As empresas não colherão os frutos de técnicas como o BSC se não tratarem destas quatro questões.

Parte VII O serviço e o lucro da empresa

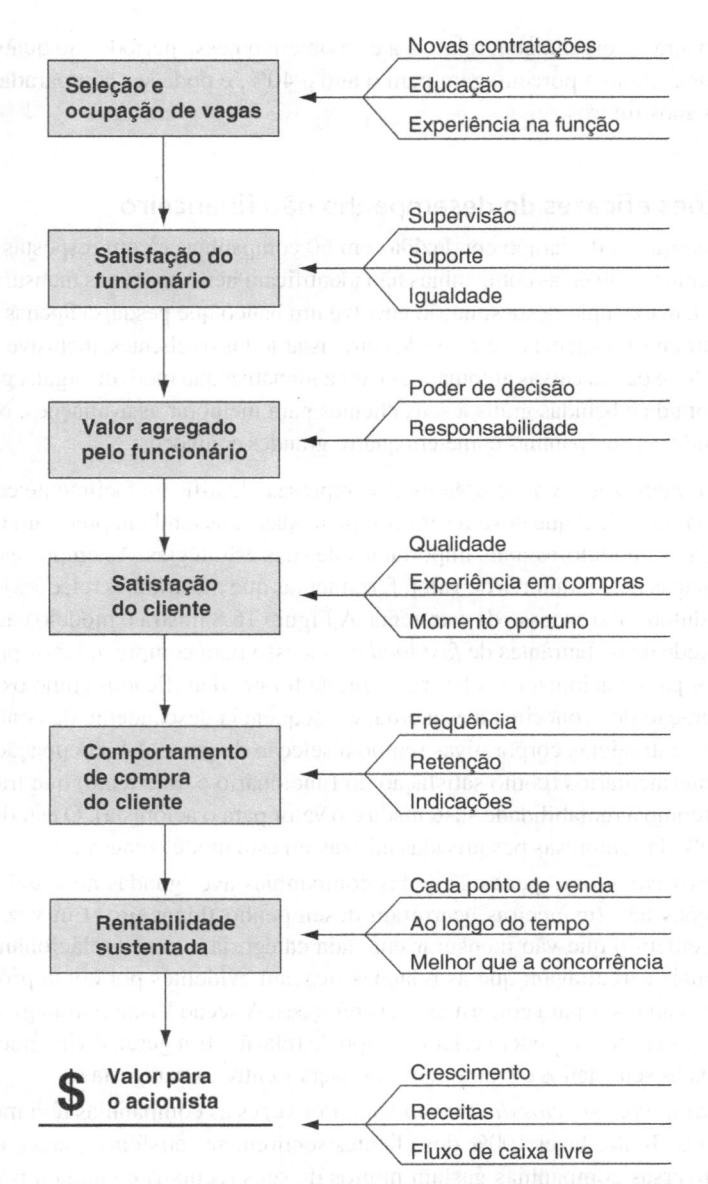

```
Seleção e ocupação de vagas ◄── Novas contratações / Educação / Experiência na função
        │
        ▼
Satisfação do funcionário ◄── Supervisão / Suporte / Igualdade
        │
        ▼
Valor agregado pelo funcionário ◄── Poder de decisão / Responsabilidade
        │
        ▼
Satisfação do cliente ◄── Qualidade / Experiência em compras / Momento oportuno
        │
        ▼
Comportamento de compra do cliente ◄── Frequência / Retenção / Indicações
        │
        ▼
Rentabilidade sustentada ◄── Cada ponto de venda / Ao longo do tempo / Melhor que a concorrência
        │
        ▼
$ Valor para o acionista ◄── Crescimento / Receitas / Fluxo de caixa livre
```

Figura 16.8 As mensurações mais importantes: um modelo causal para uma rede de restaurantes de *fast food* mostra os principais condutores do desempenho e os conceitos que geram valor para o acionista.

Fonte: Christopher D. Ittner and David F. Larcker, "Coming Up Short on Nonfinancial Performance Measurement," *Harvard Business Review* 81 (November 2003), pp. 88–95.

Resumo

Este capítulo é divido em cinco seções dedicadas a avaliar as evidências e identificar o conhecimento atual sobre as relações entre serviços e rentabilidade. O capítulo utilizou uma estrutura conceitual para relacionar todas as variáveis nestes tópicos: (1) a relação direta entre serviço e lucro, (2) os efeitos agressivos da qualidade do serviço, manifestados na possibilidade de obter novos clientes, (3) os efeitos defensivos da qualidade do serviço, vistos como a possibilidade de reter clientes existentes, (4) a relação entre qualidade do serviço e intenções de compra, e (5) os principais condutores da qualidade do serviço, da retenção do cliente e dos lucros. Consideráveis progressos foram feitos na investigação da qualidade do serviço, da rentabilidade e do valor econômico dos clientes, mas os gerentes prosseguem à procura de respostas que os ajudem a tomar decisões bem embasadas sobre investimentos na qualidade de serviços. Este capítulo também discutiu as abordagens para mensurar a fidelidade (incluindo o popular *Net Promoter Score*), e o retorno sobre o marketing por meio do modelo do *customer equity*. O capítulo terminou com uma discussão da abordagem do *balanced performance scorecard* para avaliar todos os aspectos da atuação de uma empresa.

Questões para discussão

1. Qual é o motivo da dificuldade sentida pelos executivos para entender a relação entre as melhorias no serviço e a rentabilidade de suas companhias?
2. O que é o modelo ROSQ e qual é sua importância para as empresas norte-americanas?
3. Ainda hoje diversas empresas acreditam que o serviço é uma fonte de custos, não de receitas. Quais são as razões por trás desta opinião? Quais são os argumentos que você utilizaria para provar o contrário?
4. Qual é a diferença entre o marketing agressivo e o marketing defensivo? De que modo o serviço afeta cada um deles?
5. Quais são as principais fontes de lucro no marketing defensivo?
6. Quais são as principais fontes de lucro no marketing agressivo?
7. De que modo o *balanced performance scorecard* nos auxilia a entender e documentar as informações apresentadas neste capítulo? Quais das cinco seções que discutem os diferentes aspectos da relação entre qualidade do serviço e lucros podem ser melhor entendidas com seu uso?

Exercícios

1. Encontre o *site* oficial do *Net Promoter Score*. Utilize os links no *site* para localizar as opiniões de outros pesquisadores sobre o indicador e prepare uma lista das vantagens e desvantagens discutidas nos artigos que encontrar. Se você fosse um CEO, você adotaria este indicador como "o único número de que preciso" para prever o crescimento de sua empresa? Por quê?
2. Conduza uma entrevista em uma empresa local e descubra o que as pessoas sabem sobre os principais condutores do desempenho financeiro. Quais são os principais condutores do serviço para a empresa? Ela sabe se estes condutores do serviço têm alguma relação com seus lucros?
3. Selecione um setor de serviços (como o de *fast food*) ou uma empresa (como o McDonald's) com que você esteja familiarizado, como funcionário ou como cliente, e crie um *balanced performance scorecard*. Descreva as mensurações de ordem operacional, do cliente, financeiras e relativas ao aprendizado que poderiam ser empregadas para representar o desempenho do setor.

Literatura citada

1. R. T. Rust, C. Moorman, and P. R. Dickson, "Getting Return on Quality: Revenue Expansion, Cost Reduction, or Both?" *Journal of Marketing* 66 (October 2002), pp. 7–24.
2. Ibid.
3. *Management Practice, U.S. Companies Improve Performance through Quality Efforts*, Report No. GAO/NSIAD-91-190 (Washington, DC: U.S. General Accounting Office, 1992).

4. R. Rust, B. Subramanian, and M. Wells, "Making Complaints a Management Tool," *Marketing Management* 3 (1993), pp. 40–45. R. Rust, Roland, C. Moorman, and G. Bhalla, "Rethinking Marketing," *Harvard Business Review*, January-February 2010; R. Rust, V. Zeithaml, and K. Lemon, "Customer-Centered Brand Management," *Harvard Business Review*, September 2004; S. Gupta and D. Lehmann, *Managing Customers as Investments*, Wharton School Publishing, 2005.

5. E. Nelson, R. T. Rust, A. Zahorik, R. L. Rose, P. Batalden, and B. Siemanski, "Do Patient Perceptions of Quality Relate to Hospital Financial Performance?" *Journal of Healthcare Marketing* 12 (December 1992), pp. 1–13.

6. C. Fornell and B. Wernerfelt, "Defensive Marketing Strategy by Customer Complaint Management: A Theoretical Analysis," *Journal of Marketing Research* 24 (November 1987), pp. 337–346; ver também C. Fornell and B. Wernerfelt, "A Model for Customer Complaint Management," *Marketing Science* 7 (Summer 1988), pp. 271–286.

7. B. Gale, "Monitoring Customer Satisfaction and Market-Perceived Quality," *American Marketing Association Worth Repeating Series*, no. 922CS01 (Chicago: American Marketing Association, 1992).

8. Ibid.

9. R. E. Kordupleski, R. T. Rust, and A. J. Zahorik, "Why Improving Quality Doesn't Improve Quality (or Whatever Happened to Marketing?)," *California Management Review* 35 (Spring 1993), pp. 82–95.

10. Fornell and Wernerfelt, "Defensive Marketing Strategy by Customer Complaint Management"; Fornell and Wernerfelt, "A Model for Customer Complaint Management."

11. F. Reichheld and E. Sasser, "Zero Defections: Quality Comes to Services," *Harvard Business Review* 68 (September–October 1990), p. 106.

12. Ibid., p. 105.

13. D. F. Colicchio, gerente de qualidade regional, Hewlett-Packard Company, comunicação pessoal.

14. V. Kumar, J. A. Petersen, and R. P. Leone, "How Valuable Is Word of Mouth?" *Harvard Business Review* 85 (October 2007), pp. 139–146.

15. R. Hallowell, "Word-of-Mouth Referral," *Harvard Business School Module Note*, 2002.

16. J. L. Heskett, W. E. Sasser Jr., and L. A. Schlesinger, *The Service Profit Chain* (New York: The Free Press, 1997).

17. Informações fornecidas pela TARP Worldwide Inc., agosto de 2007.

18. E. W. Anderson and M. Sullivan, "The Antecedents and Consequences of Customer Satisfaction for Firms," *Marketing Science* 12 (Spring 1992), pp. 125–143.

19. W. Boulding, R. Staelin, A. Kalra, and V. A. Zeithaml, "Conceptualizing and Testing a Dynamic Process Model of Service Quality," report no. 92–121, Marketing Science Institute, 1992.

20. V. A. Zeithaml, L. L. Berry, and A. Parasuraman, "The Behavioral Consequences of Service Quality," *Journal of Marketing* 60 (April 1996), pp. 31–46.

21. J. P. McLaughlin, "Ensuring Customer Satisfaction Is a Strategic Issue, Not Just an Operational One," apresentação na AIC Customer Satisfaction Measurement Conference, Chicago, December 6–7, 1993.

22. Paul, Michael, Thorsten Hennig-Thurau, Dwayne D. Gremler, Kevin P. Gwinner, and Caroline Wiertz (2009), "Toward a Theory of Repeated Purchase Drivers for Consumer Services," *Journal of the Academy of Marketing Science*, 37 (2), 215-237.

23. R. S. Kaplan and D. P. Norton, "The Balanced Scorecard—Measures That Drive Performance," *Harvard Business Review* 70 (January–February 1992), pp. 71–79.

24. Ibid.

25. S. Silk, "Automating the Balance Scorecard," *Management Accounting*, May 1998, pp. 38–42.

26. Reichheld and Sasser, "Zero Defections," p. 111.

27. O material nesta seção é de C. D. Ittner and D. F. Larcker, "Coming Up Short on Nonfinancial Performance Measurement," *Harvard Business Review* 81 (November 2003), pp. 88–95.

28. Ibid., p. 92.

Estudo de caso 1
A Zappos.com 2009: vestuário, serviço ao cliente e cultura corporativa

Frances X. Frei
Robin J. Eli
Laura Winig

Em 17/7/2009, a Zappos.com – varejista *on-line* de capital privado que vende calçados, roupas, bolsas e acessórios – descobriu que a Amazon.com, Inc. – varejista multinacional *on-line* cujo valor de mercado é de $19 bilhões e que comercializa livros, eletrônicos, brinquedos e outros produtos - havia obtido aprovação de seu conselho de administração para oferecer uma fusão com ela (ver os Quadros 1, 2, 3 e 4 para detalhes financeiros sobre as duas empresas).

A Amazon estava cortejando a Zappos desde 2005, na esperança de que uma fusão permitiria expandir e fortalecer sua fatia de mercado nas categorias de produtos da chamada *soft-line**, como vestuário e calçados – as quais a empresa considerava importantes estrategicamente para seu crescimento.[1] Ainda que o interesse da Amazon intrigasse Tony Hsieh, o CEO da Zappos, e Alfred Lin, presidente, COO e CFO da varejista, os dois executivos seniores não tinham certeza se essa era a hora certa de aceitar a proposta da Amazon. A oferta, a qual incluía 10 milhões de ações (avaliadas em $807 milhões)[a], $40 milhões em dinheiro e unidades de ações restritas para os funcionários da Zappos, além da promessa de que ela poderia operar como subsidiária independente – estava na mesa. A consultoria financeira da Zappos, a Morgan Stanley, estimava que o valor do capital de uma oferta pública estaria entre $650 milhões e $950 milhões, o que distorcia a oferta da Amazon – ao menos em termos financeiros – para o limite superior do valor de mercado estimado da Zappos. (Ver o Quadro 5 para os valores de mercado de varejistas *on-line* e de calçados do tipo.) Hsieh e Lin sabiam que muito do crescimento da Zappos, e portanto, seu valor, se devera à forte cultura corporativa e ênfase obsessiva no serviço ao cliente. Em 2009, eles tinham seu foco nos três Cs da companhia – *clothing* (vestuário), *customer service* (serviço ao cliente) e *company culture* (cultura corporativa) – os pontos-chave do crescimento contínuo da empresa. Hsieh e Lin tinham apenas alguns dias para refletir se recomendariam ou não a fusão ao conselho de administração da Zappos, na reunião do dia 21 de julho daquele ano.

A ZAPPOS E O COMEÇO DO VAREJO *ON-LINE* DE CALÇADOS

No final de 1998, Nick Swinmurn, gerente de marketing com 26 anos de idade de um serviço de venda *on-line* de automóveis, estava em um *shopping center* na área de San Francisco, Califórnia, para comprar um par de tênis Airwalk, mas não conseguiu encontrar o produto na cor, no modelo e no

---

* N. de T.: Produtos que normalmente podem ser dobrados, como vestuário e roupa de cama.

[a] O valor das ações no fechamento do pregão baseado no preço médio das ações da Amazon para o período de 45 dias terminado em 17/7/2009.

Os professores Frances X. Frei e Robin J. Ely e a pesquisadora Laura Winig, da Global Research Group, prepararam este estudo de caso. Os estudos de caso servem apenas como base para discussão em sala de aula, e não têm a intenção de patrocinar, apresentar dados ou ilustrações de gestões ineficientes ou eficientes dos negócios.

Direitos autorais 2009, 2010, 2011. Reitor e Corpo Discente da Harvard College. Para cópias ou permissão de reproduzir o material, telefone para 1-800-545-7685, escreva para a Harvard Business School Publishing, Boston, MA, 02163, ou visite www.hbsb.harvard.edu/educators. Esta publicação não pode ser digitalizada, fotocopiada ou reproduzida, enviada pelo correio ou transmitida sem consentimento da Harvard Business School.

QUADRO 1 Demonstração de resultados da Zappos, 2007 a 2009 (em milhares de dólares)

	2007	2008			2009	
	Os 12 meses encerrados em 31/12	Os 3 meses encerrados em 30/6	Os 6 meses encerrados em 30/6	Os 12 meses encerrados em 31/12	Os 3 meses encerrados em 30/6	Os 6 meses encerrados em 30/6
Receita líquida	526.829	152.613	285.323	635.011	165.236	309.099
Custo da receita	333.884	97.158	181.406	411.650	106.555	201.092
Lucro total	192.945	55.455	103.917	223.361	58.681	108.007
Custos operacionais:						
Vendas, marketing e atingimento	123.260	37.862	70.792	153.285	36.870	71.688
Custos gerais e administrativos	18.962	5.870	11.997	23.041	5.788	10.989
Desenvolvimento de produto	18.224	6.154	12.443	25.262	5.767	11.514
Custos operacionais totais	160.446	49.886	95.232	201.588	48.425	94.191
Receita das operações	32.499	5.569	8.685	21.773	10.256	13.816
Juros e outras receitas, líquido	731	133	325	559	101	173
Juros para a companhia (despesa) associados com títulos para compra de ações preferenciais	(10.825)	(5.771)	(5.746)	9.670	(12.441)	(13.721)
Outras despesas da dívida	(6.930)	(1.067)	(2.814)	(5.825)	(826)	(1.775)
Outras cobranças de financiamento	(335)	(121)	(280)	(832)	(102)	(226)
Receita antes da incidência de imposto de renda	15.140	(1.257)	170	23.345	(3.012)	(1.733)
Provisões para imposto de renda	(10.288)	(1.562)	(1.550)	(5.208)	(3.343)	(4.356)
Receita líquida de operações contínuas	4.852	(2.819)	(1.380)	20.137	(6.355)	(6.089)
Operações encerradas, líquido ou tributáveis	(3.084)	(679)	(1.525)	(9.365)	30	(14)
Receita líquida	1.768	(3.498)	(2.905)	10.772	(6.325)	(6.103)

Fonte: Amazon.com Inc., S-4, 27/7/2009 e Amazon.com Inc., S-4/A, Pre-Effective Amendment, S-4, 25/9/2009.

tamanho que queria. Ele tentou na Internet, mas se frustrou com a falta de varejistas *on-line* dedicados a calçados: "Havia alguns poucos *sites*, mas nada que realmente chamasse a atenção", disse ele.[2]

Sua experiência o inspirou a criar um *site* para o varejo *on-line* de calçados. Em junho de 1999, Swinmurn lançou o ShoeSite.com. "Estamos adotando uma abordagem mais dinâmica para uma categoria muito mal apresentada *on-line*", disse Swinmurn, que logo rebatizaria o *site* de Zappos.com, porque, conforme explicou, este era um termo fácil de lembrar e havia uma "relação reconhecível" com a palavra *zapatos*, termo do idioma espanhol para sapatos.[3]

A princípio, a Zappos mantinha seus estoques em lojas de calçados independentes, mas em outubro de 1999 a empresa começou a estabelecer relacionamentos diretos com os fabricantes. Ao final de 2000 a Zappos oferecia mais de 100 marcas, inclusive Bostonian, Sperry, Dexter, G.H. Bass e Tommy Bahama.[4] Os fabricantes concordaram em despachar os pedidos diretamente para os clientes da Zappos, o que permitiu à companhia evitar a formação de estoques.

Em 1999 havia mais de 1.500 *sites* dedicados ao varejo de calçados na Internet – embora a maioria era de lojas de vestuário que estocavam alguns estilos de calçados.[5] As vendas *on-line* nos

QUADRO 2 O balanço patrimonial da Zappos, 2007 a 2009 (em milhares de dólares)

	Em 31/12		Em 30/6
	2007	2008	2009
Ativos			
Ativos atuais:			
Caixa e equivalentes de caixa	6.761	8.590	4.470
Caixa restrito	1.687	2.245	2.176
Contas a receber, líquido	8.461	6.772	5.039
Estoques, líquido	161.988	168.131	176.918
Imposto de renda diferido	12.267	15.890	15.890
Despesas adiantadas e outros ativos	2.496	3.253	3.328
Ativos atuais totais	193.760	204.881	207.821
Propriedades e equipamentos	44.286	48.962	49.069
Imposto de renda diferido	3.098	708	708
Ativos intangíveis, líquido	4.405	8.646	8.296
Outros ativos, líquido	705	2.075	1.860
Ativos totais	246.254	265.272	267.754
Passivos e patrimônio líquido para os acionistas			
Passivos atuais:			
Contas a pagar	76.055	69.792	61.823
Passivos somados e outros	28.467	51.409	76.464
Imposto de renda diferido	527	559	559
Retorno sobre vendas adicionais	16.762	18.637	13.988
Parcela atual de obrigações com empréstimos	2.747	4.863	18.722
Parcela atual de obrigações com empréstimo de capital	1.051	1.490	3.046
Linha de crédito rotativo	29.000	26.006	35.000
Passivos atuais totais	154.609	172.756	209.602
Aluguel diferido	1.883	1.514	1.467
Impostos de renda diferidos	3.418	2.870	2.870
Outros passivos de longo prazo	28.868	19.935	3.748
Obrigações com empréstimos, não atuais	20.188	15.777	0
Obrigações com empréstimo de capital, não atuais	1.809	1.702	3.734
Passivos totais	210.775	214.554	221.421
Patrimônio líquido para o acionista:			
Estoque de ações conversíveis	61.465	61.465	61.465
Estoque de ações comuns	16	16	16
Capital pago adicional	2.092	6.557	8.275
Dívida acumulada	(28.092)	(17.320)	(23.423)
Patrimônio líquido para o acionista	35.479	50.718	46.333
Passivos totais e patrimônio líquido para os acionistas	246.254	265.272	267.754

Fonte: Amazon.com Inc., S-4/A, Pre-Effective Amendment, S-4, 25/9/2009.

Estados Unidos estavam um pouco abaixo de $48 milhões – menos de um décimo de 1% do mercado de calçados norte-americano, da ordem de $37 bilhões. Em comparação, as vendas via catálogo, por correio, eram de 6,4% das vendas de calçados no país.[6]

O setor de calçados *on-line* ganhou projeção com a entrada da Nordstrom no setor. A varejista de produtos de alta qualidade havia lançado seu próprio *site* de vestuário em 1998, e aprendera que calçados vendiam muito bem, de modo desproporcional (30% das vendas), em comparação com o

QUADRO 3 Fluxo de caixa da Zappos, 2007 a 2008 (em milhares de dólares)

	Em 31/12	
	2007	2008
Atividades operacionais		
Receita líquida	1.768	10.772
Amortização dos custos financeiros diferidos	288	309
Depreciação e amortização	9.682	11.481
Prejuízo com ativos fixos	2.133	638
Obrigações com a desmobilização de ativos	62	59
Reservas sobre lucros	3.813	1.875
Provisões para dívida ruim ou duvidosa	63	145
Provisões para estoque em excesso ou obsoleto	2.985	2.223
Compensação baseada em estoque de ações	1.997	2.884
Impostos de renda diferidos	(2.980)	(927)
Efeito cumulativo da adoção da FIN 48	(500)	n/a
Perda com a entrega de propriedades e equipamentos	350	6
Mudança no valor a transportar da opção para ações preferenciais	10.825	(9.670)
Mudanças nos ativos e passivos operacionais		
Cartões de crédito e outros recebíveis	(3.506)	1.545
Estoques de mercadoria	(20.681)	(8.366)
Despesas pré-pagas e outros ativos	(1.083)	(2.354)
Contas a pagar	16.937	(7.443)
Adicionais e outros passivos	11.494	22.415
Caixa líquido das atividades operacionais	33.647	25.592
Atividades de investimentos		
Aquisição de propriedades e equipamentos	(11.108)	(13.471)
Aquisição de ativos intangíveis	n/a	(4.850)
Aquisição de ativos e estoques da 6pm.com	(4.000)	n/a
Queda no caixa restrito	5.714	404
Caixa líquido utilizado nas atividades de investimentos	(9.394)	(17.917)
Atividades de financiamentos		
Lucros do exercício das opções de estoque acionário para funcionários	204	282
Recompra e remobilização de estoque acionário	(3.000)	n/a
Benefício fiscal excedente sobre prêmios do estoque acionário	443	1.301
Aumento no caixa restrito	(404)	(962)
Empréstimos na linha de crédito rotativo	549.184	666.333
Repagamento de empréstimos na linha de crédito rotativo	(564.965)	(669.327)
Valores solicitados em empréstimo	3.501	271
Repagamento de empréstimos e contas a pagar em construção	(2.595)	(2.566)
Pagamento de empréstimos de capital	(1.152)	(1.178)
Caixa líquido usado nas atividades de financiamentos	(18.784)	(5.846)
Mudança em caixa e equivalentes de caixa	5.469	1.829
Caixa e equivalentes de caixa no começo do ano	1.292	6.761
Caixa e equivalentes de caixa no final do ano	6.761	8.590

Fonte: Amazon.com Inc., S-4, declarado em 27/7/2009.

QUADRO 4 Demonstrativos de resultados, fluxo de caixa e balanço patrimonial da Amazon.com, 2007 a 2008 (em milhões de dólares)

	Em 31/12	
	2007	2008
Demonstrativo de resultados		
Vendas líquidas	14.835	19.166
Receita de operações	655	842
Receita líquida	476	645
Rendimentos básicos por ação	$ 1,15	$1,52
Rendimentos diluídos por ação	$ 1,12	$1,49
Declaração de fluxo de caixa		
Caixa líquido gerado por atividades operacionais	1.405	1.697
Aquisição de ativos fixos, incluindo *software* de uso interno e desenvolvimento de *site*	(224)	(333)
Fluxo de caixa livre	1.181	1.364
Balanço patrimonial		
Ativos totais	6.485	8.314
Dívida de longo prazo	1.282	409

Fonte: Amazon.com, 2008 Annual Report, http://phx.corporateir.net/External. File?item=UGFyZW50SUQ9MjAyN3xDaG lsZElEPS0xfFR5cGU9Mw= =&t=1, acessado em 22/9/2009.

QUADRO 5 Valor de mercado de alguns varejistas on-line e de calçados em 22/7/2009 (milhões de dólares)

	Valor de mercado
Amazon	38.148,44
Gap	11.260,58
Sears	7.856,02
Macy's	5.328,68
Nordstrom	5.248,89
Footlocker	1.669,01
Payless Shoesource	958,13
Genesco	439,45
Brown Shoe Company	299,85
DSW Shoe Warehouse	201,68
Shoe Carnival	156,04
Footstar	21,58
Bakers Footwear Group	5,68
Shoe Pavilion	0,02

Fonte: Thomson One Banker, acessado em agosto de 2009.

comércio de rua (20%)[7]. O resultado foi o lançamento de seu próprio *site* exclusivo para calçados com a marca Nordstrom no verão de 199, suportado por uma campanha publicitária de $17 milhões.[8]

No final de 1999, a Zappos começou a disponibilizar serviços como envio grátis, o que promoveu as vendas.[9] Na verdade, desde seu começo, a Zappos se concentrou na prestação de um serviço ao cliente excepcional, para facilitar a experiência da compra *on-line* e torná-la o mais parecida possível com uma visita a uma loja física. Por exemplo, os visitantes do *site* conseguiam imprimir um molde para o tamanho dos calçados ou iniciar um bate-papo *on-line* em tempo real com especialistas nos produtos.[10] Além disso, todos os modelos de calçados eram fotografados a partir de nove ângulos diferentes por fotógrafos contratados pela empresa. Seus funcionários redigiam descrições de produtos para cada modelo, as quais incluíam detalhes sobre estilo, tamanho e materiais, além daqueles informados pelos próprios fabricantes.

O começo da década de 2000

Em 2000, a Zappos tinha 150 marcas e 400 mil pares de calçados em estoque, e dizia ser a maior loja de calçados do mundo. A empresa havia iniciado uma mudança, do envio de calçados ao cliente diretamente pelo fabricante para a formação de estoques.

Em janeiro de 2000, a Zappos obteve a quantia de $1,1 milhão de capital de risco da Venture Frogs, incubadora de investimentos fundada por Hsieh e Lin dois anos antes. A Venture Frogs se especializou no atendimento a empresas nos primeiros estágios da Internet, *e-commerce*, informações e tecnologia das telecomunicações que estavam entrando em uma "fase de crescimento incomum".[11] Hsieh e Lin conheciam um pouco dessas companhias: com 24 e 25 anos de idade, respectivamente, os dois haviam fundado a LinkExchange, rede de publicidade que venderam à Microsoft por $265 milhões em novembro de 1998.[12] Hsieh e Lin se conheceram na universidade, quando Hsieh tinha uma pizzaria (ele alugava a cozinha da casa do estudante para utilizá-la como pizzaria à noite e vender pizzas para os alunos), e Lin, que comprava pizzas e as revendia por fatia em sua casa do estudante, era seu melhor cliente. Quando encontraram a Zappos, Lin disse, na ocasião, que ficaram "completamente impressionados" com o que ela havia alcançado nos sete meses anteriores. "Com nosso investimento," pensavam eles, "a Zappos.com continuará a manter sua posição como maior loja de calçados do mundo."[13]

Quando a revista *PC Data On-line* lançou sua lista anual dos 10 mil maiores *sites* de *e-commerce* (segmentados por categoria) em 2000, a Zappos foi honrada com a maior posição no *ranking* de venda exclusiva de calçados.[14]. A Zappos oferecia uma gama de calçados maior que o catálogo de qualquer outra varejista, *on-line* ou do comércio geral. As vendas da Zappos estavam ultrapassando os volumes comercializados por outras varejistas, como Land's End, J. Crew e Abercrombie & Fitch.[15] A nota geral do *site* (1.134) indicava um alcance de 0,9%, o que por sua vez indicava que quase 1% de todos os usuários da Internet visitavam o *site* da Zappos em junho de 2000.[16]

Contudo, o interesse da comunidade de investidores no varejo de calçados *on-line* começava a diminuir. Alguns analistas acreditavam que o setor de calçados *on-line* era um mero catálogo *high-tech*, servindo como uma complementação das vendas das redes do comércio de rua ou como um meio de os clientes pesquisarem calçados que viriam a comprar em uma loja física. Nas palavras de um analista, em 2001, "O mercado calçadista não é um caldeirão fervilhante". "Para nós, esse mercado é relativamente lento, comparado com outras categorias do varejo *on-line*. Ele está cheio de visitantes, não compradores, e as empresas do varejo *on-line* que não têm uma presença no comércio terão um período de relativa ineficiência nos negócios."[17]

Hsieh se juntou à Zappos dividindo o cargo de CEO com Swinmurn em maio de 2001, e observou que a Zappos "era a empresa mais divertida e promissora" entre as companhias que ele conhecia como investidor de risco, e que ela provavelmente geraria o maior retorno para a Venture Frogs. Seus instintos estavam certos. Ao final do ano, a Zappos havia crescido, atingindo a marca de $8,6 milhões em vendas. "Ainda não chegamos a ponto de maximizar lucros, porque ainda pensamos que temos muitas oportunidades de negócios", disse Hsieh naquela época.[18] Em 2002, ele anunciou uma meta final para a Zappos: crescer até a marca de $1 bilhão em vendas em 2010.[19] Em 2003, Hsieh assumiu o cargo de CEO único da Zappos, e Swinmurn se tornou presidente.

2005 a 2008

Em 2005, a Zappos havia ultrapassado a capacidade de utilização de sua matriz, em San Francisco, Califórnia. A empresa tinha 100 funcionários em um *call center* e buscava uma base de operações menos dispendiosa. Las Vegas, no Estado de Nevada, surgiu como a melhor opção, porque ali os salários eram menores e a mão de obra era abundante. Além disso, a cidade era considerada uma boa candidata em termos do estilo da Zappos. "Las Vegas é uma cidade que vive as 24 horas do dia, e temos um *call center* que funciona 24 horas por dia", disse Donavon Roberson, gerente de desenvolvimento de novos negócios da Zappos. Após receber $35 milhões em capital para investimentos com a Sequoia Capital em 2005, a Zappos transferiu sua sede para Las Vegas.

Contudo, Swinmurn não ficou muito satisfeito com a mudança e o crescimento. "Hoje a Zappos tem a ver com processos, advogados e a vontade de fazer um bando de pessoas assinarem papéis para aprovar algo, antes de qualquer outra coisa", disse ele. "Prefiro a chance de pular de cabeça e mudar as coisas."[20] Logo após Swinmurn deixar a empresa em busca de interesses pessoais, Lin se juntou à Zappos como CFO*. Posteriormente, ele assumiria também os cargos de presidente e COO**.

Nesse período, o setor de varejo de calçados *on-line* crescera, atingindo a marca de $2,9 bilhões de receita em 2006, em comparação com apenas $954 milhões em 2002. As projeções indicavam que o volume de receitas chegaria a $5,2 bilhões em 2010.[21] A Zappos, que faturou $597 milhões em 2006, enfrentava concorrentes novos, os mega varejistas Gap Inc., que contava com o suporte da Piperlime.com, e Amazon.com, proprietária da Endless.com. As duas companhias haviam lançado *sites* de venda de calçados no começo de 2007.[22]

Em 2008, a Zappos havia se tornado uma varejista de $1 bilhão, com um lucro de $10,8 milhões sobre uma receita de $635 milhões.[23] (Ver o Quadro 6 para as vendas totais anuais.) A empresa tinha 700 "integrantes da equipe", como eram chamados os funcionários, em seu escritório no Estado de Nevada: 300 no *call center*, 200 na divulgação e o restante nos departamentos de suporte, como o departamento jurídico e de contabilidade.

O PRIMEIRO C: A CULTURA DA COMPANHIA

A liderança da Zappos via a cultura corporativa como o diferencial por trás de sua vantagem competitiva. "Nossa crença é a de que se você acerta a cultura corporativa, a maior parte das outras coisas – como o serviço ao cliente de qualidade ou a construção de uma marca duradoura e resistente – acontecerá naturalmente," dizia Hsieh. Lin concordava:

> Fui a uma conferência onde alguém da plateia perguntou a Howard Shultz, presidente e CEO da Starbucks, por que todos na empresa estavam sempre sorrindo. Ele respondeu, "Apenas contratamos pessoas que sorriem". Na Zappos, tentamos fazer a mesma coisa. Somente contratamos pessoas felizes e tentamos mantê-las felizes. Nossa filosofia é a de que você não consegue ter funcionários felizes sem que eles se sintam inspirados pela cultura corporativa da empresa. Para nós, essa vantagem é estratégica. Podemos ter entre 1.200 e 1.500 relacionamentos de marca e uma boa vantagem em relação à concorrência, mas isso pode ser copiado. Nossos *sites*, nossas políticas – tudo pode ser copiado, exceto nossa cultura especial.

Em 2005, logo após a mudança da matriz, a Zappos lançou sua lista de valores centrais – desenvolvida como meio para garantir que todos na empresa desempenhassem um papel na construção e no suporte de sua cultura. Para criar o que se tornariam os 10 valores centrais da companhia, Hsieh solicitou um *feedback* dos funcionários sobre quais deveriam ser esses valores e, com base nas respostas, compilou uma lista inicial de 37 valores centrais em potencial e a enviou a todos os funcionários da empresa. Um processo de avaliação que durou um ano reduziu a lista a 10 itens. (Ver o Quadro 7.) "Hoje temos um conjunto de valores centrais com os quais as pessoas conseguem se comprometer, o que indica nossa disposição de contratar e demitir funcionários com base na anuência a esses valores centrais, independentemente de elas desempenharem suas funções de acordo com

---

* *Chief financial officer.*
** *Chief operating officer.*

QUADRO 6 Total de vendas da Zappos entre 2000 e 2008 (em milhões de dólares)

Ano	Total de vendas
2000	1,6
2001	8,6
2002	32,0
2003	70,0
2004	184,0
2005	370,0
2006	597,0
2007	841,0
2008	1.014,0

Fonte: Documentos corporativos.

o esperado", disse Hsieh. "A maioria das empresas não liga para a cultura, ao menos a alta gerência, mas se você realmente se importa e a administra no sentido de implementá-la, ela é como qualquer outro aspecto da administração. Não é difícil, você precisa apenas dar suporte a ela."

Muitos dos 10 valores centrais da Zappos foram embasados em uma pesquisa sobre fatores como a eficiência e a produtividade dos trabalhadores. Por exemplo, Hsieh citou um estudo que descobriu que as pessoas se sentiam mais felizes e envolvidas em seu trabalho quando tinham amigos no ambiente da empresa. Por isso, a Zappos desenvolveu o valor central 7 – construir uma equipe positiva e um espírito familiar – e encorajou os gerentes a passarem entre 10 e 20% de seu tempo socializando com os integrantes fora do horário de trabalho. "Não há uma separação clara entre o trabalho e a vida pessoal, não como na maioria das companhias", disse Hsieh. "A Zappos é como um estilo de vida."

A cultura da Zappos não demorou a se consolidar, atraindo o interesse de outras empresas, da mídia e de acadêmicos interessados em aprender mais sobre a empresa. A Zappos recebia bem todo e qualquer visitante, oferecendo visitas com um guia em sua matriz em Las Vegas. Os visitantes encontravam um ambiente semelhante a um circo com três picadeiros. O saguão tinha um banco de engraxate com três assentos, do tipo visto em estações de trem, com três esqueletos em tamanho natural usando roupas. Ao lado do balcão da recepção ficava uma máquina de pipoca estilizada. Em frente, havia um aparelho para jogar o Dance Dance Revolution. (Ver o Quadro 8, que mostra fotografias do interior da matriz da Zappos.) A decoração do local representava a vontade dos funcionários de "gerar diversão e um pouco de loucura".

A Zappos tinha entre 8 e 10 grupos de visitantes ao dia em 2009. Roberson, que às vezes trabalhava como guia, conduzia os estudiosos por um corredor, passando pelo departamento jurídico, até a "Monkey Row", um agrupamento de estações de trabalho sob uma videira de plástico muito copada,

QUADRO 7 Os 10 valores centrais da Zappos

1. Cause o "Uau" em todo o serviço.
2. Adote e promova a mudança.
3. Gere diversão e um pouco de loucura.
4. Seja aventureiro, criativo, e tenha uma mente aberta.
5. Busque o crescimento e o aprendizado.
6. Construa relacionamentos abertos e honestos, baseados na comunicação.
7. Construa uma equipe positiva e um espírito familiar.
8. Faça mais com menos.
9. Seja apaixonado e determinado.
10. Seja humilde.

Fonte: Documentos da companhia.

QUADRO 8 Fotografias da matriz da Zappos

Fonte: Documentos da companhia e do autor do estudo de caso.

nas quais Hsieh e Lin trabalhavam. Quando os visitantes passavam pelo *call center* e pelos departamentos de divulgação e contabilidade, os funcionários os cumprimentavam acenando, tocando buzinas de mão, fazendo saudações animadas e até usando sinetas e apitos. Roberson comentava que as visitas seguiam pelo caminho de visitas não oficial da empresa: os departamentos muitas vezes tinham desfiles temáticos – nos quais os funcionários às vezes se fantasiavam – nos corredores da sede.

Do outro lado do corredor ficava o escritório do Dr. David Vik: "Para aqueles que precisam de um *check-up* do pescoço para cima", explicava Roberson. Vik era quiroprático aposentado contratado como funcionário em tempo integral para orientar os funcionários em assuntos relativos a desempenho. Ao lado do escritório do Dr. Vik ficava o "sino da vergonha", que os funcionários tocavam como sinal público de arrependimento por algo (como nas vezes em que clicavam no ícone "responder a todos" em uma mensagem de *e-mail*). "Quando os funcionários fazem algo assim, eles vão até o sino e o tocam, anunciando o próprio deslize", explica Roberson.

Em janeiro de 2008, Hsieh enviou um *e-mail* a todos os funcionários pedindo que escrevessem algumas frases sobre o significado da cultura da Zappos. "Pedimos que opinassem sobre como a cultura da Zappos diferia daquela de outras empresas e sobre o que gostavam em nossa cultura", explicava Roberson. As respostas foram compiladas e publicadas – sem modificações – em um livro de 450 páginas.

Contrate pensando na adaptação à cultura

A Zappos selecionava os candidatos às vagas preocupada em garantir que eles se adaptassem à cultura da companhia. A avaliação começava no formulário de solicitação de emprego – que incluía palavras cruzadas na capa e personagens de desenhos animados que formulavam perguntas estranhas. (Ver o Quadro 9 para uma amostra do formulário.) Os candidatos tinham de citar sua canção favorita ou se dar uma nota em uma escala de "estranheza", além de avaliar o quanto eles se julgavam sortudos. "A pessoa que se acha no alto da escala da sorte provavelmente é do tipo que queremos: criativa, aventureira e que pensa diferente", disse Christa Foley, gerente de recrutamento.

Todos os candidatos passavam por duas entrevistas: uma entrevista tradicional para avaliar habilidades conduzida pelo gerente de contratação, e uma entrevista "cultural", realizada pelos recrutadores do departamento de recursos humanos. "A gerência de contratação busca adaptação à equipe, experiência relevante e capacitação técnica. O departamento de recrutamento realiza a entrevista apenas para avaliar a adaptação do candidato à cultura. Os candidatos têm de ser aprovados nas duas entrevistas para serem contratados. Na verdade, deixamos de contratar muitas pessoas realmente talentosas, que não deixaram dúvidas de que teriam um impacto imediato no faturamento e nos lucros, mas por não estarem adaptadas à cultura, não ficaram com a vaga," disse Hsieh.

"Formulamos entre 10 e 15 perguntas baseadas em comportamentos para cada item de nossa lista de valores centrais," explicou Foley. "Um candidato com sucesso no processo de seleção nem sempre tem notas altas em cada valor central, mas ele não pode se opor a qualquer um deles". Por essa razão, havia algumas perguntas como critério de desempate. Por exemplo, se um candidato pontuasse muito bem ou muito mal na pergunta relativa à estranheza, ele não seria considerado adequado para a empresa. Faltar com a humildade, outro valor central, também o desclassificaria, sobretudo para vagas na alta gerência. "Se alguém se acha bom demais," explicou Hsieh, "não há discussão; sabemos que essa pessoa não será contratada".

As orientações e o treinamento inicial

Todos os novos contratados precisavam completar quatro semanas de treinamento remunerado, o qual se concentrava sobretudo no atendimento no *call center*, independentemente do cargo do novo contratado. "Se você não for aprovado nas quatro semanas do treinamento, não importa o departamento, você não vai ficar com o emprego na Zappos," disse Foley. Além disso, a empresa eliminava os recém-contratados sem o compromisso com sua cultura corporativa e oferecia a eles $2.000 para deixarem a empresa. Esta oferta era feita durante a primeira semana de treinamento. "A oferta começava em $100, mas lentamente aumentamos o valor porque queríamos que mais pessoas a aceitassem," explicou Rob Siefker, gerente da equipe de fidelidade do cliente (CLT, *customer loyalty team*), embora ele tenha confirmado que poucas pessoas a aceitavam.

A linha de atuação

Em 2008, o encarregado do desenvolvimento de comunicações e processos, Roger Dana, e sua equipe formalizaram uma linha de atuação: um processo utilizado para desenvolver funcionários, do momen-

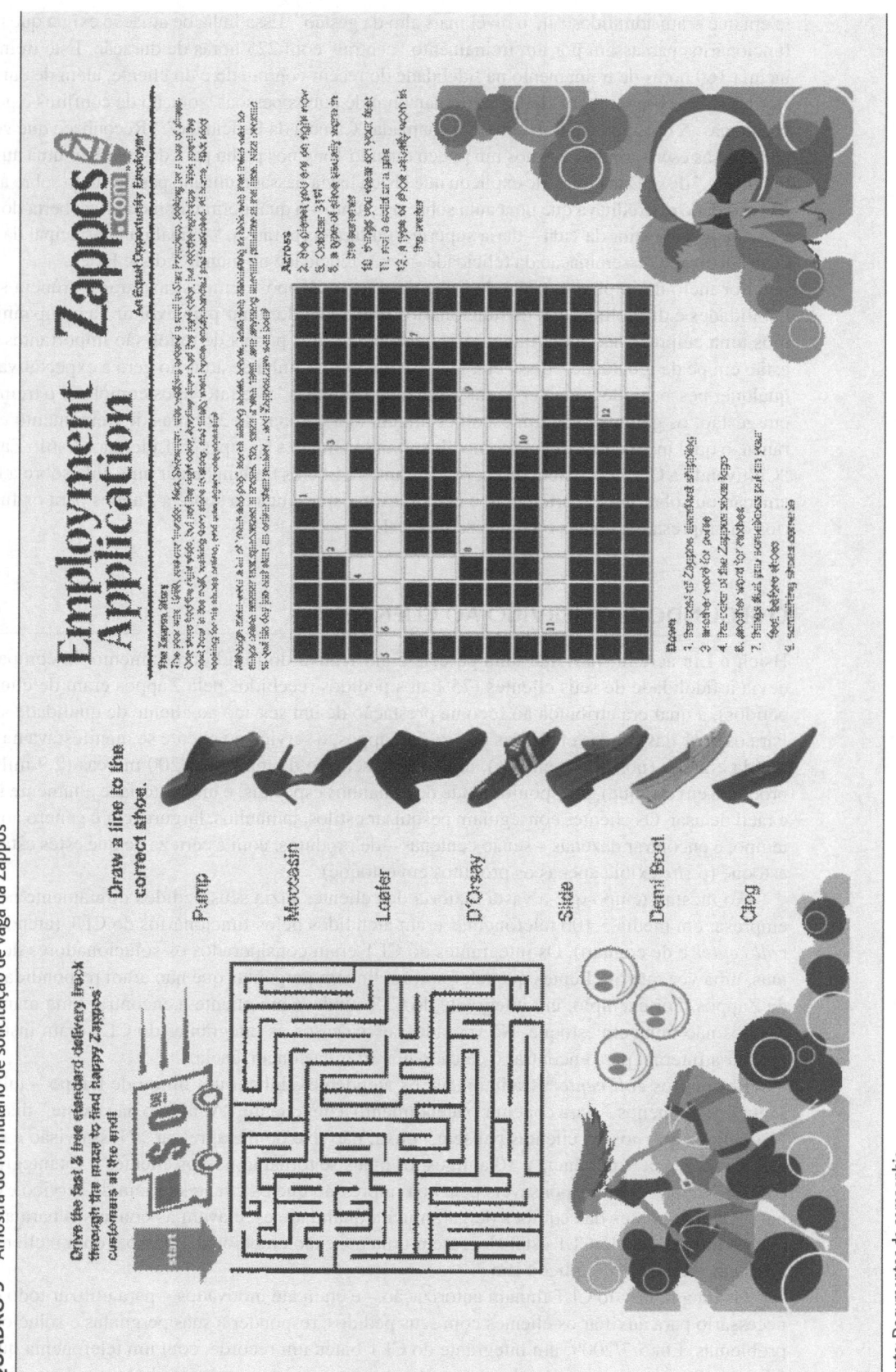

Estudo de caso 1 A Zappos.com 2009: vestuário, serviço ao cliente e cultura corporativa

QUADRO 9 Amostra do formulário de solicitação de vaga da Zappos

Fonte: Documentos da companhia.

to em que eram admitidos "até o nível mais alto da gestão". Essa linha de atuação exigia que todos os funcionários passassem por um treinamento "central" com 225 horas de duração. Este treinamento incluía 160 horas de treinamento na fidelidade do recém-contratado e do cliente, além de cursos adicionais sobre comunicação eficiente, treinamento de outras pessoas, solução de conflitos e gestão de problemas. A disciplina mais recente foi chamada "Ciência da Felicidade". "Reconheço que voltamos para nossas escrivaninhas e rimos um pouco quando Tony nos pediu para desenvolver uma aula sobre felicidade," disse Dana, mas ele explicou que Hsieh havia passado um ano pesquisando sobre a ciência da felicidade e acreditava que uma aula sobre o assunto – a qual definiu como a descoberta do sentido e da finalidade maior da vida – daria suporte à cultura corporativa. "A finalidade principal da Zappos deve envolver a disseminação da felicidade – gerar felicidade no mundo," disse Hsieh.

Por meio da implementação da linha de ação, a Zappos demonstrava transparência sobre as habilidades e disciplinas que os funcionários tinham de dominar para evoluir na companhia. "Somos uma empresa não hierárquica," explicou Foley. "Os papeis de todos são importantes e todos estão em pé de igualdade," disse ela. Dana explicou, "A linha de atuação gera a expectativa de que qualquer pessoa pode ascender à alta gerência da empresa". De fato, após completar o treinamento em gestão, os gerentes podiam escolher um curso adicional de 39 horas de treinamento em liderança, o qual incluía disciplinas como "Inspirando Grandes Equipes", "Liderança Estilo Zappos" e "Cultivando a Cultura". Além disso, os aspirantes a líderes tinham de dar uma aula sobre a linha de atuação ou sobre um departamento e elaborar uma apresentação sobre a Zappos para os funcionários da empresa, visitantes ou uma escola local.

O SEGUNDO C: O SERVIÇO AO CLIENTE

Hsieh e Lin acreditavam que uma parcela significativa do rápido crescimento da companhia se devia à fidelidade de seus clientes (75% dos pedidos recebidos pela Zappos eram de clientes repetidos), a qual era atribuída ao foco na prestação de um serviço ao cliente de qualidade superior. Para os 96% das vendas efetuadas no *site* da Zappos, o serviço ao cliente se manifestava na entrega rápida e grátis (nos dois sentidos), uma ampla seleção de mais de 1.200 marcas (2,9 milhões de produtos em estoque), a disponibilidade de tamanhos especiais, e uma interface altamente intuitiva e fácil de usar. Os clientes conseguiam pesquisar estilos, tamanhos, largura, cor e gênero ao mesmo tempo, e encontrar dezenas – senão centenas – de produtos, com a certeza de que estes estavam em estoque (o *site* exibia apenas os produtos em estoque).

Ao mesmo tempo que a vasta maioria dos clientes fazia seus pedidos diretamente no *site* da empresa, em média 5.100 telefonemas eram atendidos pelos funcionários do CLT (atendentes do *call center* e de contato). Os integrantes do CLT eram considerados os solucionadores de problemas, uma vez que os clientes que telefonavam tinham perguntas que não eram respondidas no *site* da Zappos. Por exemplo, um integrante do CLT ajudava um cliente a encontrar uma marca que a Zappos não tinha em estoque. Na verdade, nesses casos os integrantes do CLT eram instruídos a utilizar a Internet para encontrar o calçado nos *sites* da concorrência.

Em muitos *call centers* tradicionais, os atendentes tinham um limite de tempo – talvez 180 segundos ou menos – para concluir o atendimento a um cliente. "Aqui isso não existe," disse Dana. "Queremos que nossos clientes pensem, 'puxa, não tive de me apressar'. Nossa visão é a de que eles narrem essa experiência a 10 amigos, os quais se tornarão nossos clientes". Os integrantes do CLT da Zappos eram responsáveis pela boa impressão que os clientes teriam do serviço excepcional. "Os integrantes das equipes de garantia da qualidade escutavam as conversas para assegurar que os integrantes do CLT estabelecessem uma conexão emocional e pessoal com o cliente – que chamamos de CEP", explicou Lin.

Os integrantes do CLT tinham autorização – e eram até motivados – para utilizar todo o tempo necessário para auxiliar os clientes com seus pedidos, responder a suas perguntas e solucionar seus problemas. Em 5/7/2009, um integrante do CLT bateu um recorde, com um telefonema que durou 5 horas e 20 minutos para atender a uma cliente interessada em um calçado especial que simulava o efeito de caminhar em um piso macio e irregular. O recorde anterior era de um pouco mais de 4 horas, de um telefonema de uma cliente que sofria de uma doença que gerava a sensação de dormência nos pés.[24] Nos dois casos – como muitas vezes ocorria quando os integrantes do CLT se envolviam com os clientes da Zappos –, as conversas descambavam para tópicos de caráter pessoal. "Começamos a falar da irmã dela", disse um integrante do CLT. "Ela me contou histórias de sua infância", disse outro.[25] Após essas conversas, os integrantes do CLT normalmente enviam notas de agradecimento escritas à mão para os clientes – milhares todo o mês –, além de buquês de flores ou caixas de chocolates em sinal de compaixão ou de celebração. Um dos gerentes do CLT lembrou que certa vez Hsieh comentara que o serviço sempre podia ser melhorado. "Se não tivéssemos de considerar custos, os representantes embarcariam em um avião para entregar a mercadoria em pessoa".[26] Alguns dos maiores custos da empresa estavam na folha de pagamento (mais de 25% dos funcionários estavam no CLT, ganhando em média $14 ou $15 por hora), além dos custos com transporte, os quais representavam 17% das vendas. Esse valor relativo ao transporte de mercadorias era maior do que aquele de varejistas de porte comparável, uma vez que a Zappos pagava por um transporte de qualidade e pelas despesas relativas a devoluções; 35% dos produtos vendidos eram devolvidos.

Os integrantes do CLT não eram avaliados com base nas métricas tradicionais adotadas em *call centers*, como tempo médio para a conclusão de um atendimento ou custo por contato. Embora a Zappos acompanhasse as estatísticas sobre telefonemas (o tempo médio para atender a uma chamada era de 17 segundos e a duração média de um telefonema era de 5 minutos, por exemplo), a empresa não utilizava esses dados como instrumento de mensuração de desempenho. Ao contrário, ela dependia do *feedback* do cliente para avaliar os integrantes do CLT. Os clientes escreviam cartas e postagens em *blogs* relatando suas experiências com a Zappos. Alguns criavam vídeos com depoimentos sobre suas experiências com a companhia e faziam o *upload* no *site* da empresa. (Ver o Quadro 10 para um *e-mail* enviado por um cliente sobre sua experiência com a Zappos.)

QUADRO 10 Alguns exemplos de depoimentos de clientes da Zappos

Oi, esse *e-mail* é para agradecer pelo serviço ao cliente e pela entrega incríveis. Toda vez que faço um pedido na Zappos, recebo a mercadoria em dois dias. Não sei como vocês conseguem, mas estão fazendo a coisa certa. Não me importo de pagar mais por meus sapatos na Zappos, porque sei que posso confiar na qualidade do produto. Já recebi meu pedido mais recente e estou muito satisfeita. Obrigada e continuem assim. Vou indicar o *site* da Zappos a todos os meus amigos. *Dina R.*

Caros amigos da Zappos: este *e-mail* é para dizer que toda a vez que telefono para vocês, as pessoas que me atendem são muito gentis, pacientes e dedicadas a me ajudar. Essas pessoas seriam úteis também no setor aéreo, ensinando às companhias do setor boas maneiras e como fornecer bom serviço ao cliente. Seus funcionários são os melhores. Obrigada. *Heidi.*

Ontem à noite fiz um pedido. Imaginava que a mercadoria chegaria entre sábado e segunda ou terça-feira. Imagine minha surpresa quando recebi um *e-mail* dizendo que a prioridade de meu pedido subira, porque a empresa reconhecia o valor do negócio feito comigo. Bom, preciso dizer o mesmo a vocês. Recebi meu pedido hoje. Era um par de calçados para meu filho. Ele ficou tão contente quando viu o caminhão da UPS em frente à nossa casa. Mais uma vez, muito obrigada a todos! Continuem assim, com esse serviço excelente! Renee W.

Gostaria de agradecer a vocês por serem tão maravilhosos. Semana passada pedi um par de calçados, mas, quando os recebi, percebi que a cor era diferente daquela do pedido e, por isso, precisei devolver a mercadoria. Mas não percebi que o carregador de meu celular também estava na caixa devolvida. Quase enlouqueci procurando o carregador nos últimos dias. Para minha surpresa, ele apareceu hoje. O entregador da UPS trouxe uma caixinha da Zappos. Eu não havia feito pedido algum, mas quando a abri, percebi, com surpresa e gratidão, que o carregador de meu celular estava dentro dela. Esse pequeno gesto prova como sua empresa vai mais longe por seus clientes. Fico muito, muito agradecida. A empresa fala sério quando diz "Estamos sempre com vocês"! Adoro sua empresa, o *site* dela e tudo o que vocês representam e fazem por seus clientes. Muito obrigada! Um excelente final de semana! *Lisa H.*

Ficamos de queixo caído quando o par de tênis que pedimos às 9h00 da noite na segunda-feira com entrega gratuita para presentear meu neto em seu aniversário estava na mesa da cozinha da família ontem à tarde (terça-feira!) A Zappos é a melhor! Obrigada. *Diane W.*

Fonte: Documentos da companhia.

Jane Judd, gerente sênior do CLT, observou que, em 2009, o giro de funcionários no departamento era de 7% (o padrão do setor era de 150%). Parte desse giro podia ser explicado com base na natureza transitória da comunidade de Las Vegas, e uma parte se devia a problemas com desempenho.

As operações de atendimento a pedidos

A Zappos mantinha seu centro de atendimento a pedidos nas imediações de Louisville, Kentucky, em dois depósitos que juntos somavam 92.000 m².

O recebimento Os novos produtos e as mercadorias devolvidas eram recebidos em portões independentes nos depósitos. Os centros de atendimento a pedidos da companhia ficavam em uma zona franca[b], o que significava que seus representantes podiam despachar mercadorias diretamente para ela, sem passar pela alfândega. As mercadorias eram recebidas diretamente dos portões de desembarque dos aeroportos e transportadas em caminhões lacrados, abertos apenas quando chegavam à Zappos. Transportar qualquer produto desses para fora do prédio da Zappos era crime federal, e ela tinha de responder por todas as mercadorias comercializadas, mantendo o que não era vendido no interior dos depósitos.

As mercadorias recebidas eram transportadas em uma esteira, dos portões até as plataformas, onde os funcionários utilizavam pedais para mover as caixas. "Quando os funcionários desencaixam os produtos, eles precisam apenas empurrá-los até a esteira, porque erguer 5 mil caixas de sapato todos os dias seria difícil", disse Craig Adkins, vice-presidente de serviços e operações.

Havia 20 estações de recebimento na plataforma. O departamento processava 40 mil itens, em média, em um turno de 24 horas. "Nossa meta no recebimento é processar as mercadorias dentro de 24 horas a partir do momento em que são descarregadas do caminhão'", disse Mary Johnson, funcionária da equipe de recebimento. Todos os produtos – calçados, roupas, acessórios – eram recebidos e processados na mesma área, exceto os itens frágeis ou mais valiosos.

Um código de liberação era fixado em cada produto que entrava no depósito. Um funcionário lia o código universal de produto de um item e o associava ao código de liberação – um processo que associava tipo, tamanho, cor, modelo e outros atributos do item ao código de liberação. Adkins explicou o processo:

> O código de liberação do produto revela toda a história de um item: sei quem o recebeu, quem o armazenou, quem o recolheu, quem o despachou, o consumidor que o adquiriu, o momento em que foi devolvido – tudo. A vantagem em saber tudo isso é a qualidade. Por exemplo, se algo não está no lugar destinado, sei exatamente de onde este item veio e posso efetuar os ajustes necessários no estoque. Fazemos nossos empréstimos com base em nossos estoques e, por essa razão, os bancos fazem auditorias periódicas. Nunca tive uma discrepância nessas auditorias, de um item sequer.

Uma vez rotulado, o produto era colocado na esteira e transportado por um selecionador, que o enviava a uma ou mais áreas de armazenagem: prateleiras fixas, carrosséis ou o sistema robotizado Kiva. Os calçados eram guardados principalmente nas prateleiras fixas e nos carrosséis, ao passo que roupas, acessórios, eletrônicos e outros itens ficavam no sistema Kiva.

As prateleiras de armazenagem – as prateleiras fixas As prateleiras fixas (também chamadas prateleiras de armazenagem) eram unidades individuais localizadas quase ao centro do depósito. Havia quatro seções em cada um dos quatro níveis, divididas por cinco esteiras transportadoras (três para trazer as mercadorias do setor de recebimento e duas para levar os itens selecionados para a embalagem e expedição), com 101 prateleiras por seção que juntas podiam guardar 2,6 milhões de itens. Embora os calçados (e alguns itens do vestuário) fossem designados por seção a essas prateleiras, a localização precisa era definida por uma pessoa especialmente encarregada da função. Johnson explicou:

---

[b] As zonas francas são os locais onde as importadoras norte-americanas recebem produtos importados e recolhem as taxas aduaneiras apenas após a venda no comércio doméstico.

Quando um funcionário está trabalhando na área de armazenagem, ele seleciona um produto que está chegando da esteira, lê o código de liberação e seleciona qualquer espaço disponível nas prateleiras de armazenagem para estocar o produto. Ele lê uma etiqueta de localização na prateleira (a qual é aplicada em um espaço que mede 18 polegadas de largura, 20 de altura e 15 de profundidade, equivalente ao espaço ocupado por 15 caixas de sapato), e o sistema associa o produto com a sua localização na prateleira. Os funcionários conseguem estocar bem mais de 100 itens por hora.

Com este processo, diferentes marcas, tamanhos e tipos de calçados eram armazenados juntos. Embora o depósito parecesse bagunçado, Johnson indagou, "Você consegue imaginar a situação em que precisa encontrar um código de liberação em uma prateleira e todas as caixas são idênticas? Encontrar o código seria difícil. Por isso, quando as caixas estão misturadas dessa maneira, é muito fácil encontrar o produto que você está procurando".

A equipe de armazenagem trabalhava em conjunto com os recolhedores, os funcionários encarregados de retirar os produtos das prateleiras fixas quando um pedido era recebido. Eles tinham leitores de mão que mostravam os itens que tinham de buscar. Johnson explicou:

Uma "série" de itens (composta por itens de diversos pedidos) é enviada para a leitora de um funcionário encarregado de retirar os produtos da prateleira. A série exibe um item por vez. O próximo item é exibido apenas após o item lido ser recolhido. Os itens recolhidos são colocados em carrinhos e levados ao longo da esteira em que cada série foi carregada. Embora os itens em uma mesma série estejam sempre no mesmo andar do prédio, os funcionários talvez precisem se deslocar entre diversas fileiras.

Johnson observou que um funcionário recolhia em média 86 itens por hora.

Os carrosséis O sistema de carrosséis da Zappos tinha 1,5 milhão de itens e era o maior carrossel horizontal para o transporte de produtos nos Estados Unidos. A empresa tinha 30 carrosséis em cada um dos quatro andares do depósito. Cada carrossel tinha 200 baias, e cada baia continha quatro prateleiras capazes de armazenar entre 12 e 15 caixas de calçados. Johnson explicou o funcionamento dos carrosséis: "Há capachos em frente a cada carrossel. Quando o carrossel para, significa que um pedido foi recebido e que há um item no local da parada, pronto para ser apanhado. Ou, quando um funcionário está armazenando itens, o carrossel pode ser parado na próxima prateleira disponível". Tal como as prateleiras fixas, as esteiras levam produtos para dentro e para fora da área do carrossel.

Embora os funcionários consigam apanhar produtos dos carrosséis a uma velocidade quase duas vezes maior (180 itens por hora) do que fazem nas prateleiras fixas, problemas com *software* e panes mecânicas diminuíram a utilização dos carrosséis a 70% da capacidade útil, em comparação com a utilização de 100% observada nas prateleiras fixas. Os dois sistemas foram instalados em 2006, quando o novo depósito foi inaugurado, mas o plano original previa a instalação de 300 carrosséis e nenhuma prateleira fixa. Quando Adkins se juntou à companhia, logo após a aprovação do plano, ele revelou sua preocupação com o alto custo de capital dos carrosséis, e previu que a complexidade e as panes do sistema diminuiriam a produtividade da empresa. "Naquela época, defendi a ideia de uma abordagem menos tecnológica", disse Adkins, que recomendou uma combinação de carrosséis e prateleiras fixas. "Nosso volume não justificava um custo de capital da ordem de dezenas de milhões. Consideramos outros métodos, como o sistema de bandejas, mas esses sistemas não oferecem um retorno suficiente sobre o investimento até você começar a processar centenas de milhares de unidades ao dia".

A embalagem e a expedição A área de embalagem e expedição, a qual era usada para embalar os pedidos vindos das prateleiras fixas e dos carrosséis, tinha duas linhas de embalagem: uma para pedidos de um item apenas e outra para pedidos com mais de um item, que a empresa chamava de *multis*. Os itens únicos eram os mais fáceis de processar. Após um pedido de item único ter dado entrada na área de embalagem via esteira (chegando das prateleiras fixas ou dos carrosséis), um funcionário lia o código de liberação e imprimia uma ordem de embalagem, a qual tinha uma etiqueta contendo um código de barras que era então aplicada ao lado externo da embalagem. Junto com o item, a ordem era colocada na embalagem que, ainda não fechada, era transportada até a área em que era selada com fitas adesivas.

Para os *multis*, cada item no pedido era recolhido e levado à área de embalagem, um a um. Logo, os itens tinham de ser reunidos antes de serem colocados nas embalagens de envio. Quando o primeiro item em um pedido chegava à área reservada para os *multis*, seu código de liberação era lido e identificado para o funcionário como o primeiro item no pedido múltiplo. O funcionário então designava esse item a um contêiner e lia o código de barras, que combinava com o item (e o pedido) no contêiner. O próximo item no pedido automaticamente informava ao funcionário o contêiner em que o primeiro item havia sido colocado. Se o segundo item era o último do pedido, a leitora indicaria a finalização. Como na área de pedidos de item único, assim que o último item era lido, uma etiqueta de embalagem era impressa, os itens eram recolhidos do contêiner, encaixotados e levados à área de fechamento da embalagem. Os funcionários empacotavam cerca de 102 itens por hora na área de pedidos únicos e 125 na área dos *multis*.

O tempo transcorrido entre a chegada de um pedido e o momento em que a caixa era carregada em um caminhão era em média de 45 minutos para pedidos de item único e 3 horas para os *multis*. "A maioria das empresas mede a execução de pedidos em horas ou mesmo dias, mas nenhuma mede os *minutos* para a finalização de um pedido. E quase ninguém acredita em nossos dados quando revelamos esses números", disse Adkins. "Temos clientes que fazem pedidos e então telefonam dizendo, 'Acabei de fazer um pedido, uma hora atrás, mas quero fazer uma modificação' e temos de dizer que o pedido já foi despachado". Os pedidos carregados em um caminhão a 1h00 da madrugada normalmente eram entregues aos clientes no dia seguinte, por conta da proximidade da Zappos com a sua transportadora, a UPS. "Tentamos transportar a maior parte de nossos pedidos durante a noite, porque os itens ficam parados no aeroporto até as 2h00 da manhã, de um jeito ou de outro", acrescentou Adkins.

O sistema Kiva Em julho de 2008, a Zappos adquiriu o Sistema Automatizado de Processamento de Pedidos Kiva MFS, porque a empresa havia excedido sua capacidade de estocagem e processamento. O Kiva MFS era um sistema automatizado de estocagem e localização baseado em um *software* sofisticado que controla robôs com cerca de 1 m de altura utilizados para transportar estoques em um depósito.[c] Os produtos eram armazenados em contêineres de estoque (3 mil unidades de estocagem com cinco prateleiras) no centro do depósito, enquanto os funcionários estavam em estações de atendimento de pedidos na parte dianteira do depósito. Quando um pedido era recebido, um dos 75 robôs da Zappos ia até o contêiner (ou contêineres, no caso de pedidos com mais de um item) onde o item pedido estava armazenado e o trazia até o funcionário, que apanhava o produto solicitado e o colocava na embalagem de envio. Feito isso, o funcionário "liberava" o contêiner, e o robô o reconduzia a um local livre no depósito.

O sistema conseguia apanhar os itens pedidos e recompor os estoques ao mesmo tempo. As mercadorias eram recebidas e inseridas no sistema em um ponto do depósito e os contêineres eram levados até os funcionários para recolherem e embalarem os itens em outro. Embora a meta de armazenagem do sistema Kiva fosse de 150 itens por hora, um funcionário observou que ela trabalhava a uma velocidade quase duas vezes maior: a taxa de armazenagem era de 200 itens por hora.[d]

---

[c] Adkins explicou o valor do *software* Kiva MFS:
No passado, a tecnologia era desenvolvida sobretudo para empresas que operavam os depósitos de distribuição – em outras palavras, ela era projetada para transportar caixas de produtos aos pontos de venda do varejo. A precisão não era necessariamente uma métrica-chave. Se os pedidos têm apenas 90% de precisão, qual é o problema? Toda loja da Walmart usa as mesmas 55 mil unidades de manutenção de estoque – se recebem quantidades muito altas de um produto por engano, esses produtos podem ser vendidos. A maior parte dos *softwares* em uso foi adaptada com base nesse tipo de atendimento a pedidos, mas o Kiva é a primeira tecnologia projetada especificamente para o atendimento de pedidos diretamente ao consumidor.

[d] Adkins explicou por que o sistema era tão rápido:
O Kiva de fato elimina o tempo de espera em contêineres – o tempo que um item aguarda pela chegada de outro item em um pedido – porque ele retira os produtos simultaneamente. Os robôs retirando itens diferentes para um pedido são coordenados para se deslocarem ao mesmo tempo. Por exemplo, um cliente faz um pedido de óculos escuros e hidratante para o corpo. Os óculos estão armazenados em um contêiner localizado a 5 minutos de distância, o hidratante está em um contêiner a 3 minutos de distância. Quando o pedido é recebido, o contêiner com os óculos começa a se mover na direção da estação de consolidação do pedido. Quando ele está a 3 minutos de distância da estação, o contêiner com o hidratante começa a se mover na direção da estação. Com isso, os dois contêineres chegam na estação ao mesmo tempo.

Adkins observou que o Kiva MFS era duas vezes mais eficiente que as prateleiras fixas e os carrosséis, ao menos em parte, porque o recebimento e a armazenagem eram realizados simultaneamente. "Temos 75 robôs, mas nem todos são utilizados ao mesmo tempo. Se um deles tem uma pane, podemos enviar um substituto e prosseguir com as operações, sem interrupções", disse Adkins.

Em 2009, o Kiva MFS controlava 15% do estoque da empresa, mas Adkins acreditava que a Zappos finalmente aumentaria seu investimento no sistema. "O custo de capital do sistema era idêntico ao das prateleiras fixas (e menor que o custo dos carrosséis), e tinha custos de instalação e operação menores que os custos dos dois outros sistemas", disse ele. Além disso, o Kiva podia ser redimensionado com rapidez e facilidade. A Zappos conseguiria aumentar a capacidade simplesmente acrescentando contêineres de estoques e robôs.

O trabalho no depósito

O depósito em Kentucky empregava entre 500 e 600 pessoas e operava em turnos das 6h00 da manhã até as 11h00 da noite (embora muitas vezes o departamento de embalagem e expedição trabalhasse até as 4h00 da manhã). Embora o salário inicial na Zappos de $8,25 por hora para um funcionário do depósito estivesse na média dos salários pagos na região de Louisville, os benefícios (como almoço grátis) acresciam alguns dólares ao valor pago que, além das vantagens tradicionalmente oferecidas pela Zappos, ajudavam no recrutamento e na seleção de funcionários. Johnson explicou:

> Temos um *cybercafé* onde você pode participar de um *karaokê* no intervalo de almoço. Temos um *Wii* com *Guitar Hero* e *Rock Band* – temos muitas vantagens. Todas as máquinas de venda de bebidas e lanches operam gratuitamente e têm sopas, sanduíches e saladas três dias da semana. Nos outros dias, recebemos quentinhas. Isso ajuda a poupar muito dinheiro. O trabalho é intenso e enfadonho. Não recebemos muito, mas as vantagens e a comida de graça fazem a diferença.

Os funcionários eram treinados por "qualificadores" dos departamentos – pessoas que concediam certificados de qualificação para o trabalho. "Um certificado de qualificação indica que você foi treinado e está qualificado para um cargo específico, como o recebimento", explicou Johnson. Os funcionários podiam receber até 10 certificados para atividades no depósito.

A Zappos recompensava os funcionários do depósito por serem flexíveis, não por serem eficientes. "Os aumentos salariais são atrelados aos certificados de qualificação para o trabalho, o que nos permite deslocar recursos de mão de obra para os pontos onde ela é necessária. Tivemos uma tempestade de neve e ficamos sem energia por seis horas. Não perdemos um único caminhão ou um único pedido. Conseguimos fechar o recebimento e transferimos o pessoal para o *call center* exclusivo para chamadas ao cliente, porque todos os nossos funcionários recebem treinamento interdisciplinar. Fomos capazes de atender aos pedidos daquele dia mesmo tendo fechado o depósito por seis horas", disse Justin Williams, gerente de processos.

Ainda que a maioria das companhias atuantes no setor recorram a sistemas de remuneração por desempenho para aumentar a produtividade, Adkins acreditava que os funcionários da Zappos eram muito eficientes devido à cultura corporativa que os apoia. "Recebo telefonemas de consultores em eficiência o tempo todo. Eles dizem que podem gerar a mim uma economia de 20% se eu remunerar o pessoal por desempenho. Então eles dizem, 'Parece que seus funcionários estão trabalhando o mais rápido que podem. Provavelmente você já tem um sistema de remuneração por desempenho em ação', mas não temos. Nossos funcionários trabalham duro porque criamos um ambiente em que eles querem ter um bom desempenho. Nós os tratamos bem, com respeito, fazemos mais por eles, fazemos tudo o que podemos por eles", disse Adkins. De fato, ele comentou que as condições do ambiente de trabalho da Zappos eram melhores das de outras empresas – o local de trabalho era mais limpo e as condições de temperatura e umidade eram mais bem controladas. "Instalamos ventiladores com 9 m de diâmetro. O motivo para isso não é a eficiência, mas o conforto para as pessoas. O ganho de eficiência com o conforto térmico dos funcionários pagou o custo dos ventiladores", disse ele.

Melissa Leary, recrutadora do centro de atendimento a pedidos, revelou que, embora as operações no Kentucky e em Las Vegas compartilhassem os mesmos valores centrais, havia uma diferença clara entre as culturas dos dois locais. "Temos os mesmos valores e os colocamos em prática com força de vontade, mas os dois locais são diferentes, como deveriam ser", explicou ela. "Somos uma operação de produção. Em Las Vegas, 80% do *trabalho* são de natureza social e de interação mútua. Aqui temos de atingir metas. Temos de nos certificar de que os pedidos sejam atendidos. Não podemos retirar o pessoal da linha de trabalho para participar de algum desfile. Usamos os intervalos. Isto é, promovemos o contato social entre os funcionários, mas nossas proporções são 10% para o social e 90% para a produção".

O TERCEIRO C: O VESTUÁRIO

Em 2006, a Zappos partiu em busca de outras linhas de negócios, incluindo a aquisição de um *site* de calçados de custo acessível, a administração de *sites* para outras empresas voltadas ao *e-commerce*, a oferta de produtos de uma linha própria e a prestação de consultoria para negócios *on-line*. (Ver o Quadro 11 para um resumo sobre essas linhas de negócios.) A Zappos já havia começado a testar as vendas de novas linhas de produtos, inclusive bolsas, óculos escuros e acessórios. "Sempre soubemos que queríamos ser mais que uma varejista do setor de calçados e, por isso, lançamos outras categorias de interesse do cliente", explicou Lin.

No terceiro trimestre de 2006, a Zappos testou a oferta de vestuário esportivo – um mercado vertical natural, uma vez que aproximadamente 30% das vendas da companhia eram de calçados esportivos. O mercado de vestuário nos Estados Unidos era quatro vezes maior que o mercado de calçados, um atrativo para a Zappos. "É um mercado grande e passível de ser atingido mediante a criação de uma conexão pessoal com nossos clientes. As pessoas adoram sapatos, mas também gostam de estabelecer uma identidade com as roupas que vestem. O vestuário parecia um campo muito promissor para o crescimento e a expansão da companhia, em comparação com a expansão em mercados internacionais comercializando apenas calçados e acessórios", disse Lin.

No espaço de um ano, a Zappos havia contratado a venda de 300 marcas de roupa. "Começamos com as marcas com as quais já tínhamos um relacionamento. A Asics vende calçados para a prática de corrida e, por isso, começamos a vender shorts e camisetas. A North Face vende calçados para a prática de esportes ao ar livre e, assim, começamos a vender suas roupas também. Sempre que iniciamos algo, começamos modestamente, mas mantendo o foco", disse Lin. "Isso nos permite fazer testes". Lin observou que as margens e as taxas de retorno da venda de vestuário eram idênticas às da venda de calçados, apesar das diferenças significativas nos modelos de negócios adotados para essas categorias. "No setor de calçados, existem apenas duas estações do ano, mas, no setor de vestuário, há quatro", explicou. "Por isso, tentar descobrir o que devemos comprar e com que rapidez devemos vender foi um desafio novo para a companhia". A Zappos também aprendeu que os tamanhos de roupas não eram tão bem padronizados quanto os de calçados, e Lin acreditava que, à medida que a companhia crescesse, a categoria traria retornos mais altos.

A Zappos ajustou suas operações no depósito para atender ao processamento de pedidos de vestuário. "Sabíamos que seria necessário ter mais flexibilidade em termos do volume de roupas que poderíamos estocar – penduradas e armazenadas –, por essa razão, adquirimos o sistema Kiva", disse Lin.

Em 2007, o vestuário representava 5% das vendas da Zappos. A empresa percebeu a dificuldade em fazer os clientes entenderem que ela era mais do que uma loja de calçados. "Tentar vender mais de uma categoria consome mais tempo do que o previsto, porque tivemos de fazer o cliente entender que somos também uma loja de roupas", disse Lin. "O tempo necessário para educar o cliente é um pouco mais longo. Talvez seja nossa impaciência, mas os calçados deveriam representar apenas 20% de nossas vendas, porque o mercado de vestuário é quatro vezes maior que o mercado de calçados. Nossa situação hoje é a oposta, mas talvez consigamos invertê-la com o tempo".

A empresa vendeu $31 milhões em roupas em 2008 e definiu a meta de $66 milhões para o ano de 2009. Embora a trajetória do crescimento das vendas de vestuário estivesse melhorando, o setor ainda representava uma parcela muito pequena do faturamento da Zappos. Independentemente do crescimento das vendas de vestuário da Zappos, Hsieh e Lin queriam que os clientes associassem

QUADRO 11 As linhas adicionais de negócios da Zappos lançadas entre 2006 e 2009

A Powered by Zappos

Em 2006, a Zappos lançou a Powered by Zappos (PBZ), um serviço pelo qual a Zappos administrava e mantinha *sites* para outras empresas. A Zappos armazenava os estoques desses *sites*, despachava os produtos e operava seus *call centers*. Em 2009, a Zappos tinha *sites* PBZ para fabricantes de calçados e de outros produtos, como a Clarks e a Stuart Weitzman.

A 6pm.com

Em julho de 2007, a Zappos anunciou que adquiriria a 6pm.com da eBags.com. Como *site* voltado para "produtos acessíveis" da Zappos, a 6pm.com oferecia mercadorias com entre 40 e 70% de desconto, mas os clientes pagavam pelo envio, e o serviço ao cliente era sobretudo por *e-mail*. A 6pm.com fornecia um serviço com qualidade inferior em comparação ao da Zappos. "Os atendentes do serviço ao cliente recebem o mesmo treinamento que os funcionários da Zappos, mas utilizam termos e políticas diferentes (por exemplo, as devoluções tinham prazo máximo de 30 dias após o recebimento, as despesas de envio eram pagas pelo cliente e o *call center* funcionava de segunda a sexta-feira, das 9h00 da manhã às 5h00 da tarde, não nas 24 horas do dia, 7 dias por semana). Contudo, a cultura é a mesma. Existem clientes preocupados com o preço, e queremos atendê-lo", disse Jeneen Minter, diretora de planejamento e análise financeiros.

Hsieh acreditava que um modelo puramente baseado em produtos acessíveis não era sustentável no longo prazo. "A maioria dos itens na Zappos.com não têm preços mais baixos do que aqueles praticados no comércio de rua – alguns de nossos itens são até mais caros", disse ele. "Não importa se o negócio é feito no comércio de rua ou *on-line*. Quem compete com base no preço não conquista a fidelidade do cliente se não cobrar o menor preço o tempo todo", disse Hsieh.[28] Contudo, para a Zappos a 6pm.com era um *site* para vender itens fora de catálogo ou em estoque obsoleto – uma iniciativa que permitiu à companhia fechar todas as lojas de ponta de estoque que abrira desde o começo da década de 2000, exceto uma.

"Não teve a ver com a adição de novas marcas", disse Hsieh, que observou que aproximadamente 90% das marcas vendidas pela 6pm.com já eram comercializadas pela Zappos.com. "A ideia era atrair novos clientes".[29]

A Private Label

A Zappos comercializava 10 marcas próprias de calçados que, em 2009, representavam apenas 5% dos negócios da empresa. Essas marcas incluíam Gabriella, Rocha, Type Z, Fitzwell e RSVP. Hsieh explicou a linha de raciocínio para esse negócio, que crescia:

> Nossa filosofia com relação a marcas próprias é semelhante à nossa filosofia de varejista. Somos uma varejista de margem ampla e não queremos competir no preço... Nossa estratégia consiste em desenvolver um produto que tenha qualidade maior que aquela obtida pelo cliente que compra outro produto na mesma faixa de preço.[30]

A Zappos Insights

A Zappos Insights era um recurso *on-line* disponibilizado mediante assinatura desenvolvido pela companhia em 2009. O *site* publicava entrevistas com os integrantes da alta gerência da Zappos, artigos e outros recursos para compartilhar a história de aprendizado e crescimento da companhia. A Zappos descreveu o produto em seu *site*:

> Constantemente recebemos pedidos sobre noções e ideias que ajudem outras empresas (ou divisões delas) a subir ao próximo nível. Com o tempo, descobrimos que muitos líderes têm dúvidas idênticas ou semelhantes. Percebemos que essa seria uma ótima chance de compartilhar o que aprendemos e permitir que outras empresas aprendam com essas questões. Com tantas empresas de consultoria cobrando caro por seus serviços, queríamos disponibilizar algo a todas as empresas. Para garantir que essas informações estejam acessíveis ao maior número possível de pessoas e empresas, a assinatura do serviço é de apenas $39,95 mensais. A assinatura do serviço garante acesso imediato a todo o conteúdo do *site*, para ajudá-lo a levar sua empresa ao próximo nível.[31]

Fonte: Entrevistas com pessoas da companhia.

o nome Zappos a serviços, não apenas a calçados – ou mesmo a roupas, no longo prazo. "Somos uma empresa de serviços que, por acaso, vende calçados. E roupas. E bolsas. E acessórios. Talvez um dia vendamos de tudo", era um dos ditados populares na Zappos.[27]

INDO ALÉM DE 2009: MANTENDO O CRESCIMENTO DA ZAPPOS

A Zappos foi afetada pela crise econômica de 2008-2009 e demitiu 8% de seus funcionários em novembro de 2008. A empresa enfrentava diversos desafios enquanto tentava atingir suas novas metas de crescimento. Embora ela tivesse previsto a geração de um fluxo de caixa livre alto o bastante para arcar com seus custos com estoques, empréstimos de capital e arrendamento de equipamentos no final de 2009, a empresa dependia de diversos bancos para obter uma linha de crédito de $100 milhões.

No entanto, em 2009, a empresa se concentrou na redução dos custos de capital e da dívida para melhorar seu fluxo de caixa. Isso significou que a Zappos talvez precisasse adiar a expansão de seu sistema Kiva. "As prateleiras fixas e os sistemas de carrosséis foram concebidos para terem uma vida útil de 15 a 20 anos, e os nossos têm apenas três anos de idade. Temos milhões de dólares em capital mal avaliado e, por essa razão, ainda não podemos nos livrar desses sistemas", disse Adkins, que, no entanto, esperava expandir o sistema Kiva MFS em 2012.

Hsieh e Lin consideraram a oferta da Amazon diante das necessidades e oportunidades da Zappos. Lin resumiu a situação:

> A tecnologia e a infraestrutura da Amazon têm uma escala muito maior do que as da Zappos. Seu *site* tem mais visitantes e a empresa conta com mais recursos de pesquisa e desenvolvimento. Além disso, a Amazon tem uma tecnologia de *e-mail* mais bem concebida e um mecanismo de recomendações que ela própria desenvolveu. Não temos tempo nem recursos para elaborar ferramentas como essas. Considerando a infraestrutura, eles operam em uma escala muito maior e sabem como fazê-lo com mais eficiência. Eles têm $4 bilhões em seu balanço patrimonial, o que nos ajuda com nosso desejo de crescer mais rápido. É verdade que queremos mais capital para crescer. A Zappos é uma empresa jovem e dividida em partes, e administramos nossos negócios com muita seriedade. Com mais pessoas e recursos de capital, conseguiremos crescer muito mais rápido.

Nesse intervalo, a Zappos precisou financiar um estoque para novas linhas e negócios. "Nosso estoque precisa crescer", disse Chris Marlin, analista financeiro da empresa. "Até hoje, a 6pm.com, um novo *site* que vende produtos fora de catálogo ou de estoques obsoletos com descontos, utiliza os estoques da Zappos, mas agora a 6pm.com está iniciando a compra de seus próprios estoques". Lin enfatizou que a Zappos estava expandindo suas ofertas de vestuário com rapidez e esperava que essa iniciativa se equiparasse ao volume de vendas de calçados da companhia. "Vender roupas deveria acelerar nosso crescimento. Queremos que entre 2009 e 2014 o setor de vestuário tenha a mesma taxa de crescimento obtida em nosso setor de calçados nos primeiros cinco anos de sua existência", disse Lin. "Queremos vestir uma pessoa dos pés à cabeça", acrescentou.

Hsieh concentrou esforços na inspiração dos funcionários da Zappos. "Por que as empresas não constroem culturas fortes? Para mim, os resultados são melhores com a inspiração do que com a motivação", disse ele. "Inspire seus funcionários com uma visão maior, que vá além do dinheiro, dos lucros e do tamanho da fatia de mercado. O segredo está em elevar o padrão para todos", disse ele.

Literatura citada

1. Amazon.com Inc., July 27, 2009, S-4 (Seattle: Amazon.com Inc., 2009), http://phx.corporate-ir.net/phoenix.zhtml?c=97664&p=IROLsecToc&TOC=aHR0cDovL2NjYm4uMTBrd2l6YXJkLmNvbS94bWwvY29udGVudHMueG1sP2lwYWdlPTY0MzI5OTAmcmVwbz10ZW5rJnNYQlJMPTE%3d&ListAll=1, acessado em 22/9/2009.

2. Calmetta Y. Coleman, "Cyberspace resounds with clicks of shoe shoppers—people will buy footwear online because sizes are stable, feet don't fluctuate," *Wall Street Journal*, October 28, 1999, ABI/ProQuest, acessado em 5/5/2009.

3. "Zappos.com: The Online Shoe Store Debuts New Site, New Features and Big Name Partners," PR Newswire, October 29, 1999, ABI/ProQuest, acessado em 5/5/2009.

4. Ibid.
5. Coleman, "Cyberspace resounds."
6. Ibid.
7. Ibid.
8. Ibid.
9. "Zappos.com, World's Largest Shoe Store, Receives $1.1 Million in Financing," PR Newswire, January 19, 2000, ABI/ProQuest, acessado em 5/5/2009.
10. "Zappos.com: The Online Shoe Store Debuts New Site."
11. "Zappos.com, World's Largest Shoe Store."
12. Ibid.
13. Ibid.
14. "Zappos.com Ranked #8 Clothing Web Site by PC Data Online: Highest-Ranking Footwear E-tail Site," PR Newswire, July 24, 2000, ABI/ProQuest, acessado em 5/5/2009.
15. Ibid.
16. Ibid.
17. Susan Breitkopf, "Tangled Web: Now That the Dust Is Settling around the Internet Crash, Is There a Future in Footwear E-tailing?" *Footwear News*, July 30, 2001, ABI/ProQuest, acessado em 5/5/2009.
18. Natalie Zmuda, "Surfing for Sales: Zappos Execs Aim to Hit $1 Billion," *Footwear News*, August 21, 2006, ABI/ProQuest, acessado em 15/5/2009.
19. Ibid.
20. Meghan Cass, "Zappos Milestone: Q&A with Nick Swinmurn," *Footwear News*, May 4, 2009, http://about.zappos.com/press-center/zappos-milestone-qa-nick-swinmurn, acessado em julho de 2009.
21. Wayne Niemi, "Internet Invasion; online sales continue to soar, and execs from top sites believe there's even more potential for growth. But as more newcomers enter the fray, competition is heating up," *Footwear News*, April 16, 2007, ABI/ProQuest, acessado em 15/5/2009.
22. Ibid.
23. Claire Cain Miller, "Amazon's Long Courtship of Zappos," *New York Times* blog, July 28, 2009, http://bits.blogs.nytimes.com/2009/07/28/behind-the-scenes-of-the-amazon-zappos-deal, acessado em 16/9/2009.
24. Alexandra Jacobs, "Happy Feet," *The New Yorker*, September 14, 2009, http://www.newyorker.com/reporting/2009/09/14/090914fa_fact_jacobs, acessado em 18/9/2009.
25. Ibid.
26. Ibid.
27. Zappos.com, 2008 Culture Book, p. ii.
28. Niemi, "Internet Invasion."
29. Lindsay E. Sammon, "Zappos buy could spur online mergers," *Footwear News*, July 16, 2007, available ABI/ProQuest, acessado em 15/5/2009.
30. Zmuda, "Surfing for Sales."
31. Zappos.com, "Why Join Zappos Insights?" http://www.zapposinsights.com/public/10.cfm, acessado em 24/7/2009.

Estudo de caso 2
Merrill Lynch: *Supernova*

Rogelio Oliva
Roger Hallowell
Gabriel R. Bitran

> Há uma boa chance de que o Supernova seja a coisa certa na hora certa. Mas preciso ter certeza, antes de recomendar sua adoção irrestrita. Mesmo que eu decida apoiá-lo, como o poremos em prática? Como proceder para que a organização, sua alta gerência, seus níveis administrativos intermediários e funcionários da linha de frente aceitem a ideia – e mudem comportamentos na medida necessária? É preciso que todas as partes a aceitem ou basta uma "massa crítica"? Em caso afirmativo, como seria essa massa crítica?
>
> — *Jim Walker, diretor de gestão e presidente administrativo.*
> *Grupo de Relacionamento com o Cliente da Merrill Lynch*

Fundada em 1907, a Merrill Lynch cresceu rapidamente, com a estratégia de seus fundadores que apregoava "levar Wall Street para o comércio de rua". Na década de 1970, a empresa tornou-se uma forte potência no setor de operações bancárias de investimentos, além do varejo bancário. No ano 2000, a Merrill descrevia-se como "a empresa de gestão e consultoria mais reconhecida – que atende a governos, instituições e investidores em todo o mundo". Em 2003, a Merrill Lynch era uma das principais empresas de serviços financeiros do mundo, e a maior corretora em Wall Street, com mais consultores financeiros (funcionários que administram os relacionamentos com os clientes do varejo) do que qualquer de seus concorrentes (veja o Quadro 1).

QUADRO 1 Corretoras de ações e corretores e consultores financeiros

Empresa	Corretores/CF (representantes registrados)	Classificação
Merrill Lynch & Co., Inc.	15.753	1
Salomon Smith Barney Holdings, Inc.	13.826	2
Morgan Stanley	13.690	3
UBS PaineWebber Inc.	8.801	4
Edward Jones	8.595	5

Fonte: Adaptado de *Securities Industry Yearbook*, Securities Industry Association, Inc. Washington D.C., 2002.

Este estudo de caso foi preparado pelo Professor Rogelio Oliva, por Roger Hallowell (MBA em 1989, DBA em 1997) do Center for Executive Development e pelo Professor em Ciência da Gestão do MIT Sloan Nippon Telephone and Telegraph Gabriel R. Bitran. O trabalho foi parcialmente baseado em pesquisas conduzidas por Bassim Halaby, Qunmei Li, Hugo Barra, Luca Donà, Geyza Salgado, Muhammad Farid e Mary Schaefer do MIT Sloan. Os estudos de caso preparados na Faculdade de Administração da Universidade de Harvard são desenvolvidos exclusivamente como base para discussão em sala de aula. Os estudos de caso não têm a intenção de servir como endossamento, fonte de dados originais nem exemplos de gestão eficaz ou ineficaz.

Direitos autorais 2003. Diretor e professores da Universidade de Harvard. A fim de solicitar cópias ou permissão para reproduzir materiais, telefone para 1-800-545-7685, escreva para a Editora da Faculdade de Administração da Universidade de Harvard, Boston, MA 02163 ou visite http://www.hbsp.harvard.edu. Nenhuma parte deste estudo pode ser reproduzida, armazenada em um sistema, utilizada em planilhas nem transmitida de qualquer forma ou por qualquer meio – eletrônico, mecânico, fotocópia, gravação ou outro – sem a permissão da Faculdade de Administração da Universidade de Harvard.

QUADRO 2 Fatia de mercado para corretoras tradicionais (que ofereciam serviços completos) e as que aplicavam descontos

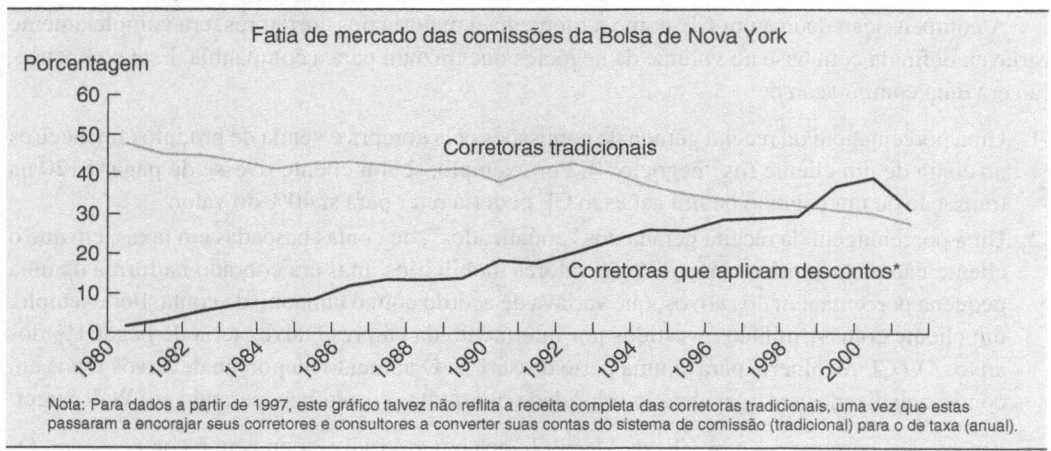

Fatia de mercado das comissões da Bolsa de Nova York

Nota: Para dados a partir de 1997, este gráfico talvez não reflita a receita completa das corretoras tradicionais, uma vez que estas passaram a encorajar seus corretores e consultores a converter suas contas do sistema de comissão (tradicional) para o de taxa (anual).

Fonte: Gerado com dados do banco de dados da Securities Industries Association.
* N. de T.: Em inglês, dis*counters*.

Jim Walker era membro do Grupo de Relacionamento com o Cliente da Merrill, que faz parte do Grupo de Clientes Privativos, responsável pelos serviços de consultoria financeira para pessoas físicas (varejo bancário). O ambiente do varejo bancário havia começado a mudar na década de 1970, com a desregulamentação parcial do mercado de ações. Com esta desregulamentação, novas empresas entraram no mercado disponibilizando diferentes serviços. Por exemplo, a Charles Schwab oferecia operações descontadas controladas pelo investidor, em comparação com o modelo tradicional de corretagem, em que os investidores recebiam consultoria de seus corretores e a eles davam ordens de compra e venda de valores mobiliários. O Quadro 2 mostra a fatia de mercado das corretoras tradicionais e das que cobravam valores inferiores, com descontos. A distribuição de fundos mútuos também foi desregulamentada na década de 1970, o que permitiu que empresas, como a Fidelity Investments, competissem com corretoras de valores mobiliários de forma direta, vendendo ações de seus fundos mútuos ao público, sem intermediários.[1]

OS CONSULTORES FINANCEIROS

As corretoras de valores em atuação no varejo, como a Merrill Lynch, prestavam serviços financeiros a clientes pessoa física por meio de seus corretores, ou "consultores financeiros" (CFs), como eram chamados na empresa. Na maioria dos casos, um CF atrai clientes para a empresa por meio de relações com outras pessoas, trabalho em rede, alianças profissionais, afiliações no setor, e pelo que denominam *cold calling*[2] de pessoas consideradas clientes em potencial.

Uma vez aberta uma conta, a experiência de um cliente variava consideravelmente, dependendo de seu consultor financeiro. Alguns CFs rotineiramente entravam em contato com seus clientes para verificar suas necessidades, oferecer consultoria sobre investimentos existentes com a empresa e disponibilizar outros serviços. Outros contatavam seus clientes apenas para oferecer-lhes novos produtos de investimentos que a empresa desejava comercializar. Para esses CFs, o contato com o cliente ocorria nos casos em que este telefonava para iniciar uma transação ou relatar um problema. De acordo com um gerente sênior da Merrill Lynch: "Infelizmente, muitos de nossos CFs são classificados

---

[1] Antes da década de 1970, as ações de fundos mútuos tinham de ser vendidas por meio de intermediários financeiros, como corretores. Em 2003, a Fidelity Investments era a maior empresa de fundos mútuos do mundo.

[2] *Cold calling* consistia em entrar em contato com clientes em potencial sem aviso, muitas vezes por telefone ou carta.

nessa categoria. O problema é que sempre cobramos por bons serviços, e todos desejam prestar esses bons serviços, mas alguns de nossos consultores não foram capazes disso".

A compensação dada a um CF, como a oferecida à maioria dos corretores, era completamente variável, definida com base no volume de negócios que traziam para a companhia. Esta compensação era uma combinação de:

1. Uma porcentagem da receita gerada de comissões pela compra e venda de produtos financeiros na conta de um cliente (os "negócios"). Por exemplo, se um cliente tivesse de pagar $120 na transação de um negócio de mil ações, o CF poderia reter para si 40% do valor.

2. Uma porcentagem da receita gerada dos "anualizados", ou contas baseadas em taxas, em que o cliente não pagava pela transação com valores mobiliários, mas era cobrado na forma de uma pequena porcentagem dos ativos, que variava de acordo com o tamanho da conta. Por exemplo, um cliente com $1 milhão investidos por intermédio da empresa talvez teria de pagar 1% dos ativos.[3] O CF recolheria para si uma parte desse 1%. O aumento na porção de ativos totais em contas anualizadas era considerado prioridade por muitas corretoras operando em Wall Street.

Em geral as corretoras – e os CFs da Merrill Lynch em especial – eram bem recompensadas. Os observadores do setor destacavam que os CFs da Merrill eram particularmente bem-sucedidos em função de a empresa ter sido hábil em contratar bons profissionais e eliminar os menos exitosos. Alguns desses observadores acreditavam que a Merrill havia saído-se muito bem em comparação com muitas de suas concorrentes em relação à garantia de um nível de qualidade na execução de seus serviços. Corretoras reconhecidas normalmente tinham receitas de diversas centenas de milhares de dólares ao ano, sendo que as mais bem-sucedidas tinham receitas de mais de um milhão de dólares anuais.

Os CFs alegravam-se com a autonomia que tinham no desempenho de suas funções. Um deles disse: "O que *eu* trago para a empresa é *meu*. Trabalho para a Merrill Lynch, mas tenho meus próprios clientes. Desde que eu me mantenha dentro da lei, posso servir à empresa do modo que for melhor para mim e vender qualquer produto da Merrill Lynch. Todos os outros CFs deste escritório são meus concorrentes. Se a Merrill deseja que eu seja uma pessoa da empresa, ela deveria me pagar um salário – mas não paga".

Os bons CFs, como qualquer bom corretor, eram muito requisitados pelas diversas corretoras de valor, e poderiam ter uma renda adicional se trocassem de companhia. Nessa situação, a empresa contratante pagava um bônus expressivo para o novo corretor com base em sua "produção" ou volume histórico de receita. Este bônus era projetado de forma a compensar o corretor pelos clientes que permaneciam com sua antiga empresa e que não o acompanhavam à sua nova corretora. Contudo, os bônus faziam mais do que compensar a perda. Na verdade, diversas empresas interpretavam o "bônus de assinatura de contrato" como um modo de contratar um novo corretor e de obter novos clientes. Em termos históricos, o relacionamento entre o corretor e a empresa era visto como mais forte do que aquele entre o cliente e a corretora, ou entre esta e o corretor. Alguns desses corretores trocavam de corretora com muita frequência.

A contratação de um corretor era incumbência do chefe do escritório local. De fato, essas pessoas eram corretores de muito talento, que dividiam seu tempo entre seus próprios clientes e a administração de outros corretores na empresa. Diversos destes supervisores pensavam que a contratação de novos corretores era um evento empolgante, não muito diferente da obtenção de novos clientes.

Os CFs, como os outros corretores, eram de origens variadas. Eles normalmente tinham formação universitária, e todos os corretores norte-americanos eram solicitados a prestar exames como a Série 7 da Associação Nacional de Corretores de Valores. Todos os que tinham sucesso eram vendedores talentosos. Diversos deles empregavam termos do esporte para descrever a obtenção de novos clientes, uma atividade de que (quando era bem-sucedida) gostavam muito.

A obtenção de novos clientes gerava o que diversos corretores chamavam de seus "livros". Estes livros eram uma lista de todos os clientes de um corretor que tinham negócios com a corretora.

---

[3] O percentual variava consideravelmente, com base na possibilidade de o cliente utilizar ou não a consultoria sobre investimentos dada por terceiros.

QUADRO 3 A estrutura da organização em campos do Grupo de Clientes Privativos da Merrill Lynch.

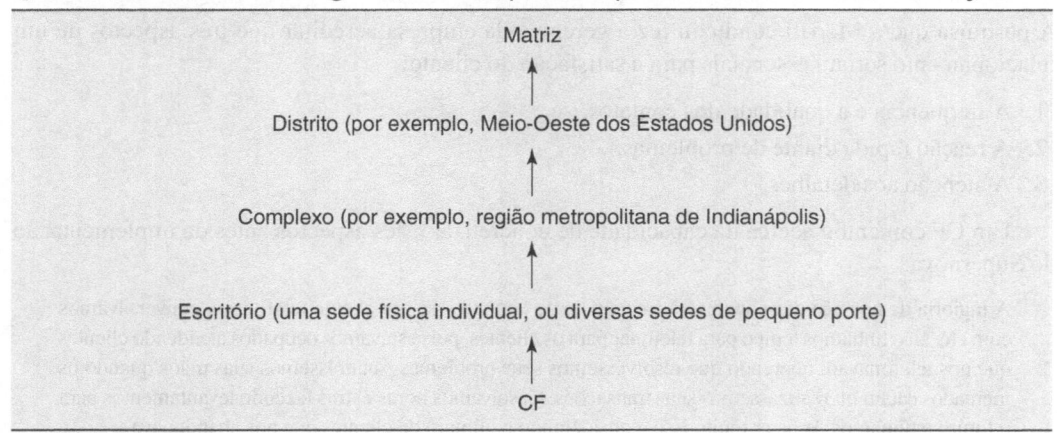

```
                        Matriz
                          ↑
        Distrito (por exemplo, Meio-Oeste dos Estados Unidos)
                          ↑
        Complexo (por exemplo, região metropolitana de Indianápolis)
                          ↑
        Escritório (uma sede física individual, ou diversas sedes de pequeno porte)
                          ↑
                          CF
```

Fonte: Merrill Lynch.

Muitas empresas, inclusive a Merrill Lynch, haviam encorajado seus corretores a aumentarem a dimensão destes seus registros, pagando a eles incentivos para abrirem novas contas. De acordo com um CF da Merrill Lynch: "Na década de 1990, a Merrill tinha o denominado "programa *master*", em que você ganhava uma viagem ao Havaí se conseguisse abrir um dado número de contas novas. Todos abriam todas as contas que conseguiam abrir. Serviço, retenção do cliente e rentabilidade não importavam – tudo tinha a ver com novas contas". O resultado disso foi que os registros de clientes passaram a ser muito importantes para os CFs. Outro corretor observou: "Sei que estarei em uma situação boa, ainda que haja uma reviravolta, se tiver um livro com muitos clientes. Todos estes nomes realmente o fazem se sentir seguro, e isso é importante em um negócio como este, no qual você só pode confiar em si mesmo e precisa produzir sempre se quiser ter o que comer".

Os CFs da Merrill Lynch eram tidos como alguns dos melhores em Wall Street. A empresa desfrutava de uma reputação por ser um lugar atraente para trabalhar com base (1) no apoio oferecido pelos corretores na forma de uma marca forte e bons produtos financeiros, e (2) na liberdade que os corretores recebiam para executar suas transações com eficácia, desde que gerassem negócios suficientes, utilizassem os produtos financeiros da Merrill Lynch e atendessem a padrões éticos elementares. Um executivo de outra corretora comentou acerca da Merrill Lynch e de seus CFs: "Eles são os melhores – eles fazem o que fazemos, o que todos fazem, mas eles fazem melhor. Não saberia dizer como eles nos superam, mas eles conseguem – repetidamente".

O PROGRAMA SUPERNOVA

"Supernova" foi o nome dado a uma nova maneira de administrar os relacionamentos com os clientes, originada em um dos escritórios da Merrill Lynch em Indianápolis (o Quadro 3 mostra a estrutura da organização em campos da Merrill Lynch). Diferentemente de uma iniciativa estratégica da matriz, este novo sistema nasceu e subiu ao longo das camadas hierárquicas na forma de uma estratégia de implementação, em resposta a uma estratégia conceitual definida na esfera hierárquica mais elevada.

O "pai" do Supernova foi Rob Knapp, que administrou a sede da Merrill Lynch no meio-oeste dos Estados Unidos. O ano de 1995 foi bom para a sede em termos de receitas, mas Knapp estava preocupado com as receitas futuras, pois sua sede distrital estava em último lugar no quesito satisfação do cliente, entre as 32 sedes distritais da empresa em todo o país. Passados 18 meses da implementação de um plano que antecedeu o Supernova, o escritório de Knapp estava em quarto lugar.

O serviço ao cliente antes do Supernova

A pesquisa que a Merrill conduziu fez a gerência da empresa acreditar que três aspectos de um relacionamento seriam essenciais para a satisfação do cliente:

1. A frequência e a qualidade dos contatos.
2. A reação rápida diante de problemas.
3. A atenção aos detalhes.

Um CF comentou acerca da capacidade de concretizar estes aspectos antes da implementação do Supernova:

> A maioria de nós não dava atenção à frequência do contato – se um cliente telefonava, conversávamos com ele. Não tínhamos tempo para telefonar para os clientes, pois estávamos ocupados atendendo clientes que nos telefonavam querendo que resolvêssemos seus problemas, segurássemos suas mãos quando os mercados caíam ou realizássemos suas transações. Gastávamos horas extras fazendo levantamentos para o futuro e tínhamos de fazer muito isso, considerando o número de clientes que nos abandonava.
>
> Era difícil reagir com rapidez aos problemas. Era normal ficarmos sobrecarregados – minha assistente passava a maior parte do tempo atendendo telefonemas – não era função dela lidar com problemas, o que significava que eu tinha de lidar com eles. Mas eu supostamente deveria estar lidando com os clientes.
>
> Atenção aos detalhes implica coisas como estar ciente dos eventos importantes para um cliente – o nascimento de um filho, a aposentadoria, o desejo de refinanciar uma hipoteca. Estes eventos são realmente importantes porque representam oportunidades para atender às necessidades de um cliente vendendo a ele o que precisa e o que deseja. Mas não tínhamos tempo para escutar este tipo de detalhe – a única coisa que conseguíamos fazer era manter a cabeça fora da água.

De acordo com Knapp: "O objetivo do Supernova era criar a "derradeira" experiência do cliente. Nós nos perguntamos: 'Como seria esta derradeira experiência do cliente?' E foi por isso que inventamos o 12-4-2".

O 12-4-2

O 12-4-2 foi a descrição, dentro do programa Supernova, para o que deveria ser o contato mínimo anual do cliente com seu consultor financeiro: 12 contatos, um por mês (para manter o contato e solicitar detalhes sobre metas financeiras ou alteração nas necessidades), dos quais quatro eram contatos para o exame de portfólios e dois eram reuniões presenciais. Alguns clientes necessitavam de mais contatos, mas 12-4-2 era o número mínimo.

O esquema 12-4-2 foi baseado em estudos conduzidos sobre os desejos do cliente, dentro e fora da Merrill. De acordo com um CF, o esquema reforçava a disciplina: "Não sou tão organizado assim – sou uma pessoa das pessoas. O esquema 12-4-2 me obriga a fazer contatos que sei que deveria fazer, mas para os quais sempre encontro uma desculpa para não ir adiante".

O método tinha como princípio o preenchimento de um plano financeiro para o cliente no começo do relacionamento. Embora a Merrill Lynch viesse encorajando todos os seus CFs a desenvolverem planos financeiros para seus clientes, de acordo com diversos CFs: "Ele não funcionava, na maioria das vezes".

Ainda que da perspectiva do cliente o 12-4-2 fosse uma inovação, ele trazia um dilema para os CFs que desejavam implementá-lo: o dia de trabalho era curto para atender a uma mera fração do que o esquema estipulava, pois um CF da Merrill em média tinha 550 clientes. Em vista disso, o modo como os CFs planejavam adotar o 12-4-2 para conduzir seus negócios teria de ser reformulado. As alterações que acabariam sendo incorporadas ao esquema 12-4-2 foram descritas como *segmentação*, *organização* e *aquisição*.

A segmentação

Knapp utilizou uma analogia com ternos para discutir o princípio da segmentação dos clientes.

QUADRO 4 O esquema 12-4-2 e a necessidade de segmentar

4A. O número de clientes iniciais: 550

Contatos semanais no esquema 12-4-2: 22 semestrais, 22 trimestrais e 88 mensais

	Estimados	Minutos consumidos
Semanas no ano =	50	
Minutos necessários para:		
Reuniões presenciais	90	1.980
Exames trimestrais via telefone	45	990
Contatos telefônicos mensais	15	1.320
Minutos consumidos por semana (em horas)		72
Tempo disponível para a obtenção e administração		0

4B. O número de clientes iniciais: 200

Contatos semanais no esquema 12-4-2: 8 semestrais, 8 trimestrais e 32 mensais

	Estimados	Minutos consumidos
Semanas no ano =	50	
Minutos necessários para:		
Reuniões presenciais	90	720
Exames trimestrais via telefone	45	360
Contatos telefônicos mensais	15	480
Minutos consumidos por semana (em horas)		26
Tempo disponível para a obtenção e administração		14

Fonte: Merrill Lynch.
Nota: Clientes não iniciais não foram incluídos.

Vamos supor que você realmente goste do processo de compra de ternos. Com o passar do tempo, você tem uma coleção bastante volumosa desse artigo. O problema é que você não tem espaço suficiente para mantê-los em boas condições dentro de seu armário. Ele tem capacidade para 20 ternos apenas. Assim, você faz uma limpeza no armário e conserva apenas 20 de seus melhores ternos. O restante você dá de presente a um parente. No ano seguinte, você compra mais alguns ternos – e dos bons. Lembre-se de que você *gosta* de adquirir ternos. Ao final desse ano, você faz outra faxina em seu roupeiro – e se obriga a manter apenas os 20 melhores ternos. Agora você tem 20 ternos verdadeiramente lindos. Você está feliz, os ternos têm espaço suficiente dentro de seu armário, e você está sempre elegante.

Com seus clientes é a mesma coisa. Um CF típico tem 550 clientes. Ele não consegue prestar serviços de qualidade a todos eles – não há muito espaço no armário. A maior parte destes clientes não é muito lucrativa – não são ternos muito bons. Somente com a segmentação de clientes e com a manutenção dos melhores é que o CF terá tempo para oferecer o serviço de que precisam – e é isso que os tornará clientes fiéis.

Knapp acreditava que o número adequado de clientes era 200, com base em uma análise que conduzira e que está representada nos Quadros 4 (A) e (B). Um escritório da Merrill em que cada CF adotara o Supernova definiu uma meta por CF de 200 clientes, cada um com pelo menos $1 milhão em ativos anualizados na corretora, ou $10 mil em geração de taxas anuais devido a negócios.

A decisão de manter ou desistir de um cliente era complexa. Felizmente, um CF desenvolveu um modelo de planilha para auxiliar outros CFs nesse processo. O desenvolvimento deste modelo levou 11 meses mas, uma vez completo, um CF poderia conduzir a análise em cerca de 30 minutos.

O CF que desenvolveu esse modelo reconheceu que para executar os serviços de alta qualidade que ele desejava que seus clientes recebessem, o número de clientes teria de ser reduzido. A princípio ele decidiu manter apenas seus 100 principais clientes. Embora essa decisão fosse fácil, ficou claro que a definição de quais clientes comporiam seu grupo de 100 clientes mais importantes seria difícil.

Inicialmente ele classificou seus clientes de acordo com a receita que geravam. Em seguida, os clientes foram dispostos em termos de ativos. O corretor descobriu que os dois critérios de classificação eram bastante diferentes. A seguir, ele agrupou os clientes de acordo com a preferência dele e de sua assistente quanto a fazer negócios. Mais uma vez, a classificação final foi diferente das obtidas com os dois primeiros critérios. Para resumir, ele gerou 11 classificações com base em critérios distintos para conservar clientes. Ele então decidiu ver quais os clientes que estavam em todas as listas geradas: 33 clientes apareceram, e haviam gerado 89% de seus ganhos no ano anterior. Além disso, sua assistente observou que apenas três dos 53 clientes que havia auxiliado a solucionar problemas nas últimas cinco semanas estavam entre aqueles 33 clientes. Por fim, o CF manteve apenas esses 33 clientes e disse: "Com esses 33 clientes tive 89% de minha receita e um número muito pequeno de complicações – consegui passar tempo prestando a eles um serviço *realmente* bom e adquirindo clientes *verdadeiramente* excelentes. Minha renda – e minha vida – nunca foram tão boas".

A maioria dos CFs que adotaram o Supernova decidiu reduzir seus registros de clientes para (1) 200 clientes principais, (2) familiares ou parceiros de negócios desses clientes e que eram importantes (que os CFs mantinham para evitar riscos ao relacionamento com o cliente principal) e (3) os clientes descritos como "necessários se você deseja ir para o céu". A razão de clientes importantes para familiares ou parceiros de negócios era 3:1.

Os clientes que um CF decidia dispensar eram encaminhados a outro CF ou ao Centro de Consultoria Financeira, o departamento centralizado da Merrill para contas menores, caso os ativos que mantinham com a corretora totalizassem menos de $100 mil e não tivessem probabilidades de crescer no futuro próximo. O Centro atendia a essas contas por meio de um número de discagem gratuita e telefonava aos clientes titulares ao menos quatro vezes ao ano, para certificar-se de que suas necessidades estavam sendo atendidas. Diversos clientes não fizeram objeção a este novo estilo de serviço; na verdade, a taxa de retenção de clientes do Centro era maior do que a de um CF médio. Os CFs recebiam pagamentos da empresa pelo trabalho com os clientes enviados ao Centro. Muitos CFs perceberam que quando eram transferidos para o Centro, seus clientes aumentavam o volume de negócios com a Merrill e, em função disso, os CFs viram subir suas rendas relativas a estes clientes, em comparação com a situação anterior. Contudo, os CFs observaram que sempre havia rumores de que os pagamentos feitos pela empresa seriam extintos. Em geral, os clientes eram repassados a outro CF sem qualquer remuneração. De acordo com um CF: "Assim você se concentra totalmente nos clientes que você vem mantendo – não há como se preocupar com os clientes antigos".

A organização

Historicamente, cada CF organizava seu trabalho do modo que lhe parecesse mais apropriado. O sistema Supernova não exigia que um CF adotasse um esquema organizacional específico e oferecia ferramentas que muitos CFs consideravam úteis. Os estudos conduzidos pela Merrill sobre os desejos dos CFs indicaram que o que eles mais queriam era "mais apoio administrativo", que foi seguido de perto por "ajuda para se organizar".

Um dos maiores problemas de cunho organizacional enfrentados pelos CFs envolvia a utilização do tempo de forma eficaz. No cotidiano, isso significava delegar tarefas administrativas e rotineiras a seus assistentes, chamados colaboradores do cliente. Um CF que adotou o Supernova comentou:

> No passado, os clientes desejavam falar com seus CFs sempre que tinham um problema ou precisavam de algo. Não posso culpá-los, pois quase nunca falavam com seus consultores. Com o Supernova, os clientes sabem que conversarão com seu CF ao menos uma vez por mês. Na verdade, eles sabem exatamente a data em que a conversa foi agendada. Assim, se eles têm um problema ou precisam de uma pequena mudança de ordem administrativa, o colaborador do cliente pode normalmente lidar com esse pedido.

Outro CF observou: "Os clientes achavam que não havia problema em telefonar e interromper-me a qualquer momento. Hoje sou mais profissional, para eles. Pense nisso – você telefona para seu dentista e espera que ele o atenda imediatamente?".

Com efeito, o Supernova permitiu aos colaboradores do cliente "fazer uma triagem" das chamadas telefônicas dos clientes e envolver o CF apenas quando necessário.[4] Os colaboradores do cliente do Supernova também preparavam as "pastas" diárias dos CFs. Cada pasta continha o planejamento financeiro mais recente de um dado cliente, as respectivas correções e informações sobre a família do cliente e os negócios que o CF acreditava serem adequados ao relacionamento. Esses serviços incluíam taxas de financiamentos e impostos, imóveis, apólices de seguros, *hobbies*, parceiros em negócios e parentes em primeiro grau que fossem importantes, além de compromissos financeiros que estes clientes tinham fora da Merrill. Nas palavras de um CF que adotou o Supernova: "Nunca aceito conversar com um cliente sem ter comigo as informações de que preciso para executar meu trabalho – que consiste em cuidar de todas as necessidades desse cliente quanto a serviços financeiros".

A pasta dava suporte ao "sistema de pastas", que obrigava o CF a ter disciplina da seguinte forma: os colaboradores do cliente agendavam telefonemas ou reuniões entre o CF e seus clientes, de acordo com o sistema 12-4-2. Estas reuniões eram marcadas no calendário do CF, sendo que ele dedicava entre 6 e 8 horas a cada dia para estas reuniões (o tempo reservado correspondia ao número de clientes que um CF poderia ter no Supernova). A cada manhã o CF recebia as pastas dos clientes com quem se reuniria. Estas práticas rendiam quatro resultados.

Em primeiro lugar, O CF tinha de ter um bom desempenho com o sistema 12-4-2 sem aumentar sua carga administrativa.

Em segundo lugar, havia a garantia de que ele teria as informações mais atualizadas no começo da reunião.

Em terceiro lugar, esta rotina gerava a "culpa pela pasta". Se um CF não conseguiu entrar em contato com todos os clientes de sua lista para um dado dia, o colaborador do cliente perdeu seu tempo preparando as respectivas pastas. Uma vez que os CFs tendiam a trabalhar em proximidade com os colaboradores, esse sentimento de culpa muitas vezes era forte o bastante para motivar o CF a cumprir suas obrigações, algo que diversos "sistemas de contato" nunca conseguiram fazer.

Por fim, o sistema de pastas auxiliava a garantir que o plano financeiro que o cliente e o CF concordaram em adotar fosse implementado, o que nem sempre ocorria no passado, de acordo com diversos corretores.

Os colaboradores do cliente normalmente preferiam trabalhar no sistema Supernova. De acordo com um CF que o adotou:

> Os três primeiros meses do Supernova são um verdadeiro inferno para um colaborador do cliente, pois a transição não é fácil – eles estão executando o trabalho tradicional e o trabalho relativo ao Supernova ao mesmo tempo. Mas quando todos acostumam com a rotina do sistema, ele funciona muito bem. O dia de um colaborador do cliente é bastante previsível. Ele prepara pastas para o dia seguinte, agenda reuniões e lida com alguns problemas. Uma vez que há menos clientes, e que estes estão mais felizes, há menos problemas e todos se sentem melhor.

Alguns CFs tentaram oferecer bônus a seus colaboradores do cliente para auxiliar no processo de transição. Em um dos escritórios da companhia, os colaboradores que ajudaram seus CFs a segmentarem e organizarem seu trabalho de acordo com o Supernova receberam $1 mil.

A promessa de serviço do Supernova

O compromisso com o desenvolvimento de um plano financeiro para cada cliente e o sistema 12-4-2, junto com (1) a segmentação e (2) a organização possibilitou aos CFs que adotaram o sistema apresentar as seguintes promessas de serviço a seus clientes:

1. Você terá um plano financeiro multigeração.
2. Seu CF entrará em contato com você ao menos 12 vezes ao ano.
3. Você terá respostas rápidas a qualquer problema que possa ter, com contatos feitos dentro de uma hora e soluções apresentadas dentro de 24 horas.

---

[4] Por razões jurídicas, as transações que envolviam compra e venda eram conduzidas por CFs ou colaboradores do cliente registrados.

A aquisição

A sequência final do sistema Supernova era chamada "aquisição". Conforme sugere a analogia com os ternos de Knapp, a cada ano o CF que adotou o sistema adquiria novos clientes e de alto padrão, e repassava aqueles de menor potencial a outro CF ou ao Centro de Consultoria Financeira.

O tempo dedicado ao programa 12-4-2 liberava entre 2 e 4 horas a cada dia para a aquisição de novos clientes, o que os CFs julgavam mais do que adequado. Um deles comentou:

> A princípio não acreditei que este tempo seria suficiente. O que descobri é que este tempo é mais do que o bastante, por duas razões. A primeira é que, já que segmentei meu livro de clientes, desisti de todos exceto os 200 melhores e adotei o 12-4-2, a rotatividade de meus clientes diminuiu de modo incrível. Antes eu tinha de fazer um grande trabalho de vendas para manter as coisas como estavam. Na verdade, para cada novo cliente que eu obtinha, eu perdia um existente – e tinha de correr para poder me manter no mesmo lugar.
>
> A segunda é que descobri que a melhor maneira de ganhar novos clientes é por meio de clientes existentes. Tenho muitos clientes que se impressionaram tanto com a maneira como os trato que me recomendaram a seus amigos e parentes. Não escondo minha intenção de ter indicações, assim, eles sabem que desejo mais negócios. Mas isso não parece incomodá-los, desde que as promessas de serviço sejam cumpridas.

Diversos CFs descobriram que as indicações eram a melhor fonte de novos negócios. Muitos deles passavam o tempo livre que tinham especializando-se em produtos financeiros que interessassem a seus clientes existentes e em potencial. Em um desses casos, um CF vivia na mesma região em que diversas pessoas que tinham ativos de aposentadoria com a Merrill estavam para se aposentar. O CF buscou conhecimentos sobre contas de aposentadoria individual e tornou-se um especialista no assunto. Outro CF tinha como cliente um famoso anestesiologista. Para melhor entendê-lo, o corretor assinou periódicos sobre o assunto e frequentou encontros de associações de anestesiologistas. O resultado foi que ele teve quatro indicações que levaram a quatro novos relacionamentos, cada um dos quais trazendo mais de $1 milhão em renda.

Os CFs que adotaram o Supernova descobriram que seu maior problema era convencer a si próprios a se envolverem de forma ativa na aquisição de clientes assim que os problemas iniciais relativos à adoção do sistema tivessem sido resolvidos. Nas palavras de um deles: "Com o jeito Supernova de fazer as coisas, você não está o tempo todo resolvendo problemas inesperados ou se preocupando com o fato de que você está perdendo muitos clientes – porque não há tantos problemas a resolver e seus clientes não o abandonam. Para ser sincero, você tem de acender uma fogueira sob seus próprios pés para ter mais negócios em vez de estagnar. Chamo isso de 'problema do golfe'".

Alguns gerentes seniores acreditavam que o "problema do golfe" era grave, porque ao mesmo tempo que os CFs que adotavam o Supernova presenciavam um aumento imediato na compensação que recebiam, o CF que recém adotara o sistema sentia uma pequena redução inicial no pagamento. Os gerentes seniores atribuíam essa perda ao fracasso da gerência local em treinar os novatos no Supernova a iniciar seu processo de aquisição o mais rápido possível durante a transição.

A transação e os CFs que recebiam valores anuais

Os CFs que adotavam o Supernova eram tanto os que faziam transações, pagos por taxas por negócio efetuado, quanto os que recebiam valores anuais. Alguns tinham uma combinação dos dois modos de bonificação. De acordo com um CF pago ao ano: "O calcanhar de Aquiles do sistema anualizado é que se você não se comprometer a gerar um certo nível de serviço, uma vez que você é pago mesmo que não faça algo, o incentivo para entrar em contato com seu cliente é menor. O Supernova chegou para solucionar esse problema".

Um CF pago por transação acrescentou: "Se você telefona para seu cliente algumas vezes sem intenção de vender alguma coisa fica muito mais fácil vender na próxima vez que telefonar. O Supernova também ajuda porque ele aumenta o conhecimento que tenho de meu cliente – quando você conhece melhor alguém, você consegue prever as necessidades dessa pessoa – e vender a ela o que deseja".

O PROCESSO DE ADOÇÃO DO SUPERNOVA

O Supernova tinha sido apresentado em encontros itinerantes organizados pelos usuários do sistema que se entusiasmaram com o que ele lhes propiciara, pelos colaboradores do cliente e pelos clientes desses CFs. Knapp muitas vezes adotava uma argumentação em duas fases para "vender" o Supernova a outros CFs. Primeiro, ele descrevia como o sistema fazia as pessoas sentirem-se bem ao concretizarem a "derradeira experiência do cliente". Depois, ele descrevia o Supernova como "um Plano, um Processo e uma Disciplina", e observava que: "Você deixa o caos e passa a planejar, processar e disciplinar – isso dá a você o controle de seu tempo. Uma vez que você saiu do caos e adotou o controle, você não consegue voltar atrás".

Um dos superintendentes de escritório que adotou o Supernova disse:

> Todos os meus CFs adotaram o Supernova – eles não têm escolha. Quando estou contratando, procuro pessoas focadas no serviço, em comparação às focadas na transação. São muitas as pessoas que conseguem vender fraldas a uma mamãe. Mas quem consegue fazer essa mamãe sentir-se bem quando as fraldas ficam sujas?
>
> Não forcei meus CFs mais experientes a adotarem o programa. A equipe com quem trabalho em maior proximidade adotou o sistema e os outros gostaram do que viram: o telefone não toca com tanta frequência, nos encontramos com as pessoas que nos pagam e nos livramos do resto. O número de chamadas não agendadas diminuiu bastante – obtemos novos clientes quase exclusivamente por meio de indicações. Todos os CFs no escritório decidiram adotar o programa.

O apoio aos CFs que adotaram o Supernova

A primeira etapa na adoção do Supernova foi chamada "Persuasão do CF". As demonstrações itinerantes por si só não foram capazes de garantir a adoção do programa. Os CFs mais céticos, ou aqueles que não iam a essas apresentações, eram persuadidos apenas depois de uma reunião com o gerente na qual este apresentava uma forte argumentação em favor do programa. Alguns gerentes perguntavam aos CFs o quanto gostariam de receber no futuro próximo. Inevitavelmente, diante dos negócios atuais de um CF, não havia maneira de ver esses números tornarem-se realidade. Logo que um CF percebia as implicações da situação atual, o gerente passava a ilustrar como a meta de renda poderia ser atingida com a adoção do Supernova.

A segunda etapa na adoção do programa era a segmentação. Após, eram introduzidos o planejamento financeiro, o 12-4-2, a organização e a aquisição. Contudo, a segmentação era muitas vezes bastante difícil de implementar. De acordo com um CF que adotou o Supernova:

> Inicialmente a maior parte dos CFs não fez os cortes necessários em seus livros, conservando cerca de 300 clientes. Esses cortes são na verdade bastante difíceis de fazer – pois sempre éramos instruídos a obter mais clientes. Afinal, ninguém consegue adivinhar quando vai ganhar na loteria e alguns desses clientes estavam conosco havia anos. O problema é que você não consegue oferecer um serviço no modelo 12-4-2 a 300 clientes – seria suicídio. Se os líderes não ficarem atentos, esses CFs caem do cavalo. A maior parte das chefias é composta pelas melhores pessoas em termos de transação – para elas, é mais difícil adotar uma perspectiva de relacionamentos. Caçadores não se transformam em agricultores da noite para o dia.

A adoção do programa era vista com diferentes olhos. Um gerente a descreveu como: "Eles dizem que estão no Supernova, mas ainda não segmentaram seus livros de clientes". Outro disse que os que o adotavam eram os "Missionários do Supernova".

A Merrill Lynch designou um funcionário com dedicação exclusiva ao programa. Ele passava seu tempo organizando e participando das demonstrações itinerantes sobre o Supernova e desenvolvendo novos softwares para segmentação e organização em apoio ao programa. Ele disse:

> Gostaria de fazer muito mais. Preciso auxiliar os CFs a vencer obstáculos. Com o Supernova, os CFs têm de mudar por completo. Em alguns locais, o gerente da filial oferece treinamento e apoio pessoais. Mas em outros não há alguém para ajudar. Após conduzir a reunião itinerante inicial de dois dias de duração, tentamos encontrar um CF na filial em questão que fosse admirado por seus colegas e que estivesse à

frente do restante no processo de adoção. Essa pessoa foi eleita fonte local de apoio aos outros CFs. Mas esse corretor nada ganhava com isso, e talvez não conseguisse sucesso com o programa.

Há muito a fazer, como praticar a execução do *software* de segmentação e definir um sistema de pastas. Essas coisas não são muito complexas, mas quando você nunca as fez antes, talvez você ache que sejam difíceis de implementar. Esses aspectos eram examinados nas demonstrações itinerantes, mas as pessoas tendem a se esquecer delas com o tempo. A maior parte desse processo pode ser executada pelo telefone – um escritório em média precisa de apenas duas horas por semana para assistência presencial durante os três primeiros meses em que um grupo decide adotar o Supernova. Eles em geral necessitam de ajuda na segmentação, na transição de clientes que estejam sendo repassados, na organização e na alteração dos comportamentos cotidianos relativos ao trabalho.

OS DESAFIOS CONHECIDOS NA IMPLEMENTAÇÃO

Jim Walker teve de decidir se recomendaria ou não a adoção em nível nacional do Supernova. Como parte desse processo de decisão, ele recebeu dados atualizados sobre os resultados do programa e projeções para o futuro (veja Quadro 5). Além disso, ele identificou os desafios que encontraria se decidisse prosseguir. Entre as preocupações de Walker estavam as seguintes:

O cenário econômico

Em 2003, os tempos não estavam muito propícios para o varejo da corretagem de valores. Os preços das ações estavam em baixa e os volumes negociados eram muito pequenos (veja Quadro 6).

QUADRO 5 Alguns resultados e projeções do Supernova

Resultados

O Grupo de Ciência da Gestão da Merrill Lynch estudou uma amostra de 75 CFs que adotaram o Supernova e chegou às seguintes conclusões:

Número médio de clientes: 208, com média de ativos da ordem de $333 mil.

Ao adotar o programa, um CF transferia 14 clientes a outro CF (média de ativos de $153 mil) e 67 clientes ao Centro de Consultoria Financeira (média de ativos de $30 mil).

A produção de um CF do Supernova (receita) cresceu 1%, ao passo que a produção de um grupo de controle que não adotou o programa e que foi projetado para fins de comparação com o grupo que o adotou caiu 6%. A produção da população total de CFs caiu 12% (os mercados estavam em baixa no período em que o estudo foi conduzido).

Os erros de mercado (equívocos no processamento de transações devido a erros do CF ou do colaborador do cliente pelos quais a Merrill era responsável) caíram 54%.

Os seguintes indicadores de satisfação do cliente apresentaram melhora:

- A satisfação com o serviço do colaborador do cliente.
- O percentual de clientes que sentiam que necessitavam mais contato com o CF (caiu).
- O percentual de clientes que sentia que o CF excedia as expectativas ao "atender a seus principais interesses".
- A satisfação com o CF (contudo, sem significância estatística).

Projeções

Com base nesse estudo, o Grupo de Ciência da Gestão da Merrill Lynch elaborou as seguintes projeções, na hipótese de que o Supernova fosse adotado por 200 CFs por distrito (aproximadamente 20% do número total de consultores).

- $130 milhões em aumento anual na produção dos CFs (com 90% de confiança).
- $6,6 milhões em redução anual de erros de mercado (com 90% de confiança).
- Total de $58 milhões em lucros anuais antes da tributação, o que exigiu "muito investimento" para desenvolver uma infraestrutura de apoio (observe que esta projeção talvez exclua a maior parte dos benefícios da retenção do cliente e da indicação por boca a boca).

Fonte: Merrill Lynch.

Estas condições aumentavam a tensão no setor e direcionavam a atenção da alta gerência da Merrill a questões imediatas, como a concretização das projeções de receitas. Em contrapartida, algumas pessoas acreditavam que um período de baixa era o mais indicado para desencadear uma mudança em uma corretora de valores, uma vez que as companhias não demonstravam tendência de ir à caça dos corretores de outras firmas enquanto a produção estava em baixa.

QUADRO 6 Os balanços financeiros da Merrill Lynch

	Ano encerrado na última sexta-feira de dezembro		
	2002	2001	2000
Receitas líquidas			
Comissões	$ 4.657	$ 5.266	$ 6.977
Transações principais	2.340	3.930	5.964
Operações de investimento			
Seguro	1.710	2.438	2.699
Consultoria estratégica	703	1.101	1.381
Gestão de ativos e taxas de serviço para portfólios	4.914	5.351	5.688
Outros	751	528	967
	15.075	18.614	23.676
Receitas com juros e dividendos	13.178	20.143	21.176
Menos despesas com juros	9.645	16.877	18.086
Lucro líquido com juros	3.533	3.266	3.090
Receitas líquidas totais	18.608	21.880	26.766
Despesas não relativas a juros			
Compensação e benefícios	9.426	11.269	13.730
Comunicações e tecnologia	1.741	2.232	2.320
Direitos à propriedade e depreciação inerente	909	1.077	1.006
Pagamentos relativos à corretagem, compensação de cheques entre bancos e câmbio	727	895	893
Propaganda e desenvolvimento de mercado	540	703	939
Pagamentos relativos a profissionais liberais	552	545	637
Suprimentos de escritório e despesas com correio	258	349	404
Amortização do fundo de comércio	–	207	217
Outros	611	902	903
Despesas relativas à pesquisa e liquidação de dívidas	291	–	–
Recuperação / despesas relativas aos ataques de 11 de setembro de 2001	(212)	131	–
Reestruturação e outras despesas	8	2.193	–
Total de despesas não relativas a juros	14.851	20.503	21.049
Rendimentos antes do imposto de renda e dividendos sobre valores mobiliários preferenciais emitidos por subsidiárias	3.757	1.377	5.717
Despesas com imposto de renda	1.053	609	1.738
Dividendos sobre valores mobiliários preferenciais emitidos por subsidiárias	191	195	195
Rendimentos líquidos	$ 2.513	$ 573	$ 3.784
Rendimentos líquidos aplicáveis a acionistas com ações ordinárias	$ 2.475	$ 535	$ 3.745
Rendimentos por ação ordinária			
Básico	$ 2,87	$ 0,64	$ 4,69
Diluído	$ 2,63	$ 0,57	$ 4,11

Fonte: Merrill Lynch.

(continua)

QUADRO 6 Os balanços financeiros da Merrill Lynch (*continuação*)

Balanços consolidados (em milhões de dólares, exceto por quantias de ações)	27/12/2002	28/12/2001
Ativos		
Caixa e equivalentes de caixa	$ 10.211	$ 11.070
Caixa e valores mobiliários segregados para fins de regulação ou depositados com organizações de compensação	7.375	4.467
Transações de financiamento de valores mobiliários		
Títulos a receber sob contratos de revenda	75.292	69.707
Títulos a receber sob transações com valores mobiliários emprestados	45.543	54.930
	120.835	124.637
Negociação de ativos, a valores justos (*inclui valores mobiliários lançados como caução real de $11.344 em 2002 a $12.084 em 2001*)		
Contratos	38.728	31.040
Dívida corporativa e ações preferenciais	18.569	19.147
Financiamentos, valores mobiliários apoiados por financiamento e por ativos	14.987	11.526
Participação acionária e debêntures conversíveis	13.530	18.487
Governo e órgãos governamentais dos Estados Unidos	10.116	12.999
Governos e órgãos governamentais fora dos Estados Unidos	10.095	6.207
Títulos municipais e mercados monetários	5.535	5.561
	111.560	104.967
Valores mobiliários de investimento	81.787	87.672
Outras contas a receber	2.020	3.234
Clientes (*Desconto líquido para contas duvidosas de $70 em 2002 e $81 em 2001*)	35.317	39.856
Corretores e negociadores	8.485	6.868
Juros e outros	10.581	8.221
	54.383	54.945
Empréstimos, notas promissórias e financiamentos (*líquido do desconto por perdas com empréstimos de $265 em 2002 e $201 em 2001*)	34.735	19.313
Ativos de contas separadas	13.042	15.965
Equipamentos e instalações (*líquido da depreciação e amortização acumuladas de $4.671 em 2002 e $4.910 em 2001*)	3.080	2.873
Fundo de comércio (*líquido da depreciação e amortização acumuladas de $984 em 2002 e $924 em 2001*)	4.446	4.071
Outros ativos	4.454	2.478
Total de ativos	**$ 447.928**	**$ 435.692**

A política e o reconhecimento

O Supernova era visto como a menina dos olhos de seus desenvolvedores. As pessoas na companhia que simpatizavam com aqueles que conceberam o programa normalmente gostavam dele também. Mas aqueles que não estavam certos do que sentiam sobre os que projetaram o Supernova não tinham reações muito positivas. O ciúme profissional também pode ter desempenhado seu papel nas reações negativas observadas. O reconhecimento e a recompensa para os desenvolvedores do Supernova talvez tenham exacerbado essa situação.

QUADRO 6 Os balanços financeiros da Merrill Lynch (*continuação*)

Balanços consolidados (em milhões de dólares, exceto por quantias de ações)		
	27/12/2002	28/12/2001
Passivos		
Transações de financiamento de passivos		
Pagáveis sob contratos de recompra	$ 85.378	$ 74.903
Pagáveis sob transações de valores sem juros	7.640	12.291
	93.018	87.194
Papéis comerciais e outros empréstimos de curto prazo	5.353	5.141
Depósitos	81.842	85.819
Negociação de passivos a valores justos		
Acordos contratuais	45.202	36.679
Governo e órgãos governamentais dos Estados Unidos	14.678	18.674
Governos e órgãos governamentais fora dos Estados Unidos	7.952	5.857
Dívidas corporativas, títulos municipais e ações preferenciais	6.500	4.796
Participação acionária e debêntures conversíveis	4.864	9.911
	79.196	75.917
Obrigação de devolver valores mobiliários recebidos como caução	2.020	3.234
Outras contas a pagar		
Clientes	28.569	28.704
Corretores e negociadores	16.541	11.932
Juros e outros	20.724	18.773
	65.834	59.409
Passivos de subsidiárias de seguros	3.566	3.738
Passivos de contas separadas	13.042	15.965
Empréstimos de longo prazo	78.524	76.572
Total de passivos	422.395	412.989
Valores mobiliários emitidos por subsidiárias	2.658	2.695
Participação acionária dos acionistas		
Participação acionária dos acionistas com ações preferenciais (*42.500 ações emitidas e a pagar, preferência de liquidação de $10 mil por ação*)	425	425
Participação acionária dos acionistas com ações ordinárias		
Ações conversíveis em ações ordinárias	58	62
Ações ordinárias (*valor nominal $1,33 1/3 por ação; autorizado: 3 milhões de ações; emitido: 2002 – 983.502.078 ações e 2001 – 962.533.498 ações*)	1.311	1.283
Capital integralizado	5.315	4.209
Outras perdas abrangentes acumuladas (*líquido para tributos*)	(570)	(368)
Rendimentos retidos	18.072	16.150
	24.186	21.336
Menos: estoque do Tesouro, ao custo (*2002 – 116.211.158 ações; 2001 – 119.059.651 ações*)	961	977
Doações de ações aos funcionários que não foram amortizadas	775	776
Total da participação acionária de acionistas com ações ordinárias	22.450	19.583
Total da participação acionária dos acionistas	22.875	20.008
Total de passivos, participação com ações preferenciais emitidas por subsidiárias e participação acionária de acionistas	$ 447.928	$ 435.692

Os pontos de alavancagem organizacional

Concretizar a mudança em qualquer filial da Merrill Lynch exigia a aceitação do respectivo supervisor. Essa pessoa seria considerada um "ponto de alavancagem organizacional". Contudo, de acordo com um CF: "Muitos gerentes de escritórios foram treinados para acreditar que você administra na esperança de que as coisas melhorem por conta própria, e quando elas não melhoram, a coisa é tocada na base da gritaria com seus funcionários, da demissão e da contratação de novos funcionários". Um gerente de escritório que adotou o Supernova complementou: "Lembre-se de que muitos chefes de filial são ao mesmo tempo um gerente e um CF. Por causa disso, eles estão competindo com as pessoas que eles deveriam estar administrando – competindo por espaço e recursos na filial, e em menor grau, por clientes. Sempre que entro no escritório de um CF, sei que ele está perguntando, 'Isso é o que meu gerente acha que é melhor para mim, ou para ele?'".

Os gerentes de filial que adotaram o programa Supernova e encorajaram seus CFs a fazerem o mesmo acreditavam que era possível dividir os CFs da Merrill em três grupos: 20% deles adotariam o programa com rapidez e sem muitos problemas; outros 20% provavelmente nunca o adotariam; os outros 60% precisariam de 60 horas de treinamento ao longo de dois anos. Esse treinamento normalmente envolvia as seguintes perguntas:

1. Como é seu processo de planejamento financeiro?
2. Como é seu processo de investimento?
3. Como é seu processo de execução de serviço?
4. Como é seu processo de negócio, seu marketing?

O acompanhamento/suporte

Até então o Supernova havia sido exposto em demonstrações itinerantes e outras formas de divulgação. Embora muitos CFs frequentassem essas demonstrações, apenas 2 mil haviam adotado o programa por completo e outros 4 mil haviam aceito o programa parcialmente. Estes CFs traziam diversos riscos. Em primeiro lugar, eles ameaçavam a "marca" Supernova, já que seus clientes não se sentiriam tão satisfeitos quanto os daqueles CFs que haviam adotado o programa por completo. Em segundo lugar, os defensores do Supernova concordavam que uma falha em adotar o programa por completo significava que seus benefícios para os CFs, como a melhoria na compensação que receberiam e na qualidade do ambiente de trabalho, não seriam obtidos.

As expectativas dos clientes

Muitos dos fãs do Supernova acreditavam que, após os clientes terem se acostumado com o programa, suas expectativas em relação ao serviço subiriam significativamente. Nas palavras de um deles: "Projetamos o Supernova para mimar esses clientes – e ele faz exatamente isso". Essa situação gerou um problema na mensuração da satisfação do cliente, quando os clientes que aderiram ao programa eram comparados aos que não o fizeram. Outros problemas apareceram quando as promessas do serviço eram apresentadas aos clientes por CFs que tencionavam adotar o programa por completo, mas nunca o implementaram em sua totalidade.

A alteração no papel de alguns CFs

Historicamente, um CF muitas vezes apresentava recomendações sobre os investimentos que um cliente deveria fazer. Porém, muitos CFs em geral – e a maior parte dos CFs que adotaram o programa – viam como sua função a reunião e a alocação de ativos e deixavam a gestão de ativos a consultores especializados no assunto. Os CFs que adotaram o Supernova perceberam que preferiam este novo papel porque ele lhes possibilitava oferecer serviços de consultoria e examinar o risco em relação à recompensa, em contraposição à venda de um produto. Muitos CFs tradicionais, que preferiam continuar recomendando investimentos, associaram essa nova abordagem (a reunião e a alocação) ao Supernova.

A interpretação equivocada

Walker muitas vezes recebia telefonemas de CFs interessados no Supernova. Nesses contatos, eles lhe pediam o "software Supernova", acreditando que, se o instalassem em seus computadores, seriam "adotantes do Supernova". Walker sentia que estes CFs interpretavam o programa como um exercício de implementação de tecnologia. Ele comentou: "Temos um excelente software de gestão do relacionamento com o cliente, o melhor do mercado. Ele tornará o CF competente no Supernova ainda mais eficiente. Mas ele é apenas uma parte de uma complexa solução".

As métricas

Tanto os CFs quanto os gerentes que aceitaram o programa acreditavam que havia um problema com as métricas. Um deles fez o seguinte comentário: "Não estamos sendo pagos por muitos dos diversos produtos que vendemos no programa Supernova, como financiamentos e seguros, apesar de serem os de maior rentabilidade para a empresa".

A natureza do CF

Os CFs valorizavam a própria independência. De acordo com um gerente sênior: "Eles não querem marchar marcando passo. Eles gostam de autonomia. Qualquer coisa que se pareça com uma exigência de uma autoridade centralizada em geral é recusada de imediato, ou no mínimo enfrenta forte oposição".

A inclusão dos colaboradores do cliente

Ainda que os colaboradores do cliente fossem essenciais à eficiência do Supernova, a maioria dos CFs tomou a decisão de adotar o programa sem envolver seus assistentes administrativos.

O Quadro 7 apresenta trechos de uma apresentação sobre o Supernova dada por um CF. O Quadro 8 ilustra partes do conteúdo de uma pasta.

CONCLUSÃO

Um CF que adotou o Supernova comentou: "Historicamente, sempre que vendíamos um *produto* a um cliente, a Merrill Lynch ganhava dinheiro e o CF também. O Supernova veio para ajudar a solucionar o dilema criado. Ele nos permite ganhar nosso dinheiro oferecendo apoio às pessoas, e com muita eficiência. Ele nos disponibiliza um processo de negócio – não um produto. No passado nada tínhamos de parecido com o Supernova".

QUADRO 7 Trechos da apresentação do Supernova dada por um CF

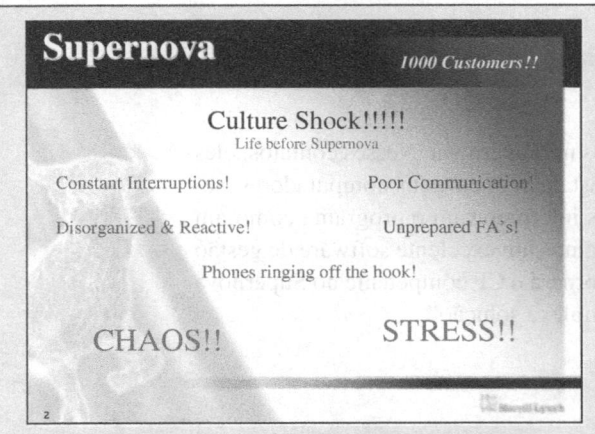

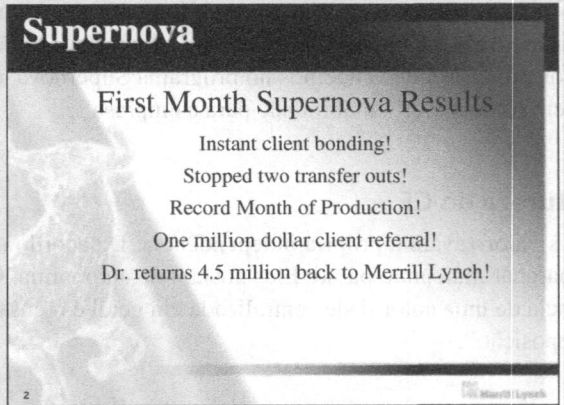

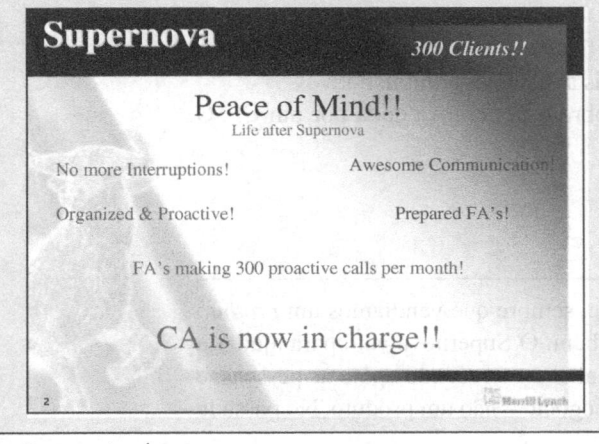

Supernova — *1000 Customers!!*

Culture Shock!!!!!
Life before Supernova

- Constant Interruptions!
- Poor Communication
- Disorganized & Reactive!
- Unprepared FA's!
- Phones ringing off the hook!

CHAOS!!   STRESS!!

Supernova — *Does Supernova really work?*

Supernova — *You tell me!*

Supernova

First Month Supernova Results

Instant client bonding!
Stopped two transfer outs!
Record Month of Production!
One million dollar client referral!
Dr. returns 4.5 million back to Merrill Lynch!

Supernova — *300 Clients!!*

Peace of Mind!!
Life after Supernova

- No more Interruptions!
- Awesome Communication!
- Organized & Proactive!
- Prepared FA's!

FA's making 300 proactive calls per month!

CA is now in charge!!

Fonte: Documentos da empresa.

QUADRO 8 Parte dos conteúdos de uma pasta

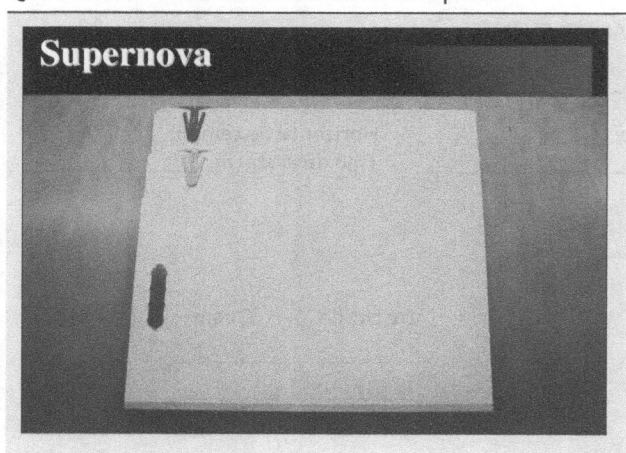

Supernova

PROJETO SUPERNOVA
(A derradeira experiência do cliente – 12-4-2)

1.) Oito telefonemas feitos

___ ___ ___ ___ ___ ___ ___ ___ Telefonema feito ao cliente.
___ ___ ___ ___ ___ ___ ___ ___ Relatório de Proposta de Plano de Ação foi revisado e atualizado.
___ ___ ___ ___ ___ ___ ___ ___ O portfólio do cliente foi verificado e revisado.
___ ___ ___ ___ ___ ___ ___ ___ O desempenho do cliente foi verificado e revisado.

2.) Duas consultas telefônicas trimestrais

___   ___   Consulta telefônica trimestral feita ao cliente.
___   ___   Relatório de Proposta de Plano de Ação foi revisado e atualizado.
___   ___   Panorama do mercado discutido com o cliente.
___   ___   O portfólio do cliente foi verificado e revisado.
___   ___   O desempenho do cliente foi verificado e revisado.

3.) Duas reuniões com o cliente

___   ___   Completar e atualizar embasamento financeiro e IFF.
___   ___   Reconfirmar metas financeiras e tolerância ao risco.
___   ___   Revisar o desempenho *versus* metas do cliente.
___   ___   Revisar o portfólio do cliente para ajustes necessários.
___   ___   Apresentar ao cliente serviços que ele não tem.
___   ___   Smart Market (PEÇA CONSELHOS).
___   ___   Completar o questionário de serviços e agendar próxima reunião.

Fonte: Documentos da empresa.

(*continua*)

QUADRO 8 Parte do conteúdo de uma pasta (*continuação*)

PLANO DE AÇÃO PARA O CLIENTE

Nome do cliente: _____

Desempenho necessário: _____ Tolerância ao risco: _____ Horizonte de tempo: _____
Desempenho desejado: _____ Escore do perfil: _____ Tipo de alocação: _____

BOSAR

Ativos de investimento:

	Discutido	Quem	Feito
Controle de fluxo de caixa:			
Conta de gestão monetária			
Cartão Visa com assinatura			
Merrill Lynch On-line			
Merrill Lynch Unlimited Advantage			
Ações/participações acionárias:	Discutido	Quem	Feito
Consultas			
Strategy Power			
MFA			
Anuidades			
Títulos/Renda fixa:	Discutido	Quem	Feito
Títulos municipais			
Títulos tributáveis			
Certificados de depósitos			
Alocação de ativos:	Discutido	Quem	Feito
Alocação de ativos revisada			
Portfólio reequilibrado			

Aposentadoria:

	Discutido	Quem	Feito
Conta de aposentadoria:			
Contribuição do cliente 1 para a conta			
Contribuição do cliente 2 para a conta			

QUADRO 8 Parte do conteúdo de uma pasta (*continuação*)

Conta de aposentadoria 401 k:			Discutido	Quem	Feito
Cliente 1 – contribuição revista			_____	_____	_____
Cliente 1 – alocação no portfólio revista			_____	_____	_____
Cliente 2 – contribuição revista			_____	_____	_____
Cliente 2 – alocação no portfólio revista			_____	_____	_____
Transferido da transação			_____	_____	_____
<u>Valor líquido:</u>					
Gestão de passivos	**Taxa do cliente**	**Nossa taxa**	**Discutido**	**Quem**	**Feito**
Omega	_____	_____	_____	_____	_____
Financiamento	_____	_____	_____	_____	_____
Valor patrimonial líquido	_____	_____	_____	_____	_____
Empréstimos comerciais	_____	_____	_____	_____	_____
Dívida de consumidor	_____	_____	_____	_____	_____
<u>**Planejamento tributário**</u>					
Estratégias de redução de impostos	**Taxa do cliente**		**Discutido**	**Quem**	**Feito**
Informações sobre impostos do cliente	_____		_____	_____	_____
Rendimento equivalente tributável	___ = ___		_____	_____	_____
Transações tributárias fictícias ao final do ano			_____	_____	_____
<u>**Planejamento educacional**</u>					
Estratégias de planejamento educacional			**Discutido**	**Quem**	**Feito**
Contas UGMA*/UTMA**			_____	_____	_____
Fundo de conta 529***			_____	_____	_____

* N. de T.: Lei Geral de Doações a Menores.
** N. de T.: Lei Geral de Transferências a Menores.
*** N. de T.: Dispositivo de vantagens tributárias para conta poupança destinada à educação superior de um dependente do titular.

(*continua*)

QUADRO 8 Parte do conteúdo de uma pasta (*continuação*)

	Discutido	Quem	Feito
Proteção:			
Seguro de vida contratado			
Cliente 1 segurado vs. necessidades	_____	_____	_____
Cliente 2 segurado vs. necessidades	_____	_____	_____
Proteção de renda e ativos			
Proteção de receita			
Cliente 1 – seguro por deficiência física em vigor	_____	_____	_____
Cliente 2 – seguro por deficiência física em vigor	_____	_____	_____
Proteção de ativos:			
Seguro-saúde de longo prazo	_____	_____	_____
Seguro contra passivos pessoais excedentes em vigor	_____	_____	_____
Revisão do seguro patrimonial	_____	_____	_____
Planejamento de bens imóveis:			
Questões de planejamento de bens imóveis			
Testamentos atualizados e revistos	_____	_____	_____
Fundo inter vivos em vigor	_____	_____	_____
Ativos e contas renomeados para fundos	_____	_____	_____
Revisão de beneficiários	_____	_____	_____
Transferência em caso de morte completada	_____	_____	_____
Disponibilização mútua:			
Indicação de responsável de menores	_____	_____	_____
Procuração válida por longo prazo	_____	_____	_____
Empresa de seguro-saúde	_____	_____	_____
Contrato de compra e venda de negócios em vigor	_____	_____	_____
Substituição de riqueza:			
Fundo de substituição de riqueza	_____	_____	_____
Seguro de substituição de riqueza	_____	_____	_____

Estudo de caso 2   Merrill Lynch: Supernova   **533**

QUADRO 8 Parte do conteúdo de uma pasta (*continuação*)

SEJA HUMANO!

I.) **Carreira do cliente 1:**

   Carreira do cliente 2:

II.) ***Hobbies* do cliente 1:**

   ***Hobbies* do cliente 2:**

III.) **Paixões do cliente 1:**

   Paixões do cliente 2:

Estudo de caso 3
A United quebra violões

John Deighton
Leora Kornfeld

Em 8/7/2009, a United Airlines ofereceu a Dave Carrol, músico profissional, a quantia de $1.200 em dinheiro e $1.200 em passagens aéreas para "compensar" os estragos a seu violão, danificado no aeroporto de O'Hare, em Chicago, na frente de todos os passageiros daquele voo durante uma conexão.

Carroll havia passado 15 meses procurando uma compensação pelo ocorrido, mas o esforço aparentemente havia chegado a um impasse, quando o representante do serviço ao cliente da United Airlines disse a ele que a companhia havia chegado à conclusão de que os danos eram de responsabilidade de Carroll e que considerava o assunto encerrado. Ele reagiu, dizendo que, nesse caso, ele comporia três canções sobre sua experiência com a companhia e as postaria no *site* de compartilhamento de vídeos, YouTube. A primeira canção foi postada em 6/7/2009. Ao mesmo tempo, ele escreveu um *blog* detalhando o sofrimento causado pelos danos a seu violão e postou o *link* no vídeo o YouTube e em sua conta no Twitter. No espaço de uma semana, o vídeo havia tido 3 milhões de acessos, e a United Airlines voltou a conversar com Carroll para oferecer uma compensação.

As mídias *on-line* e *off-line* ajudaram a divulgar a história. Em 22/7/2009, o jornal *The Times* de Londres publicou uma matéria na qual dizia que "as nuvens de tempestade das relações públicas deficientes fizeram o valor das ações da United Airlines sofrer uma pane em pleno voo, caindo 10% e custando aos acionistas $180 milhões".[1] A rede de televisão CNN disse, "Qualquer pessoa que já teve problemas com uma companhia aérea precisa assistir a este vídeo".[2] A primeira canção, chamada "United Breaks Guitars", passou a ser vista como o hino das reclamações contra as companhias aéreas, e Carroll foi chamado de "Diretor de Marketing por Acidente da United Airlines". A melodia contagiante que compôs ficou na lembrança das pessoas.

Carroll observou, "Dizem que no passado (talvez há uma década), as pessoas que passavam por uma experiência positiva compartilhariam o ocorrido com outras três pessoas. Se a experiência fosse ruim, esse número subia para 14... Hoje, atingi mais de 6 milhões de pessoas no YouTube com minha história e, segundo algumas estimativas, cerca de 100 milhões de pessoas a conhecem, se considerarmos todas as referências a ela na mídia".[3]

Em outubro de 2009, o vídeo parecia ter saído da lembrança das pessoas. Os acessos haviam caído para 5 mil ao dia em todo o mundo, e o tráfego dos *sites* de Dave Carroll e sua banda, a Sons of Maxwell, diminuiu de 150 mil visitantes mensais em julho de 2009 para 2 mil em outubro do mesmo ano. Mesmo assim, tudo indicava que a canção de Carroll tinha uma influência mais persistente nas percepções sobre a marca da United Airlines. O blogueiro britânico Peter Cochrane relembrou incidente ocorrido em outubro de 2009 em um ônibus de transporte de passageiros, no trajeto entre seu hotel e o aeroporto JFK em Nova York. "Quase dormindo", escreveu Cochrane, "escutei o motorista anunciando as companhias aéreas e os respectivos terminais. Alguém disse o nome da United e as pessoas imediatamente passaram a cantar o estribilho da canção United Breaks Guitars".[4]

O professor John Deighton e a pesquisadora associada Leora Kornfeld preparam para este caso, que serve apenas para discussão em aula. Os estudos de caso não têm a intenção de servir como endossamento, fonte de dados originais nem exemplos de gestão eficaz ou ineficaz.

Direitos autorais © 2010, 2011. Diretor e professores da Universidade de Harvard. A fim de solicitar cópias ou permissão para reproduzir materiais, telefone para 1-800-545-7685, escreva para a Editora da Faculdade de Administração da Universidade de Harvard, Boston, MA 02163 ou visite http://www.hbsp.harvard.edu. Nenhuma parte deste estudo pode ser reproduzida, armazenada em um sistema, utilizada em planilhas nem transmitida de qualquer forma ou por qualquer meio – eletrônico, mecânico, fotocópia, gravação ou outro – sem a permissão da Faculdade de Administração da Universidade de Harvard.

Mas, qual é o exato significado desse incidente para uma marca como a United Airlines? A escala desse incidente poderia ter sido prevista ou modificada? Como, quando e como a marca deveria ter reagido? Pensando no futuro, que tipo de planejamento de contingência poderia ser adotado nesses casos? Esse tipo de acontecimento era responsabilidade da gestão da marca, do serviço ao cliente, ou das relações públicas e de mídia? Havia mais alguém a responsabilizar na organização?

A UNITED AIRLINES

Com perto de 50 mil funcionários e mais de 3.300 voos diários, a United Airlines era uma das maiores companhias aéreas internacionais baseadas nos Estados Unidos.[5] Desde a desregulamentação do setor aéreo, em 1978, as companhias aéreas não tinham restrições quanto a tarifas e faziam suas próprias tabelas de voos. A princípio, a desregulamentação trouxe lucros, mas a rentabilidade logo deu lugar a um ciclo de prejuízos.

Como todas as principais companhias do setor, a United Airlines lutava contra os cortes expressivos nas tarifas aplicados pela concorrência e contra os preços dos combustíveis. Em dezembro de 2002, a United entrou com pedido de falência. Os prejuízos amargados no ano totalizavam $3,21 bilhões. Em 2003, ela foi mais longe e efetuou cortes operacionais que incluíam uma redução de 20% no quadro de pessoal, a renegociação de salários e a terceirização dos serviços de manutenção. Com isso, os prejuízos anuais caíram para $2,81 bilhões.[6] As demissões e os cortes prosseguiram, com consequências nos serviços de bordo. Em 2006, a United demitiu 11% de seus funcionários,[7] e em 2008 a companhia anunciou que deixaria de oferecer lanches gratuitos aos passageiros da classe econômica em voos domésticos nos Estados Unidos.[8] Logo após, foram divulgados os Índices de Satisfação do Cliente de Companhias Aéreas dos Estados Unidos para o período 1996-2009. As notas da United foram as mais baixas, contabilizando a maior queda vista nos 13 anos em que a pesquisa era conduzida (ver o Quadro 1; o preço das ações da companhia é mostrado no Quadro 2).

O INCIDENTE

Por mais de 20 anos, Dave Carroll levara uma vida simples, como músico, tocando em sua banda de *pop folk*, a Sons of Maxwell. A vida de Carroll como músico profissional o fazia viajar de ponta a ponta pelo Canadá e por muitas cidades nos Estados Unidos, além de alguns destinos internacionais, quando a banda participava de festivais de música. Em 31/3/2008, Carroll e os integrantes da banda viajavam de Halifax, sua cidade natal no Canadá, para Omaha, no Nebraska, para uma semana de shows. Durante uma conexão em Chicago, alguns passageiros perceberam que as bagagens estavam sendo manipuladas com pouco cuidado. Os integrantes da banda assistiram, sem poder fazer coisa alguma, aos maus tratos dispensados pela equipe da United ao violão de Carroll, avaliado em $3.500. Ele expressou sua preocupação com um comissário de bordo, que respondeu, "Isso não é comigo. Fale com o supervisor, ali fora".[9] Carroll procurou o encarregado e foi informado pelo funcionário do portão de que ele deveria levar a questão até a equipe em solo em Omaha. Mas o voo estava atrasado e Carroll não viu funcionário algum da equipe em solo ao chegar em Omaha, após a meia-noite.

Ao retornar ao aeroporto de Omaha, ele falou com um representante da United, que o aconselhou a preencher um formulário de reclamação no aeroporto de origem, em Halifax. Ao retornar a Halifax, Carroll recebeu um número de telefone, ao qual ele fez algumas chamadas. Uma delas foi redirecionada a um *call center* na Índia. Muitos telefonemas mais tarde, a conversa foi transferida para o escritório de bagagens da United em Chicago, onde lhe foi dito que ele teria de trazer o violão até Chicago para uma inspeção. Quando ele explicou que ele estava a mais de 2.000 km daquela cidade, o funcionário disse que ele teria então de entrar em contato com a central de bagagens da companhia, em Nova York, de onde a conversa foi mais uma vez transferida para a Índia.

QUADRO 1 O índice de satisfação do cliente de companhias aéreas dos Estados Unidos para o período 1996-2009

	Valor base	96	97	98	99	00	01	02	03	04	05	06	07	08	09	Variação percentual em relação ao ano anterior	Variação percentual em relação ao primeiro ano
Southwest Airlines	78	76	76	74	72	70	70	74	75	73	74	74	76	79	81	2,5	3,8
Todas as outras	NM[a]	74	70	62	67	63	64	72	74	73	74	74	75	75	77	2,7	4,1
Continental Airlines	67	66	64	66	64	62	67	68	68	67	70	67	69	62	68	9,7	1,5
Companhia aérea média	72	69	67	65	63	63	61	66	67	66	66	65	63	62	64	3,2	−11,1
Delta Air Lines	77	67	69	65	68	66	61	66	67	67	65	64	59	60	64	6,7	−16,9
American Airlines	70	71	62	67	64	63	62	63	67	66	64	62	60	62	60	−3,2	−14,3
US Airways	72	66	68	65	61	62	60	63	64	62	57	62	61	54	59	9,3	−18,1
Northwest Airlines	69	67	64	63	53	62	56	65	64	64	64	61	61	57	57	0	−17,4
United Airlines	71	70	68	65	62	62	59	64	63	64	61	63	56	56	56	0	−21,1

Fonte: American Customer Satisfaction Index, http://www.theasci.org/index.php?option=com_content&task=view&id=147&Idemid=155&i=Airlines, acessado em novembro de 2009.
[a]Não mensurado.

Para a felicidade de Carroll, o gerente do serviço ao cliente na Índia prometeu entrar em contato com uma representante da United em Chicago, que analisou o caso e enviou um *e-mail* para Carroll. Passados sete meses desde o começo do processo, Carroll pressentia que finalmente o assunto estava sendo resolvido. Porém, quando o *e-mail* chegou, a representante disse lamentar o ocorrido com o instrumento e informou que o procedimento padrão da companhia previa que reclamações fossem registradas dentro de 24 horas a contar do incidente que causou danos a um passageiro (o que, segundo ela, era uma precaução contra reclamações fraudulentas). Ela informou a Carroll que seu pedido fora negado. Ele pediu para falar com um supervisor, mas o pedido foi negado. Sua solicitação final foi a quantia de $1.200 em passagens da United, o que correspondia ao valor pago pelo conserto do violão. A resposta foi não; a United considerava o caso encerrado e não discutiria o assunto outra vez. "Naquela hora", escreveu Carroll em seu *blog*, "percebi que estivera lutando uma batalha já perdida... O sistema é projetado para frustar os clientes afetados, para fazê-los desistirem de suas reclamações. A United era boa nisso". Em sua última comunicação com a representante da companhia, Carroll disse a ela que comporia três canções e faria um vídeo sobre a United Airlines, que seria compartilhado no YouTube. A meta, disse ele, era atingir 1 milhão de acessos em um ano.[10]

Carroll escreveu a primeira canção e, com seus amigos da Curve Productions, de Halifax, produziu um vídeo mordaz para ela. O orçamento do vídeo foi de apenas $150. As pessoas contribuíram com tempo, apetrechos e locações para as filmagens.[11] A locação usada para simular o aeroporto de O'Hare foi a estação do corpo de bombeiros de Waverly, Nova Escócia, onde Carroll trabalhava como bombeiro voluntário. Em 6/6/2009, o vídeo foi postado no YouTube.

O VÍDEO DECOLA

Ryan Moore, amigo de Carroll, postou o vídeo no YouTube às 10h00 da noite da segunda-feira, 6 de julho. Por toda a noite e o dia seguinte, uma pequena turma de amigos recorreu ao Twitter para apresentá-

QUADRO 2 O valor das ações da United Airlines, 2009

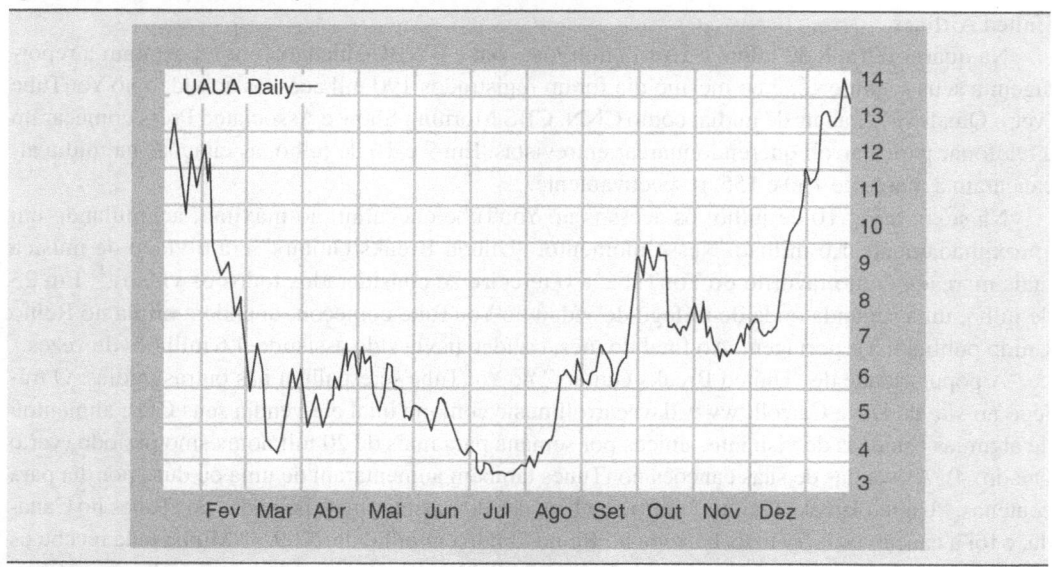

Gráfico: UAUA Daily, Fev-Dez 2009, eixo vertical de 3 a 14.

Fonte: *Wall Street Journal* Market Data Center, http://online.wsj.com/mdc/public/page/marketsdata.html, acessado em janeiro de 2010.

Valor das ações da United Airlines em comparação com o Índice da Standard & Poor's, fevereiro a dezembro de 2009

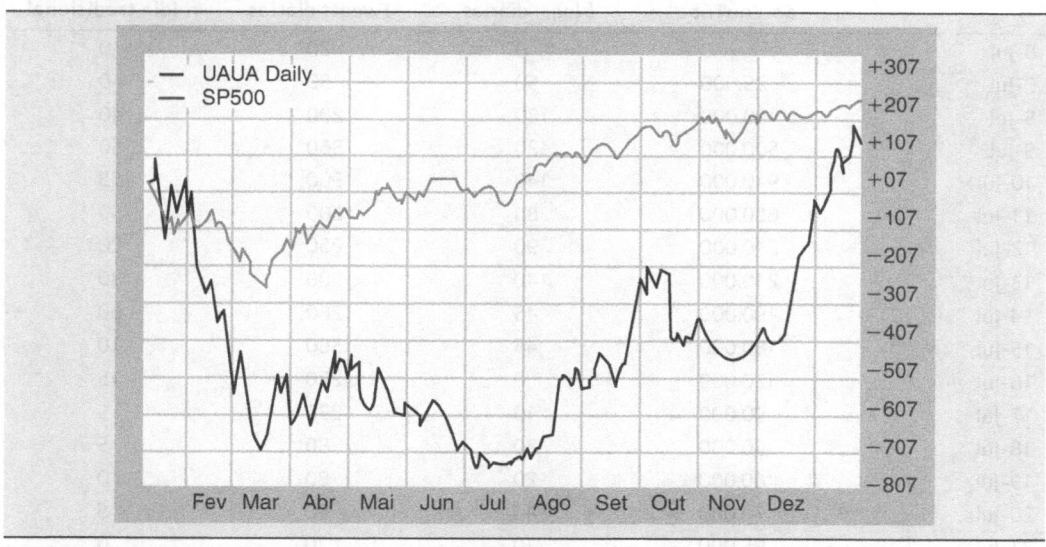

Gráfico comparativo: UAUA Daily e SP500, Fev-Dez 2009, eixo vertical de -80% a +30%.

Fonte: *Wall Street Journal* Market Data Center, http://online.wsj.com/mdc/public/page/marketsdata.html, acessado em janeiro de 2010.

-lo a seus seguidores. Eles também "tuitaram" o vídeo para as pessoas que já haviam postado algum comentário sobre suas experiências com a United Airlines e para personalidades da mídia, como Jay Leno, Jimmy Fallon e Perez Hilton. Eles postaram a história no Digg e em outros *sites* de notícias que aceitavam postagens dos leitores e permitiam que estes fizessem avaliações dessas histórias.

À 1h49 da noite de terça-feira, 7 de julho, o vídeo foi detectado pelo Comsumerist.com, *site* afiliado à Associação de Consumidores dos Estados Unidos, a principal organização sem fins lucrativos do tipo no país, que publica a revista *Consumer Reports*. Naquela noite, às 7h02, a história foi citada pela primeira vez na mídia, na seção de viagens do *site* do *Los Angeles Times*. O repórter havia assistido ao vídeo quando este foi enviado por *e-mail* a um colega, por um amigo. A reportagem relatava que o vídeo tivera 24 mil acessos e 461 comentários, a maioria dos quais criticando a United Airlines.

Na quarta-feira, 8 de julho, o HuffingtonPost.com e o NBCChicago.com repostaram a reportagem a seus seguidores, e no mesmo dia foram registrados 190 mil acessos ao vídeo no YouTube (ver o Quadro 3). Canais de mídia, como CNN, CBS Morning Show e Associated Press começaram a telefonar para Carroll querendo marcar entrevistas. Em 9 e 10 de julho, as citações na mídia alcançaram a marca de 150 e 155, respectivamente.

Na sexta-feira, 10 de julho, os acessos no YouTube chegaram ao máximo, acumulando em aproximadamente 1,6 milhão. Nesse momento, "United Breaks Guitars" era o vídeo de música mais marcado como favorito do YouTube, e o terceiro se considerados todos os vídeos.[12] Em 23 de julho, uma segunda onda de tráfego do vídeo no YouTube começou, quando a mídia no Reino Unido publicou a reportagem. Ao final do mês, o vídeo havia sido assistido 4,6 milhões de vezes.

A popularidade de "United Breaks Guitars" no YouTube se espalhou nas outras mídias. O tráfego no *site* de Dave Carroll, www.davecarrollmusic.com, no qual ele vendia seus CDs, aumentou de algumas centenas de visitantes únicos por semana para mais de 20 mil no mesmo período (ver o Quadro 4). As vendas de suas canções no iTunes também aumentaram de uma ou duas por dia para centenas. "United Breaks Guitars" entrou na lista das 20 músicas mais baixadas no iTunes no Canadá, e foi a canção *country* mais baixada no Reino Unido em julho de 2009.[13] "Minha mãe recebe os pedidos de nossas canções pelo correio", disse Carroll. "No sábado, quando fui visitá-la, seu sofá es-

QUADRO 3 A atividade na mídia

	Acessos diários ao YouTube	Citações em *blogs*, diárias	*Tweets* diários	Citações na mídia tradicional
6-Jul	0	0	20	0
7-Jul	25.000	50	50	0
8-Jul	190.000	180	200	40
9-Jul	500.000	420	860	150
10-Jul	910.000	140	900	155
11-Jul	650.000	80	500	50
12-Jul	240.000	90	250	20
13-Jul	210.000	140	300	30
14-Jul	190.000	45	280	60
15-Jul	180.000	45	560	10
16-Jul	120.000	0	220	15
17-Jul	90.000	10	230	5
18-Jul	80.000	20	80	5
19-Jul	60.000	20	80	0
20-Jul	70.000	40	60	5
21-Jul	95.000	10	20	0
22-Jul	50.000	0	30	40
23-Jul	180.000	30	350	40
24-Jul	190.000	60	200	30
25-Jul	120.000	40	150	5
26-Jul	100.000	45	140	5
27-Jul	80.000	50	160	0
28-Jul	90.000	45	140	0
29-Jul	70.000	60	100	0
30-Jul	70.000	80	110	5
31-Jul	50.000	50	80	0

Fonte: Compilado pelos autores do estudo de caso.

QUADRO 3 A atividade na mídia (*continuação*)

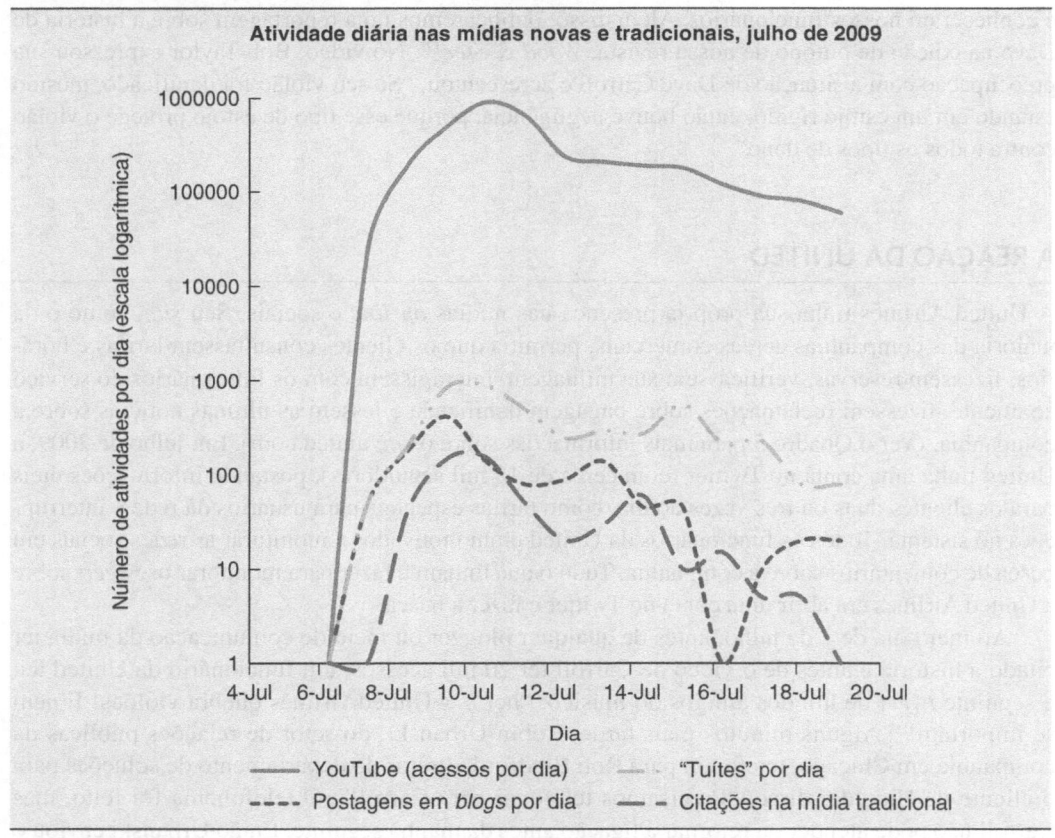

Atividade diária nas mídias novas e tradicionais, julho de 2009

[Gráfico com eixo Y em escala logarítmica (Número de atividades por dia) de 1 a 1000000, e eixo X (Dia) de 4-Jul a 20-Jul. Séries: YouTube (acessos por dia), "Tuítes" por dia, Postagens em *blogs* por dia, Citações na mídia tradicional.]

Fonte: Adaptado do *site* Media Miser, http://www.mediamiser.com/resources/archive/090821_united.html, acessado em outrubro de 2009.

---

tava cheio de nossos CDs, prontos para serem despachados. Era a terceira vez que o sofá dela ficava assim. Deveríamos ter chamado alguém para ajudá-la, ou ao menos ter comprado um sofá maior".[14]

Em 10 de julho, Bob Taulos da Taylor Guitars, fabricante de violões de alto padrão baseado na Califórnia, postou um vídeo com dois minutos de duração no YouTube para expressar seu apoio a Carroll e oferecer conselhos sobre como transportar violões em aviões. Os violões fabricados por Taylor eram usados por alguns dos principais nomes da indústria da música, como Prince, Taylor Swift e Aerosmith. Na seção que descrevia seu vídeo no YouTube, Bob Taylor escreveu, "A Taylor tem uma relação artística com Dave há alguns anos. Em 2006, nossa revista, a *Wood & Steel*, resenhou o CD de Dave, "Sunday Morning". Como temos um relacionamento artístico, fizemos a oferta de substituir o violão ou consertar os problemas no violão danificado... oferecemos a Dave, artista que usa nossos produtos, o nosso suporte, a escolha de um violão novo e o conserto do

---

QUADRO 4 O tráfego no *site* www.davecarrolmusic.com, entre maio e agosto de 2009

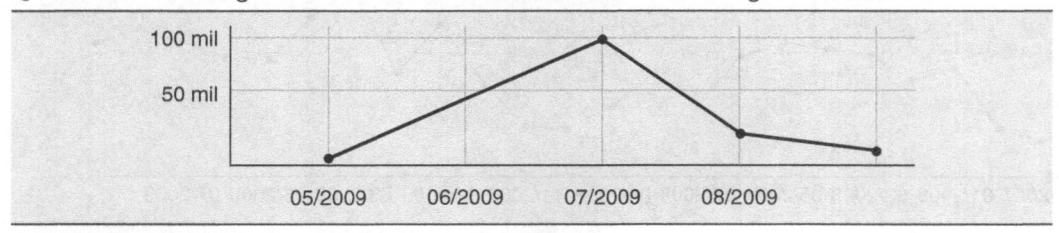

[Gráfico de linha mostrando tráfego com pico em 07/2009 próximo a 100 mil, valores baixos em 05/2009, 08/2009 e meses seguintes.]

Fonte: http://www.compete.com, acessado em novembro de 2009.

violão danificado. Dave e Julian, seu colega de banda, viajaram até a fábrica da Taylor em julho e conheceram nossos funcionários. Além disso, publicaremos uma reportagem sobre a história de Dave na edição de outono de nossa revista, *Wood & Steel*". No vídeo, Bob Taylor expressou sua preocupação com a situação de Dave Carroll e acrescentou, "Se seu violão foi danificado, mesmo estando em um estojo rígido, então houve negligência, porque esse tipo de estojo protege o violão contra todos os tipos de dano".[15]

A REAÇÃO DA UNITED

A United Airlines tinha sua própria presença nas mídias *on-line* e sociais. Seu *site*, como o da maioria das companhias aéreas comerciais, permitia que os clientes consultassem tarifas e horários, fizessem reservas, verificassem sua milhagem, interagissem com os funcionários do serviço ao cliente, fizessem reclamações sobre bagagem danificada e lessem as últimas notícias sobre a companhia. (Ver o Quadro 5 para mais informações sobre o *site* united.com). Em julho de 2009, a United tinha uma conta no Twitter (com cerca de 18 mil seguidores), postando informações úteis para os clientes duas ou três vezes ao dia, como tarifas especiais para usuários da rede e interrupções no sistema. Todos os funcionários da United eram motivados a monitorar as redes sociais em busca de comentários sobre a companhia. Tudo o que tinham a fazer para monitorar os *tweets* sobre a United Airlines era abrir uma conta no Twitter e fazer a busca.

Ao meio-dia de 7 de julho, antes de qualquer blogger ou meio de comunicação da mídia ter citado a história e antes de o vídeo de Carroll ter 20 mil acessos, um funcionário da United leu o seguinte *tweet* de um dos amigos do músico: "hei... @UnitedAirlines quebra violões! E nem se importam!". Alguns minutos mais tarde, Robin Urbanski, do setor de relações públicas da companhia em Chicago, telefonou para Rob Bradford, diretor do departamento de soluções para o cliente da United e disse, "Precisamos telefonar para Carroll". O telefonema foi feito, mas Carroll não pôde atender ou retornar a ligação antes da manhã seguinte. Então Urbanski enviou o primeiro tweet da companhia: "Percebemos o que aconteceu e entramos em contato com ele para solucionar o problema".

A United Airlines acompanhou as postagens no Twitter durante todo aquele dia e depois, acrescentando alguma postagem e "re-tuitando" a frase "Percebemos o que aconteceu" muitas vezes, à medida que outros usuários da rede se uniam à discussão. A United teve de postar que tentara contato com Dave diversas vezes:

- Às 1h02 da tarde, de um usuário: "Vejam @unitedairlines. Eles pediram desculpas e aceitaram a responsabilidade. Legal".
- Às 2h28 da tarde, de um seguidor de Carroll: "Dizem que @UnitedAirlines não está tentando solucionar a coisa, eles estão só "tuitando", isso sim".
- Às 2h31 da tarde, da United: "O que dizem está errado. Telefonamos para ele e a pessoa que atendeu agendou um telefonema para amanhã de manhã".

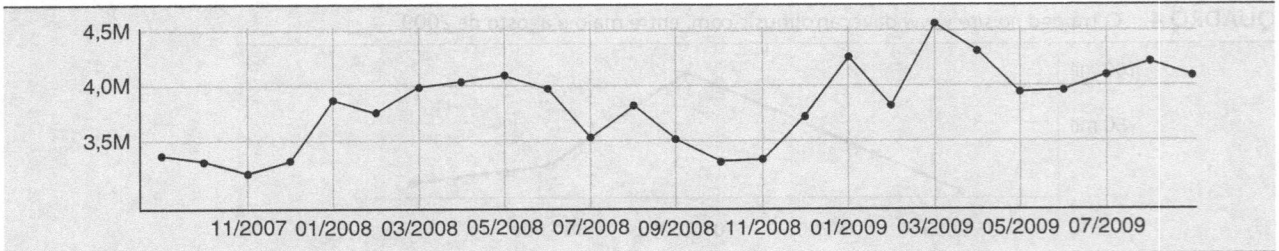

QUADRO 5 O tráfego no site da United Airlines, 2007-2009

Fonte: http://www.compete.com, acessando em novembro de 2009.

Rob Bradford conseguiu falar com Carroll em 8 de julho para pedir desculpas pelo ocorrido e perguntar se a companhia poderia utilizar o vídeo internamente para ajudar a mudar sua cultura.[16] Bradford ofereceu $1.200 em dinheiro a Carroll, a quantia paga pelo conserto, mais $1.200 em passagens. Carroll recusou a oferta e sugeriu que a United desse o dinheiro a outro cliente, que tivesse passado por uma situação semelhante. Em vez disso, a empresa decidiu doar $3.000 a uma escola de música.

Nesse intervalo, as postagens no Twitter continuaram. A United não respondeu às provocações dos seguidores de Carroll:

- Às 1:46 da tarde, 7 de julho: "Por que vocês foram quebrar o violão dele? http://bit.ly/rI2ef Parem com isso e consertem logo!"
- Às 3h40 da tarde, 7 de julho: "Aprendam com a música United Breaks Guitars que NÃO é certo tratar um cliente dessa maneira".
- Às 9h50 da noite, 7 de julho: "Disseram com criatividade que perceberam isso, mas há planos para mudar de verdade?".
- Às 9h53 da noite, 7 de julho: "Vocês se deram conta de que Dave Carroll não é o único a ser rechaçado por sua "companhia aérea" - vocês pensam em solucionar o problema?" http://twitter.com/jononomoe.
- Às 9h55 da noite, 7 de julho: "E, já que eu estou com sorte, que vergonha levar um ano para fazer alguma coisa... RP péssima" http://twitter.com/?status=@jononomoe%20&in_reply_to_status_id=2525183920&in_reply_to=jononomoe

Contudo, em algumas ocasiões a United usou o Twitter para tentar aliviar a situação:

- Às 3h00 da tarde, 8 de julho, de Ryan Moore: "Postei um vídeo para um cliente na segunda à noite e agora é o maior sucesso no YouTube no Canadá. http//bit.ly."
- Às 3h39 da noite, 8 de julho, a United Airlines respondeu: "Adoramos o vídeo de seu cliente. Mas nem todos são honestos. É por isso que a regra diz que reclamações devem ser feitas em 24 h. Não tem justificativa. Lamentamos".
- Às 4h56 da tarde, 8 de julho, de um usuário do Twitter: "Adorei a música sobre @UnitedAirlines deem uma olhada! http:/bit.ly/8RDMI".
- Às 5h02 da tarde, 8 de julho, da United: "A música é excelente e é por isso que queremos usá-la em nossos treinamentos para que todos recebam serviços melhores de nós".

A United Airlines continuou monitorando as referências ao vídeo e reagia a elas:

- Às 6h00, 9 de julho, de um músico de Cleveland: "Engraçado como @UnitedAirlines nega uma reclamação de um cliente, até a coisa vir a público #UnitedBreaksGuitars - Vocês poderiam ter solucionado isso um ano atrás".
- Às 7h59 da noite, 9 de julho, a United Airlines respondeu: "Com certeza, e para isso (entre outras coisas), lamentamos muito e estamos resolvendo o caso. A ideia agora é usar o vídeo em nossos treinamentos".

Houve vezes em que a United fez comentários sobre o incidente que nada tinham a ver com os *tweets*:

- Às 6h44 da tarde, 10 de julho: "Gostaríamos que Dave cantasse uma canção alegre – por isso doamos 3 mil para o Instituto de Jazz Thelonius Monk para a educação musical das crianças".
- 6h46 da tarde, 10 de julho: "Mal podemos esperar para fazer música com Dave e melhorar nossos serviços para todos".

Durante a semana, o Twitter serviu como um canal de respostas para a United:

- Às 9h34 da manhã, 10 de julho, um estudante residente na Flórida escreveu: "United Breaks Guitars! Que vídeo engraçado! Espero que vocês comprem outra para ele".
- Às 10h13 da manhã, 10 de julho, a United respondeu: "Conforme a vontade de Dave, doamos 3 mil para uma instituição de caridade e escolhemos o Instituto de Jazz Thelonius Monk para a educação musical de crianças".

- Às 7h31 da noite, 13 de julho, um usuário do Twitter escreveu: "O triste em tudo isso é que ainda não estou convencido de que a @UnitedAirlines realmente entendeu que o que fizeram foi errado".
- Às 3h56 da tarde, 13 de julho, outro usuário comentou: "O problema deveria ter sido solucionado antes, ou nem ter acontecido".
- Às 11h24 da manhã, 14 de julho, a companhia aérea respondeu: "Se isso infelizmente acontecer com alguém, por favor façam uma queixa dentro de 24 h no aeroporto, on-line ou por telefone".
- Às 6h45 da tarde, 14 de julho, a United Airlines continuou: "Foi um erro e pedimos desculpas. Resolvemos o problema e, o mais importante, aprendemos com ele".

A United Airlines foi seletiva com relação às mídias que utilizou para discutir o incidente. Ela respondeu às perguntas dos jornalistas acerca do incidente, mas não o citou em seu *site* ou em seu canal no YouTube. Ela postou um comentário no canal da banda de Carroll no YouTube, mas ele foi removido. Em agosto de 2009, a United respondia a *tweets* com mensagens diretas (comunicações privadas na rede), se dispondo a dar explicações mais detalhadas via *e-mail*.

Esses *e-mails* eram escritos por Robin Urbanski, do grupo de relações públicas da United, e diziam:

Sim, esses vídeos nos alertaram.

Em comentários recentes no YouTube, o Sr. Carroll descreveu nossa funcionária do sistema de bagagens como uma "pessoa competente que atuou nos interesses da companhia", e concordamos com ele.

Ele disse o que pretendia dizer e estamos mantendo contato para solucionar o problema. Hoje somos amigos.

O segundo vídeo sugere que façamos o que já fizemos, isto é, fornecer apoio a nossos funcionários para que resolvam uma situação excepcional.

Embora a experiência do Sr. Carroll tenha sido infeliz, fato é que 99,95% das bagagens de nossos clientes são entregues na hora e sem incidentes, inclusive instrumentos musicais de muitos vencedores do prêmio Grammy.

É sabido que, no setor aéreo, o modo como nos comportamos é importante e entendemos que tratarmos uns aos outros e a nossos clientes com cortesia e respeito é parte essencial da administração de uma companhia aérea eficiente.[17]

As pessoas que entraram em contato com o departamento de relacionamento com o cliente da United Airlines receberam a seguinte resposta por escrito:

Obrigado por entrar em contato com o Relacionamento com o Cliente United Airlines. Agradecemos a oportunidade de responder a suas perguntas.

Na United, trabalhamos o tempo todo para garantir o manuseio correto de seus itens quando você voa com a gente e transportamos milhares de bagagens a cada dia, sem incidentes.

Mantivemos contato com nosso cliente para solucionar o problema e, atendendo a seu pedido, doamos a quantia equivalente a um violão novo para o Instituto de Jazz Thelonius Monk, instituição de ensino musical para crianças. O vídeo do Sr. Carroll representou uma oportunidade única para nosso aprendizado, e planejamos utilizá-lo no esforço de garantir que todos os nossos clientes recebam um serviço de qualidade.

Nosso relacionamento com você é importante. Espero que você nos dê a oportunidade de voar conosco no futuro.

Em 14 de setembro, Dave Carroll teve uma reunião com dois vice-presidentes seniores da companhia e um vice-presidente, durante uma conexão no aeroporto O'Hare, em Chicago. Eles o levaram para conhecer as instalações de bagagens e explicaram os desafios em remodelar a cultura interna em uma organização onde muitos funcionários de contato com o cliente passam a maior parte do tempo viajando. Eles reconheceram que a queixa de Carroll deveria ter sido atendida e informaram a ele que os funcionários do serviço ao cliente passaram a receber treinamento no sentido de tomar decisões caso a caso na aplicação de regras, como a notificação de dano a bagagens dentro de 24 horas.

AS CONSEQUÊNCIAS

A vida de Carroll mudou muito com o sucesso de sua canção. Com o assédio da mídia, ele e sua esposa pediram auxílio ao pai dela, o consultor de negócios internacionais, Brent Sansom: "Pai, acho que precisamos de sua ajuda". Sansom mudou-se de Moncton, New Brunswick, para Halifax, Nova Escócia, e começou a trabalhar com as centenas de *e-mails* e telefonemas diários, oriundos de todo o mundo. "Nos últimos quatro meses, não estamos conseguindo dormir mais de três, quatro horas por dia", disse Sansom. "O público está aumentando e temos muitas oportunidades de distribuir a música de Dave. Firmamos novos relacionamentos com fabricantes, como a Taylor Guitars e a Calton Cases, além de prestadoras de serviços, como a Mariner Partners e a RightNow Technologies, que ofereceram *software* sobre a experiência com o cliente. Dave é convidado para palestras e shows ao vivo, e as empresas querem que ele componha canções especiais e organize a produção de vídeos. Ele já deu mais de 200 entrevistas para diversas mídias, como *Wall Street Journal*, *Oprah Radio*, *Rolling Stone* e *Reader's Digest*. Essa história ficou marcada na mente das pessoas".

A FlyersRight.org, grande organização sem fins lucrativos de apoio a usuários do sistema aéreo, organizou o que chamou de *audiência com stakeholders* em 22 de setembro, no Rayburn House Office Building, em Washington D.C. O assunto era os direitos dos passageiros de companhias aéreas. Um dos palestrantes foi a senadora Barbara Boxer, da Califórnia, e Carroll apresentou uma versão acústica de "United Breaks Guitars". Em resposta a um grupo de emissoras canadenses que protestavam contra uma proposta de aumento nas tarifas do serviço de transmissão a cabo, Carroll compôs a canção "The Cable Song", a qual foi transmitida no final do noticiário local em todo o Canadá durante uma semana.

Em outubro, Carroll viajou ao Colorado para apresentar uma palestra no encontro de usuários da RightNow Technologies. Ele tomou um voo da United Airlines operado por uma companhia aérea regional, a SkyWest, que tinha um contrato de despacho de bagagens com a Air Canada. Um dos dois itens da bagagem de Carroll se extraviou, o que serviu de assunto para sua palestra. Ao relatar a história, o *New York Times* o chamou de "símbolo do viajante prejudicado".[18]

David Klein, colunista da *Advertising Age*, refletiu sobre o sentido do incidente "United Breaks Guitars" no âmbito do marketing e do *branding* na era das redes sociais. "Se a meta for incitar todo um espectro de reações dos clientes a uma marca, desde a raiva até o reconhecimento, a propaganda tradicional não é o caminho. Em tempos de pós-modernidade, quando qualquer interação com o cliente vira um evento de marketing, o fiel da balança está no ponto em que o cliente encontra o departamento de serviço ao cliente. Vamos ser sinceros: quem não gostou de ver Dave Carroll derrotar a United Airlines não apenas por ter danificado seu violão, como também por ter se recusado a resolver o problema e reembolsá-lo?".[19]

Literatura citada

1. Chris Ayres, "Revenge is best served cold—on YouTube," *The Times* (U.K.), July 22, 2009, via Factiva.
2. CNN, *The Situation Room,* July 8, 2009, http://transcripts.cnn.com/TRANSCRIPTS/0907/08/sitroom. 03.html, acessado em 2/11/2009.
3. Dave Carroll, "Statistical Insignificance," *AdWeek,* November 25, 2009, http://www.adweek.com/aw/content_display/community/columns/other-columns/e3ia7f0e1dcab3176840f88bf567f95ce7d, acessado em 5/12/2009.
4. Peter Cochrane's Blog: "United breaks guitars?," October 14, 2009, http://networks.silicon.com/webwatch/0,39024667,39574741,00.htm, acessado em 23/10/2009.
5. *Site* da United Airlines, http://www.united.com/pressreleases/0,7057,1,00.html, acessado em 22/10/2009.
6. CBC News, "World airline woes: Carriers hit financial turbulence," January 29, 2004, http://www.cbc.ca/news/background/aircanada/airlinewoes.html#a6, acessado em 26/10/2009.
7. "United Airlines Plans to Lay Off 11% of Its Salaried Workers," *New York Times,* June 15, 2006, http://www.nytimes.com/2006/06/15/business/15air.html, acessado em 27/10/2009.
8. George Raine, "United Airlines to drop free snacks," *San Francisco Chronicle,* August 20, 2008, http://www.sfgate.com/cgi-bin/article.cgi?f=/c/a/2008/08/20/BUC812E8DR.DTL#ixzz0VAYnTkI8, acessado em 26/10/2009.
9. Postagem no *blog* de Dave Carroll 7/7/2009, http://www.davecarrollmusic.com/story/united-breaks-guitars, acessado em 23/10/2009.
10. Ibid.
11. Linda Laban, "Dave Carroll Smashes YouTube Records with 'United Breaks Guitars,'" July 14, 2009, http://www.spinner.com/2009/07/14/dave-carroll-breaks-youtube-records-with-united-breaks-guitars/#, acessado em 26/10/2009.
12. Ibid.
13. *Site* da MktgCliks, http://mktgcliks.blogspot.com/2009/07/united-breaks-guitars-united-airlines.html, acessado em 28/10/2009.
14. Laban, 2009.
15. "Taylor Guitars Responds to United Breaks Guitars," YouTube video, http://www.youtube.com/watch?v=n12WFZq2__0, acessado em 25/10/2009.
16. Dave Carroll, em entrevista a Beverly Thomspon, "Online broken guitar video gets airline's attention," 9/7/2009, Canada AM, CTV, transcrição: via Factiva.
17. Brett Snyder, "United Aggressively Responds to 'United Breaks Guitars Part 2,'" *site* da BNET Travel, http://industry.bnet.com/travel/10003236/united-aggressively-responds-to-united-breaks-guitars-part-2/, acessado em 8/12/2009.
18. Christine Neggroni, "With video, a traveler fights back," *New York Times,* October 29, 2009, via Factiva, acessado em 4/11/2009.
19. David Klein, "Your most crucial moment comes when the customer calls," *Advertising Age,* July 27, 2009, via Factiva, acessado em 2/11/2009.

Estudo de caso 4
A Michelin Fleet Solutions: da venda de pneus à venda de quilômetros

RESUMO

Em 2000, a Michelin, líder mundial no setor de pneus, lançou uma solução abrangente para a gestão de pneus, cujo público-alvo era as grandes empresas transportadoras atuantes na Europa. O programa foi chamado Michelin Fleet Solutions (MFS). Com esse novo modelo de negócios, a empresa passou a vender quilômetros – em vez de pneus. Essa decisão representou uma migração da empresa, da forte atuação no setor de produtos, para um novo mundo: o de serviços e de soluções. A mudança era atraente e representou uma oportunidade para se diferenciar no mercado de pneus. Contudo, após três anos, os resultados mostraram que essa expansão ficou muito abaixo das expectativas iniciais e que a rentabilidade era ruim – apesar da ajuda externa de uma empresa de consultoria estratégica. Este estudo de caso discute o momento, em 2003, no qual o futuro da MFS foi decidido. A Michelin deveria persistir no desenvolvimento dessa solução e reformular a oferta, ou o programa era uma onda passageira, que deveria ser abandonada?

Este estudo de caso investiga as dificuldades que os grupos atuantes no setor industrial enfrentam ao migrarem da venda de produtos para a prestação de serviços. Ele suscita as seguintes questões: qual é a justificativa para as indústrias migrarem para a oferta de soluções? Qual é o tipo de reconfiguração necessária para o modelo de negócios? Por que a migração para a oferta de soluções impõe tantos desafios em toda a organização (por exemplo, em termos da gestão das equipes de vendas, da gestão do risco, dos relacionamentos com canais, etc.)?

ESTUDO DE CASO

Em um dia cinzento em janeiro de 2003, Jonas Pills se apressou para pegar um táxi do aeroporto Clermont-Ferrand à matriz da Michelin, no centro de Clermont, França. Durante o trajeto, ele refletiu sobre a próxima reunião com a fabricante de pneus francesa. Após cinco anos como gerente de vendas regionais, Jonas havia sido promovido no ano anterior ao cargo de gerente, na Alemanha, para desenvolver a Michelin Fleet Solutions (MFS). Hoje era o dia decisivo para o futuro da MFS. A empresa continuaria com o programa, ou abandonaria seu negócio de soluções?

A princípio a ideia parecera boa. A MFS representou a migração da Michelin da fabricação e comercialização tradicionais de pneus, para um mundo novo para a companhia: o da prestação de serviços, isto é, a oferta de soluções abrangentes de gestão do uso de pneus para empresas transportadoras. Essa mudança radical iniciou em 2000, com boas perspectivas de crescimento para a companhia. O nicho era composto por grandes transportadoras europeias, como Schenker, TNT, Geodis e Norbert Dentressangle. Contudo, três anos mais tarde, o panorama era sombrio: apesar dos expressivos investimentos, a expansão geográfica andava devagar e a MFS ainda não começara a dar lucro. A situação se deteriorou a ponto de a Michelin contratar a International Strategy

---

Este estudo de caso foi escrito por Chloé Renault, formada na HEC em 2006 e estudante de PhD na mesma instituição, com a orientação de Frédéric Dalsace, catedrático do título Danone Negócios Sociais/Empresa e Pobreza, Professor Associado na HEC Paris, e Wolfgang Ulaga, Professor de Marketing IMD, Suíça. Este estudo de caso foi escrito como base para uma discussão em sala de aula, não para ilustrar a administração eficiente ou não de uma situação. Gostaríamos de agradecer a Stéphane Mamelle na Michelin por sua ajuda e suporte. Alguns dados foram modificados para fins de confidencialidade. Impresso com permissão da autora e de www.ecch.com.

Consulting (ISC, nome fictício), renomada empresa de consultoria, alguns meses antes, para ajudar a solucionar o problema. Não restava dúvida de que medidas drásticas seriam necessárias para manter a MFS viva.

Quando entrou no prédio, Jonas encontrou Pierre Dupuis, Diretor da Michelin Fleet Solutions na Europa. Eles imediatamente começaram a conversar sobre os números mais recentes das vendas na Alemanha. O futuro da MFS dependia do sucesso da iniciativa neste mercado-chave. Eles se encontraram com Jean Baudriard, Diretor da Divisão de Ônibus e Caminhões na Europa. Um exemplo típico de quem começou carreira na Michelin, Jean entrara para a companhia logo após formar-se engenheiro, e há 30 anos trabalhava em diversas funções na Michelin, como pesquisa e desenvolvimento, produção e vendas. Após um rápido aperto de mão, ele revelou sua principal preocupação: "Os membros do conselho adicionaram a MFS na agenda de sua próxima reunião. O assunto é explosivo. Precisamos apresentar recomendações claras. A empresa deve continuar desenvolvendo o negócio de soluções? A MFS deveria ser reformulada ou abandonada? Essas são as questões na pauta de hoje!".

ENTENDENDO O AMBIENTE DE NEGÓCIOS

O setor de transportes e seus desafios

Jean Baudriard, Diretor da Divisão de Ônibus e Caminhões, abriu a reunião revelando os resultados da mais recente pesquisa de mercado sobre o setor de transportes. "O transporte rodoviário continua sendo a 'parte do leão' no mercado europeu: 44% de todas as mercadorias produzidas na Europa são transportadas em caminhões, e essa porcentagem não vai cair, porque as empresas do setor são incomparáveis na flexibilização e na concorrência de preços. O crescimento anual no setor de fretes é estimado em 3%. A prestação de serviços ponto a ponto e o *just in time* aumentam essas vantagens competitivas. Mas é preciso lembrar que as transportadoras também sofrem com uma imagem negativa, pois são consideradas as maiores fontes de emissões de CO_2. Hoje esse tópico recebe muita atenção na esfera política, e o desenvolvimento de um sistema de responsabilização baseado na pegada de carbono das transportadoras tem fortes probabilidades de se tornar uma realidade."

Pierre, Diretor da MFS, comentou, "Esse setor passa por um processo de consolidação impressionante. Nas últimas décadas, vimos o surgimento de *players* verdadeiramente europeus e, se considerarmos que 80% das empresas transportadoras baseadas na Europa operam com menos de cinco caminhões, é fácil concluir que esse é o rumo das coisas. As empresas pequenas são os alvos ideais para o crescimento externo. Basta olhar para a Geodis e a Norbert Dentressangle, por exemplo: elas embarcaram em um programa expressivo de aquisições para aumentar sua rede e estão indo com tudo para desafiar a liderança da Shenker e da DHL". Havia cerca de 1.500 dessas frotas de grande porte na Europa evoluindo e crescendo rápido em um mercado altamente competitivo.

"Não se trata apenas da consolidação. Elas também mudaram seus modelos de negócios. As grandes transportadoras hoje atuam como genuínas prestadoras de serviços de logística. Elas têm departamentos de logística que prestam uma ampla gama de serviços, desde a terceirização de transportes e gestão da cadeia de suprimentos, até soluções de compras múltiplas em um único local", acrescentou Jonas Pills. Muitos varejistas, fabricantes de bens de consumo ou empresas do setor automotivo dependiam da chamada "logística de terceiros" para seus processos não estratégicos (por exemplo, a entrega de seus produtos, a gestão de estoques, etc.), o que permitia obter retornos mais altos sobre ativos e uma maior flexibilização da sua cadeia de suprimentos.

O setor de pneus para caminhões e ônibus

O setor de pneus para caminhões e ônibus representa 27% dos pneus vendidos no mundo e é o segundo maior mercado de pneus, depois do mercado de pneus de veículos de passageiros (60%).

Todos os fabricantes de pneus têm um mix de pneus para caminhões e ônibus muito amplo, já que essa categoria de pneus precisa estar adaptada a diversas condições de estrada e uso (por exemplo, pneus para autoestradas, para cidades, *trailers*, *off-road*). A Europa, um mercado relativamente maduro, responde por 29% do mercado mundial de pneus dessa classe, com 24,5 milhões de unidades vendidas em 2002.

O mercado de pneus para caminhões e ônibus atingiu certo grau de consolidação com a Michelin, a Bridgestone e a Goodyear, as quais detêm cerca de 18% do mercado cada uma. Contudo, as empresas asiáticas, com seus custos de produção baixos, estão aumentando sua participação. Considerando que um pneu é um produto com uma expressiva carga de trabalho associada, a concorrência com a China e a Coreia representa uma ameaça real. Por exemplo, na mesma categoria, um pneu para caminhão ou ônibus da Michelin (o qual custa 400 euros a unidade) e um pneu da Bridgestone (350 euros a unidade) têm preços relativamente semelhantes, em comparação com os produtos equivalentes chineses, comercializados a valores agressivamente mais baixos (250 euros a unidade). Neste setor, o preço é um poderoso argumento de venda, porque os clientes muitas vezes veem os pneus como "coisas pretas e sujas" altamente *comoditizadas*.

Os pneus para caminhões e ônibus no Grupo Michelin

A missão da Michelin é "contribuir com a mobilidade de bens e pessoas", e o setor de pneus equivale a 99% das receitas do grupo. Com receitas globais de 15,6 bilhões de euros em 2002, o Grupo Michelin é um dos três *players* dominantes no setor de pneus, hoje consolidado (a Michelin tem 19,6% do mercado, a Bridgestone 18,6% e a Goodyear 18,2%). Ela emprega mais de 125 mil pessoas em todo o mundo, tem 70 parques industriais em 18 países e uma presença de vendas em mais de 170 nações. A Michelin tem forte foco em pesquisa e desenvolvimento, e é reconhecida no setor como líder em tecnologia, com uma linha de pneus de alto padrão na dianteira do mercado. O setor de pneus para caminhões e ônibus da empresa representou 25% das vendas totais da empresa em 2002 e 40% do resultado operacional do grupo.

Mesmo sendo considerados uma *commodity* simples, os pneus para caminhões e ônibus são produtos muito sofisticados e complexos (Quadros 1 e 2). Este mercado tem dois segmentos distintos, mas interdependentes: o mercado de "equipamentos originais" para fabricantes de caminhões, e o mercado de "substituição" para empresas transportadoras.

O setor de equipamentos originais é composto pelos pneus originais instalados em veículos novos. Na Europa, a fatia de mercado desse segmento da Michelin é de aproximadamente 65%. Os principais clientes são fabricantes de caminhões, como Mercedes, Man, Iveco e Renault. Nesse segmento, as empresas de transporte têm um papel importante no campo da indicação, pois são elas que decidem que marcas devem ser instaladas em seus caminhões. As equipes de vendas da Michelin trabalham para que esses clientes peçam que seus caminhões sejam equipados com pneus da empresa.

O setor de substituição é outro segmento de mercado da Michelin. O desgaste de um pneu é muito rápido, comparado à fadiga mecânica de um veículo. Por essa razão, substituições periódicas são necessárias, o que explica a importância desse mercado, que responde por 80% das vendas de pneus para caminhões e ônibus. Nesse mercado de substituição, o preço tem um papel crítico, e a fatia de mercado da Michelin na Europa é 21%.

O negócio de pneus para caminhões e ônibus – aos olhos dos distribuidores

A Michelin almeja o mercado de substituição de pneus quase exclusivamente por meio de distribuidores especializados. Esses distribuidores muitas vezes comercializam pneus para diferentes veículos (caminhões e carros) e de diferentes marcas. O mercado de pneus para caminhões e ônibus emprega um nível muito intenso de serviços: esses pneus exigem monitoramento constante, manutenção e reparos regulares, tarefas estas que exigem tempo e o conhecimento de profissionais expe-

548 Estudo de caso 4 A Michelin Fleet Solutions: da venda de pneus à venda de quilômetros

QUADRO 1 Os aspectos básicos do pneu

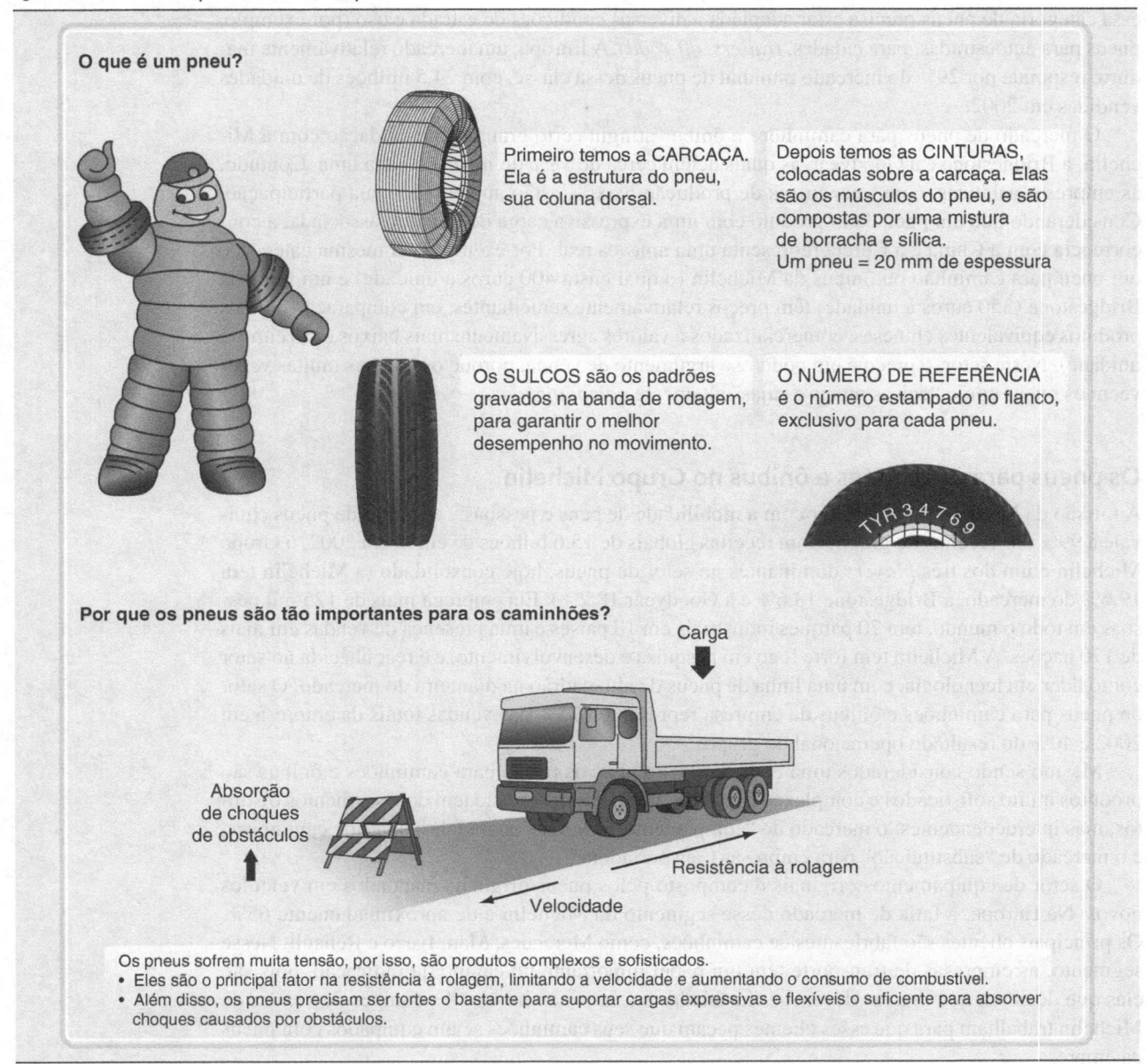

O que é um pneu?

Primeiro temos a CARCAÇA. Ela é a estrutura do pneu, sua coluna dorsal.

Depois temos as CINTURAS, colocadas sobre a carcaça. Elas são os músculos do pneu, e são compostas por uma mistura de borracha e sílica.
Um pneu = 20 mm de espessura

Os SULCOS são os padrões gravados na banda de rodagem, para garantir o melhor desempenho no movimento.

O NÚMERO DE REFERÊNCIA é o número estampado no flanco, exclusivo para cada pneu.

TYR 34769

Por que os pneus são tão importantes para os caminhões?

Carga

Absorção de choques de obstáculos

Resistência à rolagem

Velocidade

Os pneus sofrem muita tensão, por isso, são produtos complexos e sofisticados.
- Eles são o principal fator na resistência à rolagem, limitando a velocidade e aumentando o consumo de combustível.
- Além disso, os pneus precisam ser fortes o bastante para suportar cargas expressivas e flexíveis o suficiente para absorver choques causados por obstáculos.

rientes (Quadro 2). Por essa razão, os distribuidores muitas vezes têm negócios complementares no setor de serviços, nos quais são executadas algumas atividades de manutenção de pneus.

Os distribuidores são empresários locais ou regionais independentes, ou mesmo redes de distribuição de grande porte. Entre estas estão a Euromaster, a rede de distribuição própria da Michelin, criada em 1994. A Euromaster é uma entidade independente dentro do grupo, e comercializa marcas da Michelin e de concorrentes. A Euromaster tem 1.700 centros em 10 países europeus e emprega 11.800 pessoas.

Estudo de caso 4   A Michelin Fleet Solutions: da venda de pneus à venda de quilômetros   549

QUADRO 2   Os pneus para caminhões e ônibus, um produto com um nível intenso de serviços

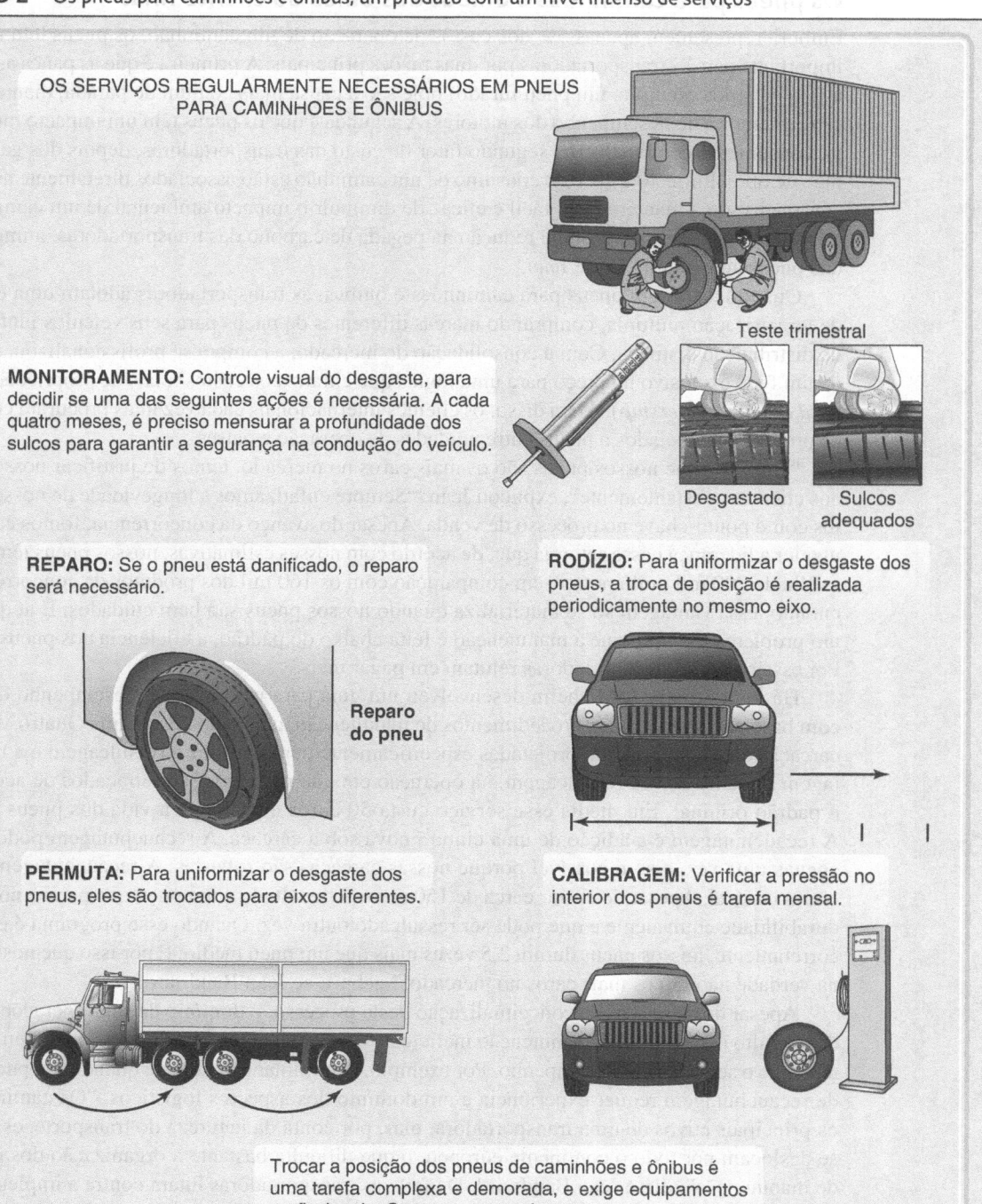

OS SERVIÇOS REGULARMENTE NECESSÁRIOS EM PNEUS PARA CAMINHOES E ÔNIBUS

Teste trimestral

Desgastado | Sulcos adequados

MONITORAMENTO: Controle visual do desgaste, para decidir se uma das seguintes ações é necessária. A cada quatro meses, é preciso mensurar a profundidade dos sulcos para garantir a segurança na condução do veículo.

REPARO: Se o pneu está danificado, o reparo será necessário.

Reparo do pneu

RODÍZIO: Para uniformizar o desgaste dos pneus, a troca de posição é realizada periodicamente no mesmo eixo.

PERMUTA: Para uniformizar o desgaste dos pneus, eles são trocados para eixos diferentes.

CALIBRAGEM: Verificar a pressão no interior dos pneus é tarefa mensal.

Trocar a posição dos pneus de caminhões e ônibus é uma tarefa complexa e demorada, e exige equipamentos profissionais. O processo tem duas etapas:
1. A retirada da roda do caminhão e reinstalação.
2. A retirada do pneu da roda e reinstalação.

Os pneus para caminhões e ônibus aos olhos do cliente final

Embora representem apenas 5% dos custos de operação de um caminhão, os pneus têm um papel importante para as transportadoras por duas razões principais. A primeira é que as panes associadas aos pneus (por exemplo, um pneu furado) hoje são a causa mais comum de parada, diante da marcante melhoria no desempenho dos motores. A segunda é que os pneus têm um impacto muito forte no consumo de combustível, o segundo fator de custo das transportadoras, depois dos gastos com mão de obra. Entre 20 e 40% do consumo de um caminhão estão associados diretamente aos pneus. "Os pneus são a maneira mais fácil e eficaz de diminuir o impacto ambiental de um caminhão. Se a legislação mudar e exigir uma redução na pegada de carbono das transportadoras, a importância dos pneus aumentará", disse Jean.

Quando adquirem pneus para caminhões e ônibus, as transportadoras adotam uma estratégia de terceirização múltipla, comprando marcas diferentes de pneus para seus veículos junto a redes de distribuição distintas. Com a consolidação do mercado, a compra se profissionalizou, passando de um foco exclusivo no preço para uma lógica que enfatiza os custos totais de propriedade (TCO, *total costs of ownership*). Além disso, os clientes internacionais cada vez mais procuram consolidar os processos associados a pneus entre unidades de operação e países.

"Uma vez que nossos pneus são os mais caros no mercado, temos de justificar nossos preços aos clientes constantemente", explicou Jean. "Sempre enfatizamos a longevidade de nossos produtos como ponto-chave no processo de venda. Apesar do avanço da concorrência, fomos capazes de manter a liderança nesse setor, já que, de acordo com nossas estimativas, nossos pneus têm duração média de 200 mil quilômetros, em comparação com os 160 mil dos produtos da concorrência. No entanto, essa vantagem só se materializa quando nossos pneus são bem cuidados. É aí que temos um problema. Sempre que a manutenção é feita abaixo do padrão, a eficiência dos pneus diminui. Por essa razão, as transportadoras relutam em pagar mais."

Há muito tempo a Michelin desenvolveu um guia para maximizar o desempenho dos pneus com base na qualidade dos procedimentos de manutenção, chamado "Programa Quatro Vidas". As carcaças da Michelin eram projetadas especificamente para permitir a ressulcagem e a recauchutagem (Quadro 3). "A ressulcagem é a operação em que os sulcos são retraçados de acordo com o padrão original. Em média esse serviço custa 50 euros e prolonga a vida dos pneus em 25%. A recauchutagem é a adição de uma cintura nova sob a carcaça. A recauchutagem pode ser feita apenas uma vez, e só é possível porque nossas carcaças são robustas. A recauchutagem tem um efeito incrível. Apesar de custar cerca de 150 euros, o resultado é um pneu que parece novo e com durabilidade equivalente e que pode ser ressulcado outra vez. Quando esse programa é executado corretamente, nossos pneus duram 2,5 vezes mais que um pneu médio. É por isso que nossos pneus na verdade não são os mais caros no mercado!" gabava-se Jean Baudriard.

Apesar dos atrativos da conceitualização deste processo, o domínio de suas operações no dia a dia é muito mais difícil. A manutenção ineficiente é o principal motivo pelo qual um pneu raramente atinge o seu auge em desempenho. Por exemplo, determinar exatamente quando um pneu precisa de recauchutagem requer experiência e um domínio dos aspectos logísticos. "Os caminhões são os principais ativos de uma transportadora, mas, por conta da natureza do transporte, esses ativos se deslocam por todo o continente europeu, o que dificulta bastante a organização dos processos de manutenção", disse Jean Baudraird. De fato, as transportadoras lutam contra a implementação, e normalmente a taxa de recauchutagem observada é muito baixa (50%, com o valor indicado de 70%). O resultado é que os clientes relutam em pagar preços mais altos.

A VENDA DE QUILÔMETROS: O PRINCÍPIO

A presença inicial da Michelin no setor de serviços

Já no começo da década de 1920, a Michelin tinha testado uma maneira alternativa para vender pneus. Na França, os engenheiros do departamento de pesquisa e desenvolvimento da empresa se

Estudo de caso 4 A Michelin Fleet Solutions: da venda de pneus à venda de quilômetros

QUADRO 3 O Programa "Quatro Vidas"

AS QUATRO VIDAS DE UM PNEU: COMO AUMENTAR O DESEMPENHO E A DURABILIDADE

Partida — 25% — 100% — 150% Chegada

1. Pneus Michelin NOVOS
2. A ressulcagem de pneus novos
3. O remix da Michelin – a recauchutagem
4. O remix da Michelin – a ressulcagem

Etapa 1 – Os pneus Michelin novos

Processo:
Compre um pneu novo com uma carcaça projetada para permitir a gestão do ciclo de vida. Monitore a espessura da borracha regularmente.

Resultados:
Um pneu que possa passar por ressulcagem e recauchutagem.

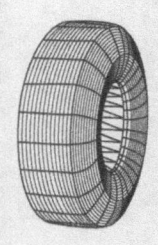

AS CARCAÇAS DA MICHELIN
Projetadas para durar a vida toda

Etapa 2 – A ressulcagem de pneus novos

Processo:
Quando a profundidade dos sulcos estiver em 3 mm, é necessário refazer o padrão de sulcagem no pneu.

Resultados:
- Aumenta a capacidade de rodagem em 25%.
- Melhor aderência.
- Economia de combustível.

3mm

Etapa 3 – A recauchutagem de pneus Michelin

Processo:
O pneu é enviado à fábrica da Michelin. Uma cintura nova é aplicada na carcaça.

Resultados:
- O pneu parece novo!
- Menor custo, comparado a um pneu novo.
- Mesmo desempenho em termos de quilometragem.

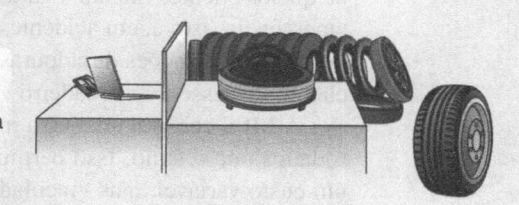

Etapa 4 – A ressulcagem de pneus Michelin reprocessados

Processo:
Quando a profundidade dos sulcos estiver em 3 mm, é necessário refazer o padrão de sulcagem no pneu.

Resultados:
- Aumenta a capacidade de rodagem em 25%.
- Melhor aderência.
- Economia de combustível.

3mm

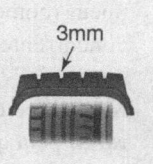

Segundo as recomendações da Michelin, os pneus precisam ser ressulcados por um profissional. A recauchutagem também exige que os pneus sejam retirados do caminhão e enviados à Michelin. O domínio desse ciclo é uma tarefa complexa.

ofereceram para assumir a gestão dos pneus de alguns clientes selecionados, como forma de realizar testes em condições reais de uso. Quase na mesma época, no Reino Unido, a empresa começou a oferecer a gestão de pneus a empresas de transporte coletivo para ajudá-las a lidar com a escassez de suprimentos naquele país. Esse acordo continuava em vigor 70 anos depois. As duas iniciativas, embora não tenham sido desenvolvidas com um foco estratégico, geraram mais de 90 milhões de euros em receitas no ano 2000.

Essas experiências iniciais nos dois países atraíram a atenção e não demorou para que fossem vistas como uma oportunidade única para o crescimento da companhia. O departamento de pesquisa e desenvolvimento da Michelin frequentemente afirmava que "Nossos pneus duram mais que qualquer outro, mas somente se a manutenção for correta. Quando assumimos a gestão de nossos pneus, conseguimos nos certificar de que nossos clientes vão testemunhar o valor diferenciado de nossos produtos." Pierre Dupuis, diretor da MFS, tinha uma visão ainda mais abrangente: "Uma vez que nossos pneus duram mais, as receitas advindas de serviços associados a eles também se prolongam. Com o tempo, talvez ganhemos mais dinheiro com esses serviços do que com nossos negócios tradicionais".

A oferta de soluções para frotas da Michelin

Considerando o grande potencial futuro, a Michelin Fleet Solutions (MFS) foi criada em 2000, como uma nova divisão sob a supervisão do Diretor de Vendas para a Europa (Quadro 4). O objetivo era promover um novo modelo de negócios no continente, deixando de lado o foco no produto, isto é, os pneus, para fornecer aos clientes um serviço: a melhoria do desempenho de rodagem.

A oferta central da MFS era a gestão completa de pneus por um período de três a cinco anos às maiores frotas europeias (inicialmente foram almejadas apenas as empresas com mais de 200 caminhões). O cliente poderia escolher contratar o serviço para parte de sua frota, dando exclusividade à Michelin na compra de pneus. Ao terceirizar a gestão de pneus, as empresas transportadoras teriam mais tranquilidade, melhorariam o controle de custos (menos panes, redução de custos com combustíveis, melhor gestão de operações e menor volume de funções administrativas), além de se beneficiarem com as constantes inovações desenvolvidas pela Michelin. Outra vantagem era o fato de que os clientes tinham a garantia da imagem e da reputação positivas da Michelin, em casos de emergência (isto é, em acidentes de trânsito). Para a Michelin, essa era uma excelente maneira de desenvolver relações duradouras com as transportadoras que estavam crescendo e de garantir que elas conhecessem o verdadeiro valor dos pneus fabricados pela companhia.

A MFS cobrava uma taxa mensal dos clientes calculada com base no número de quilômetros rodados por veículo. Isso permitiu aos clientes converter todos os custos associados a pneus em um custo variável, mas vinculado ao uso do veículo. Os valores cobrados por quilômetro rodado para cada veículo eram firmados em cláusula contratual e revisados anualmente. A rentabilidade da Michelin dependia de sua capacidade de otimizar os procedimentos associados à gestão de pneus (como o programa Quatro Vidas) e de controlar custos. "Isso é muito diferente do que nossos concorrentes oferecem, que cobram por 'tempo e material'. Para um cliente que adquire 'tempo e material', a pane de um caminhão representa um custo imprevisto, ao passo que, com a MFS, a Michelin é que assume o risco de problemas com os pneus em troca de uma taxa mensal. Essa é a razão pela qual chamamos a MFS de 'oferta de soluções'. Os clientes ganham em flexibilidade e produtividade, e assumimos os riscos", observou Pierre Dupuis, Diretor da MFS.

A mobilização do quadro de pessoal em 2000

Para expandir esse novo modelo promissor em toda a Europa, a Michelin recrutou equipes de vendas exclusivamente para a MFS a fim de integrá-las às equipes de venda de produtos tradicionais. Para facilitar a expansão geográfica, a companhia adotou uma abordagem nova às operações de serviços: em vez de administrar as frotas com os seus próprios funcionários lotados nas transpor-

QUADRO 4 O organograma da organização.

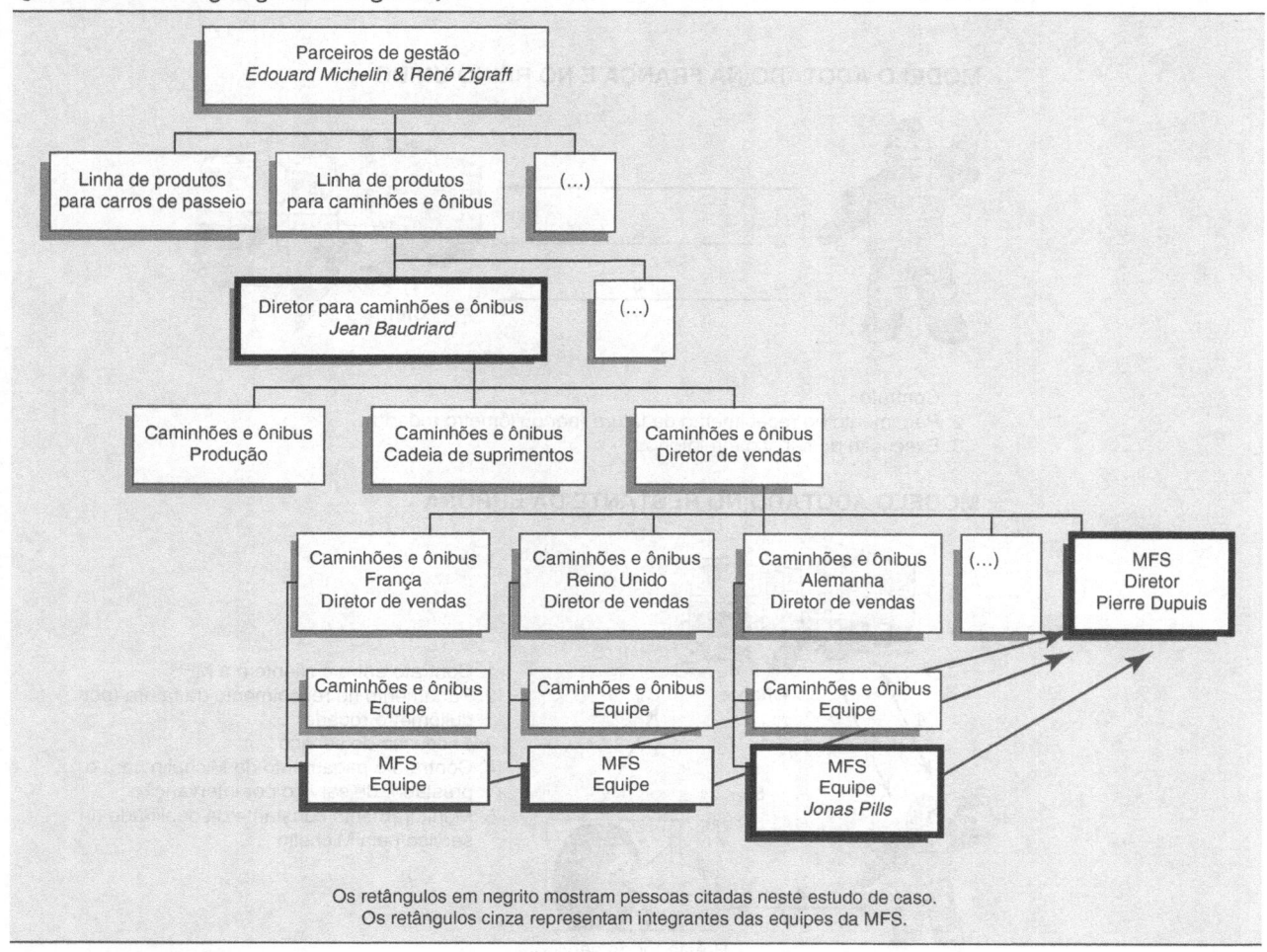

```
                    Parceiros de gestão
                 Edouard Michelin & René Zigraff
                 /              |              \
    Linha de produtos    Linha de produtos    (...)
    para carros de       para caminhões e
    passeio              ônibus
                              |
                    Diretor para caminhões e ônibus    (...)
                         Jean Baudriard
                    /         |              \
        Caminhões e ônibus  Caminhões e ônibus   Caminhões e ônibus
        Produção            Cadeia de            Diretor de vendas
                            suprimentos
                                    /              |              \
                    Caminhões e ônibus   Caminhões e ônibus   Caminhões e ônibus   (...)        MFS
                    França               Reino Unido          Alemanha                          Diretor
                    Diretor de vendas    Diretor de vendas    Diretor de vendas                 Pierre Dupuis
                         |                    |                    |
                    Caminhões e ônibus   Caminhões e ônibus   Caminhões e ônibus
                    Equipe               Equipe               Equipe
                         |                    |                    |
                    MFS                  MFS                  MFS
                    Equipe               Equipe               Equipe
                                                              Jonas Pills
```

Os retângulos em negrito mostram pessoas citadas neste estudo de caso.
Os retângulos cinza representam integrantes das equipes da MFS.

tadoras, a Michelin decidiu contratar redes de prestadoras de serviços para atender a elas (Quadro 5). Nesse período, um ambicioso projeto para um sistema de informação foi lançado a fim de dar suporte às operações de gestão das frotas.

Os resultados decepcionantes

No espaço de três anos, 50 contratos foram assinados em 10 países, gerando 70 milhões de euros em receitas anuais. Contudo, esses resultados foram decepcionantes. As equipes de vendas exclusivas para a MFS tiveram dificuldade em vender essa nova oferta de soluções. Como observou um vendedor da MFS, "Esse trabalho é novo e minha experiência com pneus não me ajuda muito. Nosso foco no produto já não está no centro da oferta... Para mim, é difícil mostrar aos clientes o valor dessa solução. Além disso, temos problemas reais com a precificação: os clientes não percebem de imediato por que devem pagar mais por soluções de gestão de pneus, em comparação com o que pagavam quando compravam pneus apenas! Eles não percebem o valor dessas atividades adicionais que realizamos, e o escopo é tão amplo que fica difícil listar todas as vantagens. A venda dessa oferta de soluções é mesmo muito complexa!".

As dificuldades foram muito além da fase de contratação. Muitas frotas que contrataram esse serviço tinham problemas crônicos com rentabilidade, e não era raro ouvir gerentes da MFS se queixarem de que "Estamos perdendo tudo. Subestimamos os custos envolvidos. Independente-

QUADRO 5 Os modelos de apresentação do serviço na Europa

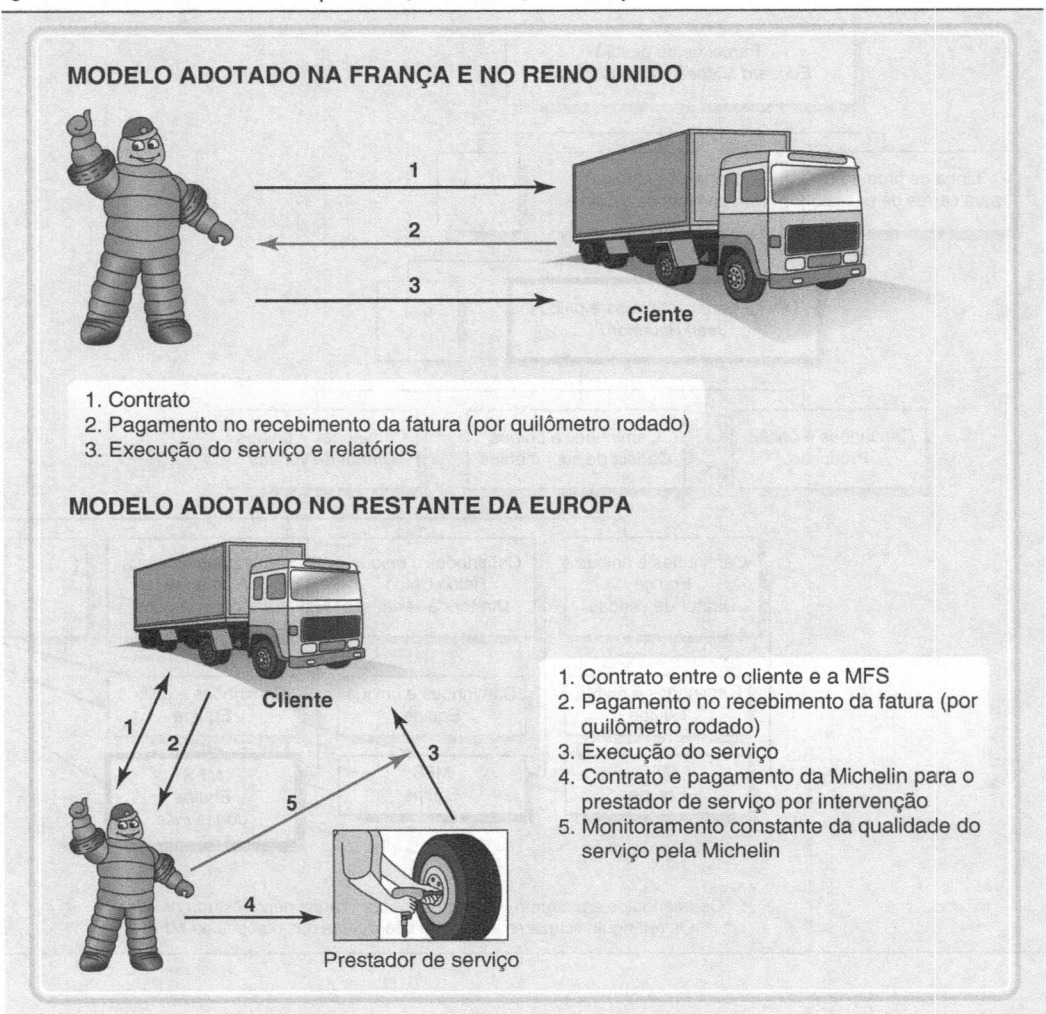

MODELO ADOTADO NA FRANÇA E NO REINO UNIDO

1. Contrato
2. Pagamento no recebimento da fatura (por quilômetro rodado)
3. Execução do serviço e relatórios

MODELO ADOTADO NO RESTANTE DA EUROPA

1. Contrato entre o cliente e a MFS
2. Pagamento no recebimento da fatura (por quilômetro rodado)
3. Execução do serviço
4. Contrato e pagamento da Michelin para o prestador de serviço por intervenção
5. Monitoramento constante da qualidade do serviço pela Michelin

mente de nossa capacidade de otimizar custos, a MFS nunca será rentável com esses preços tão baixos!". A avaliação correta dos preços cobrados na fase de elaboração do contrato foi muito complexa e as implicações no longo prazo relativas aos contratos foram subestimadas.

Outra questão importante foi o conflito com as equipes de vendas de produtos tradicionais. "A competição entre nós é feroz. As equipes de vendas de produtos não aceitam o fato de que estamos atrás de seus maiores clientes. Lembro-me de uma reunião com um futuro cliente há cerca de seis meses para promover as soluções para pneus. O cliente tivera uma reunião uma semana antes com um representante de vendas da Michelin que fez críticas abertas a nossa oferta. Mas estamos na mesma companhia. Isso é loucura."

Na Alemanha, os resultados para o ano 2002 foram decepcionantes, com apenas 5 mil veículos com contrato com a MFS, de um total de 250 mil veículos em potencial. Uma vez que esse mercado representava 21% das vendas na Europa, o sucesso era muito importante. Em contrapartida, o fracasso nesse mercado seria uma ameaça real para a existência da MFS. Jonas, gerente da MFS para a Alemanha, explicou: "Os clientes que abordamos entendem o que oferecemos, mas não percebem o valor adicional que o serviço propicia. Além disso, eles se dão conta de diferentes pontos negativos nessa oferta, como o custo elevado de contratação, a maior dependência ou os custos elevados de troca. Para dizer a verdade, não estamos sendo muito eficientes ao explicar a nossos clientes o valor que eles obtêm com uma parceria conosco!". Até então a competição era relativamente baixa: apenas algumas empresas locais pequenas estavam considerando oferecer as soluções de gestão de pneus. Porém, sabia-se que a Goodyear e a Bridgestone não demorariam a entrar no mercado com ofertas semelhantes e competitivas. Era hora de garantir uma vantagem competitiva expressiva!

Os consultores chegaram

Para solucionar essas questões, a ISC, renomada empresa de consultoria de estratégia internacional, foi contratada na primavera de 2002 para investigar as razões do desempenho ruim da MFS. A empresa de consultoria identificou quatro questões de marketing importantes no âmbito das práticas de segmentação, venda, contratação e gestão dos relacionamentos com terceiros.

A segmentação dos clientes

Para atingir as metas de rentabilidade, a ISC sugeriu que a MFS capturasse mais valor dos clientes, implementando um esquema de segmentação baseado em necessidades. A justificativa por trás dessa sugestão era de que as transportadoras tinham prioridades diferentes, em função do tipo de mercadorias que transportam, como material a granel, mercadorias com prazos de entrega curtos ou produtos químicos perigosos. Os consultores disseram que a MFS teria de projetar pacotes de serviços customizados para atender às necessidades específicas desses clientes. A ISC enfatizou que a disposição de pagar mais dependia do segmento de atuação das transportadoras.

O suporte das equipes de vendas

As equipes de vendas da Michelin tiveram muitas dificuldades para vender soluções. Devido à natureza desses contratos, a venda da MFS era um processo mais complexo, que gerava ciclos de vendas mais longos. Como explicou um gerente de vendas: "A MFS é radicalmente diferente da venda de pneus. Eu costumava interagir com compradores de pneus locais. Agora faço negócios com os diretores de compras de grandes transportadoras europeias! Esse pessoal fala outra língua e precisamos de outros argumentos".

A empresa de consultoria conduziu um grande programa de treinamento que incluiu ferramentas novas, entre as quais processos de contratação consistentes e uma nova lógica focada no cliente, distante da forte orientação para o produto que marcou a história da Michelin. "Fale sobre o cliente, não sobre o pneu!" passou a ser a palavra de ordem.

O processo de contratação

A ISC também sugeriu que a Michelin esclarecesse sua estrutura contratual. A consultoria havia encontrado mais de 72 versões do contrato de adesão à MSF, todas com conteúdos muito diferentes. Essas diferenças aumentavam a confusão e a complexidade. Ela aconselhou que a MSF otimizasse sua estrutura de contrato como um conjunto de padrões simples e abrangentes, com estimativas de taxas, as quais poderiam ser complementadas com opções adicionais. Isso facilitaria o trabalho das equipes de vendas e aumentaria a rentabilidade dos contratos assinados.

Transforme os distribuidores em prestadores de serviço próximos ao cliente

A ISC também recomendou a formação de relacionamentos fortes com os distribuidores para motivá-los a cooperar com a MFS como verdadeiros prestadores de serviços. No começo eles não ficaram nada contentes em ver a Michelin entrar em seu domínio de serviços. Eles temiam que a companhia lhes tomasse os clientes, o que causaria uma enorme redução em suas receitas. Foi apenas na segunda fase que os distribuidores começaram a perceber as possíveis vantagens da oferta da MFS. Como explicou Jonas Pills, "É uma boa oportunidade para eles. Estamos trazendo novos negócios, sem custos. Eles também reconhecem que não têm o tamanho necessário para atender a contas europeias dessas proporções. Em vez de prestar serviços em nome deles,

eles o fazem com a marca Michelin e o resultado é um aumento nas receitas!". Os prestadores de serviço, conforme esclareceu a empresa de consultoria, desempenhavam um papel essencial no modelo de divulgação da MFS na Europa, porque indicavam e prestavam os serviços aos clientes em nome da Michelin (Quadro 5).

A HORA DE DISCUTIR E DECIDIR

Alguns meses após a análise de consultoria, a situação continuava abaixo das expectativas. A expansão dos negócios não dava sinais de melhora e a rentabilidade era terrível, dando voz aos oponentes internos da MFS que abertamente criticavam a viabilidade da oferta no longo prazo. Além disso, muitos integrantes do conselho de administração começaram a fazer perguntas difíceis, demandando respostas sobre quando a MFS decolaria. Foi em meio a tudo isso que Jonas Pills, Pierre Dupuis e Jean Baudriard tiveram de repensar a situação e decidir sobre o futuro da MFS.

O progresso da equipe de vendas

Pierre Dupuis, Diretor da MFS, iniciou enfatizando o progresso significativo da equipe de vendas da Michelin: "Os programas de treinamento surtiram os primeiros resultados e nosso desempenho melhorou muito. Os contratos recentes deverão ser mais lucrativos. Nossos esforços para educar os clientes estão dando resultado. Hoje eles entendem melhor as vantagens em terceirizar a gestão de pneus".

Jean Baudriard, diretor da divisão de pneus para caminhões e ônibus para a Europa, sublinhou a relação conflitante entre as equipes de vendas dos produtos tradicionais e as equipes da MFS. "O problema persiste: os diretores de vendas reclamam com frequência. Eles temem que o desenvolvimento de frotas administradas cause uma queda nas vendas no mercado de substituição. Alguns estão muito descontentes, porque seus melhores vendedores foram transferidos para a MFS há três anos. No futuro, teremos de encontrar uma maneira de coordenar ações e objetivos com mais eficiência." O conflito de interesses era a principal causa dessas tensões: enquanto o objetivo das equipes de vendas de produtos era vender o maior número possível de pneus e aumentar receitas, as metas da MFS, devido a sua natureza, consistiam em extrair o máximo dos pneus rodando nas transportadoras, o que potencialmente prejudicaria a venda de novos pneus. Para as equipes de vendas de produtos da Michelin, que eram compensadas com base no número de pneus vendidos, a MFS era uma pedra no caminho. Embora essa impressão negativa pudesse ser atenuada com a perspectiva de que a MFS ajudaria na aquisição de novos clientes e na retenção dos clientes existentes, esse panorama pouco fez para acalmar as equipes de vendas de produto.

A excelência operacional

A opinião geralmente aceita era a de que tanto as vendas quanto o marketing eram peças-chave na alavancagem do sucesso da MFS, conforme defendia a consultoria ISC. No entanto, Pierre Dupuis tinha ressalvas quanto a uma conclusão tão precipitada. "Dos 700 funcionários da MFS, apenas 25 são gerentes de contas-chave. A questão não se resume às vendas!". Com experiência profissional no setor de serviços, ele estava convencido de que a execução do serviço estava no centro de toda e qualquer estratégia para transformar a MFS em um sucesso. "Em um negócio de soluções, assinar um contrato não basta. É como um casamento: a vida real começa depois da assinatura. Por essa razão, tenho dúvidas quanto ao foco exclusivo na fase de vendas."

"Acho que nosso sucesso depende da excelência operacional. Basta examinar nosso sucesso no passado para perceber que os funcionários lotados em campo desempenham um papel essencial. Eles são responsáveis pela geração de valor, o qual o cliente percebe de imediato. Se as empresas transportadoras terceirizarem a gestão de pneus para a Michelin, o benefício se concretizará com base nessa experiência exclusiva. É por isso que precisamos ter excelência na prestação do serviço. Nesse sentido, depender demais dos prestadores pode ser perigoso: serão eles que inspecionarão os veículos, especificarão as tarefas necessárias e as executarão. Eles têm uma grande responsabilidade nas costas! Se não conseguirem atingir as metas, nós é que teremos de arcar com as consequências. Se conseguirem, eles se tornarão nossos concorrentes."

Os distribuidores em seu novo papel de prestadores de serviço

As soluções para a gestão de pneus na França e no Reino Unido eram realizadas sobretudo pelos próprios funcionários da Michelin. "O modelo de serviço adotado na Europa é totalmente diferente: ele envolve delegar a concretização da promessa da Michelin a terceiros", concluiu Pierre Dupuis. Em todo o tempo em que a Michelin atuou ao lado de prestadores de serviço, a companhia nunca dependera tanto de prestadores terceirizados.

Segundo Jean Baudriard, "Do ponto de vista estratégico, o desenvolvimento de relacionamentos estreitos com os prestadores de serviços traria uma ampla vantagem. Uma vez que possibilitaremos novos negócios para eles, nosso poder de barganha aumentará com a construção de uma relação de parceria na base da interdependência. Os prestadores perceberão o valor do trabalho com a Michelin, não apenas das soluções de negócios".

Jonas contribuiu com alguns *insights* sobre sua experiência operacional: "Alguns clientes estão dizendo que o principal ponto fraco de nossa oferta de soluções está em nossa rede de distribuição. Isso ocorre porque às vezes os distribuidores não obedecem por completo às clausulas contratuais. É verdade que não temos condições de garantir a consistência do serviço ofertado em todo o país. Seriam necessários investimentos significativos em controle de qualidade, ferramentas de relatórios e treinamento para os prestadores. Para ser franco, subestimamos esses fatores ao acreditar que a maior parte do trabalho estava feito com a mera assinatura de um contrato. Mas isso foi apenas a ponta do *iceberg*".

"Contudo, talvez a MFS seja rentável no futuro", acrescentou Jonas Pills, e completou: "Adotamos a política de pagar um pouco mais que o valor de mercado pelo serviço prestado, para promover a manutenção dos padrões de qualidade e compensar por qualquer redução nos negócios dos prestadores por conta dos volumes menores de pneus de substituição vendidos". Pierre Dupuis reagiu, "É um bom começo, mas talvez não seja suficiente, pois essa estratégia engloba não somente a execução do serviço, mas também uma boa parte de nossa estrutura de custos".

A gestão de custos

Como Pierre explicou, "Uma vez que dependemos de prestadores para otimizar o uso de nossos pneus, isso significa que dependemos deles também para otimizar nossa estrutura de custos. Perdemos receita sempre que o 'Programa das Quatro Vidas' não é administrado adequadamente, que os pneus não são ressulcados no momento certo ou que as carcaças desgastam, por exemplo. Temos prestadores de serviço com apenas 45% de taxa de recauchutagem, em vez da meta de 70%. Precisamos alterar os indicadores-chave de desempenho: não se trata da venda de pneus, mas da taxa de recauchutagem! Se não conseguirmos controlar essas questões, estamos fadados a ter prejuízo. Além disso, se levarmos em conta que a capacidade de rodagem média em termos de espessura da borracha em um pneu novo é entre 15 e 20 mm, sempre que deixarmos de usar um único milímetro de borracha útil elevamos nossos custos entre 5 e 7%". Jonas e Jean ficaram surpresos com as implicações financeiras desses números.

Outro fenômeno financeiro inesperado contribuiu para deteriorar ainda mais as margens da MFS. Com a assinatura de um contrato, o comportamento dos motoristas exibia uma tendência de mudança: "Os condutores ficam tentados a dirigir com menos cuidado, já que sabem que os pneus são nossa responsabilidade. Isso pode fazer uma grande diferença, pois basta um pouco de desleixo para que vários milímetros de borracha fiquem na estrada".

As questões de natureza organizacional

"Se analisarmos nossa estrutura de custos, essa atividade gera muita confusão em nossa estrutura jurídica e administrativa", observou Jean. "Nosso departamento jurídico não gosta muito da ideia de assumirmos compromissos previstos em contratos plurianuais. Além disso, terei de conversar com nossa diretora administrativa. Ela está muito descontente. Nosso departamento administrativo recebe muitas faturas da MFS geradas pelos prestadores de serviço. Ela diz que uma fatura em cada três é gerada por suas equipes, mas vocês representam apenas 5% dos negócios da companhia! É inacreditável".

Sentindo o peso das críticas, Pierre tentou explicar por que tantas faturas precisavam ser processadas. "Infelizmente, não há muito a fazer com relação a essa questão. Um prestador de serviço envia uma fatura para qualquer procedimento em um veículo protegido por contrato. Imagine a quantidade de faturas que entra." Jonas sorriu, discretamente. O relacionamento entre as equipes da MFS e as equipes de suporte a serviços sempre foram complexas, devido a suas necessidades específicas. Jean sequer havia mencionado os indicadores de desempenho essenciais específicos constantemente solicitados pelas equipes da MFS. Não restava dúvida de que a expansão geográfica só acirraria esses atritos. Além disso, os especialistas do departamento jurídico da Michelin teriam de avaliar e conceber sistemas de proteção relativos aos riscos envolvidos.

O sistema de informação

"Para mim, é hora de discutir as dificuldades existentes em nosso sistema de informação", acrescentou Jean. "Temos alguma ferramenta multifuncional?" "Ainda não", respondeu Pierre. "Até agora, a MFS foi um verdadeiro fracasso. Não temos comando total dos processos e, portanto, não entendemos por completo o que um sistema de informação nos traria como vantagem. Teremos de reconfigurar tudo, o que levará tempo. Parte de nosso desafio está no fato de que já não se trata da venda de pneus. A questão hoje gira em torno da gestão de processos complexos de venda e prestação de serviços".

A MFS é leite derramado?

"Exato", respondeu Jean. "Vamos deixar uma coisa bem clara aqui. Nossa empresa não foi projetada para administrar faturas ou desenvolver projetos de sistemas de TI que nunca serão concluídos. Produzimos e vendemos pneus ótimos há décadas, com sucesso. Nossa nova linha de pneus, a 'Energy', tem níveis inigualáveis de desempenho na economia de combustível. Não entendo o que a MFS tem de promissor. Ela só nos trouxe dores de cabeça, afetando os lucros de nossa divisão. Acho que os membros do Conselho não querem mais saber do assunto." Ele se recostou na cadeira e acrescentou, "Mesmo que essas ofertas de soluções estivessem funcionando, elas não estão muito distantes de nosso negócio central? A Michelin é uma empresa que fabrica pneus. Ponto final!".

Pierre sabia que essa argumentação seria levantada durante a reunião do Conselho de Administração da Michelin. Jean não insistira em citar os detalhes do desempenho financeiro desastroso da MFS. Após investimentos expressivos, a MFS nunca fora rentável, uma única vez, nesses três anos! As pessoas passaram a questionar a razão de darem apoio a esse programa. Recentemente, ele havia ouvido um colega falando do "abismo da MFS", resultado da paixão do chefe pela oferta de serviços. Alguns integrantes de sua equipe da MFS relataram que se sentiam menosprezados pelos colegas. Para piorar, um dos integrantes do Conselho se referiu à MFS como "leite derramado". Pierre não estava tão certo disso. Ele também considerara a possibilidade de descontinuar a oferta de serviços de gestão de pneus, mas ainda acreditava que a MFS tinha potencial no futuro.

HORA DE DECIDIR

Jean, Pierre e Jonas teriam de apresentar recomendações claras durante a reunião do Conselho de Administração da Michelin no mês seguinte. Após três anos de investimentos constantes, problemas com aspectos da implementação e lições dolorosas aprendidas no passado, os resultados obtidos ainda estavam abaixo das expectativas. O que poderia ser feito?

A iniciativa estratégica da Michelin para entrar no negócio de soluções com a MFS foi uma decisão acertada? A empresa deveria prosseguir nesse caminho difícil? Ela deveria remodelar sua "oferta de soluções" e cobrar por "tempo e material", a exemplo do que faziam os concorrentes da Michelin? Ou deveria se voltar para seu modelo tradicional de produção e venda de pneus?

Se recomendassem a continuação da MFS, as dificuldades atuais seriam sanadas? Esses problemas tinham origem no marketing, como afirmava a empresa de consultoria ISC, ou havia outras questões mais amplas em jogo?

Essas eram algumas das questões que Jean, Pierre e Jonas teriam de pôr na mesa nas próximas horas, as quais seriam, sem dúvida, muito tensas e intensas.

Estudo de caso 5
A ISS Iceland

A ilha

Em 2009, a população da Islândia, uma ilha no Atlântico Norte entre a Escócia e a Groelândia, era de 313 mil habitantes. Os cidadãos islandeses são capazes de citar suas árvores genealógicas até as gerações dos primeiros aventureiros *vikings* que colonizaram a ilha no primeiro milênio da era cristã. Até a Segunda Guerra Mundial, a Islândia pertencia à Dinamarca, e boa parte de seus costumes e de sua ideologia seguia o modelo escandinavo. O mercado de trabalho era flexível e liberal, e, como é típico na Escandinávia, a mão de obra era cara. A imigração era modesta, estimada em 10 a 15 mil pessoas.

A economia da Islândia sempre dependera da indústria pesqueira, com períodos de altos e baixos. Após um período prolongado de expansão econômica durante o qual o crescimento foi veloz (a taxa de desemprego era 0,8% em boa parte do ano de 2008), a crise financeira no final de 2008 trouxe problemas para a economia do país no ano seguinte: os seis maiores bancos da Islândia foram estatizados, a moeda nacional, o Kronor (ISK), perdeu a maior parte de seu valor ante o Euro, e o desemprego começou a subir (ver o Quadro 1 para dados sobre a taxa de câmbio e o Quadro 2 para dados sobre o desemprego). Apesar desses desafios, o padrão de vida na Islândia estava entre os mais altos do mundo e a infraestrutura do país era uma das mais desenvolvidas. Outros setores ativos da economia incluíam pesca, segmentos da produção, serviços diversificados e recursos hidroelétricos e geotérmicos.

A ISS

Em 2008, a receita da ISS foi de 68 bilhões de DKK[1], o que a tornava a sétima maior empresa de serviços terceirizados no mundo. Em 2009, a ISS se definiu como uma empresa atuante no setor de "serviços para instalações", com numerosas ofertas, como serviços de limpeza (54% das receitas), refeições, segurança, serviços relativos a instalações físicas e suporte a escritórios. A ISS estava em vias de uma transição para o que chamou de "Gestão Integrada de Instalações".[2]

A ISS havia crescido por meio de uma combinação de aquisições e crescimento orgânico. O modelo de crescimento da ISS era fortemente descentralizado. Nele, as filiais da companhia em diferentes países atuavam como entidades individuais, cujos relatórios financeiros eram processados na matriz em Copenhague.

Apesar de seu tamanho, a ISS atuava em nichos específicos no mercado de serviços de limpeza. A maioria das concorrentes eram empresas de pequeno porte que aderiram ou não à legislação trabalhista local e se beneficiavam em ter alguma sede próxima a seus clientes, permitindo-lhes supervisionar seus funcionários ativamente. Em comparação, a política da ISS exigira a adesão às leis e diretrizes locais. Ao mesmo tempo que as administrações locais muitas vezes recebiam incentivos financeiros expressivos para motivá-las a atuarem de forma independente, na verdade a empresa era controlada por investidores privados detentores de ações da companhia, pelo Goldman

---

[1] 7,4 DKK = 1 euro, 5,77 DKK = 1 US$.

[2] A Gestão Integrada de Instalações permitia a um cliente terceirizar a maior parte dos aspectos da gestão de suas instalações a terceiros, como a ISS, a qual prestava os serviços na forma de pacote. Aqueles que aderiam à estratégia acreditavam que ela ajudaria a *descomoditizar* a oferta de serviços com a prestação de uma solução diferenciada, além das oportunidades presentes para os funcionários crescerem em seus cargos mediante treinamento e avanços.

Roger Holloway escreveu este estudo de caso em nome do Instituto de Gestão Internacional da Escandinávia (SIMI). Direitos autorais SIMI, 2009. Este estudo de caso foi escrito para fins de discussão em sala de aula, não para ilustrar a gestão eficiente ou não de uma situação administrativa.

QUADRO 1 As taxas de câmbio

Abril 2008	1 € = 117 Kronors
	1 US$ = 80 Kronors
Abril 2009	1 € = 168 Kronors
	1 US$ = 127 Kronors

Fonte: www.exchangerates.org.

QUADRO 2 Taxas de desemprego na Islândia

2008 (maior parte do ano)	0,8%
Outubro de 2008	1,9%
Abril de 2009	8,2% (9,4% homens, 6,6% mulheres)

Fonte: www.icenews.is.

Sachs e pela EQT, empresa de investimentos da família Wallenberg, da Suécia. O resultado foi que a ISS raramente foi líder em preços no mercado; ao contrário, ela adaptava sua proposição de valor aos clientes que desejavam qualidade e estavam dispostos a pagar mais por isso.

A ISS ICELAND

Antes

O negócio na Islândia foi adquirido pela ISS em 2000. Na época, essas operações eram quase duas vezes maiores que as da principal concorrente. Guðmundur Guðmundsson[3] trabalhava para a empresa antes da aquisição e se tornou CEO em 2000, cargo que ainda mantinha em 2009. Ele comentou:

> Antes da aquisição, éramos uma organização de comando e controle. Tínhamos descrições de cargo e regras rígidas, as quais incluíam processos para concluir tarefas. As funções dos supervisores eram inspecionar a qualidade e a produtividade. Cremos que não era justo que uma diarista tivesse 200 chefes (é preciso lembrar que todos acreditavam que eram especialistas em limpeza) e, por essa razão, insistíamos que todos os pedidos e comentários de clientes passassem pelo supervisor da ISS responsável pela conta ou pelo escritório da companhia. O resultado se resumia em atrasos e perda de informações.
>
> Também tínhamos um processo detalhado para lidar com reclamações que, porém, não estava focado na satisfação do cliente ou do funcionário. O número de queixas recebidas era uma métrica-chave e a utilizávamos para "mandar um aviso" a um supervisor. Logo, os supervisores passavam o tempo todo focados na condução de inspeções e na comunicação de problemas. Eu recebia de duas a três chamadas ao dia em média, nas quais os clientes gritavam comigo. Toda semana eu ouvia algo como, "É sua última chance". Havia muitos problemas a resolver – em muitos casos estávamos administrando reclamações. Não era um processo de aprendizado; resolvíamos a reclamação, não o problema que a causou.
>
> Nossos supervisores trabalhavam em horário fixo, geralmente entre 1h00 da tarde e 8h00 da noite. Eles tinham de estar em suas escrivaninhas em nossa matriz entre 1h00 e 3h00 da tarde para o que chamávamos de "hora do telefone". Depois eles voltavam a campo para realizar inspeções com a meta de descobrir o que estava errado e prevenir reclamações.
>
> Nosso sistema era baseado no controle e na inspeção. Ele era complexo e os resultados eram insuficientes.

---

[3] A letra ð em islandês é pronunciada como "d".

Uma nova proposição de valor

Após a aquisição, em 2000, a ISS Iceland adotou uma nova proposição de valor. Segundo Guðmundsson:

> A nova proposição de valor tem duas dimensões: a primeira é a da empresa que tradicionalmente atua no setor de terceirização de serviços, a qual permite ao cliente se concentrar em suas próprias ofertas e deixa tarefas secundárias, como a limpeza, para nós. A segunda diz respeito à resposta à pergunta "Qual é o nosso negócio?", ou melhor, "Qual é a sensação que queremos criar para nossos clientes?". Nós a expressamos com a frase, "Estamos gerando bem-estar para nosso cliente". Mas isso nos trouxe um problema. Sabíamos que muitas vezes nossos funcionários não se sentiam bem com suas tarefas. Quando você não se sente bem com seu trabalho, é difícil sentir-se bem consigo mesmo. Logo, tivemos de perguntar, "Os funcionários que não se sentem bem consigo mesmos ou com o trabalho que realizam conseguem gerar bem-estar para o cliente?". A resposta só poderia ser "não", ao menos no longo prazo.
>
> Mas havia duas outras questões semelhantes: A primeira era que as pessoas que não se sentem bem consigo mesmas são menos produtivas e preocupadas com a qualidade. A segunda era que, diante da transição da companhia, do trabalho noturno (limpeza apenas) para a gestão integrada de instalações, na qual um número crescente de funcionários trabalharia ao lado de nossos clientes durante o dia, o comportamento dos funcionários – que refletiria o modo como se sentem com seus empregos – seria muito importante. Concluímos que, entre todas essas questões, aquela que teria de ser abordada era o bem-estar do funcionário.

Aperfeiçoar o bem-estar do funcionário para aumentar a satisfação do cliente

Antes de 2000, as fontes de reclamações não eram rastreadas. Em 2000, Guðmundsson começou a acompanhar as razões por trás das queixas dos clientes e descobriu que 50% eram devidas à falta de informações entre os usuários. Por exemplo, se um cliente alterasse a frequência do serviço de limpeza contratado de cinco para três vezes por semana, mas não relatasse a mudança aos usuários finais, reclamações seriam feitas nos dois dias em que nenhum funcionário aparecesse, na terça-feira e na quinta-feira. Ao analisar as reclamações em detalhe, Guðmundsson percebeu que aproximadamente 95% do trabalho era realizado de acordo com os padrões definidos em contrato, que 95% dos funcionários da ISS trabalhavam com a ideia de dar o melhor de si, e que a comunicação não era boa. Portanto, ele passou a se dedicar a descobrir meios de melhorá-la.

Em 2000, a comunicação estava centralizada no que estava errado, especificamente os 5% do trabalho fora dos padrões. Uma vez que as reclamações estavam na base da comunicação, a gerência estava focada em aspectos negativos, o que resultava no que os executivos chamavam de "funcionários abaixo da linha de satisfação".

Guðmundsson discutiu o ambiente de trabalho:

> É importante lembrar que as diaristas chegam ao trabalho quando as outras pessoas vão para casa. Elas trabalham sozinhas. Ninguém se interessa pelo trabalho ou pela contribuição que fazem, mas todos têm uma opinião quando o serviço não é feito corretamente. É como trabalhar no vácuo, você não se comunica e não obtém *feedback* positivo.

Com a comunicação, o foco dos clientes também estava em aspectos negativos. Segundo um executivo, "Quando todas as conversas estão focadas no que está errado, mesmo nos momentos em que esses problemas são pequenos, o cliente tem a sensação de que algo está mesmo errado". Ele continuou, "Os clientes também percebem que a qualidade do serviço tem só dois lados, ou as coisas estão certas, ou erradas, o que exclui a possibilidade de os clientes receberem mais valor que o esperado e de se sentirem 'encantados'".

A reversão dessa espiral negativa exigia uma mudança na filosofia. De acordo com Guðmundsson:

> Apesar dos muitos supervisores que temos, em média o funcionário da ISS passa uma semana ou duas sem contato com a matriz. Exigimos que os supervisores conversem com os funcionários ao menos uma vez ao mês, mas não é o bastante. A primeira questão a responder foi "Podemos confiar em nossos funcionários?". Alguns gerentes "Claro, mas controlar é melhor". O meu argumento era

de que "Se não podemos confiar nessas pessoas, elas não podem trabalhar para nós". Felizmente, concluímos que podemos confiar nelas – e descobrimos que, quando confiamos nelas, facilitamos nossas vidas. Mas aprendemos rapidamente que, se fôssemos mesmo confiar nelas, elas teriam de ser administradas de forma diferente.

O primeiro passo para mudar a administração dos funcionários foi a criação de uma proposição de valor customizada. O ponto de partida foi a compreensão de suas necessidades como indivíduos. Um supervisor apresentou um exemplo, "Eu tinha uma *hippie* que era uma ótima diarista, mas vivia triste com o trabalho. Certo dia descobri que ela preferia o turno da noite, mas que fora designada ao trabalho no turno do dia. Quando a troquei de turno, seu ânimo melhorou".

Essa mudança incluiu dar responsabilidade aos funcionários. Em vez de a gestão ditar as regras de como o trabalho deveria ser feito, os funcionários recebiam ferramentas e treinamento necessários e tinham permissão para decidir o momento e a pessoa que realizaria uma tarefa, inclusive a definição de seus horários com base em suas necessidades e nas dos clientes.

Outras dimensões da gestão diferenciada incluíam (1) o treinamento multidisciplinar sempre que possível para aumentar a independência e tornar o trabalho mais interessante e (2) a motivação dos funcionários para que se comunicassem com os clientes.

Guðmundsson reconheceu que esses desafios não teriam sucesso a menos que ele conseguisse alterar a base da comunicação entre (a) os clientes e a companhia e (b) os supervisores e os funcionários. Na época, a base era as reclamações e, por essa razão, era muito negativa. Ele comentou:

> Sabia que tínhamos um problema, mas eu não tinha a solução. Queria alterar nosso foco, dos 5% que estavam errados para os 95% que estavam certos, enquanto resolvíamos os 5%. Passei a procurar boas práticas e encontrei uma empresa na Finlândia chamada SOL. A filosofia da SOL era simples: "Confie nas pessoas, dê a elas liberdade e faça elogios". Já tínhamos decidido confiar nas pessoas e dar liberdade, mas ainda não tínhamos adotado os elogios.

Dar e receber "um elogio"

> Queríamos que o contexto da comunicação com os clientes fosse apropriado. Diante do fato de que 95% de nossas interações com os clientes eram positivas, pressentimos que a maior parte das comunicações deveria ter um contexto positivo. O problema era encontrar a maneira de fazer isso – sobretudo após termos educado nossos clientes para se comunicarem conosco em um contexto negativo, em um cenário de queixas. Os elogios resolveram esse problema.
>
> *Jón Trausti, COO*

"Um elogio" era a expressão usada para se referir à primeira questão constante na pesquisa de satisfação do cliente da ISS Iceland, especificamente: "Há algo no serviço ou no funcionário que você pode elogiar?" (ver o Quadro 3). Um funcionário recebia "um elogio" quando ele ou ela era mencionado na resposta a uma pergunta. Os gerentes acreditavam que enquanto a questão surpreendia alguns clientes, a vasta maioria gostava dela. Segundo um gerente, "Ela criava a oportunidade para um diálogo mais construtivo e profissional com os clientes, colocando essa interação em uma perspectiva mais positiva – o que alterou a mentalidade dos clientes, com o sentimento de que os serviços que oferecemos são, na maioria, bons". À medida que os clientes se acostumavam a dar elogios, o processo se tornava mais natural, sem que fossem solicitados a

QUADRO 3 A pesquisa de satisfação do cliente da ISS

1. Você pode elogiar o serviço ou o funcionário por algum motivo?
2. Como nos saímos ao atender a suas expectativas?
3. Qual é a capacidade de resposta da ISS quando você tem um problema ou precisa de algo?
4. Como poderíamos melhorar o serviço que prestamos a você?

As respostas podiam ser de natureza quantitativa (uma escala era fornecida) ou qualitativa.

QUADRO 4   Os elogios espontâneos do cliente: três e-mails enviados para a ISS Iceland

Assunto:	Elogio sobre a comida
Mensagem:	Estou muito satisfeito com as refeições. A salada é muito variada e as refeições são muito saborosas. O peixe sempre está excelente. Muito obrigado e continuem assim.
Assunto:	Limpeza de salas de aula
Mensagem:	Como professor, estou muito satisfeito com a limpeza da sala de aula. Ela é muito bem realizada. Quando chego, pela manhã, a lousa sempre está limpa. Às vezes a diarista também retira os objetos que estavam na mesa desde o dia anterior. Gostaria de elogiar as diaristas e manifestar meu agradecimento.
Assunto:	A presença positiva da diarista
Mensagem:	Recentemente trocamos a limpeza, que antes era feita no turno da noite, para o turno do dia. A princípio eu tinha dúvidas, ou mesmo um pouco de preconceito. Mas eu estava errado. A diarista é jovial, educada e muito positiva em suas atitudes. Ela consegue administrar a organização de suas atividades na limpeza do escritório sem chamar a atenção. O melhor é que posso pedir a ela para me ajudar com coisas pequenas que, do contrário, acabariam perturbando nossas atividades, e ela me auxilia com um sorriso.

Observação: Esses *e-mails* podem soar um pouco estranhos porque foram traduzidos do islandês literalmente.

fazê-lo, como mostra o Quadro 4. Os elogios determinavam o reconhecimento do funcionário, gerando uma atmosfera leve.

Um funcionário falou sobre os elogios:

> Quando você recebe um elogio, você quer mais. Você também se torna mais aberto – me sinto mais livre para receber elogios, fico menos na defensiva – o que ajuda a seguir em frente.

Dois funcionários descreveram como se sentiam sobre suas tarefas e os elogios que recebiam:

> Como trabalha sozinho, é você que faz seu plano de trabalho. Você é o gerente, o funcionário e o inspetor de qualidade. Se o trabalho for realizado corretamente, os elogios aparecem e você se sente bem. O supervisor sabe que você está fazendo um bom trabalho, e você também. Ninguém o ignora, porque as coisas estão indo bem.
>
> Nos 10 anos em que estive em meu emprego anterior, nunca recebi um elogio, nunca alguém disse "muito bem". Quando comecei a trabalhar aqui, senti a atitude positiva e a confiança. É como trabalhar em casa.

Era dever dos supervisores levar o elogio ao funcionário e, principalmente, usar esse elogio como um processo de aprendizado para permitir que o funcionário atuasse ainda melhor no futuro.

O papel do supervisor

Segundo um executivo, "Os supervisores eram essenciais no preenchimento da lacuna entre o funcionário atuante em campo e a companhia". Em 2001, ficou claro que o papel tradicional do supervisor também deveria ser aperfeiçoado de acordo com o novo modelo de trabalho. O supervisor deixou de "prevenir queixas" e passou a "promover elogios". Do ponto de vista pragmático, isso significa que as visitas deixaram de ser uma "inspeção", passando a ser uma visita de "suporte". Para facilitar essa transição, as condições e (muitas vezes) o tipo de pessoa no emprego também precisaram mudar.

O tempo dos supervisores foi flexibilizado, seus resultados foram medidos com base na satisfação do cliente e na eficiência no trabalho, não nas horas trabalhadas. Com o novo modelo, os supervisores já não precisavam estar em suas escrivaninhas no escritório em horários predefinidos. Ao contrário, eles recebiam telefones celulares e um carro. Se decidissem vir para o escritório, eles tinham acesso a uma estação de trabalho e ao suporte dos gerentes (ver o organograma no Quadro 5). As estações de trabalho ocupavam menos espaço que as escravinhas individuais, o que possibilitou à ISS permanecer na mesma sede, mesmo crescendo.

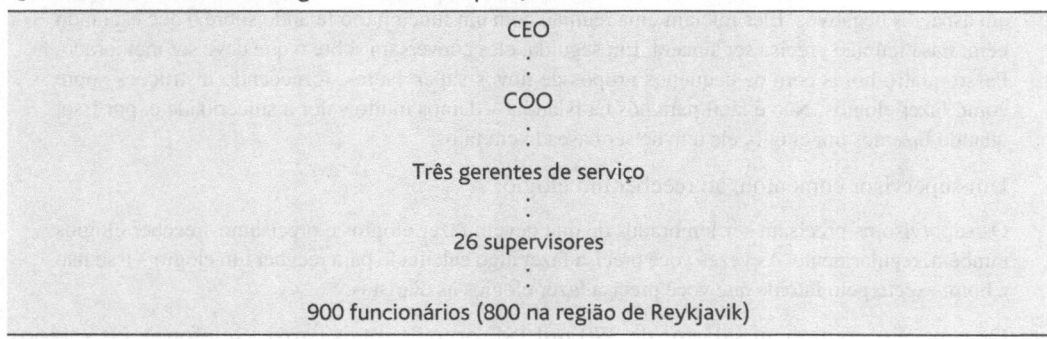

QUADRO 5 A estrutura organizacional das operações

```
                        CEO
                         :
                        COO
                         :
                Três gerentes de serviço
                         :
                   26 supervisores
                         :
        900 funcionários (800 na região de Reykjavik)
```

Alguns supervisores aprovaram essa flexibilização. Outros encontraram dificuldades em se adaptar. Um ex-supervisor comentou:

> A tensão existe. Você está "de prontidão" 24 horas por dia, sete dias por semana. Você tem de deixar todos satisfeitos, primeiro o cliente, então o funcionário, depois a companhia. Todos querem um pedaço de você e você tem de fornecer um bom desempenho a todos.

Muitos supervisores tiveram sucesso ao adotar o desafio do equilíbrio entre trabalho e vida pessoal, em parte por meio de um programa que a ISS estabeleceu com a criação de equipes de supervisores que canalizava os telefonemas para uma única pessoa de plantão.[4] Outros ressentiram-se com o novo modelo, principalmente devido à incapacidade de "encerrar" o trabalho durante algumas partes do dia. A maioria deles decidiu deixar o cargo. De modo geral, a empresa era considerada líder no equilíbrio entre o trabalho e a vida pessoal, e foi reconhecida com um prêmio ao permitir esse equilíbrio por meio da flexibilidade com base em um estudo com companhias islandesas realizado pela cidade de Reykjavik em conjunto com a União Europeia e o Instituto de Pesquisas Gallop.

No passado, os cargos de supervisão eram ocupados por diaristas promovidas ou pessoas com experiência nessa função oriundas de outras empresas. Com o novo modelo, os cargos passaram a ser preenchidos por candidatos de outras profissões, como professores e outros profissionais que "gostavam de ajudar as pessoas". Esses novos supervisores tinham opiniões convincentes sobre seus funcionários. Segundo um deles:

> Tenho certeza de que você precisa passar mais tempo contratando e treinando para se certificar de que você ficará com as pessoas com as atitudes certas e as capacitações adequadas. A limpeza pode se tornar uma tarefa solitária – o trabalho é realizado após todas as pessoas terem ido embora. Para algumas pessoas é bom, para outras, não.

A mudança também era percebida nas tarefas que os supervisores decidiam realizar ou não. De acordo com um gerente sênior, "No passado, os supervisores costumavam assumir a situação e acabavam fazendo a limpeza por conta própria. Mas isso já não ocorre, porque hoje os supervisores têm entre 20 e 30 clientes e até 50 funcionários".

Trausti, COO desde 1999, comentou sobre as mudanças com os supervisores:

> Antes de 2000, os supervisores não tinham permissão de tomar decisões. Hoje eles dizem, "Os clientes são *seus*. Você contrata e demite funcionários e nos informa uma vez ao mês. Claro que os gerentes de serviço revisam os dados de clientes e funcionários e temos reuniões mensais com os supervisores para discutir questões e revisar a documentação.

---

[4] Os supervisores formavam equipes escolhendo um colega que conhecia o bastante sobre os portfólios de seus clientes e seus funcionários para dar apoio nas horas em que não estavam trabalhando e não podiam ser contatados.

Às vezes não é fácil para os supervisores. Dizemos a eles que talvez não precisem focar a atenção em aspectos negativos. Eles iniciam uma reunião com um funcionário falando sobre o que está indo bem. Essa reunião precisa ser sincera. Em seguida, eles conversam sobre o que deve ser melhorado. Passo quatro horas com os pequenos grupos de novos supervisores, fornecendo instruções sobre como fazer elogios. Não é fácil para nós na Islândia – damos muito valor à sinceridade e, por isso, quando fazemos um elogio, ele tem de ser baseado em fatos.

Um supervisor comentou, ao receber um elogio:

Os supervisores precisam ser lembrados de que devem fazer elogios e precisamos receber elogios também, regularmente. Às vezes você precisa fazer algo calculado para receber um elogio – isso não é bom, exceto pelo fato de que você precisa fazer elogios às diaristas.

Os supervisores tinham salários de 370 mil ISK ao mês (mais carro e telefone). Os salários tinham bonificações, mas estas eram insignificantes. Em comparação, um professor com 35 anos de experiência recebia 265 mil ISK ao mês. As diaristas recebiam 170 mil ISK. Um supervisor descreveu seus sentimentos sobre a motivação:

Na Islândia, a maioria das pessoas não pensa em bônus. Gostamos de cooperar, de receber a confiança alheia, de flexibilidade. A atitude na ISS pode ser descrita como, "Confio em você, mas você precisa mostrar resultados". As pessoas que querem gerar resultados sentem-se bem em seu trabalho na empresa por conta da confiança, da liberdade e do pensamento positivo.

OS RESULTADOS

O número de queixas caiu vertiginosamente desde 2000. Segundo Trausti:

Quando comecei como COO, em 1999, diariamente eu recebia muitos telefonemas de clientes insatisfeitos. Hoje recebo 2 ou 3 ao ano. Por quê? Porque temos menos problemas e os que persistem são tratados pelos funcionários e supervisores com rapidez.

Os dados sobre a satisfação do cliente não estavam disponíveis porque a empresa prestadora de serviços de banco de dados para a ISS Iceland faliu em 2008.

O giro de funcionários caiu consistentemente, de um máximo de 131% em 1999 para 69% em 2007 (o desemprego nunca ficou acima de 3,4% durante esse período).

Acreditava-se que as vendas cruzadas se beneficiaram com os níveis mais altos de satisfação do cliente registrados desde 2000. Por exemplo, a ISS entrou no negócio de refeições, o qual foi descrito por um gerente sênior: "Começamos com refeições em 2006. Hoje somos o terceiro maior fornecedor de refeições na Islândia e nossa fatia de mercado no setor é de 40%. Além disso, 60% dos clientes usavam outros serviços que oferecemos. Hoje estamos trabalhando para vender serviços de limpeza a nossos clientes que nos contrataram para fornecer serviços de refeições".

Guðmundsson discutiu a retenção dos clientes, "Há anos que não perdemos um único cliente importante. Isso quase aconteceu, mas fomos capazes de resgatar o relacionamento – recentemente tivemos um incidente em que salvamos a situação devido à presença de um funcionário no local. Claro que a retenção do cliente pode variar com a recessão". O Quadro 6 mostra a perda anual de receitas como porcentagem das vendas.

O crescimento de receitas médio ficou em 17,6% no período 2000-2007, a maioria das quais era de natureza orgânica.

QUADRO 6 As perdas de contrato da ISS como porcentagem das vendas

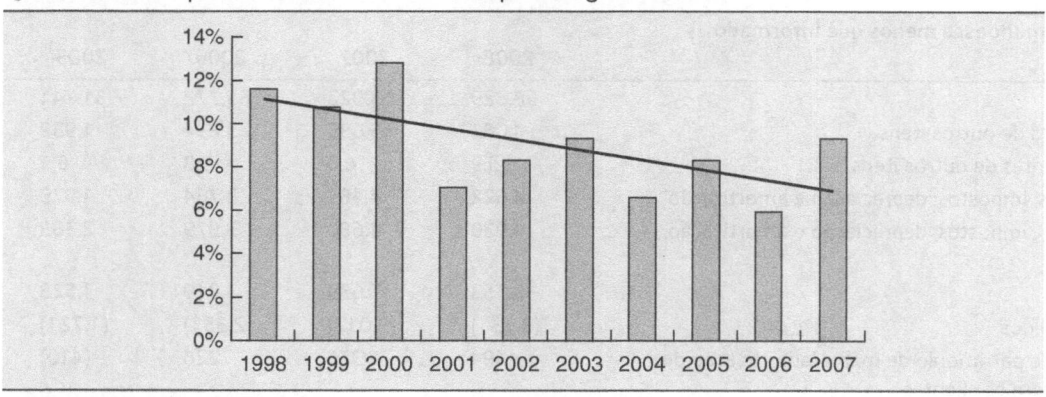

CONCLUSÃO

Em 2009, a ISS Iceland era seis vezes maior que sua maior concorrente.[5] Os serviços que a empresa fornecia incluíam a limpeza diária de escritórios, de hospitais, a higienização de alimentos, a entrega de refeições e a limpeza industrial. Os executivos observaram que as mudanças adotadas melhoraram o bem-estar de funcionários e clientes, mas os programas estavam ficando ultrapassados e precisavam, segundo eles, "de novos ares". Ainda que o clima na economia tivesse mudado significativamente, o recrutamento de funcionários continuava um desafio. Guðmundsson havia testemunhado diferentes empresas que não atuam no setor de serviços financeiros adotar uma diversidade de abordagens à recessão. Algumas dessas companhias cortaram todas as despesas não essenciais e se concentraram apenas na execução do trabalho básico. Outras exploravam a crise, cortando custos onde possível e investindo em áreas que poderiam diferenciá-las para melhorar os números de seu crescimento com a recuperação da economia.

Nesse contexto, Guðmundsson refletiu:

> Os elogios hoje fazem parte da natureza da ISS Iceland. Mas ainda temos muito a fazer – as pessoas não ganham elogios apenas pelo trabalho que fazem, e nem deveriam. Contudo, o que devo fazer para manter presente a importância dos elogios? A empresa que cuidava de nossa base de dados faliu há um ano e desde então não realizamos uma pesquisa com o cliente sobre elogios. O que é preciso para manter o assunto vivo e levá-lo ao próximo nível?

Em Copenhague, os executivos da ISS também faziam perguntas em um contexto semelhante. Eles tinham a tarefa de garantir que a ISS explorasse sinergias em potencial, enquanto administravam a companhia durante a recessão mundial. Embora a ISS fosse descrita como uma *holding* de capital privado "responsável", ela tinha uma dívida considerável (ver o Quadro 7). Os executivos da matriz deveriam levar as ideias sobre elogios desenvolvidas na Islândia para a ISS em todo o mundo?[6] Ou essa era a hora de reduzir custos e permitir que os gerentes locais conduzissem as operações do modo como julgassem mais apropriado, sem a interferência da matriz?

---

[5] As receitas da ISS Iceland em 2008 foram de 134 milhões de DKK, o que a colocava em 40º lugar entre os 50 países nos quais a ISS relatava resultados. No mesmo ano, a margem foi de 7,6%, o que deixava a empresa como 7ª mais rentável (em porcentagem das vendas) nas operações da ISS no mundo. Em 2007, a ISS Iceland relatou 173 milhões de DKK em receitas (31º lugar) com uma margem de lucro de 7,7% (10ª empresa mais rentável em 2007).

[6] Os executivos reconheciam que os elogios eram um assunto delicado do ponto de vista cultural, e que qualquer programa nesse sentido precisaria passar por adaptações. Mesmo no ambiente relativamente homogêneo da Islândia, a sensibilidade cultural representava um problema, já que as mulheres islandesas percebiam que um homem polonês achava estranho receber um elogio de uma mulher, e fazer elogios a asiáticos era um processo muito delicado.

QUADRO 7 As finanças consolidadas da ISS (relatório condensado)

Valores em DKK (em milhões, a menos que informado diferentemente)	2008	2007	2006	2005[1]
Receita	68.829	63.922	55.772	31.741
Lucro operacional antes de outros itens	4.061	3.635	3.234	1.932
Margem operacional antes de outros itens, %[2]	5,9	6,0	5,8	6,1
Receitas antes de juros, impostos, depreciação e amortização[2]	4.622	4.484	3.764	1.979
Receitas antes de juros, impostos, depreciação e amortização, ajustadas[2]	4.930	4.680	3.979	2.383
Lucro operacional[2]	3.753	3.639	3.019	1.528
Custos financeiros líquidos	(2.731)	(3.017)	(2.351)	(1.721)
Lucro antes da perda de patrimônio de marca/amortização de marcas e contratos com os clientes	494	376	226	(410)
Lucro líquido/(prejuízos) no ano[2]	(631)	(442)	(809)	(945)
Adições à propriedade, instalações e equipamentos, bruto	964	938	907	576
Fluxo de caixa de atividades operacionais	4.334	3.713	3.195	2.109
Investimentos em ativos intangíveis, propriedades, instalações e equipamentos, líquido	(718)	(715)	(843)	(372)
Ativos totais	53.605	55.348	52.253	46.456
Patrimônio de marca	27.259	27.593	26.178	22.995
Quantidade da dívida líquida transportada[2]	29.385	29.245	26.271	22.741
Patrimônio total	3.533	5.518	5.980	6.774
Contabilidade financeira[2]				
Cobertura de juros	1,8	1,6	1,7	1,4
Conversão de caixa, %[2]	103	99	102	145
Funcionários em tempo integral, %	69	68	66	61
Número de funcionários	472.800	438.100	391.400	310.800
Crescimento				
Crescimento orgânico, %	5,3	6,0	5,5	–
Aquisições, líquido, %	6	9	15	–
Ajustes monetários, %	(3)	(0)	0	–
Receitas totais, %	8	15	20	–

[1] Os números da ISS Holding de 2005 não representam os números anuais, porque a empresa foi fundada em 11 de março daquele ano, enquanto a ISS A/S foi adquirida em 9/5/2005.
[2] Ver os números e as definições principais no Relatório Anual 2007.
Fonte: www.ISSWorld.com.

Estudo de caso 6
As pessoas, o serviço e os lucros no Jyske Bank

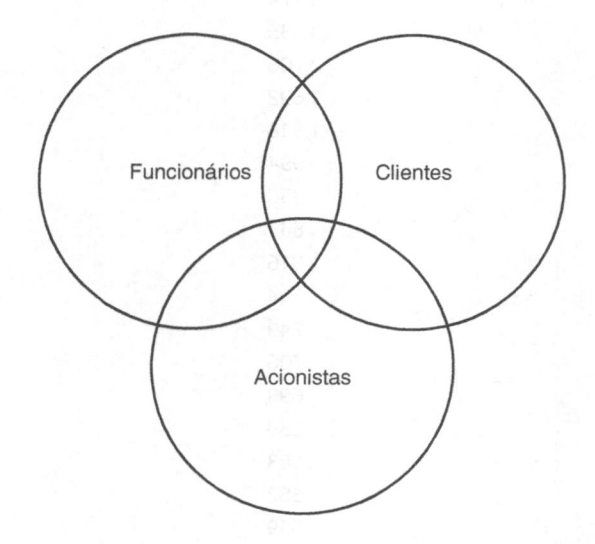

O Jyske Bank Group é administrado e operado como uma empresa. Concomitantemente, damos grande importância ao tratamento de nossos três grupos de *stakeholders* – nossos acionistas, clientes e funcionários – com o mesmo respeito. Esta preocupação é ilustrada pelos três círculos de mesmo tamanho e que se sobrepõem em proporções idênticas, e que precisam permanecer em perfeito equilíbrio. Se este equilíbrio se deslocar em favor de um ou dois dos grupos, ocorrerão problemas no longo prazo para todos os grupos.

— *A filosofia de gestão do Jyske Bank*

Em 2003, as principais operações do Jyske Bank Group eram dominadas pelo Jyske Bank, o terceiro maior banco da Dinamarca, depois das operações do Den Danske Bank (DDB) e do Nordea (veja Quadro 1). O Jyske Bank foi criado em 1967 com a fusão de quatro bancos dinamarqueses com operações na Jutlândia. A palavra dinamarquesa *Jyske* é traduzida como *jutlandês*. A Jutlândia é a grande porção continental da Dinamarca que faz divisa com o norte da Alemanha. Até o final da década de 1990, o Jyske Bank se caracterizava como um típico banco dinamarquês: prudente, conservador, bem administrado, sem aspectos especiais ou que o diferenciassem de outros bancos.

No começo da década de 1990, o Jyske Bank entrou em um processo que alterou sua caracterização como banco comum ou sem aspectos especiais. Em 2003, o "sabor exclusivo" de seus serviços fizeram da instituição a líder em termos de satisfação do cliente entre todos os outros bancos dinamarqueses (veja Quadro 2). No cerne destas mudanças estava a determinação do banco de ser, nas palavras de um de seus executivos, "o mais focado no cliente em toda a Dinamarca". O Jyske Bank concretizou este objetivo com o foco no que chamou de *Jyske Forskelle*, ou os *Diferenciais Jyske*.

Este estudo de caso foi preparado por Roger Hallowell, com o patrocínio do Scandinavian International Management Institute. O objetivo deste texto é servir como base para uma discussão em sala de aula, não como ilustração de tratamentos eficazes ou não vistos em situações administrativas. O caso foi possível com a cooperação do Jyske Bank.

Direitos autorais 2003, Scandinavian International Management Institute. Impresso com permissão do autor e ecch.com.

QUADRO 1 A participação dos acionistas em bancos dinamarqueses em 1/1/2002

Banco	Participação dos acionistas
1. DDB	57,091
2.* Jyske Bank	6,174
3. Sydbank	3,435
4. Nykredit Bank	2,708
5. Spar Nord	1,692
6. Arbejdernes Landsbank	1,518
7. Amtssparekassen Fyn	994
8. Amargerbanken	956
9. Sparbank Vest	841
10. Sparekassen, Kornjylland	816
11. Ringkøbing Landbobank	794
12. Alm. Brand Bank	749
13. Forstædernes Bank	706
14. Loskilde Bank	698
15. Lån Lan& Spar Bank	589
16. Nørresundby Bank	583
17. Sparekassen Sjælland	582
18. Sparekassen Lolland	559
19. Nordvestbank	545

Fonte: Jyske Bank.
* Nota: O Nordea não é mostrado porque era um banco sueco com operações na Dinamarca, após a aquisição do Unibank.

A DINAMARCA

No começo do século XXI, a população da Dinamarca era de aproximadamente 5 milhões de habitantes. Integrante da União Europeia que conservou sua própria moeda (o Kronor dinamarquês, DKK^1) e o país mais meridional da Escandinávia, a Dinamarca sempre foi rica, devido à sua localização estratégica no Mar Báltico (veja Quadro 3). Esta posição geográfica permitia que ela cobrasse pedágios dos mercadores que eram forçados a velejar dentro do alcance das balas de seus canhões. Mais recentemente, a maior parte da riqueza do país passou a vir de itens de alto valor agregado, como produtos da agricultura, produtos farmacêuticos, maquinário, instrumentos e equipamentos médicos, além de um setor de serviços altamente desenvolvido que incluía o de navegação.

Após a Segunda Guerra Mundial, a Dinamarca adotou um sistema de seguridade social que o governo do país descreveu com as seguintes palavras:

> O princípio básico do sistema de seguridade social dinamarquês, muitas vezes chamado modelo escandinavo, diz que todos os cidadãos têm direitos iguais à seguridade social. No sistema dinamarquês, vários serviços são disponibilizados aos cidadãos sem custos... O modelo dinamarquês de seguridade social é subsidiado pelo Estado e, por isso, a Dinamarca está entre os países com as maiores cargas tributárias do mundo.[2]

A JUTLÂNDIA

A Jutlândia é fisicamente separada da capital da Dinamarca, Copenhague (veja o Quadro 3). Copenhague, cuja população responde por aproximadamente um quarto de todos os habitantes da

---

[1] O euro valia cerca de DKK 7,4 e o dólar norte-americano, DKK 6,3 em 10/6/2003.

[2] Veja www.denmark.dk.

QUADRO 2 Métricas da qualidade dos serviços dos bancos dinamarqueses

Parte I: Análise da imagem do banco						
	Imagem total	Disposição de correr riscos	Gestão	Eles me oferecem orientações estratégicas	Serviço e tratamento ao cliente	Especialista em consultoria e competência	Escolherei este banco se desejar trocar de banco
Jyske Bank	1	1	1	1	1	1	1
Sydbank	2	2	3	2	2	2	2
Spar Nord Bank	3	4	4	3	3	5	5
Midtbank/ Handeslbank	4	6	7	4	6	4	7
Amagerbanken	5	3	5	6	4	8	6
Amtssparekassen Fyn	6	5	6	5	5	7	8
Nordea	7	7	8	8	7	6	3
Danske Bank	8	8	2	7	8	3	4
BG Bank	9	9	9	9	9	9	9

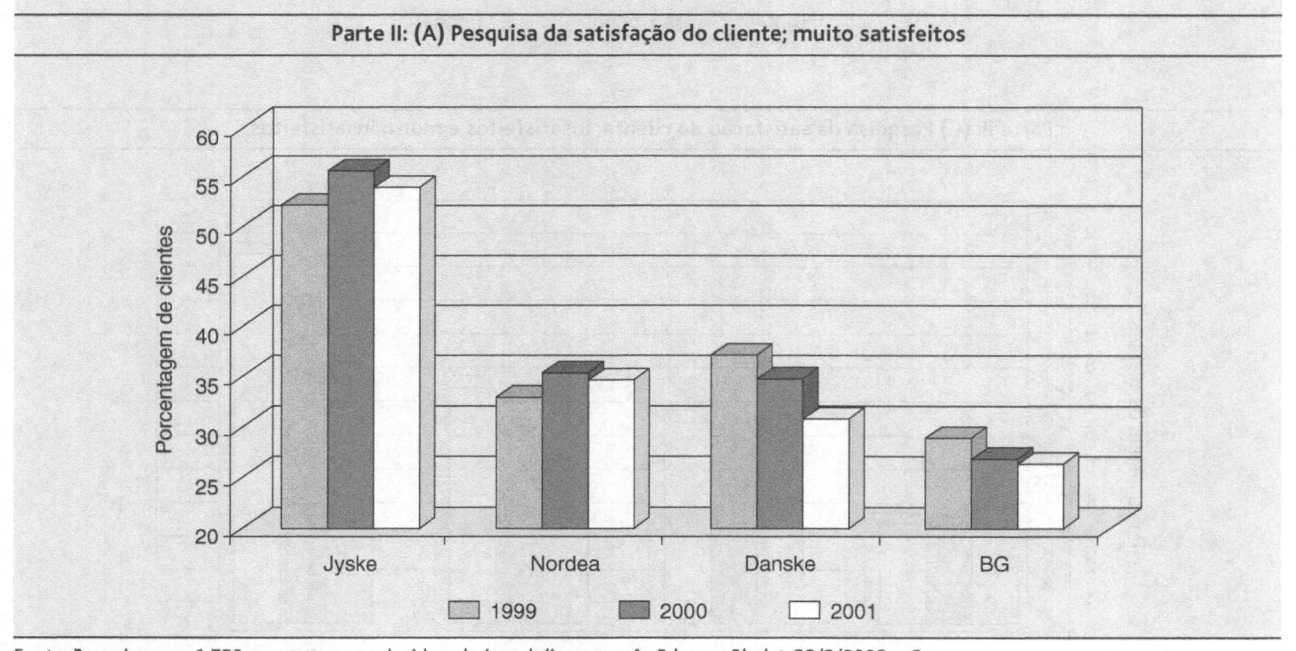

Parte II: (A) Pesquisa da satisfação do cliente; muito satisfeitos

Gráfico de barras com a porcentagem de clientes muito satisfeitos nos anos 1999, 2000 e 2001 para os bancos Jyske, Nordea, Danske e BG.

Fonte: Pesquisa com 1.750 empresas e conduzida pelo jornal dinamarquês *Erhvervs Bladet*, 22/3/2002, p.2.

(*continua*)

QUADRO 2 Métricas da qualidade dos serviços dos bancos dinamarqueses (*continuação*)

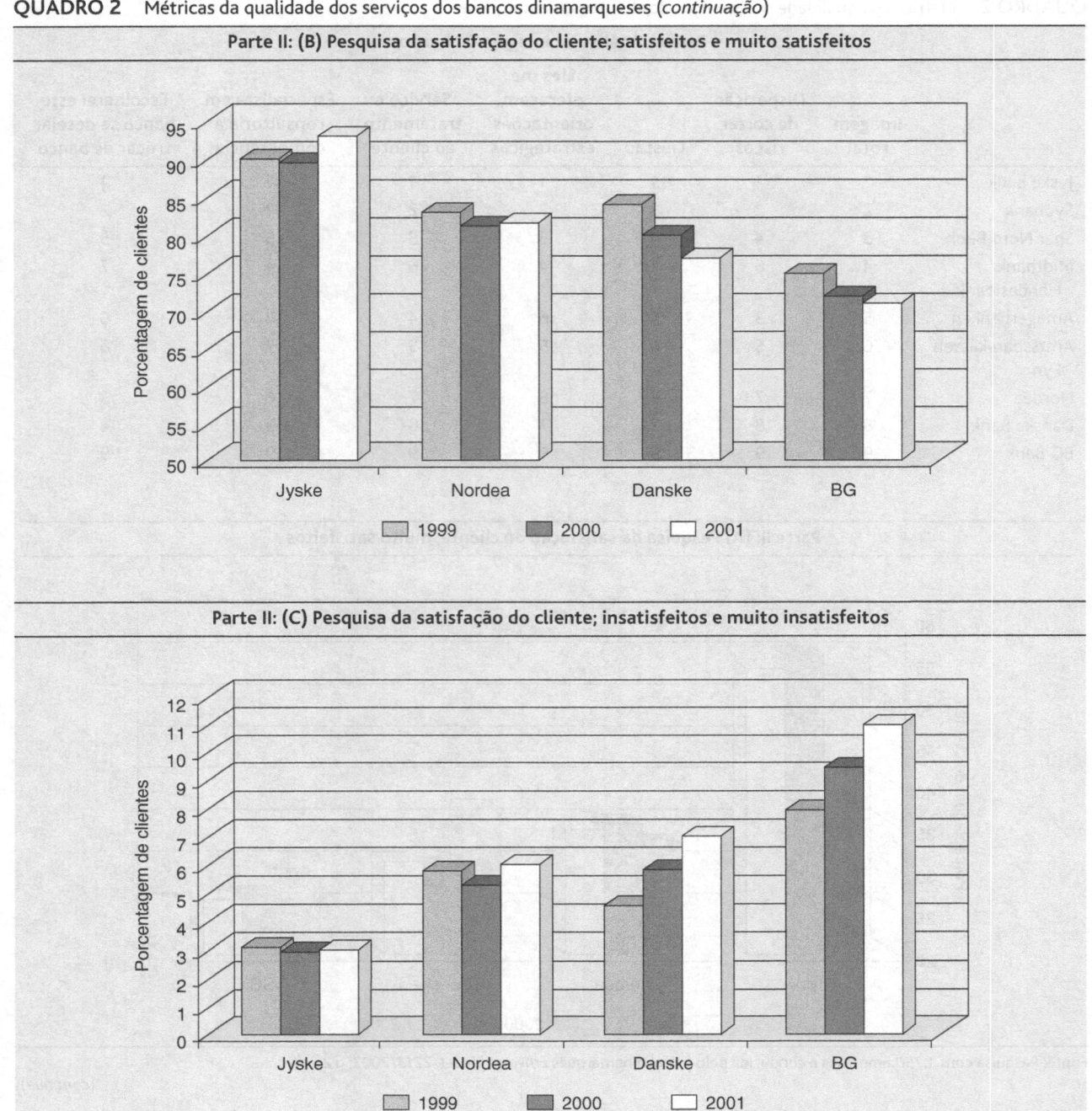

Parte II: (B) Pesquisa da satisfação do cliente; satisfeitos e muito satisfeitos

Banco	1999	2000	2001
Jyske	91	90	94
Nordea	84	82	82
Danske	85	81	78
BG	76	73	72

(Porcentagem de clientes)

Parte II: (C) Pesquisa da satisfação do cliente; insatisfeitos e muito insatisfeitos

Banco	1999	2000	2001
Jyske	3	3	3
Nordea	6	5,5	6
Danske	4,5	6	7
BG	8	9,5	11

(Porcentagem de clientes)

QUADRO 3 A Dinamarca

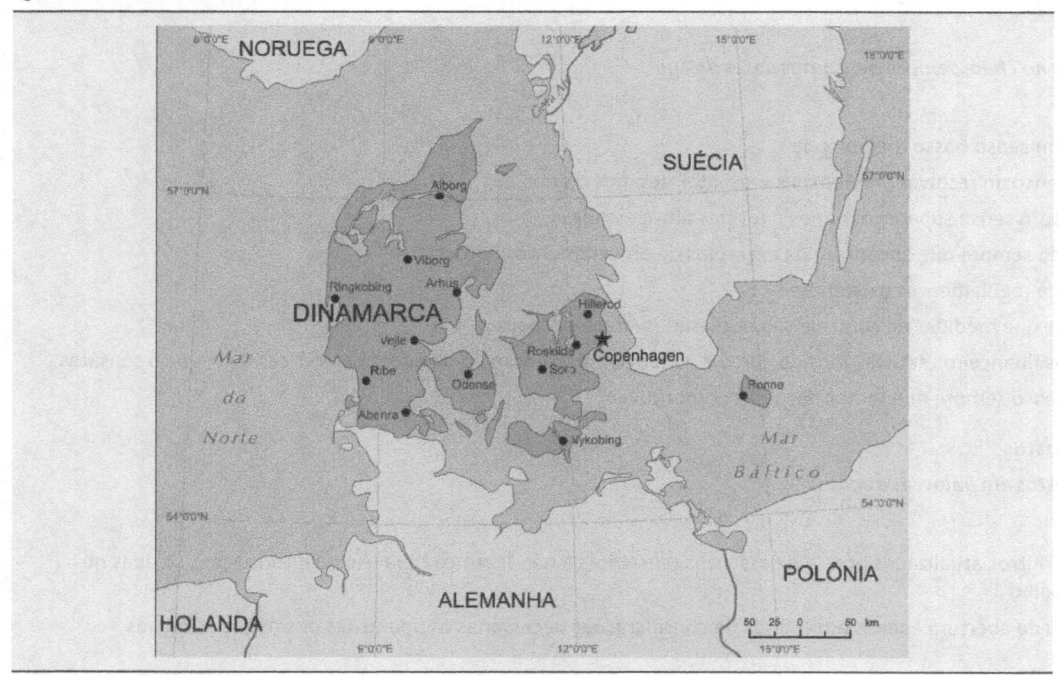

[Mapa da Dinamarca mostrando países vizinhos: Noruega, Suécia, Alemanha, Polônia, Holanda; cidades incluindo Copenhagen, Alborg, Viborg, Arhus, Ringkobing, Vejle, Ribe, Abenra, Odense, Soro, Roskilde, Hillerod, Nykobing, Ronne; Mar do Norte e Mar Báltico]

Fonte: Instituto Brasileiro de Geografia e Estatística.[36]

Dinamarca, está localizada na ilha da Zelândia (*Sjaellland*). O isolamento da Jutlândia em relação à capital antes da chegada dos meios de transporte modernos fez a população local se caracterizar por atributos diferentes dos de seus vizinhos zelandeses: os jutos eram tidos como pessoas honestas, despretensiosas, igualitárias, frugais, abertas e diretas em suas comunicações. Além disso, eles tinham bom senso, mentes sóbrias e relativamente pouco sofisticadas em comparação às "pessoas falsas de Copenhague", como disse um juto.

OS DIFERENCIAIS JYSKE

Os Diferenciais Jyske foi um sistema que nasceu a partir dos valores centrais do banco. Esses valores eram tidos como preceitos principais e orientavam praticamente todos os aspectos da vida da organização. Conforme disse um dos administradores do banco, os valores são consistentes com a herança do Jyske Bank: "Na verdade, quando começamos a falar sobre nossos valores centrais e o caráter juto de cada um, estamos apenas falando abertamente de valores que temos há muito tempo". Os valores centrais do Jyske Bank, divulgados aos funcionários, clientes e acionistas, dizem que o banco deve (1) ter bom senso, (2) ser aberto e honesto, (3) ser diferente e despretensioso, (4) demonstrar interesse genuíno e tratar todas as pessoas com o mesmo respeito, e (5) ser eficiente e perseverante. Veja o Quadro 4 para uma descrição mais detalhada.

Os valores centrais levaram a gerência do banco a reavaliar o modo como a instituição fazia negócios com seus clientes. Os administradores determinaram que se o banco fosse leal em relação a seus valores, ele teria de executar seus serviços de modo diferente do feito no passado, bem como oferecer serviços distintos daqueles disponibilizados por outros bancos. Os Diferenciais Jyske foram então operacionalizados como práticas específicas que distinguiram o banco de seus concorrentes.

QUADRO 4 Os valores centrais do Jyske Bank

Temos bom senso

Com os dois pés firmes no chão, sempre pensamos antes de agir

Isso significa que:

- Consideramos o bom senso nosso melhor guia
- Adotamos o bom senso ao resolver problemas e enfrentar desafios diários
- Permitimos que o bom senso supere costumes e rotinas ultrapassadas
- Partimos para a ação sempre que encontramos exemplos de procedimentos burocráticos
- Observamos regras e regulamentos existentes
- Aceitamos o fato de que medidas de controle são necessárias, até certo ponto
- Geramos resultados financeiros satisfatórios no curto e no longo prazo por meio da busca de práticas de negócio sensatas
- Adotamos o bom senso sempre que temos despesas corporativas

Somos abertos e honestos

Somos abertos e honestos em palavras e ações

Isso significa que:

- Mantemos uns aos outros atualizados acerca de assuntos relevantes e não fazemos mau uso de informações obtidas no curso de nosso trabalho
- Restringimos o grau de abertura apenas em termos de considerações necessárias às operações dos negócios ou aos *stakeholders*.
- Respeitamos os contratos assinados e não traímos a confiança do Banco.
- Tentamos tomar decisões importantes relativas aos funcionários com base no diálogo construtivo
- Conversamos abertamente sobre os equívocos que cometemos e os problemas que encontramos
- Reconhecemos que erros são cometidos, que são corrigidos e que com isso o foco recai sobre o que é possível aprender com esses erros
- Escutamos as sugestões de novas ideias e as críticas construtivas com uma mente aberta

Somos diferentes e despretensiosos

Pensamos e atuamos de forma diferente e em geral somos despretensiosos

Isso significa que:

- Encorajamos a criatividade e a iniciativa por meio da adoção de práticas inovadoras
- Temos muita iniciativa, somos compromissados e proativos
- Encorajamos a comunicação informal e direta - tanto interna quanto externamente

O posicionamento competitivo

Os gerentes examinaram os valores e diferenciais Jyske para o posicionamento competitivo do banco. Este processo recebeu o auxílio de um consultor holandês, cuja pesquisa de mercado indicou que o principal mercado-alvo, formado por famílias e empresas dinamarquesas de pequeno e médio porte (com receitas que eram 40% relativas ao comércio e 60% ao varejo), normalmente gostava da ideia de um banco como o Jyske. Pesquisas complementares sugeriram que o que os administradores descreveram como "fatores *hard*" de preço, produto e localização haviam se tornado aspectos essenciais aos olhos dos clientes. Em contrapartida, os "fatores *soft*" que dizem respeito ao relacionamento de um cliente com seus prestadores de serviços serviu como base para a diferenciação, especificamente "ser educado", "ter tempo para o cliente" e "preocupar-se com o cliente e sua família".

Os administradores perceberam que o componente "interesse genuíno" dos valores do banco ditava uma mudança do foco tradicional de venda de seus produtos para uma abordagem voltada às soluções para o cliente. Eles caracterizaram esta nova abordagem contrastando a afirmação

Demonstramos interesse genuíno e tratamos todas as pessoas com o mesmo respeito

Demonstramos conhecimento e respeito diante de outras pessoas

Isso significa que:

- Reconhecemos que as pessoas são diferentes
- Buscamos relacionamentos duradouros com nossos acionistas, clientes e funcionários
- Oferecemos aconselhamento profissional de acordo com as necessidades e exigências financeiras de cada cliente
- Temos uma segurança no emprego baseada em obrigações mútuas e prestamos atenção a necessidades individuais e pessoais
- Permitimos o grau mais alto possível de influência pessoal na distribuição de tarefas, horários e locais de trabalho

Somos eficientes e perseverantes

Trabalhamos de forma consistente e determinada para atingir nossas metas

Isso significa que:

- Utilizamos o JB 2005 (os valores centrais do banco) como orientação em nosso trabalho diário
- Mantemos nossa direção de trabalho à revelia de circunstâncias externas – mas definimos um ponto de partida e traçamos um novo caminho sempre que for apropriado
- Adotamos um modo organizacional que promove a eficiência
- Consideramos a segurança um fator importante para a eficiência
- Estamos convencidos de que a eficiência aumenta com o nível de responsabilidade pessoal
- Permitimos que os funcionários assumam responsabilidades pessoais com as decisões tomadas no dia a dia – mesmo nos casos em que o embasamento para estas decisões não seja 100% perfeito
- Adquirimos os níveis das habilidades necessárias por meio do desenvolvimento pessoal e profissional
- Atuamos com base na competência, não no cargo relativo dentro da organização
- Apoiamos nossas decisões com argumentos bem embasados

"Permita-me informá-lo acerca de nossa conta com depósitos à vista", com a pergunta "Do que você precisa?".

Embora os principais produtos financeiros do banco permanecessem essencialmente semelhantes aos oferecidos por outros bancos dinamarqueses,[3] o modo como eram comercializados foi alterado. Isso exigiu expressivas mudanças tanto tangíveis quanto intangíveis nas agências e nas formas de apoio que recebiam. Foram desenvolvidas ferramentas de suporte à execução de serviços baseada em soluções. Por exemplo, novos sistemas de tecnologia da informação auxiliaram os funcionários a conduzir os clientes ao longo dos processos para definir suas respectivas necessidades e encontrar soluções apropriadas. Em um desses sistemas, o cliente e seu banqueiro preenchiam um perfil de investidor via Internet para determinar os produtos de investimento mais ade-

---

[3] Os principais produtos incluíam empréstimos pessoais e para a aquisição de imóveis e veículos, além de administração de rendimentos e serviços de investimentos para pessoas físicas, bem como empréstimos, administração de rendimentos e serviços de investimentos para empresas de pequeno e médio porte. O Jyske Bank não oferecia cartões de crédito.

quados com base na aversão ao risco, no tempo de investimento e nas metas relativas aos retornos, entre outros fatores. Um gerente comentou: "As ferramentas não são exclusivas. Já vimos outros serviços financeiros que se apoiam em programas semelhantes – a diferença está no modo como nossos funcionários utilizam estas ferramentas". Outro gerente disse: "Nossas ferramentas são projetadas para aprimorar nossa capacidade de oferecer soluções ou reduzir tarefas administrativas e aumentar a disponibilidade de tempo de nossos funcionários para atender a nossos clientes – gerando soluções".

Por fim, o modo de ser abertamente Jyske significava que o banco deixou de ser um bom local para qualquer cliente atender aos critérios demográficos da instituição por duas razões. Em primeiro lugar, a execução deste tipo de serviço era cara. Por isso, o banco cobrava um preço ligeiramente mais alto, e almejava apenas aos clientes que tinham menor probabilidade de representar um risco de crédito. Em segundo lugar, o banco tem uma personalidade. De acordo com um de seus gerentes: "O perigo de ter personalidade é que certamente haverá pessoas que não gostarão de você". A alta gerência considerou isso como o preço da sinceridade, e aceitou o efeito que isso causou em alguns clientes. Por exemplo, o cartão de débito e de crédito do Jyske Bank tinha uma imagem de um tetraz negro, um animal comumente encontrado no interior da Jutlândia. Quando alguns clientes comentaram que a ave não lembrava a execução de negócios ou que não tinha atrativos (um dos clientes sentiu-se "constrangido" ao pagar sua conta com ele em uma casa noturna), os administradores do banco não viram problema em sugerir que estes clientes abrissem contas junto a bancos da concorrência. Um deles comentou:

> Na verdade, se ninguém reage a nossos materiais é porque eles não são marcantes o suficiente. É natural que algumas pessoas não gostem de nós. Afinal, temos apenas 6% do mercado. Não queremos que todos gostem de nós. Não somos para todas as pessoas e não queremos ser.

As diferenças tangíveis

As equipes de contas

A concretização do posicionamento competitivo do banco exigia diversas alterações tangíveis em seu sistema de execução de serviços. Estas alterações começaram com a designação de um funcionário da agência a um dado cliente como fonte principal de contato. Ao longo do tempo, os gerentes descobriram que este sistema trazia problemas, pois os clientes muitas vezes chegavam a uma agência no momento em que seu funcionário especial estava ocupado com outros clientes ou com outras tarefas. Contudo, os administradores do banco haviam se comprometido com a prestação de um serviço individualizado. Um deles disse: "Como podemos ser honestos ao dizer que nos preocupamos com nossos clientes como indivíduos se não os conhecermos como indivíduos? Se não os conhecemos, não conseguimos identificar nem resolver seus problemas". A solução foi encontrada nas equipes de contas: a cada cliente foi designada uma pequena equipe de funcionários da agência. Estes funcionários trabalham em conjunto para conhecer e atender a seus clientes, em proximidade física com eles, no interior da agência.

O design das agências

O Jyske Bank planejou gastar aproximadamente DKK 750 milhões em novos projetos para suas agências (a maior parte deste orçamento já havia sido empregada em 2003). Os analistas dinamarqueses descreveram as novas agências como uma "agência de propaganda" ou um "pequeno hotel". Estes efeitos foram concretizados com o uso de materiais de primeira categoria, como madeira em tons claros, cores quentes e obras de arte originais. O novo projeto das agências também incluiu alterações no modo como os clientes interagem com os funcionários, o que foi possibilitado com as mudanças de ordem arquitetônica e projetual adotadas. Por exemplo, os clientes que esperam seu funcionário de atendimento podem servir-se de café em uma parte da agência que lembra uma cafeteria. Um cliente comentou sobre esta característica: "É mais do que você pensa, a princípio – pois faz você se sentir bem-vindo. A mensagem diz que eles realmente se interessam por mim". As crianças podem tomar sucos de frutas, e divertir-se com brinquedos em uma área para recreação. O banco abandonou as antigas escrivaninhas e hoje os funcionários trabalham em grandes mesas redondas, o que lembra o conceito de igualdade. Uma equipe de três ou quatro funcionários fica lotada em uma destas grandes mesas, e os clientes têm um local para sentarem-se ao lado do funcionário que os atende. Os clientes conseguem enxergar as telas dos computadores, o que reforça a noção de abertura e transparência. A possibilidade de ver essas telas também facilita a utilização de programas de tecnologia da informação para estruturar as interações entre os integrantes das equipes de contabilidade e os clientes. Como iguais, os funcionários e clientes sentam-se em cadeiras idênticas. Além disso, foram abolidas as plataformas elevadas em que os funcionários tinham suas escrivaninhas – prática que tem sua origem em costumes feudais, em épocas em que as cabeças das pessoas importantes tinham de ficar em nível elevado em comparação às dos cidadãos comuns. Se uma conversa exigisse discrição, havia salas especiais projetadas para esta finalidade e que geravam uma sensação de "estar em casa". O Quadro 5 mostra fotografias de uma agência do Jyske Bank reprojetada.

Os detalhes
O jeito Jyske foi infundido no banco sempre que possível, como uma política formal que requeria que os diferenciais Jyske fossem considerados em todos os produtos e no desenvolvimento da tecnologia da informação. Nenhum detalhe era pequeno demais. Por exemplo, embora os cartões de visita dos funcionários tivessem uma foto para fins de identificação, conforme disse um gerente: "As fotos eram ruins, nada expressivas nem agradáveis – as pessoas pareciam rígidas, insensíveis". Para conferir o jeito Jyske a estas fotos, o banco contratou um fotógrafo profissional que trabalhou com cada um dos funcionários para "fazer a verdadeira dedicação dos funcionários ganhar vida". Todas as fotografias dos funcionários foram reveladas de forma a ter um leve tom amarelado, para lembrar "uma antiga foto de família".

As diferenças intangíveis
Concretizar o novo posicionamento competitivo do banco também exigiu inúmeras alterações intangíveis e outras mudanças que de imediato não ficaram visíveis aos clientes. Os gerentes disseram que as mais importantes envolviam o treinamento e a entrega de poder de decisão aos funcionários mais próximos do cliente e que eram responsáveis pelo atendimento.

O treinamento
Antes de uma agência ser remodelada, todos os funcionários participavam de sessões especiais de treinamento, que incluíam a formação de equipes e o atendimento ao cliente com base nas melhores práticas do setor de varejo "tradicional".

A entrega de poder de decisão às agências
A alta gerência do Jyske Bank examinou a estrutura organizacional do banco e perguntou: "Onde o valor é criado?" e "Onde as decisões têm de ser tomadas para gerar o valor máximo?". A resposta a estas duas perguntas foi: "nas agências".

Anteriormente, quase todas as decisões relativas a empréstimos que tivessem alguma importância exigiam a aprovação em nível regional, de matriz e de agência. Mais especificamente, um cliente procurava um funcionário para pedir um empréstimo. O pedido era comunicado ao gerente da agência, que preparava o pedido formal. Se o valor do empréstimo ultrapassasse DKK 3 milhões, ele era enviado ao escritório regional, com comentários do gerente da agência. O escritório regional também comentava o pedido, e se o valor fosse maior que DKK 15 milhões, ele era enviado à matriz para receber a aprovação e outros comentários. Empréstimos de mais de DKK 30 milhões também exigiam a aprovação do superintendente de crédito do banco. Durante o exame

578 Estudo de caso 6 As pessoas, o serviço e os lucros no Jyske Bank

QUADRO 5 Fotografias de uma agência reprojetada

(A)

(B)

(C)

(D)

Fonte: Jyske Bank.

deste processo, os administradores do Jyske descobriram que a maior parte da discussão e da comunicação ocorria entre intermediários, não entre o funcionário mais próximo do cliente (que presumivelmente tinha mais informações sobre o cliente) e a pessoa que tomaria a decisão final.

Após rever a situação, a alta gerência do banco disse: "Se temos de ser sinceros com nosso valor relativo ao bom senso, então não deveríamos precisar de tantas pessoas e de tantas etapas na análise de pedidos de empréstimo". Em primeiro lugar, o processo foi alterado para que o funcionário que recebesse o pedido completasse o formulário. Isso daria poder a ele como responsável pelo empréstimo, tarefa para a qual ele foi treinado. Ele também recebeu a incumbência de precificar o empréstimo, desde que o preço que sugerisse ficasse em uma margem definida, aceitável para o responsável pela aprovação final. A maior parte dos empréstimos passou a receber aprovação final do gerente de agência, que era escolhido com base em suas habilidades relativas ao crédito, ou recebia treinamento adicional na função. Alguns poucos empréstimos exigiam aprovação em nível regional por serem de grande valor. Nesses casos, o funcionário que preenchia o formulário o enviava diretamente ao superintendente regional de crédito. Entre todos os pedidos de empréstimo recebidos, 98% eram tratados em nível regional ou de agência, em que os empréstimos de mais de DKK 90 milhões eram aprovados. O departamento de crédito na matriz foi dissolvido. Ficou apenas o superintendente de crédito do Jyske, que examinava os pedidos de mais de DDK 90 milhões. Esta análise adicional foi mantida para empréstimos deste montante porque a exposição ao cliente seria tão grande que a ocorrência de inadimplência afetaria o capital do banco de forma significativa.

As alterações implementadas foram projetadas, a princípio, para alterar os processos internos. Porém, elas também melhoraram as experiências do cliente. Por exemplo, os gerentes acreditavam que, como era o funcionário em contato com o cliente aquele que preparava o formulário de pedido, a qualidade da informação era melhor. Por isso, mais pessoas qualificadas para receber empréstimos os obtinham, e a qualidade destes empréstimos no portfólio do banco aumentou. Além disso, o tempo necessário para tomar uma decisão acerca dos empréstimos de grandes quantias caiu de no máximo três semanas, para 10 dias. Empréstimos menores e que poderiam ser aprovados pela própria agência eram liberados quase instantaneamente. Por fim, as expectativas com relação a valores e termos passaram a ser incluídas no pedido com mais frequência. Isso ajudou o funcionário encarregado da aprovação a perceber se o empréstimo, na forma aceitável para o banco, seria também aceitável para o cliente, o que pouparia tempo e esforços nos casos em que suas expectativas fossem inconsistentes com as exigências do banco.

De acordo com os administradores do banco, o processo de aprovação otimizado não trouxe riscos relativos ao crédito, devido à combinação dos seguintes fatores: (1) a melhoria nas habilidades relativas ao crédito em cada agência, (2) a falta de incentivos quanto a empréstimos que não trouxessem resultados positivos (os gerentes do banco não recebem incentivos diretamente relacionados ao volume ou à qualidade do empréstimo) e (3) um eficiente departamento de auditoria interna que monitora a qualidade do crédito.

Ao mesmo tempo que o processo de crédito era reprojetado, o banco deixava de operar com cinco superintendências regionais para operar com três e aumentou o alcance do controle de forma que entre 35 e 45 agências reportavam-se a cada diretor de unidade de negócios, que tinha equipes de marketing, crédito, recursos humanos e profissionais de controle lotados em nível regional (muitos dos quais haviam anteriormente trabalhado na matriz).

Um gerente sênior comentou os papéis da matriz, das superintendências regionais e das agências:

> A matriz é o local em que transformamos nossos valores e nossas estratégias em produtos, processos e tecnologia da informação. As três superintendências regionais representam os pontos em que nos certificamos de que as orientações da matriz sejam traduzidas para o mercado local, e em que garantimos que os Diferenciais Jyske sejam postos em prática – que os clientes as presenciem. As 119 agências são os pontos de atendimento ao cliente e, portanto, os locais em que o valor é realmente gerado. Em termos de proporção, 20% do que fazemos é desenvolvimento na matriz e 80% é implementação em campo, com o apoio das superintendências regionais. Dado o pequeno porte de nossas agências, precisamos do nível regional para garantir que a implementação seja efetuada corretamente.

O poder de decisão em todo o banco

O poder de decisão não ficou limitado às agências. Em todo o banco, os funcionários foram encorajados a tomarem todo o tipo de decisão caso sentissem-se confortáveis para tanto. Em geral, os funcionários foram encorajados a se perguntarem: "Faz sentido pedir ajuda ou permissão? Há uma razão inerente ao negócio para pedir permissão? Você já executou esta tarefa antes? Esta é uma "grande" decisão (*grande* em termos relativos)? O assunto já foi discutido ou é novo?". Na maioria das vezes as instruções dadas aos funcionários eram de: "Se você estiver em dúvida, pergunte. Contudo, se não há motivos para incerteza, vá em frente." Os gerentes tinham de dar o exemplo neste ponto.

Exemplos dessa política em ação incluíam os horários de trabalho e os períodos de férias. Um funcionário observou que: "Se seu cargo permite, você define seus horários. Você só precisa combinar com seus colegas, não precisa da aprovação do chefe. Você faz o mesmo com suas férias". Um gerente disse: "O representante do sindicato[4] presente na matriz não teve problemas com este sistema, mas o sindicato em Copenhague temia que os funcionários fizessem mau uso desta flexibilidade."

Outro exemplo envolveu a quantia que os funcionários tinham para gastar em refeições e entretenimento durante viagens ou quando estavam lidando com seus clientes. Anteriormente, a quantia era fixa (DDK 125), e as contas sempre ficavam neste valor. Em consonância com o valor do bom senso, o banco alterou a política para (frase adaptada): "Gaste o que você precisar gastar". Isso acarretou o que um executivo chamou de "expressiva queda em despesas com viagem e entretenimento". Quando lhe perguntaram como ele fazia um sistema como esse funcionar, ele respondeu:

> Primeiro você diz às pessoas o que é esperado delas.
>
> Depois, você verifica o comportamento delas. Se elas estão adquirindo vinhos caros, então você pergunta: "Por quê?". Você explica o que faz sentido e os respectivos motivos. Você faz isso de modo a dizer aos funcionários que você realmente quer ajudá-los a melhorar.
>
> Em terceiro lugar, se os problemas persistirem, então essa pessoa talvez não seja a melhor para o banco.
>
> O verdadeiro desafio ocorre quando você contrata uma pessoa vinda de outro banco. Esperamos que ela se adapte com rapidez, por causa da experiência que tem. Mas se ela não estiver habituada a tomar estes tipos de decisão, ela tem de ser ensinada.

O estilo de gestão

Um gerente sênior comentou:

> Você consegue treinar e educar todo o dia, mas a menos que seus gerentes e funcionários estejam compromissados com os Diferenciais Jyske, nenhum resultado concreto será obtido. Fazê-los assumir estes compromissos exigiu uma boa parcela de meus esforços.
>
> Quando começamos este processo, havia momentos em que era difícil – realmente difícil. Os gerentes das agências não pensavam de forma estratégica – eles ficavam sentados em seus escritórios absorvidos em suas tarefas diárias. Eu queria que os gerentes desviassem o olhar para outras coisas, para ter uma ideia mais abrangente da situação. Para fazê-los mudar esta atitude, eu lhes perguntava: "Qual é o mercado? Onde estão e quem são seus competidores? Quais são seus pontos fortes e fracos e como eles se relacionam com os Diferenciais Jyske? Agora, compare o que você precisa com o que você tem. As equipes em sua agência atendem à demanda? Do que você precisa para garantir que consigam atender à demanda? Você encontrará resistência. Descubra de onde ela vem. Uma das maneiras de lidar com ela consiste em fazer acordos com as pessoas acerca de como elas desenvolverão novas habilidades. Se houver uma total falta de correspondência, então você talvez vai precisar de novas pessoas em suas equipes, mas, na maior parte dos casos, você conseguirá treinar seus funcionários para entender a mudança – você vai liderá-los nesse processo.

---

[4] Como é típico na Escandinávia, a maioria dos funcionários e gerentes faz parte de um sindicato.

De acordo com outro executivo:

> Os gerentes de agência precisam ser capazes de motivar os funcionários a trabalhar com um pouco mais de afinco, e de modo diferente. O gerente mais bem-sucedido nesta empreitada oferece a seus funcionários uma boa margem para a tomada de decisão. Ele promove intenso treinamento, 80% do qual no próprio local de trabalho. Quando este treinamento não ocorre ao vivo, as equipes fazem dramatizações. Não há grandes incentivos, mas há ferramentas realmente eficientes na tecnologia da informação. A questão tem a ver com *o modo como os gerentes fazem o trabalho*, não com *o que eles fazem*. Eles vinculam as ferramentas, o treinamento e os comportamentos aos valores do Jyske, o tempo todo. Eles fazem seus funcionários compartilharem seus valores e atuarem de acordo com eles.

Um terceiro executivo observou:

> Quando estou diante de uma situação difícil, procuro o que chamo de "mensageiro da cultura". Tento colocar esta pessoa no meio de tudo, pois ela vive nossos valores. O que vejo, em geral, é que os outros funcionários que estão em cima do muro em relação a nossos valores passam a pular para o lado de cá – eles testemunham o exemplo e gostam do que veem. Com isso, o número de pessoas que não quer assumir o lado Jyske diminui, e as pessoas que persistem em não adotar estes valores não ficam por muito tempo. A maioria das pessoas está disponível para mudar, mas elas precisam de apoio durante o processo.

Os recursos humanos

Os aspectos legais dos recursos humanos, a manutenção de registros e o treinamento eram centralizados na matriz. Em contrapartida, o aconselhamento acerca de como lidar com questões relativas a recursos humanos era dado por profissionais do setor atuando nas mesmas localidades das agências (em nível regional). Eles forneciam esta consultoria aos gerentes gerais em campo, como os gerentes de agência. As agências tinham de pagar por este serviço e conseguiam escolher entre contratá-lo ou não, conforme a preferência de cada uma.

A seleção Um executivo discutiu a seleção de funcionários pelo banco:

> Ela é muito importante. Para a maioria dos cargos, não estamos apenas procurando habilidades em operações bancárias. Estamos também atrás de habilidades sociais – mentalidade voltada para o serviço e compatibilidade com nossos valores Jyske: sinceridade e interesse genuíno em outras pessoas. Você vê isso quando fala com uma pessoa. Não temos uma abordagem sistemática para isso, ainda que, quando estamos contratando uma pessoa oriunda de outro banco, perguntamos por que ela quer trabalhar para nós e tentamos identificar respostas consistentes com os valores Jyske. Temos a capacidade de treinar a maioria das habilidades bancárias, mas não conseguimos treinar estas atitudes. Talvez nosso maior desafio seja a contratação de pessoas que tenham estas atitudes e fazer alguns de nossos funcionários mais antigos as adotarem também.

Alguns departamentos do banco pediam aos candidatos em potencial que escrevessem uma redação sobre si mesmos. Um gerente comentou: "Estamos tentando descobrir se eles se comprometem com o que fazem ou se estão apenas promovendo a si mesmos".

O treinamento Um gerente de recursos humanos comentou:

> Avisamos a todos os funcionários que o desenvolvimento de cada um é responsabilidade própria. Acreditamos que o desenvolvimento é incrivelmente importante. Ao passo que os gerentes de outros bancos estão demitindo funcionários e economizando de todas as maneiras possíveis, nossa meta é fazer gerentes e funcionários investirem mais em desenvolvimento. Mas cada um decide onde vai fazer investimentos. Estamos terceirizando uma boa parte das atividades de desenvolvimento, mas mantemos tudo o que se relaciona com os valores Jyske.

Os incentivos Os gerentes afirmavam que o banco oferecia poucos incentivos de natureza financeira. Os poucos incentivos adotados eram três: ações, abonos salariais únicos e aumentos de salário anuais.

> Incentivos com estoques de ações: se o desempenho anual do banco esteve acima da média dos 10 maiores bancos dinamarqueses, então uma oferta de opções de ações de DKK 8 mil era oferecida a todos os funcionários e gerentes. Além disso, qualquer funcionário poderia utilizar até DKK 13.200 para

comprar qualquer estoque de ações da empresa, a cada ano, a um desconto de 20%. Se o desempenho anual do banco estivesse entre os três maiores bancos da Dinamarca, então o desconto subia para 40%.

Abonos: no caso de um trabalho realmente excepcional, os funcionários recebiam abonos salariais únicos. Menos de 1% dos funcionários do banco recebia este incentivo.

Aumentos de salário: os funcionários e gerentes recebiam aumentos anuais de salário com base na avaliação que os administradores faziam de seu trabalho. O maior aumento praticado era de 10%, mas um funcionário ou gerente que ficasse nos 15% dos funcionários com melhor desempenho (o nível mais alto) normalmente recebia um aumento de 7%. Os aumentos de salário tinham limites, pois o salário total tinha de permanecer dentro da faixa definida para um dado cargo. Uma vez dado o aumento, ele tornava-se parte do salário do funcionário.

O compromisso Um funcionário deu sua opinião sobre o trabalho no Jyske Bank: "Não sofro limitações. Não tenho de deixar meus problemas em casa. Posso levá-los comigo para o trabalho, e esperam que eu faça isso". Outro funcionário comentou:

> Você é tratado como um ser humano ali. Em outros bancos, você tem de ser realmente cuidadoso com o que diz. Aqui você pode ser franco e sincero – é possível abordar qualquer pessoa – até o CEO.
>
> O Jyske Bank é um modo de vida. Você entra às 8 da manhã e sai quando se aposentar. Eu pago por isso. Eu poderia ganhar mais em outro banco, mas vale a pena para mim. Em outros bancos, os funcionários se prostituem por melhores salários e empurram produtos pela garganta dos clientes, produtos de que não precisam. Não fazemos isso.

Anders Dam, o CEO do Jyske Bank, disse:

> Se você consegue criar um ambiente no qual as pessoas não estão falando sobre dinheiro, mas no qual elas ganham em termos de valor em seus relacionamentos com seus colegas e clientes, no qual o banco cuida dos que trabalham duro mesmo se ficarem doentes, então as pessoas assumirão compromissos com esse banco.

As métricas e os resultados financeiros

Os gerentes frequentemente mencionavam a importância da mensuração do desempenho quantitativo e qualitativo em diversos pontos do banco. Os indicadores financeiros tradicionais eram considerados importantes, mas não essenciais. Além das mensurações tradicionais, o Jyske Bank implementou um sistema de tecnologia da informação para aferir a rentabilidade de uma conta ajustada para o risco (o retorno sobre o capital ajustado ao risco, ou RAROC, *risk adjusted return on capital*). Foi necessário um grande esforço e o sistema entrou em operação em 2003.

Os indicadores relativos ao cliente e ao funcionário também eram importantes. Os administradores relataram que a satisfação do funcionário era maior no Jyske Bank do que nos seus maiores concorrentes, com base em dados coletados por instituições independentes. Diversas fontes de dados indicavam que a satisfação do cliente do Jyske Bank era também maior do que a obtida por seus maiores concorrentes (veja Quadro 2). A satisfação do cliente pôde ser mensurada em nível regional. Foram adotados planos para mensurar e relatar a satisfação em nível de agência e de cliente.

Os resultados financeiros e alguns resultados operacionais são apresentados no Quadro 6. O Jyske Bank adotou uma abordagem conservadora para receitas e cancelou todos os seus investimentos na reforma das agências, na construção de uma nova sede para a matriz e na adoção de novos sistemas de tecnologia da informação nos anos em que os gastos ocorreram. Isso resultou em DKK 302 milhões em 2002, DKK 253 milhões em 2001, DKK 194 milhões em 2000 e DKK 212 milhões em 1999. Os resultados de 2002 também refletiam o extraordinário valor de DKK 222 milhões em pagamento de impostos, que foi descrito como um "passivo em potencial, diante das discussões com as autoridades tributárias dinamarquesas".[5]

---

[5] De acordo com um executivo: "Se estivermos certos [e conseguirmos reverter o ônus], teremos lucro. Se estivermos errados, não teremos impacto nos resultados futuros. Afinal, a questão tributária não está relacionada ao resultado de 2002 e seria mais correto julgar o resultado antes da incidência de tributos".

QUADRO 6 Os resultados financeiros e alguns resultados operacionais do Jyske Bank

Resumo de 5 anos dos resultados financeiros					
Resumo da conta de lucros e prejuízos (milhões de DDK)	**2002**	**2001**	**2000**	**1999**	**1998**
Receita líquida com juros	2.826	2.623	2.350	2.078	2.133
Dividendo sobre a manutenção do capital	64	98	69	52	34
Taxa liquida e receita sobre comissões	758	668	759	646	594
Juro líquido e receita com taxas	**3.648**	**3.389**	**3.178**	**2.776**	**2.761**
Reavaliações	386	129	379	631	−361
Outras receitas ordinárias	203	213	162	175	219
Despesas e depreciação operacionais	2.598	2.443	2.142	2.014	1.764
Prejuízos e previsão para crédito em liquidação	408	286	318	248	197
Reavaliação dos juros de capital	−148	−112	−4	−44	52
Lucros/prejuízos sobre atividades ordinárias antes da tributação	1.083	890	1.255	1.276	710
Impostos	572	267	172	379	199
Lucros/prejuízos no ano	**511**	**623**	**1.083**	**897**	**511**
Resumo do balanço (milhões de DKK)	**2002**	**2001**	**2000**	**1999**	**1998**
Adiantamentos	95.302	82.537	75.362	49.790	39.762
Depósitos	58.963	54.393	52.267	49.813	43.816
Títulos emitidos	43.362	36.964	26.902	192	623
Ativos totais	153.169	133.156	127.359	92.557	76.938
Fundos dos acionistas	6.658	6.174	5.887	5.391	5.108
Capital suplementar	2.000	2.663	2.110	1.395	434
Principais números	**2002**	**2001**	**2000**	**1999**	**1998**
Por participação no Jyske Bank					
Receitas principais	23,17	25,39	22,07	14,68	19,89
Lucros/prejuízos sobre atividades ordinárias antes da tributação	29,32	24,11	31,86	29,58	15,77
Lucros/prejuízos líquidos para o ano	13,84	16,77	27,51	20,83	11,22
Dividendos	0,00	0,00	0,00	3,20	2,80
Preço ao final do ano	192	177	161	149	123
Valor contábil	178	170	157	131	114
Valor/preço contábil	1,08	1,04	1,03	1,14	1,08
Preço/receitas	13,8	10,5	5,9	7,2	10,9
Para o Grupo Jyske Bank					
Taxa de adimplência	11,3	11,4	11,0	10,5	10,4
Razão do principal	8,2	7,9	8,0	8,2	9,5
Receita sobre cada *krone* destinado a despesas	1,36	1,33	1,51	1,56	1,36
Provisões contábeis totais como porcentagem dos empréstimos totais	1,8	1,9	2,0	2,7	3,0
Perdas e provisões para o ano como porcentagem dos empréstimos totais	0,4	0,3	0,4	0,4	0,4

Fonte: Jyske Bank.

QUADRO 6 Os resultados financeiros e alguns resultados operacionais do Jyske Bank (*continuação*)

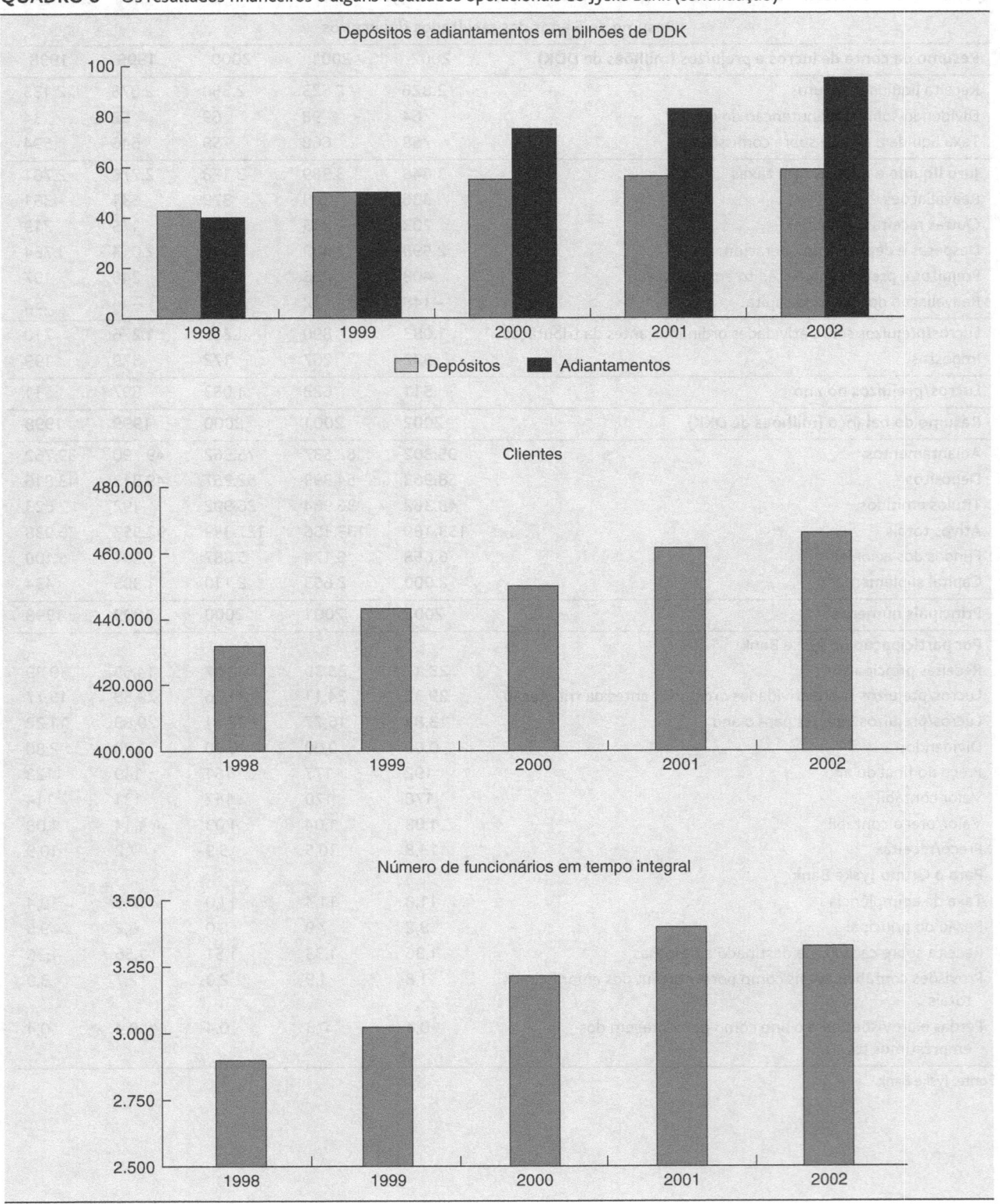

Depósitos e adiantamentos em bilhões de DDK

Ano	Depósitos	Adiantamentos
1998	~43	~40
1999	~50	~50
2000	~55	~75
2001	~57	~83
2002	~60	~95

Clientes

Ano	Clientes
1998	~432.000
1999	~443.000
2000	~450.000
2001	~462.000
2002	~466.000

Número de funcionários em tempo integral

Ano	Funcionários
1998	~2.900
1999	~3.030
2000	~3.220
2001	~3.390
2002	~3.340

A afirmação dos valores centrais e dos princípios do Jyske Bank incluem:

> A meta é fazer o Jyske Bank ser um dos bancos dinamarqueses de melhor desempenho a cada ano. O Jyske Bank é, portanto, uma excelente escolha para os acionistas que desejam fazer investimentos de longo prazo e que não atrelam grande importância a decisões que geram apenas aumentos de curto prazo.

A comunicação

A gerência do banco acreditava que a maior parte dos funcionários gostava de trabalhar para o banco e entendia os Diferenciais Jyske e o modo como afetavam suas funções. A manutenção dos Diferenciais Jyske exigia que o banco permanecesse independente, o que não era uma tarefa fácil no mercado bancário escandinavo, que se enxugara consideravelmente na década de 1990 e no começo do século XXI. Os executivos acreditavam que haviam dado os passos corretos para conservar a independência ao investirem nos funcionários, nos sistemas e na infraestrutura, o que possibilitaria ao banco oferecer valor superior aos clientes que almejava e com isso concretizar maiores retornos financeiros. O modelo econômico foi construído com base na cadeia de valores do banco (veja Quadro 7).

A geração de valor exigiu uma mudança considerável. Um gerente mencionou um ponto a que diversos outros gerentes fizeram alusão:

> Se você quer que os funcionários comportem-se de modo diferente, você precisa se certificar de que eles sabem o que isso significa – o modo como eles devem comportar-se e por que eles precisam mudar. Não podemos pedir às pessoas que mudem sem dar a elas este tipo de informação – não é justo.

A liderança do banco acreditava que a comunicação deveria ser, nas palavras de um executivo, uma "lavagem de automóveis, não uma catarata. A comunicação precisa vir de todas as direções ao mesmo tempo, não ser apenas uma cascata que desce na vertical". Com essa mentalidade, em 1997 a comunicação reforçou os valores e as diferenças oferecidas pelo Jyske, quando o banco

QUADRO 7 A cadeia de valor do Jyske Bank

- Qualidade do serviço interno
- Retenção dos funcionários
- Satisfação dos funcionários
- Eficiência dos funcionários
- Qualidade externa
- Satisfação do cliente
- Fidelidade do cliente
- Elevação do volume e da rentabilidade dos negócios

Fonte: Adaptação feita pelo Jyske Bank da cadeia de lucro em serviços de Heskett, Sasser and Schlesinger (Veja Heskett et al., 1997).

produziu um vídeo sobre os Diferenciais Jyske e o disponibilizou a todos os funcionários. Este vídeo foi concebido para parecer um programa de entrevistas na televisão. O apresentador era um famoso entrevistador da televisão dinamarquesa e os convidados eram Anders Dam e especialistas dinamarqueses em negócios. Todos foram entrevistados e discutiram os Diferenciais Jyske, o modo como eram implementados e o que eles significavam para clientes e funcionários. O vídeo intercalava imagens dos funcionários e dos clientes no interior das agências do banco.

Os esforços de comunicação continuaram em 1999 com o planejamento de uma surpresa para a reunião de discussão de assuntos estratégicos, que os funcionários eram convidados a participar a cada três anos.

A batalha de Vejle A reunião estratégica de 1999 ocorreu em Vejle, a cidade mais próxima da matriz do banco e que tem um auditório grande o bastante para receber 82% dos 3.107 funcionários do banco que decidiram participar da reunião. O encontro foi aberto por um grupo de executivos seniores, alguns dos quais eram do Jyske Bank, outros eram desconhecidos. Anders Dam, com um rosto compenetrado, levantou-se e apresentou os desconhecidos como "o CEO de um banco sueco grande, muito grande". Dam continuou, explicando que o banco sueco havia se oferecido para comprar o Jyske por um valor que era quase o dobro de seu valor atual no mercado de ações, com um prêmio 2,3 vezes maior do que aquele pago a outros bancos dinamarqueses recentemente adquiridos. Um fax seria enviado à bolsa de valores de Copenhague para suspender todas as transações com as ações do Jyske Bank após a reunião. Enquanto ele falava, a plateia foi tomada de um mau pressentimento.

As pessoas que não nasceram na Escandinávia precisam lembrar que, embora as relações entre suecos e dinamarqueses hoje sejam amigáveis, no passado eles lutaram entre si, por muitos séculos, já que a parte meridional da Suécia fora território dinamarquês.

O CEO do banco sueco levantou-se e subiu ao estrado para dizer (em sueco, idioma muito difícil de compreender para a maioria dos dinamarqueses) que não falava muito bem o dinamarquês e, por isso, falaria em "escandinavo, bem devagar", após o que ele continuou a falar em sueco.

Entre outras coisas, ele disse que: "Vocês, o Jyske Bank, vocês são bons, muito bons. Mas vocês são bons o bastante? E quanto ao amanhã? Quanto ao futuro? Vocês são bons o bastante para um mundo sem fronteiras, bons para todo o continente?". Após sua fala, Anders Dam tomou a palavra novamente e pediu uma "resposta sincera e imediata" dos funcionários. Com as diversas perguntas dos funcionários e as respostas dadas, ficou claro que, embora a aquisição fosse amigável, a integração não seria. Nas palavras do CEO sueco: "Uma fusão tem vantagens administrativas inquestionáveis, que requerem ajustes na mão de obra". Por fim, um gerente levantou-se e disse: "Faça algo pelo meio ambiente. Ponha os suecos na barca e os mande de volta!". Sua sugestão foi recebida com forte aplauso.

Após uma pausa, Anders Dam tomou a palavra outra vez e, agora sorrindo, explicou que tudo não passava de uma brincadeira, que ele chamou de "Diversão Jyske". Ele completou dizendo que estava "orgulhoso, orgulhoso como um pavão com a reação que vocês tiveram à brincadeira". Ele ficara muito contente com o fato de que a maioria da plateia rejeitara categoricamente a ideia da aquisição. Uma das pessoas que questionou a proposta foi direta ao dizer que (afirmação adaptada): "O Jyske Bank não poderia aplicar os Diferenciais Jyske, não conseguiria fazer as coisas que faz para clientes e funcionários a que tanto se dedica caso fosse adquirido". Dam concluiu sua preleção salientando que se o Jyske Bank quisesse continuar independente no ambiente de crescente competitividade dos bancos dinamarqueses, todos teriam de contribuir.

Parte desta contribuição consistia em um esforço pela diversificação do tipo de acionista que o banco tinha e de um aumento no número de acionistas, o que garantiria que eles compartilhassem uma perspectiva de longo prazo sobre o desempenho da instituição. Os funcionários encorajavam os clientes a considerarem a compra de ações do Jyske Bank Group. No período compreendido entre a "Batalha de Vejle" e 2003, o número de acionistas cresceu de 150 mil para mais de 200 mil.

Os gerentes e funcionários concordaram que a mensagem da "Batalha de Vejle" foi ouvida em toda a organização e que a Diversão Jyske foi uma boa ideia. Outros exemplos se seguiram, e incluíram a única campanha publicitária em escala nacional do banco na última década, que efetivamente consistiu em um concurso de beleza de cães cuja inscrição exigia uma visita a uma agência do banco. Quando indagado sobre o porquê de a propaganda do banco ser tão limitada, um executivo respondeu:

> Duas razões. A primeira é que confiamos na publicidade boca a boca, por isso não precisamos anunciar tanto – nosso custo com propaganda em termos de porcentagem de receita é metade daquele que outros bancos de mesmo porte têm. A segunda é que temos de ter certeza de que conseguiremos concretizar os Diferenciais Jyske antes de anunciá-los.

No final de 1999, os esforços de comunicação continuaram quando os gerentes criaram um vídeo que mostrava os Diferenciais Jyske de modo incomum. O vídeo apresentava Max Performa, um ex-agente da KGB contratado por uma linda e misteriosa gerente sênior de um banco concorrente. Performa recebe a missão de descobrir por que os Diferenciais Jyske estão de fato sendo executados nas agências do Jyske Bank. Ele assinalava cada um dos Diferenciais Jyske enquanto os presenciava, fingindo ser um agricultor juto atrás de um empréstimo (falando dinamarquês mas com forte sotaque russo). No decorrer do processo de pedido de empréstimo, ele descobre que os Diferenciais Jyske estão sendo oferecidos, entre os quais a demonstração de que o funcionário que está abrindo sua conta tem o poder de decisão necessário para atender às suas necessidades (*bom senso*); a certeza de que o banco fará de tudo para mostrar *interesse genuíno* nele como cliente (certa tarde, Performa e o gerente da agência bebem uma garrafa de vodka); e a revelação de que o Jyske Bank *é diferente* e não é para qualquer um: quando ele se queixa sobre o tetraz negro em seu cartão de débito, ele é educadamente informado de que ele talvez se sinta mais feliz com um banco concorrente. Ao final do vídeo, o telespectador percebe que a misteriosa gerente sênior que contratou Performa na verdade trabalha para o Jyske Bank.

Os executivos acreditavam que precisavam reforçar com frequência a mensagem de que manter-se independente exigia que todos os funcionários trabalhassem com um pouco mais de afinco e que se comportassem de modo consistente com os Diferenciais Jyske. Para tornar realidade este esforço constante, eles imprimiram os valores do banco e os Diferenciais Jyske em materiais que os gerentes tiveram de discutir com seus funcionários. Em uma destas ocasiões, os funcionários das agências foram solicitados a trabalhar em um sábado, sem serem pagos, para discutir os valores e as diferenças e as respectivas implicações no comportamento diário. Surpreendentemente, 80% dos funcionários do banco concordaram em comparecer.

Em 2002, os esforços de comunicação incluíram a reunião estratégica de funcionários chamada "Retorno a Vejle". A reunião, acompanhada de música ao vivo alegre (tocada por uma dupla de bateristas populares na região) e outras atrações, celebrou as realizações do banco e serviu como lembrete do que ainda teria de ser feito.

Por fim, em 2002, o banco lançou a chamada "caixa de ferramentas" para comunicar informações relativas à cadeia de valor entre as agências. A caixa de ferramentas possibilitava a cada agência selecionar os elementos na cadeia de valor do banco (veja Quadro 7) e mensurar o desempenho do banco em comparação com as metas relativas a cada elemento. A caixa de ferramentas gerou informações de qualidade atualizadas que incluíam orientações como luzes verdes ou vermelhas a fim de descrever o desempenho da agência para os elementos selecionados da cadeia. Um executivo descreveu a caixa de ferramentas como "um modo de operacionalizar a cadeia de valor a fim de que todos na organização entendam como precisam se comportar diariamente para otimizá-la".

CONCLUSÃO

A diretoria do banco acreditou que os valores e diferenciais, bem como a cadeia de valor, seriam os caminhos para atingir o equilíbrio que desejavam entre os três *stakeholders*: funcionários, clientes e acionistas. Diversos administradores afirmaram que, com os grandes investimentos de capital feitos desde 2003, a receita líquida aumentaria consideravelmente nos anos seguintes, na hipótese de que a recessão de 2001 e 2002 terminasse. Os acionistas haviam recebido um retorno anual de 17,8% sobre seus investimentos por 10 anos, antes do final de 2002. A meta de Anders Dam para os acionistas em 2002-2003 era o aumento no múltiplo do preço das ações do banco em cerca de 40%, ao nível do Danske Bank, o maior e mais caro da Dinamarca. Este objetivo foi alcançado em julho de 2003.[6] Embora a alta gerência do banco estivesse satisfeita com o sucesso da instituição, ele estava mais interessado em definir como o banco permaneceria em uma posição de liderança sem perder o equilíbrio em relação aos interesses dos *stakeholders*.

---

[6] Os administradores atribuíram o aumento no múltiplo do preço das ações do banco ao reconhecimento, entre os analistas de mercado, de que os investimentos nos Diferenciais Jyske feitos nos cinco anos anteriores e lançados como despesa estavam dando frutos.

Estudo de caso 7
A Jetblue: uma grande companhia aérea derrete em uma tempestade de gelo

Joe Brennan, Ph.D., Universidade do Estado de Nova York, Buffalo
Felicia Morgan, Ph.D., Universidade do Oeste da Flórida

INTRODUÇÃO

Na quarta-feira, 14/2/07, a JetBlue Airways Corp. (que tem o código JBLU na Bolsa de Valores de Nova York) sofreu a mais grave interrupção em seus serviços ao longo de seus sete anos de existência. Uma tempestade de inverno arrasou as operações no terminal doméstico da empresa no Aeroporto John F. Kennedy, em Nova York, seu principal centro de operações na Costa Leste. A tempestade forçou a companhia a cancelar mais da metade de seus voos; 10 aeronaves ficaram presas, incapazes de se deslocar nas pistas cobertas de gelo do aeroporto, prendendo os passageiros por mais de 10 horas. Os percalços da JetBlue persistiram por aproximadamente uma semana. A companhia aérea teve problemas para voltar à normalidade, quando outras tempestades caíram na região e deixaram aviões e tripulações sem ação. A companhia por fim acabou cancelando cerca de 1.900 voos, afetando 130 mil pessoas que queriam viajar, antes de conseguir normalizar suas operações, em 20/2/07. Essa interrupção sem precedentes no serviço acabaria obrigando a companhia aérea a oferecer $26 milhões em reembolsos e cupons, além de despender $4 milhões no pagamento de horas extras a seus funcionários e outros custos relacionados às tempestades.[1]

Embora a forte tempestade do Dia dos Namorados* tivesse afetado todas as companhias aéreas com rotas para a Costa Leste dos Estados Unidos, os noticiários voltaram suas atenções para os problemas que a JetBlue enfrentava. Os especialistas no assunto se perguntavam se a empresa que prometera "trazer o lado humano de volta para as viagens aéreas" havia desistido de seu compromisso de oferecer um serviço ao cliente de altíssimo padrão e se tornado apenas mais uma companhia aérea que não se importa com os seus passageiros. As pessoas que ficaram presas nos aeroportos não tardaram a divulgar suas queixas em *blogs* e na mídia, e os investidores mais temerosos passaram a se livrar de suas ações da empresa. Essa foi a pior crise na história da companhia, que ainda era jovem. A gerência da JetBlue teve de agir com rapidez para reconquistar a fidelidade do cliente, reverter uma onda de coberturas jornalísticas hostis e reconfigurar operações a fim de evitar a ocorrência de desastres semelhantes.

"TORNAR OS VOOS MAIS FELIZES E FÁCEIS PARA TODOS"

A companhia aérea fora fundada em 1998 por David Neeleman, na época com 38 anos, que via-se como o agente responsável por "trazer de volta o lado humano às viagens aéreas e tornar a experiência de viagem mais feliz e fácil para todos".[2]

Ex-missionário mórmon, Neeleman abriu sua primeira empresa, uma agência de viagens, quando era estudante na Universidade de Utah. Ele prosseguiu com seus projetos e fundou uma companhia aérea regional, a Morris Air, e em 1992 vendeu-a para a Southwest, da qual tornou-se vice-presidente executivo. O empreendedor Neeleman durou apenas seis meses na Southwest, em-

---

* N. de T.: Nos países de língua inglesa, e em muitos outros, o dia dos namorados, ou Valentine's Day, é celebrado em 14 de fevereiro.

Nota: Este estudo de caso baseia-se inteiramente em fontes publicadas e foi preparado para fins didáticos.

presa na qual seu estilo rápido de gerir não agradou à cultura corporativa cautelosa da companhia. Nas palavras de um de seus colegas: "Ele não entendia as nuances da organização. Ele era rápido demais para ela."[3] Ainda na casa dos 30 anos, Neeleman foi adiante e cofundou a WestJet, empresa regional canadense, e após torná-la rentável, ajudou a desenvolver o Open Skies, um sistema eletrônico de emissão de passagens que mais tarde seria adquirido pela Hewlett Packard.

Em 1998, Neeleman reuniu uma equipe de investidores e executivos do setor aéreo experientes para fundar a "New Air Corporation". A empresa mudou seu nome para JetBlue em julho de 1999, quando anunciou que ofereceria serviços de baixo custo e alta qualidade de e para a cidade de Nova York, dizendo que seria "a companhia aérea de Nova York". Na época, o CEO prometeu que a JetBlue seria "um novo tipo de companhia aérea de tarifas reduzidas", com serviços que eram oferecidos apenas por companhias mais caras, como poltronas mais largas, mais espaço entre elas e televisão com 24 canais. O material de divulgação da empresa prometia inovações como *check-in* por meio de um sistema de telas e "tarifas 65% mais baratas do que as de outras companhias em rotas idênticas". A JetBlue começou a voar em fevereiro de 2000, com voos sem escala entre Nova York e Fort Lauderdale, na Flórida.

O público reagiu favoravelmente à oferta feita por Neeleman de excelente serviço ao cliente, diferenciais de alta qualidade e tarifas reduzidas. Graças à frota nova e às equipes jovens, a empresa tinha custos menores de manutenção e mão de obra em comparação com as companhias tradicionais com quem concorria. Além disso, a JetBlue estava bem capitalizada. A combinação de custos menores e um sólido balanço ajudou a companhia a evitar os grandes prejuízos enfrentados por suas concorrentes após os ataques terroristas de 11 de setembro de 2001, e a posicioná-la de forma a abocanhar a fatia de mercado dessas empresas. Neeleman abriu o capital da empresa em abril de 2002. Ao final de 2004, a JetBlue voava alto. Suas receitas haviam quadruplicado – e a companhia lucrava todo ano. Ela havia subido ao 11º lugar em receitas geradas pelas milhagens dos passageiros e atingira essa colocação com menos aeronaves do que suas concorrentes.[4] Os Quadros 1, 2, 3 e 4 ilustram dados sobre o crescimento e o desempenho da companhia.

COMO VOAR ALTO EM UM SETOR TURBULENTO

Em 2005, Neeleman liderava uma das poucas entrantes bem-sucedidas no setor aéreo norte-americano altamente competitivo. Mais de 100 companhias aéreas haviam sido fundadas desde a desregulamentação do setor, em 1978, mas apenas algumas sobreviveram às tremendas pressões competitivas nesse setor tão maduro.[5] Mas os acontecimentos de 11 de setembro de 2001 produziram um impacto significativo na economia norte-americana em geral, e nas companhias aéreas em específico. No ano 2000, o setor gerou vendas que totalizaram $120 bilhões. No decorrer dos dois anos seguintes, o volume de vendas despencou para $105 bilhões. Seriam necessários cinco anos para as vendas se recuperarem (veja o Quadro 5). As companhias aéreas também enfrentavam fortes aumentos nos preços dos combustíveis, pesadas dívidas e crescentes passivos de pensões relacionados à mão de obra, que envelhecia.[6] Em setembro de 2005, quatro grandes companhias aéreas (United, US Airways, Delta e Northwest), que representavam 40% da capacidade total do setor, estavam operando sob a proteção do Capítulo 11.[7,8]*

Nesse período, a JetBlue havia desenvolvido uma marca forte e delimitado uma posição distinta e rentável como companhia aérea de baixo custo e que oferecia um alto nível de serviço. A empresa lutou para oferecer a todos os seus clientes a "Experiência JetBlue", que combinava valor, serviço e estilo. Os passageiros desfrutavam de confortos propiciados por meio da parceria com outras marcas, como lanches de empresas conhecidas, café da rede de rosquinhas Dunkin Donuts, rádio via satélite XM, programas de televisão da DIRECTV e kits de relaxamento do Bliss Spa.

---

* N. de T.: Capítulo da Lei de Reforma de Falências de 1978, que trata da reestruturação financeira de uma companhia em concordata.

Estudo de caso 7   A Jetblue: uma grande companhia aérea derrete em uma tempestade de gelo

QUADRO 1   Os dados financeiros da JetBlue

Receitas ($ milhões) para o ano fiscal terminado no mês de dezembro

	2006	2005	2004	2003	2002	2001
1 trimestre	490	374,2	289	217,1	133,4	63,85
2 trimestre	612	429,1	319,7	244,7	149,3	78,4
3 trimestre	628	452,9	323,2	273,6	165,3	82,61
4 trimestre	633	446	334	262,9	187,3	95,56
Anual	2.363	1.701	1.266	998,4	635,2	320,4

Lucro por ação ($) para o ano fiscal terminado no mês de dezembro

	2006	2005	2004	2003	2002	2001
1 trimestre	E−0,15	−0,18	0,04	0,09	0,11	0,1
2 trimestre	E0,22	0,08	0,08	0,13	0,24	0,1
3 trimestre	E0,20	N/I	0,01	0,05	0,17	0,08
4 trimestre	E0,16	0,1	−0,25	0,01	0,11	0,1
Anual	E0,43	N/I	−0,13	0,29	0,65	0,37

Demonstração de resultados ($ milhões)

	2006	2005	2004	2003	2002	2001
Renda líquida	−1	−20	47,5	104	54,9	38,5
Depreciação	154	117	77,4	50,4	26,9	10,4
Despesas internas	146	91	44,6	23,7	15,7	6,1
Incidência tributária efetiva	NS	NS	38%	41%	42%	8,10%
Renda antes da tributação	9	−24	76,8	175	95	41,9
Renda operacional	281	165	190	219	132	37,2
Receitas	2.363	1.701	1.266	998	635	320

Outros dados financeiros ($ milhões)

	2006	2005	2004	2003	2002	2001
Caixa	10	6	410	571	247	263
Passivos existentes	854	676	486	370	270	0
Dívida a longo prazo	2.626	2.103	1.396	1.012	639	291
Percentual retido sobre o patrimônio	NS	NS	6,7	19,1	25,6	
Capital total	3.714	3.130	2.275	1.782	1.093	615
Ativos totais	4.843	3.892	2.799	2.186	1.379	820
Percentual da renda líquida nas receitas	NS	NS	3,7	10,4	8,6	12
Percentual da dívida a longo prazo no capital	70,7	67,2	61,4	56,8	58,5	47,3
Ativos existentes	927	635	515	646	283	0
Taxa de câmbio	1,1	0,9	1,1	1,7	1	0
Fluxo de caixa	153	97	125	154	75,9	32
Custo de capital	996	941	617	573	544	0
Percentual retido sobre os ativos	NS	NS	1,9	5,8	5,3	0
Participação acionária em comum	952	911	756	671	415	324

Fonte: Standard & Poor's Net Advantage Company Profiles, 10/3/07.
Dados originais relatados; antes dos resultados de operações interrompidas e/ou itens específicos.
Dados por ação ajustados para dividendos quando da data sem direito a dividendo.
E = estimado; NI = não informado; NS = não significativo
JetBlue Airways Corp, Nasdaq: JBLU

QUADRO 2 O crescimento da JetBlue

	Passageiros geradores de receita (milhares)	Receita de milhas de passageiros (milhões)	Receitas operacionais (milhões $)	Funcionários (meio turno e turno integral)	Aeronaves em operação	Destinos
2000	1.144	1.005	320,4	1.174	10	12
2001	3.117	3.282	320,4	2.361	21	18
2002	5.752	6.836	635,2	4.011	37	20
2003	9.012	11.527	998,4	5.433	53	21
2004	11.783	15.730	1.266	7.211	69	30
2005	14.729	20.200	1.701	9.021	93	33
2006	18.565	23.320	2.363	10.377	119	49

Fontes: relatórios 10K da JetBlue, Air Transport Association of America, Standard & Poor's.
"Passageiros geradores de receita" representa o número total de passageiros geradores de receita em todos os segmentos de voos em operação.
"Receita de milhas de passageiros" representa o número de milhas voadas por passageiro gerador de receita.
O número de funcionários não inclui os funcionários da LiveTV.

Os passageiros podiam assistir à televisão ao vivo e a filmes da 20th Century Fox a bordo, ouvir rádio via satélite, e degustar vinhos selecionados por Josh Wesson, o *"sommelier* das baixas tarifas" da Best Cellars, uma rede de lojas especializadas em vinhos de preços acessíveis. A Experiência JetBlue também incluía inovação. Desde sua fundação, a JetBlue não emitia passagens, todas as viagens eram só de ida, e todas as poltronas eram reservadas. Ela foi a primeira companhia aérea a adotar o novo jato Embraer 190 para voos regionais e a primeira a disponibilizar televisão ao vivo. Em 2002, a empresa adquiriu a operadora de televisão a bordo Live TV e passou a comercializar o serviço a outras companhias aéreas.

A EXCELÊNCIA NOS SERVIÇOS

A JetBlue sempre buscou oferecer o que chama de "o melhor serviço ao cliente no ramo", e venceu inúmeros prêmios importantes por seu desempenho.[9] Em 2007, a companhia foi nomeada a terceira mais admirada pela revista *Fortune* e a melhor no quesito satisfação do cliente pela *Market Metrix*. Em 2006, a JetBlue foi selecionada como a melhor companhia aérea doméstica pela *Conde Nast Traveler* e pela *Travel + Leisure*, a melhor companhia aérea do tipo baixo custo e com serviços básicos pela OAG e a melhor companhia aérea norte-americana na classificação anual de qualidade

QUADRO 3 O número de passageiros por funcionário

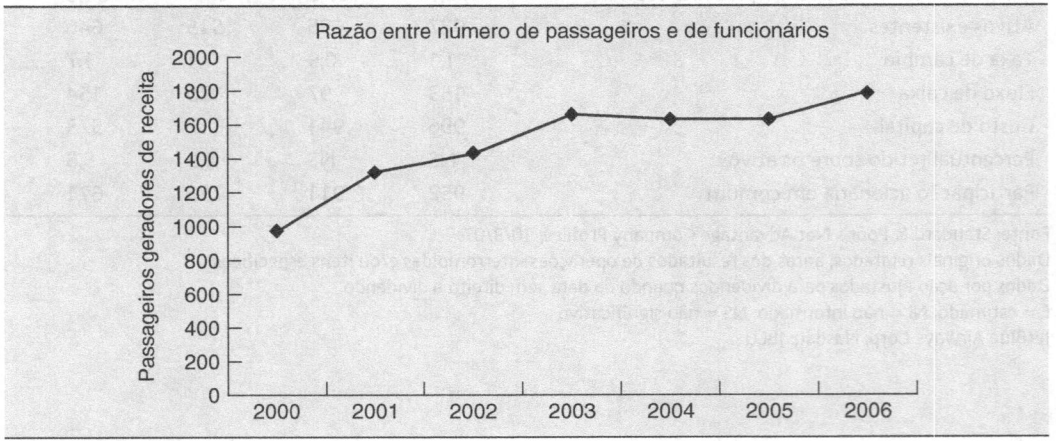

Fonte: Cálculos dos autores.

Estudo de caso 7   A Jetblue: uma grande companhia aérea derrete em uma tempestade de gelo

QUADRO 4 As 25 maiores companhias aéreas norte-americanas em 2003

	Passageiros colocados a bordo[1]		Milhagem de passageiros geradores de receita[1]		Milhagem por tonelada de carga[2]		Receitas operacionais[2]	
		(Milhares)		(Milhões)		(Milhões)		(Milhões)
1	American	88.151	American	120.004	FedEx	9.487	American	$17.403
2	Delta	84.076	United	103.857	UPS	4.624	FedEx	16.807
3	Southwest	74.719	Delta	89.154	Atlas	3.006	Delta	14.203
4	United	66.018	Northwest	68.459	Northwest	2.184	United	13.398
5	Northwest	51.865	Continental	56.886	American	2.012	Northwest	9.184
6	US Airways	41.250	Southwest	47.940	United	1.888	Continental	7.333
7	Continental	38.474	US Airways	37.727	Delta	1.349	US Airways	6.762
8	America West	20.031	America West	21.266	Polar	1.115	Southwest	5.937
9	Alaska	15.046	Alaska	14.557	Continental	865	UPS	3.046
10	American Eagle	12.474	ATA	11.840	Gemini	732	America West	2.223
11	AirTran	11.651	JetBlue	10.442	ABX	700	Alaska	2.019
12	Continental Express	11.227	AirTran	7.159	Evergreen Int'l	677	ATA	1.398
13	Comair	10.935	Continental Express	5.769	Kalitta	660	Continental Express	1.311
14	Skywest	10.719	Hawaiian	5.560	US Airways	361	ABX	1.161
15	ATA	9.386	Comair	5.227	ASTAR	348	American Eagle	1.128
16	Atlantic Southeast	9.205	Frontier	4.666	World	301	Comair	1.032
17	JetBlue	8.949	Spirit	4.578	Air Transport Int'l	203	JetBlue	998
18	Atlantic Coast	8.390	Skywest	4.232	Florida West	197	AirTran	918
19	Air Wisconsin	5.865	American Eagle	4.135	Express.Net	165	Atlantic Coast	876
20	Mesaba	5.702	Atlantic Southeast	4.008	Tradewinds	164	Atlantic Southeast	837
21	Hawaiian	5.597	Atlantic Coast	3.320	Southwest	141	Hawaiian	706
22	Frontier	5.061	Continental Micronesia	2.286	Kitty Hawk	122	Frontier	590
23	Horizon	4.934	Air Wisconsin	2.212	Ryan Int'l	118	Air Wisconsin	527
24	Aloha	4.119	Midwest	1.969	Centurion	118	World	475
25	Spirit	4.105	Aloha	1.968	Southern	106	Horizon	464

Fonte: Relatório anual da Air Transport Association of America, 2004.
Nota: Os nomes assinalados em negrito são companhias que fazem parte da Air Transport Association of America.
[1] Apenas serviços normais. [2] Todos os serviços.

QUADRO 5 Receitas totais das companhias aéreas norte-americanas

Ano	$ bilhões	% de crescimento
2000	120,0	
2001	111,9	–6,8%
2002	105,0	–6,1%
2003	110,2	4,9%
2004	116,3	5,6%
2005	125,0	7,5%

Fonte: Datamonitor Industry Profiles, 2005, 2006.

conduzida pela Universidade de Nebraska – Universidade Estadual de Omaha e Wichita. Em 2006, a JetBlue tinha a segunda menor taxa de reclamações do cliente entre as 10 maiores companhias aéreas dos Estados Unidos (veja Quadro 6).

A visão de Neeleman de uma nova categoria de companhia aérea, uma empresa cujos voos seriam mais aprazíveis e sérios, era tão atraente para os funcionários quanto para os passageiros. Neeleman havia sido um missionário mórmon no Brasil e desenvolvera uma extraordinária capacidade de se relacionar com as pessoas e inspirá-las. Um dos pilotos que trabalhou para ele disse à revis-ta *Fast Company*: "Colocaria minha mão no fogo por ele."[10] Ele viajava frequentemente nos voos da JetBlue, trabalhando ao lado dos funcionários, conversando com os pilotos na cabine, trocando algumas palavras com os passageiros acerca de suas experiências e perguntando como a companhia aérea poderia atendê-los melhor. Neeleman e sua equipe de executivos davam grande valor ao envolvimento dos funcionários em todos os aspectos do negócio e ao cultivo de uma noção de trabalho em equipe. Todos os funcionários eram chamados "integrantes da tripulação", e os supervisores frequentavam a "Universidade JetBlue" para conhecer os princípios de liderança ensinados por Neeleman e seu executivo-chefe de operações, Dave Barger. Al Spain, vice-presidente sênior de operações, disse: "Nessa empresa não há 'eles', há 'nós'. Nós andamos juntos ou caímos juntos".[11]

Mesmo após a tempestade de gelo, os funcionários continuaram defendendo a companhia. Em 19 de fevereiro, uma pessoa que se identificou como funcionário da JetBlue postou uma resposta a um *blogger* que havia criticado o modo como a companhia lidou com a situação, dizendo:

> Se você tivesse reservado uma passagem na Delta ou na American, seu voo teria sido cancelado da mesma maneira e você nem teria recebido seu dinheiro de volta. Você teria de viajar em outro voo sem compensação pelo atraso. Na verdade, essas companhias nem teriam pedido desculpas... de modo algum... NUNCA!

QUADRO 6 Taxas de reclamações de clientes para as 10 maiores companhias aéreas norte-americanas (2006)

Companhia aérea	Reclamações para cada milhão de passageiros colocados a bordo
United Airlines	13,60
US Airways	13,59
American Airlines	10,87
Delta	10,35
Northwest Airlines	8,84
Continental Airlines	8,83
AirTran Airways	6,24
Alaska Airlines	5,24
JetBlue Airways	3,98
Southwest Airlines	1,82
Média para todas as companhias	**8,67**

Fonte: U.S. Department of Transportation Consumer Report, February 2007; Wall Street Journal, March 27, 2007.

O que aconteceu com todos vocês (inclusive com meus colegas pilotos e comissários de bordo que ficaram presos junto com vocês – e que se sentiram tão tristes quanto vocês) foi terrível, nada agradável nem confortável. Foi uma imensa chateação. O dia foi ruim, ruim mesmo.

Mas foi isso. Quando você viaja é como apostar em uma loteria: se você chega a seu destino sem enfrentar problemas – você ganhou! Se você tiver problemas ao longo do caminho... faz parte! Mas se você ganha um reembolso por seus problemas... isso é incrível!

Lamento que você tenha passado por tudo o que passou no Dia dos Namorados e quero que você volte a voar pela JetBlue porque assim poderei oferecer a Experiência JetBlue a que você se acostumou e a qual nos esforçamos a cada dia para executar."[12]

LUZES DE ALARME NA CABINE DO PILOTO

Em maio de 2004, a revista *Fast Company* publicou um perfil do jovem CEO, elogiando-o pela abordagem ativa e alertando que seria cada vez mais difícil mantê-la à medida que a JetBlue crescia:

Muito do que distingue essa companhia – do entusiasmo de seus funcionários ao seu incansável foco no cliente e sua imagem moderna e ligeiramente contracultural – é exatamente o tipo de coisa que você consegue controlar enquanto sua empresa for pequena, e que se torna muito mais difícil à medida que você cresce. A JetBlue conseguirá manter essas qualidades enquanto se transforma de uma modesta entrante em uma empresa com muita burocracia, que é necessária para administrar uma operação muito mais complexa?

Essa é uma pergunta que vale para diversas empresas verdadeiramente inovadoras nos dias de hoje. Talvez podemos chamá-las de companhias pós-modernas. Essas companhias crescerão se passarem com sucesso por essa transição, mas mantém-se como antítese da Starbucks, da Dell e da Amazon, tão voltadas para a grandeza. Exatamente como a JetBlue, essas companhias dependem da flexibilidade, da velocidade e de um senso de intimidade com os funcionários e clientes em mesma proporção. Em outras palavras, o desafio que a JetBlue enfrenta é esse: é possível colocar o pequeno porte de uma empresa em escala?[13]

Mas, em 2005, Neeleman começou a voar em zonas de turbulência. Ao mesmo tempo que a *Fast Company* considerava a capacidade de Neeleman de resgatar sua companhia do mesmo destino da People Express – empresa de conceito semelhante ao da JetBlue e que faliu na década de 1980 –, suas rivais Delta e United lançavam respectivamente os programas Song e Ted, de baixo custo e alto nível de serviço com a intenção de competir diretamente com a JetBlue. As despesas com manutenção e mão de obra começaram a crescer quando as aeronaves e o quadro de pessoal da companhia envelheceram e ela encontrou dificuldades com a introdução de um novo tipo de aeronave, o Embraer 190. Conforme normalmente ocorre quando uma companhia aérea inclui um novo modelo de aeronave em sua frota, a JetBlue sofreu com problemas inesperados. O modelo Embraer 190 foi entregue com atraso e a instalação do sistema de entretenimento a bordo, tão importante para a experiência JetBlue, levou mais tempo do que o esperado. Além disso, os pilotos e mecânicos, acostumados a executar suas atividades de certo modo na frota existente, agora tinham de aprender a operar o novo modelo. Atrasos começaram a ocorrer e voos eram cancelados.[14] Outro aspecto foi o fato de que o Estado da Flórida e a região do Golfo do México, mercados importantes para a JetBlue, foram arrasados pelos furacões Rita, Wilma e Katrina em 2005. A demanda por transporte aéreo para essas regiões caiu, refinarias de petróleo estavam fechadas e os custos com combustível para a JetBlue subiram 52%. Ao final de 2005, a empresa relatou seu primeiro prejuízo operacional, de $20 milhões.[15]

Neeleman e Barger discutiram esses desafios no Relatório Anual da empresa de 2005 e apresentaram um plano de recuperação. Eles planejavam melhorar as receitas aumentando a média de preços das tarifas, utilizando a capacidade de modo mais racional e lançando voos para cidades de pequeno e médio porte, onde existia uma relativa falta de competição que permitiria à JetBlue cobrar preços mais altos. Eles também reiteraram o compromisso da companhia com o serviço confiável, que significava "operar voos mesmo com atrasos, sem cancelar o voo em nome da conveniência do planejamento de horários". Com o objetivo de administrar custos, eles prometeram melhorar a produtividade de seus funcionários com mais treinamento, melhores processos de serviço e uso ampliado da automação. Neeleman e Barger também afirmaram que controlariam o risco dos aumentos nos preços de combustíveis utilizando estratégias de *hedge** financeiro. A equipe de executivos também recusou bônus e Neeleman postergou a compra de 36 novas aeronaves.[16]

Ao final de 2006, o plano de Neeleman e Barger para sair dessa situação parecia estar funcionando. As receitas cresceram 39% em 2006, para $2,36 bilhões. A empresa havia tido três trimestres rentáveis e terminara o ano no vermelho em apenas $1 milhão. Em janeiro de 2007, David Neeleman disse aos investidores: "Estou muito orgulhoso dos esforços feitos pelos integrantes de nossa tripulação no sentido de pôr em prática nosso plano de institucionalizar hábitos relativos a custos mais baixos em uma companhia aérea e de melhorar receitas de um modo geral". Dave Barger disse que o desempenho da companhia em 2006 "nos posiciona muito bem para 2007, um ano em que planejamos crescer em capacidade, de 11 a 14%, sem deixar de aperfeiçoar a Experiência JetBlue". Os investidores pareceram compartilhar a confiança de Barger. Ao final de 2006, os analistas começaram a melhorar seus pareceres e, em meados de janeiro de 2007, a cotação das ações da companhia haviam disparado ao seu maior valor em 52 semanas. Todos ignoravam a turbulência que viria pela frente.

MAU TEMPO

Em 11/2/2007, seu sétimo aniversário de fundação, a JetBlue operava cerca de 500 voos ao dia para 50 cidades nos Estados Unidos, no México e no Caribe. David Neeleman havia construído uma das companhias aéreas novas de maior sucesso desde a desregulamentação do setor, 30 anos antes. As perspectivas da empresa eram ótimas. Foi quando, três dias mais tarde, a JetBlue sofreu o que seria a pior crise de sua existência.

O dia 14 de fevereiro começou normalmente na matriz da JetBlue, em Forest Hills, Nova York, próximo ao Aeroporto Internacional John F. Kennedy. A empresa havia emitido um informe rotineiro um pouco após as 9 horas da manhã, anunciando que havia formado uma parceria com a Cape Air para oferecer serviços a quatro comunidades em Cape Cod. No dia anterior, uma massa de ar polar entrara na região da cidade de Nova York vinda do oeste e fazendo cair um décimo de polegada de neve. A previsão do tempo anunciava um grande volume de neve para o interior do Estado, mas parecia que a cidade seria poupada do pior da tormenta. Na estação meteorológica do aeroporto, o barômetro começou a cair à meia-noite. Ao amanhecer, o que fora uma pequena camada de neve no começo da madrugada se transformara em pedras de gelo e agora caía uma fina chuva gelada. As temperaturas estavam em -7°C. Ninguém parecia saber que, na hora do almoço, a pressão atmosférica cairia aproximadamente uma polegada e que um forte vento nordeste assolaria o aeroporto com rajadas de até 70 km/h, cobrindo aviões e pistas de neve. Ainda cedo naquela manhã, consoante o desejo da companhia de evitar cancelamentos, os agentes dos portões utilizados pela JetBlue embarcaram os passageiros em seis aviões, na esperança de que poderiam partir assim que o tempo desse uma trégua. Essas aeronaves permaneceram estacionadas junto ao portão. Ao longo da manhã, quatro aeronaves da companhia aterrissaram e permaneceram no solo, incapazes de chegar ao terminal, já que todos os portões estavam ocupados e os equipamentos em terra empregados para guinchá-las estavam congelados.

Com o lento passar das horas para passageiros e tripulantes presos a bordo de 10 aeronaves, as operações da JetBlue pareciam paralisadas. Os problemas no aeroporto John F. Kennedy, em seu terminal da Costa Leste, afetaram todo o sistema da JetBlue. O número de discagem gratuita da companhia, atendido por funcionários baseados no Estado de Utah, estava sofrendo uma

---

* N. de T.: Estratégias adotadas em mercados financeiros para compensar e proteger investimentos contra possíveis riscos.

enxurrada de telefonemas de clientes que buscavam informações ou que tentavam remarcar as reservas que tinham para voos atrasados. O departamento que a empresa tinha em Nova York, com 20 funcionários que lidavam com o agendamento do trabalho dos tripulantes, também estava sobrecarregado.

A tempestade pareceu diminuir de intensidade no começo da tarde, quando a neve passou a cair mais fraca e os funcionários da JetBlue conservaram as aeronaves no mesmo lugar, aparentemente na esperança de recuperar alguns dos voos. Contudo, às 3 horas da tarde, eles admitiram a derrota e solicitaram ajuda às autoridades aeroportuárias dos Estados de Nova York e Nova Jersey para remover os passageiros presos. Os últimos passageiros entraram no terminal após as 7 horas da noite, depois de terem ficado sentados em suas poltronas nos aviões por entre 6 e 10 horas e meia.

As equipes dos noticiários de televisão estavam esperando pelos passageiros no terminal. A WABC-TV entrevistou alguns dos 134 passageiros do voo 751, que deveriam ter partido para Cancun, no México. "Não havia energia e fazia calor dentro do avião. Não havia ar fresco para respirar. A todo momento eles tinham de abrir as portas do avião para podermos respirar", disse um dos passageiros entrevistados.

"Ninguém deu respostas. Tudo o que eles faziam era nos dizer que sabiam tanto quanto nós. Eu disse, 'Eu não trabalho aqui, você trabalha aqui, então me dê algumas respostas'", disse outro passageiro.

"Todos estão terrivelmente cansados e frustrados. Não esperávamos estar em Nova York hoje à noite. É ridículo. Ficar sentado ali ouvindo-os dizer que estavam nos transferindo de volta para o portão sem que nunca o fizessem. A comida era pouca. Simplesmente foi um pesadelo", foram as palavras de mais um passageiro entrevistado.[17]

Os problemas da JetBlue viraram manchete nacional rapidamente. Yossi Glieberman, de 41 anos e morador do bairro do Brooklin que veio em um voo de Nashville impedido de chegar no portão de desembarque, disse ao *Newsday* que os pilotos davam informações atualizadas e que as aeromoças distribuíam lanches à vontade, permitiam que os passageiros recarregassem as baterias de seus telefones celulares e que as crianças lhes ajudassem a empurrar os carrinhos de serviço.[18] "Poderia ter sido pior", disse ele acerca de sua tribulação, que durou 9 horas. Outros passageiros não foram tão compreensivos. Um homem que não se identificou disse ao noticiário ABC World News: "Minhas férias foram canceladas. Não há voos partindo. Não posso ir a lugar algum. Eles não têm condições de prosseguir com qualquer viagem. Meus filhos estão em casa nesse tempo gelado quando todos deveríamos estar em uma praia a 30°C".[19] Cheryl Chesner, uma noiva que teve de cancelar sua lua de mel a Aruba, disse ao *San Francisco Chronicle*: "Foi o pior que poderia ter acontecido. Foi horrível".[20]

Uma cliente, que morava em Nova York e que estava irritada com o fato de ter perdido a viagem do Dia dos Namorados, muito esperada, a Los Angeles com seu novo companheiro, lançou um *blog* chamado www.jetbluehostage.com.[21]* Ela adotou o apelido "Gen Starchild" e escreveu, "Nada melhor do que ficar refém junto com o homem que você ama em um avião gelado para dizer a ele 'Eu te amo', ao lado de 99 desconhecidos, 4 outras pessoas que você conhece casualmente, 4 bebês que não param de chorar, 3 crianças barulhentas, nada além de refrigerante e salgadinhos para comer, energia elétrica que vem e vai, televisão via satélite que não funciona e um sistema de esgoto cheio, tudo isso durante 11 horas".

O *blog* ganhou notoriedade e motivou uma entrevista com Gen e seu namorado na rede de televisão CNN. O departamento de relações públicas da JetBlue pediu para que ela se reunisse com David Neeleman. Em seu *blog*, ela contou como foi a entrevista:

A maior parte do tempo foi assim:

Resposta típica.
Resposta típica.
Lamentamos muito.

---

* N. de T.: A palavra *hostage* significa "refém".

Não acontecerá de novo.
Não tenho como responder. Você tem de falar com outra pessoa.
Lamento.
Etc.

Então ele ficou sem respostas e pude perceber que algo mudara. Desde o começo da reunião ele havia jogado esse jogo passivo-agressivo, atendendo QUATRO TELEFONEMAS em seu celular. Esses telefonemas não eram de funcionários da JetBlue preocupados com cancelamentos em função das condições climáticas. As chamadas eram de sua esposa, de seu vizinho. Sou craque nesses jogos psicológicos. Comigo eles não funcionam.

Gen Starchild e seus colegas "reféns" não foram os únicos passageiros incomodados com os eventos de 14 de fevereiro, embora eles talvez tenham sido os que tiveram maior visibilidade no caso. Além disso, a JetBlue não foi a única empresa que não pôde decolar em função da tempestade. Entre 13 e 15 de fevereiro, a American Airlines cancelou 914 voos (13,4% de seus voos); a United, 865 (17,1%); a US Airways, 728 (19,6%); e a Continental, 119 (3,7%). Por sua vez, a JetBlue cancelou 634 voos, que representaram 39,6% de seu total.[22]

Em síntese, cerca de 200 voos, quase metade de todos os voos da companhia, foram cancelados no Dia dos Namorados. Os dias que se seguiram também foram marcados por problemas, pois a tempestade de gelo deixara aeronaves e tripulações fora de suas posições planejadas e o tempo inclemente continuava a dar dores de cabeça. A comunicação e a coordenação internas entre os funcionários da companhia também era outro problema. Uma mulher que pegou um voo da companhia da Califórnia para Nova York em 17 de fevereiro postou o seguinte comentário no *blog* jetbluehostage.com: "A equipe baseada em Burbank não tinha a mínima ideia do que estava acontecendo – a falta de pilotos foi um choque total para ela – e os funcionários que de fato estavam no aeroporto John F. Kennedy eram em número tão reduzido, que nenhum passageiro estava conseguindo respostas para suas perguntas. Por fim, um homem portando um alto-falante portátil apareceu (porque o painel informativo da esteira giratória das bagagens estava totalmente desatualizado) e avisou em quais das esteiras as bagagens de cada voo estavam sendo devolvidas".

Em um esforço para restaurar a ordem, a companhia cancelou alguns de seus voos em 15 e 16 de fevereiro, mas as complicações persistiram e, por isso, os gerentes tomaram a decisão inédita de cancelar preventivamente (o chamado pré-cancelamento) 23% dos voos da JetBlue nos dois dias seguintes para reposicionar as aeronaves e permitir que os pilotos e as tripulações descansassem. Essa ação foi uma mudança notável no modo de pensar dos gerentes da JetBlue, que sempre haviam experimentado uma abordagem "vamos ver como é que fica" quanto a problemas climáticos.[23] Ao anunciar a medida em 17 de fevereiro, a porta-voz da companhia, Jenny Dervin, disse ao *New York Times*: "Durante a tarde chegamos ao ponto em que tudo caiu por terra. As pessoas responsáveis pelo setor de operações estavam simplesmente exaustas. Dissemos: 'Vamos parar com essa loucura'".[24] À revista *Newsweek*,[25] Devin disse: "Enfrentamos uma espiral letal nas operações". Os cancelamentos prévios, que ocorreram no feriadão do Dia dos Presidentes*, acabaram surtindo o efeito desejado e na segunda-feira, dia 20 de fevereiro, as operações da JetBlue haviam se normalizado.

A JETBLUE COMEÇA A TRABALHAR PARA RECONQUISTAR A CONFIANÇA DO CLIENTE

Enquanto os executivos da companhia lutavam para sair da sequência de problemas operacionais, a equipe de relações públicas da companhia trabalhava duro para recuperar a imagem arranhada da empresa. Na noite de 14 de fevereiro, a JetBlue emitiu nota oficial com um pedido de desculpas

---

* N. de T.: Em inglês, *Presidents Day*. Feriado nacional nos Estados Unidos, celebrado na terceira segunda-feira de fevereiro, em homenagem ao presidente norte-americano.

a seus passageiros e anunciou que ofereceria reembolso total do valor da passagem e uma viagem de ida e volta grátis a todos os passageiros que ficaram a bordo por mais de 3 horas. Ela também reembolsaria cada passageiro cujo voo fora cancelado. No decorrer dos dias seguintes, a companhia aérea anunciou que estava flexibilizando suas políticas sobre renovação de reservas de forma que os clientes que foram afetados pela tempestade não fossem penalizados ao remarcarem suas passagens. Ao longo desse período, a alta gerência da empresa praticou seu compromisso por uma "liderança transparente". Dave Barger foi ao aeroporto John F. Kennedy no dia 14 de fevereiro para supervisionar a reação operacional e conversar com passageiros e membros das tripulações. David Neeleman passou a ser a cara da empresa perante o público e deu diversas entrevistas na mídia, em que ele assumiu a responsabilidade pelos acontecimentos, expressou arrependimento e prometeu que esse tipo de problema não voltaria a acontecer. Em uma reportagem de capa do *New York Times* de sua edição dominical de 19 de fevereiro, Neeleman disse que estava "humilhado e arrasado", e prometeu que a JetBlue pagaria multas a seus clientes se eles fossem vítimas de erros cometidos pela companhia.[26]

Uma semana após a tempestade de gelo do Dia dos Namorados, as operações finalmente haviam se normalizado. Neeleman havia emitido um pedido de desculpas pessoalmente, que apareceu em seu *blog* e em anúncios de página inteira nos principais jornais dos Estados Unidos (veja o Quadro 7). A companhia aérea também publicou uma Declaração dos Direitos do Cliente, que especificou como e quando compensaria os passageiros por atrasos e outros problemas (veja o Quadro 8). As reações ao pedido de desculpas de Neeleman e a Declaração dos Direitos do Cliente foram, em sua maioria, positivas. No dia 21 de fevereiro, o jornal *USA Today* publicou um editorial chamando o fracasso no serviço da JetBlue de "imperdoável", mas ao mesmo tempo elogiou a reação da companhia. O jornal comparou o modo de lidar com as confusões vistas no Dia dos Namo-

QUADRO 7 O pedido de desculpas dado por David Neeleman

Caros Clientes da JetBlue,

Estamos muito magoados e constrangidos. Mas, acima de tudo, estamos profundamente tristes. A semana passada foi a pior em termos operacionais na história de 7 anos de vida da JetBlue. Muitos de vocês ficaram presos por causa do tempo, sofreram atrasos ou cancelamento de voos após a forte tempestade de gelo que se abateu no nordeste dos Estados Unidos. A tempestade causou interrupções no deslocamento das aeronaves, e, o mais grave, interrompeu o deslocamento de pilotos e tripulantes que dependiam destes aviões para levá-los aos aeroportos em que estavam lotados, para atender a nossos clientes. Com o movimento do feriado do Dia dos Presidentes que se aproximava, as oportunidades de efetuar novas reservas eram poucas e nosso número de discagem gratuita para clientes teve tempos de espera acima da média, ou nem conseguia atender a alguns clientes, o que atrapalhou ainda mais nossos esforços de recuperação.

Palavras não conseguem expressar o quanto lamentamos pela ansiedade, pela frustração e pelos inconvenientes que vocês, suas famílias, amigos e colegas sentiram. Tudo isso fica ainda mais triste em função de a JetBlue ter sido fundada sobre a promessa de trazer de volta o lado humano para as viagens aéreas e de tornar a experiência de voar mais feliz e mais fácil a todos que escolhem voar conosco. Sabemos que falhamos ao tentar concretizar essas promessas na semana passada.

Nosso compromisso é com vocês, nossos prezados clientes, e estamos tomando as ações imediatas necessárias para reconquistar sua confiança em nós. Colocamos em prática um abrangente plano para prestar mais informações na hora certa a você, disponibilizar mais ferramentas e recursos aos membros de nossas tripulações e melhorar procedimentos para lidar com dificuldades ocasionais. O mais importante é que publicamos a Declaração dos Direitos do Cliente da JetBlue Airways - nosso compromisso oficial com você em relação ao modo como trataremos interrupções operacionais - que também inclui detalhes relativos a compensações. Conheça mais em jetblue.com/promise.

Vocês mereciam mais - muito mais - de nós, na semana passada, e os desapontamos. Nada é mais importante do que reconquistar sua confiança. Esperamos que todos vocês nos deem uma nova oportunidade para lhes acolher a bordo e lhes oferecer a Experiência JetBlue positiva que vocês esperam receber de nós.

Atenciosamente,

David Neeleman
Fundador e CEO

QUADRO 8 A declaração dos direitos do Cliente da JetBlue

JETBLUE AIRWAYS CUSTOMER BILL OF RIGHTS

JetBlue Airways Customer Bill of Rights

JetBlue Airways exists to provide superior service in every aspect of our customer's air travel experience. In order to reaffirm this commitment, we set forth this Bill of Rights for our customers. These Rights will always be subject to the highest level of safety and security for our customers and crewmembers.

INFORMATION

JetBlue will notify customers of the following:
- Delays prior to scheduled departure
- Cancellations and their cause
- Diversions and their cause

CANCELLATIONS

All customers whose flight is cancelled by JetBlue will, at the customer's option, receive a full refund or re-accommodation on a future JetBlue flight at no additional charge or fare. If JetBlue cancels a flight within 12 hours of scheduled departure and the cancellation is due to a Controllable Irregularity, JetBlue will also provide the customer with a Voucher valid for future travel on JetBlue in the amount paid to JetBlue for the customer's roundtrip.

DEPARTURE DELAYS

1. Customers whose flight is delayed prior to scheduled departure for 1-1:59 hours due to a Controllable Irregularity are entitled to a $25 Voucher good for future travel on JetBlue.
2. Customers whose flight is delayed prior to scheduled departure for 2-3:59 hours due to a Controllable Irregularity are entitled to a $50 Voucher good for future travel on JetBlue.
3. Customers whose flight is delayed prior to scheduled departure for 4-5:59 hours due to a Controllable Irregularity are entitled to a Voucher good for future travel on JetBlue in the amount paid by the customer for the oneway trip.
4. Customers whose flight is delayed prior to scheduled departure for 6 or more hours due to a Controllable Irregularity are entitled to a Voucher good for future travel on JetBlue in the amount paid by the customer for the roundtrip.

OVERBOOKINGS (As defined in JetBlue's Contract of Carriage)

Customers who are involuntarily denied boarding shall receive $1,000.

GROUND DELAYS

For customers who experience a Ground Delay for more than 5 hours, JetBlue will take necessary action so that customers may deplane. JetBlue will also provide customers experiencing a Ground Delay with food and drink, access to restrooms and, as necessary, medical treatment.

Arrivals:
1. Customers who experience a Ground Delay on Arrival for 30-59 minutes after scheduled arrival time are entitled to a $25 Voucher good for future travel on JetBlue.
2. Customers who experience a Ground Delay on Arrival for 1-1:59 hours after scheduled arrival time are entitled to a $100 Voucher good for future travel on JetBlue.
3. Customers who experience a Ground Delay on Arrival for 2-2:59 hours after scheduled arrival time are entitled to a Voucher good for future travel on JetBlue in the amount paid by the customer for the oneway trip.
4. Customers who experience a Ground Delay on Arrival for 3 or more hours after scheduled arrival time are entitled to a Voucher good for future travel on JetBlue in the amount paid by the customer for the roundtrip.

Departures:
1. Customers who experience a Ground Delay on Departure for 3-3:59 hours are entitled to a $100 Voucher good for future travel on JetBlue.
2. Customers who experience a Ground Delay on Departure for 4 or more hours are entitled to a Voucher good for future travel on JetBlue in the amount paid by the customer for the roundtrip.

jetBlue AIRWAYS
JetBlue Airways
Forest Hills Support Center
118-29 Queens Blvd
Forest Hills, NY 11375

1-800-JETBLUE   1-800-538-2583   jetblue.com

*These Rights are subject to JetBlue's Contract of Carriage and, as applicable, the operational control of the flight crew.
This document is representative of what JetBlue intends to incorporate into its Contract of Carriage, the legal binding document between JetBlue and its customers.

rados a problemas do gênero semelhantes, mas em menor escala, sofridos pela American Airlines e pela United Airlines em dezembro, e escreveu que esperava que os ocorridos desencadeassem "uma onda de competição em termos de garantias relativas ao serviço em vez do costumeiro corte em despesas".[27]

Contudo, a imprensa especializada foi bem menos condescendente. Em uma forte crítica, a revista *BusinessWeek* tirou a JetBlue de sua lista de "empresas campeãs do serviço ao cliente". A edição de 5 de março da revista mostrava em sua capa (veja o Quadro 9) o título "Nosso primeiro *ranking* de empresas em que o cliente é rei. Aqui estão as 25 melhores – e um extraordinário tropeço". A ilustração da capa mostrava uma lista numerada das quatro principais companhias, com uma linha azul rabiscada sobre o nome da JetBlue. Os editores disseram que tirar a empresa da lista seria "duro demais". Apesar dos sinceros pedidos de desculpas que Neeleman fez em público, "a estrada para a recuperação não é pavimentada com aparições na televisão", avisou a revista.

> O que mais importa é a execução – fazer o trabalho detalhado e penoso de garantir que uma crise jamais ocorra novamente. Embora a JetBlue reconheça o fato, ela ainda tem muito a provar... a JetBlue acumulou prêmios por serviços com mais rapidez do que a maioria das companhias aéreas reúne reclamações... além disso, a companhia faz publicidade de sua abordagem de foco no cliente, o que faz ele ter expectativas naturalmente elevadas. Outras companhias aéreas também sofreram com as longas esperas no aeroporto John F. Kennedy... mas atrasos intermináveis, cancelamentos e confusão no serviço, diz a Professora Valarie Zeithaml, da Faculdade de Administração Kenan-Flagler da UNC, podem ser mais "perniciosos [à JetBlue] do que a uma companhia aérea de maior porte. Esses atrasos vão contra a imagem que a companhia construiu frente a seus clientes e contra a afirmação do que são e do que fazem".[28]

QUADRO 9 A capa da revista *BusinessWeek* de 5/3/2005

Outros observadores levantaram questões acerca da liderança de Neeleman. No dia 20 de fevereiro, Larry Kudlow, apresentador do programa "Kudlow and Co.", da rede de televisão CNBC, disse:

> O cara é um grande empreendedor. Ele criou, construiu e fez crescer sua empresa. Temos de admitir isso. Mas quantas vezes já vimos que os CEOs empreendedores não são necessariamente aqueles que levam essas companhias ao próximo estágio, em que a gestão e a administração são de fato os principais aspectos? Ele sem dúvida pisou na bola com a gestão, com as informações e com a comunicação. Onde está o equipamento? Onde estavam os pilotos? Como as pessoas se comunicariam? Onde estão os comissários de bordo? Sei que ele apresentou diversos pedidos de desculpa, e reconheço o valor de seu caráter por ter se desculpado, mas a verdade continua sendo a mesma: ele é capaz de administrar uma companhia aérea de grande porte?

Naquele dia o combativo CEO deu uma entrevista coletiva em que disse não ter intenção de deixar o cargo. "Sou o fundador da companhia, sou o CEO, e acho que sou a pessoa mais qualificada para lidar com essas questões."[29]

O incidente também motivou pedidos de órgãos de defesa do consumidor por mais controle do governo federal. A Coalizão por uma Declaração dos Direitos dos Passageiros de Companhias Aéreas, um grupo recém-formado, valeu-se dos infortúnios da JetBlue para pedir soluções. A coalizão foi composta por Tim e Kate Hanni, um casal de Napa, na Califórnia, que ficou preso em solo por 9 horas na cidade de Austin, no Texas, em um voo da American Airlines em dezembro de 2006. O casal Hanni descreveu a experiência por que passaram em uma carta datada do dia 4 de fevereiro e enviada ao *Mobile (Ala.) Press-Register*.[30] Esses viajantes, irritados e frustrados, exigiam que o Congresso dos Estados Unidos aprovasse novas leis para obrigar as companhias aéreas a reembolsarem 150% do preço da passagem a passageiros que ficassem no solo por mais de 3 horas e a informarem os passageiros dentro de 10 minutos de um atraso prolongado. O casal lançou um *site*, strandedpassengers.blogspot.com, e no primeiro mês coletou 4.200 assinaturas para um abaixo-assinado.[31]

Um incidente semelhante ocorrido em 1999, quando a Northwest Airlines deteve passageiros por 7 horas em uma pista coberta de neve na cidade de Detroit, motivou pedidos de ação do Congresso. O setor aéreo protelava a adoção de novas regulamentações e prometia cuidar do problema. Naquele instante, com a experiência sofrida pelos Hanni e com o fiasco da JetBlue, ficou claro que os legisladores federais estavam prontos para agir. Ao longo do feriado do Dia dos Presidentes, antes de a JetBlue lançar sua Declaração de Direitos, os senadores Barbara Boxer (do Partido Democrata, da Califórnia) e Olympia Snow (do Partido Republicano do Estado do Maine) propuseram uma nova lei para impedir que as companhias aéreas detivessem passageiros a bordo por mais de três horas, e exigindo que fornecessem refeições, água e sanitários em condições de uso. Mike Thompson, deputado Democrata eleito pelo distrito em que vivia o casal Hanni, prometeu apresentar um projeto de lei semelhante na Câmara dos Deputados. A Senadora Boxer afirmou, na National Public Radio (Rádio Pública Nacional):

> Temos de proteger os cidadãos norte-americanos. Temos de proteger suas famílias. Temos de proteger nossos filhos. Hoje, após os atentados terroristas de 11 de setembro, está muito difícil para os passageiros reclamarem sobre qualquer coisa, por causa da gravidade do que aconteceu naquele dia. Os passageiros que causam qualquer problema podem acabar sofrendo grandes problemas. Assim, quando você está em uma aeronave, você simplesmente tem de aturar de tudo. Você se encontra em uma situação sem solução, quase um refém. É simplesmente inaceitável. Estamos falando de uma coisa muito simples. É uma questão de bom senso. Acredito que as companhias aéreas serão beneficiadas, e espero que consigamos concretizar essas mudanças. Não sou ingênua com respeito a esse assunto. Toda vez que apresentamos algum tipo de regulamentação, ouvimos uma gritaria em protesto. O setor automobilístico não queria instalar cintos de segurança. Eles não queriam colocar os *air bags*. Hoje, os empresários do setor tomam para si os créditos dessas mudanças. Assim, há um papel que o governo tem de desempenhar, uma vez que somos os reais responsáveis por dar a concessão para essas companhias aéreas.[32]

Um especialista em aviação advertiu que as novas regulamentações propostas na verdade piorariam as coisas para os passageiros, pois elas tirariam a flexibilidade das companhias aéreas.

Daryl Jenkins, consultor que leciona gestão de companhias aéreas, disse ao jornal *USA Today* que a proposta era: "totalmente impraticável... e se um avião receber ordens, depois de três horas, para voltar ao terminal quando ele for o segundo na fila de decolagem? Isso não faz sentido". John Cox, ex-piloto comercial, disse que a lei reduziria a confiabilidade do sistema, pois as companhias aéreas precisam manter os voos prontos para decolarem assim que as condições climáticas permitirem. Mandar os aviões de volta ao terminal poderia aumentar os atrasos.[33]

O QUE A JETBLUE TEM PELA FRENTE?

Três semanas após a crise, Neeleman continuava conversando com os clientes sobre a reação da companhia. Parecia que alguns clientes estavam confusos com as condições sob as quais ela ofereceria compensação pelos atrasos. Neeleman explicou as diferenças entre atrasos "controláveis" e "incontroláveis" em seu *blog*, "David's Flight Log" (O Diário de Bordo de David).[34]

Em 8 de março, a companhia anunciou que John Owen, vice-presidente executivo para a cadeia de suprimentos e tecnologia da informação da JetBlue, havia pedido demissão, mas continuaria na companhia como "consultor sênior" até o final de 2008, e que Russel Chew fora contratado para o cargo de executivo-chefe de operações. Neeleman disse que Chew, veterano que trabalhara na American Airlines e na Federal Aviation Agency (Agência Nacional de Aviação Civil dos Estados Unidos), "traria uma perspectiva de companhia aérea de grande porte para a JetBlue... Russ será responsável por dar certeza de que nosso departamento de operações trabalhe dentro do horário e conforme o planejamento, de forma que você não precisará depender de nossa Declaração de Direitos para obter uma compensação. Vamos encarar os fatos – ganhar um vale de $25 ou mais é bom, mas aterrissar e decolar na hora é melhor". Chew ficaria subordinado a David Barger, que permaneceria na empresa como "Presidente e Tripulante Fundador".

Contudo, a mídia continuou a levantar questões sobre a viabilidade de longo prazo da JetBlue. Em 12 de março, a *BusinessWeek* citou que "fontes do setor" não identificadas diziam que, como parte de seus planos de cortar gastos em 2006, a companhia sacrificara as melhorias necessárias em seus sistemas de reservas, de *call center* e de definição de horários da tripulação. A revista também alertava para a possibilidade de o mercado estar exaurido e citou um consultor: "Não há muitos mercados em que você consegue colocar um avião de 150 lugares", e aumentou o espectro de uma onda de sindicalização entre os pilotos que viram cair o valor de suas opções de ações.[35]

O mercado parecia ter perdido a confiança na empresa que fora tão promissora. No dia 14 de março, a cotação das ações da companhia havia caído a $11,75, 11% abaixo do fechamento em 14 de fevereiro, que fora de $13,23.

Um mês após a tempestade de gelo, a equipe de gestão da JetBlue continuava dando explicações.

OS DESAFIOS

A JetBlue foi confrontada com questões difíceis à medida que prosseguia com seus esforços de recuperação do colapso em suas operações no Dia dos Namorados. Embora as operações tivessem retornado ao "normal", a empresa havia gasto milhões de dólares em reembolsos e cupons para passageiros, horas extras para seus funcionários e outros custos relativos à tempestade. Os executivos da JetBlue haviam passado incontáveis horas praticando a "liderança transparente" e David Neeleman, o rosto da companhia, havia aceito a responsabilidade, manifestando arrependimento repetidas vezes, e prometido que esse problema jamais voltaria a acontecer. Mas, a JetBlue poderia confiar em Neeleman para tirá-la desses problemas? Seus executivos haviam aprendido a lição com essa falha no serviço e consertado o que estava errado a fim de evitar que isso acontecesse novamente? No caso de a resposta a estas perguntas ser negativa, quais são as ações a serem tomadas? Quais são as mudanças estratégicas e operacionais – se houver alguma – que deveriam ser implementadas para garantir a total recuperação da companhia?

Fontes

1. Wong, Grace. "JetBlue fiasco: $30M price tag: CEO Neeleman pledges reforms, vows to keep job after cancellation leaves passengers stranded; airline back to full schedule." CNNMoney.com, February 20, 2007.
2. Neeleman, David. "Dear JetBlue Customers." David's Flight Log, http://www.jetblue.com/about/ourcompany/flightlog/, February 22, 2007.
3. Salter, Chuck. "And Now the Hard Part." Fast Company 82, May 2004.
4. Air Transport Association. 2004 Economic Report. www.airlines.org, accessed March 10, 2007.
5. Salter, op. cit.
6. Weber, Harry R. and Joshua Freed. "Delta, Northwest file for Chapter 11 bankruptcy protection." Associated Press, September 14, 2005.
7. Ibid.
8. Carpenter, Dave. "Leaner United might be bankruptcy model for Delta, Northwest." Associated Press, September 18, 2005.
9. JetBlue Airways Corporation. http://www.jetblue.com/about/ourcompany/history/about_ourhistory.html.
10. Salter, op. cit.
11. Ibid.
12. Site da JetBlue Hostage. http://www.jetbluehostage.com.
13. Salter, op. cit.
14. Reed, Dan. "Loss Shifts JetBlue's Focus to Climbing Back Into Black." USA Today, February 21, 2006.
15. JetBlue Airways Corporation. Annual Report 2005. http://investor.jetblue.com/phoenix.zhtml?c=131045&p=irol-reportsAnnual
16. Foust, Dean. "Is JetBlue the Next People Express?" BusinessWeek, March 12, 2007.
17. Lipoff, Phil. "A Nightmare for JetBlue: Planes ran out of food and water as they sat for over 8 hours." WABC-TV, New York, February 14, 2007.
18. Strickler, Andrew. "Stormy Weather: Waiting til they're blue; Jet Blue passengers stranded on planes for hours amid icy snarl at JFK gates." Newsday, February 15, 2007.
19. Gibson, Charles. "JetBlue's Airline Meltdown." ABC World News Now, February 19, 2007.
20. Armstrong, David. "Beleaguered air passengers want new laws." San Francisco Chronicle, February 16, 2007.
21. Site da JetBlue Hostage, op. cit.
22. Carey, Susan and Andrew Pasztor. "Behind Travel Mess: New Rules for Sleet." The Wall Street Journal, March 23, 2007.
23. Lyons, Patrick. "A Snowshocked JetBlue Hits the Cancel Button." The Lede, March 16, 2007. http://theledeblogs.nytimes.com/2007/03/16/a-showshocked-jetblue-hits-the-cancel-button/
24. Bailey, Jeff. "JetBlue Cancels More Flights in Storm's Wake." The New York Times, February 18, 2007.
25. Sloan, Allan and Temma Ehrenfeld. "Skies Were Cloudy Before Jet Blew It." Newsweek 149:10, March 5, 2007.
26. Bailey, op. cit.
27. USA Today. "Crisis Management Says a Lot About an Airline." February 21, 2007.
28. McGregor, Jena. "An Extraordinary Stumble at JetBlue." BusinessWeek, March 5, 2007.
29. Wong, op. cit.
30. Hanni, Tim and Kate Hanni. "Family Endures 57-hour Journey from San Francisco to Mobile." Mobile Press-Register, February 4, 2007.
31. Martinez, Michael. "Boxer to Introduce Airline Passengers' Bill of Rights: Crusade picks up steam after this week's JetBlue delays." San Jose Mercury News, February 15, 2007.
32. Block, Melissa. "Air Passengers Rights Bill Introduced in Senate." National Public Radio, February 20, 2007.
33. Levin, Alan. "Bill of Rights for Fliers Questioned." USA Today, February 22, 2007.
34. Neeleman, David. David's Flight Log. http://www.jetblue.com/about/ourcompany/flightlog/
35. Foust, op. cit.

Estudo de caso 8
Como utilizar o marketing de serviços para desenvolver e executar soluções integradas na Caterpillar na América Latina

Holger Pietzsch, Caterpillar Inc.
Valarie A. Zeithaml, Universidade da Carolina do Norte

> Qualquer fabricante do setor produtivo que não tenha se dado conta de que precisa se tornar uma empresa de serviços está em grande perigo hoje.[1]

José "Pepe" Brousset, Diretor de Operações e Marketing da Divisão Comercial para a América Latina (DCAL) da Caterpillar, Inc., chamou a atenção do Grupo de Consultoria para Concessionárias na primavera de 2006 com a mensagem de que as metas da companhia para o quinquênio não seriam atendidas a menos que a organização deslocasse seu foco no produto para um foco integrado no cliente. Sua ideia era a de que a DCAL dirigisse o desenvolvimento e a implementação de um plano de serviços que seria vendido com os equipamentos pesados da Caterpillar na forma de contratos de serviço ao cliente (CSCs). A iniciativa era uma consequência direta da estratégia corporativa da Caterpillar, chamada Vision 2020. Esta estratégia estipulava que o crescimento do sistema de distribuição da empresa seria um fator crítico de sucesso no futuro. Em síntese, a Vision 2020 especificava que "O sistema de distribuição da Caterpillar será o *benchmark* global na execução de *soluções de negócios integradas* [itálico nosso] aos clientes". Uma das principais métricas de desempenho desta estratégia era o volume de negócios gerado por meio dos CSCs. Os CSCs haviam sido oferecidos pelas concessionárias da Caterpillar no passado, mas as diversas dificuldades enfrentadas geraram dúvidas sobre a capacidade da empresa em ganhar receitas com eles. Estas dificuldades incluíam a falta de consistência entre os países latino-americanos, e a impossibilidade de executar os CSCs e de calcular seus custos e benefícios.

A Caterpillar, como diversas empresas do setor de produção altamente bem-sucedidas, abraçou o que seria bem definido como foco no produto. A empresa, as revendas e os fornecedores trabalhavam em equipe para oferecer o que acreditam ser o sistema de suporte ao produto mais extraordinário em todo o mundo. A fórmula do sucesso da companhia é definida como:

> Descubra os produtos que os clientes desejam. Projete-os e construa-os. Mantenha-os em funcionamento. Quando não puderem mais operar, reconstrua e recicle. Faça melhor do que qualquer outra empresa.

Mas com serviços, a história é diferente. Exceto pelos clientes de grande porte do setor de mineração da Caterpillar e outros usuários com quem as revendas mantêm fortes relacionamentos que envolvem muitos tipos de serviços que geraram soluções integradas, a companhia não havia adotado o foco no cliente de forma consistente com a prestação de serviços.

A meta de Pepe Brousset era desenvolver, implementar e dirigir um plano utilizando as melhores práticas no setor de serviços para redefinir a proposição de valor do CSC e elevar o número de contratos de serviços em 30% ao ano, na média, entre 2006 e 2010. Embora o serviço não precisasse se limitar aos CSCs para atingir essa meta, ele acreditava piamente que aprender como executar

---

Este estudo de caso foi preparado com o apoio da Divisão Comercial para a América Latina da Caterpillar, Inc. O texto foi preparado por Holger Pietzsch e Valarie A. Zeithaml como base para discussão em sala de aula, não como exemplo de gestão eficaz ou ineficaz de uma situação administrativa. Direitos autorais 2008, Holger Pietzsch, Caterpillar, Inc., e Valarie A. Zeithaml da Universidade da Carolina do Norte, Chapel Hill.

[1] G. Allemendinger and R. Lombreglia, "Four Strategies for the Age of Smart Services", *Harvard Business Review*, October 2005.

o serviço por meio desses contratos era a melhor abordagem a fim de preparar tanto a companhia quanto as revendas para os desafios envolvidos na execução de serviços. Sua meta imediata era convencer os membros do Grupo de Consultoria para Concessionárias que seu plano contemplava seus principais interesses.

A CATERPILLAR

Em 24 novembro de 1904, Benjamin Holt testava seu primeiro trator de esteira. Não tardou muito para a marca Caterpillar ser registrada. Em abril de 1925, a C.L. Best Tractor Co. e a The Holt Manufacturing Company fundiram-se para formar a Caterpillar Tractor Company. Na década de 1930, a unidade da companhia em East Peoria, Illinois, havia se tornado um dos maiores complexos industriais da América do Norte e, em 1951, abria sua primeira unidade de fabricação em outro continente, no Reino Unido.

O Quadro 1 mostra a história da Caterpillar a partir desse ponto. Alguns dos detalhes mostrados no quadro incluem: (1) a inclusão da Caterpillar na Dow Jones Industrial Average (Média Industrial Dow Jones*) em substituição à Navistar** em 1991, (2) a indicação da Caterpillar pela re-

QUADRO 1 A história da Caterpillar

Ano	Principal acontecimento	Vendas (em milhões)
1925	A Holt e a Best se fundem para formar a Caterpillar Tractor Company. com matriz em Peoria. Illinois.	13,8
1928	A aquisição da Russel Motorgrader Company acelera a entrada na construção de estradas.	35,1
1931	A Caterpillar passa a utilizar motores a diesel e se torna a maior fabricante de motores que usam este combustível. Foi tomada a decisão de alterar a cor dos produtos de cinza para amarelo.	24,1
1939	Lançada a primeira linha de motores Marine e geradores de energia elétrica.	58,4
1946	O programa de expansão da empresa aumenta o número de unidades em 50%.	128,4
1951	Inaugurada a primeira unidade internacional no Reino Unido.	394,3
1955	Apresentada a subsidiária australiana.	533,0
1966	Retomadas as vendas na antiga União Soviética. após uma interrupção de três décadas.	1.524,0
1970	As vendas fora dos Estados Unidos ultrapassam as vendas no país pela primeira vez.	2.127,8
1976	Inaugurada a unidade de Piracicaba. no Brasil.	5.043,2
1981	Formada a Caterpillar Leasing. antecessora da Caterpillar Financial Corporation.	9.160,0
1982	A companhia sofre um prejuízo de $180 milhões. o primeiro desde 1932. O nível de empregos na empresa cai 29%.	6.472,0
1986	Trocado o nome de Caterpillar Tractor Company para Caterpillar Inc.	7.380,0
1987	Formada a Caterpillar Logistics Services Inc.	8.294,0
1988	Lançada a nova logomarca da companhia.	10.435,0
1991	A Caterpillar é adicionada à Dow Jones Industrial Average. substituindo a Navistar.	10.182,0
1997	A revista *Fortune* indica a Caterpillar como uma das empresas mais admiradas em todo o mundo.	18.925,0
1999	A Caterpillar se torna a maior fabricante de motores a diesel do mundo.	19.702,0
2006	O total de vendas da companhia excede os 41 bilhões de dólares.	41.517,0

* N. de T.: Média ponderada das ações das 30 empresas de primeira linha mais negociadas na bolsa de Nova York.

** N. de T.: Empresa fabricante de caminhões e motores a diesel de médio e grande porte.

vista *Fortune* como uma das empresas mais admiradas em 1997 e (3) a consolidação da Caterpillar como maior fabricante de motores a diesel do mundo em 1999.

No ano 2000, a Caterpillar fabricou mais de 300 modelos, incluindo motores e turbinas de 5 a 22 mil cavalos-vapor em 88 unidades de fabricação. Entre todos os produtos que fabricava, 75% eram produzidos nos Estados Unidos, ao passo que 50% das vendas ocorriam fora do país. Em 2006, o total de vendas dos produtos da Caterpillar excedeu 41 bilhões de dólares.

Os produtos Caterpillar

A Caterpillar fornece uma ampla gama de produtos utilizados em diversos setores, envolvendo atividades como remoção de terra, escavação, carregamento e transporte. Minicarregadeiras, retroescavadeiras, escavadoras de rodas e pás carregadeiras de roda compactas (veja o Quadro 2) desempenham funções em construções em ambientes urbanos e em geral. Caminhões articulados, escavadeiras hidráulicas, aplainadoras, motoniveladoras e tratores de esteira são empregados em projetos de remoção de terra de grande escala, como na construção pesada e na construção de estradas e aeroportos. Escavadeiras de rodas e manipuladores telescópicos de materiais são vistos em demolições e no manuseio de detritos. As operações de mineração são mais complicadas e requerem uma infinidade de equipamentos, que incluem caminhões fora da estrada e máquinas para mineração subterrânea. Os tratores de rodas são os principais equipamentos nos processos de manuseio de materiais em pedreiras ou em diferentes indústrias. Os motores a diesel da Caterpillar aparecem em caminhões comuns, navios, locomotivas e plataformas de petróleo. Por fim, uma ampla gama de equipamentos para a geração de energia fornece eletricidade para diversas finalidades.

QUADRO 2 Exemplos de produtos da Caterpillar.

Motoniveladora Minicarregadeira
Caminhão articulado Trator de esteira Trator de rodas
Caminhão fora da estrada Retroescavadeira Escavadeira hidráulica

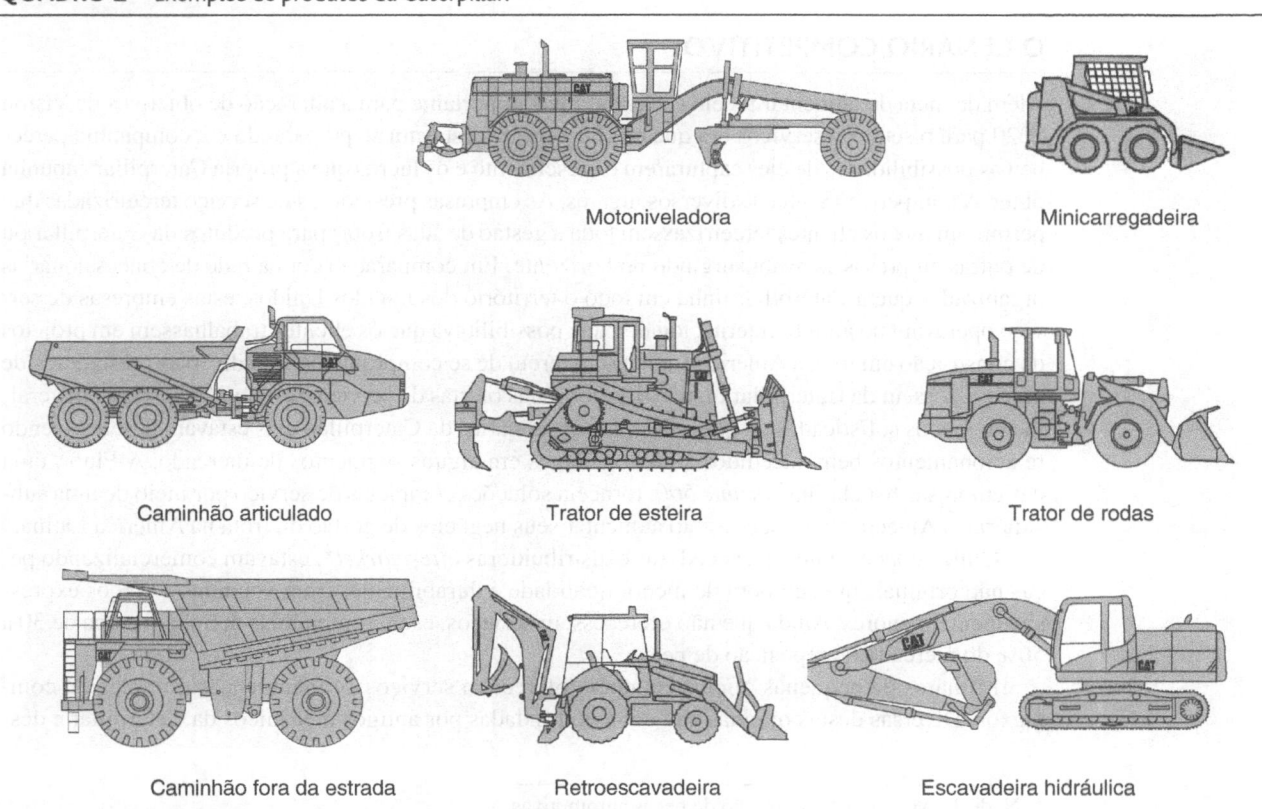

Os serviços Caterpillar

Apesar de a Caterpillar ser sobretudo uma empresa de produtos, ela oferece diversos serviços como complementos para eles. Esses serviços envolvem a reforma de equipamentos usados e de componentes de motores, para transformá-los em "seminovos", além de serviços de financiamento e seguro para proprietários de equipamentos, aluguel de equipamentos e serviços de logística.

AS CONCESSIONÁRIAS DA CATERPILLAR

A Caterpillar se orgulha de ter relacionamentos duradouros e próximos com suas concessionárias. Em 2006, mais de 180 concessionárias independentes em todo o mundo representavam os produtos da companhia, administrando relacionamentos com os clientes, executando a manutenção de equipamentos e fornecendo peças durante toda a vida útil deles. Essas concessionárias investiam milhões de dólares em estoque de peças, depósitos, lojas de atendimento, ferramentas, tecnologia da informação e frotas para locação. Em conjunto, as concessionárias empregavam mais pessoas do que a própria Caterpillar. Muitas delas eram empresas familiares, porém outras eram empresas de porte muito maior – com receitas que ultrapassavam a casa de 1 bilhão de dólares. Por exemplo, uma das concessionárias da Caterpillar, a Finning International, operava no Canadá, na América do Sul e na Europa, gerando mais de 12 mil empregos.

As concessionárias da Caterpillar formam um canal de distribuição sem igual no setor, e a rede é uma das principais vantagens competitivas da companhia. Nenhuma outra fabricante de equipamentos pesados oferece cobertura comparável em termos de quantidade e qualidade de pontos de contato com o cliente. Diversas concessionárias representam a marca Caterpillar há mais de meio século e estabeleceram relacionamentos de longo prazo com suas bases de clientes – por vezes ao longo de gerações.

O CENÁRIO COMPETITIVO

Além da meta de aumentar receitas, a razão mais importante para a alteração de objetivos da Vision 2020 para o setor de serviços era que os concorrentes estavam se preparando e a companhia percebeu as possibilidades de eles capturarem o crescimento e os lucros que a própria Caterpillar supunha obter. A competição vinha de diversos lugares. As empresas prestadoras de serviço terceirizadas que permitiam que os clientes terceirizassem toda a gestão de suas frotas para produtos da Caterpillar ou de outras empresas estavam surgindo no horizonte. Em comparação com a rede de concessionárias organizadas que a Caterpillar tinha em todo o território dos Estados Unidos, estas empresas de serviço operavam no âmbito internacional, o que possibilitava que os clientes trabalhassem em projetos de construção em toda a América Latina sem terem de se comprometer com diversas prestadoras de serviço, fossem da Caterpillar ou não. Embora suas ofertas de serviço e competências fossem geralmente menos sofisticadas do que as das concessionárias da Caterpillar, elas estavam desenvolvendo relacionamentos bem-sucedidos com os clientes em alguns segmentos de mercado. A Fluor, uma das empresas listadas na *Fortune 500*, fornecia soluções completas de serviço por meio de uma subsidiária, a Ameco, e teve sucesso ao aumentar seus negócios de gestão de frota na América Latina.

Outras concorrentes, fornecedoras e distribuidoras *aftermarket**, estavam comercializando peças não originais que, embora de menor qualidade e durabilidade, eram vendidas a preços expressivamente menores. Ainda que não oferecessem serviços, estas companhias detinham cerca de 30 a 50% do mercado de reposição de peças.

Milhares de pequenas oficinas também ofereciam serviços de manutenção, simples ou complexos. Diversas destas oficinas haviam sido fundadas por antigos mecânicos da Caterpillar e des-

---

* N. de T.: Mercado de reposição de peças automotivas.

frutavam de ampla aceitação da clientela, mas nenhuma tinha reservas financeiras para investir em grandes pontos de venda ou em cobertura de mercado. Diversos clientes também tinham suas próprias oficinas mecânicas, que utilizavam para atividades de manutenção e consertos. Pequenas oficinas e mecânicos independentes tinham dificuldade de acompanhar a cada vez mais sofisticada tecnologia presente nas novas máquinas, que exigia ferramentas especializadas e conhecimento técnico. Por isso, muitos deles se concentravam em consertar máquinas mais antigas.

Por fim, as concorrentes, como Komatsu, John Deere e Volvo, haviam construído suas redes de concessionárias próprias na América Latina. Embora fortemente focadas em seus próprios equipamentos em vez dos da Caterpillar, elas muitas vezes compartilhavam clientes, pois estes compravam equipamentos de diferentes fabricantes. Os donos de frotas mistas avaliavam com critério o desempenho das organizações de suporte ao produto antes de adquirir novos equipamentos, o que tornava a capacidade de prestar serviços um fator-chave em novas aquisições.

O RELACIONAMENTO ENTRE A CATERPILLAR E SUAS CONCESSIONÁRIAS

Como a empresa, a Caterpillar tem uma expressiva parcela de seus negócios com o consumidor final intermediada pelas concessionárias. Estas são responsáveis por iniciar e dar suporte aos relacionamentos com os clientes e por estabelecer os tipos de serviços prestados. As ofertas de produtos e serviços variam expressivamente entre essas concessionárias.

A matriz e as fábricas da Caterpillar dependem dos centros regionais de lucro com comercialização (CRLCS) para trabalhar com a rede de concessionárias a fim de comercializar e distribuir produtos (veja a Quadro 3). O principal CRLC da DCAL fica em Miami, um centro regional que atende ao México, ao Caribe e às Américas Central e do Sul. Diversas equipes de menor porte baseadas em escritórios distritais também situam-se nos territórios das concessionárias para prestar suporte constante. O centro de lucro com comercialização da DCAL tem funcionários em divisões de produtos e de suporte a produtos. Estes funcionários trabalham como elos entre a matriz e as concessionárias, disponibilizando conhecimento e capacitação sobre a Caterpillar para seus parceiros executores de serviços nas concessionárias em relação a questões operacionais e estratégicas. A região da DCAL inclui mais de 20 concessionárias (em geral uma por país), cujas organizações estão normalmente divididas em vendas de equipamentos, vendas de peças e serviços para equipamentos. Dependendo das necessidades dos clientes, todas as partes de uma concessionária conseguem interagir de modo individual com o cliente. O Quadro 3 mostra o relacionamento entre a Caterpillar, os CRLCs e as concessionárias.

Esta divisão organizacional tanto nos CRLCs quanto nas concessionárias promoveu o conhecimento técnico e a consistência no trato com as divisões, mas, ao longo do tempo, gerou silos funcionais com diferentes prioridades e metas de desempenho. Por exemplo, embora a organização de suporte ao produto fosse responsável pelo aumento de vendas dos CSCs, ela não era o departamento responsável pela venda de máquinas, com o qual era firmado o contrato de vendas. A equipe de vendas de máquinas não precisava incluir os CSCs nas ofertas ao cliente e, na verdade, não tinha a inclinação de fazê-lo, pois em muitos casos ela não estava plenamente informada sobre os CSCs (inclusive acerca de informações sobre o que a concessionária era capaz de prometer), nem recebia incentivos para vender esses contratos.

O suporte ao produto – como a disponibilidade rápida e ampla de peças sobressalentes, o conhecimento técnico da concessionária local, as instalações de manutenção e os técnicos especializados – era o principal diferencial para a Caterpillar. Tanto a companhia quanto suas concessionárias orgulhavam-se de sua filosofia "produzir para durar" e de seu compromisso com a conservação e operação dos equipamentos de seus clientes ao menor custo possível. Processos, ferramentas, *software* e programas de substituição de peças concebidos com sofisticação haviam tornado as operações de manutenção e reparos mais rápidas e eficazes.

As mensurações de desempenho nas concessionárias estavam focadas no custo, nas receitas ou nas operações para maximizar a oferta, mas poucas contemplavam a rentabilidade do cliente ou

QUADRO 3 O relacionamento entre a Caterpillar e suas concessionárias.

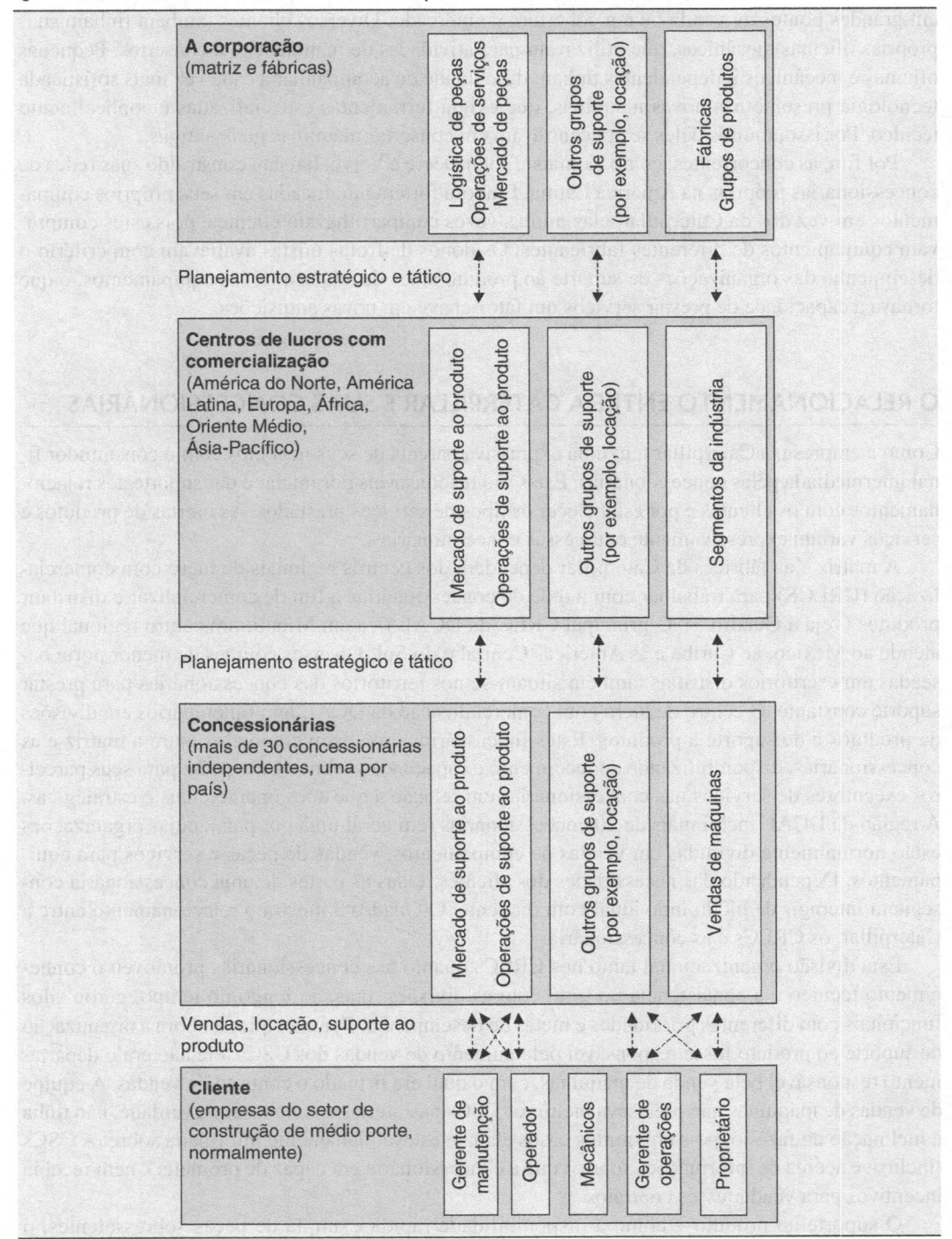

A corporação
(matriz e fábricas)
- Logística de peças / Operações de serviços / Mercado de peças
- Outros grupos de suporte (por exemplo, locação)
- Fábricas / Grupos de produtos

↕ Planejamento estratégico e tático

Centros de lucros com comercialização
(América do Norte, América Latina, Europa, África, Oriente Médio, Ásia-Pacífico)
- Mercado de suporte ao produto / Operações de suporte ao produto
- Outros grupos de suporte (por exemplo, locação)
- Segmentos da indústria

↕ Planejamento estratégico e tático

Concessionárias
(mais de 30 concessionárias independentes, uma por país)
- Mercado de suporte ao produto / Operações de suporte ao produto
- Outros grupos de suporte (por exemplo, locação)
- Vendas de máquinas

↕ Vendas, locação, suporte ao produto

Cliente
(empresas do setor de construção de médio porte, normalmente)
- Gerente de manutenção
- Operador
- Mecânicos
- Gerente de operações
- Proprietário

as percepções da qualidade do serviço que o cliente tinha. Por exemplo, tanto a Caterpillar quanto suas concessionárias regularmente mediam o giro de peças, o trabalho em andamento, a utilização do tempo dos mecânicos e a rentabilidade das manutenções. Estas mensurações poupavam tempo e dinheiro, mas não tinham vínculos com o aumento na satisfação do cliente ou nas receitas.

A principal exigência dos clientes quanto a serviços é o tempo de funcionamento de seus equipamentos. Um equipamento parado ou em manutenção custa dinheiro para o cliente, devido à perda de produção (em uma mina de ouro, por exemplo), à parada de outros itens do maquinário que exijam o equipamento em manutenção para poderem funcionar (o que se vê com caminhões que precisam esperar por uma escavadeira) e às prováveis penalidades pelo atraso de um projeto (no caso da construção de estradas).

Diante destes riscos, muitos clientes de grande porte (com cinco máquinas ou mais) desenvolveram infraestruturas próprias de suporte ao produto que incluem lojas de atendimento, a contratação e o treinamento de técnicos e o desenvolvimento de procedimentos de manutenção e reparos. Por ser uma empresa do setor de produtos, a Caterpillar simplesmente segmentou o mercado em termos de produtos e setores. Os departamentos de vendas e de produtos foram compostos em relação aos tipos de produtos que os clientes possuíam (por exemplo, escavadeiras, tratores de rodas, sistemas de energia), e equipes especiais foram desenvolvidas para setores específicos, como mineração, construção civil ou construção pesada.

Em relação ao suporte, os clientes são classificados em três segmentos, vistos em termos dos benefícios que procuram: (1) "eu mesmo faço", (2) "trabalhe comigo", ou (3) "faça por mim". Os clientes do grupo 3, "faça por mim" são os proprietários que terceirizam a maioria de suas atividades de suporte ao serviço para as concessionárias. Muitos destes clientes são empresas de grande porte, que mantêm a fidelidade. Os clientes do segundo grupo tomam conta do suporte diário ao produto, mas recorrem às concessionárias para atender às suas necessidades de manutenção mais complexas. Diversas empresas de médio porte, típicas do ramo da construção, são classificadas nessa categoria. O grupo 1, "eu mesmo faço" em geral emprega recursos internos ou competitivos para atender às suas necessidades de suporte ao produto. A maior parte das empresas de pequeno porte e do setor de construção aparece nesse segmento.

A identificação dos clientes classificados nesses segmentos foi possível mas complexa, e exigia inúmeras hipóteses com relação às necessidades totais desses clientes com manutenção. Alguns desses clientes ficavam em mais de uma categoria, preferindo os serviços das concessionárias para a manutenção de máquinas novas, mas utilizando seus próprios recursos para consertar equipamentos antigos.

OS CLIENTES DA CONSTRUÇÃO EM GERAL

Uma vez que a linha de produtos da Caterpillar era muito diversificada, seus clientes variavam bastante em termos de porte e exigências. Para seus maiores clientes – via de regra aqueles que adquiriam equipamentos de mineração – as concessionárias ofereciam serviços completos e customizados. Para estes clientes, os pontos mais importantes eram a produtividade e o tempo de operação – o equipamento em condições de operação em 100% do tempo. Os clientes pagavam pelos CSCs e pelos serviços de manutenção para atingir essas metas, e normalmente demonstravam estar muito satisfeitos.

Contudo, este grupo de clientes não era o segmento para o qual se esperava um crescimento expressivo no futuro. Por essa razão, a divisão DCAL decidiu se concentrar nos clientes da construção em geral.

As empresas de construção civil e em geral, além das empresas contratadas para a execução de grandes projetos, empregavam os equipamentos construídos pela Caterpillar por serem versáteis, não por serem produtivos. Estes clientes de menor porte tinham também de administrar um poder de compra de curto prazo e limitações em fluxos de caixa, o que contribuía com uma situação em que a manutenção preventiva e os consertos menores eram postergados o máximo possível. A falta de ênfase nestas áreas por vezes acarretava maiores custos com consertos e estes tempos de parada não planejados interrompiam as operações com o cliente. Contudo, uma vez que estes clientes consideravam o tempo de operação do equipamento como menos importante para suas atividades, sua disposição de pagar mais por peças e pela disponibilidade delas era menor. Em muitos casos, esses clientes migravam para uma rede de fornecedores internos ou externos, que praticavam preços mais baixos, para obter serviços de manutenção e ver atendidas as próprias necessidades.

OS CONTRATOS DE SUPORTE AO CLIENTE

Ao longo dos anos, as concessionárias da Caterpillar haviam montado pacotes de serviços e os inserido nos contratos de suporte ao cliente (CSCs). Estes contratos eram flexíveis e incluíam a maior parte dos serviços que os clientes desejavam e que as concessionárias podiam prestar. Estes contratos de serviços ao cliente versavam sobre conteúdos altamente customizados, e tinham prazos e preços definidos individualmente. Muitos deles eram contratos de manutenção e consertos completos, em que os clientes terceirizavam todo o suporte a todos os seus equipamentos. Estes contratos eram vendidos em separado das máquinas, no ato da compra, e eram executados pelo setor de suporte a produtos da concessionária. Os CSCs voltados para os clientes de maior porte haviam demonstrado expressivos benefícios com relação aos riscos e custos de tempo de parada não planejado, resultando em altos níveis de fidelidade do cliente. Mas o grau atual de customização e complexidade limitava o potencial de comercialização destes CSCs e afetava a eficiência operacional da concessionária para atender ao crescente número de clientes no mercado de construção em geral.

Os contratos menores e mais simples, chamados contratos de manutenção preventiva (CMP), eram firmados junto a vários clientes de pequeno porte. Esses contratos envolviam basicamente o suprimento de óleos e filtros de qualidade superior produzidos pela Caterpillar, a intervalos predefinidos, entregues pelo técnico de campo da concessionária, que viajava até os clientes. Algumas das atividades do técnico, como inspeção visual dos equipamentos, monitoramento de suas condições e a discussão da situação encontrada com o cliente, não estavam explicitamente incluídas nesses contratos. Estes eram serviços extras, e não eram executados nem oferecidos com regularidade. A maioria destes serviços, e os intervalos entre as manutenções preventivas, passavam despercebidos pelos proprietários das empresas porque os técnicos de campo interagiam com os operadores e as máquinas e nem sempre tinham contato com quem assinava os contratos. Assim, muitos tomadores de decisão e compradores dos equipamentos não reconheciam os benefícios dos contratos e não renovavam os CSCs quando expiravam. Contudo, algumas concessionárias haviam transformado os contratos de manutenção em uma atividade séria. Elas tinham técnicos de manutenção preventiva dedicados, caminhões especialmente projetados para as atividades relacionadas e processos proativos que regularmente forneciam um *feedback* aos clientes sobre suas máquinas, dúvidas e soluções recomendadas.

Os CSCs eram quase sempre vendidos pelos representantes de vendas ou pelos de produtos, e executados pelo setor de serviços. Devido ao crescimento sem precedentes do setor de construção visto em meados do ano 2000, o setor sofria com a falta de técnicos, o que resultava em gargalos de produção na tentativa de cumprir as promessas feitas nos CSCs. Diante desta situação, os setores de vendas às vezes relutavam em vender CSCs caso pressentissem que o setor de serviços não cumpriria as promessas feitas. Além dessas preocupações, as equipes de vendas das concessionárias preferiam vender soluções com base na diferenciação de produtos tangíveis, e não na defesa de serviços intangíveis, mais difíceis de explicar, vender e diferenciar.

Em geral, os clientes com CSCs exibiam maior fidelidade e índice de recompra, em comparação com os que não tinham esse contrato. Um dos principais aspectos por trás dessa fidelidade parecia ser a qualidade do serviço fornecido em campo pelos técnicos (por exemplo, o acesso ao equipamento a intervalos regulares para a execução de tarefas de manutenção preventiva, como troca de óleo e filtros, além de alguns serviços de diagnóstico chamados "monitoramento condicionado"). As concessionárias tinham diferentes filosofias com relação ao grau de treinamento e poder de decisão dos técnicos de campo quanto à atuação deles nos consertos recomendados, identificados no trabalho de manutenção preventiva. A maior parte das concessionárias empregava técnicos iniciantes para executarem o trabalho básico definido nos contratos de manutenção preventiva. Eles eram responsáveis pelo envio das informações sobre as condições das máquinas para o setor de venda de suporte ao produto para o acompanhamento e a cotação de trabalho adicional que pudesse ser efetuado a fim de melhorar as condições do maquinário. Outras concessionárias haviam decidido delegar o poder de decisão a seus técnicos para uma ampla parcela do processo. Em geral, os clientes gostavam da velocidade do serviço e da qualidade do aconselhamento sobre as condições da máquina em questão.

A INTERVENÇÃO DO MARKETING DE SERVIÇOS

O crescimento recente e consistente das economias latino-americanas havia atraído cada vez mais distribuidoras de equipamento com poder de competição – as quais vendiam seus produtos a preços mais baixos do que os da Caterpillar. A maior parte dessas companhias tinha uma infraestrutura limitada de serviços à disposição. Em consequência disso, a equipe de gestão da DCAL decidira intensificar o poder de suporte ao produto da Caterpillar como fator de diferenciação em todas as decisões relativas ao cliente – antes, durante e depois da compra do equipamento. O reconhecimento de que a Caterpillar excedia as expectativas na fabricação de produtos, mas tinha experiência limitada no projeto e na execução de serviços de solução, fez Pepe Brousset convidar um especialista em marketing de serviços para uma reunião do Grupo de Consultoria para Concessionárias, em 2006. Ele havia feito uma disciplina de marketing de serviços em seu curso de pós-graduação e entendia que diversos conceitos e ferramentas estavam disponíveis para auxiliar a empresa. Além disso, ele acreditava que um especialista poderia passar um dia descrevendo o que os setores de serviços conhecem acerca do marketing de serviços e como a qualidade em serviços abriria os olhos das concessionárias.

Nesse cenário, o *modelo de lacunas da qualidade do serviço* seria particularmente útil.[2] O modelo explica a natureza e o impacto de cada lacuna na experiência do cliente, no posicionamento da marca e na diferenciação do serviço. O marketing de serviços abrange ferramentas e metodologias que avaliam e tratam das principais capacitações relativas ao serviço, necessárias para o fechamento dessa lacuna. Outros conceitos abordados foram o mapa do serviço, os padrões definidos pelo cliente e a comunicação integrada no marketing de serviços.

O Grupo de Consultoria para Concessionárias abraçou o conceito de marketing de serviços e decidiu adaptá-lo à empresa, para impulsionar seus negócios com serviços. Os Quadros 4 e 5 mostram os conceitos do modelo de lacunas.

QUADRO 4 A lacuna do cliente

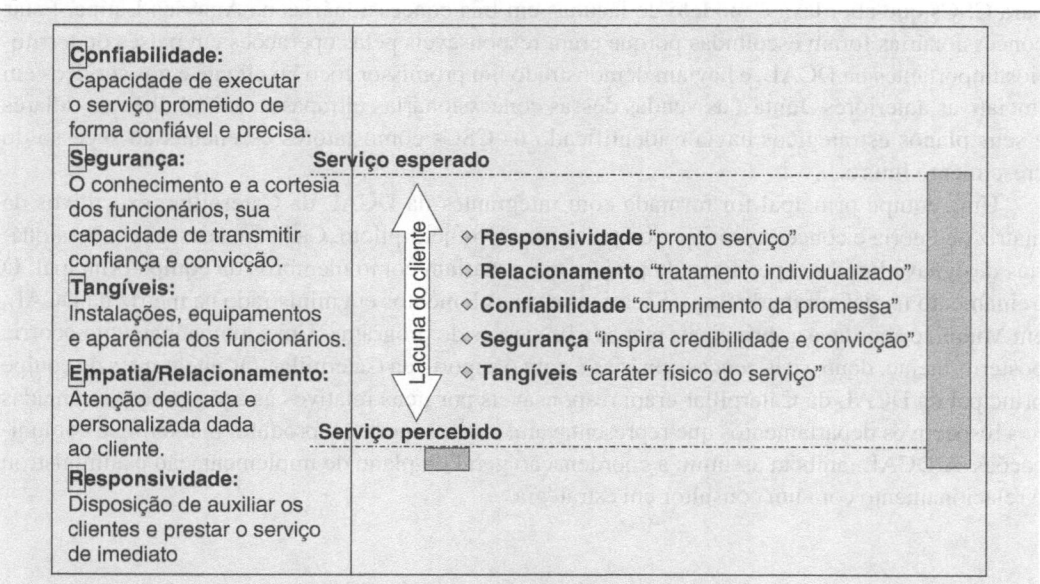

Confiabilidade: Capacidade de executar o serviço prometido de forma confiável e precisa.

Segurança: O conhecimento e a cortesia dos funcionários, sua capacidade de transmitir confiança e convicção.

Tangíveis: Instalações, equipamentos e aparência dos funcionários.

Empatia/Relacionamento: Atenção dedicada e personalizada dada ao cliente.

Responsividade: Disposição de auxiliar os clientes e prestar o serviço de imediato

Serviço esperado

Lacuna do cliente

- Responsividade "pronto serviço"
- Relacionamento "tratamento individualizado"
- Confiabilidade "cumprimento da promessa"
- Segurança "inspira credibilidade e convicção"
- Tangíveis "caráter físico do serviço"

Serviço percebido

Fonte: Zeithaml, Parasuraman, and Berry, *Delivering Quality Service: Balancing Customer Perceptions and Expectations*.

---

[2] O modelo de lacunas da qualidade do serviço e a maior parte dos outros elementos do marketing de serviços mencionados neste artigo foram desenvolvidos e descritos por Valarie Zeithaml, Professora da Universidade da Carolina do Norte, Chapel Hill. A Professora Zeithaml também é coautora de *Services Marketing*, McGraw-Hill, a publicação mais abrangente sobre o assunto que a equipe conseguiu encontrar.

QUADRO 5 O modelo de lacunas da qualidade do serviço

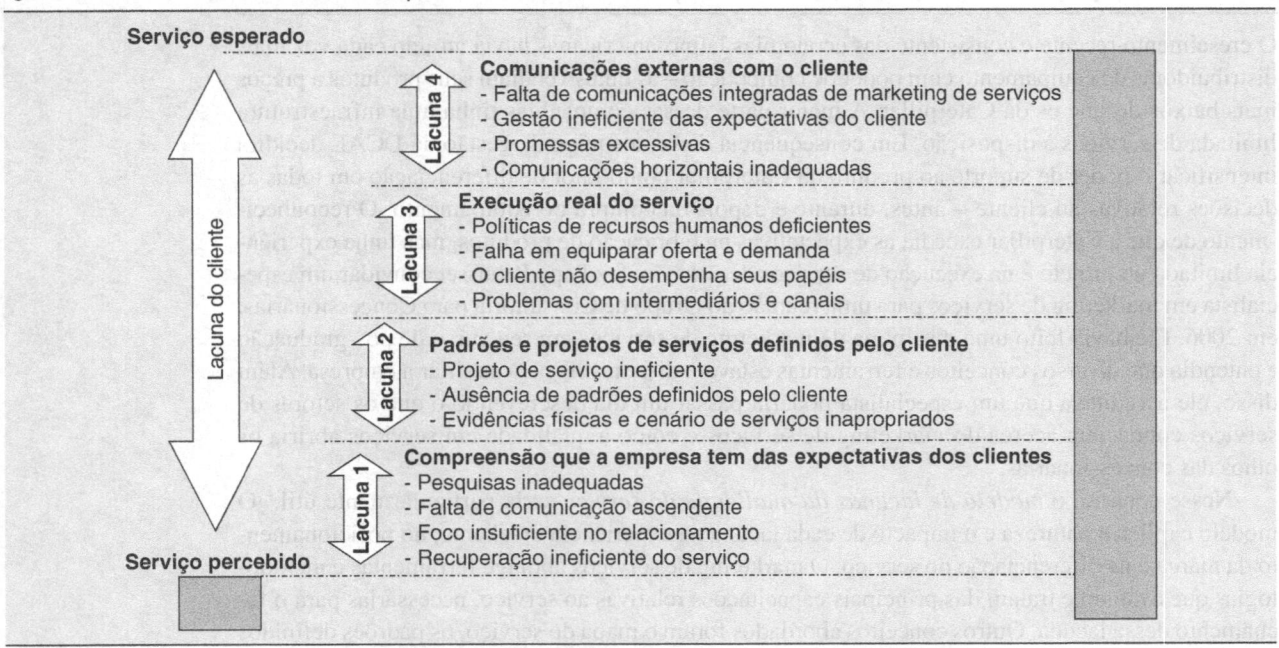

```
Serviço esperado
    ↑
    |        ⇕ Lacuna 4   Comunicações externas com o cliente
    |                      - Falta de comunicações integradas de marketing de serviços
    |                      - Gestão ineficiente das expectativas do cliente
    |                      - Promessas excessivas
    |                      - Comunicações horizontais inadequadas
    |
Lacuna       ⇕ Lacuna 3   Execução real do serviço
do cliente                 - Políticas de recursos humanos deficientes
    |                      - Falha em equiparar oferta e demanda
    |                      - O cliente não desempenha seus papéis
    |                      - Problemas com intermediários e canais
    |
    |        ⇕ Lacuna 2   Padrões e projetos de serviços definidos pelo cliente
    |                      - Projeto de serviço ineficiente
    |                      - Ausência de padrões definidos pelo cliente
    |                      - Evidências físicas e cenário de serviços inapropriados
    |
    |        ⇕ Lacuna 1   Compreensão que a empresa tem das expectativas dos clientes
    |                      - Pesquisas inadequadas
    ↓                      - Falta de comunicação ascendente
Serviço percebido          - Foco insuficiente no relacionamento
                           - Recuperação ineficiente do serviço
```

Fonte: Zeithaml, Parasuraman, and Berry, *Delivering Quality Service: Balancing Customer Perceptions and Expectations*.

O PROJETO DA QUALIDADE NOS SERVIÇOS NA DIVISÃO COMERCIAL PARA A AMÉRICA LATINA

A Caterpillar e o Grupo de Consultoria para Concessionárias decidiram conduzir um programa para CSCs que abordava o modelo de lacunas em três concessionárias na América Latina. Estas concessionárias foram escolhidas porque eram responsáveis pelas operações em países ou territórios importantes na DCAL, e haviam demonstrado um promissor foco no cliente e nos serviços em iniciativas anteriores. Juntas, as vendas dessas concessionárias ultrapassavam 1 bilhão de dólares e seus planos estratégicos haviam identificado os CSCs como fatores essenciais ao sucesso do crescimento futuro.

Uma equipe principal foi formada com integrantes da DCAL da Caterpillar, executivos da matriz de Peoria e concessionárias recrutadas para o projeto-piloto. Cada uma dessas concessionárias designava líderes específicos de projeto que atuariam como membros da equipe principal. O treinamento inicial em marketing de serviços e seus elementos era ministrado na matriz da DCAL, em Miami, e abordava as principais etapas e processos do programa. Um acompanhamento ocorria posteriormente, dentro das concessionárias e com o suporte da Caterpillar. Os integrantes da equipe principal da DCAL da Caterpillar eram responsáveis por itens relativos às ações a serem tomadas nos respectivos departamentos que representavam, como suporte ao produto, marketing e comunicações. A DCAL também assumiu a coordenação geral do plano de implementação e administrou o relacionamento com um consultor em estratégia.

A AVALIAÇÃO DAS LACUNAS EM TRÊS CONCESSIONÁRIAS-PILOTO

Após estudarem o modelo de lacunas, os integrantes da equipe principal conduziram uma avaliação geral de cada lacuna, com base no *feedback* do Grupo de Consultoria para Concessionárias e outras fontes, como as pesquisas de marketing conduzidas ao mesmo tempo pela própria Caterpillar e pelas concessionárias. Elas identificaram as seguintes questões principais, em cada uma das quatro lacunas da empresa.

A lacuna da atenção ao cliente (lacuna 1)

Utilizando as pesquisas existentes conduzidas pela Caterpillar chamadas "pesquisas de valor do cliente", a equipe dispôs os itens pesquisados de acordo com as dimensões da qualidade do serviço mostradas no Quadro 4. Cada dimensão foi então utilizada na construção de uma matriz de importância e desempenho, mostrada no Quadro 6.

A pesquisa fez diversas descobertas importantes:

- **A responsividade** foi o fator de maior influência sobre a fidelidade do cliente, e o com o menor desempenho, em comparação com os outros fatores. Esta dimensão requeria atenção urgente.
- **A empatia (relacionamento)**, **a confiabilidade** e **a segurança** ficaram acima da média em percepção e importância. Elas trouxeram diferenciação competitiva, mas nenhuma delas se posicionou como elemento dominante da proposição de valor. Todas elas apresentaram um potencial expressivo para melhorias.
- A percepção do desempenho do cliente do fator **tangíveis** era alta, mas tinha um impacto relativamente baixo na fidelidade global do cliente.

Para tratar dessas questões, a equipe concluiu que (1) a confiabilidade, a responsividade e o relacionamento em serviços precisavam ser aperfeiçoados, (2) a diferenciação e a qualidade do produto não poderiam ofuscar essas questões, (3) as operações de suporte ao produto das concessionárias e as capacitações de marketing eram igualmente importantes no tratamento dessas exigências do cliente. A equipe também reconheceu que as pesquisas com clientes eram feitas esporadicamente, e projetadas apenas em parte para fornecer um *feedback* sobre a qualidade do serviço. Em apoio à estratégia de serviços da Caterpillar, o gerente de operações de serviços da DCAL admitiu que as mensurações trazidas pelas pesquisas de valor do cliente eram inadequadas para capturar e tratar da satisfação do cliente com encontros individuais. As pesquisas de valor do cliente eram classificadas na categoria de "pesquisas de relacionamento" e conduzidas uma vez ao ano. As pesquisas com o consumidor pós-encontro, que capturavam as reações do cliente logo após as visitas de serviço, foram consideradas necessárias a fim de priorizar projetos de melhoria operacional em áreas de fato valorizadas pelo cliente. Além disso, as concessionárias e os funcionários da Caterpillar nessas regiões careciam das ferramentas para interpretar os resultados dessas pesquisas e traduzi-los em estratégias específicas.

A segmentação era outra questão essencial. A equipe estimava que a melhor maneira de concretizar a aceleração do crescimento consistia em desenvolver e divulgar pacotes atraentes de ser-

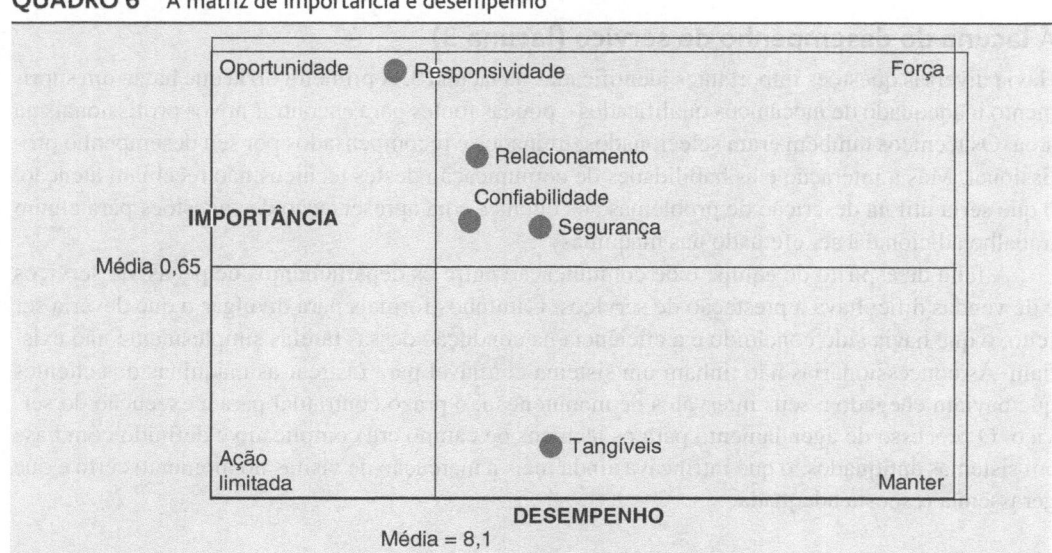

QUADRO 6 A matriz de importância e desempenho

viços a clientes de pequeno porte. A análise de diversos fatores identificou características de certos grupos de pequenos clientes que eram alvos interessantes. Os indicadores de satisfação total e fidelidade de alguns clientes eram consideravelmente melhores e os índices de renovação do CSC eram notavelmente mais altos. Ao mesmo tempo, estas concessionárias tinham uma fatia maior de negócios com esses clientes com CSCs, e a experiência contínua e o constante contato com o cliente permitiam a elas identificar, cotar e arrebatar a maior parte das oportunidades de serviços de manutenção. Estes clientes seriam os melhores objetos de foco, à medida que o projeto-piloto prosseguisse.

A lacuna do projeto e dos padrões do serviço (lacuna 2)

O projeto identificou diversas questões presentes na lacuna dos padrões e indicadores. Em primeiro lugar, no momento eram poucos os CSCs recebendo a marca da companhia sendo criados, posicionados e comercializados com base no tempo, na tranquilidade, na redução do risco, nos relacionamentos ou na conveniência que geravam para os clientes. Os CSCs foram criados para esse fim, e variavam entre concessionárias e muitas vezes também entre clientes de uma mesma concessionária. Com essa variabilidade, nunca ficava plenamente claro o que havia de fato sido prometido aos clientes, e as expectativas muitas vezes não eram atendidas. Em segundo lugar, ao mesmo tempo que a equipe de vendas de maquinário sentia-se confortável vendendo os atributos e benefícios dos equipamentos pesados, seus integrantes não estavam certos do que oferecer e prometer nos CSCs, sobretudo porque as pessoas da equipe de vendas não eram as mesmas que executavam os CSCs. Outro problema era que os materiais relativos às vendas dos CSCs não estavam disponíveis a elas, para que entendessem o que era possível e quais eram as opções oferecidas. Em terceiro lugar, os padrões de desempenho estavam, em sua maioria, focados nas operações, não no cliente.

As concessionárias tinham opiniões divergentes acerca do que os clientes esperavam e a comparação com padrões não era feita, a menos que fosse extremamente necessário. Uma das dificuldades em apresentar promessas estava no fato de que os clientes muitas vezes estavam localizados longe das concessionárias, o que significava que o tempo passado em viagem complicava o processo de definição de padrões. Entre outras coisas, a falta de padrões e medidas dificultava saber o que poderia ser prometido aos clientes na ocorrência de algum problema. As concessionárias estavam organizadas em silos – vendas, suporte ao produto, peças – e interagiam de modo inconsistente uma com a outra, e raramente faziam planos juntas. Por fim, os países latino-americanos diferiam entre si quanto à cultura, à estrutura e à legislação, o que impedia o compartilhamento ideal de práticas.

A lacuna do desempenho do serviço (lacuna 3)

Havia diversas questões importantes identificadas na lacuna 3. A primeira dizia que havia um suprimento inadequado de mecânicos qualificados e poucas fontes para encontrar novos profissionais na área. Os técnicos também eram selecionados, treinados e recompensados por seu desempenho profissional. Mas a interação e as habilidades de comunicação destes técnicos não recebiam atenção, o que seria útil na descrição de problemas aos clientes e na apresentação de sugestões para algum trabalho adicional a ser efetuado nas máquinas.

A falta de espírito de equipe e de comunicação entre os departamentos de peças, de serviços e de vendas dificultava a prestação de serviços. Caminhos formais para divulgar o que deveria ser feito, o que havia sido concluído e a eficiência na condução dessas tarefas simplesmente não existiam. As concessionárias não tinham um sistema confiável para rastrear as máquinas dos clientes que haviam chegado a seus intervalos de manutenção, o prazo contratual para a execução do serviço. O processo de agendamento para os técnicos de campo era complicado e definido com base em sistemas antiquados, o que intrincava ainda mais a marcação de visitas no momento certo e que gerassem a resposta adequada.

Para piorar, os clientes contribuíam com as dificuldades nessa lacuna. Quando requisitavam serviços, eles muitas vezes não avisavam as concessionárias acerca da localização física de suas máquinas em suas propriedades. Na verdade, muitos deles esqueciam de informar à concessionária que estava na hora da manutenção de seus equipamentos e que precisavam de serviços.

A oferta e a demanda muitas vezes não se equiparavam, pois muitos clientes desejavam a manutenção e a inspeção de suas máquinas sem avisar com a devida antecedência, ou então fora do horário comercial. Nos picos das temporadas de construção (por exemplo, na primavera e no começo do verão), o setor frequentemente passava por escassez de técnicos. Outro fator que causava preocupação dizia respeito às fases de baixa demanda, com poucos clientes que requisitavam ou precisavam de consertos.

Por fim, os relatórios de inspeção e recomendação preparados e oferecidos como parte dos CSCs (e ansiosamente consultados e arquivados pelos clientes) cumpriam seus papéis, mas não eram apresentados de forma atraente.

A lacuna da comunicação (lacuna 4)

O material de promoção da Caterpillar era praticamente todo focado nas características e vantagens do produto. Na época em que o projeto foi iniciado, não havia brochuras nem anúncios descrevendo os CSCs, o que limitava a capacidade de vendê-los, tanto externa quanto internamente. Do ponto de vista externo, os clientes não poderiam ter certeza de que a Caterpillar seria capaz de executar algo para o qual não havia representações tangíveis nem descrições por escrito. Os clientes não conseguiam avaliar as diferentes opções ou pacotes, nem compará-los com serviços alternativos. Vários tipos de CSCs foram criados e apresentados da mesma maneira, sem mensagens ou descrições específicas que explicassem as diferenças em valor com facilidade.

No âmbito interno, estes materiais teriam auxiliado os funcionários a entender as ofertas de serviço e como poderiam ser diferenciadas. A falta de características de serviços definidas com clareza ocasionalmente gerava confusão na comunicação verbal. A equipe de vendas não tinha um processo ou uma mensagem de venda consistente, capaz de explicar e diferenciar as ofertas dos CSCs. Isso gerava um posicionamento competitivo impreciso.

AS DECISÕES E A IMPLEMENTAÇÃO DO PROJETO-PILOTO COMEÇARAM EM 2007

Agora que a equipe havia aprendido as noções básicas sobre a execução de serviços de qualidade e avaliado o estado de cada lacuna da qualidade do serviço para três concessionárias-piloto, ela estava pronta para desenvolver um plano para o desenvolvimento, o projeto e a execução de CSCs nessas concessionárias. Ela sabia que tinha muito chão pela frente e que teria de enfrentar diversos desafios. A equipe também estava ciente de que o desenvolvimento bem-sucedido da DCAL e a execução dos CSCs eram essenciais. Nos encontros para planejar os próximos passos, ela discutiria alguns desses problemas.

O que mais a equipe teria de aprender sobre as necessidades e expectativas do cliente com a lacuna 1? Ela tinha informações gerais a partir de pesquisas de valor do cliente, mas esses dados não lhe diziam quais características o cliente queria ver nos CSCs. Quais eram essas características, e como a equipe iria identificá-las? Em especial, como ela descobriria o que teriam de saber para estabelecer novos padrões na lacuna 2?

Ela teria de oferecer diferentes CSCs a diferentes segmentos do setor de construção? O que isso implicaria para a pesquisa, os padrões e a implementação?

Quais padrões e mensurações deveriam ser incluídos na lacuna 2 para atender às expectativas do cliente? O quão formais deveriam ser? Como a equipe deveria projetar e criar os novos CSCs? Como fazer para que todas as pessoas dentro das concessionárias aprendam sobre esses padrões e o melhor modo de colocá-los em prática?

Como as concessionárias superariam os obstáculos na lacuna 3, enfrentados para poder garantir a execução consistente dos serviços?

Quais são os materiais de uso interno e externo necessários para divulgar os CSCs às equipes de venda e aos clientes? O que mais seria necessário?

Crédito de fotos

Capítulo 1

Página 9, Reimpresso com permissão da IBM Global.

Página 18, © Indranil Mukherjee//AFP/Getty.

Página 22, © Scott T. Baxter/Getty RF.

Página 28, Cortesia de Southwest Airlines.

Capítulo 2

Página 34, © The Oaks at Ojai.

Página 38, © Michael Newman/Photo Edit.

Capítulo 3

Página 50, © YOSHIKAZU TSUNO/AFP/Getty.

Página 55, © Manan Vatsyayana/AFP/Getty.

Página 61, © Virginie Valdois/Air France.

Página 64, © Rob McInychuk/Getty RF.

Página 69, © Terry Vine/Blend Images/Getty RF.

Capítulo 4

Página 78, Cortesia de Zane's Cycles, photograph, Richard House.

Página 82, © ROW Adventures.

Página 90, © Tim Boyle/Getty.

Página 95, © Robin Nelson/Photo Edit.

Página 96, Reimpresso com permissão da Hilton Hospitality, Inc./Doubletree ® Hotels, Suites, Resorts, Clubs; photographer Chris Schrameck.

Página 101: © Emmanuel Dunand/AFP/Getty.

Capítulo 5

Página 124, © Getty Images/Digital Vision RF.

Página 130, © Javier Pierini/Getty RF.

Página 141, Cortesia de Cabela's Incorporated.

Capítulo 6

Página 146, © USAA.

Página 147, © Xavier Bonghi/The Image Bank/Getty.

Página 151, © The McGraw-Hill Companies, Inc., Andrew Resek, photographer.

Página 155, © Yellow Dog Productions/Taxi/Getty.

Página 157, © The McGraw-Hill Companies, Inc., Mark A. Dierker, photographer.

Página 164, © Keith Brofsky/Getty RF.

Página 165 (acima), © Peter Turnley/Corbis.

Página 165 (abaixo), © Cardinal Health.

Página 166, © Peter MacDiarmid/Getty.

Página 167, © John Pryke/Reuters.

Página 168, © Ocean/Corbis RF.

Página 170, © AP Photo/Mark Lennihan.

Capítulo 7

Página 180, © AP Photo/Richard Drew; 7.1: © Steve Bronstein/Getty.

Página 188, © Corbis RF.

Página 191, © Corbis RF; 7.6: © Hampton Inn ® Hotels.

Página 203, © British Airways North America.

Capítulo 8

Página 217, © PetSmart.

Página 223, © Justin Sullivan/Getty.

Página 230: © Ed Zurga/Bloomberg via Getty.

Página 232, © Mayo Clinic.

Página 243, © RubberBall Productions/Getty RF.

Capítulo 9

Página 250, © jb Reed/Bloomberg via Getty.

Página 258, © Corbis RF.

Página 260, © Glow Images/Getty.

Página 263, © Jupiterimages/Getty RF.

Página 265, © Caroline von Tuempling/Getty.

Página 269, Courtesy John Robert's Spa.

Capítulo 10

Página 277, © Marriott International, Inc., photographer Jim Burtnett/HotelImaging.com.

Página 284, © Mario Tama/Getty.

Página 292, © Holland American Line, Inc.

Página 293, © Cheers Boston.

Página 299, © Mayo Clinic.

Página 301, © Michael Lassman/Bloomberg via Getty.

Capítulo 11

Página 312, © John A. Rizzo/Getty RF.

Página 328 (acima e abaixo), © Google.

Capítulo 12

Página 348, © Deere & Company, European Office.

Página 351, © David Madison/Stone/Getty.

Página 359, Courtesy NCR FastLane ™ Self Checkout from NCR Corporation.

Capítulo 13

Página 381, © Doug Pensinger/Getty.

Página 383, ©Ilene MacDonald/Alamy RF.

Página 384, © CEMEX.

Página 386, © Steve Bly/Getty.

Página 391, © Getty RF.

Página 397 & 398, © Ryan McVay/Getty RF.

Página 400, © Digital Vision/Getty RF.

Capítulo 14

Página 412, © Hotels.com.

Página 419, Cortesia de Travelers and Fallon Worldwide.

Página 420, © GEICO.

Página 424, © Sierra Club.

Página 428 (acima), © Virgin Atlantic Airways Ltd.

Página 428 (abaixo), Courtesy Virgin Atlantic Airways; Red Advertising & Marketing/ Barbados WI.

Capítulo 15

Página 445, © AP Photo/The Patriot-News, John C. Whitehead.

Capítulo 16

Página 487, © The McGraw-Hill Companies, Inc., Mark A. Dierker, photographer.

Índice

Abbott Laboratories, 172–173
Abboud, L., 227–229
Abercrombie & Fitch, 314, 496
Accenture, 5–7, 347–348
Achrol, R., 304–305
Adams, Marilyn, 367–368
Adams, R., 454
Adaptabilidade, 98–99, 102
Adelman, M. B., 174–175
Adkins, Craig, 504, 506–508
Aflac, 416
Agência finlandesa de financiamento para tecnologia e inovação, 217–219
Agentes, 41, 137–141, 315
Ahuvia, A., 174–175
Air Berlin, 389–393
Åkerlund, H., 176
Aksoy, L., 93–94, 106–107, 475–477, 486
Albertsons, 358, 381–382
Alemanha, 217–219
Alesandri, K. L., 433–434
Ali, S., 17–19
Allegiant, 435
Allen, C. T., 107
Alliance Boots, 165–167
Allmendinger, G., 605
Allstate, 89–90, 416
Al-Natour, S., 368–369
Altman, I., 303–304
Amazon.com, 14–15, 42–43, 77, 100–101, 104–105, 137–138, 346–347, 356–357, 426, 491
Ambiente
   cognição e, 290–293
   condições ambientais, 294–297
   emoções e, 291–293
   fisiologia e, 291–294
   leiaute espacial e funcionalidade, 294–297
   respostas individuais ao, 293–295
   sinais, símbolos, acessórios, 287–289, 294–297
Ambiente de autosserviço, 279–280, 341–342
Ambientes elaborados, 280–282
Ambientes enxutos, 280–282
America Competes Act, 217–218
American Airlines, 4–5, 159, 178, 389–392, 435, 594–595, 597–598
American Express, 93–94, 250–251, 333–334, 387, 427, 475–476
American Family Insurance, 416
American Life Project, 358
Amizade, 148, 150
Análise de negócios, 226–228
Anderson, E. W., 31, 106–107, 473, 490
Anderson, Eric, 403
Anderson, Erin, 175–176
Anderson, R. D., 338–339
Andreassen, T. W., 93–94, 475–477
Andruss, P., 338

Ansoff, H. I., 225–226
Anthony, S. D., 227–229
Antonides, G., 105–106
Apple Computers, 282–286
ARAMARK, 240–242
Argyris, C., 339
Armstrong, David, 603–604
Armstrong, K., 434
Arndt, M., 299, 402, 433–434, 446–447
Arnould, E. J., 105–106, 174–175, 303–304
Artefatos, 287–289, 294–297
Ashforth, B. F., 321
Asmus, C., 303
Associação, 416
Associação Médica dos Estados Unidos, 441–442
AT&T, 255–257
Ativistas, 186
Atribuições, 81
Atributos de satisfação, 69
Au Bon Pain, 129–130
Auditorias, 45–47, 250–251, 253–257, 261, 331–332
Auh, S., 368
Austin, N., 142–143
Autores, J., 101
Avaliação pós-lançamento, 224–225, 230–232
Avaliações dos controles do processo, 128–129
Avaliações financeiras, 481–489
Avis, 474–475
Avnet, 9–10, 311
Ayres, Chris, 543–544

Bailey, Jeff, 604
Baily, M. N., 18
Bain & Co., 156, 201, 474–475
Baker, J., 304, 402, 403, 433–434
Baker, T., 453
Balança comercial, 7–8
Balanced scorecard, 481–489
Balasubramanian, S., 227–229, 244, 344–345
Bank of America, 217–218
Bansal, H. S., 175–176, 208–209, 340, 433–434
Barger, Dave, 594–596, 598–599, 602–603
Barker, R. G., 303–304
Barlow, J., 303, 338
Barnes, D. C., 74
Barnes, J., 303–304
Barômetro de Satisfação do Cliente Sueco (*Swedish Customer Satisfaction Barometer*, SCSB), 82, 486
Baron, S., 367–368
Barra, Hugo, 512
Barrett, P. M., 313–314
Barrier, John, 95–97
Barry, T. E., 74
Baruch, J. J., 30–31
Batalden, P., 490

Bate-papo *on-line*, 43
Bateson, J. E. G., 368–369
Baudriard, Jean, 546, 548–552, 554–559
Bayón, T., 74, 402
Bazeley, M., 453
Beatty, S. E., 106–107, 175–176, 209
Beauchamp, M. B., 74
Bell, D. E., 434
Bell, P. A., 303
Bell, S. J., 368
Bellman, E., 304
Benavent, C., 175–176
Benbasat, I., 368–369
Bendapudi, N., 174–176, 303–304, 339, 340, 367–368
Bendapudi, V., 339
Benefícios sociais do marketing de relacionamentos, 152–154
Bennett, D. J., 303–304
Bennett, J. D., 303–304
Bennett, P., 207–208
Bennigan's, 201, 202
Bernoff, J., 427
Berry, Leonard L., 10–12, 20–21, 30–31, 48, 57–58, 68, 73–74, 86–87, 105–107, 125–127, 142–143, 171, 174–176, 207–209, 244, 288, 297–300, 303–304, 309, 311, 323, 325, 337, 338, 339, 368, 416, 421, 422, 433–434, 490
Best Buy, 127–128
Best Cellars, 590
Best Western International, 128–130
Bettencourt, L. A., 222–223, 227–229, 244, 338–339, 348–349, 366–368
Better Business Bureau, 119–121
Bezos, Jeff, 100–101
Bhagwat, Yashoda, 112
Bhalla, G., 489
Bharadwaj, S. G., 207–208, 222–223, 244
Bielen, F., 402
Bitner, M. J., 14, 17–19, 31, 43, 61–62, 105–107, 142, 174–175, 207, 217–219, 241–245, 279–280, 287–289, 303–305, 315, 338, 354–358, 368–369, 410
Bitran, Gabriel R., 512
BizRate.com, 127–128
Blinder, Alan, 55–56
Bloch, T. M., 142
Block, Melissa, 604
Blockbuster, 222–223, 485
Blodgett, J. G., 304–305
Bloomberg, Michael, 445–446
Blue Cross/Blue Shield, 419
Bly, L., 181
BMW, 259
Bobbitt, L. M., 368
Boeck, G., 463
Bolton, R. N., 175, 207–209
Bon, Michel, 336–337
Bone, S. A., 339
Booms, B. H., 31, 107, 142, 207
Boone, T., 245
Boulding, W., 490
Bounds, G., 402
Bourdeau, B. L., 403

Bowen, D. E., 31, 105–106, 243–244, 259, 303, 316, 330–331, 338, 339, 366–369, 434
Bowen, J., 339
Bowers, M. R., 339
Bradford, Rob, 539–541
Brady, D., 30–31, 106–107, 175, 243–244, 303–304
Brady, M. K., 105–106, 207–209, 338–339
Brainstorm estruturado, 36
Bramante, J., 30–31
Brand equity, 481–482
Branding, 415–416, 421–423, 430–431
Brandyberry, Gregg, 38
Branson, Richard, 423
Brasil, 134–135
Brax, S., 30–31
Breitkopf, Susan, 511
Brennan, Joe, 589
Bridgestone, 547–548
Brin, Sergey, 326
Bristol-Myers, 11–12
British Airways, 200–202, 423
Brocato, E. D., 403
Brooker, K., 28
Brooks, R., 175
Brousset, Jose, 605, 612–613
Brown, B., 227–229
Brown, S. W., 14, 30–31, 61–62, 105–107, 161–162, 174–176, 193, 197, 207–209, 217–219, 243–245, 303, 339, 339, 348–349, 367–369, 434
Brown, T. J., 74, 338–339
Brüggen, E. C., 303–305
Bruhn, M., 106
Brunswick, G. J., 368
Bryant, B. E., 106
Buckley, J., 142–143
Bucklin, R. E., 74
Bulkeley, W. M., 30–31
Burger King, 423, 459
Burkhard, K. A., 244
Burnham, T. A., 175
Busby, P. L., 303
Buscas para pesquisas, 123, 126–128
Busch, C. M., 339
Bush, R., 463
Buy.com, 453
BuzzMetrics, 419

C. L. Best Tractor Co., 606
Cabela, Jim, 139
Cabela's, 139
Cadeia de lucros nos serviços, 316
Cadotte, E. R., 74
Cadwallader, S., 244
Cameron, M., 403
Capacidade de estoques, 373–375
Capacidade máxima, 375–378
Capacidade otimizada, 375–378
Capell, Kerry, 435–436
Capella, L. M., 304
Capital Services Inc., 171
Características da estratégia, 215

Características de produtos/serviços, 215
Características do mercado, 215
Características do processo, 215
Caráter abstrato, 412
Carbone, Lewis, 278-281, 303-304
Cardinal Health, 165-166
Cardy, R. L., 339
CareerBuilder, 419
Carey, J., 142-143
Carey, Susan, 603-604
Carlzon, J., 338
Carpenter, Dave, 603-604
Carroll, Dave, 112, 534-544
Casey, S., 303
Cass, Meghan, 511
Cassee, Jason, 191
Categoria de cliente, 459
Caterpillar (estudo de caso)
  avaliação das lacunas, 614-617
  cenário competitivo, 608-610
  clientes em geral, 611-612
  contratos de suporte ao cliente, 611-613
  histórico, 605-609
  intervenção do marketing, 612-614
  relacionamentos com as concessionárias, 608-612
Caterpillar, 9-10, 13-15, 164-165, 197
Catlin, Robert L., 11-12
Cemex, 380
Cenários de serviço. *Ver também* Evidências físicas
  complexidade dos, 280-282
  cultura, 293-295, 298-299
  definição, 38, 40
  dimensões ambientais dos, 294-297
  efeitos no comportamento, 286-297
  papéis estratégicos dos, 280-287
  respostas internas aos, 290-295
  tipos de, 279-282
  virtuais, 278-281
CFI Group, 486
Cha, J., 106
Chamberlain, L., 245
Chan, K. W., 175-176, 368
Chandrashekaran, M., 207, 208
Charles Schwab, 4-5, 15-17, 309, 311, 332-333, 357-358, 513-514
Chase, R. B., 199, 208-209, 243-244, 367-369, 402
Chase Bank, 387, 445-446
Chebat, J. C., 304, 339
Chesner, Cheryl, 597-598
Chew, Russell, 602-603
Chick-fil-A, 309
Childers, Terry L., 175-176
China
  inovação na, 217-219
  migração de empregos para a, 18
  pesquisas na, 135-136
Chipotle Mexican Grill, 418
Chitturi, R., 74
Choi, Y., 288
Choice Hotels, 293-294
Chozick, A., 259
Christie's International, 354-356

Christopher, W. F., 106-107, 234-236, 304-305
Chu, K., 463
Chung, T. S., 467-468
Cisco Systems, 15-17, 190-191, 346-347, 356-357
Citigroup, 415-416, 445-446
Clark, Terry, 416, 433-434
Claxton, J. D., 402
Claycomb, C., 368
Clayton, Z., 434
Clemmer, E. C., 106, 434
Clientes
  administrando o *mix* dos, 364-366
  benefícios do marketing de relacionamento, 152-154
  como amigos, 148, 150
  como cocriadores, 156, 218-221, 343-349
  como competidores, 352, 354-355
  como conhecidos, 148, 149
  como contribuintes para a qualidade e a satisfação, 349-352
  como estranhos, 148, 149
  como parceiros, 149, 151-152
  como recursos produtivos, 346-350
  descarte de, 172-173
  educação dos, 361-365, 391-392, 413, 428-430
  envolvimento na motivação, 216-218
  estratégias para aumentar a participação dos, 356-366
  importância dos, 343-347
  intermediários, 137-141
  internos, 138-141
  nem sempre têm razão, 166-171
  os outros, 344-347
  papel definidor dos, 356-362
  papel desempenhado pelos, 346-355
  perdidos, 130-131, 198
  problemáticos, 169
  recrutando/educando/recompensando, 361-365
  solucionando após a falha no serviço, 186-195
  tecnologias de autoatendimento (*Ver* Tecnologias)
  valor dos, 156-158
  valor econômico dos, 480
Clientes encantados, 69-70
Clientes inclinados à deserção, 478
Clientes que buscam emoção, 293-294
Clínica Mayo, 4-5, 14, 97-98, 217-221, 228-231, 280-282, 294-300, 325, 329-332, 358, 387, 421
Clothier, M., 227-229
Club Med-Cancun, 188, 192, 195
Cluff, Sheila, 34
Cochrane, Peter, 534-535, 543-544
Cocriação pelo cliente, 347-349
Cognição, ambiente e 290-293
Cohen, E., 463
Colby, C. L., 31, 368-369
Coleman, Calmetta Y., 510
Coleman-Lochner, L., 227-229
Coletivismo, 87-88, 135-136
Colgate, M., 175-176, 208-209
Colicchio, David F., 471, 474, 490
Comcast, 93-94, 111
Comissão, 461
Competências do serviço, 324-325
Comportamentos, efeitos do cenário de serviço nos, 286-297

Comportamentos de aproximação, 289-290
Comportamentos de evitação, 289-290
Compras coletivas, 453
Compras no mercado, 129-131
Compras-fantasma, 117-118, 129-131
Comunicação. *Ver também* Comunicação no marketing
    ascendente, 36-37, 46, 136-139, 431-432
    boca a boca, 64-66, 154-155, 420-421, 474-476
    desafios na, 411-415
    descendente, 430
    externa, 423, 425
    horizontal, 430-431
    interna, 413-415
    vertical, 430
    via Internet, 417
Comunicação integrada de marketing (*Integrated marketing communications,* IMC), 411
Comunicação integrada do marketing de serviços (*Integrated service marketing communications*, ISMC), 411
Comunicação no marketing. *Ver também* Comunicação
    coordenação da, 409-411
    desafios na, 411-415
    educação do cliente e, 361-365, 391-392, 413, 428-430
    intangibilidade do serviço, 5-8, 20-22, 411-412, 414-421
    para administrar as expectativas dos clientes, 425-428
    para administrar as promessas do serviço, 63-65, 412, 421-425
    propaganda (*Ver* Propaganda)
Comunicação vertical, 430. *Ver também* Comunicação
Concorrentes, clientes como, 352, 354-355
Condições ambientais, 294-297
Confiabilidade, 86-90, 199, 253-255, 317
Confiança, 55-56, 89-90, 148-153
Conflito entre organização e cliente, 319-322
Conflito entre pessoa e papel, 319-322
Conflitos, 319-322
Conflitos entre clientes, 321-322
Conrad Hotels & Resorts, 150
Conroy, D. M., 175
Constantine, L., 244
Continental Airlines, 137-138, 597-598
Contratação de funcionários, 323-329
Cooil, B., 93-94, 106-107, 475-477
Cooper, R. G., 243-245
Coprodução/cogeração, 156, 218-221, 343-349
Corretores, 41
Cox, W. M., 30-31
Cox Communications, 378-379
Craigslist, 346-347
Cronin, J. J., 105-107, 338-339, 403
Crosby, L. A., 245
Cross, R. G., 391-393
Cross, Rob, 245
Cross, S., 338-339
Crow, K., 368-369
Crowley, A. E., 304-305
Cruz Vermelha dos Estados Unidos, 387
Cultura
    corporativa, 310-311
    definição, 310
    expansão internacional, 312-314
    padronização do serviço, 258-259
    projeto do cenário de serviço, 293-295, 298-299
    qualidade do serviço e, 87-89
    recuperação do serviço e, 194
Cultura do serviço, 310-314. *Ver também* Cultura
Cultura nacional, 312-313. *Ver também* Cultura
Cuneo, Alice Z., 434
Curran, J. M., 368-369
Custo de busca, 441-442
Customer Care Alliance, 189
Customer equity, 81-82, 481-483
Customização, 249-252
Custos
    com aprendizado, 162-163
    com pesquisas, 116-118
    configuração, 162-163
    contratuais, 162-163
    de busca, 441-442
    de conveniência, 441-442
    de tempo, 440-442
    de troca, 162-163
    não monetários, 440-443
    psicológicos, 441-442
CVSCaremark, 358
Czepiel, J. A., 107, 403

Dabholkar, A., 105-106, 368-369
Dacin, P. A., 74
Dalakas, V., 272-273
Dalsace, Frédéric, 545
Dalton, C., 243-244, 303
Daly, R. T., 107
Dana, Roger, 500, 502
Danaher, P. J., 175, 272-273
Danigelis, A., 105
Dant, R. P., 175-176
Darby, M. R., 31
Darwin Centre Museum, 282-285
Dasu, S., 244
Daunt, K. L., 176
Davidow, M., 208-209
Davidow, W. H., 74
Davis, D. L., 74
Davis, F., 368
Davis, L., 340
Davis, S. M., 337
DaVita Inc., 137-138
Day, E., 142-143
Day, G. S., 174
Day, R. L., 207-208
de Angelis, M., 207-208
de Bortoli, Silvio, 188, 195
De Hoog, A. N., 105-106
de Matos, C. A., 207-208
de Rosa, F., 338-339
DeCarlo, T. E., 73-74
Deibler, S. L., 105-106
Deighton, John, 534
Deitz, G. D., 174-176
Dell, 9-10, 223-224, 254-256
Dellande, S., 368
DeLollis, B., 463

Delta, 84–85, 178, 387, 590, 594–596
Demanda, capacidade e, 41
Demirkan, H., 244
Demoulin, N., 402
Denoyelle, P., 434
Departamento de Veículos Automotivos, 252
Dervin, Jenny, 598–599
Descontos, 451, 456
Desenvolvimento de estratégia de negócios, 224–226
Desenvolvimento de estratégias, 224–228
Desenvolvimento de mercados, 225–226
Desenvolvimento de produtos flexíveis, 223–224
Desenvolvimento do conceito do serviço, 226–227
Desenvolvimento do serviço
    implementação do, 227–232
    processo do novo, 224–229
Deserção zero, 199
Desiraji, R., 402
Despacho conforme a demanda, 388–389
Deutsche Kundenbarometer, 82
Deutskens, E., 121–122
DeWitt, T., 209
Dhar, R., 174–175
DHL, 546
Di Mascio, R., 339
Diana, Alison, 112
Dickler, J., 338–339
Dickson, P. R., 30–31, 467–468, 489
Dickter, D. N., 176
Diefendorff, J. M., 338–339
Diferenciador, 286–287
Diferenciais, 456–457
Diferenciais de localização, 456–457
Diferenciais de quantidade, 456–457
Diferenciais de tempo, 456–457
Diferencial estratégico, 75–77
Dificuldade de pesquisa, 412
DiJulius, J. R., 267
Disney Corporation, 93–94, 269–270, 312–314, 334–335, 469
Distância hierárquica, 87–89
Doctors, R., 454
Documentação, 416
Dolan, J., 30–31
Dominos Pizza, 111, 192
Donà, Luca, 512
Donan, B., 463
Donavan, D. T., 338–339
Donnelly, J. H., 31, 368–369
Donovan, R., 303–304
Dornach, F., 106
Dotzel, T., 244
DoubleClick, 417
Doubletree Hotels, 92–93, 150, 180–181, 184, 192
Douglas, M., 434
Droll, M., 175
Du, J., 106
Dube, L., 304
DuBose, J., 288
Dungarvin, 320
Dunning, J., 209
Dupuis, Pierre, 546, 550–559

Eaton, J. P., 304–305
eBay, 13–15, 346–347, 357–358, 452
Economia, a importância dos serviços para a, 6–8
Edgett, S. J., 243–244
Educação do cliente, 361–365, 391–392, 413, 428–430
Edvardsson, B., 243–245, 339, 353
Edward Jones, 314
Eggert, A., 175–176
Ehrenfeld, Temma, 604
Ehrhart, M., 338
Electronic Data Systems (EDS), 223–224
Elgin, B., 417
Elinson, Zusha, 446–447
Ells, M. Steven, 418
Ely, Robin J., 491
Elysian Hotel, 328–329
Embalagem, 282–286
Embassy Suites by Hilton, 150–151
Emoções, 79–81, 183–184, 192, 291–293
Empatia, 86–87, 89–92, 317
Empresas entrantes, 220–222
Empresas subcontratadas, 315
Encontros de serviço
    explicação dos, 92–94
    filas de espera, 393–401
    fontes de prazer/desprazer, 98–99, 102–99, 103
    importância dos, 93–98
    pessoais, 15–20, 97–99, 103, 425
    sequência, 262–264
    tipos de, 97–98
Encontros de serviço intermediados pela tecnologia, 97–99, 103–105
Encontros específicos para a transação, 77–79
Encontros presenciais, 15–20, 97–99, 103, 425. *Ver também* Encontros de serviço
Encontros remotos, 97–98. *Ver também* Encontros de serviço
Engardio, P., 18
Engenharia da experiência, 281
Engine Service Design, 217–219
Enquadramento, preço, 460
Enquist, B., 353
Enterprise Rent-A-Car, 85–86, 93–94, 169, 197, 309, 334–335
Epp, A. M., 106, 245
EQT, 560
Equipes multifuncionais, 431–433
Ergonomia, 293–294
Ericsson, 228–229
E-service, 90–92. *Ver também* Internet
Espectro da tangibilidade, 5–8
Espontaneidade, 98–103
E-S-QUAL, 90–93
Essenciais, 69
Estado de espírito, 79–80
Estágio da comercialização, 230–232
Estratégias para a fila de espera, 393–401
Etnia, 295–297
Etnografia orientada para o mercado, 128–130
Evans, K. R., 107, 175–176
Everett, P. B., 304–305
Evidências físicas. *Ver também* Cenários de serviços
    definição, 26–27, 277
    desenvolvimento de estratégia, 296–302

efeito na experiência do cliente, 278-280
elementos das, 277
exemplos de, 28, 278
impacto estratégico das, 296-300
mapa do serviço das (*Ver* Mapas do serviço)
Excesso de demanda e capacidade, 374
Existência incorpórea, 411
Expectativas com o serviço, 52-58, 117-118, 127-129. *Ver também* Expectativas do cliente
Expectativas do cliente
　com o serviço, 52-58
　com serviços em aeroportos, 60-62
　definição, 35, 52
　elevação das, 72
　encantamento, 69-70
　estratégias para influenciar as, 67
　fontes das, 35
　gestão das, 412-413, 425-428
　lacuna da compreensão e, 36-37, 42
　mensuração das, 115
　não realistas, 66, 69
　níveis possíveis, 52-53
　pesquisa sobre (*Ver* Pesquisa)
　principais influências, 57-66
　problemas envolvendo, 66-73
　razões para não atender às, 36-37
　serviço derivado, 5-7, 58-59
　serviço desejado, 53-59
　serviço percebido, 59-62, 67, 77-79
　serviço previsto, 62-63
　tipos de, 53-56
　ultrapassando, 70-72
　vantagem competitiva e, 72-73
　zona de tolerância, 54-58, 131, 134-135, 478
Expectativas irreais do cliente, 66, 69
Extensões da linha de serviços, 220-222

Facebook, 111, 217-224, 346-347, 357-358, 407-408, 419, 421, 426, 451, 456
Facilitador, 284-286
Faculdade de Administração de Cingapura, 486
Fairfield Inns, 127-128
Faixa chumbo, 159
Faixa ferro, 159
Faixa ouro, 159
Faixa platina, 158-159
Faixas de rentabilidade, 158-160
Faixas de valor dos serviços, 427-428, 454
Falcao, J., 244
Falha do serviço. *Ver também* Recuperação do serviço
　como os clientes reagem, 183-186
　definição, 178
　impacto da, 178-183
　reclamações (*Ver* Reclamações)
　resposta do funcionário à, 98-99
　troca após, 204-205
Fan, X., 106
Farberman, H., 303-304
Farid, Muhammad, 512
Farley, J. U., 175, 208-209

Farrell, D., 18
Farzad, R., 417
Fatia da carteira, 478
Fatores situacionais, 60-62
Fatores situacionais incontroláveis, 60-62
Fatores situacionais pessoais, 61-63
Federal Express, 88-90, 123, 126, 157-158, 188, 200-201, 220-222, 247-248, 250-251, 253-255, 262, 268-271, 280-282, 284-286, 311, 332-333, 375-376, 380, 421, 431-432, 469, 471, 474-475
Feedback, 269-270
Feldman, J. M., 402
Feng, T., 106
Fenn, D., 105
Ferrell, O. C., 339
Fidelidade do cliente
　definição, 478
　exemplo de, 166-167
　mensuração da, 118-119, 474-475
　relacionamento entre satisfação e, 85-87
　satisfação do funcionário e, 316
　vantagens da, 154-156
Fidelity Investments, 513-514
Filas, 393-401
Filliatrault, P., 304
Filosofia do projeto, 216-221
Filosofia pessoal no serviço, 58-59
Finlândia, 217-219
Finning International, 608-609
First Data Corporation, 157
Fisher, L. M., 208-209
Fishman, C., 31
Fisiologia e ambiente, 291-294
Fisk, R. P., 175, 176, 244, 367-368
Fitzsimmons, J. A., 396-397, 402, 403
Fitzsimmons, M. J., 396-397, 402, 403
Flanagan, J. C., 142
Flandez, R., 176
Fliess, S., 245
Florida Power & Light, 361-362
Foley, Christa, 500, 502
Folger, R., 338
Folkes, V. S., 106, 368
Fong, M., 353
Food Lion, 132
Ford, J. B., 207-208
Ford, R. C., 339
Ford Motor Company, 260-261
Forgas, J. P., 303-304
Fornell, C., 31, 106-107, 473, 490
Forrester Research, 18
Foubert, B., 303-305
Four Seasons Hotel, 203, 258, 312-314
Fournier, Susan, 17-20, 31, 105-106
Foursquare, 426
Foust, D., 325, 603-604
Fowler, G., 101
Fox, S., 359
Frambach, R. T., 368-369
France Telecom, 336-337
Frank, R., 30-31

Franquias, 41
Freed, Joshua, 603-604
Frei, F. X., 368-369, 491
Freiberg, J., 28
Freiberg, K., 28
Frels, J. K., 175
Frenkel, S., 339
Frey, L. L., 107
Froehle, C. M., 243-244
Fryer, B., 339
Fulgoni, G., 433-434
Fullerton, G., 403
Funcionalidade, leiaute espacial, 294-297
Funcionários de meio turno, 384-388
Funcionários
    conflitos, 319-322
    efeito do comportamento na qualidade, 317
    gestão do trabalho emocional, 318-322
    papéis solucionadores de problemas, 317-322
    papel crítico dos, 313-317
    poder de decisão, 40-41, 187, 249-250, 329-331
    recompensas, 333-335
    recrutamento e seleção, 323-329
    retenção, 156, 332-335
    satisfação com o trabalho, 316-317
    sistemas de suporte para, 331-333
    sugestões dos, 138-141
    trabalho em equipe, 329-331, 431-433
    trade-offs entre qualidade e produtividade, 322
    tratados como clientes, 333-334
    treinamento, 41, 328-329, 385-388
    triângulo do marketing de serviços, 315-316, 335-336, 409-410
Funcionários parciais, 346-347
Funcionários preferidos, 326-329
Furrer, O., 88-89

Gadiesh, O., 339
Gale, B., 490
Gallagher, P., 337
Gallan, A. S., 244
Gallery Furniture, 14
Gamerman, Ellen, 55-56
Ganesan, S., 74, 208-209
Ganeshan, R., 245
Gap Inc., 496-498
Garantia, 77-78, 86-90, 123, 126-124, 317
Garantia dos atributos de serviço, 200-201
Garantias de satisfação incondicional, 200-201
Garantias do serviço, 199-205, 425
Garantias significativas, 200-201
Gardner, M. P., 303-304
Gebauer, H., 244
Geek Squad, 89-90, 127-128
GEICO, 416
Geladel, G. A., 338-339
Gelinas-Chebat, C., 304
Gelles, D., 218-221
General Accounting Office (GAO), 470, 471, 474
General Electric, 9-10, 14-15, 18, 37, 93-94, 311, 470, 475-476
General Foods, 10-12

Generalidade, 412
Geodis, 545-546
George, W. R., 31, 74, 244, 245, 433-434
Geração de ideias, 225-227
Gerstner, Louis V., 2
Gestão da capacidade e da demanda, 371-403
    capacidade de estoques e, 373-375
    estratégias para a fila de espera, 393-401
    estratégias para equilibrar, 379-389
    gestão de rendimento, 388-396
    padrões de demanda, 377-380
    sincronização, 41
    sobre a, 375-378
    utilização otimizada *versus* máxima da, 375-378
Gestão da demanda. *Ver também* Gestão da capacidade e demanda
    caótica, 380
    estratégias para equilibrar, 379-389
    padrões, 377-381
    variação na, 373-375
Gestão da experiência, 278-280
Gestão de compatibilidade, 364-365
Gestão de indícios, 281
Gestão de portfólio, 215
Gestão de receitas, 388-389
Gestão de recursos humanos. *Ver também* Funcionários
    contratação, 323-329
    desenvolvimento de funcionários, 328-331
    retenção de funcionários, 332-335
    sistemas de suporte, 331-333
Gestão do relacionamento com o cliente. *Ver também* Marketing/Gestão de relacionamento
    evolução da, 147-152
    pesquisa em, 132-133
    software para, 15-17
Gestão do trabalho emocional, 318-322
Gettleman, J., 463
Gibson, Charles, 603-604
Gilbert, J. L., 339
Gill, R., 403
Gillette, 172-173
Gilliland, S. W., 338
Gilly, M., 106-107, 368
Gilmore, J. H., 174-175, 303-304
Ginzberg, E., 6-8
Gittell, J. H., 28, 339
Glazer, R., 174-175
Glieberman, Yossi, 596-597
Globalização, 16-19
GoDaddy, 419
Gogoi, P., 299
Gold, R., 361-362
Gold's Gym, 346-347
Golden, Myra, 112
Goldman Sachs, 560
Golledge, R. G., 303-304
Goodwin, C., 174-175, 368-369
Goodyear, 547-548
Google, 218-221, 326-328, 417, 461
Goolsby, J. R., 337, 339
Gorjetas, 446-449

Goul, M., 244
Graham, J., 368, 417
Grandey, A., 176, 321, 338–339
Granite Rock, 262, 269–270
Gregoire, Yany, 112, 209
Greguras, G. J., 338–339
Gremler, D. D., 43, 106, 107, 142–143, 161–162, 174–176, 208, 209, 272–273, 303–305, 321, 338–339, 434, 490
Grewal, D., 161–162, 175–176, 304, 354–358, 402
Griffin, A., 245
Grisaffe, D., 475–477
Groening, C., 106–107
Grönroos, C., 73–74, 106–107, 174, 244, 315, 337, 339, 410
Gross, T. S., 74
Groth, M., 106, 321, 338–339
Groupon, 451, 456, 460
Grove, S. J., 175, 176, 367–368
Gruber, T., 208
Gruca, T. S., 473
Grund, M. A., 106
Gudmundsson, Gudmundur, 561–563, 566–567
Guiltinan, J. G., 74, 175–176
Gummesson, E., 31, 174, 245, 339
Gunst, R. F., 74
Gunther, M., 339
Gupta, S., 31, 106–107, 174–175, 434, 473, 489
Gustafsson, A., 30–31, 208–209, 243–244
Gustavsson, B., 339
Gwinner, K. P., 174–175, 208, 272–273, 338–339, 434, 490

H&R Block, 249–250
Haenlein, M., 176
Hainline, David, 171
Halaby, Bassim, 512
Halinen, A., 176
Hallmark, 132
Hallowell, R., 31, 259, 338–339, 490, 512, 560, 569
Hanni, Kate, 604
Hanni, Tim, 604
Hansen, D. E., 272–273
Hansen, H., 175–176
Hansen, J. D., 175–176
Harari, O., 197
Hargadon, A., 245
Harker, P. T., 367–368
Harley Davidson, 164–165
Harrah's Casinos and Hotels, 333–334
Harrah's Entertainment, 93–94, 133, 323, 330–331
Harrell, G., 338–339
Harris, K., 367–368
Harris, L. C., 176, 368–369
Harris Teeter, 132
Hart, C. W. L., 188, 203, 207–209
Hartline, M. D., 245, 338, 339
Harvey, Tim, 151
Hauser, J., 245
Hawser, J., 245
Hegge-Kleiser, C., 339
Helft, M., 417
Helle, P., 244
Hempel, J., 339

Henard, D. H., 243–244
Henderson, P. W., 304–305
Henkoff, R., 402
Hennig-Thurau, T., 106, 174–175, 208, 272–273, 321, 338–339, 490
Henrique, J. L., 207–208
Hensley, R. L., 403
Herrington, J. D., 304
Herrman, A., 175
Hertz, 262, 442–443, 446–447, 474–475
Heskett, J. L., 31, 85–86, 106–107, 158, 175, 187, 207–208, 316, 338–339, 490
Hess, R. L., Jr., 74, 208–209
Heterogeneidade, 21–22
Heun, C. T., 133, 453
Hewlett-Packard, 5–7, 9–10, 14, 172–173, 223–224, 471, 474, 589
Hilton Garden Inn, 150–151
Hindo, B., 106–107
Hinterhuber, H. H., 175
Hochschild, Arlie, 318–321, 338–339
Hof, R. D., 417
Hofstede, Geert, 87–89
Hogan, J., 339
Hogan, R., 339
Hogg, A., 121–122
Holiday Inn Inc., 11–12, 147–148
Holístico, 218–221
Holland America Cruise Line, 290–291
Holloway, B. B., 106–107, 209
Holt, Benjamin, 606
Holt Manufacturing, 606
Homburg, C., 174–175
Honeycutt, E. D., Jr., 207–208
Horowitz, D. M., 207–208
Hotels.com, 407–408
Hotwire.com, 452
Hoyer, W. D., 174–175
Hsieh, Tony, 100, 332–333, 491, 496–498, 500, 502–504, 510
Hubbert, A. R., 105–106, 245, 346
Huber, F., 175
Huffman, C., 174
Hui, M. K., 304, 403
Hult, G. T. M., 105–106
Humane Society, 282–285
Humor, na propaganda, 416, 419
Humphrey, R. H., 321
Hunt, H. K., 74
Hunt, S. D., 174, 463
Hutt, M. D., 175
Hyatt, 474–475

Iacobucci, D., 31, 105–106, 203, 209, 303, 338–339, 367–368, 403
IBM, 2–7, 9–10, 14, 16–19, 37, 77, 97–98, 197, 217–218, 220–222, 347–348, 410, 430–431, 470, 479–481
IBM Global Services, 228, 311
IDEO, 128–129, 217–219, 228–231, 276
IKEA, 36, 38, 351, 353, 360–361
Imagética interativa, 415–416
Impacto da estratégia de marketing nos lucros (*Profit impact of marketing strategy*, PIMS), 470–472
Impalpabilidade mental, 412
Incentivos, 381–382, 391–392, 456–457

Inclinação para os serviços, 325–326
Incompletude, 216
Índia
    comportamento do cliente na, 293–295
    migração de empregos para a, 18, 54–56
    pesquisas na, 135–136
Indicador da qualidade do serviço (*Service quality indicator*, SQI), 247–248, 253–255, 431–432
Índice de Satisfação do Cliente de Cingapura (CSISG, *Customer Satisfaction Index of Singapore*), 486
Índice de Satisfação do Cliente do Reino Unido, 486
Índice de Satisfação do Cliente Norte-americano (*American Customer Satisfaction Index*, ACSI), 3–4, 11–13, 82–86, 100, 472, 486
Índice Suíço de Satisfação do Cliente (*Swiss Index of Customer Satisfaction*, SWICS), 82
Índices de satisfação do cliente, 3–4, 11–13, 82–86, 100, 472, 486
Índices de desempenho do serviço, 270–271
Indícios mecânicos, 281
Individualismo, 87–88, 135–136
Inércia do cliente, 161–163
Influenciadores, 419
ING Direct, 15–19
Iniciativa para a Pesquisa e Inovação em Serviços (*Service Research and Innovation Initiative*), 217–218
Inks, L. W., 368
Inovação nos serviços
    baseada na tecnologia, 13–20
    definição, 220–222
    desafios, 215–216
    envolvimento do cliente e do funcionário, 216–218
    estágios, 223–232
    global, 217–219
    implementação, 227–232
    mapa (*Ver* Mapas do serviço)
    nos papéis dos clientes, 222–223
    oferta do serviço, 220–223
    planejamento inicial, 224–228
    por meio de soluções de serviços, 222–224
    projeto do serviço, 37, 39–40, 217–221
    tipos de, 220–224
Insatisfação, 79, 85–87, 99, 103–104, 122–123, 126, 178. *Ver também* Falha no serviço
Instituto de Ciências do Marketing, 11–12, 90–92
Instituto de Excelência no Setor de Serviços, 486
Instituto de Seguridade Social dos Estados Unidos (*Social Security Administration*, SSA), 255–256
Instituto Ryu Reihou, 259
Intangibilidade dos serviços, 5–8, 20–22, 411–412, 414–421
Integração funcional, 248
Intenções comportamentais, 115–121
Interações sociais, 289–292
Intermediários, 41
Internet
    bate-papo, 43
    cenários virtuais de serviço, 278–281
    como serviço, 16–19
    critérios de avaliação de sites, 90–93
    e-services, 90–92
    pesquisa utilizando a, 42, 120–122
    precificação dinâmica e, 452–453
    propaganda na, 417, 419, 423, 425
    reclamações na, 111–112, 184–186
    redes sociais, 111–112, 419, 426–427
    serviço ao cliente *on-line*, 187, 190–191
Internet Advertising Bureau, 112
Interpretação tendenciosa, 216
Intervenção, 102–99, 103
Intimidade com o cliente, 165, 172–173
Intuit Corporation, 63–65, 157, 161–162, 323, 475–476
iPrint, 341–342, 356–357
Irados, 186
Irving, P. G., 175–176
Island Hotel, 35
ISS Iceland (estudo de caso), 560–568
    antes, 561
    elogios, 563–564
    histórico, 560–561
    papel do supervisor, 563–566
    proposição de valor, 562–563
    resultados, 566–568
Ittner, C., 473, 487–488, 490

J. Crew, 496
J. D. Power and Associates, 71, 170, 177
J. W. Marriott Hotels, 275
Jacobs, Alexandra, 511
Jannini, Michael, 303
Jap, S. D., 175–176
Japão
    cenários de serviço, 282–285, 298–299
    gorjetas, 446–448
    padrões de serviço, 258–259
    serviço ao cliente no, 51–52
Jargon, J., 245
Jarman, M., 243–244
Jayaraman, V., 453
Jenkins, R. L., 74
JetBlue Airways, 177–178, 387, 435–436
JetBlue Airways (estudo de caso), 589–604
    desafios, 602–604
    excelência no serviço, 592–595
    futuro, 602–603
    histórico, 589–590
    informações financeiras, 591–592
    interrupção no serviço, 596–599
    reconstrução da confiança, 598–603
    sinais de aviso, 594–596
Jiffy Lube, 90–92, 411
Jobs, Steve, 282–284
John Deere, 13–15, 344–345, 609–610
John Robert's Spa, 264–266
Johne, A., 243–244
Johnson, B., 142
Johnson, D. W., 368
Johnson, E. M., 245
Johnson, M. D., 105–106, 149, 174, 175, 243–244
Johnson, Mary, 504–505, 507–508
Johnson, R. T., 368
Johnson Smith & Knisely, 11–12
Jones, H., 74
Jones, M. A., 175–176
Jones, T. D., 340
Jones, T. O., 31, 316, 338

Jornada do cliente, 218–221
Joseph, A., 288
Judd, Jane, 503–504
Justiça, 81–82, 192–195
Justiça internacional, 193–195
Justiça no processo, 193–195
Justiça no resultado, 192–194
Jyske Bank, 286–287, 329–331
Jyske Bank (estudo de caso), 569–588
    diferenças intangíveis, 577–588
    diferenças tangíveis, 575–579
    Dinamarca, 570, 571
    histórico, 569
    Jutlândia, 570, 572–574
    posicionamento competitivo, 573–576

Kahn, B. E., 174, 304
Kallenberg, R., 30–31
Kalra, A., 490
Kaltcheva, V., 304
Kamakura, W. A., 338–339
Kaplan, A. M., 176
Kaplan, R. S., 481–484, 490
Karmarkar, U., 18
Karni, E., 31
Katz, K. L., 402
Katzenbach, J. R., 340
Keaveney, S. M., 205, 207–209
Keeffe, D. A., 176
Keh, H. T., 31, 175–176
Keiningham, T. L., 74, 93–94, 106–107, 467–468, 473, 475–477, 486
Kelleher, Herb, 28
Keller, K. L., 315, 338
Kelley, S. W., 368–369
Kennedy, K. N., 337
Kentucky Fried Chicken, 225–226
Khermouch, G., 142–143
Khurana, A., 245
Kieliszewski, Cheryl, 43
Kim, J. J., 175–176
Kimes, S. E., 402, 403
Kingman-Brundage, J., 245
Kirkpatrick, D., 30–31, 217–221
Kirn, S. P., 338–339
Kiviat, B., 17–19, 31, 368
Klaasen, A., 417
Klein, David, 543–544
Klein, N. M., 74, 208–209
Kleinaltenkamp, M., 245
Kleine, S. S., 367–368
Knapp, Rob, 515–521
Knasko, S. C., 304
Knisely, G., 10–12, 174
Knoop, C., 259, 338
Kodak, 10–12, 222–224, 344–345
Koepp, S., 142–143
Koh, Y., 299
Kohli, Ajay, 222–223, 244
Kollias, P., 339
Komatsu, 609–610
Kordupleski, R. E., 490
Kornfeld, Leora, 534

Koschate, N., 174–175
Kotler, P., 315, 338
Kottler, R., 121–122
Kripalani, M., 18
Krishnan, M. S., 31, 106–107
Krishnan, V. V., 30–31, 227–229, 244, 344–345
Kristensson, P., 142–143, 243–244
Kroger, 381–382
Kudlow, Larry, 599–601
Kum, D., 209, 209
Kumar, P., 105–106, 174–175
Kumar, V., 112, 175, 490
Kunst, P., 245

L. L. Bean, 91–93, 250–251, 268–269
Laban, Linda, 543–544
Labich, K., 28
Lacey, R., 174–175
Lacuna da compreensão do cliente, 36–37, 42
Lacuna da comunicação, 43–45
Lacuna do desempenho do serviço, 40–41, 43
Lacunas da empresa, 36–45
Lala, V., 207–208
Lam, S. S. K., 368
Lam, S. Y., 303
Landon, E. L., Jr., 207–208
Landro, L., 367–369, 395, 485
Lands' End, 77, 201, 496
Lanius, U. F., 303–304
Larcker, D., 473, 487–488, 490
Larreche, J., 434
Larson, B. M., 402
Larson, R. C., 402
Lashinsky, A., 327–328
Lassk, F. G., 337
Lawler, E. E., 330–331
Leary, Melissa, 507–508
Leavitt, D. M., 434
Lee, C. K. -C., 175, 208–209
Lee, K. S., 209
Lee, Y. H., 175–176
Legg, D., 433–434
Legoux, R., 209
Lehmann, D. R., 106, 489
Lehrer, J., 218–221
Leiaute espacial e funcionalidade, 294–297
Leidner, R., 338–339
Leilões, 452–453
Leilões reversos, 452
Lemmink, J., 245
Lemon, K. N., 175, 481–483, 489
Lengnick-Hall, C. A., 368
Leonard, D., 245
Leone, R. P., 174–176, 340, 367–368, 490
Levere, J. L., 339
Levin, Alan, 604
Levy, M., 402
Levy, P., 427
Li, C., 427
Li, Qunmei, 512
Licata, J. W., 338–339
Liddle, A. J., 453

Lidén, S. B., 209
Liderança, 311
Light, J., 17–19, 368–369
Lightspeed Research, 112
Lin, Alfred, 491, 496–498, 502, 508–510
Lind, M. R., 304–305
Lindell, P. G., 433–434
LinkedIn, 346–347
LinkExchange, 496
Lipoff, Phil, 603–604
Liu, I., 299
Live/Work, 217–219
Living Social, 451, 456, 460
Lloyd, R. C., 403
Lohr, S., 18
Lombreglia, R., 605
Loomis, C. J., 93–94
Lo-Q, 397–398
Lovelock, C. H., 31, 367–368, 373, 374, 401–403, 463
Loveman, G. W., 31, 93–94, 133, 316, 338
Lu, Z., 208
Lublin, J. S., 142–143
Lusch, R. F., 5–7, 30–31, 344–345, 367–368
Lynn, M., 403, 446–448
Lyons, Patrick, 604

Macdonald, C. L., 321
MacInnis, D. J., 304–305
Mackey, J., 340
Mackoy, R. D., 338–339
Macy's, 5–7
Magellan's, 446–448
Mager, Birgit, 217–220, 244
Magidson, Jason, 38
Maglio, Paul, 43
Magnini, V. P., 207–208
Magnusson, P. R., 142–143, 243–244
Mahajan, V., 74, 175
Maister, David, 398–400, 403
Malhotra, A., 106–107
Mallozzi, V.M., 463
Mamelle, Stéphane, 545
Mão de obra por setor, 6–8
Mapas do serviço
   autoatendimento, 236–238
   componentes, 232–235
   definição, 232–234
   elaboração, 238–242
   evidências físicas e, 297–299
   exemplos, 234–237
   leitura e utilização, 237–238
   sequência do encontro de serviço, 262–263
Marca apresentada, 421
Marcus, M. B., 395
Margulies, N., 367–368
Markay, R., 93–94
Marketing
   buzz, 418–419
   customer equity e, 81–82, 481–483
   defensivo, 471, 474–475, 478
   direto, 425
   externo, 44, 315
   interativo, 44, 315
   interno, 315, 322, 413–415, 430–433
   ofensivo, 470–471, 474
   teoria do balde do, 147–148
   viral, 418–419
Marketing de banco de dados, 132–133
Marketing de produtos *versus* marketing de serviços, 10–12, 20–21
Marketing de serviços
   desafios do, 24–25
   razões para estudar o, 6–15
   versus de produtos, 10–12, 20–21
Marketing em tempo real, 315
Marketing/gestão de relacionamentos, 145–176.
   Ver também Gestão do relacionamento com o cliente
   definição, 147–148
   desafios, 166–173
   encerrando relacionamentos, 169, 172–173
   estratégias de desenvolvimento, 160–166
   evolução, 147–152
   inércia, 161–163
   metas, 151–152
   segmentos de rentabilidade, 157–160
   valor dos clientes, 156–158
   vantagens, 152–156
   versus transacional, 36–37
   vínculos, 162–166
Markey, R., 475–477
Markowski, E. P., 207–208
Marlin, Chris, 510
Marmorstein, H., 208–209
Marriott, Bill, 327–328, 332–333
Marriott International, 4–5, 275–276, 327–328, 332–333
Marshall, C., 244, 245
Martin, C. L., 339, 365, 367–369
Martinez, Michael, 604
Marucheck, A. S., 304–305
Masculinidade, 87–88
Massiah, C. A., 174–176, 367–368
MasterCard, 423
Masterson, S., 338
Matriz de desempenho e importância, 134–138
Matthing, J., 142–143, 243–244
Mattila, A. S., 194, 208–209, 304, 433–434
Mattioli, D., 93–94
Matzler, K., 175
Maxham, J. G., III, 207–208, 338
Mayer, D., 338
Mazvancheryl, S., 473
Mazzon, J. A., 338–339
McCartney, S., 303
McColl-Kennedy, J. R., 175, 208, 209, 292, 303–304
McCormick, E. J., 304
McCreary, L., 245
McCullough, M. A., 207–209
McDonald's, 202, 220–222, 298–299, 312–313, 328–329, 363–364, 383–384, 416, 423, 459
McGraw-Hill, 282–284
McGregor, J., 93–94, 142, 174, 604
McGuire, K. A., 403
McKee, Daryl O., 338

McKinsey & Company, 19–20, 347–348
McLaughlin, J. P., 490
McLeod, C. S., 368
MedAire, 321
Mehrabian, A., 303–304
Meijer, 381–382
Melton, H. L., 245
Membros da família, influência dos, 82
Menezes, M. A. J., 106–107
Mensuração. *Ver* Mensuração do desempenho
Mensuração do desempenho
 balanced scorecard, 481–489
 expectativas do cliente, 115
 financeiro, 481–489
 não financeiro, 483–489
 padrões, 268–269
 satisfação do cliente, 486
 serviço interno, 331–332
Mensurações operacionais, 483–487
Mercado global
 ajustando os padrões de serviço para o, 258–259
 cogerando valor customizado, 353
 cultura do serviço no, 312–314
 diferenças na precificação, 446–449
 inovações em serviços no, 217–219
 qualidade do serviço e, 87–89
 terceirização, 54–56, 385–388
Mercados emergentes, 134–136
Mercedes Benz, 259, 547–548
Merrill Lynch (estudo de caso)
 consultores financeiros da, 513–516
 desafios na implementação, 522–533
 histórico, 512–514
 programa Supernova, 515–521
 projeto de adoção do programa Supernova, 520–522
Metas
 definição de, 250–251
 do marketing de relacionamentos, 151–152
Meuter, M. L., 17–19, 31, 61–62, 107, 207–208, 354–358, 368–369
Meyer, A., 106
Meyer-Waarden, L., 175–176
Michel, S., 207–208, 244
Michelin Fleet Solutions (estudo de caso), 545–559
 ambiente de negócios, 546–552
 histórico, 545–546
 início das vendas, 550–556
 tomada de decisão, 554–559
Mick, D. G., 17–20, 31, 105–106
Microsoft, 217–218, 475–476, 496
Mídias geradas pelo cliente, 409
Migração de empregos, 18, 54–56
Migração de empregos, 18, 54–56
Milbank, D., 313–314
Miller, Claire Cain, 511
Miller, J. A., 74
Miller, P. M., 353
Milliken, Roger, 269–270
Milliken Industries, 269–270
Mills, P. K., 367–368
Missão da organização, 224–225

Mitchell, A., 304–305
Mitchell, C., 339, 430–431, 434
Mitchell, D. J., 304
Mithas, S., 31, 106–107, 486
Mittal, Banwari, 411, 418, 433–434
Mittal, V., 31, 105–107, 338–339, 473
Mix de marketing expandido, 25–29
Mix de marketing tradicional, 25–26
Mix do marketing, 24–29
Mix do marketing de serviços, 24–29
Modelo de lacunas da qualidade do serviço
 auditoria, 45–47, 250–251, 253–257, 261, 331–332
 lacuna da empresa, 36–45
 lacuna do cliente, 35–36, 42
 preenchimento da lacuna, 35, 38, 40, 45
Mohr, L. A., 107
Molly Maid, 249–250
Monroe, K., 463, 463
Moore, Ryan, 540–541
Moores, B., 339
Moorman, C., 30–31, 467–468, 489
Morgan, F. N., 241–242, 245, 589
Morgan, R. M., 174–176
Morgeson, F. V., III, 31, 106–107, 486
Morin, S., 304
Morris, J. H., 367–368
Morris Air, 589
Mothersbaugh, D. L., 175–176
Mowen, J. C., 338–339

Nadilo, R., 121–122
National Quality Research Center da Universidade de Michigan, 82
Nayyar, P., 473
Necessidades pessoais, 57–59
Neel, D., 453
Neelman, David, 589–590, 592, 594–604
Neff, J., 142
Neggroni, Christine, 544
Nelson, E., 490
Nelson, P., 31
neoIT, 347–348
Net Promoter Score (NPS), 93–94, 475–477
Netemeyer, R. G., 207–208, 338
Netflix, 222–223
Neu, W. A., 30–31
New Air Corporation, 590
Newell, F., 133, 167
Nicholls, R., 367–368
Nickell, J. A., 17–19
Niemi, Wayne, 511
Niles-Jolley, K., 338
Níveis de valor nos serviços, 427–428, 454
Noonan, P., 31
Norbert Dentressangle, 545–546
Nordstrom, 314, 495
Normann, R., 368
Northwest Airlines, 590, 601–602
Norton, D. P., 481–484, 490
Nuttall, C., 218–221
Nypro, 172–173
Nyquist, J. D., 142

O'Brien, M., 367–368
O'Cass, A., 209
O'Connell, V., 339
O'Leary, Michael, 435–436
Oaks at Ojai, 33–34
Objetivos, da pesquisa, 113–114, 116–118
Office Depot, 100, 253–255
Ohnezeit, K., 176
Oliva, R., 30–31, 272–273, 512
Oliver, R. L., 74, 79, 105–107, 174–175
Olsen, L. L., 105–106
Omni, 60–62
Onlinechoice.com, 453
Open Skies, 589
Oracle, 217–218
Orbitz, 441–442
Ordanini, A., 244, 245
Organização para a Cooperação e Desenvolvimento, 217–218
Orientação, 363–364
Orientação de função, 363–364
Orientação de localização, 363–364
Orientação de longo prazo, 87–88
Orientação para a pesquisa com o cliente, 36
Orsingher, C., 207–208
Ortega, B., 447–449
Osborne, D., 255–257
Ostrom, A. L., 17–19, 61–62, 105–107, 203, 208, 209, 236–237, 241–242, 244, 245, 292, 303–304, 348–349, 367–369
Outback Steakhouse, 328–329
Outros clientes, 344–347
Owen, John, 602–603

Pacific Gas & Electric, 361–362
Padrões de serviço definidos pelo cliente, 247–273
    confiabilidade, 86–90, 199, 253–255, 317
    definição, 251–252, 483–487
    desenvolvimento dos 262–271
    fatores necessários, 249–252
    hard, 253–257, 261
    lacuna, 37, 39–40, 42–43
    mensuração dos, 268–269
    padronização, 249–252, 258–259
    responsividade, 86–87, 89–90, 255–257, 317
    soft, 255–261
    soluções rápidas para atender aos, 262
    tipos de, 253–262
    versus padrões definidos pela empresa, 250–252
Padrões definidos pela empresa, 250–252
Padronização, 249–252, 258–259
Page, Larry, 326
Pague por clique do mouse, 461
Painéis de clientes, 130–131
Palmatier, R. W., 175–176
Palmeri, C., 243–244, 303–304
Palmisano, Sam, 2
Pandora, 165
Panera Bread, 127–128, 310
Pang, J., 31
Pantaloon Retail Ltd., 294–295
Papéis de solucionadores de problemas, 317–322
Paquette, P. C., 30–31

Parasuraman, A., 20–21, 31, 48, 57–58, 68, 73–74, 105–107, 125–127, 142–143, 174–176, 208–209, 244, 245, 304, 323, 339, 368–369, 434, 490, 613–614
Parasuraman, Parsu, 86–87
Parcerias, 149, 151–152
Parise, S., 245
Parish, J., 174–175, 244, 288, 303
Park, J., 304–305
Parthasarathy, M., 208–209
Participação do cliente
    exemplos, 346
    importância da, 343–347
    melhoria da, 356–366
    papéis desempenhados, 346–355
Passivos, 184–186
Pasztor, Andrew, 603–604
Patricio, L., 244
Patterson, P. G., 175–176, 194, 208
Paul, M., 106, 272–273, 321, 490
Pauwels, K., 74
Paytrust, 63–65
Pebble Beach Resort, 70
Pechmann, C., 161–162, 354–358
Pecotich, A., 209
Penenberg, A., 101
People Express, 595–596
Peppers, D., 174–175
Perakis, G., 453
Percepção do cliente
    modelo de lacunas, 35
    satisfação *versus* qualidade, 77–78
    sobre a qualidade do serviço, 12–15, 475–480
    transação *versus* cumulativa, 77–79
Percepções cumulativas, 77–79
Perda de liderança, 461
Perecibilidade dos serviços, 22–24
Perot Systems, 9–10, 223–224
Persona, 218–221
Pesquisa com o cliente *on-line*, 42
Pesquisa de atributos, 130–131
Pesquisa de marketing. *Ver* Pesquisas
Pesquisa de usuário líder, 130–131
Pesquisa qualitativa, 114–115
Pesquisa quantitativa, 114–115
Pesquisa sobre expectativas futuras, 117–118, 130–131, 134, 136
Pesquisas, 111–143
    análise e interpretação, 131, 134, 136–138
    avaliação dos controles de processo, 128–129
    clientes-fantasma, 117–118, 129–131
    comunicação ascendente, 136–139
    critérios de efetividade, 114–121
    custos e benefícios, 116–118
    de clientes perdidos, 130–131, 198
    de usuários líderes, 130–131
    em mercados emergentes, 134–136
    estudos sobre incidentes críticos, 121–123
    etnografia orientada para o mercado, 128–130
    exigências, 122–123, 126
    expectativas futuras, 130–131, 134, 136
    matriz do desempenho e importância, 134–138
    objetivos da, 113–114, 116–118

on-line, 42, 120–122
painéis de clientes, 130–131
pesquisa de marketing com base de dados, 132–133
por meio de reuniões e avaliações, 127–129
qualitativa/quantitativa, 114–115
solicitação de reclamação (*Ver* Reclamações)
utilizando informações, 136–138
utilizando pesquisas, 123, 126–128
utilizando redes sociais, 111–112
Pesquisas de exigência, 122–123, 126
Pesquisas de relacionamento, 123, 126–127
Pesquisas pós-transação, 125–128
Pessoas, 25–27, 313–314, 343. *Ver também* Funcionários do serviço
Peters, T. J., 142–143
Petersen, J. A., 490
PetSmart, 5–7, 9–10, 14, 213–215, 220–226, 286–287
Petzinger, T., Jr., 380
Pew Internet, 358
PharmCo, 347–348
Philips Electronics, 227–229
Pieters, R., 208
Pietzsch, Holger, 605
Pills, Jonas, 545–546, 552–559
Pillsbury, 11–12
PIMS, 470–472
Pine, B. J., 174–175, 303–304
Pirâmide do cliente, 158–159
Pizza Hut, 202
Planejamento inicial, 224–228
Planejamento inicial indefinido, 224–225
Plant, R., 31
Poder de decisão, 40–41, 188, 249–250, 329–331
Poka yokes, 199
Ponta do iceberg, 179
Pontos de contato, 218–221
Prahalad, C. K., 344–345, 367–368
Pranter, C. A., 365, 367–369
Prática do pingue-pongue, 187
Pratt, G., 304
Precificação bipartite, 461
Precificação cativa, 461
Precificação dos serviços, 435–463
   abordagens à, 442–451
   amarrada, 163–164, 427, 454, 460
   baseada em custos, 443–445
   baseada em resultados, 461
   baseada na concorrência, 444–447
   baseada na demanda, 446–451
   complementar, 461
   conhecimento do cliente sobre, 437–441
   de penetração, 456–457
   descontos, 451, 456
   desenvolvimento de estratégia, 450–462
   diferenciação na, 383–384
   dinâmica, 452–453
   enquadramento, 460
   global, 446–449
   modular, 454–455
   pague por clique do mouse, 461
   papel dos custos financeiros na, 440–443
   por congestionamento, 445–447
   por desnatamento, 457–458
   por valor, 447–451, 459
   precificação por prestígio, 457–458
   precificação sincronizada, 451, 456–457
   preços de referência, 437–439
   preços diários, 45
   promocional, 439
   psicológica, 451, 456
   qualidade do serviço e, 442–443
   segmentação de mercado, 459
   setor aéreo, 435–436
   variação na, 437–439
   visibilidade da, 439–441
Precificação pelo índice corrente, 446–447
Precificação por contingência, 461
Preço amarrado, 163–164, 427, 454, 460
Preços de referência, 437–439
Prêmio Malcolm Baldrige de Qualidade, 71, 247, 262, 269–270, 470, 471, 474
Prestação do serviço
   focada no cliente, 334–337
   lacuna entre a comunicação externa e, 44–45
   Modificar horários e locais, 381–382
Price, L. L., 105–106, 174–175, 245, 303–304
Priceline.com, 452
PriceWaterhouseCoopers, 2, 9–10, 223–224
Priluck, R., 207–209
Privacidade, 17–19, 90–92, 133
Processo, 25–29
Procter & Gamble, 9–12, 225–226, 228
Produto interno bruto, 4–8
Progress Energy, 361–362
Progressive Corporation, 475–476
Projeto arquitetônico, 282–285, 291–293
Projeto de fatores humanos, 293–294
Projeto do serviço, 37, 39–40, 217–221
Promessas do bom serviço, 63–65, 412, 421–425
Promessas do serviço, 63–65, 412, 421–425
Promessas explícitas do serviço, 63–65
Promessas implícitas do serviço, 64–65
Prometer pouco no serviço deliberadamente, 71–72
Promoção de vendas, 423
Propaganda
   boca a boca, 154–155
   branding, 415–416, 421–423, 430–431
   comunicando as promessas do serviço na, 421–425
   definição, 423
   estratégias, 418
   humor na, 416, 419
   imagética interativa, 415–416
   incluindo os funcionários, 416, 418
   intangibilidade do serviço na, 414–421
   via Internet, 417, 419, 423, 425
Propriedades dos produtos, 23–24
Prospero, Michael A., 139
Protótipos do serviço, 218–221, 227–232
Prudential, 89–90, 415–416
Pruyn, A. Th. H., 402
Psicologia ambiental, 279–280

Puget Sound Energy, 250–252, 262
Pugh, S. D., 321, 338, 339
Pullman, M. E., 387, 403

Qualidade do serviço. *Ver também* Padrões de serviço
  definidos pelo cliente
    auditorias da, 45–47, 250–251, 253–257, 261, 331–332
    cultura e, 87–89
    desfecho, interações, física, 86–87
    dimensões, 86–92, 317
    e-service, 90–92
    marketing defensivo, 471, 474–475, 478
    marketing ofensivo, 470–471, 474
    modelo de lacunas (*Ver* Modelos de lacuna da qualidade do serviço)
    papel na redução de custos, 471, 474–475
    percepção do cliente sobre, 12–15, 475–480
    precificação e, 442–443
    principais condutores, 479–481
    queda na, 12–15
    recompensas pela, 71, 247, 262, 269–270, 470, 471, 474
    rentabilidade e (Ver Rentabilidade)
    retorno sobre, 467–469
    valor econômico dos clientes, 480
    versus produtividade, 322
    versus satisfação, 77–78
Qualidades da busca, 23–24
Qualidades da experiência, 23–24
Qualidades relativas à credibilidade, 23–25
Quan, X., 288, 303
Quatro P's, 25–27
Quinn, J. B., 30–31
Quinn, R. T., 338–339

Raajpoot, N., 106–107, 259
Rabinovich, E., 244
Radding, A., 30–31
Radford, R., 368–369
Rafaeli, A., 303, 338–339
Raghunathan, R., 74
Raine, George, 543–544
Ramaswamy, V., 344–345, 367–368
Ramirez, R., 368
Rapoport, A., 303–304
Ravid, S., 338–339
Rayport, J. F., 245
Reclamações
  acompanhamento, 195–197
  padrões de serviço, 253–262
  razões para, 183–184
  solicitação, 119–122
  tipos de ações, 184–186
  tipos de clientes que fazem reclamações, 184–186
  via Internet, 111–112, 184–186
Recompensas
  para os clientes, 352–355
  para os funcionários, 333–335
Recrutamento, 323–329, 361–365
Recuperação do serviço. *Ver também* Falha do serviço
  definição, 178–179
  desenvolvimento de estratégias, 179–181
  diferenças culturais na, 194
  efeitos da, 179–181
  garantias como uma ferramenta para a, 199–205
  impacto da, 178–183
  lacuna da empresa e, 37
  paradoxo da, 182–183
  solucionando o cliente, 186–195
  solucionando o problema, 195–199
  troca de prestadora versus continuando com a empresa, 204–205
Redbox, 485
Rede de hotéis Hampton Inn, 198, 200–201, 204–205, 262
Rede de hotéis Hilton, 112, 150–152, 165, 181
Rede de hotéis Homewood Suites by Hilton, 150–151
Rede de hotéis Marriott, 14, 61–62, 93–97, 112, 228–231, 270–271, 284–286, 323, 391–396, 479–481
Rede de hotéis Starwood, 112
Redes sociais, 111–112, 419, 426–427
Reed, Dan, 603–604
Reengenharia de processos, 332–333
Rego, L. L., 473
REI, 291–293
Reichheld, Frederick R., 93–94, 106–107, 154–155, 174–175, 208–209, 272–273, 475–477, 490
Reinartz, W. J., 30–31, 175, 245
Reinders, M. J., 368–369
Relacionamento assimétrico, 472–473
Relações públicas, 423, 425
Renault, Chloé, 545
Rendimento, gestão, 388–396
Rentabilidade
  marketing defensivo e, 471, 474–475, 478
  marketing ofensivo, 470–471, 474
  principais condutores da, 10–13, 479–481
  relacionamento entre serviços e, 469–470
  satisfação do cliente e, 316–317, 472–473
  segmentação do cliente e, 157–160
Reopel, M., 454
Representação física, 416
Responsabilidade, 189
Responsividade, 86–87, 89–90, 255–257, 317
Resposta rápida, a reclamações, 187–189
Retenção
  de clientes, 152–156, 471, 474–475, 478–481
  de funcionários, 156, 332–335
Retenção do cliente
  marketing defensivo e, 471, 474–475, 478
  principais condutores da, 479–481
  vantagem da, 152–156
Retorno sobre a qualidade do serviço (ROSQ), 467–469
Retorno sobre ativos (ROA), 472
Retorno sobre investimentos (ROI), 472
Retorno sobre o marketing, 481–483
Reynolds, K. E., 175–176, 368–369
Reynolds, K. L., 176
Reynoso, J., 339
Rhoads, G. K., 339
Rifkin, G., 434
Rigby, D., 245
Ritz-Carlton, 14, 60–62, 71, 77, 132, 187, 197, 203, 263–264, 270–271, 275, 312–313, 321, 328–329, 365, 371–374, 378–379, 383–384, 457–458, 474–475

Roberson, Donavon, 496-500
Rodie, A. R., 367-368
Rogers, M., 174-175
Roland, C., 489
Roos, I., 142, 208-209
Rose, R. L., 490
Rosenbauam, M. S., 174-176, 292, 303-305, 367-368
Rosenblum, D., 175
Rosenbluth, H., 338
Rosenthal, S. R., 245
Rossi, C. A. V., 207-208
Rossiter, J., 303-304
Roth, A. V., 243-244
Roundtree, R. I., 17-19, 107, 348-349, 367-369
Rucci, A., 338-339
Russell, J. A., 303-304
Russell-Bennett, R., 176
Rússia, 134-136
Rust, R. T., 30-31, 74, 105-107, 174-175, 467-468, 473, 481-483, 489, 490
Ruyter, K., 121-122
Ryan, Renee, 240
Ryanair, 435-436

Sabol, B., 174
Sachs, A., 447-449
Saegert, S., 303
Salgado, Geyza, 512
Salopek, J. J., 339
Salter, C., 229-231, 339, 603-604
Saltz, J., 338
Salvendy, G., 304
Sammon, Lindsay E., 511
Sanchanta, M., 299
Sanden, B., 243-244
Sanders, M. S., 304
Sanders, P., 303
Sandvik, K., 175-176
Sanserino, M., 93-94
Sansom, Brent, 542-543
Santamaria, J. A., 340
Sarel, D., 208-209
SAS, 280-282, 327-329
Sasser, W. E., Jr., 31, 85-86, 106-107, 154-155, 158, 174-175, 188, 207-209, 316, 338-339, 490
Satisfação do cliente
 cenários, 351
 definição, 79-80
 desfechos da, 84-87
 determinantes da, 79-82
 fidelidade e (*Ver* Fidelidade do cliente)
 importância da, 35
 índices da, 3-4, 11-13, 82-86, 100, 472, 486
 mensuração da, 486
 papéis do cliente na, 349-352
 questões culturais, 87-89
 rentabilidade e, 316-317, 472-473
 satisfação do funcionário e, 316-317
 teorias sobre a queda na, 12-15
 versus qualidade, 77-78

Satisfação no trabalho, 316-317
Sawhney, M., 30-31, 227-229, 244, 344-345
Scannel, E., 453
Schaefer, Mary, 512
Schechter, D., 339
Schenker, 545-546
Scheuing, E. E., 106-107, 234-236, 245, 304-305
Schlesinger, L. A., 31, 85-86, 106-107, 158, 175, 316, 338-339, 490
Schmitt, B. H., 303, 303-304
Schneider, B., 106, 244, 316, 338, 339, 366-367, 434
Schneider, J., 244
Schoder, D., 176
Schorr, James L., 11-12, 147-148
Schrager, Ian, 276
Schultz, Howard, 332-333, 496-498
Schwartz, T., 434
Scott, L., 175
Screeners, 293-294
Sears Auto Center, 81-82
Segmentos de rentabilidade do cliente, 157-160
Sehorn, A. Garcia, 245
Seiders, K., 106, 171, 176, 208-209
Seis sigma, 469
Sekii Ladies Clinic, 282-285
Selnes, F., 149, 174-176
Seltman, K. D., 297-300, 325, 434
Seo, H., 288
Serbin, J., 106-107
Sergeant, A., 339
Serviço a distância, 279-280
Serviço ao cliente
 auditorias, 45-47, 250-251, 253-257, 261, 331-332
 definição, 5-7
 exemplar, 14
 mudanças no, 16-19
 on-line, 190-191
Serviço derivado, 5-7, 58-59
Serviço evidente, 218-221
Serviço interno, mensuração do, 331-332
Serviço percebido, 59-62, 67, 77-79. *Ver também* Percepção do cliente
Serviço previsto, 62-63
Serviço ruim, recuperação. *Ver* Recuperação do serviço
Serviço sequenciado, 218-221
Serviços
 características dos, 19-25
 como produtos, 4-5
 contribuição para o PIB, 4-5
 definição, 3-5
 globalização dos, 16-19
 importância econômica dos, 6-8
 intangibilidade, 5-8, 20-22, 411-412, 414-421
 lucros e (*Ver* Rentabilidade)
 migração de empregos, 18, 54-56
 novos métodos de prestação, 15-17
 percepção do cliente sobre (*Ver* Percepção do cliente)
 perecibilidade dos, 22-24
 valor da inovação nos, 9-10
 versus setor de serviços, 4-5
Serviços de credibilidade, 277
Serviços focados no usuário, 217-220

Serviços intensivos em conhecimento (SIC), 347–349
Serviços interpessoais, 279–282
Serviços principais, 160–162
SERVQUAL, 86–89, 123, 126–127, 268–269
Setor de serviços, 4–7
Setores desregulamentados, 9–12
7-Eleven, 289–290
Seybold, P. B., 366–367
Shaffer, R. A., 208–209
Shah, D., 174
Shamir, B., 339
Shankar, V., 244
Sharpe, M. E., 30–31
Shaw-Ching Liu, B., 88–89
Shelley, Chris, 337
Shepherd, C. D., 105–106
Sherry, J. F., Jr., 303–304
Sherwin-Williams, 332–333
Sheth, J. N., 174, 207–208
Shih, E., 368
Shostack, G. Lynn, 6–8, 107, 243–245, 272–273, 368
Shugan, S. M., 402
Shute, N., 395
Siebel, Tom, 333–334
Siefker, Rob, 500
Siemanski, B., 490
Siemens, 14
Silk, S., 490
Silvestro, R., 338–339
Símbolos, 287–289, 294–297
Sin, H. P., 176
Sinalização, símbolos e acessórios, 287–289, 294–297
Sinalização do preço, 445–447
Singapore Airlines, 27–29, 250–251, 270–271, 309, 430–431
Singh, J., 174, 207–208, 339
Siomkos, G., 303–304
Siredeshmukh, D., 174
Sirianni, C., 321
Sistemas de informações sobre o cliente, 150
Sistemas de suporte para funcionários, 331–333
Skålén, P., 209
Skinner, S. J., 368–369
Sloan, Allan, 604
Smidts, A., 402
Smith, A. K., 207–209, 368
Smith, Fred, 332–333, 471, 474
Smith, J., 142–143
Smith, R., 361–362
Smith, T., 175–176
Smith-Daniels, V., 244
Snodgrass, J., 304
Snyder, Brett, 544
Snyder, J., 395
Socializadores, 284–287
Sociedade Norte-americana para a Qualidade, 486
Software de suporte a vendas, 15–17
Solicitação de reclamação, 119–122. *Ver também* Reclamações
Solomon, M. R., 107, 303, 403
Solução de problemas, 195–199
Soluções simples, 262

Soman, D., 403
Song, 595–596
Southwest Airlines, 14, 27–29, 28, 84–85, 314, 326, 334–335, 430–431, 435–436, 441–442, 459, 589
Spain, Al, 594–595
Spangenberg, E. R., 304–305
Sparks, B. A., 208, 209
Speedi-Lube, 283
Spender, J. C., 245
Spirit, 435–436
Spohrer, Jim, 43
Sprint/Nextel, 170
Srivastava, S., 171
Staelin, R., 174, 490
Stahl, H. K., 175
Stanley, B., 303
Starbucks, 284–286, 328–329, 332–333, 421, 496–498
State Farm, 415–416
Stauffer, D., 340
Steinbach, Linda, 134–136
Steiner, D. D., 338–339
Stengle, J., 272–273, 395
Stephens, N., 208
Stevens, A., 463
Stewart, D. M., 208–209
Stewart, P., 303, 338
Stickdorn, M, 244
Stokols, D., 303–304
Stoller, G., 447–449
Stone, G., 303–304
Storey, J., 338
Story, C., 243–244
Stricker, G., 417
Strickler, Andrew, 603–604
Strong, B., 245
Stuart, I., 245, 245
Subjetividade, 216
Subramanian, B., 489
Substituição, 249–250
Substituição da tecnologia, 249–250
Substituição externa, 352
Substituição interna, 352
Subway, 410
Sudharshan, D., 88–89
Suh, J., 174–175
Sulek, J. M., 304–305, 403
Sullivan, M., 490
Sun, J., 454
Sundstrom, E., 303
Supersimplificação, 215
Surprenant, C. F., 107, 368–369, 403
Suther, T. W., III, 142–143
Swartz, T. A., 31, 105–106, 203, 209, 243–244, 303, 338–339, 367–369, 403
Sweeney, J. C., 73–74, 292
Swinmurn, Nick, 491–492, 496–498
Symantec, 43, 187
Sysco, 137–138
Szymanski, D. M., 243–244

Taco Bell, 459
Tagarelas, 184–186
Tähtinen, J., 176
Tangíveis
    definição, 90–92
        explicação sobre, 20–21
        na propaganda, 415–416
        qualidade do serviço e, 86–89
Tanny, S., 454
Target, 100
TARP Worldwide Inc., 85–86, 179, 475–477
Tarsi, C. O., 175
Tatikonda, M. V., 245
Tax, S. S., 193, 197, 207–208
Taxa do serviço, 444–445
Taylor, S. F., 175–176, 208–209, 340, 402, 403
Teas, R. K., 73–74
TechCo, 347–348
Técnicas de incidente crítico (*Critical incident techniques*, CIT), 121–123
Tecnologia
    autoatendimento, 99, 103–105, 236–238, 354–357
    em auxílio ao serviço ao cliente, 324–325
    encontros de serviço, 99, 103–105
    expectativas do cliente com a, 60–62
    Internet (*Ver* Internet)
    lacunas no serviço e, 42–43
    lado negativo da, 17–20
    para os funcionários, 331–332
    para soluções simples, 262
    redes sociais, 111–112, 419, 426–427
    sistemas de informação sobre os clientes, 150
    tendências na, 13–20
Tecnologia Exit-express, 60–62
Ted, 595–596
Teicher, S. A., 18
Tekes, 217–219
TeleCheck International, 157
Telefonemas de sondagem, 125–128, 266, 268–269
Tellis, G. J., 245, 463
Templin, N., 391–393
Teoria básica do estímulo-organismo-resposta, 286–290
Teoria do balde no marketing, 147–148
Terceirização, 54–56, 385–388
Terceiros lares, 286–287, 292
Teste de mercado, 230–232
Teste de novos serviços, 227–232
Tetreault, M. S., 107, 207
Thakor, M. V., 403
Thomas, R. J., 245
Thomke, S., 244, 245
Thompson, G., 387
Thompson, V. B., 338–339
Thornton, E., 446–447
Thorpe, D. I., 105–106
Tierney, P., 106, 303–304
Time Warner Cable, 454
Títulos de capital, 162–164
Titus, P. A., 304–305
TNT, 545

Tobin's q, 472–473
Tombs, A., 292, 303–304
Tomlinson, D., 175
Tong, V. T. -U, 175, 208–209
Totzek, D., 175
Toyota, 258–259, 480
Trabalho em equipe, 329–331, 431–433
Trade-offs entre produtividade e qualidade, 322
Trader Joe's, 114
Transações, percepções sobre, 77–79
Travelers Companies, 415–416
Travelocity, 441–442
Treinamento
    dos clientes, 361–364
    habilidades técnicas e interativas, 328–329
    interdisciplinar, 41, 385–388
Triângulo do marketing de serviços, 315–316, 335–336, 409–410
Tripp, Thomas M., 112, 209
Troca
    após a falha no serviço, 204–205
    barreiras contra, 161–163
    custo da, 162–163
Trusov, M., 74
Tse, D. K., 175–176, 403
Tsiros, M., 105–106
Tuli, K. R., 222–223, 244
Tuna, C., 93–94
Twitter, 111, 407–408, 419, 426, 451, 456

Ulaga, W., 30–31, 175–176, 245, 545
Ulrich, D., 338
Ulrich, R. S., 288, 303
Ulwick, A. W., 244
Underhill, P., 245
United Airlines, 112, 590, 595–598
United quebra violões (estudo de caso)
    desfecho, 542–544
    histórico, 534–535
    o incidente, 535–537
    o vídeo, 536–539
    resposta da companhia aérea, 539–543
United States Trust Co., 11–12
Universal Card Services, 309
Upah, G. D., 142, 368
UPS, 312–313, 324, 326, 375–376, 387
Urbanski, Robin, 539–542
US Airways, 435, 590, 597–598
USAA, 71, 145–148, 151–152, 161–162, 309
Uttal, B., 74

Vail Resorts, 119–121
Valentini, S., 207–208
Valor
    de um cliente, 156–158
    estratégias de precificação e, 447–451, 459
    no ciclo de vida, 156–158
Valor de mercado agregado (VMA), 84–85
Valor percebido, 447–451
Valores para referência, 474–475
Vantagens econômicas do marketing de relacionamento, 153–155
Varejistas, 41

Varejo eletrônico, 90–92
Vargo, S. L., 5–7, 30–31, 344–345, 367–368
Variação em preços, 437–439
Vashistha, A., 18
Vasos, Michael, 447–449
Vavra, T., 74
Vendas pessoais, 425
Venture Frogs, 496
Verhoef, P. C., 105–107
Verizon, 322
Versioning, 454
Vietor, R. H. K., 30–31
Vik, David, 499
Vínculos de customização, 161–162, 164–165
Vínculos estruturais, 165–166
Vínculos no relacionamento, 162–166
Vínculos sociais, 163–165
Virgin America, 435
Virgin Atlantic Airways, 423–425
Virzi, A. M., 325
Visão organizacional, 224–225, 332–333
Visibilidade do preço, 439–441
Visualização, 416
Vizard, M., 453
Vojta, G. J., 6–8
Volvo, 609–610
Voorhees, C. M., 207–208, 403
Voss, C. A., 243–244
Voss, G. B., 304, 402
Voyer, P. A., 433–434

Wachovia, 445–446
Wakefield, K. L., 304–305
Waldorf-Astoria, 150
Walker, B. A., 175, 292, 303–304
Walker, Jim, 512, 522–524, 526–527
Wall, E. A., 303–304
Wall, I., 447–449
Walla, Vic, 407–408
Wallace, J., 121–122
Walmart, 138–141, 321, 381–382
Walsh, G., 208
Walt Disney, 137–138, 250–251
Walton, Sam, 138–141
Wang, S., 209, 340
Wangenheim, F., 402
Ward, J. C., 208, 304–305
Ward, James, 292, 303–304
Ward, L. M., 304
Watson, J. L., 299
Weber, Harry R., 603–604
WebMD, 358
Webster, C., 74
Webster, F. E., Jr., 174
Wei, M., 353
Weible, R., 121–122
Weight Watchers, 215, 346–347, 361–364
Weil, Gotshal, and Manges, 313–314
Weil, Virginia, 134–136
Weinstein, J., 272–273

Weitz, B. A., 304
Wells, M., 489
Wells Fargo Bank, 224–226, 445–446
Wendy's, 423
Wernerfelt, B., 490
Wesson, Josh, 590
WestJet, 589
Wetzels, M., 121–122
Weyerhaeuser, 431–432
White, L., 175
Wiertz, C., 272–273, 490
Wiles, M. A., 106–107
Willcocks, L. P., 31
Williams, Justin, 507–508
Wilson-Pessano, S., 142
Windhorst, C., 292
Wing Zone, 321
Winig, Laura, 491
Winkel, G. H., 303
Wirtz, J., 176, 209, 304, 338–339, 373, 402
Witell, L., 30–31, 244
Woellert, W., 463
Wolf, R., 395
Wolfinbarger, M., 106–107
Wong, Grace, 603–604
Woo, S., 101
Woodruff, R. B., 74
Woods, Rodney, 11–12
Woodside, A. G., 107, 207–208
Wright, P., 338

Xerox, 9–10, 85–86, 217–218, 223–224, 419, 475–477
Xue, M., 367–368

Yadav, M. S., 207–209
Yahoo!, 323, 461
Yalcin, A., 106–107
Yanamandram, V., 175
Yang, C., 303
Yap, K. B., 73–74
Yellow Transportation, 14
Yim, C. K., 175–176, 368
Yoo, C., 304–305
Young, R. F., 367–368
Young, S., 338–339
YouTube, 417, 419
YRC Worldwide, 14, 349–350
Yu, Roger, 112

Zahorik, A. J., 467–468, 473, 490
Zane, Chris, 75–76, 105, 171
Zane's Cycles, 14, 75–77, 170–171
Zappos, 100, 250–251, 255–257, 262, 314, 329–333
Zappos.com 2009 (estudo de caso), 491–511
    2005-2008, 496–498
    crescimento futuro, 508–510
    cultura da companhia, 496–502
    dados financeiros, 491–496
    início da década de 2000, 496
    serviço ao cliente, 502–508
    vestuário, 508–510

Zeelenberg, M., 208
Zeithaml, V. A., 20–21, 31, 43, 48, 57–58, 68, 73–74, 86–87, 105–107, 125–127, 142–143, 174–175, 208–209, 245, 434, 463, 473, 478, 481–483, 489, 490, 605, 613–614
Zhou, R., 403
Zhu, X., 288
Zimring, C. M., 288

Zinkhan, G., 105–106
Zmuda, Natalie, 511
Zomerdijk, L. G., 244
Zona de tolerância, 54–58, 131, 134–135, 478
Zook, C., 245
Zuckerberg, Mark, 217–221